D1509150

UN ENFANT
DE LA BALLE

Du même auteur

JOHN IRVING

UN ENFANT
DE LA BALLE

roman

TRADUIT DE L'AMÉRICAIN
PAR JOSÉE KAMOUN

ÉDITIONS DU SEUIL
27, rue Jacob, Paris VIe

CE LIVRE EST ÉDITÉ PAR ANNE FREYER

Titre original : *A Son of the Circus*
Éditeur original : Random House, New York
© original, 1994 Garp Enterprises, Ltd
ISBN original 0-679-43496-8

ISBN 2-02-020637-4

© Éditions du Seuil, avril 1995, pour la traduction française.

Note de l'auteur

Ce roman n'est pas un roman sur l'Inde. Je ne connais pas l'Inde. Je m'y suis rendu une seule fois, et j'y suis resté moins d'un mois. Ce qui m'a frappé là-bas, c'est l'étrangeté du pays, qui m'est demeuré obstinément étranger. Mais bien avant ce séjour, j'avais eu l'idée de ce personnage qui, né en Inde, l'avait quittée et ne cessait d'y retourner, encore et toujours : c'était plus fort que lui. Et, à chaque voyage, il avait le sentiment que le pays lui échappait un peu plus. A lui aussi l'Inde demeurait étrangère, impénétrable.

Mes amis indiens m'ont dit : « Fais-en un Indien, un vrai, mais indien sans l'être. » Ils m'ont suggéré que partout où il irait, y compris dans son pays d'adoption, il lui faudrait éprouver cette impression d'étrangeté ; le fond de l'affaire, c'était qu'il était étranger partout. « Il ne te reste plus qu'à mettre les détails au point », ont-ils conclu.

Je suis parti en Inde à la demande de Martin Bell et sa femme, Mary Ellen Mark. Ils m'avaient proposé de leur écrire un scénario sur les enfants de cirque en Inde. J'ai donc travaillé en même temps sur le scénario et sur le roman, plus de quatre ans ; je révise actuellement le scénario, qui s'appelle aussi *Un enfant de la balle*, quoique l'histoire ne soit pas celle du roman. Je vais sans doute continuer de réviser ce scénario jusqu'à ce que le film soit produit, à supposer qu'il le soit un jour. C'est Martin et Mary Ellen qui, en m'envoyant en Inde, sont, en quelque sorte, à l'origine de ce roman.

Je dois aussi beaucoup à ces amis indiens qui se trouvaient à Bombay avec moi en janvier 1990. Je pense à Ananda Jaisingh en particulier, et aux membres du Grand Cirque royal qui m'ont accordé leur temps si généreusement. Et surtout, je voudrais dire ma reconnaissance envers quatre amis indiens qui ont lu et relu le manuscrit ; ce sont leurs efforts pour me tirer de mon ignorance et rectifier mes

5

erreurs qui m'ont permis d'écrire ce livre. Ma dette envers eux pour ce roman est immense, et je tiens à les nommer.

Je remercie donc Danyata Singh de New Delhi ; Farrokh Clothia, de Bombay ; le Dr Abraham Verghese d'El Paso, au Texas, et Rita Mathur, de Toronto. Merci, encore, à Michael Ondaatje, qui m'a présenté Rohinton Mistry, lequel m'a présenté à Rita. De son côté mon ami James Salter, avec la bonne grâce et la gentillesse qui sont les siennes, m'a permis de faire un usage quelque peu tendancieux de son élégant roman *A Sport and a Pastime*. Merci, Jim.

Comme toujours, je suis redevable envers d'autres écrivains, mon ami Peter Matthiessen, qui a lu le tout premier jet, pour lequel il a sagement diagnostiqué quelques interventions chirurgicales ; mes amis David Calicchio, Craig Nova, Gail Godwin et Ron Hansen (sans parler de Rob, son frère jumeau) ont également supporté l'épreuve de ces premières versions. Et je tiens à dire ma gratitude envers Ved Metha pour ses conseils épistolaires.

Selon mon habitude, j'ai dû demander les lumières de plusieurs médecins, et je remercie le Dr Martin Schwartz, de Toronto, d'avoir bien voulu relire de près mon avant-dernière version ; de même, merci au Dr Sherwin Nuland, de Hamden, dans le Connecticut, et au Dr Burton Berson, de New York, qui m'ont fourni des études de cas d'achondroplasie. (Depuis que ce roman a été achevé, le gène de l'achondroplasie a été découvert ; le biologiste John J. Wasmuth, chef de l'équipe de chercheurs en biologie à l'université de Californie, Irvine, m'a écrit qu'il regrettait de n'avoir lu *Un enfant de la balle* qu'après avoir rédigé son rapport sur l'identification du gène du nanisme achondroplase – « car j'aurais plagié certaines de vos formulations ». Je crois bien que le héros de mon roman, le Dr Daruwalla, aurait été satisfait.)

Je dois également beaucoup à la générosité de June Calwood et John Fannery. Au cours des quatre ans qu'il m'a fallu pour écrire le roman, mes assistants, Heather Cochran, Alison Rivers et Allan Reeder ont fait un travail remarquable. Mais il n'y a qu'une seule personne qui ait lu ou entendu lire l'histoire dans toutes ses versions, et c'est ma femme, Janet. Pour avoir supporté ces milliers de pages, sans parler des voyages forcés, je la remercie du fond du cœur.

Enfin, je voudrais exprimer toute mon affection à mon éditeur, Harvey Ginsberg, qui avait officiellement pris sa retraite lorsque j'ai remis mon manuscrit de 1 094 pages – et n'a pas hésité pourtant à en mettre le texte au point.

Je le répète, je ne connais pas l'Inde, et *Un enfant de la balle* n'est pas un roman « sur » ce pays. C'est cependant un roman qui se passe en Inde, et met en scène un Indien-sans-l'être pour qui l'Inde demeurera inconnue et inconnaissable. Si les détails sont justes, le mérite en revient à mes amis indiens.

Pour Salman

1
Le corbeau perché sur le ventilateur

Le sang des nains

D'ordinaire, c'étaient les nains qui le faisaient revenir, revenir au cirque, et à l'Inde. Le sentiment de quitter Bombay « pour la dernière fois » lui était familier ; presque chaque fois que le docteur quittait l'Inde, il formait le vœu de n'y plus jamais revenir. Et puis les années passaient, rarement plus de quatre ou cinq, en règle générale, et il se retrouvait dans un vol long-courrier au départ de Toronto. Certes, il était né à Bombay, mais cela n'expliquait rien, du moins s'il fallait l'en croire. Son père et sa mère étaient morts tous les deux ; sa sœur vivait à Londres, son frère à Zurich. Sa femme était autrichienne, leurs enfants vivaient les uns en Angleterre, les autres au Canada ; aucun ne voulait vivre en Inde, ils s'y rendaient même rarement, et d'ailleurs, aucun d'entre eux n'y était né. Mais le docteur, lui, était voué à retourner à Bombay, encore et toujours, sinon à jamais – du moins tant qu'il y aurait des nains au cirque.

Les nains achondroplases constituent la majorité des clowns de cirque en Inde ; on les appelle des lilliputiens de cirque, mais ce ne sont pas des lilliputiens, ce sont des nains. L'achondroplasie est le type le plus répandu de nanisme s'accompagnant d'atrophie des membres. Un nain achondroplase peut naître chez des parents normaux, mais ses enfants auront, eux, cinquante pour cent de risques d'être nains. Ce type de nanisme est le plus souvent le résultat d'un phénomène génétique rare, d'une mutation spontanée, qui devient alors un caractère dominant chez les enfants du nain. Personne n'en a découvert le marqueur – mais il faut avouer que les grands généticiens de notre temps ne se sont pas évertués à le chercher.

Il se peut même que le Dr Farrokh Daruwalla ait été le seul à concevoir l'idée farfelue de chercher le marqueur génétique de ce type de nanisme. La passion de cette hypothétique découverte le conduisait à collecter des échantillons de sang de nains. L'aspect fantaisiste de son idée ne faisait aucun doute : son projet sur le sang des nains n'avait aucun intérêt pour l'orthopédie, or, précisément, le docteur était orthopédiste, la génétique n'était qu'une de ses marottes. Et pourtant, même s'il ne venait pas souvent à Bombay, et n'y séjournait pas longtemps, personne en Inde n'avait jamais prélevé de sang à autant de nains ; personne n'en avait jamais saigné autant que lui. Dans les cirques indiens qui passaient par Bombay, et dans ceux qui fréquentaient les villes plus petites du Gujarat et du Maharashtra, c'était avec une bonne dose d'affection qu'on l'avait surnommé le vampire.

Ce qui ne veut nullement dire qu'en Inde, un médecin exerçant la spécialité du Dr Daruwalla n'ait pas l'occasion de rencontrer nombre de nains ; ils souffrent en effet de problèmes orthopédiques chroniques, de douleurs dans les genoux et les chevilles, sans parler des lombalgies. Avec l'âge et la prise de poids, ces symptômes sont susceptibles de s'aggraver : la douleur aura alors tendance à irradier peu à peu dans les fesses, la partie postérieure des cuisses et les mollets.

A l'hôpital des Enfants malades de Toronto, le Dr Daruwalla voyait très peu de nains ; en revanche, à l'hôpital des Enfants infirmes de Bombay où, à l'occasion de ses visites successives, il jouissait du titre de chirurgien consultant honoraire, il comptait beaucoup de nains parmi ses patients. Mais ces nains, s'ils étaient prêts à raconter au médecin l'histoire de leur famille, répugnaient à lui donner leur sang. Le leur en prélever contre leur gré eût été contraire à la déontologie, dans la mesure où la majorité des douleurs orthopédiques dont souffraient les nains achondroplases ne nécessitaient pas d'analyses de sang. Par conséquent, le devoir exigeait qu'il leur expliquât la nature scientifique de son projet de recherche, après quoi il leur demandait l'autorisation de leur prélever du sang – autorisation qu'ils lui refusaient presque toujours.

Le nain le plus proche du docteur par l'affection constituait un cas de figure caractéristique de ce type d'attitude. En termes d'amitié, Farrokh et Vinod étaient des vieux de la vieille, car le nain représentait le lien le plus viscéral du médecin avec le cirque ; il était en effet le premier nain à qui il ait demandé du sang. Ils s'étaient rencontrés lors de la consultation du docteur, à l'hôpital des Enfants infirmes ; leur conversation coïncidait avec une fête religieuse hindoue, la fête de Diwali, ou fête des lumières, qui amenait le cirque du Grand Nil bleu à Bombay. Vinod, qui était un clown nain, et Deepa, sa femme, qui était normale, avaient conduit leur fils à l'hôpital pour lui faire examiner les oreilles. Non pas que Vinod s'imaginât que l'hôpital s'occupait d'ordinaire des oreilles − c'était un organe qui apparaissait rarement au registre des problèmes orthopédiques −, mais il considérait à juste titre que tous les nains étaient des infirmes.

Néanmoins, le docteur ne réussit jamais à persuader Vinod que son nanisme, ou celui de son fils, pût avoir des raisons génétiques. Il voyait les choses autrement. Si lui, issu de parents normaux, était nain, ce n'était pas le résultat d'une mutation génétique, non. Il croyait l'histoire de sa mère : le matin d'après sa conception, elle avait regardé par la fenêtre, et le premier être vivant qu'elle avait vu était un nain. Et si Deepa, sa propre femme, qui était normale, « presque belle », comme il disait, avait eu un fils nain, Shivaji, ce n'était pas parce que le gène était devenu dominant, non. C'était parce qu'elle avait eu le malheur d'oublier ce qu'il lui avait dit. Le matin d'après sa conception, le premier être vivant sur lequel elle avait posé les yeux, c'était lui, Vinod. Voilà pourquoi, selon lui, Shivaji était nain. Il lui avait bien dit, à sa femme, de ne pas le regarder, le lendemain, mais elle avait oublié.

Quant à expliquer que Deepa, fille « presque belle », ou en tout cas normale, ait épousé un nain, cela tenait au fait qu'elle n'avait pas de dot. Sa mère l'avait vendue au Grand Nil bleu. Et comme la jeune fille était encore très novice au trapèze, elle ne gagnait presque rien. « Seul un nain pouvait vouloir d'elle », concluait Vinod.

Le problème de leur fils Shivaji était dû au fait que les infections chroniques et récurrentes de l'oreille moyenne sont fréquentes chez les nains achondroplases ; si on ne les traite pas, elles entraînent souvent des pertes importantes de l'acuité auditive. Vinod lui-même était à moitié sourd. Mais le médecin ne put jamais faire son éducation sur ce chapitre, ou sur tout autre lié à son nanisme et celui de son fils, comme leurs mains dites « de Poland », par exemple, dotées de doigts courts et palmés de manière caractéristique. Il remarquait également les pieds larges et courts du nain, ses coudes légèrement fléchis, qui ne pouvaient jamais être en extension complète ; il essaya

13

de lui faire admettre que, comme ceux de son fils, ses doigts n'atteignaient que ses hanches, que son ventre était proéminent, et que, même en position allongée, sa colonne vertébrale présentait une cambrure caractéristique. C'était d'ailleurs cette lordose et la projection en avant du bassin qui expliquent que les nains se dandinent en marchant.

« Nains se dandinent naturellement, voilà tout », répondait Vinod. Il en faisait un article de foi et refusait absolument de se départir d'un seul tube de sang. Il était là, assis sur la table de consultation, et secouait une tête consternée devant les théories du docteur sur le nanisme.

Comme celle de tous les nains achondroplases, cette tête était hypertrophiée. On ne lisait guère d'intelligence sur son visage, à moins de considérer qu'un front bombé dénotait des capacités cérébrales ; le milieu du visage, lui aussi caractéristique, était en retrait ; les joues et le sommet de l'arête du nez aplatis, tandis que le bout du nez était, lui, charnu et retroussé ; la mâchoire était si prognathe que le menton en devenait proéminent, et si la tête légèrement projetée en avant n'évoquait pas un rare bon sens, toute la physionomie annonçait en revanche une détermination hors du commun. L'apparence agressive du nain était encore soulignée par un trait commun à ses congénères : chez les achondroplases, les os longs sont hypoplasiques et la masse musculaire comme contractée, ce qui crée une impression de force considérable. Chez Vinod, qui avait passé sa vie à apprendre à tomber et faire toutes sortes d'acrobaties, les muscles des épaules étaient fort bien dessinés ; les avant-bras et les biceps étaient saillants aussi. Vinod était un vétéran parmi les clowns de cirque, mais il avait l'air d'un tueur miniature. A vrai dire, Farrokh avait un peu peur de lui.

– Et qu'est-ce que vous voulez en faire de mon sang, au juste ? lui avait demandé le nain.

– Je cherche cet élément secret qui a fait de vous un nain.

– Mais ça n'a rien de secret, d'être un nain.

– Je cherche quelque chose dans votre sang, et si je le trouve, ça empêchera les autres de donner naissance à des nains, expliqua le médecin.

– Et pourquoi vous voulez supprimer nains ?

14

– Ça ne fait pas mal de donner son sang, l'aiguille ne fait pas mal, tenta Farrokh.

– Toutes aiguilles font mal.

– Ah bon, vous avez peur des aiguilles ?

– Non, mais j'ai besoin de tout mon sang, en ce moment.

Deepa la presque belle ne permit pas au docteur de piquer son fils avec une aiguille, elle non plus, mais mari et femme lui apprirent que le Grand Nil bleu était encore pour une semaine à Bombay, et ils lui laissèrent entendre qu'il y aurait là-bas d'autres nains qui pourraient lui donner leur sang. Vinod ajouta qu'il serait ravi de lui présenter les clowns du Nil bleu. Il lui conseilla en outre de les soudoyer par de l'alcool et du tabac, et l'engagea à alléguer une autre raison pour vouloir leur sang. « Dites-leur que c'est pour redonner des forces à nain mourant. »

C'est ainsi que les recherches sur le sang des nains avaient commencé. Cela se passait quinze ans auparavant, lorsque le docteur s'était rendu à Cross Maidan, où le cirque avait monté son chapiteau. Il apportait ses aiguilles, ses seringues en plastique et ses tubes de verre (ou *vacutainers*). Pour acheter les bonnes grâces des nains, il apportait aussi deux caisses de Lager Kingfisher ainsi que deux cartouches de Marlboro. Vinod lui avait expliqué que les Marlboro faisaient fureur chez les clowns nains à cause de leur admiration pour le type du cow-boy qu'elles représentaient. La suite des événements prouva que Farrokh aurait dû se dispenser de la bière. Dans la chaleur immobile du début de soirée, les clowns du Grand Nil bleu avaient absorbé trop de Lager ; deux d'entre eux s'étaient évanouis au moment de la prise de sang – ce qui confirma Vinod dans l'idée qu'on n'en avait jamais une goutte de trop.

Même la pauvre Deepa avait ingurgité une Kingfisher ; peu avant son numéro, elle se plaignit d'un léger vertige, qui s'aggrava lorsqu'elle fut suspendue par les genoux au grand trapèze. Elle essaya de faire son rétablissement en position assise, mais, la chaleur montant sous le chapiteau, elle eut l'impression que sa tête était prise dans un air torride. Elle ne se sentit guère mieux lorsqu'elle saisit la barre à deux mains pour se donner de plus en plus d'élan. L'échange qu'elle devait faire était le plus simple qu'une voltigeuse ait à maîtriser, car elle ne savait pas encore laisser le porteur lui prendre les poignets avant de s'accrocher aux siens. Elle se préparait simplement à lâcher

15

la barre lorsque son corps serait parallèle au sol ; ensuite, elle rejetterait la tête en arrière, pour que ses épaules tombent au-dessous du niveau de ses pieds, et le porteur l'attraperait par les chevilles. Dans l'idéal, lorsque le porteur la recevrait, sa tête serait à peu près à quinze mètres du filet de sécurité. Mais la femme du nain était débutante, et elle lâcha le trapèze avant d'être en extension complète. Le porteur dut faire un bond en avant pour la saisir ; il ne put l'attraper que par un pied, et encore, avec une mauvaise prise. A entendre le hurlement atroce de Deepa lorsqu'elle sentit sa hanche se démettre, le porteur pensa que ce qu'il avait de mieux à faire, c'était de la laisser tomber dans le filet de sécurité, et il la lâcha ; le Dr Daruwalla n'avait jamais vu quelqu'un tomber aussi mal.

Deepa était une petite moricaude qui venait de la campagne environnant le Maharashtra ; elle avait peut-être dix-huit ans, mais pour le docteur elle en paraissait seize. Sa mère l'avait vendue au Grand Nil bleu vers l'âge de onze ou douze ans, âge où elle aurait pu être tentée de la vendre à un bordel. La femme du nain s'estimait donc heureuse. Elle était si maigrichonne que le cirque avait d'abord essayé d'en faire une contorsionniste, une « désossée », une « fille en caoutchouc », comme on disait. Mais en grandissant, Deepa était devenue trop raide pour faire la « désossée ». Vinod pensait d'ailleurs pour sa part qu'elle était déjà trop vieille quand elle avait commencé son entraînement de trapéziste ; la plupart des acrobates apprennent la voltige dès l'enfance.

A défaut d'être presque belle, la femme du nain était jolie de loin ; elle avait le front grêlé, et présentait des séquelles de rachitisme : bosses frontales et rosaire rachitique (on appelle ce trait « rosaire » parce qu'à chaque articulation de la côte et du cartilage, on peut voir une protubérance en forme de boule, comme une perle de chapelet). Deepa avait des seins si menus que son torse était presque aussi plat que celui d'un garçonnet ; mais elle avait des hanches de femme. C'est peut-être la façon dont le filet s'était incurvé sous son poids qui donnait l'impression qu'elle y était tombée à plat ventre, tandis que son pelvis, retourné, regardait le trapèze vide qui continuait de se balancer.

Rien qu'à voir sa chute, et la façon dont elle gisait en ce moment dans le filet, Farrokh était sûr que c'était sa hanche qui avait souffert, et non sa nuque ou son dos. Mais tant que quelqu'un ne l'empêchait

16

pas de faire des sauts de carpe, il n'osait pas s'approcher d'elle. Il enjoignit à Vinod de lui coincer la tête entre ses genoux, et de lui bloquer les épaules de ses mains. Ce fut seulement quand le nain eut réussi à la maîtriser, qu'elle ne put remuer le dos ni le cou, ni même tourner les épaules, que le docteur s'aventura à l'intérieur du filet.

Pendant tout le temps qu'il fallut à Vinod pour crapahuter jusqu'à elle, tout le temps qu'il lui tint la tête serrée entre ses genoux, tout le temps qu'il fallut au docteur lui-même pour les rejoindre à grand-peine, le filet ne cessa de se balancer, à contretemps du trapèze qui, lui, continuait d'osciller au-dessus de leurs têtes.

C'était la première fois que Farrokh tentait cette expérience. Au vrai, pour lui qui n'avait rien d'un athlète et qui, déjà quinze ans auparavant, était rondelet, grimper dans le filet des artistes fut une prouesse seulement stimulée par sa gratitude envers le nain qui lui avait permis de récolter ses premiers échantillons de sang. A le voir avancer laborieusement à quatre pattes en travers des oscillations du filet affaissé où la malheureuse gisait entre les griffes de son mari, on aurait dit une souris suralimentée traversant non sans inquiétude une vaste toile d'araignée.

Sa peur irraisonnée d'être éjecté du filet lui faisait du moins oublier les murmures du public ; les gens étaient impatients devant ces secours qui tardaient. Le micro avait beau l'avoir présenté à la foule, il n'était nullement préparé à cette périlleuse entreprise. « Et voici le docteur ! » avait clamé le Monsieur Loyal du lieu en un effort mélodramatique pour contenir la foule. Mais il lui en fallait du temps, à ce docteur, pour atteindre la voltigeuse accidentée ! Comble de malchance, son poids faisait pencher le filet un peu plus ; on aurait dit un séducteur maladroit qui s'approche de sa proie dans un de ces lits mous dont le milieu s'enfonce.

Puis, tout à coup, le filet s'affaissa si profond que le docteur perdit l'équilibre ; il tomba gauchement en avant. Avec sa quarantaine un peu enveloppée, il s'accrocha de tous ses doigts aux mailles du filet ; et comme il avait déjà retiré ses sandales pour y grimper, il tenta également d'y introduire ses orteils comme des griffes. En dépit de ses efforts pour amortir sa chute, dont l'allure accélérée commençait enfin à distraire le public maussade, la loi de la gravité fut la plus forte. Il alla piquer du nez contre le ventre de Deepa, en plein dans les paillettes de son justaucorps.

17

Le cou et le dos de la jeune femme n'avaient rien ; le diagnostic émis d'après sa chute par le docteur était correct : c'était sa hanche qui était démise. On imagine la douleur que lui causa la chute d'un corps sur son abdomen. Le front du Dr Daruwalla s'écorcha aux paillettes rose et rouge extincteur qui formaient une étoile sur le pelvis de l'acrobate, tandis que son nez émit un craquement en allant s'écraser contre son pubis.

Dans des circonstances éminemment différentes, leur collision aurait pu se parer d'un certain trouble érotique, mais l'acrobate avait la hanche démise – et la tête coincée entre les genoux d'un nain. En revanche, malgré les hurlements de douleur de la voltigeuse, cette rencontre avec son ventre contracté, la dureté surprenante de l'os de son pubis allaient rester pour le docteur le souvenir de sa seule aventure extra-conjugale. Il ne l'oublierait jamais.

On venait de le faire sortir du public pour assister une femme de nain en détresse, et voilà que devant la foule – et dans l'indifférence générale – il venait de s'écraser la face entre les cuisses de la victime. Comment s'étonner qu'il n'ait jamais pu l'oublier, elle et les sensations mitigées qu'elle lui avait procurées ?

Aujourd'hui encore, tant d'années plus tard, une rougeur de gêne et d'émoi lui montait au visage lorsqu'il se rappelait le ventre de la trapéziste tendu contre son front. Il sentait encore la moiteur des collants trempés de sueur quand sa joue s'était posée contre l'intérieur de la cuisse. Et tout en entendant les hurlements de douleur de Deepa (il essayait tant bien que mal de se dégager pour ne plus lui peser), il entendait aussi les cartilages de son nez sauter, car le pubis de Deepa était aussi dur qu'une cheville ou qu'un coude. Et lorsqu'il avait inhalé son arôme dangereux, il avait pensé identifier enfin l'odeur du sexe, entêtant mélange où la mort le dispute aux fleurs.

C'est alors qu'entre deux oscillations du filet, Vinod lui dit d'un ton accusateur : « Tout ça, ça arrive parce que vous voulez prendre sang des nains. »

Le docteur s'attarde sur les seins de Lady Duckworth

En quinze ans, les autorités des douanes indiennes n'avaient retenu le Dr Daruwalla que deux fois : c'étaient les seringues hypodermiques jetables, il y en avait une centaine, qui avaient attiré l'attention des douaniers. Il avait dû expliquer la différence entre les seringues, qui servent aux injections, et les *vacutainers*, qui servent aux prises de sang ; dans le système du *vacutainer*, ni l'ampoule de verre ni la seringue ne sont équipées d'un piston. Il ne transportait donc pas des seringues propres à injecter de la drogue, mais des *vacutainers*, propres à prélever du sang.

– Et vous prenez le sang de qui ? avait demandé le douanier.

Même ce point avait été plus facile à expliquer que le problème auquel le docteur était confronté dans l'immédiat.

Ce problème, c'est qu'il avait une nouvelle contrariante pour l'acteur célèbre qui répondait au nom impossible d'inspecteur Dhar. Comme il ne savait pas à quel point la mauvaise nouvelle en question allait affecter la vedette, sa lâcheté lui soufflait de la lui annoncer dans un lieu public. L'inspecteur Dhar était en effet célèbre pour son empire sur lui-même en public ; Farrokh pouvait donc compter qu'il garderait son sang-froid. Le choix d'un club privé comme lieu public aurait pu paraître saugrenu à d'autres, mais le docteur jugeait que le Duckworth était tout juste assez privé et assez public pour le petit drame qu'il avait sur les bras.

Ce matin-là, lorsqu'il était arrivé à son club de sport, la présence d'un vautour qui planait au-dessus du parcours de golf ne lui avait pas semblé insolite ; il n'avait pas vu dans l'oiseau de la mort un mauvais présage lié à la nouvelle malencontreuse dont il était porteur. Le club se trouvait à Mahalaxmi, non loin de Malabar Hill ; personne n'ignorait à Bombay ce qui y attirait les vautours. Lorsqu'un cadavre était placé dans les Tours du Silence, les vautours arrivaient, parfois d'une distance de cinquante kilomètres, alléchés par l'odeur des restes qui se faisandaient.

Farrokh connaissait bien Doongarwadi. Ce qu'on appelle les Tours du Silence se compose de sept énormes cairns, sur Malabar Hill, et c'est là que les parsis exposent les cadavres nus de leurs morts, pour que les charognards n'en laissent que le squelette. Parsi lui-même, le Dr Daruwalla descendait des zoroastriens arrivés en Inde au VIIe et au VIIIe siècle, pour fuir les persécutions des musulmans. Mais le père de Farrokh était un athée si virulent, si féroce, que lui-même n'avait jamais pratiqué le Zoroastre ; il n'avait pas connu la cérémonie du Navjote, jamais porté la *sadra* ni ceint le *kusti*. A vrai dire, sa conversion au christianisme aurait sûrement donné un coup de sang à son mécréant de père, n'était que celui-ci avait déjà trépassé à l'époque ; car Daruwalla fils s'était converti aux abords de la quarantaine.

Comme il était chrétien, ses restes à lui ne seraient jamais exposés dans les Tours du Silence ; pourtant, malgré l'athéisme incendiaire de son père, il respectait les habitudes des parsis pratiquants, et il s'attendait tout à fait à voir des vautours aller et venir au-dessus de Ridge Road. Il ne s'étonna pas non plus de constater que le vautour planant au-dessus du parcours de golf n'ait pas l'air pressé d'arriver aux Tours du Silence ; l'endroit était une vraie jungle de plantes grimpantes, et les parsis eux-mêmes n'étaient pas, avant leur mort s'entend, les bienvenus du côté des fosses.

Quant aux vautours, il les voyait d'un œil favorable. Les cairns de calcaire contribuaient à la décomposition rapide des os, même les plus gros, et les restes des parsis encore intacts étaient balayés dans la mer d'Oman dès la mousson. En ce qui concernait l'évacuation des cadavres, les parsis avaient trouvé une solution décidément admirable, pensait le docteur.

Du côté des vivants, il s'était levé tôt, à l'accoutumée. Ses premières interventions à l'hôpital, où il jouissait toujours du titre de consultant honoraire, comportaient une opération sur un pied-bot, et une autre sur un torticolis ; cette dernière est rare de nos jours, et ce n'était d'ailleurs pas le type d'intervention qui l'amenait à pratiquer l'orthopédie, même de manière intermittente, à Bombay. Il s'intéressait plutôt aux infections des os et des articulations. En Inde, ces infections suivent le plus souvent un accident de la route et une fracture complexe ; la fracture est exposée à l'air, parce qu'il y a eu écorchure, et cinq semaines après la blessure, la plaie, se met à suppurer. Ces infections sont chroniques parce que l'os est mort, et qu'un os mort se comporte comme un corps étranger. On appelle l'os nécrosé le séquestre. Les confrères orthopédistes du docteur l'appelaient Thanat-os et ceux qui le connaissaient le mieux disaient parfois aussi le Saigneur des Nains. Toute plaisanterie à part, les infections des os et des articulations n'étaient pas une marotte parmi d'autres pour lui, c'était sa spécialité.

Au Canada, il lui semblait parfois que sa pratique lui amenait autant d'accidents de sport que de défauts congénitaux ou de contractions spasmodiques. Il continuait de s'y spécialiser dans les problèmes infantiles, mais il sentait que sa présence était plus nécessaire, et donc plus exaltante, à Bombay qu'à Toronto. En Inde, il n'est pas rare de voir des patients avec de petits mouchoirs entortillés autour de leurs jambes : c'est pour cacher des plaies, d'où s'écoule un filet de pus, à longueur d'année. Et puis à Bombay, les patients, comme les chirurgiens, étaient moins hostiles aux amputations et à la pose rapide d'une prothèse simple ; cette solution aurait été inacceptable à Toronto, où le docteur était réputé pour la nouvelle technique qu'il avait mise au point en microchirurgie.

En Inde, sans retirer l'os nécrosé, il était impossible de guérir ; souvent, le volume d'os à retirer était trop important, on aurait risqué de compromettre la capacité du membre à supporter un poids. Mais au Canada, en administrant des antibiotiques par longues séries d'intraveineuses, il pouvait associer l'extraction du séquestre avec l'adjonction d'une greffe : on insère dans la zone infectée un muscle et le sang qui lui est nécessaire. Il ne pouvait rééditer ces pratiques à Bombay, sauf à les limiter à des gens très riches dans des hôpitaux comme celui de Jaslok. A l'hôpital des Enfants infirmes, au contraire, il avait recours à la restitution rapide de la fonction d'un membre ; ce qui signifiait souvent qu'en lieu et place de traitement il fallait procéder à une amputation rapide, avec pose de prothèse. Une plaie suppurante ne lui paraissait pas le pire des maux ; en Inde, il laissait tout simplement le pus s'écouler.

Et, sans doute ce trait avait-il à voir avec le zèle du néophyte – cet anglican convaincu éprouvait à l'égard des catholiques des sentiments où la suspicion le disputait à la terreur sacrée –, la période de Noël l'emplissait d'allégresse, car elle n'est pas à Bombay cette grande kermesse clinquante et mercantile qu'elle est devenue en pays chrétien. Ce Noël-là s'était accompagné d'une joie circonspecte pour lui ; il s'était rendu à une messe catholique le soir du réveillon, et à un office anglican le jour de Noël. A défaut de pratiquer en temps ordinaire, il ne manquait jamais les fêtes carillonnées ; pourtant, en se rendant deux fois à l'église en cette occasion, il avait le sentiment d'avoir dépassé la dose prescrite sans raison valable ; d'ailleurs sa femme s'en était émue.

La femme du docteur, viennoise, était née Julia Zilk, sans aucun lien de parenté avec le maire de Vienne. L'ex-Fraülein Zilk venait d'une famille catholique, aristocratique et impérieuse. Au cours des rares et brefs séjours de la famille Daruwalla à Bombay, les enfants étaient allés chez les jésuites ; non qu'ils eussent été élevés dans la foi catholique, mais le docteur aimait entretenir des relations « familiales » avec ces écoles très fermées autrement. Les enfants étaient des anglicans bon teint, et inscrits dans des écoles anglicanes à Toronto.

Toutefois, malgré sa préférence pour la foi protestante, il s'était bien trouvé d'avoir cultivé ses quelques relations jésuites le jour de Noël ; les pères avaient une conversation beaucoup plus enjouée que les anglicans qu'il connaissait à Bombay. Quant à la période de Noël, sans aucun doute, elle était faste ; il s'y sentait déborder de bonne volonté. Dans l'élan de cette fête, il arrivait presque à oublier qu'après deux décennies, les effets de sa conversion commençaient à s'émousser.

Pas un instant il n'aurait songé à s'étonner de la présence de ce vautour qui planait au-dessus du parcours de golf du Duckworth, là-haut dans les airs. Non, le seul nuage qui se dessinait à l'horizon du docteur, c'était la façon dont il annoncerait sa fâcheuse nouvelle à l'inspecteur Dhar – car l'acteur n'aurait pas lieu de s'en réjouir. Mais enfin, avant cette contrariété imprévue, la semaine n'avait pas été mauvaise.

C'était la semaine entre Noël et le Jour de l'An. Le temps était exceptionnellement frais et sec pour la saison, et le nombre de membres actifs du Duckworth avait atteint le chiffre de six mille. Quand on aura précisé que les postulants se voyaient mettre sur une liste d'attente de vingt-deux ans, on comprendra que ce chiffre avait été atteint au fil du temps. Ce matin-là, le comité d'examen des candidatures, dont le distingué Dr Daruwalla était le président invité, s'était réuni pour décider s'il convenait de notifier au six-millième membre lui-même son statut extraordinaire. Les suggestions allaient de la plaque dans la salle de billard (où il y avait des vides importants à combler entre les trophées) à une petite réception dans le jardin des Dames (où une vermine inconnue empêchait les bougainvillées de fleurir avec leur profusion habituelle), en passant par une simple notice tapée à la machine qu'on punaiserait à côté de la liste des Membres élus à titre provisoire.

Farrokh s'était souvent inscrit en faux contre l'appellation de cette liste affichée sous une vitrine dans le hall d'entrée du club. Il protestait que « élus à titre provisoire » voulait seulement dire nominés, ces gens-là n'étaient nullement élus ; mais la formule était passée dans l'usage depuis la fondation du club, cent trente ans auparavant. En ce moment, une araignée se trouvait à l'affût le long de la courte colonne de noms ; elle y était postée depuis si longtemps qu'on la tenait pour morte – à moins qu'elle n'eût elle aussi postulé le titre de membre permanent. C'était la plaisanterie du Dr Daruwalla, mais elle était si vieille qu'elle avait, disait-on, été reprise par les six mille membres.

C'était le milieu de la matinée, le comité était en train de se rafraîchir, les uns buvant du Thums Up Cola, les autres des sodas à l'orange Gold Spot dans la salle de bridge, et le docteur proposa qu'on passe au chapitre suivant.

– Pitre savant ? demanda Mr Dua, qui était sourd d'une oreille à la suite d'un accident de tennis historique : son partenaire en double avait commis une double faute et lui avait balancé sa raquette à la figure. (Sur cet impardonnable mouvement d'humeur, le monsieur, élu à titre provisoire, avait vu ruinés ses espoirs de jamais obtenir l'élection permanente.)

– Je propose, brailla le docteur, que l'on ne notifie rien au six-millième membre.

La motion fut promptement soutenue et votée ; il n'y aurait même pas de notice dactylographiée pour annoncer l'événement. Le Dr Sorabjee, qui exerçait avec Daruwalla à l'hôpital des Enfants infirmes, dit malicieusement que c'était la décision la plus sage jamais prise par le comité. La vérité, selon le Dr Daruwalla, c'est que personne ne voulait prendre le risque de déranger l'araignée.

Dans la salle de bridge, il se fit un silence au sein du comité, satisfait de la tâche achevée ; les ventilateurs du plafond frôlaient de leur souffle les paquets de cartes bien serrés posés à leur place sur les tables appropriées, elles-mêmes recouvertes de feutrine verte. Tout en débarrassant une bouteille de Thums Up Cola vide sur la table autour de laquelle le comité avait siégé, un serveur s'arrêta pour redresser un paquet de cartes fautif avant de quitter la salle – les deux cartes du dessus avaient quitté leur alignement sous l'haleine du ventilateur le plus proche !

C'est alors que Mr Bannerjee entra dans la salle de bridge à la recherche de son adversaire habituel au golf, Mr Lal. Le vieux Mr Lal se faisait attendre pour leurs neuf trous accoutumés, et Mr Bannerjee donna aux membres un amusant compte rendu de leur partie de la veille. Mr Lal avait commis une bourde spectaculaire au neuvième trou, et perdu un coup de départ ; il avait raté son coup d'approche et sa balle avait traversé le green pour se perdre dans la profusion des bougainvillées malades, où le vieillard désespéré s'était mis à donner des coups dans tous les sens en vain.

Plutôt que de retourner au club-house, il avait serré la main de son adversaire, et s'était dirigé d'un pas furibond vers les bougainvillées ; c'est là que Mr Bannerjee l'avait laissé, bien décidé à s'entraîner pour sortir de ce piège si jamais il commettait la même bourde. En quittant son ami, Mr Bannerjee avait vu voler des pétales ; ce soir-là, le jardinier, le chef *mali* en personne, avait eu le chagrin de constater les dégâts infligés aux plantes et aux fleurs. Mais le vieux Mr Lal faisait partie des membres les plus vénérables du Duckworth, s'il s'obstinait à apprendre comment se sortir des bougainvillées, personne n'aurait l'audace de l'en empêcher. Et voilà qu'il était en retard. Il était très possible, suggéra le docteur à Mr Bannerjee, que son adversaire soit encore en train de s'entraîner à l'heure qu'il était, auquel cas ce serait parmi les bougainvillées mises à mal qu'il faudrait aller le chercher.

Sur ce, le comité se sépara parmi les éclats de rire sporadiques qui accompagnaient souvent sa dispersion. Mr Bannerjee partit chercher Mr Lal dans le vestiaire des hommes ; le Dr Sorabjee se rendit à l'hôpital pour sa consultation ; Mr Dua, dont la surdité s'accordait assez bien avec le fait qu'il était retraité du percutant commerce du pneu, s'en fut frapper quelques boules innocentes dans la salle de billard, boules dont il entendait tout juste le choc. Parmi les membres du comité, certains restèrent où ils étaient, et n'eurent qu'à se retourner pour prendre les paquets de cartes qui les attendaient, tandis que d'autres recherchaient la fraîcheur des fauteuils de cuir, dans la salle de lecture, où ils commandaient une Lager Kingfisher, ou une bière London Diet. C'était déjà la fin de la matinée, mais on considérait en général qu'il était trop tôt pour boire du gin-tonic, ou pour verser une larme de rhum dans le Thums Up Cola.

Dans le vestiaire des hommes, et au bar du club-house, les jeunes membres et les vrais sportifs rentraient de leurs parties de tennis, de squash ou de badminton. La plupart d'entre eux buvaient du thé à cette heure de la matinée. Ceux qui rentraient du parcours de golf se plaignirent de la marée de pétales qui avait déferlé autour du neuvième trou – ils en déduisaient à tort que la maladie des bougainvillées avait pris un tour critique. Mr Bannerjee raconta son histoire plusieurs fois, et à chaque version les efforts de Mr Lal furent évoqués avec une ironie plus vengeresse. Une franche gaieté s'empara du club-house et du vestiaire, et Mr Bannerjee ne parut pas fâché qu'il fût désormais trop tard pour jouer au golf ce matin-là.

La fraîcheur inattendue de la température ne suffisait pas à changer les habitudes des membres ; ils avaient coutume de faire leur partie de golf ou de tennis avant onze heures du matin et après quatre heures de l'après-midi. Autour de midi, ils buvaient un verre, déjeunaient ou s'installaient tout simplement sous les ventilateurs, ou à l'ombre épaisse du jardin des Dames, qui n'était plus le séjour exclusif des dames à présent, ni même leur séjour favori, d'ailleurs. Son nom lui était resté depuis l'époque du *purdah*, où certains hindous et certains musulmans pratiquaient la coutume de ne pas laisser voir les femmes aux hommes ou aux personnes étrangères à la maison. Farrokh trouvait la chose curieuse, car le Duckworth avait été fondé par les Britanniques, qui y étaient toujours les bienvenus, et constituaient du reste une minorité des membres ; or, à sa connaissance, ils n'avaient jamais pratiqué le *purdah*. Les fondateurs avaient voulu un club ouvert à tous les habitants de Bombay, pourvu qu'ils se soient distingués comme « des exemples pour la communauté ». Certes, pour définir ce qu'on entendait par cette formule, on pouvait discuter toute la mousson et au-delà, Farrokh et les autres membres du comité étaient bien placés pour le savoir.

La tradition voulait que le président du club fût le gouverneur du Maharashtra ; pourtant, Lord Duckworth lui-même, qui avait donné son nom au club, n'était jamais parvenu à ce poste. Lord D., comme on l'appelait, l'avait longtemps brigué, mais les excentricités scandaleuses de sa femme l'en avaient écarté. Lady Duckworth était affligée d'un exhibitionnisme tous azimuts, ses seins en étant l'objet de prédilection, qu'elle dévoilait de la façon la plus folle et la plus sidérante. Quoique ce travers lui gagnât, ainsi qu'à son mari, l'affection de nombreux membres du club, le geste ne put jamais être porté à l'actif de l'aspirant gouverneur.

Le Dr Daruwalla se tenait dans la fraîcheur pénétrante de la salle de bal vide, et il regardait, comme il le faisait souvent, les nombreux trophées magnifiques et les vieilles photographies envoûtantes des

Membres du Passé. Il avait plaisir à voir ainsi, sagement encadrés, son père et son grand-père ainsi que la foultitude avunculaire de leurs amis. Il s'imaginait garder le souvenir de chaque homme qui avait posé la main sur son épaule ou sur le dessus de sa tête. Sa familiarité avec ces photographies démentait le fait qu'il avait lui-même passé fort peu de ses cinquante-neuf ans en Inde. Lorsqu'il séjournait à Bombay, tout ce qui, parmi les êtres ou les choses, lui rappelait combien il connaissait et comprenait peu le pays où il était né heurtait sa sensibilité. Plus il passait de temps dans le havre du Duckworth, plus il lui était facile de nourrir l'illusion qu'il se sentait à l'aise en Inde.

« Chez lui », à Toronto – où il avait passé le plus clair de sa vie d'adulte – il avait la réputation, surtout auprès des Indiens qui n'étaient jamais allés en Inde, ou n'y étaient jamais retournés depuis leur départ, d'être un authentique « vétéran de l'Inde » ; on le trouvait même très courageux. Après tout, ne retournait-il pas régulièrement exercer la médecine au pays natal, où les conditions de vie étaient considérées comme primitives et la surpopulation étouffante, sans parler des commodités, loin de correspondre aux critères canadiens du confort ?

Est-ce qu'il n'y avait pas des coupures d'eau, des grèves du pain, et même des rationnements de riz et d'huile – sans parler de la corruption des denrées alimentaires, et de ces bonbonnes de gaz qui vous laissaient toujours en plan au milieu d'un dîner entre amis ? Et puis on entendait souvent parler de la mauvaise qualité des bâtiments en Inde, des plâtres qui vous tombaient dessus, etc. Mais le Dr Daruwalla retournait rarement en Inde pendant la mousson, qui était la période la plus « primitive » à Bombay. En outre, auprès des autres habitants de Toronto, il évitait de mentionner la brièveté de ses séjours.

A Toronto, lorsqu'il parlait de son enfance à Bombay, il lui prêtait toujours plus de couleur et d'« indianité » qu'elle n'en avait eu en réalité. Élève des jésuites, il était allé à l'école Saint-Ignace, à Mazagaon ; pour ses distractions, il avait joui des privilèges du Duckworth, avec ses sports et ses bals organisés. Lorsqu'il avait atteint l'âge de fréquenter l'université, on l'avait envoyé en Autriche ; même les huit ans qu'il avait passés à Vienne, où il avait fait toutes ses études de médecine, avaient été sages et bien encadrés ; il y avait toujours vécu avec son frère aîné.

26

Pourtant, au Duckworth, en la présence sacrée de ces portraits des Membres du Passé, il pouvait s'imaginer un instant qu'il avait des origines, une appartenance. A l'approche de la soixantaine, il convenait de plus en plus volontiers – mais par-devers lui – qu'au Canada il en rajoutait souvent beaucoup sur son côté indien ; il était capable de prendre illico l'accent hindi ou de le perdre, suivant les gens avec qui il se trouvait. Seul un autre parsi pouvait savoir que l'anglais était sa vraie langue maternelle, et qu'il avait appris l'hindi à l'école. De la même façon, lors de ses rares séjours en Inde, il affectait, non sans honte, d'être complètement européanisé, ou américanisé. A Bombay, il perdait toute trace d'accent hindi, et il suffisait d'entendre son anglais pour se convaincre qu'au Canada, il était totalement assimilé. Mais, à la vérité, il ne se sentait « chez lui » qu'au Duckworth, devant les photographies de la salle de danse.

De Lady Duckworth, on lui avait seulement raconté l'histoire. Sur ses éblouissantes photographies ses seins étaient dûment sinon chastement couverts. Il est vrai que le regard attentif remarquait une gorge généreuse et fière, même sur les portraits d'une dame d'âge respectable ; au reste, son penchant exhibitionniste s'était accru avec les années, et les observateurs rapportaient que ses seins étaient fermes, et valaient encore tout à fait le coup d'œil, après qu'elle avait passé soixante-dix ans.

A soixante-quinze ans, elle s'était exhibée dans l'allée circulaire du club, devant une horde de jeunes gens qui arrivaient pour le bal des Enfants des Membres. L'incident avait provoqué un carambolage, à l'origine, paraît-il, de l'implantation de bornes de ralentissement plus volumineuses, et sur toute la longueur de la voie d'accès. « Roulez au pas », enjoignaient les pancartes disposées aux deux extrémités de l'allée, et il semblait à Farrokh que le club était bloqué à cette allure. Mais il s'en contentait, dans l'ensemble ; cette mise au pas ne lui paraissait pas trop contraignante. En revanche, il regrettait d'être né trop tard pour avoir jeté ne serait-ce qu'un seul coup d'œil sur les seins de la dame du temps jadis : le club ne devait pas marcher au pas, de son temps !

Comme il avait soupiré peut-être cent fois dans la salle de bal vide, le docteur soupira, et se dit à voix basse : « C'était le bon vieux temps. » Mais ce n'était qu'une plaisanterie ; il ne le pensait pas sérieusement. Ce « bon vieux temps » lui demeurait aussi hermétique

que le Canada, son froid pays d'adoption, ou que l'Inde, où il affectait seulement de se sentir à l'aise. Du reste, il ne soupirait ni ne soliloquait jamais assez fort pour être entendu par d'autres que lui-même.

Dans la fraîcheur de la vaste salle, il tendait l'oreille : il entendait les serveurs et les valets qui dressaient les tables du déjeuner dans la salle à manger ; il entendait les coups secs ou mats des boules de billard, et le claquement net et autoritaire d'une carte plaquée, découverte, sur une table. Et quoiqu'on eût passé onze heures, quelques irréductibles jouaient encore au tennis ; à en juger par les bip-bop mous et espacés, la partie n'était guère acharnée.

Ce camion qui montait la voie d'accès ne pouvait être que celui du jardinier en chef, pied au plancher, heurtant allégrement les bornes l'une après l'autre ; retentit ensuite le brimballement des pioches, des pelles et des râteaux, lui-même suivi de vagues jurons – le chef mali était un demeuré.

Il y avait une photographie que Farrokh aimait particulièrement, et il se pencha pour la regarder de près ; puis il ferma les yeux pour mieux la voir. Dans l'expression de Lord Duckworth se lisaient la charité, la tolérance, la patience ; et aussi comme une hébétude dans son regard lointain ; on aurait dit qu'il avait récemment reconnu et accepté sa propre futilité. C'était un homme au torse développé et à la vaste carrure, et il tenait une épée d'une main ferme, mais il y avait une sorte de résignation de brave crétin au coin de ses yeux d'épagneul, et aux pointes tombantes de sa moustache. Toute sa vie, il avait failli être gouverneur du Maharashtra. Failli. Et la main qu'il passait autour de la taille de jeune fille de Lady Duckworth était manifestement une main qui ne pesait pas sur elle, qui ne la serrait pas, si même elle la tenait.

Lord D. se suicida pour la Saint-Sylvestre, à la veille précise du XXᵉ siècle. Pendant bien des années encore, Lady Duckworth allait dévoiler ses seins, mais on s'accordait à dire que si elle s'exhibait plus souvent depuis son veuvage, le cœur n'y était plus tout à fait. Pourtant des cyniques prétendaient que si elle avait vécu assez longtemps, et continué d'exhiber ses trésors à l'Inde, on aurait pu éviter l'Indépendance.

Sur la photo qui plaisait tant au Dr Daruwalla, Lady Duckworth, le menton baissé, regardait par en dessous, avec malice, comme si l'on venait de la surprendre en train de lorgner son décolleté affriolant, et qu'elle ait aussitôt détourné les yeux. La poitrine, corniche large et robuste, soutenait un joli visage. Même vêtue de pied en cap, cette femme gardait sa liberté d'allure ; ses bras pendaient le long de son corps, mais ses doigts étaient largement écartés, paumes vers l'appareil, comme pour une crucifixion, et une mèche folle s'était échappée de sa chevelure qu'on disait blonde, pour former un tortillon enfantin et se lover comme un serpent autour d'une des petites oreilles les plus parfaites qu'on puisse rêver.

Par la suite, sa chevelure passa du blond au gris sans perdre de son opulence ni de son lustre intense ; ses seins, si souvent et si longtemps offerts, ne tombèrent jamais pour autant. Le Dr Daruwalla avait fait un mariage heureux ; pourtant il aurait volontiers avoué, même à sa femme chérie, qu'il était amoureux de Lady Duckworth, car il s'était épris de sa photographie, et de son histoire aussi, dès l'enfance.

Mais si le docteur s'attardait trop longtemps dans la salle de bal, à passer en revue les photographies des Membres du Passé, la chose pouvait avoir sur lui des effets lugubres. La plupart de ces membres étaient morts ; ils avaient fait la chute sans filet, comme disaient les gens de cirque quand ils parlaient des morts. Des vivants, ils disaient le contraire. Chaque fois que le docteur interrogeait Vinod sur sa santé, et il ne manquait jamais de s'enquérir aussi de celle de sa femme, le nain lui répondait : « On tombe toujours dans filet. »

De Lady Duckworth, à en juger par ses photos en tout cas, Farrokh aurait dit que ses seins tombaient toujours dans le filet ; peut-être étaient-ils immortels.

Mr Lal a raté le filet

Tout à coup, un petit incident anodin en apparence tira le docteur de la profonde rêverie où l'avait plongé la gorge de Lady Duckworth. Il lui faudrait solliciter son subconscient pour se le rappeler, car seule une perturbation mineure venue de la salle à manger avait attiré son attention. Un corbeau qui tenait quelque chose de brillant dans son bec était entré d'un coup d'aile par la véranda ouverte, et s'était insolemment perché sur la large pale d'un des ventilateurs de plafond. Le poids de l'oiseau faisait pencher l'appareil dangereusement, mais il continuait d'y tourner comme sur un manège, projetant consciencieusement sa fiente en cercle au-dessous de lui – à savoir sur le sol, une portion de nappe et une assiette à salade, dont il rata la fourchette de justesse. Un serveur donna un coup de torchon et le corbeau s'envola comme il était venu ; poussant un coassement rauque il traversa la véranda et prit son essor au-dessus du parcours de golf étincelant dans les feux de midi. L'objet inconnu qu'il tenait dans son bec en arrivant avait disparu, dans son gosier peut-être. Aussitôt, quoique ce ne fût pas encore l'heure du déjeuner, les serveurs et les valets se précipitèrent pour changer la nappe et le set de table souillés ; puis on appela un balayeur pour passer la serpillière.

A cause de ses interventions matinales, le Dr Daruwalla déjeunait plus tôt que la plupart des autres habitués. Il avait invité l'inspecteur Dhar pour midi et demi. Il s'en alla donc flâner dans le jardin des Dames, où il repéra dans la charmille touffue une brèche découvrant un carré de ciel au-dessus du parcours de golf ; c'est là qu'il s'assit, dans un fauteuil de rotin vieux rose. Mis en relief par la position, son petit bedon sembla solliciter son attention ; et malgré toute son envie d'une Lager Kingfisher, le docteur commanda une bière de régime.

A sa grande surprise un vautour – le même que tout à l'heure, peut-être – planait au-dessus du parcours de golf ; à présent, l'oiseau semblait plus bas dans le ciel ; comme si au lieu d'être en route vers les Tours du Silence, il amorçait sa descente sur le golf. Farouchement attachés à l'accomplissement de leurs rites funéraires comme l'étaient les parsis, songea le docteur avec amusement, ils prendraient sans doute fort mal qu'un vautour soit distrait de sa tâche. Peut-être par un cheval tombé mort sur le champ de courses à Mahalaxmi, ou un chien écrasé à Tardeo, ou bien un corps que la mer aurait rejeté vers le tombeau d'Hadji Ali. Mais, quelle qu'en soit la raison, ce vautour-là manquait à tous ses devoirs envers les Tours du Silence.

Le docteur jeta un coup d'œil à sa montre ; son commensal allait arriver d'un instant à l'autre ; il but lentement sa bière, en se racontant que c'était une Lager ; il rêvait qu'il avait retrouvé sa minceur (une minceur qu'il n'avait jamais eue). Tandis qu'il regardait le vautour décrire ses spirales descendantes, l'oiseau fut rejoint par un deuxième, puis un troisième ; le docteur eut un frisson inattendu ; il en oublia de se préparer à annoncer cette fâcheuse nouvelle à l'inspecteur Dhar, non pas qu'il y eût d'ailleurs de bonne façon de la lui annoncer. Il s'absorba si profondément dans son observation qu'il ne vit pas arriver son hôte, séduisant jeune homme à la discrétion, la souplesse et la grâce presque irréelles.

Posant sa main sur l'épaule du docteur, celui-ci lui dit :

– Il y a un mort, là-bas, Farrokh. Qui est-ce ?

Le nouveau serveur, celui qui venait de chasser le corbeau, en fit tomber la louche et la soupière qu'il avait dans les mains. Bien entendu il avait reconnu l'inspecteur Dhar, mais ce qui lui avait fait un choc, c'était d'entendre la star s'exprimer sans la moindre pointe d'accent hindi. Le fracas de vaisselle brisée sembla annoncer l'irruption de Mr Bannerjee dans le jardin des Dames, où il vint saisir le Dr Daruwalla et l'inspecteur Dhar chacun par un bras.

– Les vautours se posent vers le neuvième trou ! s'écria-t-il. C'est sûrement le pauvre Mr Lal ! Il doit y être resté, dans les bougainvillées !

Le docteur chuchota quelque chose à l'oreille de l'inspecteur Dhar, mais le visage du jeune homme resta de marbre. « Vous voilà à pied d'œuvre, inspecteur », avait dit le docteur, ce qui était une plaisanterie bien dans sa manière ; mais l'inspecteur Dhar, sans hésiter, traversa les fairways à leur tête. C'est là qu'ils virent une douzaine d'oiseaux coriaces, qui battaient des ailes et sautillaient à leur façon disgracieuse, sur la pelouse du neuvième trou ; ils tendaient leur long cou pour le plonger dans les bougainvillées, et leur bec crochu ressortait éclaboussé d'un sang rouge vif.

Mr Bannerjee refusa de faire un pas de plus, et l'odeur de putréfaction qui émanait des vautours prit le Dr Daruwalla lui-même par surprise ; il s'arrêta, interdit, près du drapeau du neuvième trou. Mais l'inspecteur Dhar marcha droit sur les bougainvillées, non sans écarter à coups de pied les oiseaux puants, qui s'envolèrent tout autour de lui. Mon Dieu, pensa le docteur, on dirait un vrai inspecteur ; il a oublié qu'il n'est qu'un acteur !

Le serveur qui avait arraché le ventilateur aux griffes du corbeau, et s'était colleté (plus laborieusement) avec la louche et la soupière, suivit les habitués du club en émoi sur une courte distance, mais il battit en retraite vers la salle à manger lorsqu'il vit l'inspecteur disperser les vautours. Le serveur comptait parmi les foules de fans qui avaient vu tous les *Inspecteur Dhar* (et deux ou trois qu'il avait vus six fois). C'est dire qu'on pouvait le considérer comme un amateur de violence à bon marché, et de crimes de sang, voire de pornographie

31

locale – puisque la série des *Inspecteur Dhar* dépeignait complaisamment les bas-fonds les plus sordides de Bombay. Mais lorsqu'il vit le vol de vautours que le célèbre inspecteur avait fait fuir, la réalité de ce vrai cadavre à proximité du neuvième trou eut raison de sa force d'âme. Il retourna au club, où son absence n'avait pas échappé à Mr Sethna, le majordome sexagénaire et sourcilleux, qui devait son office à feu le père du docteur.

– C'est un vrai cadavre que l'inspecteur Dhar a trouvé, cette fois-ci ! dit-il au vieux majordome.

– Votre poste vous appelle aujourd'hui dans le jardin des Dames, ayez l'obligeance d'y rester, répondit l'autre.

Le vieux Mr Sethna considérait les *Inspecteur Dhar* d'un œil sourcilleux. Il était d'une complexion sourcilleuse en général, qualité jugée comme positive à son poste au Duckworth, où il se comportait d'ordinaire comme s'il était investi d'une autorité de premier secrétaire. Il régnait sur la salle à manger et le jardin des Dames depuis bien longtemps, bien avant que l'inspecteur Dhar ne fût devenu membre, même s'il n'avait pas toujours été majordome au Duckworth. Il avait d'abord exercé cette fonction au Ripon, un club réservé aux parsis, et pur de toute activité sportive ; le Ripon était là pour les plaisirs de la table et ceux de la conversation, un point c'est tout. Le Dr Daruwalla en était membre aussi ; ce n'était pas trop de deux clubs pour satisfaire sa nature composite : parsi et chrétien, citoyen de Bombay et de Toronto, chirurgien orthopédique et Saigneur des Nains.

Mr Sethna, en revanche, qui descendait d'une famille de parsis à la fortune relativement récente, s'était trouvé mieux au Ripon ; hélas, les circonstances qui avaient révélé sa complexion sourcilleuse à l'excès lui avaient aussi valu son congé. Ladite sourcilleuse complexion l'avait déjà conduit à perdre une fortune qui, pour être récente dans sa famille, n'en avait pas été plus facile à dilapider. C'était l'argent du Raj, de l'argent anglais, mais Mr Sethna le considérait d'un œil sourcilleux, de sorte qu'il avait déployé des trésors d'imagination à le pisser par les fenêtres. Il avait passé plus d'une vie normale sur le champ de courses, et tout ce qu'il avait retenu de ses années de turfiste, c'était le bruit des sabots de chevaux à la parade, qu'il tambourinait avec maestria sur son plateau d'argent, du bout de ses longs doigts.

Il était parent éloigné des Guzdar, famille parsi à la vieille fortune, soigneusement entretenue celle-là ; c'étaient des armateurs pour la flotte britannique. Hélas, il advint qu'un jour un jeune membre du Ripon heurta Mr Sethna dans l'honneur de sa famille étendue ; l'austère majordome venait d'entendre une allusion déplacée à la vertu d'une demoiselle Guzdar, improbable cousine au énième degré. Et les jeunes parsis irréligieux ayant l'humour vulgaire, cette allusion s'accompagnait d'une autre, tout aussi déplacée, à la lutte cosmique entre Spenta Mainyu, l'esprit du bien, et Angra Mainyu, l'esprit du mal. Quant à la « cousine Guzdar », on affirma que c'était l'esprit du sexe qui avait gagné ses faveurs.

Le jeune dandy qui se livrait à ce libelle portait une perruque, vanité que Mr Sethna réprouvait également. Par conséquent, il versa du thé brûlant sur la tête du jeune monsieur, l'obligeant à se lever d'un bond et à se scalper tout seul devant ses commensaux interloqués.

Le geste de Mr Sethna, s'il lui avait valu l'estime de nombreux parsis, que leur fortune fût récente ou ancienne, fut jugé hérétique chez un majordome ; « s'est rendu coupable d'une violente agression au thé brûlant », telle fut la formule justificative de son renvoi. Mais le père du Dr Daruwalla voyait le geste comme un acte d'héroïsme, et il recommanda le majordome en termes dithyrambiques au Duckworth, qui l'engagea aussitôt sur la foi de cette référence. L'honneur de la demoiselle Guzdar était au-dessus de tout soupçon ; Mr Sethna l'avait défendu de façon tout à fait légitime ; le majordome était un zoroastrien fanatique, avait expliqué le père du docteur, toujours inébranlable dans ses convictions ; un parsi qui portait la Perse sur ses épaules.

Ceux qui avaient fait les frais de l'attitude sourcilleuse du vieux Sethna dans la salle à manger ou dans le jardin des Dames étaient d'avis qu'il se serait fait un plaisir de verser du thé bouillant sur la tête de n'importe qui. Grand et maigre à l'excès, on aurait dit qu'il réprouvait le fait de s'alimenter, et son grand nez aquilin et dédaigneux laissait penser qu'il réprouvait les odeurs de la vie ; quant à sa peau claire – la plupart des parsis sont plus clairs que beaucoup d'autres Indiens –, elle laissait présager qu'il réprouvait les alliances interethniques.

Pour l'instant, il regardait d'un œil sourcilleux le tohu-bohu qui s'était emparé du parcours de golf. Il avait les lèvres minces et pincées, le menton étroit, proéminent et barbichu d'un bouc. Il réprouvait le sport, et condamnait très ouvertement le fait qu'on puisse le mêler aux plaisirs plus nobles de la bonne chère et de la discussion passionnée.

A présent le golf était sens dessus dessous ; des hommes à demi vêtus sortaient du vestiaire en courant – comme si leur accoutrement de sport n'était pas assez abject lorsqu'il était du moins complet, pensait Mr Sethna. Comme tout parsi, il était épris de justice ; il trouvait qu'il y avait quelque chose d'immoral dans une mort, événement si grave, qui s'était produite sur un parcours de golf, lieu si effroyablement trivial. Ce croyant authentique, dont le corps nu serait un jour exposé dans les Tours du Silence, trouvait bouleversante la présence de tant de vautours ; par conséquent, il préférait l'ignorer, et concentrer son attention, et son mépris, sur le tumulte humain. On avait fait venir le jardinier en chef, et ce demeuré roulait avec son camion brinquebalant sur le parcours, faisant voler les mottes de gazon que ses aides venaient de passer au rouleau.

Mr Sethna ne voyait pas l'inspecteur Dhar, qui s'était enfoncé dans les massifs de bougainvillées, mais il ne doutait pas un instant que ce primate d'acteur fût au cœur même de la panique ; la simple évocation de l'inspecteur Dhar lui inspira un soupir réprobateur.

C'est alors que retentit le son aigu d'une fourchette qu'on choquait contre un verre à eau – moyen vulgaire d'appeler un serveur, songeat-il. Or, en tournant la tête vers la table du coupable, il s'aperçut que c'était lui, et non le serveur, qu'était en train d'appeler la nouvelle Mrs Dogar – la belle Mrs Dogar, comme on disait devant elle, ou la seconde Mrs Dogar, comme on disait derrière son dos. Mr Sethna ne la trouvait pas particulièrement belle, et il réprouvait rigoureusement les remariages.

De plus, les membres du club s'accordaient à penser que si la beauté de Mrs Dogar manquait de finesse et de distinction, elle s'était en outre fanée avec le temps. Toute la fortune de son mari était impuissante à amender son effroyable mauvais goût. Toute la gymnastique intensive qu'elle pouvait pratiquer, et on l'en disait inconditionnelle, impuissante à cacher même à l'œil le plus distrait qu'elle avait au moins quarante-deux ans. Pour Mr Sethna et son œil critique, elle frisait sinon défrisait la cinquantaine ; il la trouvait aussi beaucoup trop grande. Et nombreux étaient les golfeurs du Duckworth qui prenaient la mouche lorsqu'elle lâchait dans ces déclarations fracassantes

34

dont elle avait le secret que le golf, pour la santé, c'était « de la gnognote ».

Ce jour-là, Mrs Dogar déjeunait seule – habitude que Mr Sethna réprouvait aussi. Dans un club comme il faut, jugeait le majordome, les femmes ne seraient pas admises à déjeuner toutes seules. Le mariage des Dogar était assez récent pour que monsieur déjeunât encore souvent avec madame mais pas si récent qu'il se fît scrupule de se décommander s'il lui arrivait une affaire importante à traiter. Et ces temps-ci, il s'était mis à se décommander à la dernière minute, ce qui ne laissait pas à sa femme le temps de prendre d'autres dispositions. Mr Sethna avait remarqué que la solitude forcée rendait la nouvelle Mrs Dogar nerveuse et irritable.

D'autre part, il n'avait pas été sans observer une certaine tension entre les nouveaux mariés, lorsqu'ils dînaient ensemble ; Mrs Dogar avait tendance à parler sur un ton acerbe à son mari, qui était beaucoup plus âgé qu'elle. Telle était la rançon des remariages, supposait Mr Sethna, qui regardait d'un œil sourcilleux les hommes qui épousaient des femmes plus jeunes qu'eux. Néanmoins, pour l'instant, il valait mieux aller se mettre à la disposition de cette garce, avant qu'elle n'ait fait voler son verre en éclats d'un autre coup de fourchette ; fourchette qui semblait curieusement petite dans sa grande main noueuse.

– Mon cher monsieur Sethna, commença la seconde Mrs Dogar.

– Que puis-je faire pour la belle Mrs Dogar ? s'enquit le majordome.

– Vous pourriez me dire ce que c'est que tout ce remue-ménage, repartit Mrs Dogar.

Le majordome pesa ses mots tout aussi posément qu'il aurait versé du thé brûlant :

– Rien qui doive vous inquiéter, madame, assurément. Ce n'est qu'un golfeur mort.

2

Fâcheuse nouvelle

Un chatouillement tenace

Il y a trente ans, on comptait au moins une cinquantaine de cirques de qualité, en Inde ; de nos jours, il n'y en a pas plus d'une quinzaine qui vaillent quelque chose. Nombre d'entre eux s'appellent le Grand Ceci ou le Grand Cela. Parmi les préférés du Dr Daruwalla se trouvaient le Grand Bombay, le Jumbo, le Grand Cirque d'Or, les Gémeaux, le Grand Rayman, l'Illustre, le Grand oriental et le Raj Kamal ; mais c'était le Grand Cirque royal qu'il aimait le mieux. Avant l'Indépendance, le cirque s'appelait simplement le Royal ; c'est en 1947 qu'on avait ajouté « grand ». A ses débuts, le chapiteau n'avait que deux pavois ; les deux autres avaient été ajoutés, eux aussi, en 1947. Mais c'était surtout son propriétaire, Pratap Walawalkar, qui avait fait une si forte impression à Farrokh. Peut-être parce qu'il avait beaucoup voyagé, cet homme lui semblait le plus civilisé des propriétaires de cirque ; à moins que son affection ne fût tout simplement liée au fait que le propriétaire du Grand Royal ne le faisait jamais marcher sur le chapitre du sang des nains.

Dans les années soixante, le Grand Royal allait partout. Les affaires étaient mauvaises en Égypte, disait Pratap Walawalkar, excellentes en Iran, bonnes à Beyrouth et Singapour, et de tous les endroits où ils étaient allés en tournée, Bali était le plus beau. Par les temps qui courent, les tournées reviennent trop cher. Avec une demi-douzaine d'éléphants, deux douzaines de fauves, une douzaine de chevaux et presque autant de chimpanzés, sans compter les innombrables perroquets et cacatoès, les douzaines de chiens et les cent cinquante personnes, dont près d'une douzaine de nains, le Grand Royal ne quitte

36

plus guère les limites des États du Maharashtra et du Gujarat ; il ne quitte plus l'Inde, aujourd'hui.

Telle est l'histoire vraie d'un vrai cirque, mais le docteur en avait archivé les détails dans cette province de la mémoire généralement associée à l'enfance. Car son enfance ne lui avait pas laissé un souvenir impérissable ; il préférait de loin les détails mémorables glanés en coulisse, à observer le cirque. Il entendait Pratap Walawalkar dire d'un ton dégagé : « Les lions éthiopiens ont une crinière foncée, mais ils sont comme les autres ; si on veut qu'ils vous écoutent, il faut les appeler par leur nom, et ne pas se tromper. » Farrokh avait retenu cette information comme si elle faisait partie d'une de ces histoires qu'il aurait adoré qu'on lui raconte avant de s'endormir.

Le matin de bonne heure, lorsqu'il partait faire ses interventions, même au Canada, il se rappelait souvent les grandes bassines qui fumaient sur les brûleurs à gaz, dans la tente du cuisinier. Dans l'une bouillait l'eau pour le thé, deux autres réchauffaient du lait ; la première qui arrivait à ébullition n'était pas pour le thé, elle était pour les flocons d'avoine des chimpanzés. Leur thé, les chimpanzés ne l'aimaient pas chaud ; ils le buvaient tiède. Farrokh se souvenait aussi des rations supplémentaires de galette ; elles étaient pour les éléphants, qui aiment les tartines. Les tigres prenaient des vitamines, qui rosissaient leur lait. Ce n'était pas dans son travail de chirurgien orthopédiste qu'il pouvait mettre à profit ces détails affectionnés ; pourtant il s'en était empli les poumons, comme s'il s'était agi de sa propre culture.

Ainsi, sa femme possédait des bijoux magnifiques, certains qu'elle avait d'ailleurs hérités de sa belle-mère ; mais il aurait été en peine de s'en rappeler un seul, alors qu'il aurait pu décrire par le menu un collier en griffes de tigre qui appartenait à Pratap Singh, le monsieur Loyal et dompteur du Grand Royal, un homme à qui il vouait la plus grande admiration et qui l'avait un jour fait profiter de sa recette contre le vertige : une potion de piment rouge et de cheveux brûlés. Contre l'asthme, il recommandait un clou de girofle infusé dans du pipi de tigre ; on laisse le clou sécher, et puis on le moud pour inhaler la poudre. Par ailleurs, le dompteur l'avait mis en garde : ne jamais avaler de moustache de tigre ; on en meurt.

S'il avait lu mention de ces remèdes dans une colonne délirante du *Times of India*, le docteur serait entré en fureur, et il aurait écrit une lettre incendiaire à la Tribune des lecteurs. Au nom de la « vraie » médecine, il aurait dénoncé ces folies « holistiques » (terme générique lorsqu'il parlait du problème de la pensée que l'on dit magique et préscientifique). Mais pour ce qui était des cheveux, des piments rouges ou du pipi de tigre (sans parler de l'avertissement au sujet des moustaches de tigre), ces informations émanaient du grand Pratap Singh ; et à ses yeux le dompteur était un homme qui connaissait son affaire.

Savoir ces choses, poursuivre ses recherches sur le sang des nains entretenaient chez Farrokh le sentiment durable qu'après ses soubresauts dans le filet, et sa chute sur la malheureuse femme du nain, il était devenu le fils adoptif du cirque. L'honneur d'avoir secouru Deepa, même maladroitement, lui faisait de l'usage. Chaque fois qu'un cirque, n'importe lequel, passait à Bombay, on pouvait voir le docteur assis au premier rang ; ou bien se mêler aux acrobates et aux dompteurs – il aimait par-dessus tout assister aux répétitions, à la vie du chapiteau. C'était son privilège d'initié, ces coups d'œil sur l'intimité du cirque, en coulisse du grand chapiteau, ces gros plans sur les tentes de la troupe et sur les cages ; il en retirait le sentiment d'avoir été adopté, absorbé. Un monde caché derrière la scène lui était devenu accessible. Parfois, il regrettait de ne pas être un véritable enfant de la balle au lieu d'un simple invité d'honneur. Mais enfin ce n'était pas un mince honneur, à ses yeux.

Par une ironie de la vie, ses enfants et petits-enfants ne raffolaient pas des cirques indiens. Ces deux générations nées et élevées à Londres ou à Toronto avaient vu des cirques plus grands et plus chics ; elles en avaient vu de plus propres. Leur obsession de la propreté décevait beaucoup le docteur ; ses enfants et petits-enfants trouvaient que les acrobates et les dompteurs menaient une vie minable, voire « défavorisée ». Et alors qu'on balayait plusieurs fois par jour le sol des tentes, eux s'obstinaient à les croire infectes.

Pour lui, le cirque était une oasis d'ordre et de netteté entourée par un monde de miasmes et de chaos. Pour eux, les clowns nains étaient seulement grotesques ; ils étaient en butte à la moquerie ; c'était leur seul droit de cité au cirque. Lui pensait au contraire que les nains étaient appréciés, peut-être même aimés – sans compter qu'ils avaient un emploi rentable. Eux jugeaient particulièrement « durs » les risques pris par les enfants acrobates ; lui pensait qu'ils avaient tout de même de la chance – on les avait sauvés, ceux-là.

Lui savait bien que, pour la plupart, ils avaient été vendus au cirque par leurs parents, qui n'avaient pas de quoi les nourrir ; d'autres étaient orphelins et on les avait officiellement adoptés. S'ils n'avaient pas joué au cirque, où ils étaient nourris et protégés, ils auraient dû mendier. Ils auraient été ces gosses des rues que l'on voit marcher sur les mains et faire des sauts périlleux pour quelques roupies, à Bombay ou dans des villes plus petites du Maharashtra ou du Gujarat, où le Grand Royal lui-même passe plus souvent de nos jours car peu de cirques viennent à Bombay. Pendant Diwali et les fêtes d'hiver, on en trouve encore deux ou trois en ville ou dans les alentours, mais la télévision et le magnétoscope ont fait beaucoup de tort au monde du cirque : les gens louent des films et restent chez eux.

A entendre les enfants et petits-enfants Daruwalla, les jeunes acrobates étaient de pauvres exploités résignés à trimer dans une profession à hauts risques ; leur existence de labeur sans issue équivalait à l'esclavage. Les débutants n'étaient pas payés les six premiers mois ; après quoi ils démarraient avec un salaire de trois roupies par jour, quatre-vingt-dix roupies par mois (ce qui fait moins de vingt francs). A quoi le docteur répondait que la sécurité, le gîte et le couvert, c'était déjà quelque chose ; on donnait au moins à ces enfants une chance de s'en sortir.

Les gens du cirque faisaient chacun bouillir leur eau et leur lait ; chacun faisait ses courses et sa cuisine ; chacun creusait et nettoyait ses latrines. Un acrobate de haut niveau pouvait gagner jusqu'à cinq ou six cents roupies par mois (ce qui ne fait jamais que cent vingt-cinq francs). Certes, si le Grand Royal s'occupait bien de ses enfants, Farrokh n'aurait pu garantir qu'ils étaient aussi bien traités dans tous les cirques en Inde. De fait, les numéros dans plusieurs d'entre eux étaient si lamentables – exécutés sans métier et avec risques – que la vie de chapiteau ne devait pas y être reluisante non plus.

Au Grand Nil bleu, par exemple, on ne pouvait nier que la vie fût minable ; de tous les Grand Ceci et Grand Cela, le Grand Nil bleu était le plus minable, ou en tout cas le moins « grand ». Ce n'était pas Deepa, la femme du nain, qui aurait dit le contraire. La réincarnation de Deepa, naguère contorsionniste et désormais trapéziste, avait été bâclée, c'en était un défi au bon sens ; il n'y avait pas que la bière qui lui avait fait lâcher la barre trop tôt.

Ses problèmes étaient complexes, mais sans gravité. Outre sa hanche démise, elle souffrait d'une déchirure du ligament transversal. Le Dr Daruwalla allait lui marquer la hanche d'une cicatrice mémorable, mais auparavant, pour préparer le terrain, il allait être confronté à la noirceur irréfutable de sa toison pubienne – zone obscure qui lui rappellerait toujours le contact troublant entre son propre nez et le pubis de la femme du nain.

A la vérité, son nez le chatouillait encore lorsqu'il accompagna Deepa à l'hôpital pour faciliter son admission ; en effet, comme il se sentait coupable, il avait quitté le cirque avec elle. Mais on en était tout juste aux premières formalités quand le docteur fut appelé par une des secrétaires ; le Grand Nil bleu avait téléphoné alors qu'il était en route.

– Vous connaissez des clowns ? demanda la secrétaire.

– Eh bien, euh, oui...

– Des clowns nains ?

– Oui, plusieurs ! Je viens de faire leur connaissance, ajouta le docteur, qui avait trop honte pour avouer « et de les saigner ».

– Il semblerait que l'un d'entre eux vienne d'avoir un accident à Cross Maidan.

– Pas Vinod, au moins ! s'exclama le docteur.

– Si, c'est ça, Vinod ! dit la secrétaire. Alors maintenant, ils voudraient que vous retourniez les voir.

– Qu'est-ce qui lui est arrivé, à Vinod ? dit-il à la secrétaire un brin dédaigneuse ; elle comptait parmi ces nombreuses secrétaires médicales qui font carrière dans le sarcasme.

– L'appel ne m'a pas permis de savoir dans quel état il est au juste, répondit-elle. J'ai eu droit à une description hystérique. J'ai cru comprendre qu'il s'était fait piétiner par un éléphant, ou tirer comme un boulet de canon, à moins que ce ne soit les deux. Quoi qu'il en soit, ce nain est mourant, et il déclare que c'est vous son médecin.

C'est ainsi que le docteur retourna au cirque, à Cross Maidan. Et sur le chemin qui le ramenait à la représentation endeuillée du Grand Nil bleu, son nez ne cessa de le chatouiller.

Le chatouillement allait durer quinze ans ; il suffisait que le docteur repense à la femme du nain, et la sensation revenait. Et maintenant que Mr Lal avait raté le filet – car le golfeur était bel et bien mort sur le parcours –, cette présence de la mort lui rappelait que Deepa, elle, avait survécu à sa chute, et même à sa collision regrettable autant que douloureuse avec le docteur maladroit.

Le fameux frère jumeau

L'intrusion de l'inspecteur Dhar avait fait s'envoler les vautours, mais ils n'étaient pas partis. Le Dr Daruwalla savait que les charognards planaient au-dessus de leurs têtes, parce qu'il sentait leur odeur pestilentielle imprégner l'air, et qu'il voyait l'ombre de leurs ailes passer et repasser à la dérive au-dessus du golf et des bougainvillées, où Dhar, simple star du polar, était en ce moment agenouillé auprès du malheureux Mr Lal.

– Ne touche pas au corps ! lui lança le docteur.

– Je sais ! rétorqua le vétéran de l'écran non sans froideur.

Oh là là, il est mal luné, se dit le docteur ; ce n'était pas le moment de lui annoncer la mauvaise nouvelle. Une nouvelle pareille, Dhar ne serait sans doute jamais assez bien luné pour la prendre avec magnanimité. Il fallait se mettre à sa place. Sur le fond, l'affaire était d'une injustice, d'un arbitraire écrasants : Dhar avait en effet un vrai jumeau, dont il avait été séparé à la naissance. L'acteur le savait, et il savait aussi avec précision comment vivait son frère. Le frère, en revanche, ne savait rien, pas même qu'il avait un jumeau. Et voilà que cet innocent arrivait à Bombay !

Le Dr Daruwalla avait toujours pensé que garder le secret ne donnerait rien de bon. Dhar avait accepté l'iniquité criante de la situation, mais la rançon, c'est qu'il en avait retiré une certaine distance ; c'était un homme à l'affection bridée, et qui refusait résolument toute démonstration d'affection de la part d'autrui ; il semblait indifférent, fermé. Il fallait se mettre à sa place, songeait le docteur. Il avait accepté l'existence d'une mère, d'un père et d'un vrai jumeau qu'il n'avait jamais vus ; il avait cultivé ce vieil adage fastidieux mais toujours en vigueur : ne pas réveiller le chat qui dort. Mais aujourd'hui, cette nouvelle fâcheuse évoquait une autre phrase toute faite et non moins en vigueur : c'était la goutte d'eau qui faisait déborder le vase.

41

Selon le docteur, la mère de Dhar avait toujours été trop égoïste pour la maternité ; et voilà que quarante ans après l'accident de sa conception, elle en donnait une nouvelle preuve. Décider de façon arbitraire de prendre un des jumeaux en abandonnant l'autre était une marque d'égoïsme qui aurait dû suffire pour toute la vie ; se garantir de l'éventuelle opposition de son mari en lui dissimulant l'existence du second bébé, c'était une circonstance aggravante, voire monstrueuse ; empêcher l'enfant qu'elle avait choisi de soupçonner même l'existence de son frère (pour que lui non plus n'ait pas mauvaise opinion d'elle), cela montrait de nouveau combien elle était égoïste et indifférente aux sentiments de l'autre, l'abandonné, qui, lui, savait tout.

Oui, tout, enfin presque. Il ne savait pas que son jumeau allait arriver à Bombay, et que sa mère avait supplié le docteur de s'arranger pour qu'ils ne se rencontrent pas.

En la circonstance, le docteur remercia un instant le hasard qui leur offrait en diversion la crise cardiaque – apparemment c'en était une – de Mr Lal. Sauf à table, Farrokh tenait pour une vertu l'art de remettre à demain les affaires sérieuses. Le camion du jardinier cracha ses gaz d'échappement, faisant rouler une vague de pétales sur les pieds du docteur, parmi les bougainvillées saccagées ; surpris, il regarda ses orteils marron clair dans ses sandales marron foncé, elles aussi enfouies sous les pétales rose vif.

C'est alors que le chef mali, qui avait laissé tourner son moteur, se rapprocha discrètement du neuvième trou, et se planta près du docteur avec un sourire niais. Il était beaucoup plus impressionné par le spectacle de l'inspecteur Dhar en pleine action que par la mort du malheureux Lal. Désignant de la tête la scène qui se déroulait dans les bougainvillées, il chuchota à Farrokh : « On dirait tout à fait un film ! » La remarque renvoya aussitôt le docteur au drame qui allait se jouer, puisqu'il serait impossible de cacher plus longtemps au frère de Dhar l'existence de ce dernier, sans conteste la star la plus reconnaissable dans Bombay, qui n'en manquait pourtant pas.

A supposer que l'acteur célèbre accepte de se cacher, son jumeau serait constamment pris pour l'inspecteur Dhar ! Le docteur admirait la force d'âme des jésuites, mais elle ne suffirait jamais à ce frère, qui était ce que les jésuites appellent un scolastique, un futur prêtre, pour supporter un quiproquo d'une telle ampleur. Pour couronner le tout, il avait cru comprendre que la confiance en soi n'était pas sa qualité première ! Et en effet : *futur* prêtre, à quarante ans... A en juger par les sentiments de tout Bombay pour l'inspecteur Dhar, son jésuite de frère risquait même de se faire écharper ! Ce ressentiment profond que la ville nourrissait à l'égard de l'acteur, le docteur voyait mal comment un missionnaire américain sans doute naïf allait y survivre, sans parler d'y comprendre quelque chose ; il avait beau s'être lui-même converti au christianisme, la foi lui faisait défaut en l'occurrence.

Car, par exemple, les affiches des *Inspecteur Dhar* étaient régulièrement défigurées. Seules celles placées en hauteur, les démesurées qui s'étalaient partout, et représentaient le beau visage cruel, échappaient aux immondices qu'on leur balançait généreusement depuis les trottoirs. Mais même hors d'atteinte humaine, le visage familier de l'antihéros détesté n'échappait pas aux souillures inventives des oiseaux de Bombay. Les corbeaux et les milans semblaient attirés comme par une cible par l'œil noir perçant de l'acteur, et par le sourire ironique si bien étudié. Dans toute la ville, l'effigie était maculée de fiente. Mais ses nombreux détracteurs ne pouvaient le lui enlever, Dhar avait atteint une manière de perfection dans ce rictus dédaigneux. C'était l'expression d'un amant qui vous quitte en jouissant de votre douleur. Tout Bombay en ressentait la morsure.

Le reste du monde, et même le reste de l'Inde, n'avait pas à subir le sourire ironique dont l'inspecteur accablait Bombay en permanence. Le succès populaire de la série était, pour des raisons inexplicables, limité au Maharashtra ; et il y avait dans cet engouement une contradiction violente avec la détestation dont Dhar lui-même était l'objet. Confondus, le personnage et l'acteur qui n'avait pas hésité à l'incarner étaient un de ces phares de la culture populaire que le public adore détester. Et l'acteur semblait si bien jouir de l'hostilité passionnée du public qu'il n'avait jamais entrepris d'autre rôle ; il n'avait même pas d'autre nom, il s'appelait ou du moins était dit « inspecteur Dhar ».

C'était le nom que portait son passeport ; son passeport indien, du moins, qui était un faux. L'Inde ne reconnaît pas la double nationalité ; or le docteur savait que Dhar avait un passeport suisse, vrai celui-là, et qu'il était citoyen suisse. Ce roué avait en réalité une vie suisse, ce pour quoi il vouait une éternelle reconnaissance à Farrokh.

Mais le succès des *Inspecteur Dhar* reposait, du moins en partie, sur les soins jaloux avec lesquels il préservait son intimité, et dissimulait son passé. Malgré les enquêtes les plus serrées, le public n'avait jamais pu savoir de la biographie de cette vivante énigme que ce qu'elle voulait bien en dire, et la version qu'elle en donnait ressemblait aux intrigues de ses films : tarabiscotée et cousue de fil blanc, totalement dépourvue de détails crédibles. L'inspecteur Dhar s'était inventé lui-même, et apparemment cette fiction abracadabrante et invérifiable avait réussi à passer auprès du public – tout en contribuant sans doute à expliquer la virulence du mépris dont il était l'objet.

Mais les foudres de la presse à scandale ne faisaient qu'alimenter sa célébrité. Comme il refusait de raconter sa vie aux journalistes, ceux-ci fabriquaient de toutes pièces les anecdotes le concernant ; lui, étant ce qu'il était, ne pouvait que s'en féliciter : ces racontars rehaussaient son mystère, entretenaient l'hystérie générale. Les *Inspecteur Dhar* avaient un tel succès que l'acteur devait avoir des fans, voire des foules d'admirateurs ; or son public jurait le mépriser. Et son indifférence à cet égard était détestée elle aussi. Il donnait à entendre que ses « fans » allaient voir ses films largement dans l'espoir de le voir se « casser la figure » ; mais leur fidélité dans les salles, même s'ils y venaient en escomptant un fiasco, lui assurait triomphe sur triomphe. Le cinéma de Bombay est riche en demi-dieux, et le culte du héros y représente la norme. Ce qui était singulier, c'était qu'abominé, l'inspecteur Dhar n'en demeurait pas moins une star.

Autre ironie des choses, le thème des jumeaux séparés à la naissance est l'un des plus populaires auprès des scénaristes hindis. La séparation se produit le plus souvent à la maternité, pendant une tempête, ou un déraillement de train. Le schéma classique veut qu'un des jumeaux suive la voie de la vertu, tandis que l'autre se vautre dans le vice. Naturellement il existe un objet clef pour les relier ; ce peut être un billet de deux roupies déchiré, dont chacun détient une moitié. Souvent, au moment où ils s'apprêtent à s'entre-tuer, la moitié révélatrice du billet s'échappe comme par enchantement de la poche d'un des deux. Ainsi réunis, ils reportent leur colère, toujours justifiée, sur un traître véritable, invraisemblable canaille opportunément présentée au public à un stade précoce de cette intrigue abracadabrante.

Comme Bombay détestait l'inspecteur Dhar ! Mais Dhar avait un vrai jumeau, dont il avait vraiment été séparé à la naissance, et sa véritable histoire était bien plus invraisemblable qu'un scénario sorti de l'imagination hindie. En outre, personne à Bombay ni dans tout le Maharashtra ne connaissait cette histoire.

Portrait du docteur en scénariste honteux

Sur le neuvième green, les pétales roses des bougainvillées lui caressant les pieds, le Dr Daruwalla parvenait à détecter cette haine éprouvée par le chef mali lui-même pour l'inspecteur Dhar. Le rustaud restait à ses côtés comme une ombre : Dhar, inspecteur de police à l'écran, se retrouvait à la ville devant un vrai cadavre, la situation ne manquait pas de sel. Le docteur se souvint alors de son premier mouvement lorsqu'il avait découvert que le pauvre Lal était la proie des vautours ; il se rappelait combien il avait lui aussi goûté cette ironie. Car il avait bel et bien chuchoté à Dhar : « Vous voilà à pied d'œuvre, inspecteur ! » Il était mortifié d'avoir dit une chose pareille.

Si son égale méconnaissance de son pays natal et de son pays d'adoption lui inspirait un sentiment de culpabilité diffuse, l'impression d'être en tout lieu « hors du coup », et si sa confiance en soi en faisait les frais, il souffrait encore beaucoup plus, à l'évidence, de tout ce qui pouvait dans ses attitudes le rapprocher des masses : le pauvre type au coin de la rue, l'homme du commun, bref, son prochain. Son manque d'engagement à la fois au Canada et en Inde, dû à un manque de connaissance et d'expérience, le mettait un peu mal à l'aise ; mais se surprendre à penser comme le premier venu le plongeait dans une honte terrible. Il était peut-être aliéné, mais il n'en était pas moins snob ; il était peut-être hors du coup, mais il se figurait unique. Et voilà qu'en présence de la mort elle-même, son absence d'originalité apparente l'humiliait : il se découvrait sur la même longueur d'onde qu'un jardinier idiot et antipathique.

Le docteur se sentait si honteux qu'il reporta un instant son attention sur le partenaire de golf de Mr Lal, que le chagrin accablait. Mr Bannerjee ne s'était pas approché du corps de son ami plus avant, et il restait à proximité du neuvième pavois, qui pendait mollement sur sa hampe flexible fichée dans la coupe.

Tout à coup, Dhar s'exclama avec plus de curiosité que de surprise :

– Tiens, il coule du sang par une oreille, et beaucoup.

– Ça doit faire un moment que les vautours lui donnent des coups de bec, répondit le docteur.

Il ne souhaitait pas s'aventurer plus près ; après tout, il était orthopédiste, pas médecin légiste.

– Mais on ne dirait pas du tout que ce soit ça, objecta l'inspecteur Dhar.

– Oh, arrête de jouer le flic ! dit Farrokh avec irritation.

Dhar lui lança un regard lourd de reproche, que le docteur jugea tout à fait mérité. Penaud, il se mit à traîner les pieds dans les fleurs, mais il avait des pétales coincés entre les orteils. La cruauté qui se peignait sur le visage avide du chef mali le mettait mal à l'aise ; ses manquements à son devoir envers les vivants le rendaient honteux ; en effet il était clair que Mr Bannerjee souffrait tout seul, et non moins clair qu'un médecin ne pouvait plus rien pour Mr Lal. Le pauvre Bannerjee devait le trouver bien indifférent envers le corps ! Quant à la fâcheuse nouvelle qu'il ne pouvait se résoudre à annoncer à son jeune ami, elle lui faisait peur.

C'est tout de même le comble de l'absurdité, que cette besogne me revienne, songeait-il, oubliant un instant que c'était Dhar la vraie victime de la situation. Le pauvre acteur n'en avait-il pas assez supporté jusque-là ? S'il avait réussi à garder sa santé mentale, c'était grâce au secret jaloux dont il entourait sa vie privée ; mais il avait respecté la vie privée du docteur aussi ; car il n'ignorait évidemment pas que c'était lui l'auteur des scénarios de tous les *Inspecteur Dhar* ; il n'ignorait pas que c'était lui qui avait créé le personnage qu'il était désormais condamné à incarner.

Au départ, c'était censé être un cadeau. Il aimait tant le jeune homme, qui était pour lui comme un fils, qu'il lui avait écrit le rôle sur mesure. Et voilà qu'à présent, cherchant à éviter son regard de reproche, le docteur s'agenouillait pour retirer les pétales d'entre ses orteils.

Ah, mon cher enfant, dans quoi suis-je allé t'entraîner, songeait-il. A presque quarante ans l'acteur était toujours son « enfant », à ses yeux. Il ne s'était pas contenté d'inventer le personnage de cet inspecteur aimé et détesté, ni de créer les films qui déchaînaient la folie dans tout l'État ; il avait encore élaboré la biographie absurde que le célèbre acteur tentait de faire avaler au public, et dont le public, bien entendu, ne croyait pas un mot. Mais il savait aussi que le public n'aurait pas cru un mot de la véritable histoire de Dhar.

Par fidélité aux inventions du docteur, l'autobiographie de l'inspecteur Dhar privilégiait les valeurs choc et le sentiment, comme les intrigues de ses films. L'acteur se disait enfant illégitime ; il racontait que sa mère était américaine – une star hollywoodienne aujourd'hui tombée dans l'oubli – et son père un vrai policier de Bombay, en retraite depuis longtemps. Quarante ans auparavant – Dhar en avait trente-neuf – cette mère hollywoodienne était venue tourner un film à Bombay. L'inspecteur chargé d'assurer sa sécurité était tombé amoureux d'elle ; c'était l'hôtel Taj Mahal qui avait abrité leur idylle. Lorsque la star avait découvert qu'elle était enceinte, elle avait conclu un marché avec l'inspecteur.

A l'époque où l'enfant était né, la star n'avait pas trouvé plus prohibitif de verser une rente à cet inspecteur de police indien que de verser régulièrement de l'huile de coco dans son bain – s'il fallait en croire la légende. Un bébé, surtout hors mariage, et de père indien encore, aurait compromis sa carrière. Selon Dhar, sa mère avait donc payé l'inspecteur de police pour qu'il prenne l'enfant en charge à part entière. Il y avait assez d'argent à la clef pour lui permettre de se retirer de la police, mais il était clair qu'il avait transmis à son fils la connaissance intime qu'il avait du métier, bakchichs compris. Dans ses films, l'inspecteur Dhar passait son temps à refuser des bakchichs. Tous les inspecteurs de police de Bombay disaient que s'ils arrivaient à savoir qui était le père de Dhar, ils le liquideraient ; et ils ne cachaient pas qu'ils se seraient fait un plaisir de liquider l'inspecteur Dhar lui-même.

A la grande honte du docteur, cette histoire était pleine de lacunes ; à commencer par le mystérieux film. On fait plus de films à Bombay qu'à Hollywood. Seulement voilà, en 1949, on n'avait tourné aucun film américain dans l'État du Maharashtra, aucun qui soit sorti du moins. Autre détail suspect, les registres ne mentionnaient aucun policier affecté à la sécurité d'un tournage étranger ; et pourtant, pour d'autres années, on en trouvait une foule ; il fallait donc croire que les listes de 1949 étaient sorties des dossiers – au prix d'un bakchich, sans aucun doute. Mais pourquoi ? Quant à la prétendue actrice hollywoodienne tombée dans l'oubli, une Américaine à Bombay, tournant un film, aurait été considérée comme une star hollywoodienne, fût-elle inconnue ou piètre actrice – même si le film n'était jamais sorti.

Dans ses bons jours, l'inspecteur n'affichait qu'indifférence à l'égard de ses origines. On disait qu'il n'était jamais allé aux États-Unis. Et quoique son anglais ait la réputation d'être parfait, et même dépourvu de tout accent, lui disait préférer parler hindi, et ne sortir qu'avec des Indiennes.

Dans ses mauvais jours, il avouait un mépris sans véhémence à l'égard de sa mère, quelle qu'en ait été l'identité. A l'égard de son père, il professait une loyauté farouche et sans faille, qui se traduisait par le désir d'en tenir l'identité secrète. Le bruit courait qu'ils ne se retrouvaient qu'en Europe !

Il faut dire pour la défense du Dr Daruwalla que la fiction était allée chercher son invraisemblance dans la réalité. La faute en revenait aux mystérieuses lacunes de l'histoire. L'inspecteur Dhar avait tourné son premier film à l'âge de vingt ans, soit. Mais où était-il, enfant ? A Bombay, une beauté pareille ne serait pas passée inaperçue, surtout chez un adolescent ; et puis enfin, il avait la peau trop blanche ; seuls des Européens ou des Américains auraient eu l'idée de la dire mate. Il avait une chevelure si foncée qu'elle était presque noire, des yeux si sombres, anthracite, qu'ils en étaient presque noirs aussi, mais si vraiment son père était indien, même à la peau claire, il n'avait pas laissé sa marque chez son fils.

On conjecturait que sa mère était peut-être une blonde aux yeux bleus, et que l'inspecteur de police n'avait légué à son fils que des gènes racialement neutralisants, et un goût prononcé pour les affaires criminelles. Cela n'empêchait pas tout Bombay de se plaindre que l'idole de l'écran, en tête des hit-parades, celle qui déchaînait les passions, eût l'air aux yeux du monde à cent pour cent européenne ou américaine. Comme il n'y avait pas d'explication plausible à cette physionomie occidentale, une rumeur le disait fils du frère du docteur, qui avait épousé une Autrichienne ; et comme tout le monde savait aussi que le docteur lui-même avait épousé la sœur de cette dame, on racontait également qu'il était le père de l'enfant.

Le docteur démentait régulièrement ces rumeurs, et ne dissimulait pas l'agacement qu'elles lui causaient. Pourtant, de nombreux habitués du Duckworth encore vivants se rappelaient son propre père en compagnie d'un garçon au teint clair, seulement entrevu l'été, où il faisait de brèves visites. Et cet enfant au teint si singulièrement clair, on disait qu'il n'était autre que le petit-fils de Daruwalla père ! Mais la meilleure riposte à ces allégations, c'était le silence, Farrokh le savait bien ; le silence, ou un démenti pur et simple.

On sait que les Indiens prisent beaucoup la peau claire ; Dhar avait en outre une beauté virile. Mais on trouvait pervers son refus de parler anglais en public – quand il parlait anglais, c'était toujours avec un accent hindi manifestement outré. Certes, on disait qu'en privé il parlait anglais sans accent, mais comment savoir ? Il n'accordait qu'un nombre limité d'interviews, ne portant que sur la question de son « art ». Il posait en principe que sa vie privée était un sujet tabou. Et, bien entendu, c'était le seul sujet qui intéressait les gens. Lorsque la presse du cinéma avait réussi à le coincer, dans une boîte, au restaurant, lors d'une séance de photo précédant la sortie du dernier *Inspecteur Dhar*, l'acteur déclenchait son fameux sourire ironique. Quelle que fût la question qu'on lui posait, il répondait par une boutade, ou encore, en l'ignorant tout à fait, il déclarait – en hindi ou en anglais avec son accent bidon : « Je ne suis jamais allé aux États-Unis, je ne m'intéresse pas à ma mère, si j'ai des enfants un jour ils seront indiens, les bébés indiens sont les plus intelligents. »

Il pouvait soutenir le regard de n'importe qui, faire baisser les yeux à n'importe qui ; il savait attirer et manipuler l'œil de n'importe quelle caméra. Sa force et sa masse croissaient de manière inquiétante. Jusque vers trente-cinq ans, il avait eu le muscle plutôt saillant, et le ventre plat. Mais aux abords de la quarantaine, que ce fût pour sacrifier au goût des spectateurs de matinées en matière de plastique masculine ou encore à cause de son propre goût pour les haltères conjugué avec son penchant pour la bière, ce dur menaçait de devenir « un peu fort ». Il passait à Bombay pour un dur particulièrement bien nourri. Ses détracteurs disaient qu'il avait un ventre de buveur de bière, mais ils n'auraient pas osé le dire devant lui. En somme, pour quarante ans, il se défendait encore plutôt bien !

Les scénarios du docteur prenaient leurs distances avec la tradition du cocktail masala. Dans la ligne du cinéma hindi, ils étaient d'une sentimentalité à bon marché mais leur vulgarité était résolument occidentale : les mauvaises manières du héros y étaient présentées comme une vertu (elles étaient souvent pires que celles de la plupart des « méchants » du film) et la sentimentalité spécifique qui s'y étalait frisait l'existentialisme potache ; Dhar était au-delà de la solitude dans la mesure où il semblait adorer s'aliéner tout le monde. Et pourtant il y avait des clins d'œil en direction du cinéma hindi, que le docteur voyait avec l'ironie moqueuse d'un étranger au système : il n'était pas rare que les dieux descendent du ciel, en principe pour livrer à Dhar une information top secret, et tous les méchants étaient démoniaques, quoique inefficaces. Le parti des méchants était en général représenté par les çriminels, et par la police dans son ensemble ; les conquêtes féminines étaient l'apanage du seul Dhar, dont l'héroïsme s'exerçait dans les limites de la loi aussi bien qu'hors la loi. Quant aux conquêtes elles-mêmes, elles lui demeuraient presque toujours indifférentes, détail singulièrement européen.

La musique appliquait la formule hindie homologuée : chœurs féminins poussant des « oh » et des « ah » sur cacophonie de guitares, de violons, de tablas et de vinas. Et malgré son cynisme invétéré, l'inspecteur lui-même condescendait parfois à chanter en play-back. Il mettait alors tout son talent à balancer ces paroles d'un mérite poétique dont on peut juger : « Tu vas voir un peu, poupée, la bonne affaire que je suis… » Dans le cinéma hindi, ces chansons-là sont en hindi, mais le scénario des *Inspecteur Dhar* allait, là aussi, contre tous les usages. Les chansons de Dhar étaient en anglais, et il les chantait avec son abominable accent hindi ; même le thème principal, chanté par un chœur exclusivement féminin, et qui revenait au moins deux fois par film, était en anglais. Cela aussi excédait le public – et assurait le succès. Bien qu'il en fût l'auteur, le Dr Daruwalla frémissait à entendre ces paroles :

> *L'inspecteur Dhar, c'est un simple mortel ?*
> *Que vous dites, que vous dites !*
> *Pour nous il pourrait bien*
> *Être un dieu !*

> *Et ça c'est une petite averse ?*
> *Que vous dites, que vous dites !*
> *Pour nous ça pourrait bien*
> *Être le début de la mousson.*

Si Dhar se débrouillait assez bien pour postsynchroniser, il ne montrait aucun enthousiasme pour cet art tant décrié. Un critique l'avait surnommé « Lippe molle ». Un autre se plaignait que rien ne lui donnait jamais de tonus, qu'il manquait d'enthousiasme dans tout ce qu'il faisait. Pourtant, l'acteur plaisait aux masses. Peut-être parce qu'il avait toujours l'air déprimé, comme s'il se laissait aimanter par le sordide de la vie, et que ses triomphes ultimes sur le mal n'étaient qu'une malédiction sans fin. C'est pourquoi on attribuait une certaine mélancolie aux victimes que Dhar cherchait à secourir ou venger. Une violence spectaculaire accompagnait toujours le châtiment qu'il infligeait aux malfaisants.

Côté sexe, le ton se voulait satirique. Pour ne pas montrer les personnages en train de faire l'amour, on passait des extraits de vieilles bobines représentant des trains sur les rails ; l'éjaculation était figurée par des vagues qui se brisaient paresseusement sur des grèves. En outre, pour ne pas tomber sous le coup de la censure indienne, la nudité, prohibée, était remplacée par des vêtements trempés. Les personnages se caressaient beaucoup, entièrement vêtus, sous la pluie – à croire que l'inspecteur ne résolvait des énigmes que pendant la mousson. De temps en temps on pouvait entrevoir, ou deviner, un petit bout de sein sous un sari trempé ; c'était plus polisson qu'érotique.

Le message social et idéologique était diffusé en sourdine, lorsqu'il n'était pas carrément absent. Que ce fût à Toronto ou à Bombay, cette rubrique n'était pas le fort du docteur. Sauf à constater, ce qui n'avait rien d'original, que la police était corrompue jusqu'à la moelle par le système du bakchich, on n'endoctrinait guère le spectateur. Les scènes de mort violente, mais mièvre, suivies de scènes larmoyantes, comptaient plus que les messages censés éveiller la conscience nationale.

Le personnage de l'inspecteur Dhar était brutalement vindicatif mais absolument incorruptible, sauf par le sexe. Les femmes se divisaient en deux catégories sommaires aisées à identifier, les pures et les perverses ; cela dit, Dhar s'octroyait les plus grandes libertés avec les unes et les autres, avec toutes, en somme. Enfin, presque toutes. Il se refusait aux Occidentales, et dans tous les *Inspecteur Dhar*, il y en avait toujours au moins une, ultra-claire, qui cherchait l'aventure sexuelle avec lui ; et lui la repoussait avec une cruauté ponctuelle ; c'était sa signature, son cachet, l'aspect de ses films qui le faisaient adorer des Indiennes, jeunes et moins jeunes. Cette facette du personnage reflétait-elle ses sentiments à l'égard de sa propre mère, ou bien transposait-elle dans la fiction ses déclarations d'intention – n'avoir que des enfants indiens –, nul ne le savait. Que savait-on, d'ailleurs, de l'inspecteur Dhar ? Haï de tous les hommes, adulé de toutes les femmes qui, bien sûr, affectaient de le haïr...

Toutes les Indiennes avec qui il sortait déployaient le même zèle pour protéger sa vie privée. Elles disaient : « Il n'est pas du tout comme dans ses films » (sans jamais donner d'exemples). Ou encore « Il est très vieux jeu – c'est un vrai gentleman » (on ne leur demandait pas en quoi). « Il est très modeste, vraiment. C'est quelqu'un qui parle peu. »

Qu'il parlât peu, tout le monde le croyait sans peine ; on soupçonnait même fortement qu'il ne prononçait jamais une ligne en dehors du script – soupçon en contradiction flagrante et allègre avec la rumeur concernant son anglais oxfordien. Personne ne croyait rien, ou alors on croyait tout ce qui se disait. Qu'il avait deux femmes, dont une en Europe. Une douzaine d'enfants qu'il refusait de reconnaître, donc tous illégitimes. Qu'il vivait en fait à Los Angeles, dans la maison de son ignoble mère.

Face à ces rumeurs, fidèle aux violents contrastes créés par la popularité extrême de ses films et l'animosité extrême que son sourire ironique suscitait, Dhar lui-même demeurait impénétrable. Ce sourire laissait passer une dose considérable de sarcasme ; le quadragénaire massif n'avait pas son pareil pour la confiance en soi.

Il ne soutenait qu'une seule œuvre charitable ; mais il mettait tant de cœur et de persuasion à solliciter l'aide du public qu'il avait acquis un statut de philanthrope aussi imposant que les bienfaiteurs les plus en vue de Bombay. Il faisait des clips télévisés pour l'hôpital des Enfants infirmes, clips qu'il payait sur ses deniers, et qui étaient d'une efficacité redoutable. (Bien entendu, le Dr Daruwalla en était aussi l'auteur.)

Dans ces clips, l'inspecteur Dhar est face à la caméra, en plan américain ; il porte une longue tunique blanche flottante, une *kurta*, sans col ou à col officier, et il arbore son sourire ironique tout juste le temps qu'il faut, selon lui, pour retenir la pleine attention du spectateur. Sur quoi il déclare : « Vous pouvez adorer me haïr ; je gagne beaucoup d'argent et je n'en donne jamais à personne, sauf à ces enfants. » Suit alors une série de plans où l'on voit Dhar parmi les petits infirmes de l'hôpital orthopédique : une petite fille contrefaite se traîne vers lui, qui lui tend les bras ; il apparaît ensuite entouré d'enfants aux yeux écarquillés, dans des fauteuils roulants ; on le voit soulever un petit garçon d'un bain bouillonnant et le porter sur une table blanche toute propre, où deux infirmières lui assemblent ses béquilles ; les jambes du gamin ne sont pas plus grosses que ses bras.

Cela n'empêchait pas l'inspecteur d'être détesté ; il lui arrivait même d'être agressé. Des gros bras du coin avaient voulu vérifier s'il était aussi coriace et aussi entraîné aux arts martiaux que le personnage qu'il incarnait ; vérification positive, apparemment. Il ripostait à toutes les insultes par une curieuse version assagie de son sourire ironique, une sorte de grimace, en somme, qui lui donnait l'air vaguement éméché. Mais en cas d'agression physique, il n'hésitait pas à contre-attaquer sur le même mode ; un type lui ayant un jour balancé une chaise à la figure, il lui avait renvoyé une table. Il avait la réputation d'être aussi dangereux à la ville qu'à l'écran. Il lui était déjà arrivé de causer des fractures à ses adversaires et, peut-être grâce à ses connaissances en orthopédie, il avait infligé des dégâts sévères aux articulations de ses assaillants ; bref, il pouvait être vraiment dangereux. Mais il ne cherchait jamais la bagarre, il se contentait d'y avoir le dessus.

Ses films de série Z étaient faits à la va-vite ; ses apparitions pour la promotion minimales ; le bruit courait qu'il ne passait qu'en coup de vent à Bombay. Il avait pour « chauffeur » un nain mal gracieux, ancien clown de cirque, que la presse à scandales avait sans hésitation stigmatisé comme « un tueur », appellation que Vinod revendiquait fièrement.

A l'exception des nombreuses Indiennes qui « sortaient » avec lui, on ne connaissait pas d'ami à l'inspecteur Dhar. La personne avec laquelle il se montrait le plus en public était un chirurgien, qui faisait de rares séjours à Bombay, consultant honoraire à l'hôpital des Enfants infirmes, porte-parole habituel de l'établissement lorsqu'il s'agissait de solliciter des fonds étrangers ; cette amitié de longue date avait résisté à l'invasion des médias. Le Dr Daruwalla, médecin canadien émérite, père de famille, fils de l'ancien directeur des personnels de l'hôpital des Enfants infirmes, le regretté Dr Lowji Daruwalla, était d'un laconisme glacial avec la presse. « Je suis médecin, pas commère », disait-il. En outre, le docteur et son jeune ami n'étaient

53

vus ensemble qu'au Duckworth. Les médias n'y étaient pas les bienvenus et surprendre les conversations d'autrui tenu pour une habitude déplorable (sauf par le vieux majordome parsi).

Il y avait néanmoins force spéculations sur la façon dont l'acteur avait réussi à se faire élire membre du club. Les vedettes de cinéma n'y étaient pas non plus les bienvenues. Et si l'on considérait que la liste d'attente était de vingt-deux ans, et que l'acteur en était membre depuis l'âge de vingt-six, il fallait en déduire qu'il avait fait acte de candidature à quatre ans ! A moins que quelqu'un ne l'ait fait à sa place. Qui plus est, beaucoup de duckworthiens estimaient qu'il restait à démontrer que l'acteur se fût distingué comme « exemple pour la communauté » ; certains faisaient valoir sa campagne de soutien à l'hôpital, à quoi d'autres rétorquaient que ses films portaient tort à toute la ville. On comprendra qu'il n'y avait pas moyen de faire taire les rumeurs, ou les griefs, qui circulaient sur ce chapitre à l'intérieur du vieux club.

Le docteur en proie au doute

Pas moyen non plus d'étouffer la nouvelle qui mettait tout le monde en effervescence : ce golfeur trouvé mort dans les bougainvillées du neuvième green. Fidèle au personnage qu'il incarnait à l'écran, c'était l'inspecteur Dhar lui-même qui avait découvert le corps. La presse s'attendrait sans doute à le voir aussi trouver l'assassin. Bien sûr, il n'apparaissait pas encore qu'il y ait eu meurtre, même si les habitués disaient volontiers que les excès de Mr Lal sur le parcours étaient criminels, et si, à coup sûr, le vieux monsieur était desservi par son acharnement dans les bougainvillées sinistrées. Les vautours avaient brouillé les pistes, mais il semblait bien que Mr Lal eût été victime de son propre coup d'approche. Mr Bannerjee, son adversaire de toujours, avait confié au Dr Daruwalla qu'il pensait avoir tué son ami.

– Il perdait toujours ses moyens au neuvième trou, s'exclama-t-il, je n'aurais jamais dû le mettre en boîte là-dessus.

Le docteur se dit que lui aussi avait souvent mis Mr Lal en boîte sur le même sujet : c'était irrésistible, tant de zèle et si peu de talent ! Mais maintenant qu'il en était mort, apparemment, son enthousiasme pour le golf paraissait beaucoup moins comique.

Il se surprit à percevoir comme une analogie entre sa création de l'inspecteur Dhar, et la façon dont Mr Lal jouait au golf ; et ce rapprochement tiré par les cheveux lui vint en sentant tout à coup une odeur désagréable. L'impression était aussi forte que si quelqu'un avait déféqué dans les parages, mais la puanteur était à la fois plus familière et plus lointaine, évoquant plutôt les ordures pourrissant au soleil, ou l'égout engorgé. Elle lui fit penser aux fleurs en pot et à l'urine humaine.

Tirée par les cheveux ou pas, la comparaison entre les habitudes sportives mortelles de Mr Lal et les scénarios du Dr Daruwalla reposait sur le fait qu'on déniait tout mérite artistique aux scénarios du docteur qui, pourtant, y travaillait d'arrache-pied. La plupart des spectateurs trouvaient le personnage sommaire, beaucoup le jugeaient parfaitement odieux ; et pourtant, le docteur avait créé Dhar par amour, par amour pur ; et l'estime fragile dans laquelle il se tenait reposait autant sur son image d'écrivain honteux que sur sa réputation établie de chirurgien, même s'il n'écrivait que des scénarios, et même si, pire encore, il passait pour bâcler ses histoires sans vergogne et prostituer son talent, au point de refuser son nom à ses créations. Et puisque l'acteur qui jouait le rôle était devenu l'inspecteur Dhar aux yeux du public, on lui avait tout naturellement attribué la paternité du personnage. Ce dont Farrokh tirait le plus grand plaisir, c'était de l'écriture même des scénarios ; pourtant, le « métier » qu'il y mettait avait beau l'amuser, les résultats étaient honnis, tournés en dérision.

Récemment, sous le coup des menaces de mort qu'avait reçues l'inspecteur, le Dr Daruwalla avait même songé à arrêter ; il avait envisagé de sonder Dhar sur la question. Si je m'arrête, se disait-il, qu'est-ce qu'il va devenir ? Et moi, si je m'arrête, qu'est-ce que je deviens ? Car il soupçonnait depuis longtemps que Dhar ne serait pas fâché de sortir de la peau de son personnage, surtout à présent. Passe encore d'essuyer les débordements verbaux du *Times of India* ; mais recevoir des menaces de mort…

Et pour en revenir à cette association saugrenue avec les contreperformances de Mr Lal au golf, ce relent d'ordures pourrissant au soleil, cette puanteur ancienne d'égout engorgé – à moins qu'on ait pissé dans les bougainvillées – était une sensation très mal venue. Il se voyait tout à coup semblable au pauvre Lal, comme lui condamné ; il était aussi piètre écrivain, et aussi acharné, que Lal golfeur. Non seulement il venait d'écrire un nouveau scénario, mais on avait même fini le tournage du film, jusqu'au dernier plan. Coïncidence, le film allait sortir juste avant, ou juste après l'arrivée à Bombay du frère jumeau de Dhar. L'acteur lui-même était sur le départ – il était sous contrat pour quelques interviews et séances de photo destinées à la promotion du film (cette intimité forcée avec la presse du cinéma lui semblait toujours trop durer). Bien entendu, il y avait tout lieu de croire que le nouveau film ferait autant de remous que les précédents. « Par conséquent, c'est le moment de s'arrêter, se dit le Dr Daruwalla. Avant d'en commencer un autre. »

Mais comment s'arrêter ? Il adorait faire des films. Et comment espérer s'améliorer ? Il faisait déjà de son mieux ; comme le pauvre Lal, il retournait sans espoir au neuvième green. Chaque fois, les fleurs voltigeaient, mais la balle, elle, demeurait quasi inerte ; chaque fois, il était jusqu'aux genoux dans les fleurs malades, et il s'escrimait à taper dans la petite balle blanche. Et puis un jour, les vautours paraîtraient là-haut, amorçant leur descente…

De deux choses l'une : frapper la balle (pas les fleurs), ou arrêter la partie. Il le comprenait très bien ; seulement il ne parvenait pas à se décider, pas plus qu'il ne se résolvait à annoncer la fâcheuse nouvelle à l'inspecteur Dhar. Après tout, se disait-il, j'ai montré de quoi j'étais capable ; comment espérer valoir mieux ? Et comment m'arrêter, quand c'est la grande affaire de ma vie ?

Pour se calmer, il pensa au cirque. Comme un enfant qui est fier de réciter les noms des rennes du Père Noël ou des sept nains, lui se testait en se rappelant le nom des lions du Grand Royal : Ram, Raja, Wazir, Maman, Diamant, Shanker, Couronne, Max, Hondo, Altesse, Lillie Mol, Leo et Tex. Et puis il y avait les lionceaux : Sita, Gita, Julie, Devi, Bheem et Lucy. Le moment où les lions étaient le plus dangereux se situait entre leur premier et leur second service de viande. Parce qu'ils avaient les pattes poisseuses ; quand ils tournaient dans leurs cages, en attendant le second service, ils dérapaient et tombaient, ou alors ils glissaient de côté, entre les barreaux. Après le second service, ils se calmaient et léchaient la graisse de leurs pattes. Il y avait des choses sur lesquelles on pouvait compter, chez les lions. Ils étaient toujours eux-mêmes. Ils n'essayaient pas d'être autre chose, contrairement au docteur, qui s'obstinait à essayer d'écrire – ou d'être indien.

Et en quinze ans, il n'avait toujours pas trouvé de marqueur génétique du nanisme achondroplase ; personne ne l'y avait d'ailleurs encouragé. Mais il persévérait. Il n'avait pas enterré ses recherches sur le sang des nains ; et il n'en avait pas l'intention ; pas encore.

Tout ça parce qu'un éléphant est monté sur une balançoire

Lorsque le docteur passa le cap des cinquante-cinq ans, les détails les plus enthousiastes de sa conversion au christianisme avaient tout à fait disparu de sa conversation ; on aurait dit que, peu à peu, il était en train de se déconvertir. Mais quinze ans auparavant, alors qu'il avait repris sa voiture pour se rendre au cirque, évaluer les dégâts subis par Vinod, sa foi était encore assez fraîche pour qu'il eût fait part des circonstances miraculeuses de sa découverte à Vinod. Si le nain était vraiment mourant, il tirerait quelque réconfort du souvenir de leur conversation religieuse ; car Vinod était un homme profondément religieux. Au cours des années à venir, la foi de Farrokh ne serait plus ce réconfort profond ; viendrait même un temps où il se soustrairait à tout débat théologique avec le nain. Car, avec les années, il lui ferait l'effet d'un sacré fanatique !

Mais sur le chemin du Grand Nil bleu où il allait découvrir le désastre, il se donnait du courage en se rappelant l'enthousiasme exprimé par le nain devant les points communs entre son hindouisme et le christianisme du docteur.

– On a une sorte de trinité, nous aussi, s'était-il exclamé.

– Brahma, Shiva, Vishnou ? C'est ça ? avait demandé le docteur.

– Toute création est entre mains de trois dieux, avait affirmé Vinod. D'abord Brahma, dieu de création – il n'y a qu'un seul temple à lui dans toute l'Inde. Et puis Vishnou, dieu de conservation ou d'existence. Et en troisième Shiva, dieu de changement.

– Du changement ? Je croyais que Shiva était le destructeur – le dieu de la destruction.

– Mais pourquoi est-ce que tout le monde répète ça ? Toute création est cyclique. Il n'y a pas de finalité. Je préfère penser que Shiva est dieu de changement. Parfois mort est changement, elle aussi.

– Je vois, avait répondu le docteur, c'est une manière positive de voir les choses.

– C'est notre trinité à nous, avait poursuivi le nain : création, conservation, et changement.

– Mais moi, ce que je ne comprends pas très bien, avait avoué Farrokh avec une certaine témérité, ce sont les formes féminines.

– Puissance des dieux est représentée par femmes. Durga est forme féminine de Shiva. C'est déesse de mort et de destruction.

– Mais tu viens de me dire que Shiva est le dieu du changement, avait interrompu le docteur.

– Sa forme féminine, Durga, est déesse de mort et de destruction, avait répété le nain.

– Je vois, avait acquiescé le docteur ; il lui semblait qu'il valait mieux dire ça.

– Durga veille sur moi. Je lui adresse mes prières.

– La déesse de la mort et de la destruction veille sur toi ? avait demandé le docteur.

– Elle me protège toujours.

– Je vois, avait dit le docteur.

Être protégé par la déesse de la mort et de la destruction sonnait comme une croyance liée au karma.

Finalement, il avait trouvé Vinod allongé dans la poussière sous les gradins ; il ressortait qu'il était passé à travers les planches de bois, sur une hauteur de quatre ou cinq rangées. Les employés du cirque n'avaient dégagé qu'une petite portion de sièges, sous lesquels Vinod était à présent étendu, inerte. Mais comment avait-il pu atterrir là, la chose ne fut pas claire tout de suite. Y avait-il un numéro qui requérait la participation du public ?

De l'autre côté de l'arène, une petite troupe de nains s'était improvisée pour essayer bravement de distraire la foule ; c'était le numéro classique du Nain qui pète. Par un trou au fond de son pantalon multicolore un nain « pétait » régulièrement du talc sur les autres. Ils ne paraissaient pas affaiblis ou mal en point pour avoir donné un tube de leur sang au docteur, ce que Vinod les avait suppliés de faire sans vergogne, tandis que Farrokh lui-même, sans plus de vergogne, leur racontait le bobard suggéré, à savoir que le sang servirait à redonner des forces à un nain mourant. Vinod avait parachevé cette fable en disant à ses camarades qu'il avait déjà été saigné lui-même pour la plus grande satisfaction du docteur.

Cette fois-là, heureusement, la voix du présentateur n'avait pas annoncé au micro l'arrivée du médecin. Comme Vinod était étendu sous les gradins, la foule ne pouvait pas le voir, à de rares spectateurs près. Farrokh s'agenouilla dans la poussière, jonchée de déchets laissés par le public : cônes de papier gras, bouteilles de soda, écalles de cacahuètes et lambeaux de bétel. Sur le dessous des fauteuils, on voyait les rayures blanches de la pâte de limon qui striaient les planches de bois ; les consommateurs de *paan* s'étaient essuyé les doigts sous leur siège.

— Je crois que je suis pas en train de finir tout de suite, chuchota Vinod au médecin. Je crois que je suis en train de changer, pas de mourir.

— Essaye de ne pas bouger, répondit le Dr Daruwalla, dis-moi plutôt où tu as mal.

— Je bouge pas. J'ai pas mal. Je sens plus mon dos, c'est tout.

Comme on pouvait s'y attendre de la part d'un homme de foi, le nain souffrait stoïquement, ses mains de Poland croisées sur la poitrine. Il se plaignit plus tard que personne n'avait osé l'approcher, à l'exception d'un vendeur ambulant, un *channa-walla* qui portait son plateau de noix autour du cou. Vinod lui avait raconté qu'il avait le dos engourdi ; c'est pourquoi le présentateur pensait qu'il avait dû se rompre le cou ou la colonne vertébrale. Vinod trouvait que quelqu'un aurait dû au moins venir lui parler, l'écouter raconter sa vie ; quelqu'un aurait dû lui tenir la tête, ou lui offrir de l'eau, le temps que les brancardiers dans leur *dhotis* d'un blanc sale viennent le chercher.

— C'est Shiva, ça, c'est lui qui s'occupe de ça, avait-il dit au Dr Daruwalla. C'est changement, pas mort, je crois. Si c'est Durga qui a fait coup, alors, OK, je suis en train de mourir. Mais moi je crois que je suis seulement en train de changer.

— Espérons-le, répondit le docteur.

Il demanda à Vinod de lui serrer les doigts, puis il lui toucha les mollets.

— Je te sens à peine, dit Vinod.

— Mais je te touche à peine, expliqua Farrokh.

— Ça veut dire que je suis pas en train de mourir. C'est juste un conseil des dieux.

— Et qu'est-ce qu'ils te conseillent ?

— Ils disent que je suis prêt à quitter cirque. Celui-ci, en tout cas.

Peu à peu, les visages du Grand Nil bleu s'assemblaient autour d'eux. Le présentateur, les désossées et les dames en caoutchouc, jusqu'au dompteur qui jouait avec son fouet. Mais le docteur ne voulut pas laisser les brancardiers bouger Vinod tant qu'on ne lui aurait pas raconté les circonstances de son accident. Vinod pensait que seuls les autres nains pourraient le faire convenablement ; c'est ainsi que le numéro du Nain qui pète dut être interrompu. A ce stade, le numéro avait dégénéré selon l'habitude : le nain délictueux était en train de péter du talc sur les sièges du premier rang. Le premier rang étant essentiellement occupé par des enfants, on ne s'en offusquait pas outre mesure. Mais enfin la foule se dispersait déjà ; le numéro du Clown qui pète ne faisait jamais rire très longtemps. Le Grand Nil bleu avait épuisé tout son répertoire pour tenter avec un succès mitigé de retenir les spectateurs à leur place jusqu'à l'arrivée du médecin.

Les clowns à présent au complet avouèrent au docteur que ce n'était pas la première fois que Vinod était blessé sur la piste. Il était déjà tombé de cheval ; une fois il s'était fait poursuivre et mordre par un chimpanzé. Une autre fois, du temps que le Grand Nil bleu avait une ourse, elle l'avait précipité dans un seau de mousse à raser diluée ; ça c'était prévu au programme ; seulement elle l'avait culbuté trop fort, il en avait eu le souffle coupé ; si bien qu'il avait inspiré et avalé l'eau savonneuse. Les autres clowns l'avaient aussi vu accidenté dans le numéro des éléphants qui jouaient au cricket. Si le docteur avait bien compris le principe de la cascade, un éléphant était le lanceur, et un autre le batteur ; ce dernier tenait la batte dans sa trompe et la manœuvrait de même. La balle de cricket, c'était Vinod, bien sûr. Mais même avec une batte en caoutchouc, ça fait mal de se faire lancer par un éléphant et batter par un autre.

Farrokh l'apprendrait plus tard, le Grand Royal ne faisait jamais courir de pareils risques à ses clowns nains ; mais là, on était au Grand Nil bleu. Le terrible accident de bascule qui avait causé la chute douloureuse de Vinod sous les gradins était un autre numéro avec éléphant, qui n'avait pas bonne réputation non plus. Dans un cirque indien, les numéros sont appelés des « articles ». Si l'on considérait le travail de précision, l'article de l'éléphant à bascule était moins délicat que celui des éléphants joueurs de cricket ; mais c'était l'un des préférés des enfants, plus familiers d'une bascule ou d'une balançoire que du jeu de cricket.

Dans l'article de l'Éléphant à bascule, Vinod jouait le rôle d'un clown teigneux. Il était le trouble-fête, celui qui refusait de jouer avec ses petits camarades sur la balançoire ; chaque fois qu'ils se mettaient en position, Vinod sautait sur une extrémité, et il les faisait tomber de la planche. Après quoi il s'asseyait lui-même sur l'engin en leur tournant le dos. Un par un, les nains se glissaient sur l'autre bout de la planche, jusqu'à ce que Vinod se retrouve dans les airs ; alors il se retournait et, glissant sur la planche, il leur fonçait dessus et les dégommait de nouveau. Il était donc bien clair pour le public que Vinod se rendait coupable de comportement peu sociable. Ses petits camarades le laissaient assis à un bout de la planche, dos tourné, tandis qu'ils allaient chercher un éléphant.

Le seul aspect de ce numéro qui présente un intérêt quelconque pour un adulte, c'est qu'il démontre que les éléphants savent compter – au moins jusqu'à trois. Les nains cajolaient l'éléphant pour qu'il pose la patte sur le bout de la balançoire opposé à Vinod. Mais la bête était dressée à n'obéir qu'à la troisième demande. Les deux premières fois que l'éléphant soulevait son énorme patte, il ne la posait pas ; à la dernière seconde, il secouait les oreilles et se détournait. Le public était fermement convaincu qu'il n'allait pas vraiment s'exécuter. La troisième fois, lorsqu'il posait la patte et que Vinod était propulsé dans les airs, les spectateurs étaient bien étonnés.

En principe, l'éléphant devait envoyer Vinod dans les filets enroulés que l'on ne descendait que pour les numéros de trapèze. Il allait s'y agripper par-dessous, comme une chauve-souris, et piaillait aux autres nains de le descendre. Bien entendu, ils ne pouvaient pas l'attraper sans l'aide de l'éléphant, qui lui inspirait des mimiques de frayeur. C'était de la farce comme on en voit au cirque ; mais il était très important que la balançoire soit pointée précisément sur les filets enroulés. La nuit fatidique où sa vie avait changé, Vinod s'était avisé, mais une fois en selle, qu'elle était pointée sur les spectateurs.

C'était peut-être à mettre sur le compte de la Lager ; ces grosses bouteilles de bière avaient pour effet de déséquilibrer les nains. Sans doute la bière avait-elle joué son rôle, et le docteur n'achèterait plus jamais les nains de cette façon. Mais, hélas, la balançoire était pointée dans la mauvaise direction, et en plus Vinod avait oublié de compter combien de fois l'éléphant avait levé la patte, ce qu'il parvenait à faire d'habitude, même sans le voir, en se repérant simplement aux cris étouffés du public suspendu à ses gestes. Bien sûr, le nain aurait pu s'en sortir s'il avait tourné la tête pour regarder l'éléphant et voir où était son immense patte. Mais il se sentait des engagements quant à la qualité du spectacle ; s'il s'était retourné pour regarder l'éléphant, tout le numéro en eût été gâché.

C'est ainsi qu'il avait été balancé sur le quatrième rang. Il se souvenait avoir espéré qu'il ne tomberait pas sur un enfant. Mais il avait tort de s'inquiéter ; les gens s'étaient poussés sur sa trajectoire. Il alla percuter les sièges de bois vides, et passa à travers les intervalles entre les planches.

Résultat d'une mutation spontanée, le nain achondroplase vit dans la douleur : il a mal aux genoux, mal aux coudes (qui ne peuvent se détendre tout à fait). Il a mal aux chevilles et au dos, sans parler du rhumatisme dégénératif. Bien entendu il y a des types de nanisme plus terribles encore ; ainsi les nains pseudo-achondroplases souffrent de ce que l'on appelle des déformations « en coup de vent » – jambe et genou arqués ; le docteur en avait vu qui ne pouvaient pas marcher du tout. Avec la douleur qui était le lot quotidien de Vinod, le fait qu'il ne sentait plus son dos était peut-être la sensation la plus confortable qu'il éprouvait depuis des années, même s'il venait de se faire catapulter par un éléphant et d'atterrir sur le coccyx au milieu d'une planche de bois, après une trajectoire de quinze mètres.

C'est ainsi que le nain blessé devint le malade du Dr Daruwalla. Il s'était fait une fracture sans gravité de l'apex du coccyx, et s'était froissé le tendon du sphincter externe, rattaché à cet apex ; bref, il s'était littéralement cassé le cul. Et foulé certains des ligaments sacrosciatiques, rattachés à la périphérie immédiate du coccyx. L'engourdissement de son dos, qui diminua rapidement, après quoi la routine de ses misères et maux quotidiens reprit ses droits, venait peut-être de la pression exercée sur un ou plusieurs de ses nerfs sacraux. Sa guérison allait être complète, quoique plus lente que celle de Deepa. Cela ne l'empêcha pas de soutenir qu'il était handicapé à vie. Ce qu'il voulait dire, c'est qu'il n'avait plus le cran nécessaire.

Les prochaines expériences de clowns volants au Grand Nil bleu devraient se passer du concours de Vinod, c'est du moins ce qu'il disait. Si Shiva était bien le dieu du changement, et pas seulement le Destructeur, le changement que ce seigneur lui réservait était peut-être un recyclage. Seulement le clown vétéran serait toujours un nain, et

Farrokh voyait très mal quel genre de compétences il avait en dehors de celles qu'on exerce au cirque.

Tandis que Vinod et sa femme poursuivaient leurs convalescences respectives à l'hôpital, le Grand Nil bleu arriva au terme de son contrat à Bombay, et le Dr Daruwalla et sa femme s'occupèrent de Shivaji ; il fallait bien en effet que quelqu'un prît le petit nain en charge, et le docteur se sentait encore coupable d'avoir apporté la bière, responsable en partie du moins, des deux accidents. Cela faisait bien des années que les Daruwalla n'avaient pas eu à maîtriser un enfant de deux ans, et c'était la première fois qu'ils avaient affaire à un nain de deux ans ; mais cette période de convalescence se révéla fructueuse pour Vinod.

Le nain était un grand maniaque des listes, et il aimait montrer ses listes au Dr Daruwalla. Il y avait ainsi une longue liste des compétences acquises au cirque, et une deuxième, malheureusement plus courte, de qualifications autres. Sur la liste courte, le docteur lut que le nain savait conduire. Un mensonge, à coup sûr ; après tout, n'était-ce pas lui qui avait eu l'idée de celui que Farrokh avait avancé pour saigner les nains du Grand Nil bleu ?

– Quel genre de voiture sais-tu conduire, Vinod ? demanda-t-il alors au convalescent. Comment fais-tu pour atteindre les pédales ?

Et Vinod montra fièrement du doigt une autre rubrique de la liste, la rubrique « mécanique ». Farrokh l'avait laissée passer, il était allé tout droit à « conduite automobile », en présumant que le terme recouvrait l'entretien des monocycles et autres joujoux du cirque. Mais Vinod s'était essayé à la mécanique des monocycles *et* des voitures ; il avait même conçu et installé des commandes manuelles pour une auto. Cette idée lui était venue comme il se doit à l'occasion d'un numéro du Grand Nil bleu où dix nains sortaient d'une petite voiture. Mais cette voiture, il fallait d'abord qu'un nain sache la conduire ; et c'était à Vinod que la tâche était échue. La grosse affaire, avouait Vinod, c'était d'installer les commandes. (« Beaucoup d'expériences échouent », commentait-il avec philosophie.) Conduire, au contraire, avait été relativement facile.

– Tu sais conduire... dit le Dr Daruwalla, comme pour lui-même.

– Vite et lentement !

– Mais il te faut une transmission automatique...

– Pas d'embrayage, frein et accélérateur.

– Ça fait deux commandes manuelles, ça.

– Il en faut pas plus, non ?

– Mais alors, quand tu freines ou quand tu accélères, tu n'as plus qu'une main sur le volant.

– Il en faut pas plus pour conduire, non ?

– Tu sais conduire, répéta le Dr Daruwalla.

D'une certaine façon, la chose paraissait plus incroyable que l'Éléphant à bascule ou la Partie de cricket des éléphants, parce qu'il ne parvenait pas à imaginer de vie différente pour Vinod ; il le croyait condamné à faire le clown pour le Grand Nil bleu.

– J'apprends conduite automobile à Deepa, aussi, ajouta-t-il.

– Mais elle n'a pas besoin de commandes manuelles, elle !

Le nain haussa les épaules :

– Au Grand Nil bleu, nous conduisons évidemment même voiture, expliqua-t-il.

C'est donc là, dans la salle de l'hôpital réservée aux nains, que le docteur fut présenté à un futur héros de la « conduite automobile ». Il était loin de s'imaginer que, quinze ans plus tard, une véritable légende allait naître autour d'une limousine. Certes, Vinod n'allait pas échapper au cirque tout de suite : il faut du temps aux légendes. Même sa femme n'allait pas échapper tout à fait au cirque, au bout du compte ; quant à leur fils, Shivaji, il ne rêverait jamais d'y échapper. Mais la véritable origine de toute l'histoire, c'était que Farrokh voulait le sang des nains.

3

Le vrai policier

Mrs Dogar rappelle quelqu'un à Farrokh

Quinze ans le docteur allait se remémorer avec complaisance sa rencontre avec la femme du nain dans le filet de sécurité. Il en rajoutait, bien sûr, comme lorsqu'il se prenait à s'étonner que Vinod soit devenu le légendaire nain à la limousine : même au temps de sa splendeur automobile, personne n'avait jamais imaginé que le nain était chauffeur d'une limousine, moins encore qu'il possédait une compagnie de location de limousines. En comptant les deux véhicules à commandes manuelles qu'il conduisait lui-même, il allait posséder une demi-douzaine de voitures au maximum parmi lesquelles ne figurait aucune Mercedes.

Il allait s'assurer des bénéfices tout juste modestes en ayant ses taxis à lui, taxis de luxe, comme on dit à Bombay. Ses véhicules ne furent jamais luxueux. Et ils avaient beau être tous d'occasion, encore lui avait-il fallu accepter un prêt du docteur pour se les offrir. Si le nain devint une légende éphémère, ce n'était pas la qualité ou le nombre de ses voitures qui en étaient la raison ; ce n'étaient pas des limousines. Non, son statut de légende, il le devait à son client le plus célèbre, et ce client, c'était l'acteur déjà nommé, qui répondait au nom saugrenu d'inspecteur Dhar et n'habitait à Bombay que la moitié du temps – et encore.

Et le pauvre Vinod ne put jamais rompre tout à fait ses attaches avec le cirque. Shivaji, son fils, nain lui aussi, était arrivé à l'adolescence ; et comme il se doit, il prenait opiniâtrement le contre-pied des opinions paternelles. Si Vinod avait continué sa carrière de clown au Grand Nil bleu, Shivaji aurait sans aucun doute rejeté le cirque, et, par esprit de contradiction, par horreur pure et simple à l'idée d'être un nain qui fait rire, il aurait embrassé le métier de chauffeur de taxi. Mais puisque son père s'était donné tant de mal pour monter une affaire de taxis, et qu'il s'était battu pour se libérer de l'emprise dangereuse de ce cirque qui vous broyait à longueur de temps, Shivaji avait résolu de se faire clown. Par conséquent, Deepa voyageait souvent avec son fils, et tandis que le Grand Nil bleu était en tournée dans le Gujarat ou le Maharashtra, son affaire de taxis retenait Vinod à Bombay.

En quinze ans, il n'avait pas réussi à apprendre à conduire à sa femme. Depuis sa chute, celle-ci avait renoncé au trapèze, mais le cirque la payait à entraîner les jeunes contorsionnistes ; pendant que Shivaji s'instruisait au métier de clown, sa mère enseignait leurs numéros aux filles en caoutchouc. Vinod se sentait souvent seul. Alors, quand sa femme et son fils lui manquaient trop, il retournait au blues du Grand Nil. Il y évitait les numéros les plus dangereux du répertoire des clowns et se contentait de former les jeunes nains, dont son propre fils. Mais que les clowns soient catapultés d'une balançoire par des éléphants, pourchassés par des chimpanzés ou culbutés par des ours, leur apprentissage est limité. A part les exercices les plus exigeants, qui bien sûr requièrent de l'entraînement – descendre d'un monocycle qui dégringole, etc. –, il n'y a guère que l'art du maquillage, la précision minutée des numéros et la façon de tomber qui s'enseignent. Au Grand Nil bleu, on apprenait essentiellement à tomber, pensait Vinod.

A Bombay, son absence se faisait sentir et nuisait à son entreprise de taxis, si bien qu'il se sentait obligé de retourner en ville. Le Dr Daruwalla, quand il faisait un séjour en Inde, ne savait pas toujours où se trouvait Vinod ; comme prisonnier d'un numéro de clown sans fin, le nain passait sa vie à faire la navette.

Le docteur, lui, passait sa vie à rêvasser à cette nuit de jadis où son nez était allé se cogner à l'os pubien de Deepa ; ce n'était pas le seul souvenir du cirque qu'il retenait ; les paillettes du justaucorps moulant, sur lesquelles il s'était éraflé, sans parler des composantes contradictoires de l'arôme entêtant exhalé par Deepa, telles étaient les images les plus vives de sa mémoire. Et il ne rêvait jamais autant à ces images que lorsqu'un moment désagréable l'attendait.

Pour l'instant, il se prenait à penser que depuis quinze ans le nain s'était obstiné à lui refuser le moindre tube de sang. En quinze ans, il avait réussi à ponctionner tous les nains en activité, dans presque tous les cirques en activité du Gujarat et du Maharashtra, mais de Vinod, pas une goutte. La chose avait beau l'excéder, il préférait encore y réfléchir plutôt que de se consacrer au problème plus pressant qu'il avait à résoudre tout à coup.

Le Dr Daruwalla était un lâche. Certes, Mr Lal était tombé du parcours de golf, et sans filet, mais ce n'était pas une raison pour ne pas annoncer à l'inspecteur Dhar la fâcheuse nouvelle. C'était bien simple : il n'osait pas.

Il avait pour travers de se lancer dans des plaisanteries laborieuses, surtout quand il venait de faire une découverte perturbante sur son propre compte. Quant à l'inspecteur Dhar, il se taisait, ce qui était dans sa manière à lui, si l'on accréditait du moins cette version de son personnage. Dhar savait que le docteur aimait bien Mr Lal, et que cet humour acide était son recours favori pour se distraire, quand il était malheureux. Au Duckworth, Dhar passa les trois quarts du déjeuner à écouter le docteur ironiser sur ce nouveau camouflet que les vautours administraient aux parsis en négligeant leur mort tout frais pour s'occuper de celui du parcours de golf. Farrokh, avec un humour forcé, s'imaginait que l'ingérence de ce golfeur défunt dans la communauté vautoure allait mettre en révolution les zoroastriens les plus fervents ; il faudrait demander à Mr Sethna s'il en prenait ombrage. Pendant tout le déjeuner, le vieux majordome avait affiché une mimique outragée, mais la cause de l'outrage semblait être la seconde Mrs Dogar. Il était clair que Mr Sethna la considérait d'un œil sourcilleux a priori.

Elle s'était délibérément tournée de façon à avoir dans sa ligne de mire l'inspecteur Dhar, qui ne lui rendit pas une seule fois son regard. Encore une de ces innombrables impudentes qui cherchaient – en vain – à attirer l'attention de l'acteur, se disait Farrokh. Si seulement il avait pu lui dire à quel point elle se sentirait rejetée quand elle s'apercevrait qu'il l'ignorait ! Pendant un moment, elle recula même sa chaise, de sorte que son nombril troublant fut adorablement mis en valeur par les couleurs éclatantes de son sari ; il était braqué sur Dhar, comme un œil unique et insistant. Si l'acteur ne semblait pas remarquer les avances de Mrs Dogar, le docteur, au contraire, avait du mal à détacher ses yeux de cette femme.

Il lui trouvait une attitude éhontée pour une femme mariée, quadragénaire – peut-être même quinquagénaire. Et pourtant, elle était attirante, même s'il y avait de la menace dans cet attrait. Il ne parvenait pas vraiment à déterminer en quoi résidait le charme de cette femme, dont les longs bras présentaient une musculature trop saillante, et dont le visage dur et anguleux avait une beauté presque masculine dans son arrogance. Il est vrai qu'elle avait la gorge bien faite, quoique plutôt menue, et le derrière exceptionnellement haut et ferme, surtout pour une femme de son âge, et il était incontestable aussi que sa taille allongée et le nombril déjà évoqué étaient des atouts majeurs dans l'agréable impression d'ensemble qu'elle produisait en sari. Mais tout de même elle était trop grande, ses épaules trop carrées, ses mains bizarrement grandes et fébriles ; elle tripotait ses bijoux d'argent comme une enfant qui s'ennuie.

En outre, il avait entraperçu ses pieds, ou plutôt un de ses pieds. Elle avait dû envoyer promener ses chaussures sous la table. Et tout ce que le docteur avait vu, en un clin d'œil, c'était un pied nu osseux ; une fine chaîne d'or ceignait mollement sa cheville, curieusement robuste, et un gros anneau d'or enserrait son orteil griffu.

Peut-être que ce qui l'attirait chez elle, c'est qu'elle lui rappelait quelqu'un, mais il ne voyait pas du tout qui. Une star de cinéma d'antan, se dit-il. Puis, comme ses patients étaient des enfants, il lui vint à l'esprit qu'il pouvait avoir connu la nouvelle Mrs Dogar enfant ; mais quel charme cela lui donnerait-il, encore une inconnue exaspérante ; au reste, ils n'avaient sans doute guère que six ou sept ans d'écart : lorsqu'elle était enfant, lui l'était aussi.

Dhar prit le docteur par surprise en lui lançant :

– Si tu te voyais regarder cette femme, je crois que tu serais gêné, Farrokh !

Or, lorsqu'il était gêné, le docteur avait l'habitude agaçante de changer de sujet à brûle-pourpoint.

– Et toi donc ! J'aurais voulu que tu te voies, rétorqua-t-il. On aurait dit un fichu inspecteur de police ! Ah mais tout à fait, alors !

Lorsque le docteur se mettait à parler un anglais aussi peu naturel, il exaspérait Dhar ; ce n'était même pas l'intonation chantante de l'hindi – qui aurait d'ailleurs été très peu naturelle puisque le docteur parlait en temps normal sans la moindre trace d'accent. Mais c'était pire ; c'était totalement factice ; c'était la note britannique, les inflexions affectées de l'anglais indien tel que le parlent les jeunes diplômés qui travaillent comme consultants pour les services de contrôle de l'alimentation au Taj, ou les chefs de produits de Britannia Biscuits. Dhar savait bien que c'était la timidité de Farrokh qui parlait par cette voix – il était tellement décalé, à Bombay.

Dhar lança, sans hausser le ton, mais dans un anglais impeccable, à son compagnon énervé :

– Alors, quelle rumeur on accrédite aujourd'hui ? Je te réponds en braillant en hindi ? Ou bien c'est le jour idéal pour pratiquer l'anglais d'adoption ?

Le ton et l'expression caustiques blessèrent le docteur, même si c'étaient les maniérismes auxquels on reconnaissait infailliblement le personnage qu'il avait créé, et que tout Bombay en était arrivé à détester. Quoique le crypto-scénariste ne fût plus très sûr de la moralité de sa création, ces doutes ne transparaissaient pas dans l'affection sans réserve qu'il éprouvait à l'égard du jeune homme ; en public comme en privé, c'était bien l'amour qui se voyait.

Les remarques cinglantes et le ton mordant des réflexions de Dhar blessaient le Dr Daruwalla ; pourtant, il considérait la beauté à peine déclinante de l'acteur avec une immense tendresse. Dhar laissa son rictus ironique s'adoucir en un sourire. Avec une affection qui alarma le serveur le plus proche et le plus attentif – le malheureux dont le service du jour avait coïncidé avec le corbeau chieur et la soupière rebelle – le docteur tendit la main et pressa le bras de son cadet. Il chuchota, dans un anglais neutre :

– Je suis vraiment désolé, sincèrement, désolé pour toi, mon cher enfant.

– Je t'en prie ! souffla l'inspecteur Dhar.

Son sourire s'évanouit et fit place au rictus ; il dégagea sa main de l'étreinte de son aîné.

C'est le moment, se dit le docteur ; mais il n'osait pas ; il ne savait pas par où commencer.

Ils étaient assis tranquillement à boire du thé avec des sucreries lorsque les vrais policiers s'approchèrent de leur table. Ils avaient déjà été interrogés par l'officier de service du commissariat de Tardeo, un certain inspecteur Trucmuche, qui ne leur avait pas fait une forte impression. Arrivé avec une équipe d'adjoints répartis dans deux Jeeps – ce qui parut tout de même excessif au docteur pour une mort au golf – l'inspecteur de Tardeo avait parlé à Dhar avec onction mais condescendance, et il s'était contenté d'être servile avec Farrokh.

– J'espère que vous voulez bien m'excuser, docteur, avait-il commencé dans son anglais contraint. Je suis profondément désolé d'abuser de votre temps, *saar*, avait-il ajouté à l'intention de Dhar.

Dhar, bien entendu, lui avait répondu en hindi.

– Vous n'examinez pas corps, docteur, avait-il demandé, toujours en anglais.

– En aucun cas !

– Et vous, saar, vous ne touchez pas à cadavre ?

– Moi je ne touche jamais à lui, avait répondu Dhar, en imitant à la perfection l'accent hindi du policier.

Comme il s'en allait, les lourdes galoches du policier de service avaient fait un peu trop de bruit sur les dalles de la salle à manger ; c'est ainsi que cette sortie s'était attiré la réprobation prévisible de Mr Sethna. A n'en pas douter, le vieux majordome avait aussi réprouvé la chemise kaki sale du policier ; elle était maculée par le *thali* auquel l'inspecteur avait dû dire deux mots au déjeuner ; une généreuse portion de *dhal* s'était renversée sur la poche de poitrine, et une tache jaune orangé, forcément laissée par le *turmeric*, venait éclairer le col crasseux du policier maladroit.

Mais le second policier, celui qui s'approchait en ce moment de leur table dans le jardin des Dames, n'était pas un simple inspecteur ; il était d'un rang supérieur, et sa mise d'une netteté qui sautait aux yeux. Ce devait être au moins un commissaire. D'après ce qu'en savait Farrokh, car à défaut de qualités esthétiques ses scénarios étaient bien documentés, ils allaient certainement être confrontés à un commissaire du quartier général de la Crime, à Crawford Market.

– Tout ça pour du golf, chuchota l'inspecteur Dhar, assez bas pour que le détective qui s'avançait ne pût l'entendre.

Savoir choisir qui l'on outrage

Comme le dernier *Inspecteur Dhar* l'a montré, le salaire officiel d'un inspecteur de police, à Bombay, n'est que de deux mille cinq cents à trois mille roupies par mois (soit un peu plus de cinq cents francs). Pour s'assurer un poste plus lucratif, dans le secteur de la criminalité lourde, un inspecteur se voit contraint de soudoyer un fonctionnaire. Moyennant un « cadeau » qui peut aller de soixante-quinze à deux cent mille roupies (moins de trente-cinq mille francs, en général), il peut s'assurer un poste qui lui rapporte entre trois cent mille et quatre cent mille roupies par an (rarement plus de soixante-quinze mille francs). L'une des questions soulevées par le dernier *Inspecteur Dhar* était la suivante : comment un inspecteur qui gagne trois mille roupies par mois fait-il pour mettre la main sur les cent mille nécessaires à la transaction ? Dans le film, la réponse est apportée par un inspecteur de police particulièrement hypocrite et corrompu qui double son traitement en faisant le maquereau, et en louant un appartement de Falkland Road à un bordel de travestis-eunuques.

Dans le sourire pincé du second policier qui s'approchait de la table, on pouvait lire l'outrage unanime de la police de Bombay. La communauté des prostituées n'était pas moins ulcérée ; du reste, sa colère avait des causes plus graves. Car il semblait bien que le nouveau Dhar, *L'Inspecteur Dhar et le Tueur de canaris*, avait mis en danger le dernier échelon des prostituées de Bombay, ces filles en cage qu'on appelle des « canaris ». Le film présentait en effet un tueur en série qui assassine des « canaris » et leur dessine un éléphant à la mine incongrûment réjouie sur le ventre ; or depuis, ce n'était plus du cinéma, un vrai assassin semblait s'être emparé de l'idée ; de vraies prostituées se faisaient tuer et tatouer de cette façon primaire ; l'énigme restait entière. Dans le quartier réservé, sur Falkland Road et Grant Road, ainsi que dans les claques qui fourmillent le long des innombrables venelles de Kamathipura, les gagneuses avaient exprimé le désir de tuer l'inspecteur Dhar – et ce n'était pas du cinéma non plus.

Chez les travestis-eunuques, le ressentiment contre Dhar était particulièrement vif. Dans le film, on finit par découvrir que l'« assassin aux dumbos » est un prostitué, travesti-eunuque. Les travestis-eunuques en étaient ulcérés ; d'abord, ils ne se prostituaient pas tous, loin de là ; et ensuite, on ne les avait jamais vus commettre des meurtres en série. Ils constituaient au contraire un troisième sexe admis en Inde ; on les appelait les *hijras*, un mot urdu qui signifie hermaphrodite. Mais les hijras ne naissent pas hermaphrodites ; ils s'émasculent, et par conséquent on peut légitimement les appeler des eunuques. Ils représentent aussi un culte ; adorateurs de Bahuchara

71

Mata, la déesse-mère, ils tirent leur pouvoir – de bénir ou de maudire – du fait qu'ils ne sont ni mâle ni femelle. La tradition veut qu'ils vivent de la mendicité ; il peut aussi leur arriver de danser, moyennant finances, lors de mariages ou de fêtes ; mais surtout, ils viennent donner leur bénédiction lors d'une naissance, particulièrement si l'enfant est un garçon. Et ils s'habillent en femmes, de sorte que l'appellation travesti-eunuque est celle qui leur convient le mieux.

Les hijras ont des manières hyper-féminines quoique peu raffinées ; ils flirtent outrageusement, et se donnent en spectacle avec des mimiques sexuelles appuyées, qui seraient mal vues chez une femme, en Inde. S'ils se châtrent et s'habillent en femmes, ils se donnent peu de mal pour se féminiser par ailleurs ; la plupart méprisent les œstrogènes, par exemple, et certains s'épilent si mal le visage qu'il n'est pas rare d'en voir avec une barbe de trois jours. Lorsqu'on les insulte ou qu'on les harcèle, lorsqu'ils se heurtent, comme ils le font de plus en plus souvent, au scepticisme des Indiens séduits par les valeurs occidentales, et qui ne croient plus à leur pouvoir « sacré », ils vont jusqu'à soulever leurs jupes pour exhiber crûment leurs parties génitales mutilées.

En imaginant son dernier scénario, le docteur n'avait pas voulu outrager les hijras – il y en a plus de cinq mille pour la seule ville de Bombay. Mais c'était le chirurgien en lui qui trouvait leur pratique de l'émasculation vraiment barbare. Les opérations relatives à la castration ou au changement de sexe sont illégales en Inde ; mais l'« opération » d'un hijra, on utilise le mot occidental, est exécutée par ses pairs. Le patient fixe un portrait de Bahuchara, la déesse-mère, et on lui conseille de se mordre les cheveux, parce qu'il n'y a pas d'anesthésiant, sinon une dose d'alcool ou d'opium pour le neutraliser un peu. Le « chirurgien », qui, bien sûr, n'en est pas un, attache un lien autour du pénis et des testicules, pour avoir une coupure bien nette, car c'est d'un seul coup qu'il sectionne le tout. On laisse ensuite le patient saigner tout son saoul, parce que l'on croit que la virilité est une sorte de poison qui s'écoule avec le flux. On ne fait pas de point de suture, la zone à vif, assez grande, se cautérise à l'huile bouillante. Lorsque la plaie commence à cicatriser, on maintient l'urètre ouvert par des sondages répétés. La cicatrice froncée qui en résultera ressemble à un vagin.

Les hijras ne sont pas simplement des hommes qui s'habillent en femmes ; du reste, ils tiennent les simples travestis qui ont gardé leur virilité intacte, dans le plus grand mépris. Ces « faux » hijras sont appelés *zénanas* ; chaque univers a sa hiérarchie. Au sein de la communauté des prostituées, les hijras se vendent plus cher que les vraies femmes – le Dr Daruwalla ne savait pas vraiment pourquoi. On discutait ferme pour savoir si les hijras étaient homosexuels, même si beaucoup de leurs clients, sinon la plupart, les honoraient à cette mode-là ; et parmi les hijras adolescents, même avant l'émasculation, les études faites révélaient une activité homosexuelle fréquente. Mais Farrokh soupçonnait que beaucoup d'Indiens préféraient les hijras parce qu'ils étaient plus « femmes » que les vraies ; ils étaient sans aucun doute plus hardis que n'importe quelle Indienne, et avec leur simili-vagin, toutes les imitations leur étaient permises.

Mais si les hijras avaient des tendances homosexuelles, pourquoi s'émasculaient-ils ? Même s'il y avait des homosexuels parmi les clients de leurs bordels, tous leurs visiteurs ne pratiquaient pas nécessairement la sodomie... Quoi qu'on en pense et quoi qu'on en dise, ils constituaient bien un troisième genre, un troisième sexe, tout simplement (ou moins simplement, d'ailleurs). Ce qui était tout aussi vrai, c'était qu'à Bombay, ils étaient de moins en moins à pouvoir vivre des bénédictions ou de la mendicité ; si bien qu'ils se prostituaient de plus en plus souvent.

Mais pourquoi avoir choisi un hijra pour en faire l'« assassin aux dumbos » du dernier *Inspecteur Dhar* ? Maintenant qu'un vrai assassin imitait le petit éléphant de bandes dessinées sur le ventre de ses victimes, la police allait dire que le criminel s'était, de toute évidence, « inspiré » de près du thème du film : le docteur avait mis l'inspecteur Dhar dans le pétrin pour de bon. Plus encore que ses prédécesseurs, le film avait suscité une réaction qui allait au-delà de la haine. Les prostitués hijras étaient tout à fait d'accord pour occire Dhar, simplement, ils entendaient le mutiler d'abord.

– Mon cher enfant, ils veulent te couper la bitte et les couilles, l'avait averti Farrokh. Fais bien attention quand tu sors en ville !

Dans la ligne de son fameux rôle, Dhar avait répliqué, pince-sans-rire :

– Sans blague !

C'était une réplique qu'il prononçait au moins une fois par film. Comparée à l'agitation glauque causée par le dernier *Inspecteur*

Dhar, l'arrivée d'un vrai policier parmi les habitués si comme il faut du club semblait tristement anodine. Ce n'étaient tout de même pas les hijras qui avaient assassiné Mr Lal ! Il n'y avait pas apparence que le cadavre ait subi des mutilations sexuelles ; quant à confondre le vieillard avec l'inspecteur, même un hijra délirant n'y aurait pas songé : l'acteur ne jouait jamais au golf !

Un vrai détective à l'œuvre

Le Dr Daruwalla avait vu juste, le détective Patel était commissaire de police. Et il venait bien, effectivement, du quartier général de la crime à Crawford Market, et non pas du commissariat de Tardeo, parce que certains indices découverts pendant l'examen du corps de Mr Lal avaient donné à la mort du vieux golfeur un cachet digne de l'intérêt spécifique qui était le sien.

La nature de cet intérêt spécifique échappait pour l'instant au doc-teur, ainsi qu'à l'inspecteur Dhar, et Patel lui-même ne semblait guère enclin à s'en expliquer dans l'immédiat.

– Je vous prie de m'excuser, docteur, pardonnez-moi, Mr Dhar, avait-il dit en les abordant.

Il avait une quarantaine d'années et la physionomie agréable d'un homme aux traits fins et bien dessinés, qui s'étaient quelque peu affaissés avec l'âge. Ses yeux vifs, son débit mesuré, indiquaient l'homme circonspect. Il se présenta poliment, avant de lancer sa pre-mière question :

– Lequel de vous deux a découvert le corps ?

Le Dr Daruwalla résistait rarement au plaisir d'un bon mot :

– Je crois qu'un vautour nous a tous devancés, répondit-il.

– Ah, mais tout à fait, repartit le détective, avec un sourire bon-homme.

Sur quoi, sans attendre qu'ils l'y invitent, il s'assit à leur table, à côté de l'inspecteur Dhar.

– Mais après les vautours, j'ai cru comprendre que c'est vous qui aviez découvert le corps, dit-il à l'acteur.

– Je ne l'ai ni touché ni déplacé, répondit celui-ci en anticipant la question ; c'était celle qu'il posait lui-même d'ordinaire – dans ses films.

– Ah, parfait, merci ! dit le détective en se tournant vers le Dr Daruwalla avec attention. Et vous docteur, bien entendu, vous avez examiné le corps.

– Et moi, bien entendu, je m'en suis bien gardé, répliqua le docteur.
Je suis orthopédiste, pas pathologiste. Je me suis contenté de remarquer, de loin, que Mr Lal était mort.

– Ah, tout à fait, tout à fait. Mais vous avez réfléchi à la cause de
la mort ?

– C'est le golf, diagnostiqua le docteur. (Il n'y jouait jamais, mais
même de loin, il avait ce sport en horreur.) Je crois qu'on pourrait
dire que son perfectionnisme l'a tué. Sans compter qu'il avait sans
doute trop de tension… c'est très mauvais pour un homme de cet âge
d'aller s'exciter le tempérament en plein soleil, comme ça.

– Mais il fait frais, ces jours-ci, objecta le commissaire.

Comme s'il y réfléchissait depuis longtemps, l'inspecteur Dhar
observa :

– Le corps ne sentait rien. Les vautours puaient, pas le corps.

Le détective parut très surpris et favorablement impressionné par
cette remarque, mais il se contenta de dire :

– Précisément !

Le Dr Daruwalla s'exclama avec impatience :

– Mon cher commissaire, si vous commenciez par nous dire ce que
vous savez.

– Ah, ça n'est pas du tout dans nos méthodes, répondit celui-ci
avec cordialité, et, se tournant vers Dhar : N'est-ce pas ?

– Non, c'est vrai, convint Dhar, mais à quand faites-vous remonter
la mort ?

– Ah, très bonne question ! Nous la faisons remonter à ce matin,
moins de deux heures avant votre découverte du corps.

Le Dr Daruwalla pesa la chose. Tandis que Mr Bannerjee cherchait
son vieil ami et adversaire dans tous les coins du club-house, celui-ci
avait fait une balade du côté du neuvième green et des bougainvillées,
histoire de ruser avec la fatalité qui s'était acharnée sur lui la veille.
Il n'était donc pas en retard pour sa partie, réfléchit Farrokh, mais
bel et bien en avance, ou du moins impatient.

– Mais les vautours ne seraient pas arrivés si vite ; il n'y aurait pas
eu d'odeur.

75

– Non, sauf s'il y avait beaucoup de sang, ou une blessure ouverte, avec ce soleil… glissa l'inspecteur Dhar.

Ses films lui avaient beaucoup appris, tout mauvais qu'ils étaient ; le détective lui-même commençait à s'en rendre compte.

– Tout à fait, tout à fait, dit-il ; il y avait effectivement beaucoup de sang.

– Évidemment, le temps que nous l'ayons trouvé, dit le docteur qui ne comprenait toujours pas, il y avait beaucoup de sang ; surtout autour des yeux et de la bouche ; je me suis simplement dit que les vautours avaient commencé leur office.

– Les vautours ne piquent que quand il y a déjà du sang, et sur les zones naturellement humides, dit le détective Patel. Son anglais était d'une qualité rare même chez un commissaire, pensa le Dr Daruwalla.

Son hindi lui donnait des complexes ; il se rendait compte que Dhar le parlait avec plus d'aisance que lui. Cela le gênait un peu, de sorte qu'il écrivait ses dialogues et ses passages off en anglais. C'était Dhar qui assurait la traduction en hindi, et les formules qui lui plaisaient particulièrement – elles étaient rares – il les laissait en anglais. Et maintenant voilà que ce policier peu banal s'était mis à snober le Canadien réputé qu'il était en lui parlant anglais ! C'est ce qu'il appelait lui-même le traitement canadien – lorsqu'un habitant de Bombay n'essayait même pas de lui parler hindi ou maharati. Presque tout le monde parlait anglais au Duckworth, mais Farrokh cherchait tout de même un bon mot à lancer au détective en hindi. C'est Dhar qui parla le premier, dans son anglais irréprochable, et le docteur réalisa pour la première fois qu'il avait épargné son accent hindi d'opérette au commissaire.

– Il y avait beaucoup de sang qui coulait par une oreille, dit-il comme s'il n'avait cessé de s'en étonner depuis.

– Très juste, bravo, dit le détective sur un ton encourageant. Mr Lal a été frappé juste derrière l'oreille, et aussi à la tempe, sans doute après sa chute.

– Frappé ? Par quoi ? demanda le Dr Daruwalla.

– Par quoi, nous le savons, par son propre putter. Par qui, nous l'ignorons.

En cent trente ans d'histoire, le Duckworth avait traversé les périls de l'Indépendance ainsi que les nombreuses occasions divertissantes qui auraient pu mal tourner (par exemple ces folles années où l'incendiaire Lady Duckworth montrait ses seins), sans jamais connaître de meurtre. Le Dr Daruwalla se demandait comment présenter la nouvelle aux membres du comité.

Il oubliait, et c'était bien dans la ligne de son personnage, que feu son estimé père fut la première victime d'un meurtre dans les cent trente ans d'histoire du club. La première raison de cette inadvertance, c'est que de toute façon il évitait au maximum de penser à l'assassinat de son père ; la seconde, c'était sans doute qu'il refusait que cette mort violente vienne assombrir les moments radieux passés au club, que l'on a déjà décrit comme le seul endroit, à part le cirque, où il se sentît chez lui.

En outre, strictement, le père du docteur n'avait pas été assassiné au club même. La voiture qu'il conduisait avait explosé à Tardeo et pas à Mahalaxmi, même si les deux quartiers étaient limitrophes. L'explosion n'avait pas eu lieu sur la propriété du club, encore qu'on s'accordât à penser, y compris chez les membres, que la voiture de Daruwalla père avait été piégée au parking. Les duckworthiens s'empressèrent d'observer que la seule autre personne tuée n'avait rien à voir avec le club, puisqu'elle n'y était pas même employée. Il s'agissait d'une malheureuse qui travaillait sur un chantier, et qui portait, disait-on, un panier de pierres sur la tête, lorsque la moitié droite du capot de Daruwalla père s'était envolée et l'avait décapitée.

Mais tout cela, c'était du réchauffé, à Bombay, et pour le Dr Daruwalla. Le premier duckworthien à être assassiné sur les locaux même du club, c'était Mr Lal.

– Mr Lal, expliqua le détective Patel, se préparait à frapper la balle avec un wedge, un pitching ou un sandwedge – comment appelle-t-on le club avec lequel on frappe un coup d'approche ?

Ni le Dr Daruwalla ni l'inspecteur Dhar n'étaient golfeurs ; les mots leur paraissaient assez absurdes pour recouvrir la réalité.

– Enfin, peu importe, poursuivit le détective, Mr Lal avait un club en main lorsqu'il a été frappé par-derrière avec un autre, son propre putter ! Nous l'avons trouvé, ainsi que son sac de golf, dans les bougainvillées.

L'inspecteur Dhar était figé en une pose familière dans ses films, à moins qu'il ne fût simplement en train de réfléchir. Visage levé, il se frottait doucement le menton du bout des doigts, ce qui faisait ressortir son rictus. Ce qu'il dit ensuite, le docteur et le commissaire

77

l'avaient entendu le dire maintes fois ; il le disait au moins une fois par film.

– Pardonnez-moi si j'ai l'air de me lancer dans des théories... (C'était une de ses amorces favorites, de ces formules qu'il préférait laisser en anglais, même s'il lui était aussi arrivé plus d'une fois de la dire en hindi.) On a l'impression, poursuivit-il, que l'identité de la victime importait peu à l'assassin. Mr Lal n'avait pris rendez-vous avec personne dans les bougainvillées du neuvième green. C'étaient les circonstances qui l'y amenaient, l'assassin ne pouvait pas le savoir.

– Excellent, dit le détective Patel, continuez, je vous prie.

– Peut-être que l'identité de la victime n'importait guère, que le meurtrier voulait simplement tuer l'un d'entre nous au hasard.

– Tu veux dire un membre du club, s'écria le Dr Daruwalla ? Un duckworthien ?

– Simple hypothèse, dit l'inspecteur Dhar.

Là encore, c'était presque un écho de la phrase qu'il disait dans tous ses films.

– Nous ne sommes pas sans indices qui l'étayent, Mr Dhar, glissa le détective, presque négligemment.

Il retira ses lunettes de soleil, rangées dans la poche de poitrine de sa chemise blanche repassée de frais, et qui ne révélait pas le moindre indice de son dernier repas. Plongeant ses doigts au fond de la poche, il sortit un petit morceau de plastique plié en quatre, qui aurait pu envelopper une tranche de tomate ou d'oignon. Le carré de plastique révéla un billet de deux roupies, qui était passé sur le rouleau d'une machine à écrire, car, dactylographié sur la face indiquant le numéro de série, on pouvait lire, en majuscules, cet avertissement : D'AUTRES MEMBRES VONT MOURIR SI DHAR N'EST PAS RADIÉ.

– Pardonnez-moi de vous poser la question traditionnelle, Mr Dhar, commença le détective.

– Oui, j'ai des ennemis, coupa Dhar. Oui, il y a des gens qui veulent ma peau.

– Mais tout le monde veut sa peau ! s'écria le docteur, puis, touchant la main du jeune homme, il lui dit : Oh, pardon !

Le commissaire Patel rangea le billet de deux roupies dans sa poche et remit ses lunettes de soleil. Sa fine moustache laissait penser au docteur qu'il devait se raser avec un soin que lui-même n'avait pas apporté à cette opération passé vingt ans. Pour se dessiner une pareille moustache, à ras du nez et de la lèvre supérieure, il fallait avoir une main de jeune homme. A son âge, le commissaire était sans doute obligé d'appuyer son coude contre le miroir ; pour atteindre ce degré de précision, il fallait retirer la lame du rasoir et la tenir au quart de poil. C'était tout de même une coquetterie qui prenait un temps fou, pour un quadragénaire, rêva le docteur. A moins qu'il ne se fît raser par quelqu'un, une jeune femme, peut-être, dont la main ne tremblerait pas.

– Si nous nous résumons, dit le détective à Dhar, je suppose que vous ne pouvez pas connaître tous vos ennemis ; et il poursuivit, sans attendre la réponse : Nous pourrions donc commencer par toutes les prostituées, pas seulement les hijras, et la plupart des policiers.

– Moi je commencerais par les hijras, interrompit Farrokh, qui s'était remis à raisonner en scénariste.

– Pas moi, repartit le détective. Qu'est-ce que ça pourrait bien faire aux hijras, que Dhar soit membre du club ou non ? Eux, ce qu'ils veulent, c'est son pénis et ses testicules.

– Sans blagues ! dit l'inspecteur Dhar.

– Je doute fort que le meurtrier soit un membre du club, déclara le docteur.

– Ce n'est pas à exclure, prévint Dhar.

– Je n'en ai pas l'intention, dit Patel.

Il donna sa carte à l'acteur et au médecin.

– Si vous m'appelez, dit-il à Dhar, appelez-moi chez moi. Je préfère ne pas laisser de message au quartier général. Nous les policiers, on ne peut pas nous faire confiance, comme vous savez…

– Oui, je sais, répondit l'acteur.

– Excusez-moi, détective Patel, s'enquit le docteur, mais où avez-vous trouvé le billet de deux roupies ?

– Plié dans la bouche de Mr Lal.

Après le départ du commissaire, les deux amis restèrent assis à écouter les bruits de cette fin d'après-midi. Ils les écoutaient même avec une telle attention, qu'ils ne remarquèrent pas la sortie assez laborieuse de la seconde Mrs Dogar. Elle se leva de table, s'arrêta pour regarder par-dessus son épaule le bel indifférent, puis fit quelques pas, pour se retourner de nouveau, à deux reprises. Mr Sethna, qui l'observait, conclut qu'elle était folle.

Si Mr Sethna ne perdit rien des péripéties de cette sortie, depuis le jardin des Dames jusqu'à la salle à manger, l'inspecteur Dhar semblait au contraire n'avoir même pas vu Mrs Dogar. Le vieux majordome remarqua avec intérêt que cette femme n'avait eu d'yeux que pour Dhar ; pas un instant elle n'avait regardé le Dr Daruwalla, ni le policier – mais il est vrai que celui-ci lui tournait le dos.

Mr Sethna regarda aussi le détective passer un appel téléphonique depuis la cabine du foyer. Le détective eut un instant de distraction en voyant passer une Mrs Dogar agitée. Comme elle se dirigeait au pas de charge vers le parking en demandant au gardien de lui sortir sa voiture, il parut remarquer qu'elle était belle femme, qu'elle était pressée, et qu'elle semblait furieuse. Peut-être évalua-t-il les probabilités que cette femme ait pu assener un coup de club mortel à un vieillard ; à vrai dire, songeait Mr Sethna, la seconde Mrs Dogar avait vraiment une expression meurtrière pour l'heure. Mais le détective ne lui accorda qu'une attention passagère, il semblait plus intéressé par sa conversation téléphonique.

La teneur en semblait si familière que Mr Sethna lui-même, qui l'avait écoutée assez longtemps pour s'assurer que le détective n'était pas en train de traiter une affaire, renonça à s'y intéresser. Il était convaincu que le détective parlait à sa femme.

– Non, ma chérie, disait-il, puis après avoir écouté patiemment dans le récepteur : Mais non, ma chérie, je te l'aurais dit. Il écouta de nouveau : Oui, bien sûr, c'est promis, ma chérie.

Un instant il ferma les yeux en écoutant la réponse ; à l'observer, Mr Sethna se félicita de ne s'être jamais marié.

– Je n'ai absolument pas écarté tes théories ! s'exclama soudain le détective. Mais non, je ne me fâche pas, ajouta-t-il avec résignation, pardon si je t'ai parlé agressivement, ma chérie.

C'en était trop, même pour un professionnel de l'indiscrétion comme Mr Sethna ; il décida d'accorder au détective le secret du reste de sa conversation. Il ne s'étonnait pas outre mesure que le détective parlât anglais même à sa femme ; il en conclut que c'était la raison pour laquelle il parlait cette langue mieux que la moyenne des gens : il la pratiquait. Mais au prix de quelle humiliation ! Mr Sethna retourna vers la salle à manger qui jouxtait le jardin des Dames, afin de se remettre à observer tout à loisir le Dr Daruwalla et l'inspecteur Dhar. Ils n'avaient pas cessé d'écouter les bruits de la fin d'après-midi, d'un air absorbé. Ils n'étaient pas très distrayants à regarder, mais au moins, ils n'étaient pas mariés ensemble.

Les balles de tennis avaient repris du service et quelqu'un ronflait dans la salle de lecture ; les serveurs, avec un vacarme caractéristique, avaient débarrassé toutes les tables, sauf celle où le médecin et l'acteur étaient assis devant leur thé froid – le détective Patel ayant liquidé les sucreries. Les sports et les jeux du club avaient tous une voix bien à eux : paquet de cartes tout neuf que la main battait prestement, collision claire des boules de billard, froissement régulier du balai dans la salle de bal, balayée tous les jours à la même heure quoique les soirées dansantes fussent rares en semaine ; et puis, l'insanité sans fin d'une partie de badminton, pieds des joueurs tambourinant et crissant sur le court de bois ciré ; à côté de cette frénésie, le choc mat du volant contre la raquette faisait l'effet d'une tapette à mouches.

Le Dr Daruwalla avait le sentiment que le moment était mal choisi pour annoncer d'autres mauvaises nouvelles à l'inspecteur Dhar. Un meurtre et une menace de mort insolite, ça suffisait amplement pour un seul après-midi – sans parler du fait que le malheureux acteur serait contraint de quitter le club ! Indigné par cette nouvelle vexation, le docteur en oubliait que les hijras voulaient la peau, et un peu plus, de l'acteur.

– Tu devrais peut-être venir souper chez nous, proposa-t-il à son ami.

– Oui, volontiers, Farrokh, répondit Dhar.

En temps ordinaire, il aurait épinglé cet usage du mot « souper ». Car l'inspecteur était puriste ; ce pointilleux préférait réserver le mot à une collation en début de soirée, ou à un repas après le spectacle. Il trouvait que les Américains avaient tendance à dire indifféremment « souper » ou « dîner » ; pour Farrokh, il n'y avait d'ailleurs pas la moindre différence de sens entre les deux mots.

Lorsque le médecin adressait une critique à son ami, il prenait un ton paternel. C'est ainsi qu'il lui fit remarquer :

– Ce n'est pas du tout dans ton personnage de parler anglais sans accent avec un parfait inconnu.

– Les policiers ne sont pas ce qui s'appelle des inconnus pour moi. Ils parlent entre eux, mais ils ne disent rien à la presse.

– C'est vrai que tu sais tout sur le fonctionnement de la police, j'oubliais ! rétorqua Farrokh, sarcastique.

81

Mais l'inspecteur Dhar était entré dans la peau de son personnage ; il savait se taire mieux que personne. Le docteur regretta ses mauvaises paroles. Ce qu'il aurait voulu dire, c'était : « Ah, mon cher enfant, je ne te permettrai pas d'être le héros de cette aventure ! » Et maintenant il avait envie de dire : « Mon cher enfant, tu as des gens qui t'aiment, aussi. Je t'aime, moi, mon cher enfant. Il faut absolument que tu le saches ! »

Mais il ne sut que dire :

– En tant que président, je me dois d'informer le comité d'examen des candidatures de cette menace qui pèse sur les autres membres. Bien entendu il faudra voter, mais je pense que le sentiment général sera que tous les membres ont le droit de savoir. Mais bien entendu, il faut qu'ils soient au courant ; et il ne faut pas que je reste au club.

Le docteur trouvait impensable qu'un meurtrier maître-chanteur ait pu si vite et si concrètement détruire un des aspects du Duckworth qui lui étaient les plus chers, cette sensation d'intimité, comme si les duckworthiens s'étaient offert le luxe de ne pas vivre vraiment à Bombay.

– Mon cher enfant... que vas-tu faire ?

La réponse de Dhar n'aurait pas dû interloquer le docteur à ce point ; il l'avait au contraire entendue bien des fois, dans tous les *Inspecteur Dhar*. Après tout, il en était l'auteur.

– Ce que je vais faire ? se demanda Dhar à haute voix. Trouver qui c'est, et les avoir.

– Ne me parle pas comme ton personnage, explosa le docteur. Tu n'es pas dans un film, ici.

– Je suis toujours dans un film, cingla Dhar. Je suis né dans un film, et presque tout de suite après on m'a mis dans un autre, vrai ou faux ?

Comme le Dr Daruwalla et sa femme croyaient être les seuls sur place à savoir exactement d'où venait le jeune homme et qui étaient ses parents, ce fut au tour du docteur de se taire.

Dans nos cœurs, songeait le docteur, il nous faut garder un fond de pitié pour les gens qui se sont toujours sentis différents de leur entourage le plus familier ; ces étrangers réels ou imaginaires, à qui leur manière de voir donne le sentiment d'être étrangers, même au pays natal. Mais dans nos cœurs, nous nourrissons aussi toujours le soupçon que ces gens se complaisent à être étrangers, ont besoin de se sentir marginaux dans leur société. Ceux qui sont à l'origine de leur solitude et ceux qu'elle prend par surprise ont les mêmes titres à notre pitié ; cela, le docteur en était sûr. Pensait-il à Dhar ou à lui-même, de cela il était moins sûr.

C'est alors qu'il s'aperçut qu'il était tout seul à sa table ; Dhar était parti ainsi qu'il était arrivé : comme par enchantement. Sur le plateau d'argent de Mr Sethna, un reflet attira l'œil du docteur, et lui rappela cet objet brillant que le corbeau avait tenu dans son bec un instant. Ce regard qui s'était éclairé fit venir le vieux majordome aussi bien qu'un appel.

– Une Kingfisher, s'il vous plaît, dit le docteur.

A quoi rêve le docteur

Avec la fin d'après-midi, les ombres s'allongeaient dans le jardin des Dames, et le Dr Daruwalla remarqua sombrement que le rose vif des bougainvillées s'était empourpré ; il lui semblait à présent que les fleurs avaient une nuance rouge sang. Mais ce n'était qu'une exagération typique du « père » de l'inspecteur Dhar. Les bougainvillées étaient toujours aussi roses, et aussi blanches, qu'auparavant.

Un peu plus tard, Mr Sethna s'inquiéta de ce que le docteur n'eût pas touché à sa bière favorite.

– Il y a quelque chose qui ne va pas ? demanda-t-il en désignant la bière de son long doigt.

– Non, non ; ce n'est pas la bière, dit Farrokh, en en buvant une gorgée qui ne le réconforta guère. La bière est parfaite.

Le vieux Mr Sethna hocha la tête comme s'il n'ignorait rien de ce qui tracassait le docteur ; il se faisait fort de savoir ce genre de choses à longueur d'années.

– Je sais bien, je sais bien, marmonna-t-il. Le bon vieux temps n'est plus ; ce n'est plus comme au bon vieux temps.

Le vieux parsi était un véritable expert ès platitudes, ce qui insupportait le docteur. Tout à l'heure il va me dire que je ne suis pas mon regretté père, ce vieux raseur, songea-t-il. De fait, le majordome semblait sur le point de faire une autre remarque lorsqu'un bruit désagréable se fit entendre dans la salle à manger, atteignant le jardin des

Dames, où ils se trouvaient, avec l'insistance grossière de quelqu'un qui fait craquer ses jointures.

Mr Sethna partit aux nouvelles. Sans bouger de sa chaise, Farrokh sut ce qui faisait ce bruit. C'était le ventilateur de plafond, celui sur lequel le corbeau s'était posé pour les mitrailler de fiente. Peut-être l'oiseau avait-il gauchi la pale, ou encore desserré une vis ; le système du ventilateur se composait peut-être de roulements à bille glissant dans un sillon, l'un d'entre eux avait pu sauter ; ou alors un joint avait besoin d'être huilé. Le ventilateur semblait coincer sur quelque chose ; il faisait un petit bruit en tournant. Il avait des ratés ; on aurait dit qu'il allait s'arrêter, mais il continuait de tourner. A chaque tour on entendait un claquement, comme s'il était à bout de course.

Mr Sethna s'était planté sous le ventilateur, les yeux stupidement rivés là-haut. Il a dû oublier le corbeau chieur, se dit le Dr Daruwalla. Il s'apprêtait à prendre la situation en main, lorsque le bruit désagréable s'arrêta tout seul. Le ventilateur se remit à tourner aussi librement qu'auparavant. Mr Sethna regarda autour de lui ; on aurait dit qu'il ne savait plus comment il était arrivé là. Puis son regard se fixa sur le jardin des Dames, où Farrokh n'avait pas quitté son siège. « Il n'est pas l'homme qu'était son père », songea le vieux parsi.

4
Le bon vieux temps

La brute

Le Dr Lowji Daruwalla avait des raisons personnelles pour s'intéresser aux infirmités qui frappaient les enfants. Lui-même, enfant,
avait attrapé une tuberculose osseuse. Il s'en était assez bien remis
pour devenir le plus fameux pionnier de l'Inde dans le domaine de la
chirurgie orthopédique, mais il disait toujours que c'était sa propre
expérience de la déformation de la colonne, avec la fatigue et les
douleurs qu'elle avait entraînées, qui expliquait sa constance, et sa
patience envers les infirmes – sa vocation. « Un sentiment d'injustice
personnelle est une motivation plus forte que n'importe quel instinct
philanthropique », affirmait-il, volontiers sentencieux. Même dans
l'âge adulte, on le reconnaissait à la bosse révélatrice de la maladie
de Pott. Toute sa vie, il fut aussi bossu qu'un petit chameau à deux
pattes.

Fallait-il s'étonner que Farrokh, son fils cadet, ne se sentît pas à la
hauteur d'une telle vocation ? Il allait embrasser la spécialité de son
père, mais seulement en épigone.

L'instruction et les voyages sont parfois une leçon d'humilité ; le
Dr Daruwalla junior conçut naturellement un sentiment d'infériorité
intellectuelle. Peut-être attribuait-il de façon un peu sommaire son
aliénation à la seule conviction paralysante (outre sa conversion) qu'il
eût dans l'existence : ce sentiment de n'avoir nulle part sa place, d'être
un homme sans patrie, incapable de se sentir des racines où que ce
fût. Sauf au cirque et au Duckworth.

Mais que dire d'un homme qui garde l'essentiel de ses aspirations
et ses hantises pour lui ? Lorsqu'un individu raconte de quoi il a peur,
à dire et redire les choses, elles sont revues et corrigées ; les amis et

85

la famille, chacun à sa façon, en modifient la matière ; et bientôt, ce qu'on prenait pour des peurs et des frustrations devient presque confortable, à force de circuler. Mais le Dr Daruwalla gardait tout pour lui. Sa femme elle-même ignorait le sentiment de décalage qu'il éprouvait à Bombay – comment l'aurait-elle su puisqu'il ne lui disait rien ? Elle était viennoise, elle. Il avait beau savoir peu de choses sur l'Inde, il en savait toujours plus qu'elle. Mais « chez eux », à Toronto, il lui passait tous les pouvoirs ; c'était elle qui dirigeait la maison. Il avait beau jeu de lui laisser ce privilège, puisqu'elle croyait que c'était lui qui commandait à Bombay ! Depuis toutes ces années, il s'en tirait comme ça.

Bien entendu, sa femme n'ignorait rien des scénarios ; mais si elle savait qu'il en était l'auteur, elle ne savait pas ce qu'il en ressentait. Il avait toujours soin de lui en parler sur un ton badin, et il n'avait pas son pareil pour s'en moquer ; en somme tout le monde y voyait une bonne blague, il lui était donc facile de convaincre sa femme que ces films n'étaient rien d'autre pour lui. Qui plus est, Julia savait combien Dhar (son « cher enfant ») comptait pour lui, alors si elle ne se doutait pas que les scénarios comptaient aussi, quelle importance ? Et c'est ainsi que ces choses, d'être si profondément dissimulées, prenaient une dimension qu'elles n'auraient pas dû avoir.

Quant à l'absence de sentiment d'appartenance chez Farrokh, on n'aurait certes pas pu en dire autant de son père. Le vieux Lowji aimait se plaindre de l'Inde, et ses griefs étaient parfois puérils. Quand il critiquait le pays sans discernement, ses confrères le rappelaient à l'ordre : il était heureux pour ses patients, disaient-ils, que ses pratiques chirurgicales fussent plus minutieuses, et plus appropriées. Mais si Lowji se déchaînait contre son pays, du moins était-ce le sien, pensait Farrokh.

Cofondateur de l'hôpital des Enfants infirmes à Bombay, président de la Première Commission contre la paralysie infantile en Inde, Daruwalla père était aussi l'auteur de monographies sur la polio et les maladies osseuses qui étaient les meilleures de son temps. Chirurgien émérite, il avait mis au point des techniques de correction des déformations comme le pied-bot, la scoliose et le torticolis. Linguiste distingué, il lisait les travaux de Little en anglais, ceux de Stromeyer en allemand, et ceux de Guérin et Bouvier en français. Athée militant, il n'en avait pas moins persuadé les jésuites d'ouvrir, à Bombay et à

Poona, des cliniques pour le traitement de la scoliose et des paralysies consécutives à un accident périnatal ou à la poliomyélite. Il avait fait appel à des fonds musulmans pour faire venir un radiothérapeute à l'hôpital des Enfants infirmes ; mis les hindous à contribution pour des programmes de recherche et de traitement liés à l'arthrite. Il avait même écrit une lettre de sympathie au président Franklin Roosevelt, un épiscopalien, pour lui signaler le nombre d'Indiens souffrant de la même maladie que lui ; il avait reçu une réponse polie – ainsi qu'un chèque personnel !

Il s'était fait un nom au sein du mouvement éphémère baptisé la Médecine des catastrophes, surtout pendant les manifestations précédant l'Indépendance, et les émeutes sanglantes qui avaient précédé et suivi la partition. A ce jour, les bénévoles qui travaillent encore dans ladite Médecine des catastrophes essaient de relancer le mouvement en citant son conseil célèbre : « Par ordre d'importance, repérez les amputations critiques et les blessures graves des extrémités avant de traiter les fractures et les déchirures. Mieux vaut laisser toutes les blessures à la tête aux spécialistes, s'il y en a. » N'importe quels spécialistes, car des blessures à la tête, il y en avait toujours. (En privé, il appelait ce mouvement avorté la Médecine des émeutes, « dont l'Inde aura toujours besoin », ajoutait-il.)

Il avait été le premier en Inde à modifier radicalement son approche des douleurs lombaires et de leur origine, ce dont il attribuait le mérite au Pr Joseph Seaton Barr, de Harvard. Mais au Duckworth, bien sûr, on se rappelait surtout l'estimé père de Farrokh pour ses traitements par la glace du *tennis elbow*, ou épicondylite, et son habitude, lorsqu'il buvait un verre, de stigmatiser l'attitude corporelle des serveurs (« Mais regardez-moi. J'ai une bosse et je me tiens plus droit que vous ! »). Par respect envers la mémoire du grand Dr Lowji Daruwalla, Mr Sethna, le vieux majordome parsi, cultivait férocement la rigidité du maintien.

Et Daruwalla fils, pourquoi ne révérait-il pas la mémoire de son père ?

Ce n'était pas parce qu'il était le cadet de ses fils, et le benjamin de ses trois enfants ; il ne s'était jamais senti lésé par rapport à son frère, Jamshed, aujourd'hui pédo-psychiatre à Zurich, qui l'avait amené à Vienne, et à l'idée d'épouser une Européenne. D'ailleurs le vieux Lowji n'avait rien contre les mariages mixtes, ni en théorie, bien sûr, ni dans le cas de figure qui avait conduit Jamshed à épouser une Viennoise, et Farrokh la cadette de celle-ci. Julia était même devenue la favorite de son beau-père : lui, l'anglophile inconditionnel, préférait sa compagnie à celle de son gendre oto-rhino londonien ! Après l'Indépendance, Lowji admirait toute la britannité qui pouvait subsister en Inde et il s'y raccrochait.

Cependant, si Farrokh n'avait pas de révérence pour son père, la raison n'en était pas celle-là non plus. Les années que Daruwalla fils avait passées au Canada avaient fait de lui un anglophile raisonnable. Mais il est vrai que la britannité est bien différente au Canada de ce qu'elle peut être en Inde. Elle n'est pas marquée politiquement, et elle est toujours socialement acceptable ; beaucoup de Canadiens aiment bien les Anglais.

Et si le vieux Lowji faisait part à qui voulait l'entendre de sa haine pour Mohandas Gandhi, cela ne dérangeait pas moindrement Farrokh. Même, dans les dîners, surtout ceux où il n'y avait pas d'Indiens, il s'amusait beaucoup de la surprise qu'il provoquait dès qu'il citait les propos de feu son père sur le feu Mahatma.

« C'était un salopard de nationaliste hindou. Il a commencé par mélanger religion et action politique, et puis après il a érigé son action politique en religion. » Même en Inde, le vieillard n'avait pas peur d'exprimer ses opinions, et pas seulement dans l'immunité du Duckworth.

« Salauds d'hindous, salauds de sikhs, salauds de musulmans », disait-il. « Et salauds de parsis », ajoutait-il si un fervent zoroastrien tentait de lui extorquer un aveu de partialité en faveur de ses origines. « Salauds de catholiques », murmurait-il les rares fois où il se montrait à Saint-Ignace, toujours pour y assister à des spectacles de patronage où ses fils tenaient de petits rôles.

Il déclarait que le *dharma* était pure complaisance et ne servait qu'à justifier le non-agir. Les castes, et le maintien de la condition d'intouchable n'étaient « que perpétuelle adoration de la merde. Quand on adore la merde, évidemment, on déclare qu'il est du devoir des autres de la dégager ». Il présumait avec extravagance que son dévouement sans égal pour les enfants infirmes lui donnait le droit de dire ces impertinences.

Il déplorait que l'Inde fût dépourvue d'idéologie : « La religion et le nationalisme sont ce qui essaie de nous tenir lieu d'idées constructives. La méditation détruit aussi sûrement que la caste l'individu, car que fait-elle d'autre que réduire le moi ? Les Indiens suivent des groupes au lieu de suivre leurs propres idées ; nous obéissons à des rituels et des tabous au lieu de nous fixer des buts de changement social, d'amélioration de la société. Aller à la selle avant le petit déjeuner plutôt qu'après ! Voiler les femmes ! Mais on s'en fiche ! Quelle importance ! Et en attendant nous n'avons toujours pas de réglementation contre la crasse et le chaos. »

Dans un pays où la susceptibilité est aussi vive qu'en Inde, l'insolence est franchement inepte. Rétrospectivement, Daruwalla fils se rendait compte que son père était un explosif placé dans une voiture. Personne, pas même un médecin dévoué aux enfants infirmes, ne peut se permettre de raconter à tout venant : « Le *karma* est la connerie qui maintient l'Inde arriérée. » L'idée que la vie actuelle, même épouvantable, est le juste prix d'une vie antérieure, peut sans doute passer pour un prétexte à ne rien faire pour améliorer son sort ; de là à dire que cette croyance est une connerie... Même en tant que parsi, ou que chrétien converti, puisqu'il n'avait jamais été hindou, le docteur voyait bien que les outrances verbales de son père étaient mal avisées.

Mais si le vieux Lowji était très monté contre les hindous, il n'était pas tendre non plus envers les musulmans. « Il faudrait que tout le monde envoie un cochon rôti à un musulman, pour Noël », disait-il. Quant à l'Église de Rome, il ne lui prescrivait pas de plus joyeuse ordonnance. Il estimait qu'on aurait dû expulser les catholiques de Goa, jusqu'au dernier, ou mieux encore les exécuter sur la place publique, en mémoire des persécutions et des bûchers à leur passif. Il proposait que « l'écœurante cruauté qui s'étale sur le crucifix n'ait plus droit de cité en Inde », il parlait de l'image du Christ en croix, qu'il traitait de « pornographie occidentale ». Quant aux protestants, il déclarait qu'il y avait dans chacun d'entre eux un calviniste qui sommeillait, et que chez Calvin lui-même un hindou sommeillait ! Il exprimait par là sa haine de toute acceptation de la misère humaine, et bien entendu de l'idée de prédestination, qu'il appelait le *dharma* chrétien. Il citait volontiers cette phrase de Martin Luther : « Quel mal y a-t-il à dire un bon mensonge pour une bonne cause et pour l'avancement de l'Église chrétienne ? » Il voulait dire par là qu'il croyait au libre arbitre, aux bonnes actions, comme on dit, et surtout, qu'il ne croyait « ni à Dieu ni à diable ».

Après l'attentat, le bruit courut longtemps au Duckworth que la bombe était le fruit d'une coopération hindo-islamo-chrétienne, jusque-là sans exemple ; mais Daruwalla fils savait qu'on ne pouvait pas même exclure les parsis, pourtant rarement violents, de la liste des suspects associés. Le vieux Lowji, quoique parsi lui-même, réservait les mêmes sarcasmes aux vrais croyants zoroastriens qu'à tous les autres. Pour des raisons inconnues, seul Mr Sethna avait échappé à son mépris, et, en retour, le médecin occupait une place unique dans son estime. Il était le seul athée à n'avoir jamais subi le dédain tenace de ce vieux fanatique. Peut-être l'affaire de la théière brûlante les avait-elle rapprochés, venant même à bout de leurs différences religieuses.

Jusqu'à son dernier jour, Lowji s'en prit au concept du *dharma*. « Alors si on a le malheur de naître dans des latrines, mieux vaudrait mourir dans ces latrines que d'essayer de gagner des hauteurs plus parfumées. Quelle foutaise, je vous demande un peu ! » Mais Farrokh pensait que son père était fou, ou qu'en dehors du domaine de la chirurgie orthopédique, le vieux bossu ne savait pas de quoi il parlait. Car enfin, même les mendiants aspirent à un sort meilleur.

On imagine que le calme du Duckworth était souvent mis à mal par le vieux Lowji qui disait à qui voulait l'entendre – y compris aux serveurs qui ne se tenaient pas droit – que les préjugés de caste sont la racine de tout le mal en Inde, même si, sans aucun doute, cette opinion était partagée par la plupart des membres du club. Et pourtant, ce n'était pas seulement la brutalité de son père que Farrokh lui reprochait.

Ce pour quoi il lui en voulait le plus, c'était que ce vieil athée querelleur l'avait dépossédé à la fois de religion et de patrie. Il ne s'était pas contenté de miner intellectuellement le concept de nation, il avait fallu, en haine du nationalisme, qu'il exile ses enfants de Bombay. Au nom de l'instruction et du raffinement, il avait envoyé sa fille unique à Londres et ses deux fils à Vienne ; après quoi il avait eu le culot d'être déçu qu'aucun des trois ne choisisse de vivre en Inde. « Un émigrant meurt un émigrant », avait-il déclaré, dans une de ces sentences et maximes dont il était coutumier, mais celle-ci était blessante à long terme.

Interlude autrichien

Farrokh était arrivé en Autriche au mois de juillet 1947, pour y entreprendre ses études à l'université de Vienne ; c'est ainsi qu'il avait raté l'Indépendance. (Par la suite il pensa qu'absent de son pays quand il fallait y être, il y avait perdu ses droits.) C'était le moment d'être indien en Inde ! Au lieu de quoi le jeune Farrokh Daruwalla faisait la connaissance de son dessert favori, la *Sachertorte mit Schlag*, et, accessoirement, celle des autres pensionnaires de la pension Amerling, Prinz Eugene Strasse, dans le secteur soviétique de la ville occupée. A l'époque, Vienne était divisée en quatre. Les Américains et les Anglais s'étaient octroyé les quartiers résidentiels les plus chics, et les Français avaient pris les quartiers les plus commerçants. Les Russes, réalistes, s'étaient installés à la périphérie ouvrière, là où toute l'industrie se trouvait, et ils tendaient leur toile autour du centre-ville, d'ambassade en administration.

A la pension Amerling, les hautes fenêtres, avec leurs jardinières rouillées et leurs rideaux jaunis, donnaient sur la Prinz Eugene Strasse, où la guerre avait laissé apparaître la terre battue, et sur les marronniers des jardins du Belvédère. Des fenêtres de sa chambre, au troisième étage, le jeune Farrokh voyait le mur de pierre qui séparait les deux niveaux du palais du Belvédère, criblé d'impacts de mitrailleuses. Au coin de la rue, dans la Schwindgasse, les Russes avaient mis la main sur l'ambassade de Bulgarie. Ils ne jugeaient pas nécessaire de justifier la présence d'un garde armé dans la salle de lecture polonaise, vingt-quatre heures sur vingt-quatre. A l'angle de la Schwindgasse et de la Argentinierstrasse, le café Schnitzler était régulièrement vidé par les soviets – pour désamorcer une bombe. Seize des vingt et un districts avaient des communistes à la tête de leur police.

Les frères Daruwalla étaient certains d'être les seuls parsis dans la ville occupée, sinon les seuls Indiens. Les Viennois ne les trouvaient pas très typés ; ils n'étaient pas assez mats. Farrokh était moins clair que Jamshed, mais tous deux gardaient la trace de leurs lointains ancêtres parsis. Aux yeux de certains Viennois, ils auraient pu être turcs ou iraniens. Et pour les Européens en général, ils avaient plutôt l'air de venir du Moyen-Orient que de l'Inde ; pourtant, s'ils étaient moins foncés que beaucoup d'Indiens, ils l'étaient tout de même plus que la plupart des Orientaux ; plus foncés que des Égyptiens ; plus foncés que des Syriens, des Libyens, ou des Libanais, etc.

A Vienne, le jeune Farrokh avait été victime de sa première brimade raciale le jour où un boucher l'avait pris pour un Tzigane. Par la suite, plus d'une fois – c'était tout de même l'Autriche –, il s'était trouvé en butte aux quolibets d'ivrognes dans une *Gasthof ;* on le traitait de juif, évidemment. Et avant son arrivée, son frère Jamshed avait découvert qu'il était plus facile de trouver à se loger dans le secteur soviétique. Personne ne tenant à y habiter, les pensions faisaient moins la fine bouche. Il avait d'abord essayé de louer un appartement dans la Mariahilferstrasse, mais la propriétaire l'avait éconduit sous couvert qu'il produirait des odeurs de cuisine indésirables.

Pourtant, il fallut que le Dr Daruwalla abordât la cinquantaine pour apprécier l'ironie des choses : on l'avait éloigné de chez lui précisément au moment où l'Inde devenait maîtresse chez elle ; il allait passer les huit années suivantes dans une ville sinistrée par la guerre et occupée par quatre puissances étrangères. Lorsqu'il rentra en Inde, au mois de septembre 1955, il rata de justesse les réjouissances de la Fête nationale à Vienne. Car, en octobre, la ville célébrait la fin officielle de l'occupation – l'Autriche était chez elle, elle aussi. Le docteur ne serait pas sur place pour l'événement historique ; une fois de plus, il le précédait d'une courte tête.

Même s'ils n'y furent jamais que la cinquième roue du carrosse, les frères Daruwalla n'en comptèrent pas moins parmi les vrais archivistes de l'histoire de Vienne. Leur sens des langues les rendait précieux pour transcrire les minutes du Conseil des Alliés, où ils griffonnaient éperdument, mais avec l'ordre de ne pas piper. Le représentant anglais s'était opposé à leur promotion au grade très recherché d'interprète, en arguant qu'ils n'étaient encore qu'étudiants. Les Anglais, du moins, les reconnaissaient comme Indiens ; de quoi les rassurer sur leur appartenance raciale…

Sans plus de voix au chapitre qu'une mouche dans les rideaux, les frères entendirent les nombreux griefs exprimés contre les méthodes d'occupation dans la vieille ville. Ainsi, ils suivirent tous deux l'enquête sur le fameux gang de Benno Blum, une cellule qui se consacrait à la contrebande de cigarettes, et, disait-on, au marché noir de ces bas Nylon si convoités. En échange de l'impunité sur le secteur soviétique, le gang éliminait les sujets politiquement indésirables. Naturellement, les Russes refusaient d'en convenir. Quant à Farrokh et Jamshed, ils ne furent jamais molestés par les hordes plus ou moins mythiques de Benno Blum, qui lui-même ne fut jamais appréhendé, ni même identifié. Et toutes ces années, jamais les soviets n'inquiétèrent les deux frères qui vivaient sur leur secteur.

Pendant les séances du Conseil des Alliés, ce fut un interprète anglais qui maltraita le plus le jeune Farrokh. Il transcrivait les minutes de la nouvelle enquête sur le viol et le meurtre d'Anna Hellein lorsqu'il découvrit un contresens dans la traduction, et en avisa aussitôt l'interprète.

Anna Hellein était une assistante sociale viennoise de vingt-neuf ans, qu'un garde russe avait arrachée du train au poste de contrôle du pont de Steyregg, sur la ligne de démarcation entre le secteur américain et le secteur soviétique ; c'est là qu'elle avait été violée, assassinée, et laissée sur les rails, où un train l'avait un peu plus tard décapitée. Une ménagère viennoise, témoin de toute la scène, avait dit, pouvait-on lire, qu'elle n'était pas allée à la police « parce qu'elle était sûre que Fraulein Hellein était une girafe ».

– Excusez-moi, monsieur, dit le jeune Farrokh à l'interprète britannique, vous avez commis une petite erreur. Fraulein Hellein n'a pas été prise pour une girafe.

– C'est ce qu'a dit le témoin, mon petit gars, répondit l'interprète, qui ajouta : c'est quand même pas un bougnoule qui va m'apprendre l'anglais, bon sang !

– Ce n'est pas l'anglais que je me proposais de vous apprendre, monsieur, c'est l'allemand.

– C'est le même mot, en allemand, mon petit gars, bon sang ! La *Hausfrau* a dit *Giraffe*.

– *Nur Umgangsprache*, expliqua Farrokh Daruwalla. C'est de l'allemand familier ; de l'argot berlinois pour dire prostituée. Le témoin a pris Fraulein Hellein pour une putain.

Farrokh fut presque soulagé d'entendre que son agresseur avait employé le mot « bougnoule », c'était du moins l'insulte raciste adéquate ; il se serait sûrement chagriné d'être confondu avec un Tzigane pour la deuxième fois. Et par sa courageuse intervention, il épargna une erreur embarrassante au Conseil des Alliés ; de sorte que les minutes ne purent jamais dire que le témoin d'un viol, d'un meurtre et d'une décapitation avait pu prendre la victime, Fraulein Hellein, pour une girafe. La malheureuse avait assez souffert pour que cet ultime outrage lui fût épargné.

Mais lorsqu'il retourna en Inde, à l'automne 1955, l'épisode appartenait autant à l'histoire que le jeune Farrokh lui-même, à ses propres yeux. Il ne rentrait pas chez lui plein de confiance en soi. Il est vrai qu'il lui était arrivé de revenir, au cours de ces huit ans, mais la brève visite faite à l'été 49 ne l'avait guère préparé à la confusion qu'il allait trouver six ans plus tard, lorsqu'il rentra « chez lui », dans cette Inde où il se sentirait toujours étranger.

Certes, ce sentiment lui était familier ; Vienne l'y avait préparé. Et parmi ses diverses visites à Londres, la seule dont l'agrément ait été déparé avait coïncidé avec la venue de son père, invité – grand honneur – au Royal College of Surgeons pour y donner une conférence. C'était une obsession chez les Indiens, et chez tous les anciens colonisés de l'Angleterre, de devenir membre du Royal College. Le vieux Lowji n'était pas peu fier de pouvoir apposer à son nom le « F », signifiant *fellow of »*, membre du College. Ce « F » n'aurait pas le même prestige aux yeux de son fils, qui l'obtiendrait aussi, mais pour le Canada. Or le jour où il donna sa conférence à Londres, le vieux Lowji choisit de rendre hommage au fondateur américain de la British Orthopedic Association, le célèbre Dr Robert Bayley Osgood, l'un des rares Américains à avoir mis cette institution dans sa poche. Et ce fut pendant le discours de son père (qui passa ensuite aux problèmes de la paralysie infantile en Inde) que le jeune Farrokh surprit une réflexion des plus désobligeantes, qui lui ôta toute envie d'habiter Londres.

« Quels singes, ces Indiens, disait un orthopédiste florissant à un confrère britannique. Il n'y a pas d'imitateurs plus présomptueux. Ils nous observent cinq bonnes minutes, et puis ils pensent qu'ils peuvent en faire autant. »

Le jeune Farrokh resta paralysé dans cette assemblée d'hommes fascinés par les maladies des os et des articulations ; incapable de faire un geste ou de dire un mot. Il ne s'agissait plus de confondre girafe et prostituée. Il commençait à peine ses études de médecine ; il n'était même pas sûr de comprendre à quoi « en » se rapportait. Le chirurgien anglais venait de dire « ils pensent qu'ils peuvent *en* faire autant ». Farrokh était si perplexe qu'il pensa d'abord à une question médicale, requérant des connaissances spécifiques ; mais avant que son père n'ait fini son discours, il comprit. Il ne s'agissait que de britannité. « En faire autant », être eux. Même dans cette assemblée d'hommes que son père se gargarisait à nommer ses confrères, tout ce qu'on remarquait, c'était cela ; si la britannité avait été copiée avec ou sans succès. Tout le temps que son ambitieux de père se livra à son exploration de la paralysie infantile, Farrokh, à sa grande honte, le vit avec le même œil que les Anglais : singe matois qui les imitait si bien. Pour la première fois, il prit conscience que l'on pouvait adorer la britannité, et exécrer les Anglais.

C'est ainsi qu'avant même d'exclure l'Inde des pays où s'installer, il en exclut l'Angleterre. Au cours de l'été 49, où il passait ses vacances chez lui, une expérience malencontreuse lui fit également exclure les États-Unis. C'est au cours de cet été-là qu'une autre faiblesse coupable de son père lui fut révélée. Il ne comptait pas au titre des faiblesses la gêne permanente que sa déformation vertébrale causait à son père – au contraire, cette bosse était une bosse de l'inspiration. Mais voilà qu'aujourd'hui, outre ses abus de langage dans le domaine de la politique et de la religion, Daruwalla père laissait voir son goût pour les bluettes au cinéma. Farrokh connaissait déjà sa passion débridée pour *Waterloo Bridge* ; il suffisait de prononcer le nom de Vivien Leigh pour lui mettre la larme à l'œil ; et aucune péripétie dramatique ne lui semblait avoir la force tragique de ces retournements du destin, qui poussent une malheureuse, bonne et pure, à tomber au plus bas de la prostitution.

Mais, à l'été 49, le jeune Farrokh ne s'attendait pas à trouver son père si entiché de l'atmosphère d'hystérie à la petite semaine qui règne sur le tournage d'un film. Circonstance aggravante, il s'agissait d'un film hollywoodien sans mérite particulier, sinon les trésors d'accommodement déployés *ad infinitum* par les participants, à défaut d'autre talent. Farrokh découvrit avec effarement la servilité de son père envers toute personne liée de près ou de loin au tournage.

Il n'y avait pourtant rien de si étonnant dans cette tendresse pour les gens du cinéma, ni dans le fait que la distance géographique parait le Hollywood d'après guerre d'une aura accrue. En l'occurrence, les misérables qui venaient d'envahir le Maharashtra pour faire un film avaient une réputation fort malmenée, même à Hollywood où l'opprobre a la vie courte. Mais Daruwalla père ne pouvait pas le savoir.

Comme beaucoup de médecins de par le monde, il se figurait qu'il aurait pu être un grand écrivain si la médecine ne l'avait pas attiré au départ ; et il se flattait en outre qu'une seconde carrière s'ouvrît pour lui, peut-être à la retraite. Il se disait qu'avec plus de temps, écrire un roman ne devait pas demander un gros effort et, à coup sûr, un scénario encore moins. S'il n'avait pas tort sur le premier point, écrire, même un scénario, allait se révéler au-dessus de ses capacités ; car ce n'était pas forcément le pouvoir de son imagination qui lui donnait sa belle technique et son acuité de diagnostic.

Hélas, l'arrogance naturelle accompagne souvent le pouvoir de soigner et guérir. Réputé à Bombay, et même reconnu à l'étranger pour ses hauts faits sur place, le docteur Lowji Daruwalla n'en convoitait pas moins d'entrer en contact immédiat avec ce qu'on appelle le processus de la création. A l'été 49, sous les yeux de son fils, jeune homme à principes, il obtint ce qu'il désirait.

Une mystérieuse absence de poils

Souvent, lorsqu'un homme qui ne manque ni d'envergure ni de moralité tombe aux mains de médiocres lâches et sans scrupules, il y a un intermédiaire, scélérat de seconde zone, qui a fait l'entremetteur ; un homme passé maître dans l'art de faire plaisir moyennant des contreparties modestes mais gratifiantes. En l'occurrence, ce fut une dame de Malabar Hill, dotée d'une fortune colossale et d'une silhouette qui l'était à peine moins. Elle n'aurait peut-être pas songé à se décrire comme une tante restée demoiselle, mais c'est pourtant le rôle qu'elle jouait auprès de ses deux neveux indignes, mauvaises graines issues d'un sien frère ruiné. Elle-même avait connu la tragique disgrâce de se faire abandonner deux fois par le même homme les jours fixés pour leur mariage, de sorte qu'en privé le Dr Lowji Daruwalla l'appelait la Miss Havisham de Bombay, deuxième prise.

Elle répondait au nom de Promila Rai, et avant de présenter insidieusement Lowji à la vermine du cinéma, ses rapports avec la famille Daruwalla s'étaient cantonnés dans la discourtoisie. Elle avait un jour requis l'avis du docteur à propos du cadet de ses exécrables neveux, un garçon bizarre nommé Rahul Rai, affligé d'une mystérieuse absence de poils. Au moment de la consultation, accordée par Lowji avec réticence puisqu'il était orthopédiste, Rahul n'avait que huit ou dix ans ; le docteur n'avait donc rien vu d'inexplicable à ce qu'il n'ait pas de poils ; l'enfant avait d'ailleurs des sourcils broussailleux et une chevelure drue. Pourtant Promila trouva l'analyse du vieux Lowji bien légère. « Oui, bien sûr, c'est vrai que vous, vous ne faites que les os », conclut-elle sur un ton méprisant qui ne laissa pas d'excéder l'orthopédiste.

Mais à présent Rahul avait douze ou treize ans, et l'absence de poils, sur sa peau d'acajou, se remarquait davantage. Farrokh Daruwalla, qui avait dix-neuf ans cet été 49, n'avait jamais aimé le garçon ; c'était un gamin onctueux, à l'ambiguïté sexuelle inquiétante, peut-être influencée par son frère Subodh, danseur et acteur occasionnel dans ces productions hindis qui commençaient à voir le jour. Subodh était plus célèbre pour son homosexualité flamboyante que pour ses talents de comédien.

On imagine la réaction de Farrokh, lorsqu'il rentra de Vienne pour trouver son père en termes amicaux avec Promila Rai et ses neveux équivoques... Au cours de ses premières années d'université, il s'était mis à nourrir des prétentions intellectuelles et littéraires, et ne pouvait voir d'un bon œil la lie de Hollywood qui s'était insinuée dans les bonnes grâces de ce père fragile malgré sa célébrité.

C'était tout simple : Promila Rai voulait que son neveu-comédien ait un rôle dans le film ; et que le prépubescent Rahul serve de mascotte à cette Cour de la Créativité. En effet, la sexualité apparemment latente du garçon au corps lisse en fit l'enfant chéri des Californiens ; ils trouvèrent en lui un interprète compétent, et un coursier plein d'entrain. Et la faune hollywoodienne, que cherchait-elle, en retour de cet usage créatif des neveux Rai ? Elle voulait avoir accès à un club privé, le Duckworth, plus précisément, dont on disait le plus grand bien même dans son milieu minable ; il lui fallait aussi un médecin, pour traiter ses maladies. A vrai dire, c'était plutôt sa terreur de toutes les maladies possibles en Inde qu'il aurait fallu traiter, car au début, personne ne souffrit de la moindre petite misère.

Ce fut un choc pour le jeune Farrokh de constater cette imprévisible dégradation de son père. Sa mère était mortifiée qu'il eût choisi des compagnons aussi peu raffinés et considérait qu'il se laissait manipuler sans vergogne par Promila Rai. En donnant à la racaille américaine l'accès illimité au club, le vieux Lowji, qui était président de sa Commission des règlements, tournait une loi sacrée chez les duck-worthiens. Jusque-là, les hôtes des membres trouvaient les portes ouvertes seulement s'ils arrivaient *et demeuraient* avec un membre du club. Mais Daruwalla père était si entiché de ses nouveaux amis qu'il leur accorda des privilèges spéciaux. Ainsi le scénariste, dont Lowji imaginait qu'il avait le plus à apprendre, se trouvait indésirable sur le plateau ; par conséquent cet artiste sensible et marginal était devenu résident virtuel du Duckworth, et source de tiraillements constants entre les parents de Farrokh.

Il est souvent gênant de découvrir le marivaudage conjugal auquel se livrent certains couples en vue dans la société. Meher, la mère de Farrokh, aimait flirter avec son père – en public. Mais comme les avances qu'elle lui faisait n'étaient jamais vulgaires, les duckwor-thiens en concluaient que c'était une épouse exceptionnellement aimante ; elle n'en attira que plus l'attention lorsqu'elle cessa de flir-ter avec son mari. Il devenait clair pour tous que mari et femme étaient passés de la fleurette au fleuret. Pour la plus grande gêne du jeune Farrokh, la tension flagrante qui régnait désormais dans le vénérable couple perturbait tout le club.

Cet été-là, l'essentiel de la mission de Farrokh était de préparer ses parents à l'histoire d'amour que son frère et lui avaient nouée avec les fabuleuses sœurs Zilk, ces « nymphes de la forêt viennoise », comme disait Jamshed. Mais le jeune homme voyait bien que les relations actuelles de ses parents ne constituaient pas le climat idéal pour engager les débats sur une histoire d'amour, a fortiori avec des Autrichiennes catholiques, qu'ils ne verraient sans doute pas du meil-leur œil comme les épouses de leurs fils uniques.

Fidèle à lui-même, Jamshed avait réussi à obtenir de son cadet qu'il rentrât en Inde cet été-là, pour tâter le terrain. C'est que Farrokh était moins impressionnant intellectuellement pour Lowji ; et puis il était le petit dernier, et par conséquent semblait aimé avec le moins de réserve. En outre, il se destinait à la spécialité de son père, ce qui ne pouvait que réjouir le vieil homme ; à défaut donc de faire bon accueil à la nouvelle, ce qui se comprenait, Lowji ferait donc meilleur accueil au messager si c'était Farrokh. Car l'intérêt de Jamshed pour la psy-chiatrie, que le vieux Lowji dénonçait comme une « science inexacte » – comparée à l'orthopédie – avait déjà creusé une brèche entre le père et son fils aîné.

Toujours est-il que le moment était mal choisi pour aborder le sujet des demoiselles Josefine et Julia Zilk, Farrokh le voyait bien ; l'éloge de leurs beautés et de leurs vertus devrait attendre, comme devrait attendre l'histoire de leur mère courageuse, une veuve qui s'était efforcée de donner une éducation à ses filles. Cet abominable film américain consumait ses parents sans défense. Même les nouveaux centres d'intérêt intellectuel du jeune homme laissaient son père indifférent.

Ainsi, lorsque Farrokh avait avoué partager la passion de son frère pour Freud, son père s'était alarmé : il devait être en train de perdre sa vocation pour la science plus exacte de l'orthopédie. Sans doute le jeune homme fut-il mal avisé de chercher à rassurer son père par d'amples citations des *Études sur l'hystérie* ; le vieillard reçut mal l'idée que « la crise d'hystérie est l'équivalent du coït ». Il trouvait absurde que le symptôme hystérique fût une forme de gratification sexuelle. Quant à ce que Freud appelait les identifications sexuelles multiples – comme dans le cas d'une patiente qui tentait d'arracher sa robe d'une main, sa main d'homme, tandis qu'elle la serrait désespérément de l'autre, sa main de femme –, la notion le scandalisait.

« Et c'est pour ça que je t'ai envoyé faire tes classes en Europe ? s'écria-t-il. Pour te casser la tête sur ce qu'une femme peut penser quand elle se déshabille ? C'est de la folie furieuse ! »

Daruwalla père refusait d'écouter une phrase si le nom de Freud y était prononcé. Farrokh vit dans ce rejet une preuve de plus de la rigidité intellectuelle et des credos dépassés du tyran. Dans l'idée de déboulonner Freud, Lowji paraphrasa un aphorisme du grand médecin canadien Sir William Osler. Clinicien au diagnostic hors pair et talentueux essayiste, Osler comptait aussi parmi les auteurs favoris de Farrokh. Il n'en était pas moins scandaleux de la part du vieillard d'utiliser Osler pour réfuter Freud ; cette vieille baderne cita la célèbre mise en garde du médecin : étudier la médecine sans les textes de référence équivalait à prendre la mer sans carte. Farrokh rétorqua que ce n'était comprendre Osler qu'à moitié, et Freud moins encore. Sir William avait aussi stigmatisé la tentation d'étudier la médecine sans malades, ce qui reviendrait à ne pas prendre la mer du tout. Lowji, comme de juste, fut inébranlable.

Il écœurait son fils. Le jeune homme avait quitté la maison à dix-sept ans à peine ; mais il en avait aujourd'hui dix-neuf, avec des voyages et des lectures à son actif. Ce modèle de noblesse et de rayonnement intellectuel que son père avait naguère représenté s'était aujourd'hui transformé en bouffon. Dans un instant de témérité, Farrokh lui donna un livre à lire. C'était *La Puissance et la Gloire*, de Graham Greene, un roman moderne, moderne pour Lowji, en tout cas. C'était aussi un roman religieux – autant dire une banderille dans le flanc du vieil athée. Mais, pour piquer la curiosité de son père, Farrokh le lui offrit en disant qu'il avait profondément choqué l'Église de Rome. L'appât était habile, et le vieux Lowji se réjouit fort que le livre ait été mis à l'index par l'épiscopat français. Pour des raisons qu'il n'avait jamais pris la peine d'expliquer, il n'aimait pas les Français. Et pour des raisons sur lesquelles il ne s'étendait que trop et trop souvent, il considérait toutes les religions comme des monstruosités.

Il était sans doute irréaliste de la part du jeune Farrokh de se figurer qu'il allait amener cet homme farouchement vieux jeu à résipiscence sur le chapitre de ses nouvelles sensibilités européennes, et par le simple biais d'un roman qu'il aimait. Il s'imaginait naïvement que le plaisir partagé de cette lecture pourrait amener la conversation sur le sujet des sœurs Zilk, ces jeunes filles éclairées qui, quoique catholiques, ne partageaient pas la consternation de l'Église face au roman ; et qui étaient donc ces sœurs Zilk, aux idées si avancées, demanderait-on peut-être ; si bien que de fil en aiguille... Mais, comme de juste, le vieux Lowji n'eut que du mépris pour le roman.

Il en dénonça les contradictions morales, ce qu'il appelait la « vaste confusion entre le bien et le mal ». Au début, avança-t-il, le lieutenant qui met le prêtre en prison est présenté comme un homme intègre, à l'idéal élevé. Le prêtre, en revanche, est corrompu jusqu'à la moelle – débauché, ivrogne, père démissionnaire d'une fille illégitime.

« Il méritait bien la mort, s'exclama-t-il, mais pas nécessairement parce qu'il était prêtre ! »

Farrokh fut amèrement déçu par cette réaction obtuse à un livre que lui-même aimait au point de l'avoir lu six fois. Il provoqua délibérément son père en lui disant que son réquisitoire ressemblait singulièrement au procès que l'Église avait fait de l'œuvre.

Ainsi commencèrent l'été et la mousson de 1949.

Un passé qui colle à la peau

Voici entrer en scène les personnages qui composent la lie de Hollywood, la vermine en Technicolor, la fange de la pellicule – les « médiocres, les lâches sans scrupules » précédemment évoqués. Fort heureusement, ce sont des personnages secondaires, mais ils sont si rebutants que nous avons préféré différer leur apparition jusqu'à la dernière minute. En outre, le passé a déjà fait une intrusion regrettable dans ce récit. Et pendant ce temps, Daruwalla fils, qui n'est nullement étranger aux intrusions indésirables et prolongées du passé, se trouve toujours assis à sa table, dans le jardin des Dames du Duckworth. Le passé s'est abattu sur lui comme une chape de plomb, si bien qu'il n'a pas touché sa Kingfisher, maintenant tiédasse et imbuvable.

Le docteur sait bien qu'il devrait au moins se lever de table et téléphoner à sa femme. Il faut la mettre au courant sans délai de ce qui est arrivé au pauvre Mr Lal, et, bien sûr, de la menace qui plane sur leur bien-aimé Dhar. D'AUTRES MEMBRES VONT MOURIR SI DHAR N'EST PAS RADIÉ. Il faudrait aussi la prévenir que Dhar vient « souper », sans compter qu'il lui doit bien quelques explications sur sa lâcheté. Car Julia pensera sûrement qu'il est lâche, lui qui ne dit rien quand il sait qu'on attend le jumeau à Bombay d'un jour à l'autre. Pourtant le docteur ne peut même pas boire sa bière ou se lever de table ; on dirait que le putter contondant qui a fracassé le crâne de l'infortuné Lal vient de faire une seconde victime.

Depuis tout à l'heure, Mr Sethna ne l'a pas quitté des yeux. Le docteur semble l'inquiéter : c'est la première fois qu'il ne finit pas une Kingfisher. Les valets de table murmurent ; il leur faut changer les nappes dans le jardin des Dames. Les nappes du dîner, d'un jaune safran, sont tout à fait différentes de celles du déjeuner, qui tirent sur le vermillon. Mr Sethna ne veut pas que les valets dérangent le docteur. Il n'est pas l'homme qu'était son père, soit, mais la loyauté du majordome envers Lowji s'étend sans conteste par-delà la mort, non seulement à ses enfants, mais encore au mystérieux garçon au teint clair qu'il a entendu Lowji appeler « mon petit-fils » plus d'une fois.

La loyauté de Mr Sethna envers le nom des Daruwalla est telle qu'il ne tolère pas les ragots des cuisines. Il y a par exemple un vieux cuisinier qui jure que ce prétendu petit-fils n'est autre que l'acteur cent pour cent blanc qui parade aujourd'hui devant eux sous le nom d'inspecteur Dhar. Si Mr Sethna en est convaincu par-devers lui, il soutient mordicus que ça ne tient pas debout. Le Dr Daruwalla fils a déclaré à plusieurs reprises que Dhar n'est ni son neveu ni son fils, eh bien, cela suffit à Mr Sethna. Il déclare avec véhémence au personnel de la cuisine et du service, serveurs et valets : « Le garçon que nous voyions avec le vieux Lowji était quelqu'un d'autre. »

Et maintenant une demi-douzaine de valets se glissent dans la lumière déclinante vers le jardin des Dames, guidés sans un mot par l'œil perçant et les gestes précis de leur majordome. Sur la table du docteur, il n'y a plus que quelques soucoupes, un cendrier, ainsi qu'un vase de fleurs et la bière tiède. Chaque valet connaît sa tâche ; l'un retire le cendrier, l'autre enlève la nappe à la seconde même où Mr Sethna s'empare de la bière oubliée. Trois autres échangent la nappe vermillon pour une jaune safran ; le même vase et un nouveau cendrier reviennent sur la table. Tout d'abord le docteur ne remarque pas que Mr Sethna a substitué une bière fraîche à celle qui avait tiédi.

Ce n'est qu'après le départ de l'équipe qu'il semble apprécier l'adoucissement crépusculaire des bougainvillées, les roses et les blanches, du jardin des Dames ; qu'il semble se rendre compte que son verre plein à ras bord s'est embué de frais ; il est si frais et si humide, ce verre, il semble lui attirer la main. La bière est si fraîche, si râpeuse ; il en boit une longue gorgée, avec gratitude ; puis une autre, et une autre encore. Il boit, jusqu'à vider son verre ; mais il ne quitte pas sa table, comme s'il attendait quelqu'un, alors qu'il sait pertinemment que c'est sa femme qui l'attend, à la maison.

Pendant un instant, le docteur oublie de remplir son verre ; puis il s'en avise. C'est une bouteille de 40 centilitres – ce qui fait beaucoup trop de bière pour des nains, se souvient-il. Alors une expression lui passe sur le visage, de celles que l'on voudrait voir passer bien vite. Mais elle y demeure, fixe, lointaine, aussi amère que l'arrière-goût de la bière. Mr Sethna la reconnaît ; il sait tout de suite que le passé a repris ses droits sur le Dr Daruwalla ; et à en juger par cette expression d'amertume, il croit savoir de quel passé il s'agit. Les voilà revenus, ces gens du cinéma, cette racaille.

5

La vermine

A la découverte du cinéma et de son business

Gordon Hathaway, le metteur en scène, trouverait un jour la mort sur l'autoroute de Santa Monica ; mais l'été 49, il était encore sur la lancée d'un film policier, dont le succès s'estompait. Par esprit de contradiction, cela avait ravivé en lui le désir assoupi de faire ce que les gens du cinéma appellent un film de qualité. Sous ce rapport, le film allait être un fiasco. S'il réussit bien à le tourner, malgré le sort qui s'acharnait contre lui, il ne put jamais le sortir. S'étant essayé à la « qualité », il retourna au polar avec un enthousiasme relatif, et un succès qui le fut plus encore. Dans les années soixante, il descendit un échelon pour faire de la télévision, où il attendit la fin de sa carrière dans l'indifférence générale.

Sa personnalité présentait peu de traits originaux. Ainsi, il appelait par leur prénom tous ses acteurs, hommes ou femmes, y compris ceux qu'il voyait pour la première fois, ce qui était le cas le plus fréquent ; et il leur collait des baisers mouillés en leur faisant ses adieux, même lorsqu'il ne les avait vus qu'une ou deux fois. Chaud lapin, il se maria quatre fois, engendrant chaque fois des enfants qui allaient le traîner dans la boue avant même l'adolescence. Dans les versions des faits qui circulaient, Hathaway se voyait comme de juste attribuer le mauvais rôle, tandis que ses épouses successives, les mères, s'en sortaient hautement compromises, mais sanctifiées. C'est qu'il avait eu la malchance de n'engendrer que des filles, disait-il. Car des fils, selon lui, auraient pris son parti – « Au moins une fois sur les quatre, putain ! »

Sur le plan vestimentaire, c'était un excentrique caractérisé ; mais avec l'âge, et à mesure qu'il prenait les compromis de sa carrière de

103

metteur en scène avec plus de sérénité, il se fit de plus en plus extravagant dans sa mise, comme si elle était l'ultime refuge de sa créativité. Parfois il portait un chemisier de femme, ouvert jusqu'au nombril, et coiffait ses cheveux blancs en un long catogan, qui allait devenir sa marque distinctive ; dans nombre de ses téléfilms et autres dramatiques policières, en revanche, on aurait cherché en vain un trait qui le fît reconnaître. Cela ne l'empêchait pas de vilipender les « costards », c'est ainsi qu'il appelait les producteurs, avec leur « putain de mentalité trois-pièces » qui étranglaient « tout le talent de Hollywood ».

L'accusation pouvait surprendre de la part d'un homme qui avait passé une longue carrière assez rentable à s'entendre comme larrons en foire avec eux. A la vérité, les producteurs l'adoraient. Mais tous ces détails sont banals et méritent à peine d'être rapportés.

A Bombay, au contraire, on vit paraître le premier trait vraiment spécifique du caractère de Hathaway : sa hantise de la nourriture indienne. Sa phobie des maladies qui allaient, il n'en doutait pas, lui déglinguer l'appareil digestif, l'empêchait en effet de manger autre chose que ce qu'il y avait sur le plateau du petit déjeuner, dont il rinçait le contenu lui-même dans sa baignoire. L'hôtel Taj Mahal avait une certaine habitude des mœurs alimentaires de ses hôtes étrangers ; mais, à ce régime draconien, Hathaway souffrit bientôt d'une constipation opiniâtre, aggravée d'hémorroïdes.

Autre misère, la chaleur humide de Bombay stimulait sa tendance chronique aux mycoses. Il se collait des boules de coton entre les orteils ; le Dr Lowji Daruwalla n'avait jamais vu un cas aussi rebelle d'*athlete's foot* – et des champignons aussi incontrôlables que la moisissure du pain lui envahissaient les oreilles. Le chirurgien en était arrivé à penser qu'il sécrétait ses champignons. Les oreilles du metteur en scène le démangeaient à le rendre fou ; et entre les champignons et les gouttes fongicides, sans préjudice des boules de coton qu'il s'enfonçait également dans les oreilles, il était si sourd que les opérations qu'il menait sur le plateau tournaient à la bouffonnerie, à force de quiproquos.

Les gouttes en question étaient une solution violette à la gentiane, indélébile. Par conséquent, le col et les épaules de ses chemises étaient émaillés de taches mauves, car les boules tombaient fréquemment de ses oreilles, quand il ne les arrachait pas lui-même, exaspéré de ne rien entendre. Le metteur en scène était un pollueur-né ; partout où il passait, il semait allégrement ses petites boules de coton mauve. Parfois, la solution lui dégoulinait sur la face ; on aurait dit qu'il avait été barbouillé exprès, comme le membre d'une secte, ou d'une tribu inconnue. De même, le bout de ses doigts était maculé de solution à la gentiane, car il se les fourrait sans cesse dans les oreilles.

Cela n'empêchait pas Lowji d'être impressionné par le fabuleux tempérament artistique du premier (et dernier) metteur en scène qu'il rencontra. Il dit à sa femme Meher, qui le répéta à Farrokh, qu'il trouvait Hathaway « charmant » : il n'avait attribué ses hémorroïdes et sa mycose ni à son régime de fond de baignoire ni au climat de Bombay. Non, il accusait « ce putain de stress » que lui causaient les compromis inévitables avec le béotien qui produisait le film, un « costard » vilipendé, qui incidemment avait épousé l'ambitieuse\sœur de Gordon Hathaway.

« Cette connasse de misère », s'exclamait-il souvent. A défaut d'originalité dans ses entreprises artistiques, il eut tout de même la réputation d'avoir lancé cette obscénité. « Je suis un précurseur, moi, putain », disait-il volontiers ; en cette occurrence grossière, ce fut peut-être vrai.

Meher et Farrokh concevaient un immense agacement à entendre Lowji excuser la grossièreté de Gordon Hathaway sous prétexte qu'il avait un tempérament artistique. On ne parvint jamais à savoir au juste si le fameux producteur béotien exerçait des pressions sur Gordon parce que celui-ci voulait lui faire plaisir ; ou si la véritable force de pression venait plutôt de la sœur du metteur en scène, la c... de m... déjà mentionnée. On ne sut jamais au juste qui tenait qui « par les couilles », ou lequel « tirait les ficelles » de l'autre, pour reprendre les formules de Gordon.

Nouvellement initié aux arcanes du processus créateur, Lowji n'était pas rebuté par ce langage ; il tentait plutôt de faire énoncer au metteur en scène les principes artistiques qui le guidaient sans aucun doute et lui permettaient de dominer la frénésie du tournage. Car même un novice sentait que le rythme était infernal ; même la sensibilité artistique inexpérimentée de Lowji pouvait détecter l'aura de tension qui accompagnait les modifications du scénario, chaque soir, dans la salle à manger du Duckworth.

« Je me fie à mon instinct de conteur, mec, confiait Gordon Hathaway à Daruwalla père, qui cherchait si éperdument sa reconversion post-retraite. Putain, c'est la clef de tout, tu vois. »

Farrokh et sa pauvre mère étaient morts de honte, à observer que, durant tout le dîner, Lowji prenait des notes.

Quant au scénariste, qui rêvait lui aussi de faire un « film de qualité », il voyait son rêve dangereusement défiguré au fil des jours. L'homme était un alcoolique dont l'ardoise au club menaçait de dépasser les ressources de la famille Daruwalla et finissait par serrer les cordons de la bourse apparemment sans fond de l'« opulente » Promila Rai. Il s'appelait Danny Mills ; il était parti sur l'histoire d'un couple qui vient en Inde parce que la femme est atteinte d'un cancer ; ils s'étaient promis qu'ils iraient en Inde « un jour ». D'ailleurs le titre original, d'une sincérité désarmante, annonçait *Un jour nous irons en Inde* ; ensuite de quoi Gordon Hathaway l'avait modifié en *Un jour, chérie, nous irons en Inde.* Ce changement mineur induisait un remaniement majeur de l'histoire, ce qui enfonça Danny Mills un peu plus dans sa sinistrose alcoolique.

A vrai dire, commencer ce scénario sur une idée originale représentait une promotion pour Danny Mills. Car, au départ du moins, l'idée lui appartenait en propre. Il avait fait ses débuts dans le métier à l'échelon le plus bas, comme pigiste ; il avait eu son premier contrat avec l'Universal pour cent dollars par semaine : tout ce qu'on lui avait demandé, c'était de trafiquer des scénarios déjà existants. A présent encore, il avait plus de « dialogues additionnels » à son actif que de scénarios coécrits ; quant aux scénarios qu'il avait écrits en solo, il n'y en avait que deux, ils avaient fait des fours, des bides retentissants. A l'heure actuelle, il se flattait d'être un « indépendant », ce qui voulait dire qu'il n'était pas sous contrat avec un studio ; mais c'était parce que les studios ne le jugeaient pas fiable : non seulement il était ivrogne, mais il avait la réputation d'être un solitaire. Le travail en équipe ne lui convenait pas et il devenait acariâtre sur un scénario qui avait déjà mobilisé le génie créateur d'une demi-douzaine d'écrivains et plus. Mais s'il était clair que les modifications qu'on lui demandait tous les soirs, au caprice de Gordon Hathaway, le déprimaient, il était tout à fait exceptionnel aussi pour lui de travailler sur un scénario de son cru. C'est pourquoi Gordon Hathaway considérait qu'il aurait dû s'estimer heureux.

Ce n'était pas comme s'il avait ajouté un seul mot au script du

Grand Sommeil, ou même du *Signe du Cobra* ; il n'était pour rien dans celui de *La Femme de l'année*, ni dans celui de *Hot Cargo ;* il n'avait écrit ni *La Corde* ni *Hantise* ; n'avait pas ajouté une seule virgule au *Fils de Dracula*, il n'en avait pas non plus retranché une seule dans *Frisco Sal* ; et si on lui avait parfois attribué la paternité du scénario non signé de *When Strangers Marry*, on découvrit que c'était une erreur. C'était bien simple, à Hollywood, il ne jouait pas en première division. Le sentiment général, c'était que les « dialogues additionnels » représentaient le zénith de ses capacités ; si bien qu'à son arrivée en Inde il avait plus souvent réparé les désastres des autres que commis les siens propres. Il était incontestablement mortifié que Gordon Hathaway ne l'appelât jamais « le scénariste ». Il l'appelait « l'arrangeur ». Mais à dire le vrai, il y eut plus de points à « arranger » dans le film *Un jour, chérie, nous irons en Inde* après les changements décidés par Hathaway.

Danny avait vu le film comme une histoire d'amour avec retournement ; le retournement, c'est que la femme mourait à la fin. Dans la version initiale, alors que la femme était mourante, le couple succombait au boniment d'un gourou à serpents ; ils étaient tirés des griffes de ce charlatan et de sa horde de diaboliques adorateurs du serpent par un vrai gourou. Au lieu de prétendre guérir la femme, celui-là lui apprenait à mourir dans la dignité. Or, pour le goût du producteur béotien, ou de sa femme, l'intrigante c... de m... sœur de Hathaway, la dernière partie manquait d'action et de suspense. « Bon d'accord, elle est heureuse, mais putain, ça l'empêche pas de mourir, hein ? » protestait Gordon.

Par conséquent, malgré les conseils plutôt mieux avisés de Danny Mills, il modifia l'histoire : le gourou n'était pas assez odieux ; il fallait donc reprendre les adorateurs du serpent. Le gourou kidnappait la femme ; il allait l'enlever à l'hôtel du Taj, et la tenait prisonnière dans son harem de femmes droguées, où il leur enseignait une forme de méditation qui s'achevait par des rapports sexuels, avec les serpents ou avec lui. Car c'était assurément l'Ashram du Mal. Le mari hagard, accompagné d'un missionnaire jésuite, substitution assez « grosse » au bon gourou, partait à la recherche de la femme et la sauvait d'un sort censément pire que la mort par cancer. Bien entendu, c'est au christianisme que la mourante se convertissait, à la fin, et, on l'aura deviné, elle ne mourait pas !

Gordon expliqua la chose à un Lowji surpris :

– Le cancer passe ; il s'évapore, il passe, quoi, putain ! Ça arrive, des fois, non ?

– Euh, les cancers ne s'évaporent pas à proprement parler, mais il y a des rémissions, répondit Daruwalla père, perplexe, tandis que Farrokh et Meher étaient au supplice pour lui.

– C'est quoi ça ? demanda Gordon Hathaway.

Il savait ce que c'était qu'une rémission, mais il n'avait pas entendu parce que ses oreilles étaient pleines de champignons, de lotion à la gentiane et de boules de coton.

– Oui, parfois, les cancers passent, plus ou moins… braila le vieux Lowji.

– Ouais, c'est bien ce que je pensais !

Gêné pour son père, le jeune Farrokh pensa amener la conversation sur l'Inde. Ces étrangers devaient bien s'intéresser à la tension actuelle entre hindous et musulmans ; le drame de la Partition et de l'Indépendance – un million d'hindous et de musulmans tués, douze millions de réfugiés – devait bien les intéresser un peu ?

– Écoute, bonhomme, dit Gordon Hathaway, quand tu fais un film, y a que ça qui t'intéresse.

Cette déclaration fut approuvée de bon cœur par les convives ; Farrokh eut l'impression que même le silence de son père, d'ordinaire enclin à faire connaître ses opinions, était réprobateur. Mais il n'était pas rentré chez lui après une longue absence pour s'entendre refuser un débat sur son propre pays. Seul Danny Mills paraissait s'intéresser à la couleur locale ; il paraissait aussi très ivre.

Quoique Danny Mills considérât la religion et la politique comme des formes de couleur locale plutôt fastidieuses, il était tout de même déçu que l'Inde apparaisse si peu dans *Un jour, chérie, nous irons en Inde*. Il avait déjà suggéré que le climat de violence religieuse qui régnait au moment de la Partition fasse au moins une brève apparition en toile de fond.

– Ouais, mais putain, la politique, c'est des préliminaires, avait répondu Gordon Hathaway en écartant l'idée. Je serais obligé de couper les passages, pour finir.

Pour intervenir dans la discussion entre lui et Farrokh, Danny Mills exprima de nouveau le désir que le film contienne au moins une allusion à ces tensions entre hindous et musulmans, mais Gordon mit

sans ambages Farrokh au défi de lui trouver un seul « point sensible »
entre les deux communautés qui n'ennuierait pas le spectateur. Or,
cette année-là, les hindous s'étaient introduits dans la mosquée de
Babar avec des idoles de Rama, leur prince-dieu, et Farrokh se figura
tenir une bonne histoire. Les hindous arguaient que la mosquée avait
été construite sur le lieu de naissance de Rama ; mais les musulmans
avaient mal accepté qu'on place des idoles hindoues dans une mosquée historique ; ils haïssent toutes les idoles sans exception. Ils ne
croient pas aux représentations de Dieu, et encore moins d'une foule
de dieux. Les hindous, au contraire, prient les idoles, et la foule de
leurs dieux, en permanence. Pour éviter de nouvelles effusions de
sang entre les deux communautés, l'État avait fermé la mosquée de
Babar.

– Il aurait peut-être fallu commencer par enlever les idoles de Rama,
expliqua Farrokh. Les musulmans étaient enragés de les voir occuper
leur mosquée. Les hindous, eux, non seulement voulaient laisser leurs
idoles ; mais ils voulaient édifier un temple à Rama sur le site.

A ce moment-là Gordon interrompit l'histoire pour dire son hostilité aux scènes d'exposition :

– Toi, t'écriras jamais pour le cinéma, bonhomme. Si tu veux écrire
pour le cinéma, faut en venir au fait un peu plus vite que ça !

– Je crois pas que je pourrai me servir de votre histoire, dit Danny
Mills, pensif, mais je la trouve très jolie.

– Merci, répondit Farrokh.

La pauvre Meher, épouse délaissée ces derniers temps, était elle
aussi assez agacée pour changer de sujet. Elle prit donc l'initiative de
remarquer combien était agréable cette brise du soir, tout à coup ; elle
observa le bruissement d'un *neem* dans le jardin des Dames, et se
serait sans doute répandue en considérations plus amples sur les
mérites de l'arbre si l'attention des étrangers, qui n'avait jamais été
passionnée, ne s'était pas déjà dissipée.

Gordon Hathaway tenait dans la paume de sa main les boules de
coton violet extraites de ses oreilles, et il les secouait comme autant
de dés :

– C'est quoi, putain, un neem ? demanda-t-il, comme s'il avait une
dent contre l'arbre.

– Il y en a partout à Bombay, dit Danny Mills ; je crois que c'est
un arbre tropical.

109

– Je suis sûr que vous en avez vu, dit Farrokh au metteur en scène.

– Écoute, bonhomme, quand tu fais un film, putain, t'as pas le temps de regarder les arbres !

Meher souffrit de voir, à l'expression de son mari, qu'il jugeait la remarque sagace. Là-dessus, Hathaway signifia que la conversation était terminée en accordant toute son attention à une jolie créature mineure, assise à la table voisine. Il offrit ainsi à Farrokh son profil arrogant, avec un aperçu alarmant de son oreille interne d'un violacé intense et indélébile. Cette oreille, véritable arc-en-ciel qui allait du rouge sang au violet, avait l'iridescence malséante d'une face de babouin mandrill.

Un peu plus tard, après que cet homme haut en couleur s'en fut retourné au Taj, sans doute pour se rincer quelque chose à manger dans la baignoire avant d'aller se coucher, Farrokh dut subir les flagorneries de son père envers Danny Mills, qui était ivre.

– Ce doit être difficile de réviser un scénario dans des conditions pareilles, avança Lowji.

– Vous voulez dire le soir, à dîner, après boire ?

– Je voulais dire de façon impromptue. Il semblerait plus prudent de tourner l'histoire que vous avez déjà écrite.

– Hé oui, acquiesça le pauvre Mills, mais ça ne se passe jamais comme ça.

– Ils préfèrent la spontanéité, sans doute...

– Ils n'attachent pas tellement d'importance au texte écrit.

– Ah non ? s'exclama Lowji.

– Jamais, confirma Danny.

Le pauvre Lowji n'avait jamais envisagé que le scénariste puisse ne pas compter. Farrokh éprouvait de la compassion pour Danny Mills, qui était un homme sentimental, affectueux, avec une douceur dans les manières et un visage que les femmes aimaient bien, tant qu'elles ne le connaissaient pas davantage ; après quoi ou bien sa faiblesse fondamentale les rebutait, ou bien elles l'exploitaient. L'alcool lui posait sans aucun doute un problème, mais c'était le symptôme plus que la cause de son échec. Il était toujours à court d'argent ; en conséquence, il ne finissait jamais un texte et le vendait dans les pires conditions ; il était même capable de vendre une idée de texte, ou un texte à l'état de fragment, une histoire à peine commencée ; si bien qu'il perdait tout contrôle sur le devenir du texte, quel qu'il fût.

Il n'avait jamais fini un roman quoiqu'il en ait commencé plusieurs ; dès qu'il avait besoin d'argent, il mettait le roman de côté, et il écrivait un scénario, qu'il vendait lui-même inachevé. C'était toujours le même schéma. Quand il retournait enfin à son roman, il avait assez de recul pour voir à quel point il était mauvais.

Mais Farrokh ne parvenait pas à détester Danny Mills comme il détestait Gordon Hathaway ; il voyait que le scénariste aimait bien son père. De son côté, Mills faisait un effort pour empêcher Lowji de se mettre dans une situation plus embarrassante encore.

– C'est comme ça, dit-il à Lowji.

Il faisait tourner la glace qui fondait au fond de son verre ; dans la chaleur d'étuve qui précédait la mousson, la glace fondait vite ; mais Danny descendait toujours son gin plus vite encore.

– Vous êtes baisé si vous vendez quoi que ce soit avant de l'avoir fini, dit Danny Mills à Daruwalla père. Il ne faut jamais montrer ce qu'on écrit à personne avant d'avoir fini. On bosse. Quand on est sûr que c'est bon, alors on le montre à quelqu'un qui a fait un film qu'on aime bien.

– Un metteur en scène, vous voulez dire, demanda Lowji, qui notait tout.

– Absolument, un metteur en scène, surtout pas un studio.

– Bon, alors, on le montre à quelqu'un qu'on aime bien, un metteur en scène, et on se fait payer.

– Non ! On n'accepte pas un sou tant que tous les arrangements sont pas montés. Dès l'instant qu'on accepte de l'argent, on est baisé.

– Mais quand est-ce qu'on le prend, l'argent, alors ?

– Quand ils ont engagé tous les acteurs qu'on veut ; le metteur en scène ; et quand on lui a confié le montage final. Quand tout le monde adore tellement le scénario qu'ils n'oseraient jamais y changer un seul mot – et si on en doute, il faut exiger un droit de regard sur le script final. Et être prêt à retirer ses billes le cas échéant.

– C'est ce que vous faites ? demanda Lowji.

– Moi, non ! Je prends l'argent d'abord, j'en prends autant que je peux, et après ils me baisent.

– Mais qui s'y prend comme vous le conseillez ? demanda Lowji.

Il était tellement perdu qu'il avait cessé de noter.

– Personne de ma connaissance. Tous les gens que je connais se font baiser.

111

– Mais alors vous n'êtes pas allé voir Gordon Hathaway ? Vous ne l'avez pas choisi ?

– Y a qu'un studio pour choisir Gordon, dit Danny.

Sa peau avait la douceur peu commune, si déconcertante, qu'on voit sur le visage de certains alcooliques ; on aurait dit que son teint de bébé était le résultat direct d'un processus de macération ; comme si la pousse de sa barbe était aussi ralentie que son débit. Il faisait l'effet de n'avoir besoin de se raser qu'une fois par semaine, malgré ses presque trente-cinq ans.

– Je vais vous en parler, moi, de Gordon, dit-il. C'est lui qui a eu l'idée de donner un rôle plus important au gourou à serpents ; l'idée qu'il se fait de l'image même du mal, c'est un ashram avec des serpents.

Ni Lowji ni Farrokh ne l'interrompirent.

– Je vais vous en parler, moi, de Gordon. Gordon, des gourous, il en a jamais vu, avec ou sans serpents. Il en a jamais vu d'ashrams, même en Californie.

– On pourrait facilement vous présenter un gourou, dit Lowji. On pourrait facilement vous faire visiter un ashram.

– Vous voyez d'ici ce que Gordon vous répondrait, dit le scénariste ivre qui regarda Farrokh.

Farrokh tenta d'imiter Gordon Hathaway de son mieux :

– Moi je fais un film, putain ! Si vous croyez que j'ai le temps de rencontrer un gourou, putain, ou d'aller visiter un ashram, merde, en plein milieu d'un film !

– Bien vu, dit Danny Mills, et il confia au vieux Lowji : il a tout compris, votre fils, sur le cinéma

Tout délabré qu'il fût, il était difficile de ne pas aimer Danny Mills un petit peu, songeait Farrokh. Puis il baissa les yeux sur sa propre bière et vit les deux boules de coton d'un violet éclatant, issues des oreilles de Gordon Hathaway. Comment étaient-elles arrivées dans sa bière ? Il dut se servir de sa cuillère à glace pour les extraire, toutes dégoulinantes, de son verre. Il les posa sur une soucoupe en se demandant depuis combien de temps elles trempaient, et combien de liquide il avait ingurgité depuis que les boulettes de coton absorbaient la bière comme des éponges au fond de son verre. Danny Mills riait trop pour parler. Lowji comprit ce que pensait son critique de fils.

– Ne sois pas ridicule, Farrokh, tu penses bien qu'il ne l'a pas fait exprès.

Cette remarque fit rire Danny Mills de plus en plus fort, de sorte que Mr Sethna s'approcha de leur table où il fixa d'un air réprobateur la soucoupe contenant les boules de coton infusées dans la bière, mais toujours aussi violettes. Le reste de bière était, lui aussi, violacé. Mr Sethna remercia au moins le ciel que Mrs Daruwalla fût rentrée chez elle.

Farrokh aida son père à installer Danny Mills à l'arrière de sa voiture. Le scénariste dormirait d'un sommeil profond avant qu'ils n'aient quitté l'allée qui montait au Duckworth, ou du moins avant qu'ils n'aient quitté Mahalaxmi. Il était toujours endormi à ce moment-là, s'il ne rentrait pas chez lui avant ; lorsqu'ils le déposaient au Taj, le père de Farrokh donnait un pourboire à l'immense portier sikh, qui véhiculait Mills jusqu'à sa chambre sur un chariot à bagages.

Ce soir-là, Farrokh sur le siège du passager, son père au volant et Danny Mills endormi sur le siège arrière, ils venaient d'entrer dans Tardeo, lorsque Lowji lança :

– Tu serais bien avisé de cesser d'afficher en permanence un tel mépris pour ces gens. Je sais que tu te crois très raffiné, et que pour toi ils ne sont que racaille indigne même de ton dédain – mais, je vais te dire, ce n'est pas très raffiné de laisser ses sentiments paraître si clairement sur son visage.

Farrokh n'allait pas oublier de sitôt cette observation, qui le piqua au vif ; mais il n'en resta pas moins silencieux, bouillonnant de colère contre ce père qui n'était peut-être pas aussi crétin que son jeune fils se l'était figuré. Il n'allait pas l'oublier de sitôt pour une autre raison : la voiture était exactement à l'endroit de Tardeo où, vingt ans plus tard, son père allait voler en éclats.

– Tu devrais écouter ce que ces gens disent, Farrokh, lui conseillait son père. Il n'est pas nécessaire qu'ils soient à ta hauteur, moralement, pour t'apprendre quelque chose.

Il n'oublierait pas non plus l'ironie de la vie. Même si l'idée venait de son père, il serait le seul à avoir appris quelque chose de ces misérables étrangers ; c'était lui qui mettrait en pratique le conseil de Danny Mills.

Oui, mais y avait-il appris quelque chose
qui en valût la peine ?

Farrokh n'avait plus dix-neuf ans, maintenant, il en avait cinquante-neuf. Déjà, au Duckworth, le crépuscule avait fait place à la nuit, et pourtant, le docteur était toujours affalé sur son siège, dans le jardin des Dames. Il arborait cette expression qu'on associe d'ordinaire à l'échec. Certes, il avait réussi à contrôler ses films de bout en bout, avec toujours droit de regard sur le résultat final ; et après ? Il n'écrivait que de la merde. L'ironie des choses, c'est qu'il avait connu un succès immense en écrivant des films qui ne valaient pas plus cher que *Un jour, chérie, nous irons en Inde.*

Il se demandait si les autres scénaristes de merde rêvaient eux aussi d'écrire un jour un film « d'auteur ». Pour lui, l'histoire commençait toujours de la même manière ; il ne dépassait jamais le début.

La première séquence montrait Victoria Terminus, l'énorme gare gothique, avec ses vitraux, ses bas-reliefs et ses arcs-boutants, son dôme ouvragé avec ses gargouilles vigilantes : pour lui, c'était là le cœur même de Bombay. Entre ces murs sonores passaient un demi-million de citadins faisant la navette, et le flux permanent des migrants ; ces derniers arrivaient avec tout ce qu'ils possédaient, de la marmaille à la volaille.

Devant le bâtiment colossal se trouvait le déballage de Crawford Market, ainsi que les stands d'animaux où l'on pouvait acheter perroquets, singes ou piranhas. Et parmi les porteurs, les marchands ambulants et les pickpockets, la caméra le repérait, lui, d'une façon ou d'une autre, quoiqu'il ne fût qu'un enfant, immanquablement infirme. Car quel autre héros pour un chirurgien orthopédiste ? Et avec cette simultanéité magique que le cinéma sait parfois réussir, le visage de l'enfant, en gros plan bien sûr, signifiait au spectateur que c'était son histoire qui avait été retenue parmi des millions d'autres, tandis qu'en voix off on l'entendait dire son nom.

Farrokh raffolait de ce procédé un peu désuet ; il en usait et en abusait d'ailleurs dans tous les *Inspecteur Dhar*. Ainsi, au début de l'un d'entre eux, la caméra suit une jolie jeune femme à travers Crawford Market. Elle est inquiète, comme si elle se savait suivie ; et c'est

ainsi qu'elle renverse une pyramides d'ananas sur un étal de fruits ;
elle s'enfuit en courant, et c'est ainsi qu'elle glisse sur le compost
pourrissant, pour heurter un stand d'oiseaux, où un cacatoès vindicatif
lui donne un coup de bec sur la main. L'inspecteur Dhar entre alors
dans le champ. La jeune femme reprend sa course, et l'inspecteur la
suit calmement. Il s'arrête un instant devant les oiseaux exotiques, le
temps d'allonger une calotte au cacatoès, d'un revers de main.

Il déclare en voix off : « C'était la troisième fois que je la suivais,
mais elle était tout de même assez folle pour croire qu'elle pourrait
me semer. »

Dhar s'arrête de nouveau : dans sa hâte, la jolie fille vient d'entrer
en collision avec une pyramide de mangues. Dhar est assez gentleman
pour attendre que le marchand ait dégagé un passage entre les fruits
tombés. Mais lorsque, de nouveau, il rattrape la femme, elle est morte.
Une balle vient de faire un trou entre ses deux yeux écarquillés, que
Dhar ferme poliment.

Il déclare en voix off : « Dommage, je n'étais pas le seul à la suivre.
Elle a eu du mal à en semer un autre... »

Rien qu'à observer le Dr Daruwalla fils dans le jardin des Dames,
le vieux Mr Sethna était sûr de savoir ce qui lui mettait cette haine
dans les yeux ; il pensait bien connaître la vermine du passé qui revenait au docteur ; ce qui était étranger au parsi, c'était le doute de soi
et, a fortiori, la haine de soi. Il n'aurait jamais imaginé que le docteur
réfléchissait sur son propre compte.

En fait, Farrokh se reprochait amèrement d'abandonner le petit
infirme à Victoria Terminus où il était arrivé, et où tant d'histoires
commençaient, à Bombay. Mais il était incapable d'imaginer la moindre histoire à cet enfant abandonné. Il en était encore à se demander
ce qui pourrait lui arriver une fois en ville. Tout, et le reste, pouvait
arriver, il le savait bien ; et pourtant il s'était rabattu sur l'inspecteur
Dhar, dont le discours de dur était aussi conventionnel que le reste
de son personnage.

J'aurais aussi bien pu écrire *Un jour, chérie, nous irons en Inde*,
se disait-il. Puis il essaya de s'en tirer en pensant à une histoire qui
ait l'innocence et la pureté de ses numéros préférés au Grand Royal ;
mais il ne parvenait pas à imaginer une histoire aussi bonne que le
plus simple même des « articles » qu'il adorait. Aucune histoire qui
valût même le quotidien du cirque. Il n'y avait jamais aucun effort

inutile sur ces longues journées qui commençaient par le thé de six heures du matin. Les acrobates, enfants comme adultes, faisaient leurs exercices d'assouplissement et de musculation, et ils répétaient leurs nouveaux articles jusqu'à neuf ou dix heures du matin, où ils prenaient un petit déjeuner léger, et nettoyaient leur tente. La chaleur montant, ils brodaient des paillettes sur leurs costumes ou vaquaient à d'autres tâches requérant peu de gestes. A partir du milieu de la matinée, on ne répétait plus de numéros d'animaux. Il faisait trop chaud pour les fauves, et chevaux et éléphants soulevaient trop de poussière.

Tout le milieu de la journée, les tigres et les lions se prélassaient dans leurs cages, laissant dépasser entre les barreaux leur queue, leurs pattes, et parfois leurs oreilles, comme dans l'espoir que ces extrémités attirent un souffle de vent ; seule leur queue s'activait, parmi un orchestre de mouches. Les chevaux ne se couchaient pas, pour avoir moins chaud ; chacun à son tour, deux garçons époussetaient les éléphants à l'aide d'un sac de toile déchiré, qui avait contenu des oignons ou des pommes de terre. Un autre gamin arrosait au jet le sol du grand chapiteau ; par cette chaleur de midi, la poussière du sol ne restait pas longtemps humide. La torpeur ambiante affectait jusqu'aux chimpanzés, qui cessaient de se balancer à travers leurs barreaux, se bornant à pousser un cri perçant de temps à autre, et, comme toujours, à sauter sur place. Mais si un chien s'avisait d'aboyer, voire de gémir, il s'attirait un coup de pied.

A midi, dompteurs et acrobates prenaient un déjeuner copieux ; ils faisaient ensuite la sieste jusqu'en milieu d'après-midi ; la première séance était toujours après trois heures. On était encore abruti de chaleur ; des particules de poussière s'élevaient en colonnes, étincelant comme des étoiles au soleil qui pénétrait obliquement par les aérations du grand chapiteau ; dans ces crevées de lumière crue, la poussière semblait tourbillonner, dense comme un essaim de mouches. Pendant les pauses entre deux morceaux, les membres de l'orchestre faisaient circuler un chiffon mouillé pour essuyer leurs cuivres, et, plus souvent, leur tête.

La séance de quinze heures trente attirait d'ordinaire un public clairsemé, mélange hétéroclite de vieillards, trop âgés pour travailler toute la journée, et d'enfants d'âge préscolaire. Les uns et les autres étaient moins que la moyenne attentifs aux numéros des dompteurs et des acrobates, comme si leurs faibles capacités de concentration étaient encore amoindries par la chaleur et la poussière. Et pourtant, au fil des années, Farrokh n'avait jamais remarqué que ce fût une séance au rabais ; acrobates et dompteurs, animaux même, avaient toute la tenue qui s'imposait. C'était le public qui était un peu ramolli.

Voilà pourquoi Farrokh préférait la séance de fin d'après-midi. Il venait des familles entières, des hommes et des femmes jeunes qui travaillaient, et des enfants assez grands pour suivre le spectacle. Le soleil rare et moribond semblait lointain, voire doux ; les particules de poussière ne se voyaient pas. C'était le moment de la soirée où les mouches semblent être parties avec le plein soleil, et où il est encore trop tôt pour les moustiques. La séance de dix-huit heures trente faisait toujours salle comble.

Le premier numéro était celui de la Demoiselle en Caoutchouc, une désossée comme on disait, qui s'appelait Laxmi, du nom de la déesse de la richesse. Laxmi n'avait que quatorze ans, mais la morphologie de son visage bien dessiné la faisait paraître plus âgée. Elle portait un bikini orange vif, avec des paillettes jaune et rouge qui scintillaient sous l'éclairage stroboscopique. On aurait dit un poisson dont les écailles reflètent une lumière sous-marine. Il faisait assez sombre, sous le grand chapiteau, pour que les changements de couleur stroboscopiques fassent leur effet, mais il restait encore assez de couchant pour illuminer les visages des enfants dans le public. Ceux qui disent que le cirque, c'est pour les enfants, n'ont qu'à moitié raison, songeait le docteur ; le cirque est aussi pour les adultes qui aiment voir les enfants aussi médusés.

Pourquoi est-ce que je ne réussis pas à faire ça, se disait-il en pensant au brio simple de la désossée nommée Laxmi – et au petit infirme qu'il avait abandonné à Victoria Terminus, son imagination calant sitôt en route. Au lieu de créer quelque chose de pur, de prenant, comme le cirque, il se consacrait au meurtre et aux ravages incarnés par l'inspecteur Dhar.

Contrairement à ce que croyait Mr Sethna, l'expression de chagrin du docteur venait de ce qu'il se décevait profondément. Tout en adressant un signe de tête plein de sollicitude à Farrokh, l'inconsolé du jardin des Dames, le vieux parsi s'accorda un de ses rares instants de familiarité avec un serveur qui passait :

« Je n'aimerais pas être à la place de la canaille à laquelle il pense », confia-t-il.

Le curry n'en est pas la cause

Bien sûr, ce qui clochait dans *Un jour, chérie, nous irons en Inde*, ce n'était pas seulement que Danny Mills était alcoolique, ou qu'il avait plagié grossièrement *Dark Victory* ; il y avait bien pire que les altérations scandaleuses du scénario « original », pire que les hémorroïdes ou les champignons qui s'acharnaient sur le metteur en scène. Circonstance aggravante, l'actrice qui jouait la moribonde sauvée à la fin était une ravissante idiote qui défrayait les chroniques de la presse à scandales, Veronica Rose. Ses amis et collègues l'appelaient Vera, mais elle était née à Brooklyn, Hermione Rosen, et c'était la nièce de Gordon Hathaway et la fille de la c... de m... – le monde est petit, comme Farrokh allait l'apprendre.

Harold Rosen, le producteur, jugerait un jour sa fille aussi assommante et insipide que le reste du monde la trouvait au premier coup d'œil. Cependant, sa mégère de femme, la c... de m..., lui faisait la loi tout autant qu'à Gordon, or elle était convaincue qu'Hermione Rosen, transfigurée en Veronica Rose, serait un jour une star. Son absence de talent et d'intelligence s'avérerait trop rédhibitoire pour cela – ainsi que sa compulsion à exhiber ses seins, compulsion que Lady Duckworth elle-même aurait méprisée.

Mais au Duckworth, cet été 49, le bruit courait que Vera allait bientôt connaître un succès fou. Que savait-on de Hollywood à Bombay ? Vera avait décroché le rôle de la moribonde sauvée à la fin, c'était tout ce que savait Lowji. Farrokh lui-même ne découvrit pas tout de suite que Danny Mills avait commencé par s'opposer à ce qu'elle ait le rôle, jusqu'à ce qu'elle ait fait sa conquête, et l'ait persuadé qu'il était amoureux d'elle. Depuis, il la suivait comme un petit chien. Il croyait que la pression intense du rôle avait rafraîchi les ardeurs de Vera à son endroit ; elle faisait en effet chambre à part au Taj, et refusait de coucher avec lui depuis les premières prises de vues. A la vérité, sa liaison avec l'acteur principal s'étalait au vu et au su de tous – de tous sauf de Danny Mills qui ne se couchait jamais qu'ivre, et se levait tard.

Quant à l'acteur principal, c'était un bisexuel nommé Neville Eden. Anglais déraciné, nanti d'une bonne formation d'acteur à défaut d'un talent qui crevât l'écran, son installation à Los Angeles avait tourné à l'aigre lorsqu'il avait pris conscience d'une certaine prévisibilité dans les rôles qu'on lui proposait. La distribution lui donnait trop souvent l'éventail des stéréotypes de l'Anglais. Il y avait le rôle de l'aimable crétin, l'Anglais sans malice, que des Américains plus turbulents et moins instruits trouvent lamentable ; puis le gentleman raffiné, qui s'attirait les faveurs d'une petite Américaine impressionnable, jusqu'à ce qu'elle comprenne son erreur et choisisse un mâle américain moins spirituel mais plus substantiel. Et, bien entendu, il y avait encore le cousin anglais en visite, parfois il avait fait la guerre avec le héros, qui se ridiculisait dès qu'il s'agissait de monter un cheval, conduire à droite, ou faire le coup de poing dans des bars mal famés. Dans tous ces rôles, Neville avait le sentiment de faire le jeu d'un public imbécile, acharné à croire que la virilité est l'apanage du seul mâle américain. Cette découverte avait tendance à l'irriter ; et elle alimentait aussi sans aucun doute ce qu'il appelait sa part homosexuelle.

Quant à son rôle dans *Un jour, chérie, nous irons en Inde*, il le prenait avec philosophie. C'était du moins le rôle principal ; en outre il ne semblait pas tout à fait dans la veine de ces Anglais falots qu'on lui demandait d'incarner d'ordinaire : après tout, cette fois, c'était un Anglais heureux en ménage, marié à une Américaine qui allait mourir. Mais même pour Neville Eden, le tiercé perdant Mills-Hathaway-Rose avait quelque chose de redoutable. Il savait par expérience que fréquenter un scénario compromis, un metteur en scène de second ordre, avec une écervelée pour partenaire pouvait le rendre désagréable. Et il se fichait comme d'une guigne de Vera, qui commençait à croire qu'elle était amoureuse de lui ; toutefois il trouvait infiniment plus engageant et plus distrayant de forniquer que de jouer avec elle – et puis, il s'ennuyait ferme.

Il était marié, par ailleurs, et Vera le savait ; elle en concevait une angoisse immense, ou du moins des insomnies virulentes. Ce qu'elle ignorait, bien sûr, c'est qu'il était bisexuel ; cette révélation servait souvent à l'acteur pour mettre fin à ce genre de passades. Il avait découvert que ça marchait tout de suite : il racontait à ces écervelées qu'elles étaient la première femme à captiver son cœur et sa tête à ce point, mais que sa fameuse part homosexuelle était plus forte qu'eux deux. Généralement ça marchait très bien, il se débarrassait d'elles en moins de deux. Sa femme était la seule exception.

Gordon Hathaway, lui, ne savait plus à quel saint se vouer. Ses hémorroïdes et ses champignons étaient des vétilles en comparaison de la catastrophe certaine qui le guettait. Veronica Rose voulait qu'on renvoie Danny Mills aux États-Unis, pour se consacrer de façon encore plus exclusive et patente à Neville Eden. Gordon Hathaway voulut bien céder en ceci qu'il interdit Danny Mills de plateau. La présence du scénariste ne faisait qu'embrouiller les acteurs (putain !), disait-il. Mais il ne pouvait guère accéder à la requête de le renvoyer chez lui : il en avait besoin tous les soirs pour réviser le scénario à transformations. Mills, naturellement, souhaitait rétablir la version originale, et Neville Eden la trouvait effectivement meilleure que le film qu'ils étaient en train de tourner. Brave type, ce Neville Eden, pensait Danny Mills ; il aurait été effondré de découvrir qu'il forni-quait avec Vera. Vera, elle, désirait par-dessus tout dor-mir, et le Dr Lowji Daruwalla jugeait alarmante la quantité de somnifères qu'elle lui réclamait ; mais il était tellement fou du cinéma qu'il la trouvait « charmante », elle aussi.

Farrokh, son fils, n'était pas sous le charme de Veronica Rose, sans être tout à fait immunisé contre lui non plus. Bientôt le jeune homme fut en proie à des émotions contradictoires. De toute évidence, Vera était une jeune femme vulgaire, ce qui n'est pas sans attraits pour les garçons de dix-neuf ans, surtout lorsque l'écart d'âge est si troublant (Vera avait vingt-cinq ans). En outre, s'il ne savait rien du plaisir fortuit que Vera éprouvait en montrant ses seins, il lui trouvait une ressemblance frappante avec les vieilles photos de Lady Duckworth qu'il aimait tant.

C'était dans la salle de bal déserte, un soir où ni l'épaisseur de la pierre ni le brassage des ventilateurs ne parvenaient à rafraîchir la moiteur de l'air de la nuit, qui planait sur le club comme un brouillard venu de la mer d'Oman. Même les athées, comme Lowji, priaient pour que tombent les pluies de la mousson. Après dîner, Farrokh avait accompagné Vera jusqu'à la salle de bal, non pas pour danser avec elle, mais pour lui faire voir les photos de Lady Duckworth.

– Il y a quelqu'un à qui vous ressemblez, avait dit le jeune homme à l'actrice. Venez voir, s'il vous plaît.

Puis il avait souri à Meher, sa mère, qui ne semblait guère divertie par l'arrogance maussade de Neville Eden, assis à sa gauche, ni par l'ébriété de Danny Mills, assis à sa droite, la tête entre ses bras croisés, le nez dans son assiette.

– Ouais, dit Gordon Hathaway à sa nièce, faut que tu voies les photos de cette poule, Vera, et tu sais qu'elle montrait ses nichons, en plus !

Cet « en plus » aurait pu mettre la puce à l'oreille de Farrokh, mais il supposa que le metteur en scène voulait seulement dire « en plus de ses autres signes particuliers ».

Veronica Rose portait une robe de mousseline sans manches qui collait à son dos parce qu'elle avait transpiré contre son dossier ; ses bras nus mettaient au supplice les duckworthiens, et tout particulièrement leur nouvelle acquisition, le majordome parsi, qui trouvait scandaleux qu'une femme montrât ses bras en public (et pourquoi pas ses seins – la traînée !).

Lorsque Vera vit les photos de Lady Duckworth, elle fut flattée ; elle souleva ses cheveux blonds moites sur son cou gracile, humide lui aussi, et se tourna vers le jeune Farrokh qui ressentit une décharge érotique à la vue du filet de transpiration qui lui traversait l'aisselle :

– Peut-être que j'devrais m'attacher les cheveux comme elle, dit Vera, en les laissant retomber naturellement.

En la raccompagnant dans la salle à manger, Farrokh, qui la suivait, ne put s'empêcher de remarquer, à travers le dos trempé de sa robe, qu'elle ne portait pas de soutien-gorge.

– Alors, comment tu l'as trouvée, cette exhibitionniste ? demanda Gordon à sa nièce lorsqu'elle regagna la table.

Pour toute réponse, Vera déboutonna le devant de sa robe de mousseline blanche, et montra ses seins à l'assistance, le Dr Lowji Daruwalla et madame compris. Les Lal, qui dînaient avec les Bannerjee à la table voisine, n'en perdirent sûrement rien non plus. Quant à Mr Sethna, qui venait à peine de se faire renvoyer du Ripon pour avoir agressé un membre mal élevé « à la théière brûlante », il serrait son plateau d'argent dans ses mains comme s'il songeait à occire la drôlesse de Hollywood avec.

– Alors, qu'est-ce que vous en dites, demanda-t-elle au public ? Je sais pas si elle était exhibitionniste. Moi je pense qu'elle avait chaud, putain, c'est tout !

Elle annonça qu'elle voulait rentrer au Taj, où il y avait du moins une brise de mer. En fait, elle avait hâte de donner à manger aux rats qui se rassemblaient au bord de l'eau près de la porte de l'Inde ; les rats n'avaient pas peur des gens, et Vera aimait les faire attendre avant de leur donner des restes friands – comme certains font avec les pigeons ou les canards. Après quoi elle irait dans la chambre de Neville pour le chevaucher jusqu'à ce qu'il ait la queue en feu.

Mais le matin, outre les tribulations de l'insomnie et leurs séquelles, Vera avait la nausée ; elle avait la nausée tous les matins depuis une semaine lorsqu'elle se décida à consulter le Dr Lowji Daruwalla, qui, quoique orthopédiste, n'eut aucun mal à diagnostiquer une grossesse.

– Eh merde, dit Vera, moi qui croyais que c'était ce putain de curry !

Mais non, c'était d'être putain tout court. Le père pouvait être aussi bien Danny Mills que Neville Eden. Vera espérait que c'était Neville, parce qu'il était mieux physiquement. En outre, selon sa théorie, un alcoolisme comme celui de Danny devait être génétique.

– Il faut que ce soit Neville, nom de Dieu ! Danny est tellement imbibé, je suis sûre qu'il est stérile !

Le Dr Lowji Daruwalla, on le comprend, fut déconcerté par le langage cru de la jolie star, qui n'en était pas une, et qui avait subitement peur de se faire virer par son oncle, le metteur en scène, s'il découvrait qu'elle était enceinte. Le vieux Lowji fit observer à Miss Rose qu'il lui restait moins de trois semaines de tournage, et qu'il faudrait bien encore trois mois avant que sa grossesse ne se voie.

Miss Rose se demanda alors avec angoisse si Neville Eden quitterait sa femme pour l'épouser. Le docteur Lowji Daruwalla n'en croyait rien, mais il préféra atténuer le coup à l'aide d'une remarque détournée.

– Je crois que Mr Danny Mills vous épouserait volontiers, dit avec tact Daruwalla père, mais cette vérité ne fit que déprimer Veronica Rose, qui se mit à pleurer.

Les larmes étaient moins courantes à l'hôpital des Enfants infirmes qu'on ne le penserait. Le docteur raccompagna l'actrice éplorée, et traversa avec elle la salle d'attente, pleine d'enfants paralysés et contrefaits ; tous regardèrent avec compassion la dame blonde qui sanglotait, et ils se dirent qu'elle venait peut-être d'apprendre une terrible nouvelle concernant son enfant. En un sens, ce n'était pas faux.

Un taudis est né

La nouvelle que Vera était enceinte ne s'ébruita guère. Lowji le dit à Meher, qui le répéta à Farrokh. Personne d'autre n'était au courant, et on fit un effort spécial pour cacher la chose au secrétaire de Lowji, brillant jeune homme originaire de Madras, dans le Sud de l'Inde. Il s'appelait Ranjit, et nourrissait lui aussi le noble espoir de devenir scénariste. Il n'avait que quelques années de plus que Farrokh, parlait un anglais impeccable, mais jusque-là son expérience de l'écriture se limitait aux excellentes descriptions de cas cliniques qu'il rédigeait à propos des malades du Dr Daruwalla père, ou des fiches détaillées qu'il lui faisait sur des articles lus dans ses revues d'orthopédie. Ces fiches ne visaient pas à gagner les faveurs du médecin, mais à lui fournir des informations résumées sur ce qu'il pourrait avoir envie de lire lui-même, débordé qu'il était.

Quoique issu d'une famille d'hindous brahmanes et végétariens, Ranjit avait dit à Lowji au cours de leur premier entretien qu'il n'avait pas de religion et considérait la caste surtout comme un moyen d'« opprimer tout le monde ». Lowji l'avait engagé sur-le-champ.

Cela, c'était cinq ans plus tôt. Si Ranjit donnait toute satisfaction au docteur dans son travail, et si celui-ci n'avait pas ménagé ses efforts pour l'endoctriner dans l'athéisme, le jeune homme rencontrait d'énormes difficultés à intéresser une future épouse ou, ce qui était plus important encore, un futur beau-père avec les annonces matrimoniales qu'il passait régulièrement dans le *Times of India*. La raison en était qu'il refusait de faire valoir qu'il était brahmane, et strictement végétarien ; car si cela lui importait peu, pour un futur beau-père en revanche, c'était primordial ; or c'étaient les futurs beaux-pères, et non les futures épouses, qui répondaient d'ordinaire aux annonces, quand quelqu'un y répondait.

Mais désormais rien n'allait plus entre Lowji et Ranjit, parce que le jeune homme venait de céder. Sa dernière annonce matrimoniale dans le *Times of India* lui avait valu cent réponses, tout cela parce qu'il s'y présentait comme un homme attaché à sa caste, et ne déviant pas de son régime végétarien. Après tout, expliqua-t-il à Lowji, on lui avait fait observer ces principes dans l'enfance, et il n'en était pas

123

mort. « Si ça peut m'aider à me marier d'arborer une nouvelle marque de *puja*, je n'en mourrai pas plus maintenant. »

Lowji était accablé par cette traîtrise. Il considérait Ranjit comme son troisième fils, et son complice en athéisme. De surcroît, les rendez-vous avec ces cent futurs beaux-pères avaient des effets délétères sur son efficacité professionnelle ; il était épuisé en permanence, ce qui n'avait rien d'étonnant : les comparaisons entre ces cent futures femmes lui donnaient le vertige.

Malgré ses dispositions du moment, Ranjit se montra très attentif à la consultation de Veronica Rose, la déesse de Hollywood. Et comme c'était son travail de mettre en forme les graffiti du vieux Lowji pour en faire de vrais rapports d'orthopédiste, il fut surpris de voir, après la sortie larmoyante de Vera, que le médecin s'était contenté de griffonner « problème d'articulation » sur le dossier du sexe-symbole. Il était rarissime que le médecin raccompagnât un patient à domicile, surtout après une simple consultation, et, qui plus est, quand il y avait d'autres malades dans la salle d'attente. En outre, c'était son propre domicile qu'il avait appelé, pour prévenir sa femme qu'il lui amenait Miss Rose. Tout ça pour un problème d'articulation ? C'était bien insolite.

Heureusement, après l'immense succès de son annonce matrimoniale, les entretiens rigoureux ne laissaient à Ranjit ni assez de temps ni assez d'énergie pour spéculer sur ledit problème. Mais, sans être dévoré de curiosité, il demanda tout de même au Dr Daruwalla père de quel type de problème articulaire souffrait l'actrice ; il n'avait pas l'habitude de taper un rapport incomplet.

– Euh, en fait, répondit Lowji, je l'ai envoyée à un confrère.

– Ah bon, ce n'était pas un problème articulaire, finalement ?

Ranjit était soucieux de taper un rapport correct.

– Gynécologique, peut-être… répondit Lowji sans se compromettre.

– Et quel problème articulaire pensait-elle donc avoir ? s'enquit Ranjit, surpris.

– Quelque chose aux genoux, dit Lowji, d'un air vague, avec un geste évasif. Mais j'ai vu que c'était psychosomatique.

– Le problème gynécologique, il est psychosomatique, lui aussi ?

Ranjit voyait sa tâche se compliquer.

– Ça se pourrait, dit Lowji.

– Et c'est quel ordre de problème gynécologique ? insista Ranjit.

A son âge, avec son ambition de devenir scénariste, il pensait tout naturellement qu'il s'agissait d'un problème vénérien.

– Des démangeaisons, repartit le docteur, et, pour couper court à toute demande d'information supplémentaire, il fut bien avisé d'ajouter : vaginales.

Aucun jeune homme, il le savait, ne souhaiterait se pencher plus avant là-dessus. Le chapitre était clos. Le rapport que rédigea Ranjit sur Veronica Rose fut de tous ses écrits celui qui se rapprocha le plus d'un scénario. Bien des années plus tard, Daruwalla fils le lisait avec un plaisir constant, chaque fois qu'il avait envie de renouer avec le bon vieux temps :

« La patiente se plaint confusément des genoux ; elle se figure ne pas avoir de démangeaisons vaginales, alors qu'elle en a, tandis qu'elle a l'impression erronée d'avoir mal aux genoux. Nous recommandons de consulter un gynécologue. »

Et quel gynécologue, en l'occurrence ! Peu de patientes prétendraient avoir été envahies par un sentiment de confiance en se plaçant entre les mains de l'antique Dr Tata, qui multipliait les pépins. Lowji l'avait choisi parce qu'il était si gâteux qu'on pouvait compter sur sa discrétion ; ses capacités de mémorisation étaient trop entamées pour qu'il causât. Hélas, le Dr Tata ne fut pas choisi pour ses mérites d'obstétricien.

Du moins Lowji eut-il le bon sens de confier le suivi psychologique de Veronica Rose à sa femme. Dans une chambre d'amis de la demeure familiale, sur Ridge Road, Meher borda la bombe sexuelle enceinte ; et d'une façon générale, elle la traita comme une petite fille qui vient de se faire opérer des amygdales. Malgré son indiscutable influence apaisante, ce maternage ne résolut pas le problème de Vera, qui n'éprouva qu'un piètre réconfort lorsque Meher parut ne pas se souvenir, pour sa part, de la douleur ou de la boucherie de l'accouchement – avec le temps, confia-t-elle à l'actrice engrossée, elle ne se souvenait plus que des côtés positifs.

En tête à tête avec Lowji, elle était moins optimiste : « Tu nous as mis dans une situation saugrenue et désagréable. » Sur quoi la situation s'aggrava.

Le lendemain, Gordon Hathaway appela depuis le plateau du taudis ; la nouvelle était contrariante, Veronica Rose s'était évanouie entre deux prises. En réalité les choses s'étaient passées différemment. Le prétendu évanouissement de Veronica n'avait rien à voir avec sa grossesse indésirée ; elle s'était trouvée mal parce qu'une vache l'avait léchée, pour éternuer sur elle ensuite. La chose était déjà assez perturbante pour Vera, mais de surcroît, l'incident, comme tant d'autres dans le quotidien d'un vrai bidonville, à défaut d'être vu avec exactitude, avait été interprété avec ferveur par la horde de badauds qui rapportèrent l'événement confus.

Farrokh ne se rappelait pas s'il y avait, l'été 49, les matériaux de base pour un bidonville, du côté de Sophia Zuber Road ; il se souvenait qu'il y avait une population hindoue et une population musulmane dans le quartier, peu éloigné de son ancienne école, Saint-Ignace-de-Mazagaon. Sans doute y avait-il déjà un embryon de taudis. De nos jours, il y a là, sans conteste, un taudis d'une étendue respectable, et d'une respectabilité moins étendue.

Cependant, il faut être juste, le décor de Gordon Hathaway contribua du moins à établir ce qui passe pour des logements décents dans le taudis de Sophia Zuber Road, puisque c'est là que le plateau fut construit, en toute hâte. Parmi les figurants engagés – pour jouer le rôle des habitants –, il y avait des citoyens de Bombay en quête d'un vrai bidonville où s'installer. Et une fois installés, ils virent d'un œil agacé ces gens du cinéma qui envahissaient leur intimité en permanence. Assez vite, ils se sentirent chez eux.

En outre, il y avait le problème des latrines. C'était un bataillon de coolies engagés par la production, des tueurs pourvus de pelles et de pioches, qui avait creusé les latrines. Mais on ne peut pas créer un endroit pour chier sans s'attendre que les gens se mettent effectivement à y chier. Et de par la loi de la défécation universelle, si des gens chient quelque part, d'autres y chieront aussi bientôt. Ce n'est que justice. En Inde la défécation est créative à jet continu. Il y avait là de nouvelles latrines ; bientôt, elles ne furent plus neuves. Et puis il ne faut pas oublier la canicule qui précède la mousson, et les déluges qui en accompagnent le début ; autant de facteurs qui, avec l'abondance soudaine d'excréments humains, durent mettre un comble à la nausée de Vera et à sa tendance à s'évanouir le jour où elle fut léchée par une vache qui lui éternua ensuite à la figure.

Gordon Hathaway et son équipe tournaient alors la scène où les kidnappeurs de la femme moribonde – Vera, donc –, l'entraînent *via* le taudis jusqu'à l'ashram du gourou à serpents. A ce moment précis, le missionnaire jésuite idéaliste, qui se trouve sur place pour y accomplir les diverses tâches que son abnégation lui commande, voit une belle jeune femme, blonde à n'en pas douter, escamotée dans Sophia Zuber Road par une bande de crapules infréquentables pour elle. Arrive ensuite le mari hagard, Neville, flanqué du prototype du policier débile, un balourd qui vient de perdre sa piste. C'est la première rencontre entre le mari et le jésuite ; c'était loin d'être la première rencontre entre Neville et l'Indien arrogant, Subodh Rai, qui campait un missionnaire d'une beauté et d'une rouerie séculières à contre-emploi.

Sur ces entrefaites, nombre de nouveaux résidents avaient été forcés de vider ces lieux, leur taudis, pour que Gordon Hathaway tourne la scène. Plus nombreux encore, les futurs occupants s'agglutinaient, désireux d'emménager. Si les spectateurs avaient été moins obnubilés par Veronica Rose, ils auraient pu observer Neville et Subodh qui flirtaient hors champ ; ils étaient d'ailleurs en train de se pincer et de se chatouiller folâtrement lorsque Vera se retrouva, Dieu sait comment, nez à nez avec la vache.

Une vache, avait-elle entendu dire, est « sacrée » ; même si elle ne l'était pas aux yeux de la majorité des badauds, des musulmans mangeurs de bœuf. Mais Vera fut tellement sidérée de voir cette vache, sur son chemin d'abord, puis venant vers elle, qu'elle mit assez longtemps à déterminer la marche à suivre. Si bien qu'elle put sentir l'haleine de la vache dans son décolleté ; comme la scène voulait qu'elle ait été enlevée au Taj, en chemise de nuit, son décolleté offrait un certain volume vulnérable. La vache était couronnée de fleurs ; des perles de couleurs vives étaient enfilées sur des liens de cuir, à ses oreilles. Ni la vache ni Vera ne semblaient savoir que penser de ce face-à-face ; mais Vera n'aurait jamais voulu choquer les croyants en manifestant une quelconque agressivité à la bête.

« Oh, mais tu en as des jolies fleurs ! Oh, mais tu es une jolie vache », lui dit-elle.

Son répertoire d'amabilités anodines était fort restreint. Elle ne pensait pas devoir passer les bras autour du cou de la vache, et embrasser son long visage triste ; à vrai dire elle n'était même pas sûre d'être censée la toucher. Mais ce fut la vache qui fit le premier pas. Elle se rendait quelque part, et voilà qu'une équipe de cinéastes, et une idiote en particulier, s'étaient trouvées sur son chemin ; par conséquent, la bête s'avança lentement – et marcha sur le pied nu de Vera. Comme celle-ci venait de se faire enlever, dans le film, son pied était naturellement nu.

Même sous le coup de la douleur, Vera avait une telle terreur du fanatisme religieux qu'elle n'osa pas hurler à la figure de la vache, dont le museau humide se pressait en ce moment sur sa poitrine. Un peu à cause de la moiteur, et un peu à cause de la peur et de la douleur, Vera transpirait à grosses gouttes ; que ce soit pour le sel sur sa peau claire, ou pour son parfum engageant, bien meilleur sans conteste que celui des autres habitants de Sophia Zuber Road – la vache la lécha. La longueur et le contact de la langue de la vache procurèrent à Vera une sensation inédite ; elle s'évanouit lorsque la bête lui éternua au visage, ensuite de quoi cette dernière se pencha pour lui lécher la poitrine et les épaules.

La suite des événements, personne ne la vit clairement. Certains manifestèrent une profonde consternation devant le triste état de Miss Rose ; il y eut un commencement d'émeute, causée par des badauds scandalisés de ce qu'ils avaient vu, sans être tout à fait sûrs, d'ailleurs, de l'avoir vu. Seule Vera conclurait plus tard que l'émeute avait éclaté au nom de la vache sacrée. Neville Eden et Subodh Rai craignirent que Vera se soit évanouie pour avoir entrevu les indices de leur connivence sexuelle.

Lorsque les Daruwalla se frayèrent un chemin jusqu'au fourgon qui servait à la fois de loge et d'antenne médicale pour Vera, le musulman qui tenait une boutique de cigarettes à l'eucalyptus venait de répandre dans tout Zuber Road la rumeur qu'une star américaine blonde, nue jusqu'à la ceinture, avait léché une vache, déclenchant une émeute considérable parmi la population hindoue choquée. Il n'en fallait pas tant ; les émeutes se passent de raisons. Si celle-ci en avait une, c'était sans doute le fait qu'une foule trop nombreuse voulait emménager dans le taudis artificiel, et n'avait pas la patience d'attendre la fin du tournage ; les gens voulaient s'installer illico. Mais bien entendu, Vera s'imaginerait toujours que tout était arrivé à cause d'elle, et de la vache.

C'est au beau milieu de cette panique que la famille Daruwalla arriva pour sauver Miss Rose et son indélicate grossesse. La vache n'avait pas égayé son humeur, mais le docteur constata simplement des bleus et une enflure sur son pied droit – et qu'elle était toujours enceinte. « Si Neville veut pas de moi, je propose le bébé à l'adoption, décida-t-elle. Mais c'est vous qui vous chargez de tout sur place », enjoignit-elle à Lowji, Meher et Farrokh. Elle était persuadée que son « public américain » n'aurait aucune sollicitude si elle avait un enfant hors mariage ; en outre, s'il venait à l'apprendre, son oncle ne lui ferait plus jamais rien tourner ; et, pis encore, avec la sensiblerie des ivrognes, Danny Mills insisterait pour adopter le bébé s'il venait à apprendre la chose aussi. « Putain, faut absolument que ça reste entre nous ! lança-t-elle aux Daruwalla désarmés. Trouvez-moi des richards qui veuillent un bébé blanc ! »

L'intérieur du fourgon tournait au sauna ; les Daruwalla se demandaient si Vera n'était pas en train de se déshydrater. D'autre part, Lowji et Meher connaissaient mal la logique des Occidentaux en matière de morale. Ils se tournèrent vers leur fils, qui avait fait ses études en Europe, pour éclairer leur lanterne. Mais Farrokh lui-même semblait penser qu'offrir un bébé de plus à l'Inde était un cadeau inattendu et discutable. Il suggéra poliment qu'il serait plus volontiers adopté en Europe ou en Amérique ; mais Miss Rose tenait au secret à tout prix ; il lui semblait que ce qu'elle pourrait faire en Inde, ce qu'elle pourrait y abandonner, ne laisserait pas de trace, ou du moins, ne serait pas retenu contre elle.

– Vous pourriez avorter, suggéra Lowji.

– Ne répétez jamais ça devant moi ! s'écria-t-elle. Je ne suis pas comme ça, moi. J'ai été élevée dans certaines valeurs morales !

Tandis que les « valeurs morales » de Vera plongeaient les Daruwalla dans la perplexité, le fourgon fut chahuté par une horde turbulente d'hommes et de gamins. Rouges à lèvres et eye-liners dégringolèrent de leurs étagères, avec les poudres, les lotions hydratantes et les fards à joues. Un flacon d'eau stérilisée éclata, ainsi qu'un d'alcool ; Farrokh attrapa au vol une boîte de compresses, et une autre de bandes, tandis que son père tentait de rallier la porte coulissante. Vera hurlait si fort qu'elle n'entendit pas ce que Lowji braillait à la populace ; elle n'entendit pas plus le bruit du matraquage, lorsque divers coolies tueurs de la production tombèrent sur la foule avec les pelles et les pioches utilisées pour creuser les latrines naguère neuves.

Miss Rose était allongée sur le dos, les mains crispées sur les bords de son lit de camp qui vibrait ; de petits pots multicolores et inoffensifs lui tombaient dessus.

– Oh, je déteste ce pays ! brailla-t-elle.

– Ce n'est rien, une petite émeute, ça va passer, lui assura Meher.

– Je le déteste, je le déteste, et je le déteste ! cria Vera. C'est le pays le plus abominable du monde, je le dé-teste !

L'idée effleura Farrokh de lui demander pourquoi, si elle détestait tellement le pays, elle voulait abandonner son enfant à Bombay ; mais il se sentit trop ignorant de leurs différences culturelles pour se permettre d'être critique ; au reste, il voulait demeurer ignorant des différences entre lui et les gens du cinéma. A dix-neuf ans, on est enclin à des généralisations morales abusives. Tenir le reste des États-Unis pour responsable de la conduite de l'ex-Hermione Rosen était peut-être un peu sévère ; en tout cas, Farrokh se sentait reculer devant la perspective de s'établir jamais dans ce pays-là.

Bref, Miss Rose le rendait malade, physiquement. Cette effroyable femme ne pouvait tout de même pas éluder toute responsabilité de sa grossesse ! Sans compter qu'elle avait terni la mémoire sacrée de Lady Duckworth et de son exhibitionnisme. La légende voulait que les avantages offerts de Lady Duckworth fussent plus élégants qu'aguichants. Dans l'imagination de Farrokh, c'était une offre purement symbolique. Mais les tétons bruts de Vera devaient lui laisser à jamais un souvenir plus tangible : il y avait là une avance si ouvertement charnelle.

L'homme au camphre

Lesté d'un passé si rebutant, comment s'étonner que Farrokh s'attarde à sa table, dans le jardin des Dames gagné par la nuit ? Le temps qu'il se le remémore, Mr Sethna lui avait apporté une autre Kingfisher fraîche, mais le docteur n'y avait pas touché. Ses yeux avaient presque cette expression lointaine, absente, cette fixité de la mort qu'il avait observée récemment dans le regard de Mr Lal, même si, comme on l'a dit, les vautours avaient quelque peu brouillé l'impression.

Au Grand Cirque royal, une heure environ avant la séance de début de soirée, un homme voûté portant un brasero sur son dos passait dans la ruelle entre les tentes de la troupe ; des braises incandescentes luisaient au fond de son brasero, et la fumée aromatique du camphre se répandait jusqu'aux tentes des acrobates et des dompteurs. L'homme au camphre s'arrêtait devant chaque tente pour s'assurer qu'il y pénétrait assez de fumée. Outre les vertus médicinales que l'on prête au camphre – il est utilisé comme désinfectant et comme antihistaminique – sa fumée est investie d'une importance superstitieuse par les gens du cirque. Ils croient que l'inhaler les protège des risques du métier, des attaques des fauves, des chutes.

Lorsque le vieux parsi vit le Dr Daruwalla renverser la tête en arrière en fermant les yeux – pour respirer à pleins poumons l'air embaumé du jardin des Dames –, il se méprit une fois de plus. Il crut que le docteur avait senti la brise du soir, et qu'il s'enivrait de ce bouquet soudain des bougainvillées alentour. Mais le docteur ouvrait ses narines à l'homme au camphre, comme si ses souvenirs avaient besoin d'un désinfectant, et d'une protection contre le mauvais sort.

6

Le premier qui sort

Séparés à la naissance

Quant au pire des forfaits de Vera, le jeune Farrokh ne devait pas en être témoin : il avait repris ses cours à Vienne lorsqu'elle donna naissance à des jumeaux, et décida d'en abandonner un dans la ville qu'elle détestait, tout en rentrant aux États-Unis avec l'autre. C'était une décision choquante, mais qui ne surprit pas Farrokh ; Vera était femme à agir sous l'impulsion de l'instant, et il l'avait observée pendant ses mois de grossesse qui coïncidaient avec la mousson, il savait combien elle pouvait être insensible. A Bombay, les pluies de mousson commencent à la mi-juin et durent jusqu'en septembre. Après les canicules, la plupart des habitants les accueillent avec soulagement, malgré les égouts bouchés. On n'était qu'en juillet lorsque s'acheva le tournage du navet, et que la racaille cinématographique repartit – laissant, hélas, derrière elle la pauvre Vera pour le reste de la mousson et au-delà.

Elle leur raconta qu'elle restait pour sa « quête spirituelle ». Qu'elle reste ou qu'elle parte, Neville Eden s'en fichait pas mal : il emmenait Subodh Rai en Italie et se fit un plaisir de dire au jeune Farrokh qu'un régime à base de pâtes était excellent pour préparer le corps et l'âme aux rigueurs de la bougrerie. De retour à Los Angeles, Gordon Hathaway tentait de monter au mieux *Un jour, chérie, nous irons en Inde* ; mais il eut beau changer le titre, qui devint *L'Épouse mourante*, il eut beau couper et ruser au montage, rien ne pouvait sauver le film. Tous les jours, le metteur en scène maudissait sa famille de l'avoir encombré d'une nièce aussi têtue et aussi dépourvue de talent que Vera.

Danny Mills, lui, s'était mis au régime sec dans un sanatorium privé, à Laguna Beach, en Californie ; le sanatorium, un peu en avance sur son temps, préconisait la gymnastique intensive et l'alimentation à base de pamplemousse et d'avocat. Par ailleurs, Danny était poursuivi par une compagnie de location de limousines parce que Harold Rosen, le producteur, ne voulait plus payer ses prétendus voyages d'affaires. En effet, lorsque le scénariste ne se supportait plus dans son sanatorium, il appelait une limousine pour le conduire à Los Angeles et l'y attendre, tandis qu'il consommait un menu vigoureusement carné, arrosé de deux ou trois bouteilles de bon vin rouge. Chaque fois qu'il se mettait au régime sec, c'était le vin rouge qui lui faisait le plus envie. Tous les jours, il expédiait des lettres d'amour à Vera, certaines d'une vingtaine de pages dactylographiées, claustrophobes jusqu'au vertige. La substance, toujours la même, et assez simple, se ramenait à ceci : il changerait si elle acceptait de l'épouser.

De son côté, Vera avait pris ses dispositions, en tenant pour acquis le concours sans réserve des Daruwalla. Elle allait se cacher auprès du docteur et de sa famille, jusqu'à la naissance de l'enfant. Les soins prénataux et l'accouchement seraient assurés par l'ami gâteux de Daruwalla père, l'antique Dr Tata, qui collectionnait les pépins. Il n'était pas dans ses habitudes de faire des visites à domicile, mais il accepta, par amitié pour les Daruwalla, et parce qu'on lui avait donné à entendre qu'il fallait ménager la sensibilité de la star hypocondriaque. Ce n'était pas plus mal, dit Meher : la plaque, sur l'immeuble où le docteur avait son cabinet, n'aurait pas inspiré confiance à Veronica Rose. Cette singulière enseigne annonçait en gros caractères

EXCELLENTE
ET CÉLÉBRISSIME CLINIQUE
DU DR TATA
GYNÉCOLOGIE-OBSTÉTRIQUE

Il était sans doute plus sage d'épargner à Vera cette découverte ; si elle avait su que le docteur éprouvait le besoin de vanter ses services comme « excellents et célébrissimes », elle en aurait conclu qu'il souffrait d'un sentiment d'insécurité. C'est ainsi que le docteur rendit de fréquentes visites à la vénérable demeure des Daruwalla, dans Ridge Road ; et comme il était bien trop vieux pour prendre le volant d'une main sûre, ses arrivées et ses départs s'accompagnaient de la présence

133

d'un taxi dans l'allée – sauf une fois, où Farrokh le vit s'extirper avec effort du siège arrière d'une voiture particulière. La chose n'aurait guère présenté d'intérêt pour le jeune homme si la voiture n'avait pas été conduite par Promila Rai, avec, à ses côtés sur le siège du passager, Rahul, son neveu au corps qu'elle disait lisse, le fameux garçon dont l'ambiguïté sexuelle mettait Farrokh si mal à l'aise.

Ceci laissait présager une violation du secret souhaité par toute la famille Daruwalla pour Vera et l'enfant à venir, mais Promila et son équivoque neveu démarrèrent dès que le docteur s'engagea de son pas mal assuré dans l'allée, et il affirma à Lowji qu'il avait mis Promila « sur une fausse piste » en lui disant qu'il venait visiter Meher. A la pensée qu'une femme qui lui déplaisait autant que Promila allait s'imaginer toutes sortes de problèmes de plomberie intime, Meher fut outrée ; et ce ne fut que longtemps après le départ du vieux gynécologue qu'elle oublia son indignation pour demander à Lowji et Farrokh :

– Mais au fait, qu'est-ce qu'ils fabriquaient avec le Dr Tata, Promila et Rahul Rai ?

Lowji fit mine de se poser la question pour la première fois.

– Je suppose qu'elle était sa dernière patiente de la journée, et qu'il a dû lui demander de le déposer, dit Farrokh.

– Elle n'est plus en âge d'avoir des enfants, fit remarquer sa mère avec délectation. Si elle était venue consulter, c'était donc pour un problème gynécologique. Dans ce cas, pourquoi amener son neveu ?

– C'était peut-être son neveu qui consultait, dit Lowji. Sûrement pour cette histoire d'absence de poils.

– Je connais Promila Rai, poursuivit Meher. Elle ne croira pas un instant que le Dr Tata venait pour moi.

Et puis un soir, après un débat où il y avait eu d'interminables palabres au Duckworth, Promila Rai aborda le Dr Lowji Daruwalla en lui disant :

– Je sais tout sur le bébé blond. Je le prends !

– Quel bébé ? répondit prudemment le docteur.

A quoi il ajouta :

– Il n'est pas dit qu'il sera blond.

– Mais bien sûr que si. Je m'y connais. En tout cas il aura le teint clair.

Lowji envisageait que l'enfant puisse avoir le teint clair, même si

Danny Mills et Neville Eden avaient tous deux les cheveux très bruns ; mais il doutait fort qu'il pût être aussi blond que Veronica Rose.

Meher était opposée par principe à ce que Promila devienne la mère adoptive. D'abord elle avait la cinquantaine, mais surtout c'était, pire qu'une vieille fille, une femme dédaignée et méchante.

– C'est une vieille sorcière pleine de rancune et d'amertume, dit-elle ; elle ferait une mère effroyable !

– Elle doit avoir une douzaine de domestiques, objecta Lowji.

Mais Meher l'accusa d'avoir oublié combien elle l'avait autrefois choqué lui-même.

En tant que résidente de Malabar Hill, Promila Rai avait lancé une campagne de protestation contre les Tours du Silence. Elle avait scandalisé toute la communauté parsi, jusques et y compris le vieux Lowji. Promila prétendait que les vautours laissaient choir des morceaux de cadavre sur les pelouses ou les terrasses des résidents. Elle alla jusqu'à soutenir qu'elle avait aperçu un morceau de doigt flottant dans la piscine de ses oiseaux, sur son balcon. Le docteur lui avait expédié une lettre furieuse, dans laquelle il lui expliquait que les vautours ne s'envolaient pas avec des doigts ou des orteils au bec ; ils consommaient ce qu'ils voulaient sur place !

– Et maintenant, tu veux que Promila soit mère ! s'exclama Meher.

– Ce n'est pas que j'y tienne, répondit le docteur, mais les matrones riches ne se bousculent pas précisément au portillon pour adopter le rejeton indésiré d'une star américaine !

– En plus, ajouta Meher, Promila Rai déteste les hommes. Et si ce pauvre bébé est un garçon ?

Lowji n'osa pas répéter à Meher ce que Promila lui avait dit – qu'elle était certaine que le bébé serait blond *et* que ce serait une fille.

– Je m'y connais, lui avait-elle assuré. Vous, vous n'êtes jamais qu'un médecin, et des articulations encore, pas des bébés !

Le Dr Daruwalla père ne suggéra pas que Veronica Rose et Promila Rai se rencontrent pour discuter entre elles la transaction ; au contraire il fit tout son possible pour empêcher cette discussion ; d'ailleurs, elles ne semblaient pas s'intéresser beaucoup l'une à l'autre. La seule chose qui comptait pour Veronica, c'était la fortune de Promila. Ce qui comptait le plus pour Promila, c'était la bonne santé de Veronica. Elle avait une peur considérable des drogues et médicaments ; c'étaient eux, elle en était sûre, qui avaient empoisonné l'esprit de

135

son fiancé, et qui l'avaient fait renoncer à l'épouser, par deux fois. Parce qu'enfin, s'il avait été sain d'esprit, et pas sous l'empire des drogues, il l'aurait bien épousée – au moins une fois ?

Lowji pouvait assurer à Promila que Veronica ne prenait pas de drogues. C'était vrai : maintenant que Neville et Danny avaient quitté Bombay, et qu'elle n'essayait pas d'être actrice tous les jours, elle n'avait plus besoin de somnifères ; à vrai dire, elle passait le plus clair de son temps à dormir.

Presque tout le monde voyait sans peine comment tout cela allait se terminer ; sauf Lowji, hélas. Sa propre femme jugeait criminelle la simple idée de mettre un nouveau-né entre les mains de Promila Rai ; elle le rejetterait si c'était un garçon, ou s'il avait les cheveux un rien trop bruns. Lowji ne savait pas le pire, et il l'apprit bientôt du vieux Dr Tata : Veronica Rose n'était pas une vraie blonde :

« Moi qui ai vu là où vous n'avez pas vu, je peux vous dire qu'elle a le poil noir, très noir, peut-être le plus noir que j'aie jamais vu, même en Inde », lui révéla-t-il.

Farrokh voyait d'ici comment le mélodrame allait se terminer. L'enfant serait un garçon, et il aurait les cheveux noirs ; Promila Rai n'en voudrait pas ; du reste Meher ne voudrait pas qu'elle le prenne non plus. Par conséquent, les Daruwalla finiraient par adopter le bébé de Vera. Ce que Farrokh n'avait pas imaginé, c'est que Veronica Rose était moins ingénue qu'elle n'en avait l'air ; elle les avait déjà choisis pour parents adoptifs de son enfant. A la naissance du bébé, elle simulerait une dépression nerveuse ; la raison pour laquelle elle semblait si indifférente à une discussion avec Promila, c'est qu'elle avait d'ores et déjà décidé de refuser tous les autres parents adoptifs éventuels. Elle se doutait en effet qu'en matière de petits enfants ils étaient sans défense, et elle avait vu juste.

Ce que personne n'avait prévu, c'est qu'il n'y aurait pas un garçon brun, mais deux ; de vrais jumeaux, avec de superbes visages ovales, et des chevelures de jais ! Promila n'en voudrait pas : d'abord c'étaient des garçons et ils étaient bruns, en effet, et d'autre part elle prétendrait qu'une femme qui mettait des jumeaux au monde était sous l'empire des drogues.

Mais le coup de théâtre devait avoir pour origine les lettres d'amour assidues que Danny Mills envoyait à Veronica Rose, ainsi que l'accident de voiture qui coûta la vie à Neville Eden, en Italie, et mit du même coup un terme à l'existence flamboyante de Subodh Rai. Jusqu'à l'annonce de cet accident, Veronica avait espéré contre toute logique que Neville lui reviendrait ; à présent, elle jugeait que l'accident était un châtiment que le ciel lui avait envoyé pour lui avoir préféré Subodh. Elle conserverait ce type de raisonnement à l'âge mûr, en voyant dans le sida l'effort louable de Dieu pour rétablir l'ordre naturel de l'univers ; comme beaucoup de crétins, elle croirait que le fléau était une plaie divine châtiant les homosexuels – une idée très élaborée chez quelqu'un qui n'avait pas assez d'imagination pour croire en Dieu.

Mais voilà que tout à coup Neville n'était plus là, qu'il avait disparu même de son imagination. Elle n'avait jamais espéré que, à supposer qu'il veuille d'elle, il la prendrait avec un bébé sur les bras. Mais à présent, sur le départ abrupt de Neville, elle tournait ses pensées vers Danny. Et lui, voudrait-il toujours l'épouser si elle lui rapportait une petite surprise dans ses bagages ? Oui, elle en était sûre.

« Chéri, je n'ai pas voulu mettre tes sentiments à l'épreuve, lui écrivit-elle (les mois passés auprès de Lowji et Meher avaient amélioré son anglais de façon notable), mais depuis tous ces mois, je porte notre enfant. »

Naturellement, sitôt qu'elle vit les jumeaux, elle décréta qu'ils étaient de Neville ; elle les trouvait beaucoup trop jolis pour être de Danny.

De son côté, Danny Mills n'avait jamais envisagé d'avoir un enfant. Il avait lui-même des parents charmants mais un brin las, qui, ayant eu de nombreux enfants avant lui, l'avaient accueilli avec une cordialité blasée à la limite du désintérêt. Il écrivit prudemment à sa bien-aimée qu'il était très ému qu'elle porte leur enfant ; un enfant, oui, c'était une belle idée ; il espérait seulement qu'elle n'avait pas l'intention de fonder une famille au complet.

Or, le dernier des ahuris sait bien que des jumeaux sont « une famille au complet ». Le dilemme allait donc se résoudre de façon prévisible. Vera emmènerait un bébé aux États-Unis, laissant l'autre aux Daruwalla. Pour dire les choses simplement, elle ne voulait pas outrepasser les bornes de l'enthousiasme modéré de Danny pour la paternité.

Au chapitre des surprises variées qui attendaient Lowji, il faut inscrire ce curieux conseil, donné par son sénile ami le Dr Tata : « Quand il y a des jumeaux, il faut toujours miser sur le premier qui sort. » Daruwalla père fut choqué, mais en tant qu'orthopédiste – il n'avait rien d'un obstétricien – il avait l'intention de suivre ce conseil. Cependant, l'accouchement eut lieu dans une telle effervescence et une telle confusion qu'il n'y eut pas une infirmière pour garder trace de leur ordre de naissance, et le vieux Dr Tata lui-même fut incapable de s'en souvenir.

C'est dans ce sens qu'on le disait « sujet aux pépins » : incapable de repérer les battements de deux cœurs en mettant son stéthoscope sur le gros ventre de Vera, il incrimina les circonstances extra-professionnelles dans lesquelles il l'avait auscultée ; dans son cabinet, prétendit-il, il les aurait fort bien entendus. En réalité – soit que Meher eût joué de la musique, soit que les domestiques se fussent bruyamment affairés au ménage – le vieux docteur avait présumé que le bébé de Vera avait un cœur qui battait plus fort, plus vigoureusement que la moyenne. Plus d'une fois il déclara à la jeune femme :

– Votre bébé vient de faire de la gymnastique !

A quoi elle répondait invariablement :

– Ça, je suis au courant.

C'est donc seulement quand elle fut en travail que l'appareil enregistrant les battements de cœur du fœtus révéla la vérité.

– Quelle chance, vous avez, annonça le Dr Tata à Veronica Rose, vous allez avoir *deux* bébés !

L'art de choquer son prochain

L'été 49, alors que la mousson ruisselait sur Bombay, le mélodrame ci-dessus évoqué planait, lourd, invisible, sur l'avenir du jeune Farrokh, comme un brouillard si loin dans l'océan Indien qu'il n'aurait pas encore atteint la mer d'Oman. Il avait retrouvé Jamshed à Vienne, où tous deux poursuivaient à loisir une cour en règle aux sœurs Zilk, lorsqu'il apprit la nouvelle : « deux d'un coup ». Vera n'en emmenait qu'un.

Pour Farrokh et Jamshed, leurs parents étaient déjà âgés ; eux-mêmes auraient convenu que leurs meilleures années pour élever des enfants étaient derrière eux ; ils allaient s'occuper du petit de leur mieux, mais après que Jamshed eut épousé Josefine Zilk, le jeune couple prit la relève en bonne logique. De toute façon c'était un mariage mixte, et Zurich, où ils allaient s'installer, était une ville internationale ; un garçon brun, de parents blancs, y trouverait aisément sa place. Lorsqu'il y arriva, il connaissait l'hindi en plus de l'anglais ; sur place il apprendrait l'allemand, bien sûr, quoique Jamshed et Josefine l'aient tout d'abord inscrit dans une école anglophone. Avec le temps, le vieux couple allait faire office de grands-parents à l'enfant, que Lowji avait légalement adopté à sa naissance.

Lorsque Jamshed et Josefine eurent des enfants à eux, et qu'arriva l'inévitable tournant de l'adolescence, le jumeau orphelin exprimant un détachement maussade à l'égard d'eux tous, Farrokh lui apparut tout naturellement comme une manière de grand frère. Les vingt ans d'écart entre eux en faisaient aussi un second père. Entre-temps Farrokh avait épousé Julia Zilk, bien sûr, et ils avaient eux-mêmes eu des enfants. Partout où il allait, l'adopté trouvait sa place, il semblait chez lui ; mais Farrokh et Julia avaient sa préférence.

Il n'était pas à plaindre. Il faisait toujours partie d'une famille nombreuse, même s'il y avait quelque chose de déstabilisant dans sa dérive des continents entre Toronto, Zurich et Bombay, et même si, tout petit déjà, on pouvait détecter en lui un certain détachement. Plus tard, il y eut dans son langage, en allemand, en anglais ou en hindi, quelque chose de résolument singulier, sans aller jusqu'au problème d'élocution. Il parlait lentement, comme s'il rédigeait sa phrase dans sa tête, ponctuation comprise. S'il avait un accent, il était indiscernable ; ce qui se remarquait, c'était plutôt son élocution, si soignée – on aurait dit qu'il avait l'habitude de parler à des enfants ou de s'adresser à la foule.

Et la question qui les intriguait tous, à savoir s'il était le rejeton de Neville Eden ou de Danny Mills, ne serait pas facile à trancher. Dans les registres médicaux de *Un jour, chérie, nous irons en Inde*, qui sont à ce jour les seuls registres attestant que le film ait été tourné, il fut noté que Neville et Danny étaient du même groupe sanguin, assez répandu, et que c'était aussi le groupe des jumeaux.

Plusieurs Daruwalla faisaient valoir que « leur » enfant était trop beau, et trop peu porté sur la boisson pour être une création de Danny. D'ailleurs, il montrait peu de goût pour la lecture, moins encore pour l'écriture, il ne tenait même pas de journal, alors qu'il était doué pour le théâtre et s'y soumettait à une discipline stricte, dès le collège. Ce trait semblait désigner feu Neville Eden. Mais bien entendu, de l'autre garçon, ils ne savaient presque rien. Quoi qu'il en soit, si l'on tenait à plaindre l'un ou l'autre, c'était sans doute au bébé élevé par Vera qu'il fallait réserver sa pitié.

Le petit abandonné en Inde vit ses premiers jours marqués par la nécessité de lui trouver un nom. Daruwalla il serait, cela allait de soi, mais pour rendre justice à son type occidental, on convint qu'il lui fallait un prénom anglais. La famille s'accorda sur celui de John, qui n'était autre que le nom de baptême de Lord Duckworth en personne, puisque Lowji concédait lui-même que, sans le Duckworth Club, la responsabilité de l'enfant ne lui serait pas échue. Et alors que personne n'aurait eu l'idée saugrenue d'appeler l'enfant Duckworth Daruwalla, en revanche John Daruwalla avait une agréable consonance anglo-indienne.

C'était un nom que tout le monde arrivait peu ou prou à prononcer. Les Indiens connaissent bien le son J ; même les Suisses allemands n'écorchent pas trop John, quoiqu'ils aient, bien sûr, tendance à le franciser en Jean. Daruwalla n'a rien d'un nom impossible phonétiquement, bien que les Suisses germanophones prononcent *v* le w ; ce qui fait qu'à Zurich, le jeune homme était connu sous le nom de Jean Daruvalla, déformation minime. Son passeport suisse était au nom de John Daruwalla – simple, mais peu commun.

Pendant trente-neuf ans, les prémices du fameux processus de la création, auquel Lowji demeurerait toujours étranger, ne s'étaient pas fait sentir chez Farrokh. Et maintenant, près de quarante ans après la naissance des jumeaux, il se prenait à regretter de l'avoir jamais connu. Car c'était bien par l'entremise de son imagination que le petit John Daruwalla était devenu l'inspecteur Dhar, l'homme que Bombay aimait haïr entre tous – Bombay, cette cité aux haines aussi multiples que farouches.

Farrokh avait conçu l'inspecteur Dhar dans un esprit de satire – de satire de qualité. Pourquoi y avait-il tant de gens si faciles à choquer ? Pourquoi avait-on réagi avec un tel manque d'humour ? Ne savait-on pas apprécier la comédie ? Il lui avait fallu attendre l'âge de soixante ans ou presque pour réaliser combien il était le fils de son père à cet égard : il s'était découvert un talent naturel pour enquiquiner son prochain. Et si l'assassinat de Lowji était un drame que tout le monde avait vu venir, comment avait-il pu, lui, s'aveugler sur le fait que l'inspecteur Dhar courait au même destin ? dire qu'il s'était cru si prudent !

Il avait mis si longtemps à écrire le premier scénario, avec une telle attention au détail ! Il faut voir dans ce dernier trait la marque du chirurgien, car ce n'était certes pas de Danny Mills qu'il avait appris un tel soin et une telle authenticité, ni d'ailleurs de sa fréquentation des cinémas minables du centre de Bombay, où il avait suivi des spectacles de trois heures dans des ruines art déco où la climatisation était toujours « en réparation », et où l'urine débordait souvent des toilettes.

Plus que les films, il avait regardé le public manger ses en-cas. Dans les années cinquante et soixante, la mixture masala marchait très fort, non seulement à Bombay, mais dans tout le Sud et le Sud-Est asiatique, le Proche-Orient, et même l'Union soviétique. On y trouvait doses égales de musique et de meurtre, des histoires à faire pleurer dans les chaumières, assaisonnées de farce, des scènes de massacre alternant avec des passages à la guimauve – et, pour lier la sauce, cette violence satisfaisante qui a cours chaque fois que les forces du bien affrontent et châtient les forces du mal. Il y avait aussi des dieux, qui venaient en aide aux héros. Mais le Dr Daruwalla ne croyait pas à ces dieux-là ; lorsqu'il commença à écrire des scénarios, il venait juste de se convertir au christianisme. Il ajouta donc à la ratatouille hindi qu'était le cinéma de Bombay sa touche personnelle : Dhar le dur, sa voix off et son rictus d'antihéros. Quant à sa foi chrétienne toute fraîche, il eut la sagesse de ne pas la faire entrer dans l'image.

Il avait suivi les recommandations de Danny Mills à la lettre. Il choisit un metteur en scène qui lui plaisait, Balraj Gupta. C'était un jeune homme à la main un peu moins lourde que beaucoup, il avait même un ton d'autodérision, et puis, plus important encore, il n'était pas si connu que le docteur ne pût le bousculer un peu. Farrokh avait, comme Danny le préconisait, imposé ses propres termes, y compris le choix de l'acteur, un jeune inconnu de vingt-deux ans, John Daru-walla, qui jouerait l'inspecteur.

Farrokh s'efforça de faire passer le jeune homme pour anglo-indien, ce que Balraj Gupta ne trouva guère crédible au départ. « Moi je lui trouve le type européen, protesta le metteur en scène, mais enfin son hindi sonne authentique, sans doute. » Et après le succès du premier *Inspecteur Dhar*, Balraj Gupta n'aurait jamais pensé aller contre le sentiment de l'orthopédiste (installé au Canada !) qui avait donné à Bombay son antihéros le plus détesté.

Le premier film de la lignée s'intitulait *L'Inspecteur Dhar et le Mali pendu.* Il avait été tourné plus de vingt ans après qu'un vrai jardinier avait été retrouvé pendu à un neem dans Ridge Road, sur Malabar Hill – un quartier chic pour se faire pendre. Le mali était un musulman qui s'occupait des jardins de plusieurs résidents, et qui venait de se faire renvoyer : il avait été accusé de vol, mais on n'avait jamais eu de preuve, et d'aucuns disaient qu'il avait été mis à la porte pour cause d'extrémisme. On racontait que la fermeture de la mosquée de Babar l'avait rendu fou.

L'idée de mettre cette histoire en film, vingt ans après un fait divers aux circonstances obscures, n'avait rien de bizarre en soi. *L'Inspecteur Dhar et le Mali pendu* ne fut d'ailleurs pas considéré comme un film « historique ». D'abord la mosquée du XVIᵉ siècle était encore un objet de litige. Les hindous tenaient toujours à ce que leurs idoles y restent pour honorer le lieu de naissance de Rama. Les musulmans, eux, n'avaient pas renoncé à se débarrasser des mêmes idoles. Vers la fin des années soixante, tout à fait dans le ton de l'époque, ils disaient vouloir « libérer » la mosquée de Babar, tandis que les hindous prétendaient « libérer » le berceau de Rama.

Comme de juste, l'inspecteur Dhar tentait de préserver la paix. Et, bien entendu, c'était impossible. L'essence même d'un *Inspecteur Dhar*, c'était qu'on pouvait toujours compter sur des éruptions de violence autour de lui. Parmi les premières victimes, il y eut sa propre femme ! Mais oui, il était marié dans le premier film, même si cela ne devait pas durer ; la mort de sa femme dans une voiture piégée justifiait apparemment sa vie licencieuse dans le reste du film – et dans tous ceux qui suivaient. Et tout le monde était censé croire que ce Dhar au plus pur type européen était hindou. On le voyait allumer le bûcher crématoire de sa femme ; on le voyait porter le dhoti traditionnel, et la tête rasée selon la tradition. Tout le long du premier film on voyait ses cheveux repousser. D'autres femmes frottaient la repousse, comme par respect profond envers la disparue. Son statut de veuf lui valait une grande sympathie, sans parler de multiples conquêtes – idée très occidentale, et très scandaleuse.

Pour commencer, les hindous et les musulmans furent également scandalisés, sans préjudice des veufs et des veuves, et des jardiniers.

Et dès le premier *Inspecteur Dhar*, la police aussi fut scandalisée. Le fait divers lui-même n'avait jamais été élucidé. Le crime, si crime il y avait, si le mali ne s'était pas pendu, demeurait une énigme.

Dans le film, le public se voyait proposer trois versions de la pendaison – chacune d'entre elles constituant une solution parfaite en soi. De sorte que le malheureux mali y était pendu à trois reprises, au grand scandale d'une communauté différente chaque fois. Les musulmans furent indignés de voir des intégristes accusés du meurtre. Les hindous, pour leur part, furent outragés de voir accusés des intégristes hindous. Les sikhs enragèrent de voir accuser des extrémistes sikhs d'avoir pendu le jardinier pour dresser les hindous et les musulmans les uns contre les autres. Ils s'offusquèrent en outre que chaque fois qu'un taxi paraissait dans le film il fût conduit par un chauffard vindicatif, implicitement présenté comme un sikh cinglé.

Mais enfin, pensait Farrokh, le film était à se tordre de rire !

A présent, dans l'ombre du jardin des Dames, il reconsidérait la question. *L'Inspecteur Dhar et le Mali pendu* aurait peut-être été tordant pour des Canadiens – à l'exception notable des jardiniers canadiens. Mais bien entendu, les Canadiens n'avaient jamais vu le film, sinon les natifs de Bombay installés à Toronto ; ceux-là regardaient tous les *Inspecteur Dhar* en cassettes et, même eux, le film les scandalisait. Quant à l'inspecteur, il n'avait jamais trouvé ses films particulièrement « tordants ». Et lorsque le Dr Daruwalla avait interrogé Balraj Gupta sur leur caractère comique, ou du moins satirique, le metteur en scène lui avait répondu avec la plus parfaite désinvolture : « Ça rapporte un maximum de lakhs ! Et ça, oui, c'est marrant ! »

Mais cela ne faisait plus rire Farrokh.

Et si Mrs Dogar était un hijra ?

A la nuit tombante, les duckworthiens accompagnés de jeunes enfants avaient commencé à peupler les tables du jardin des Dames. Les enfants aimaient bien dîner dehors, mais leurs voix enthousiastes et haut perchées ne suffisaient pas à distraire Farrokh de son voyage dans le passé. Mr Sethna regardait d'un œil sourcilleux les jeunes enfants en général, et à table en particulier ; en revanche il considérait que son devoir était de veiller sur les états d'âme du docteur.

Mr Sethna avait vu Dhar quitter le club avec le nain ; mais lorsque ce dernier était revenu – l'odieux micro-tueur voulait sans doute mettre son taxi à la disposition du docteur, à présent, avait pensé le majordome –, on ne l'avait pas vu entrer et sortir du hall avec son dandinement caractéristique. Non, cette fois, il était allé imposer sa désagréable personne à la boutique de sports du club, où il entretenait des rapports amicaux avec les ramasseurs de balles et les réparateurs de raquettes. Il était en effet devenu leur récupérateur favori. Mr Sethna réprouvait la récupération, et les nains en général ; pour tout dire il les trouvait même répugnants. Les réparateurs de balles et de raquettes trouvaient Vinod mignon.

Au début, c'était pour rire que la presse du cinéma avait surnommé Vinod « le micro-barbouze », ou encore le « tueur-chauffeur » de l'inspecteur Dhar. Mais lui avait pris cette réputation très au sérieux. Il était toujours bien armé, et ses armes de choix, parfaitement légales, se dissimulaient facilement dans un taxi. Les réparateurs de raquettes du Duckworth lui fournissaient des manches de raquettes de squash. Lorsqu'une raquette était cassée, l'artisan sciait le manche et le passait au papier de verre jusqu'à ce qu'il soit bien lisse ; il était juste de la bonne longueur et du poids idéal pour un nain, et le bois en était très dur. Vinod ne voulait que des manches de bois, qui se faisaient rares. Mais il les stockait, et vu l'usage qu'il en faisait, il les cassait rarement. Il frappait avec le premier manche, en l'enfonçant parfois, visant les couilles ou les genoux, voire les deux, tandis qu'il tenait l'autre manche hors de portée de son adversaire. Invariablement, sa victime essayait de s'emparer du manche offensif ; et là, Vinod abattait l'autre sur son poignet.

La tactique s'était révélée imparable. Leurrer l'adversaire avec un manche, pour lui casser le poignet avec l'autre. La tête on s'en fout, se disait Vinod, de toute façon il n'était pas assez grand pour la viser, le plus souvent. En général, la fracture du poignet calmait son adversaire. Les crétins qui s'obstinaient se retrouvaient à se battre d'une seule main contre deux manches de raquette. Si la presse du cinéma avait fait de Vinod un garde du corps et un tueur, tant mieux. Il protégeait bel et bien l'inspecteur Dhar.

Bien entendu, Mr Sethna réprouvait cette violence, comme il réprouvait les tendeurs de raquettes de la boutique qui pourvoyaient allégrement l'arsenal du nain. Les ramasseurs de balles lui donnaient aussi des douzaines de balles de tennis au rancart. Dans le métier de la conduite, comme disait Vinod, il y avait beaucoup d'« attente », dans une voiture à l'arrêt. L'ancien clown acrobate aimait bien s'occuper. En pressant les balles de tennis, il se musclait les mains ; il prétendait aussi que l'exercice soulageait son arthrite – même si le Dr Daruwalla pensait que l'aspirine était plus indiquée.

L'idée avait traversé Mr Sethna que la vieille relation entre le docteur et le nain était sans doute la raison pour laquelle le premier ne conduisait pas. Cela faisait des années qu'il n'avait pas sa voiture à lui, à Bombay. Connaissant le nain comme chauffeur de l'inspecteur Dhar, la plupart des observateurs en oubliaient qu'il était aussi celui du docteur. Mr Sethna avait la chair de poule à l'idée que même sans se voir – le nain était en train de charger sa voiture de balles de tennis et de manches de raquettes de squash et le docteur assis dans le jardin des Dames – les deux hommes étaient si proches par la pensée. On aurait dit que Farrokh savait toujours que Vinod était disponible ; on aurait dit que le nain passait sa vie à l'attendre – lui, ou Dhar.

Mr Sethna s'avisa que le docteur avait peut-être l'intention de dîner à la table qu'il occupait depuis le déjeuner ; peut-être attendait-il des invités, et avait-il décidé que c'était la manière la plus simple de retenir la table. Mais lorsque le vieux majordome s'enquit du nombre d'invités pour placer les sets, il s'entendit répondre que le docteur rentrait « souper » chez lui. Et promptement, comme tiré d'un rêve, il se leva et quitta la table.

Mr Sethna ne le perdit pas des yeux – ni des oreilles – et l'entendit appeler sa femme depuis le téléphone du hall.

« *Nein, Liebchen*, je ne le lui ai pas encore dit, ce n'était pas le moment. »

Puis Mr Sethna l'entendit parler du meurtre de Mr Lal – ah, ah, c'était donc un meurtre ! Estourbi par son propre putter ! Et lorsqu'il entendit l'histoire du billet de deux roupies fourré dans la bouche du mort, et surtout de la menace énigmatique concernant l'inspecteur Dhar – D'AUTRES MEMBRES VONT MOURIR SI DHAR N'EST PAS RADIÉ –, il se dit qu'aujourd'hui, du moins, il n'avait pas laissé traîner son oreille pour rien.

Un incident tout juste marquant se produisit alors. Le Dr Daruwalla raccrocha, et, rentrant avec une certaine précipitation dans le hall sans même regarder devant lui, vlan, il se heurta de front à la seconde Mrs

145

Dogar. Le choc était si brutal que Mr Sethna caressa un instant l'espoir que cette poufiasse en serait assommée. Mais ce fut le docteur qui tomba. Le plus curieux, c'est que la collision fit reculer Mrs Dogar, qui emboutit Mr Dogar, lequel dégringola aussi. Il faut vraiment être un imbécile pour épouser une femme tellement plus jeune et plus solide que soi, se dit Mr Sethna. Là-dessus on échangea force courbettes et force excuses, chacun assurant les autres qu'il ou elle n'avait rien du tout. Parfois l'absurdité des bonnes manières que l'on étalait avec une telle profusion au Duckworth donnait de l'aérophagie à Mr Sethna.

C'est ainsi que Farrokh finit par échapper à la vigilance du vieux majordome. Mais tandis qu'il attendait Vinod parti chercher la voiture, à l'abri des regards, il tâta le point sensible entre ses côtes, où il n'allait pas tarder à avoir un bleu. Il s'émerveilla de la vigueur et de la fermeté de la seconde Mrs Dogar : il avait eu l'impression de rentrer dans un mur de pierre !

Il lui vint à l'esprit que cette Mrs Dogar était assez masculine pour être une hijra ; pas une de celles qui se prostituent, mais un eunuque travesti, simplement ; auquel cas les regards qu'elle lançait à l'inspecteur Dhar ne visaient peut-être pas à le séduire ; elle pensait peut-être plutôt à le châtrer.

Farrokh eut un peu honte : voilà qu'il pensait encore en scénariste. J'en ai bu combien, des Kingfisher, se demanda-t-il, car il était plus rassurant de mettre ses fantasmes saugrenus sur le compte de la bière. A vrai dire, il ne savait rien de Mrs Dogar ni de ses origines, mais les hijras occupaient une position si marginale dans la société indienne... Il n'ignorait pas cependant que la plupart étaient issus du peuple. Or, sans rien savoir d'elle, il était clair que Mrs Dogar venait de la grande bourgeoisie, tout comme Mr Dogar – pauvre vieux connard, par ailleurs, selon Farrokh – était un homme de Malabar Hill, issu d'une vieille fortune, vieille et vaste. Et même lui n'était pas idiot au point de confondre un vagin et une cicatrice de brûlure, traitée à l'huile selon la fameuse méthode hijra.

Tout en attendant Vinod, Farrokh regarda la seconde Mrs Dogar aider son mari à monter dans la voiture. Elle se dressait de toute sa hauteur au-dessus du malheureux gardien de parking, qui lui ouvrit servilement la porte du conducteur. Farrokh ne fut pas surpris de voir que c'était elle qui prenait le volant ; elle était réputée pour le maintien de sa forme, qui passait par l'haltérophilie et autres exercices aussi peu féminins. Peut-être qu'elle prend de la testostérone, en plus, imagina-t-il : on aurait dit que ses hormones – ses hormones mâles – étaient en effervescence. Il avait entendu dire que, parfois, le clitoris de ces femmes-là s'hypertrophie au point de devenir gros comme un doigt – aussi long qu'un pénis de garçonnet.

Excès de Kingfisher ou imagination débridée, il remerciait le ciel de n'être que chirurgien orthopédiste : dans le fond, il ne tenait pas du tout à en savoir plus sur ces chapitres-là. Il lui fallut pourtant s'arracher de nouveau à ses méditations, car il se surprit à spéculer sur ce qui serait pire : que la seconde Mrs Dogar cherche à émasculer l'inspecteur Dhar, ou qu'elle se soit amourachée du bel acteur – et qu'elle possède un clitoris d'une dimension tout à fait choquante.

Il était si absorbé dans ses pensées qu'il ne vit pas Vinod, qui remontait l'allée du club en conduisant d'une main, et qui, de l'autre, s'avisa soudain de freiner. Il faillit renverser le docteur qui, un instant au moins, en oublia Mrs Dogar.

Cyclopyramide

Le meilleur des deux taxis du nain – de ceux équipés de commandes manuelles – était au garage. « Carburateur est en révision », expliqua Vinod. Comme le docteur n'avait pas la moindre idée de la façon dont on peut réviser un carburateur, il ne fut pas curieux des détails. Ils quittèrent le Duckworth dans l'Ambassador déglinguée, qui était d'un blanc perle douteux, comme des dents jaunissantes, se dit le docteur. Par ailleurs, l'accélérateur manuel avait tendance à coincer.

Malgré tout, le docteur demanda soudain à Vinod de le faire passer devant la maison que son père possédait autrefois sur Malabar Hill, dans Ridge Road ; il faut croire qu'il pensait à son père, et au quartier de son enfance. Lui et son frère avaient vendu la maison il y avait longtemps, peu après l'assassinat de leur père, lorsque Meher avait décidé de finir ses jours chez ses enfants et petits-enfants, lesquels avaient tous choisi de ne pas vivre en Inde. La mère du docteur s'était éteinte chez lui à Toronto, dans la chambre d'amis. Elle était morte dans son sommeil, une nuit de neige, d'une mort aussi paisible que celle du vieux Lowji avait été explosive.

Ce n'était pas la première fois que Farrokh demandait à passer devant la vieille demeure de Malabar Hill. La propriété familiale lui rappelait combien ses contacts avec le pays natal s'étaient faits ténus : il était étranger, dans ce quartier. Comme les gens de passage, il habitait l'une de ces résidences affreuses de Marine Drive, avec sur la mer d'Oman la même vue qu'une douzaine d'autres copropriétés du même acabit. Il avait payé soixante lakhs (un million deux, en francs) un appartement de moins de quarante mètres carrés, où il ne vivait presque jamais tant ses séjours en Inde étaient rares. Le reste du temps, il en avait honte, il ne le louait pas. Il faut avouer qu'il aurait été mal inspiré de le faire : les lois en vigueur à Bombay sont tellement favorables aux locataires que, s'il en avait pris, il n'aurait jamais pu s'en débarrasser. En outre, les *Inspecteur Dhar* lui avaient rapporté tant de lakhs qu'il se faisait un devoir d'en dépenser un peu à Bombay. Par la magie d'un compte suisse, et d'un administrateur de biens, Dhar avait réussi à faire sortir une part substantielle de leurs gains. Mais de cela aussi, le docteur avait un peu honte.

Vinod avait un sixième sens qui lui indiquait les moments où le docteur était accessible à la charité. C'était à sa propre entreprise charitable qu'il pensait, et il ne se faisait jamais scrupule de lui demander des subsides pour la cause qu'il défendait avec le plus de ferveur.

Vinod et Deepa avaient pris l'initiative de tirer divers gamins des taudis de Bombay ; bref, ils recrutaient des gosses des rues pour le cirque. Évidemment, ils allaient chercher les mendiants les plus acrobates, des enfants visiblement bien coordonnés, et Vinod faisait tous ses efforts pour orienter les plus doués de ces orphelins vers des cirques de meilleure qualité que le Grand Nil bleu. Deepa se consacrait à sauver les petites prostituées, ou celles qui allaient le devenir ; mais ces fillettes étaient rarement de bonnes recrues pour le cirque. A la connaissance du docteur, le seul qui ait jamais condescendu à engager les découvertes de Vinod et Deepa, c'était ce Nil bleu qui n'avait de grand que le nom.

En outre, pour le plus grand malaise du docteur, nombre de ces gamines étaient en fait des découvertes de Mr Garg – bien avant d'être celles de Vinod et Deepa. Mr Garg était le propriétaire et le gérant de La Poule mouillée, où régnait une vulgarité tamisée. Les boîtes à strip-tease et à plus forte raison les shows érotiques sont interdits à Bombay, ou en tout cas n'atteignent jamais le caractère explicite qu'ils ont en Occident. En Inde, il n'y a pas de nudité, alors que l'« humidité » y est spectaculaire – vêtements mouillés, collant au corps et quasi transparents – et que les gestes suggestifs sont monnaie courante parmi les prétendues danseuses exotiques des lieux de plaisir aussi glauques que celui de Mr Garg. Parmi ces lieux, dont le Bombay Eros Palace, La Poule mouillée était le pire ; et pourtant le nain et sa femme soutenaient au docteur que Mr Garg était le bon Samaritain de Kamathipura. Au cœur des nombreuses ruelles de bordels, dans tout Falkland Road et Grant Road, La Poule était un havre d'innocence.

Évidemment, se disait Farrokh, comparé à un bordel... Les filles de chez Garg, qu'on les dise strip-teaseuses ou danseuses exotiques, n'étaient pas des putains, dans l'ensemble. Mais beaucoup s'étaient échappées des bordels de Kamathipura, ou de ceux de Falkland et Grant Road. Dans les bordels, la virginité des petites n'avait été prisée qu'un moment, jusqu'au jour où la maîtresse avait jugé qu'elles étaient assez grandes, ou jusqu'au jour où se présentait une offre assez avantageuse. Mais lorsque ces filles se réfugiaient chez Mr Garg, beaucoup étaient trop jeunes pour s'y produire ; le comble, c'est qu'elles étaient assez grandes pour se prostituer, mais bien trop jeunes pour devenir danseuses exotiques.

Selon Vinod, la plupart des hommes qui voulaient « voir » des femmes voulaient aussi qu'elles aient l'air de femmes. Apparemment, ce n'étaient pas les mêmes que ceux qui voulaient coucher avec des filles mineures ; du reste, toujours selon Vinod, il n'était pas dit que ceux qui voulaient coucher avec des mineures voulaient les voir danser. Et Mr Garg n'avait donc pas d'emploi pour elles au cabaret, ce qui ne l'empêchait pas, imaginait Farrokh, d'en faire un usage aussi personnel qu'inavouable.

Le docteur entretenait la théorie dickensienne que Mr Garg était pervers à cause de son physique. L'homme lui donnait la chair de poule. Et il lui avait fait une impression singulièrement forte, si l'on songe qu'il ne l'avait rencontré qu'une fois, par l'intermédiaire de l'entreprenant Vinod qui se trouvait être aussi le chauffeur de Mr Garg.

Mr Garg était grand, et il avait le maintien irréprochable d'un militaire, mais son teint jaunâtre évoquait pour le Dr Daruwalla le manque d'air et de soleil. La peau de son visage luisait, malsaine, comme de la cire ; singulièrement tendue, on aurait dit la peau d'un cadavre, impression que renforçait la mollesse anormale de sa bouche ; il avait en permanence les lèvres entrouvertes comme quelqu'un qui se serait endormi en position assise, et ses orbites étaient sombres et bouffies, comme gonflées de sang. Pire encore, ses yeux étaient aussi jaunes et opaques que ceux d'un lion, et non moins indéchiffrables, selon le docteur. Mais le plus affreux, c'était sa cicatrice de brûlure. On lui avait jeté du vitriol au visage, et il avait eu le temps de se détourner, de sorte que l'acide lui avait racorni une oreille et brûlé un sillon le long de sa mâchoire et de sa gorge, où la traînée rosâtre se perdait dans son col de chemise. Vinod lui-même ignorait qui lui avait lancé du vitriol et pourquoi.

Quant aux petites, tout ce que le cirque attendait du docteur, en qui l'on avait confiance, c'était qu'il certifie qu'elles étaient en pleine santé. Mais que pouvait-il dire de la santé de ces fleurs de bordel ? Certaines y étaient nées ! On repérait facilement des symptômes de syphilis chez elles, et par les temps qui courent, le docteur ne pouvait pas les recommander sans leur faire passer un test de dépistage du sida : peu de cirques auraient engagé une séropositive – pas même le Grand Nil bleu. La plupart des petites avaient un problème vénérien, toutes devaient prendre des vermifuges. Elles étaient si rares à être engagées, même au Grand Nil bleu : lorsqu'elles n'étaient pas prises, que devenaient-elles ? (Nous, on aura fait tout pour mieux, répondait Vinod.) Mr Garg les renvoyait-il à un bordel ? Attendait-il qu'elles soient assez grandes pour faire l'affaire au cabaret ? Farrokh était épouvanté à l'idée que, tout étant relatif, il fût considéré comme un ange tutélaire à Kamathipura ; cependant il ne pouvait rien retenir contre l'homme, sinon ce que tout le monde savait : qu'il soudoyait la police dont les descentes étaient rares dans son cabaret.

Le docteur avait naguère imaginé en faire un personnage de *L'Inspecteur Dhar*. Dans la première version de *L'Inspecteur Dhar et le Tueur de canaris,* il lui avait écrit un petit rôle où il en faisait un pédophile sadique surnommé le Vitriolé. Puis il s'était ravisé. L'homme était trop connu à Bombay. Il risquait de s'attirer des poursuites, sans compter que Vinod et Deepa pourraient se sentir insultés, et cela, il ne le voulait à aucun prix. Car si Garg n'avait rien d'un bon Samaritain, le nain et sa femme, au contraire, étaient de vrais bienfaiteurs, des saints patrons pour ces enfants, ou du moins, ils s'efforçaient de l'être, faisant « tout pour mieux », comme disait Vinod.

L'Ambassador écrue du nain approchait de Marine Drive lorsque le docteur lui accorda de guerre lasse :

– Bon, bon, je vais l'examiner. Et c'est qui, cette gamine ? C'est quoi, son histoire ?

– C'est vierge, expliqua le nain. Deepa me dit que c'est déjà presque désossée, on en fera demoiselle en caoutchouc !

– Mais qui dit qu'elle est vierge ?

– Elle-même. Garg dit à Deepa qu'elle s'est sauvée d'un bordel avant que personne l'ait touchée.

– Ah, c'est Garg qui dit qu'elle est vierge ?

– Vierge ou presque, ou pas loin, répliqua Vinod. Et moi je pense qu'aussi c'était naine, ou peut-être naine à moitié. Je me dis presque ça, moi.

– Ça n'est pas possible, Vinod, dit le docteur.

Le nain haussa les épaules ; la voiture s'engageait sur un rond-point ; le tour complet qu'elle effectua envoya plusieurs balles de tennis rouler entre les pieds de Farrokh, et il entendait le claquement des manches de raquettes sous le siège surélevé du chauffeur. Celui-ci lui avait expliqué que les raquettes de badminton étaient trop légères ; elles cassaient ; et les raquettes de tennis trop lourdes pour être lancées avec la promptitude nécessaire. Seules les raquettes de squash étaient parfaites.

Pour la deviner plus que la voir, il fallait, comme Farrokh, savoir exactement où était la drôle de pancarte qui flottait sur un bateau, au large de la mer d'Oman. Ce soir, elle faisait de la réclame pour les mouchoirs en papiers Tiktok, une fois de plus. Ce soir, comme tous les soirs, les panneaux métalliques fixés sur les lampadaires promettaient bonne route avec les pneus Apollo. Sur Marine Drive, ce n'était déjà plus l'heure de pointe, et à voir les lumières de son propre appartement, le docteur comprit que Dhar était déjà là : en effet le balcon était éclairé, or Julia ne s'y mettait jamais toute seule. Ils avaient sans doute regardé le coucher du soleil tous les deux ; et le soleil était couché depuis un bon moment. Ils vont être fâchés contre moi, décida le docteur.

Il dit à Vinod qu'il allait examiner la quasi-désossée dès le lendemain matin – la quasi-vierge, faillit-il dire, tout en pensant, la semi-naine, l'ex-lilliputienne – mais sûrement, hélas, la même à Garg.

Dans le hall d'entrée nu de son immeuble, il eut un instant l'impression qu'il aurait pu se trouver n'importe où dans le monde moderne. Mais lorsque la porte de l'ascenseur s'ouvrit, il fut accueilli par le panneau aussi familier qu'abhorré :

L'ASCENSEUR EST INTERDIT AUX DOMESTIQUES
NON ACCOMPAGNÉS D'ENFANTS

Cette pancarte l'agressait par son absurdité. Elle était à rattacher à ce protocole de la vie indienne où l'on ne se contente pas d'accepter la discrimination, fait universel, mais où l'on en fait un article de foi ; c'était ce qui mettait Lowji Daruwalla en rage, dans le système indien, même si une bonne part avait été héritée du Raj.

Farrokh avait bien essayé de convaincre les copropriétaires de retirer cette odieuse pancarte, mais les règlements pour les domestiques étaient inflexibles ; et tous les autres copropriétaires étaient favorables à ce que les domestiques montent à pied. En outre l'Association des copropriétaires tenait son opinion pour négligeable dans la mesure où il ne résidait pas en Inde, et était officiellement un NRI. Ce différend sur l'utilisation de l'ascenseur était le contentieux type pour lequel Lowji se serait fait tuer ; mais le Dr Daruwalla fils, avec son autodénigrement habituel, voyait dans son échec auprès des copropriétaires la marque de son inefficacité politique, de son inadéquation foncière.

Tout en sortant de l'ascenseur, il se dit qu'il était vraiment un Indien débranché. L'autre jour, au Duckworth, quelqu'un s'était scandalisé qu'un candidat à la députation de New Delhi ait mené sa campagne exclusivement autour de la « question de la vache » ; le docteur avait été incapable d'émettre une opinion personnelle, parce qu'il ne savait pas au juste quelle était la question. Il était au courant qu'il s'était formé des groupes de défense des vaches ; il supposait que cela faisait partie du renouveau hindou, au même titre que ces saints hommes d'intégristes qui prétendaient être la réincarnation des dieux, et exigeaient d'être adorés comme tels. Il savait aussi que les émeutes opposant hindous et musulmans à propos de la mosquée de Babar n'avaient pas cessé – ces émeutes mêmes qui constituaient la toile de fond du premier *Inspecteur Dhar* et qu'il trouvait si « drôles » à l'époque.

Maintenant des milliers de briques avaient été consacrées, et estampillées « SHRI RAMA », c'est-à-dire Rama vénéré, et l'on avait installé une fondation pour ériger un temple à Rama à guère plus de cinquante mètres de la mosquée : le docteur lui-même n'imaginait pas que l'issue de ces quarante ans de rivalité sanglante soit « drôle ».

Il éprouvait une fois de plus le sentiment de n'appartenir nulle part. Certes, il n'ignorait pas qu'il y avait des extrémistes sikhs, mais il n'en connaissait pas personnellement. Au Duckworth, il était dans les meilleurs termes avec Mr Bakshi, un romancier sikh brillant causeur, surtout sur le chapitre des grands classiques du cinéma américain, mais ils n'avaient jamais abordé le problème des terroristes sikhs. Et s'il savait bien qu'il existait des mouvements appelés Shiv Shena, Panthères de Dalit et autres Tigres tamouls, il ne savait rien d'eux à titre personnel. Il y avait plus de six cents millions d'hindous en Inde, cent millions de musulmans et des millions de sikhs et de chrétiens. Sans doute y avait-il à peine quatre-vingt mille parsis. Mais sur sa parcelle d'Inde à lui, dans son affreuse résidence de Marine Drive, tous ces millions de revendicatifs se réduisaient dans l'esprit du docteur au problème de l'ascenseur. Sur cette imbécillité, il était le seul dissident et l'accord des factions rivales se faisait, unanime : les domestiques, ça monte à pied.

Il avait récemment lu un fait divers : un homme avait été assassiné parce que sa moustache « était une insulte à la conscience de caste » ; apparemment, il en avait recourbé les pointes vers le haut alors qu'elles étaient censées retomber. Le Dr Daruwalla prit une décision : l'inspecteur Dhar devait quitter l'Inde et n'y jamais revenir. Du reste, lui-même serait bien avisé d'en faire autant ! Car enfin, ici, à Bombay, il aidait quelques enfants infirmes, et après ? Quel besoin avait-il d'imaginer même des films « drôles » sur un pays comme celui-ci ? Il n'était pas écrivain. Et quel besoin avait-il de saigner les nains ? Il n'était pas généticien non plus.

C'est ainsi qu'en se remettant en cause comme il en avait l'habitude, le Dr Daruwalla entra dans son appartement, pour y entendre la musique qui ne manquerait pas de l'accueillir. Il avait tardé à dire à sa chère femme qu'il avait invité son cher John à dîner, et il les avait fait attendre tous les deux. Circonstance aggravante, il n'avait pas eu le courage d'annoncer à l'inspecteur Dhar la fâcheuse nouvelle.

Il se sentait pris au piège dans un numéro de cirque dont il aurait été l'auteur ; à toujours remettre à plus tard, il était tombé dans un cercle vicieux. Cela lui rappelait un numéro du Grand Nil bleu ; au début, il y avait vu un aimable délire ; mais aujourd'hui, il se disait qu'il deviendrait peut-être fou s'il le revoyait. Il s'en dégageait une impression d'absurdité insane, forcenée, et la musique d'accompagnement était si répétitive que le docteur y voyait l'image même de la monotonie démente qui s'abat sur l'existence, par périodes. Le numéro s'intitulait Cyclo-pyramide, son principe était bête comme chou mais poussé au bout de sa logique.

Il y avait deux bicyclettes, chacune montée par une cycliste solide et robuste, et elles se suivaient sur la piste. Bientôt d'autres femmes, moricaudes et bien en chair, les rejoignaient et grimpaient en marche par des moyens divers. Certaines se perchaient sur les courtes tiges qui dépassaient des essieux, sur la roue avant ou sur la roue arrière ; d'autres se mettaient debout sur le guidon, en équilibre instable ; d'autres encore se maintenaient comme elles pouvaient sur les garde-boue arrière. Et les robustes cyclistes pédalaient toujours, sans avoir cure de ces grappes humaines. C'est alors qu'apparaissaient des petites filles, qui grimpaient sur les épaules et la tête des femmes, y compris celles des vigoureuses cyclistes en plein effort. Si bien que les femmes constituaient deux pyramides rivales, accrochées aux deux bicyclettes, qui tournaient indéfiniment sur la piste.

La musique endiablée évoquait un passage du cancan, répété inlassablement. Toutes les équilibristes, les grasses aînées et les fluettes cadettes portaient sur le visage une poudre trop blanche pour leur peau moricaude. Arborant des tutus mauve parme, elles souriaient, souriaient, souriaient, en tournant sur la piste. La dernière fois que le docteur avait vu exécuter ce numéro, il avait eu l'impression qu'il ne finirait jamais.

Peut-être y avait-il un Cyclo-pyramide dans la vie de tout le monde. En s'arrêtant devant la porte de son appartement, il se dit qu'il venait de passer une journée cyclopyramidale. Il n'aurait pas été autrement surpris d'entendre le cancan diabolique repartir, comme si une douzaine de petites moricaudes enfarinées portant des tutus mauve allaient lui ouvrir la porte, au rythme infernal d'une musique de fous.

7

Le Dr Daruwalla se cache
dans sa chambre

Maintenant les éléphants vont se fâcher

Si le passé est un labyrinthe, où en est la sortie ? Dans son appartement, le docteur ne trouva pas de moricaudes enfarinées en tutu pour l'accueillir ; c'est la voix lointaine et pourtant claire de sa femme qui l'arrêta. Elle provenait du balcon où Julia offrait à l'inspecteur Dhar son point de vue favori sur Marine Drive. Il arrivait au jeune homme de passer la nuit sur ce balcon, soit qu'il fût resté trop tard pour rentrer, soit qu'il débarquât à Bombay et eût besoin de se replonger dans le bain d'effluves de la ville.

Dhar jurait que c'était le secret de sa réadaptation parfaite et quasi immédiate à l'Inde. Il pouvait très bien arriver d'Europe, tout droit de la fraîcheur de l'air suisse – souillé à Zurich de fumets de restaurants et de vapeurs d'échappement, avec des relents de charbon et un soupçon de gaz de ville –, au bout de deux ou trois jours il assurait ne plus être incommodé par le brouillard de Bombay, les deux ou trois millions de feux de cuisine des taudis, ni par la puanteur douceâtre des ordures en décomposition, ni même par l'horreur excrémentielle des quatre ou cinq millions d'individus faisant leurs besoins dans le caniveau ou au bord de la mer toute proche. Dans une cité de neuf millions d'habitants, si la moitié chie en plein air, cet air doit en garder le souvenir. Il fallait deux ou trois semaines au Dr Daruwalla pour s'habituer à cette odeur envahissante.

Dans le vestibule, où l'odeur dominante était celle du moisi, le docteur retira sans bruit ses sandales ; il posa sa serviette et sa vieille trousse de médecin, marron foncé. Il remarqua que, dans leur porte-parapluies, les parapluies inutiles étaient tout poussiéreux : les dernières averses de mousson remontaient à trois mois. Même à travers la porte de la cuisine fermée, il détectait le mouton et le dhal (ah, encore !), mais cet arôme n'aurait su le distraire de la nostalgie puissante que dégageait pour lui la voix de sa femme parlant allemand, langue que Julia parlait toujours lorsqu'elle était seule avec Dhar.

Il resta un moment à écouter les modulations autrichiennes de l'allemand de Julia, le son *ich* qui remplaçait le *ig,* et il la revit à dix-huit ou dix-neuf ans, lorsqu'il la courtisait chez sa mère, dans la vieille demeure au papier jauni, à Grinzing. C'était une maison surchargée, décorée dans le style Biedermeier. Dans le vestibule, près du portemanteau, trônait un buste de Franz Grillparzer. Le salon où l'on prenait le thé était dominé par l'œuvre d'un artiste hanté par l'expression d'innocence des enfants, et des oiseaux de porcelaine ainsi que des gazelles d'argent ajoutaient à cette mièvrerie. Farrokh se rappelait l'après-midi où il avait fait un grand geste nerveux avec le sucrier : il avait cassé un abat-jour de verre peint.

Il y avait deux pendules dans cette pièce. La première jouait un fragment de valse de Lanner à la demi-heure et un fragment un peu plus long de valse de Strauss à l'heure. La seconde rendait le même genre d'hommage à Beethoven et Schubert – on avait eu la bonne idée de la faire retarder d'une minute par rapport à la première. Farrokh se souvenait qu'au moment où Julia et sa mère s'employaient à ramasser les débris de l'abat-jour, on avait pu entendre Strauss, puis Schubert.

Chaque fois qu'il se rappelait les thés de l'après-midi, il revoyait la jeune fille. Toujours habillée d'une manière qui eût fait l'admiration de Lady Duckworth, chemisier crème à manches volantées et col officier, tuyauté au bord. On parlait allemand, parce que l'anglais de sa mère n'était pas aussi bon que le leur. A présent, ils parlaient rarement allemand. Mais c'était resté la langue de l'amour pour eux, et celle qu'ils parlaient dans le noir. C'était la langue dans laquelle Julia lui avait dit : « Je te trouve très attirant. » Il la courtisait déjà depuis deux ans, et pourtant, il avait trouvé la phrase bien hardie de sa part ; il en était resté sans voix. Et comme il cherchait ses mots pour lui demander si la couleur de sa peau ne la gênait pas, elle avait ajouté : « Surtout ta peau. C'est très beau l'image de ta peau contre la mienne » (*das Bild,* l'image).

Lorsque les gens disent que l'allemand, ou toute autre langue, est une langue romantique, pensait le docteur, ce qu'ils entendent par là, c'est qu'ils ont un passé amoureux dans cette langue. Il y avait même une certaine intimité à écouter Julia parler allemand à Dhar, qu'elle appelait toujours John D. C'était le nom que lui donnaient les domestiques, et elle l'avait adopté, comme, avec le docteur, elle avait adopté les domestiques eux-mêmes.

C'était un couple de vieillards fluets, Nalin et Swaroop, sa femme, que les enfants du docteur et John D. avaient toujours appelée Roopa ; mais ils avaient survécu à Lowji et Meher, au service de qui ils étaient tout d'abord entrés ; travailler pour Farrokh et Julia était une forme de préretraite ; ils étaient si rarement là ! Le reste du temps, Nalin et Roopa étaient les gardiens de l'appartement. Si le docteur l'avait vendu, où seraient-ils allés ? Il avait convenu avec Julia de ne le vendre qu'après la mort des vieux domestiques. Farrokh aurait tout aussi bien pu descendre dans un hôtel convenable. Un jour que ses confrères canadiens le taquinaient sur son côté conservateur, Julia s'était écriée : « Farrokh, conservateur ? Mais il est prodigue, au contraire. Il entretient un appartement à Bombay rien que pour donner un toit aux anciens domestiques de ses parents. »

Tout d'un coup le docteur entendit Julia évoquer le Collier de la Reine ; c'est le nom que l'on donne là-bas aux rangées de lampadaires de Marine Drive. Le nom vient du temps où les ampoules étaient blanches ; mais les lampes antibrouillard sont jaunes à présent. Et Julia disait que le jaune ne seyait pas au collier d'une reine.

Ce qu'elle peut être européenne, pensa Farrokh. Il avait une grande affection pour la facilité avec laquelle elle s'adaptait à leur vie au Canada ainsi qu'à leurs séjours sporadiques en Inde, sans jamais perdre sa sensibilité du Vieux Continent, qui se retrouvait jusque dans sa voix et dans son habitude de s'habiller pour dîner, même à Bombay. Ce n'était pas la teneur de ce qu'elle disait qu'il écoutait ; il ne voulait pas être indiscret. C'était son allemand, la douceur de son accent, conjuguée à la précision de son expression. Puis il songea que si Julia parlait du Collier de la Reine, c'était qu'elle n'avait pas annoncé la mauvaise nouvelle à Dhar ; et le cœur du docteur sombra dans sa poitrine ; il s'aperçut qu'il avait désespérément compté qu'elle le ferait.

Puis ce fut John D. qui parla. Si l'allemand de Julia avait sur Farrokh un effet apaisant, celui de l'inspecteur Dhar, au contraire, le perturbait. En allemand, il avait peine à reconnaître son cher enfant, et il était troublé d'entendre que le jeune homme parlait un allemand beaucoup plus énergique que son anglais. Cela accusait le fossé qui s'était creusé entre eux. Certes le jeune homme était allé à l'université à Zurich, il avait passé le plus clair de sa vie en Suisse. Et son travail d'acteur le plus sérieux, celui qu'il faisait au Schauspielhaus Zurich, même s'il ne lui valait pas une vaste reconnaissance, lui procurait plus de fierté que ses succès commerciaux dans le rôle de l'inspecteur Dhar. Pourquoi son allemand n'aurait-il pas été parfait ?

Par ailleurs, il n'y avait pas l'ombre d'un sarcasme dans sa voix lorsqu'il parlait à Julia. Farrokh reconnut là une vieille jalousie. Il est plus affectueux avec elle qu'avec moi, se dit-il. Après tout ce que j'ai fait pour lui ! Il ressentait comme une amertume paternelle, et il en eut honte.

Il se glissa sans bruit dans la cuisine, où le remue-ménage des préparatifs du dîner, apparemment interminables, l'empêchait d'entendre la voix de l'acteur et sa diction soignée. En outre, il avait cru tout d'abord que Dhar ne faisait que répondre à la remarque sur le Collier de la Reine. Mais il avait bientôt entendu surgir son propre nom ; voilà que Dhar racontait une vieille histoire, la fois où il l'avait emmené à la mer « pour voir les éléphants ». Le docteur n'avait pas voulu en entendre davantage ; il redoutait de discerner le reproche qui se ferait jour dans le souvenir. Le cher enfant racontait la fois où il avait eu si peur, pendant la fête de Ganesh Chaturthi. On aurait dit que la moitié de la ville s'était attroupée sur la plage de Chowpatty, pour immerger ses idoles de Ganesh, le dieu à tête d'éléphant. Farrokh n'avait pas préparé l'enfant à la frénésie orgiaque de la foule ; et il ne lui avait rien dit de la taille des têtes d'éléphants, dont beaucoup étaient plus grosses que des vraies. Farrokh se souvenait de cette sortie comme de la première et seule fois où il avait vu John D. faire une crise de nerfs. « Ils noient les éléphants, criait-il, et maintenant les éléphants vont se fâcher ! »

Dire qu'il avait reproché à Lowji de faire mener une vie trop protégée à l'enfant. « Si tu ne l'emmènes qu'au Duckworth, lui avait-il dit, comment veux-tu qu'il apprenne quoi que ce soit sur l'Inde ? » Je suis devenu un bel hypocrite, songeait le Dr Daruwalla, car il ne connaissait personne à Bombay qui ait su mieux se protéger de l'Inde que lui-même au Duckworth, et pendant des années.

Il avait emmené un enfant de huit ans sur la plage de Chowpatty pour voir le peuple ; ils étaient des centaines de milliers à plonger leurs idoles à tête d'éléphant dans la mer. Que croyait-il que l'enfant allait y comprendre ? Ce n'était pas le moment de lui expliquer que les Anglais avaient interdit tous les rassemblements et fait passer des règlements exaspérants pour empêcher les réunions ; à huit ans, hors de lui, l'enfant était trop petit pour apprécier cette manifestation symbolique en faveur de la liberté d'expression. Farrokh essaya de ramener le petit à rebrousse-foule, mais les idoles du seigneur Ganesha se pressaient de plus en plus nombreuses autour d'eux ; le troupeau les entraînait tous deux vers la mer. « C'est une cérémonie, avait chuchoté Farrokh à l'oreille de l'enfant, ce n'est pas une émeute. » Il sentait le petit trembler dans ses bras. C'est ainsi qu'il avait mesuré le poids de son ignorance – de l'Inde, mais aussi de la fragilité enfantine.

A présent il se demandait si John D. était en train de dire à Julia : « C'est mon premier souvenir de Farrokh. » Le cher enfant ! Et il allait encore lui attirer des ennuis.

Pour se distraire, il fourra son nez dans la grande marmite de dhal. Cela faisait déjà longtemps que Roopa avait ajouté le mouton, et elle lui rappela qu'il était en retard en constatant que, heureusement, le mouton n'était jamais trop cuit. « Mais le riz s'est desséché », ajouta-t-elle tristement.

Le vieux Nalin, en optimiste incurable, tâcha de réconforter le docteur. Il lui signala dans son anglais rudimentaire : « Mais plein de bière. »

Le Dr Daruwalla était culpabilisé qu'il y ait toujours tant de bière à la maison ; ses propres capacités l'alarmaient, quant au goût de Dhar pour ce breuvage, il semblait illimité. Et comme c'était Nalin et Roopa qui faisaient les courses, l'idée que les vieillards traînent ces lourdes bouteilles le culpabilisait de même. Sans compter le problème de l'ascenseur ; en tant que domestiques, ils n'y avaient pas droit. Moyennant quoi le vieux couple, lesté, grimpait tant bien que mal à pied. « Et plein de messages », dit Nalin au docteur.

Le vieux adorait le répondeur tout neuf. Julia avait insisté pour l'installer parce que Nalin et Roopa n'arrivaient jamais à prendre un message convenablement ; ils étaient incapables de transcrire un numéro de téléphone ou d'écrire un nom propre. Quand le répondeur fonctionnait, le vieux Nalin se délectait à l'écouter, car il était dégagé de toute responsabilité.

Farrokh quitta la cuisine en emportant une bière. L'appartement semblait si petit. Si à Toronto les Daruwalla possédaient une maison immense, à Bombay, il fallait traverser le salon, qui faisait salle à manger, sur la pointe des pieds, pour gagner la chambre et la salle de bains. Mais Dhar et Julia, plongés dans leur conversation sur le balcon, ne le virent pas. John D. récitait la partie la plus fameuse de l'histoire ; Julia en riait toujours.

« Ils sont en train de noyer les éléphants, pleurait John D. Ils vont se fâcher, les éléphants ! »

Le docteur trouvait que la phrase ne sonnait jamais tout à fait bien en allemand.

Si je me fais couler un bain, se dit-il, ils vont m'entendre, et ils sauront que je suis rentré. Je vais me laver en vitesse dans le lavabo. Il étendit une chemise propre sur le lit. Contrairement à ses habitudes il choisit une cravate voyante, avec un perroquet vert vif ; c'était un cadeau de Noël que John D. lui avait fait dans le temps ; le docteur ne l'aurait jamais mise à l'extérieur. Il ne savait pas à quel point elle réveillerait son costume bleu marine. Ces vêtements étaient tout à fait déplacés à Bombay, surtout pour dîner chez lui, mais Julia serait toujours Julia.

Après s'être lavé, le docteur jeta un bref coup d'œil à son répondeur ; le clignotant était allumé, mais il ne se donna pas la peine de compter les messages. Ce n'est pas le moment de les écouter, s'admonesta-t-il, malgré sa fâcheuse tendance à tout remettre au lendemain. Mais s'il allait se mêler à la conversation de Julia et John D., l'inévitable confrontation se produirait au sujet du jumeau. Tandis qu'il délibérait, il vit la pile de lettres posée sur son écritoire. Dhar avait dû passer aux studios prendre le courrier de ses fans, des lettres de haine, pour la plupart.

Ils étaient convenus depuis longtemps que le dépouillement de ce courrier revenait au docteur ; car si les lettres étaient bien adressées à l'inspecteur Dhar, elles portaient rarement sur sa façon de jouer ou de postsynchroniser. Elles étaient toujours sur la création de son personnage, ou sur une histoire en particulier. Comme on supposait que Dhar était l'auteur des scénarios, et donc le créateur de son propre personnage, c'était lui l'objet du ressentiment majeur des lettres.

Avant les menaces de mort, et surtout avant les meurtres en série de prostituées, le docteur ne se pressait jamais de lire son courrier.

160

Mais depuis qu'on attribuait officiellement le meurtre des « canaris » à une imitation des crimes à l'écran, le ton du courrier s'était fait plus menaçant. Et, à la lumière du crime du golf, le docteur se sentait obligé d'éplucher le courrier à tout hasard. Il considéra la grosse pile de lettres et se demanda si, en la circonstance, il devrait demander à Julia et à Dhar de l'aider à en faire le tour. La soirée ne s'annonçait déjà pas de tout repos ! Plus tard, peut-être, se dit-il, si la conversation vient sur le sujet.

Mais tandis qu'il s'habillait, il ne parvint pas à ignorer le clignotement insistant de l'appareil. Bon, il n'était peut-être pas nécessaire de rappeler pour l'instant, se dit-il en faisant son nœud de cravate. Il pouvait toujours écouter les messages, prendre deux ou trois notes, et rappeler plus tard. Il se mit en quête d'un bloc-notes et d'un stylo, ce qui n'était pas aisé sans se faire entendre, étant donné que la minuscule chambre était encombrée du bric-à-brac victorien fragile et sonore qu'il avait hérité de son père. Bien qu'il n'ait gardé de la demeure de Ridge Road que ce qu'il n'avait pu se résoudre à vendre aux enchères, son bureau était couvert des babioles de son enfance, sans compter les photos de ses trois filles ; or, comme elles étaient mariées, les photos de leur mariage étaient exposées, ainsi que celles des petits-enfants. Et puis il y avait ses photos favorites de John D. Le jeune homme faisant du ski de descente à Wengen, du ski de fond à Pontresina, de la randonnée à Zermatt ; ainsi que plusieurs affiches encadrées du Schauspielhaus Zurich, où la distribution mentionnait John Daruwalla dans des premiers ou des seconds rôles. Il jouait Jean dans *Fräulein Julie* de Strindberg, Christopher Mahon dans *Ein Wahrer Held,* de John Millington Synge. Il jouait Achille dans *Penthésilea*, de Heinrich von Kleist, Fernando dans *Stella*, de Goethe, Ivan dans *Onkel Vanja*, de Tchekhov, Antonio dans *Der Kaufmann von Venedig* ; une fois il y avait joué Bassanio. Shakespeare semblait si étranger, en allemand. Cela déprimait Farrokh de constater qu'il avait perdu le contact avec la langue de ses années romantiques.

Il finit par trouver un stylo. Puis il repéra un bloc-notes sous la statuette d'argent qui représentait Ganesh bébé ; le petit dieu à tête d'éléphant était assis sur les genoux de sa mère, Parvati, une humaine, dans une pose mièvre. Malheureusement, l'absurde réaction suscitée par *L'Inspecteur Dhar et le Tueur de canaris* avait dégoûté Farrokh des éléphants. C'était injuste car, de l'éléphant, Ganesh n'avait que la tête ; le dieu avait quatre bras humains, avec leurs mains, et deux pieds qui ne l'étaient pas moins. Par ailleurs, Sire Ganesha n'arborait qu'une seule défense entière, et parfois, il en tenait une, brisée, dans l'une de ses quatre mains.

Ganesh n'offrait pas de vraie ressemblance avec cet éléphant à la joie malséante, qui, dans le dernier *Inspecteur Dhar*, était la signature du maniaque ; ce petit dessin infâme qu'il faisait sur le ventre des prostituées qu'il assassinait. Cet éléphant-là n'était pas un dieu. Au reste, il avait conservé ses deux défenses. N'importe : le docteur ne pouvait plus voir les éléphants en peinture ! Il regrettait de ne pas avoir demandé au commissaire quels dessins faisait le vrai meurtrier ; car la police avait simplement dit à la presse que l'œuvre d'art de l'assassin-dessinateur était « une variation évidente sur le thème du film ». Mais encore ?

La question perturbait profondément le docteur ; il se souvenait avec un frisson dans le dos qu'il avait lui-même trouvé l'idée d'un caricaturiste assassin dans la réalité, sur le ventre d'une victime. Vingt ans auparavant, il avait dû expertiser les circonstances d'un crime qui n'avait jamais été élucidé. Et voilà qu'à présent la police voulait faire croire que c'était le film qui avait soufflé l'idée à l'assassin. Il savait bien, lui, le scénariste, que c'était l'assassin – le même ? – qui la lui avait soufflée. Et ce meurtrier, ne savait-il pas à l'évidence que le film n'avait fait que le copier ?

Je suis dépassé, comme d'habitude, décida le docteur. Il décida aussi d'en informer le commissaire, au cas où il ne le saurait pas déjà. Mais au fait, comment le saurait-il déjà ? Les arrière-pensées étaient une seconde nature, chez lui. Au Duckworth, le flegme du commissaire l'avait impressionné, et il ne pouvait se départir de l'idée que l'homme n'avait pas tout dit.

Il interrompit ses pensées inopportunes aussi vite qu'elles étaient venues. Assis à côté du répondeur, il baissa le son en appuyant sur le bouton. Sans quitter sa cachette, le scénariste honteux écoutait les messages.

Les chiens du premier

En entendant la voix plaintive de Ranjit, le docteur regretta sur-le-champ sa décision de se priver de la compagnie de Julia et John D., ne fût-ce qu'une minute et pour n'écouter qu'un seul message. Quoique plus âgé que le docteur de quelques années, Ranjit avait conservé des espérances qui n'étaient plus de saison, et une indignation juvénile. Les premières se manifestaient dans ses annonces matrimoniales, que le docteur trouvait déplacées à son âge et dans sa situation, la seconde, il la réservait surtout aux femmes qui, l'ayant rencontré, l'éconduisaient. Non pas, bien sûr, qu'il ait consacré son existence à passer des petites annonces depuis qu'il était entré au service du vieux Lowji. Après des entretiens épuisants, il s'était bel et bien marié, et assez longtemps avant la mort de Lowji pour que celui-ci ait pu jouir de nouveau de son zèle prématrimonial.

Mais sa femme venait de mourir, et il était à quelques années de la retraite. Il travaillait encore pour les chirurgiens associés de l'hôpital des Enfants infirmes, et faisait toujours office de secrétaire pour Farrokh lorsque le Canadien récupérait son poste de consultant honoraire à Bombay. L'heure était venue pour lui de se remarier, et il devait le faire sans délai, car il paraîtrait plus jeune, sur les annonces, s'il se décrivait comme encore en activité que déjà retraité ; pour ne rien négliger, dans ses dernières annonces, il avait même tenté de jouer sur les deux tableaux, spécifiant qu'il exerçait « une activité rémunératrice » et serait bientôt un « jeune retr. tr. actif ».

C'étaient des détails comme ce « tr. actif » qui chagrinaient le docteur dans les annonces de Ranjit, et puis le fait que l'homme était un menteur éhonté. Grâce aux usages en vigueur dans le *Times of India* – les futurs époux gardaient l'anonymat derrière un numéro confidentiel –, il était loisible à Ranjit de publier une demi-douzaine d'annonces dans les pages matrimoniales du journal, chaque dimanche. Il avait découvert qu'il était bien porté de déclarer « caste indiffér. », mais qu'il était aussi de bon ton de s'annoncer « brahmane ; consc. caste ; pratiqu. ; horoscopes assortis exig. ». C'est ainsi qu'il proposait plusieurs versions de sa personne en même temps. Il expliqua à Farrokh que ce qu'il cherchait, c'était la meilleure épouse possible, avec ou sans conscience de caste, avec ou sans religion. Pourquoi se priver de l'avantage de rencontrer toutes celles qui se présenteraient ?

Le Dr Daruwalla constatait avec embarras qu'il était inexorablement entraîné dans la sphère matrimoniale de Ranjit. Tous les dimanches, il épluchait avec Julia les annonces matrimoniales du *Times of India*. C'était à celui qui les identifierait toutes. Mais le message téléphonique de Ranjit était d'une tout autre nature. Le secrétaire vieillissant appelait une fois de plus pour se plaindre de celle qu'il nommait « la femme du nain ». Ces termes d'infamie s'appliquaient à Deepa, pour qui il nourrissait une réprobation farouche, digne de Mr Sethna lui-même. Tous les secrétaires médicaux éconduisaient-ils avec la même cruauté ceux qui sollicitaient l'attention du médecin ? Cette hostilité était-elle le seul fait d'un désir sincère d'épargner les pertes de temps à leur patron ?

Pour être juste envers Ranjit, Deepa s'imposait avec un aplomb exceptionnel. Elle avait réclamé un rendez-vous du matin pour la petite prostituée en fugue, et cela avant même que Vinod n'ait persuadé le docteur d'examiner la nouvelle acquisition de l'écurie Garg. « La fillette serait dépourvue de squelette », disait Ranjit en reprenant sans doute la terminologie de Deepa (une « désossée »), par dérision pour le vocabulaire de la femme du nain. S'il fallait en croire la description de Deepa, la petite était peut-être en caoutchouc à cent pour cent, « autre merveille pour la médecine et vierge bien sûr, de surcroît », concluait le sarcastique message.

Le message suivant était ancien et venait de Vinod. Le nain avait dû appeler alors que Farrokh était encore dans le jardin des Dames, au Duckworth. En fait le message s'adressait à l'inspecteur Dhar.

« Inspecteur favori me dit qu'il couche sur votre balcon, cette nuit. Si jamais il changeait avis, je suis en maraude, ce soir, je tue temps, quoi. Si inspecteur a besoin de moi, il connaît portiers d'Oberoi et de Taj, pour laisser messages, je veux dire. Je prends une course à La Poule mouillée en fin de nuit, c'est vrai, mais vous dormirez. Demain matin, je vous prends comme d'habitude. Au fait, je suis en train de lire magazine avec moi dedans ! » concluait le nain.

Vinod ne lisait jamais que des magazines de cinéma, où il pouvait parfois s'apercevoir, sur les clichés des célébrités, en train d'ouvrir la porte d'une de ses Ambassadors à l'inspecteur Dhar. Sur la porte, justement, apparaissait le cercle rouge entourant le T de taxi, et le nom de la compagnie du nain, souvent caché en partie :

Taxis Vinod. Le Nil bleu, ltd.

Par opposition au « Grand », sans doute.

Dhar était la seule vedette de cinéma qui prenait les taxis de Vinod, et le nain savourait ses apparitions occasionnelles en compagnie de son « inspecteur favori », dans la presse des potins cinématographiques. Il n'avait pas renoncé à l'espoir que d'autres vedettes suivent l'exemple de Dhar, mais Dimple Kapadia, Jaya Prada, Pooja Bedi et Pooja Batt, sans parler de Chunky Pandey et Sunny Deol, de Madhuri Dixit et Moon Moon Sen avaient sans exception décliné de prendre les taxis « de luxe » du nain. Peut-être pensaient-ils qu'être vus avec le tueur de Dhar nuirait à leur réputation.

Quant aux « maraudes » entre l'Oberoi et le Taj, c'était le territoire favori du nain pour ses virées nocturnes. Les portiers le reconnaissaient, et ils le traitaient bien, car chaque fois que Dhar était à Bombay, il prenait une suite à l'Oberoi et une autre au Taj. En descendant en même temps dans les deux hôtels, Dhar s'assurait d'y être bien servi ; tant que les deux établissements étaient en concurrence, ils se surpassaient pour lui accorder la plus grande intimité. Leurs détectives étaient intraitables avec les chasseurs d'autographes et autres traqueurs de célébrités, et à la réception des deux hôtels, si le visiteur ne connaissait pas le numéro de code, qui changeait sans cesse, il s'entendait répondre que l'acteur n'était pas descendu dans l'établissement.

Pour Vinod, « tuer le temps » signifiait arrondir ses fins de mois. Il n'avait pas son pareil pour repérer le touriste en déshérence dans le hall des hôtels ; il proposait aux étrangers de les conduire dans un bon restaurant, ou bien là où ils voudraient. Il reconnaissait avec flair le touriste échaudé par une expérience malheureuse avec les taxis, et qui se laisserait plus facilement tenter par son service « de luxe ».

Le Dr Daruwalla comprenait bien qu'avec lui et Dhar pour seuls clients, le nain n'aurait guère pu vivre, même en comptant Mr Garg comme une pratique plus régulière. Et il connaissait bien cette habitude qu'avait le nain de « laisser des messages », car ce dernier avait profité du statut de vedette qu'avait Dhar auprès des portiers de l'Oberoi et du Taj. Ce n'était peut-être pas le plus commode, mais c'était la seule façon pour lui de signaler qu'il était « libre ». Il n'y avait pas de téléphone cellulaire à Bombay ; les téléphones de voiture étaient inconnus – inconvénient caractérisé pour son entreprise, et dont il se plaignait régulièrement.

Par conséquent, si Farrokh ou Dhar avaient besoin de lui, ils laissaient un message aux portiers du Taj et de l'Oberoi. Mais il appelait aussi pour une autre raison : il n'aimait pas monter chez le docteur à l'improviste ; il n'y avait pas d'interphone dans le hall, et puis Vinod refusait de se considérer comme un domestique – et de prendre l'escalier, handicapé qu'il était par son nanisme. Le docteur avait protesté en son nom auprès de l'Association des copropriétaires. Il avait commencé par mettre en avant l'infirmité du nain ; on n'allait pas obliger un infirme à prendre l'escalier ! L'Association avait rétorqué qu'on n'était pas censé prendre des infirmes pour domestiques. Le docteur avait contre-attaqué : Vinod était chef d'entreprise, il n'était le domestique de personne ; après tout, il était propriétaire d'une compagnie de taxis. Les chauffeurs sont des domestiques, avait conclu l'Association des copropriétaires.

Au mépris de cet absurde règlement, Farrokh avait dit à Vinod de prendre l'ascenseur ségrégationniste quand il montait le voir au sixième. Mais chaque fois que le nain appelait le fameux ascenseur, à toute heure du jour ou de la nuit, les chiens du premier détectaient sa présence. Les appartements du premier accueillaient une foultitude de chiens, et même si l'interprétation de Vinod (les chiens détestent les nains) laissait Farrokh sceptique, il n'avait pas de raison scientifiquement acceptable à proposer pour expliquer les aboiements frénétiques des chiens du premier chaque fois que Vinod attendait l'ascenseur interdit.

C'est ainsi que Vinod était contraint de se mettre d'accord avec Farrokh et John D. sur l'heure précise à laquelle il devrait les chercher, de façon à pouvoir les attendre dans l'Ambassador le long du trottoir ou dans l'allée toute proche, sans entrer dans le hall de l'escalier. En outre, lorsqu'il attirait nuitamment l'attention féroce des chiens du premier, il perturbait l'écosystème du bloc ; or Farrokh n'était déjà pas en odeur de sainteté auprès des autres copropriétaires, qu'il avait froissés en se désolidarisant d'eux sur la question de l'ascenseur.

Et puis le docteur était le fils d'un grand homme, d'un grand homme assassiné dans des circonstances défrayant les chroniques, il y avait là une autre raison de lui en vouloir. Quant au fait qu'il vivait à l'étranger et s'offrait le luxe de faire occuper son appartement par ses domestiques, parfois sans y mettre les pieds pendant des années, il contribuait sans aucun doute à le faire prendre en grippe, voire à le faire mépriser ouvertement.

Ces chiens semblaient coupables de racisme antinains, mais ce n'était pas la seule raison de les détester, pour Farrokh. Leurs aboiements hystériques le perturbaient parce qu'ils étaient irrationnels ; or l'irrationalité lui rappelait ce qui lui échappait dans l'Inde en général.

Pas plus tard que ce matin, sur son balcon, il avait entendu son voisin du cinquième, le Dr Malik Abdul Aziz, serviteur modèle du Très-Haut, prier au-dessous de lui. Lorsque Dhar couchait sur le balcon, il lui faisait souvent part de l'apaisement qu'il éprouvait à être éveillé par les prières du Dr Aziz.

« Loué soit Allah, seigneur de la création », c'est tout ce que le Dr Daruwalla avait compris. Plus tard, il y avait eu quelque chose sur le « droit chemin ». C'était une prière pure, Farrokh l'avait bien aimée, et il admirait depuis longtemps la foi sans failles du Dr Aziz. Pourtant, sur un virage à angle droit, ses pensées avaient quitté la religion au profit de la politique, parce qu'il s'était souvenu des slogans agressifs qu'il avait vus s'étaler en ville. Les messages de ces panneaux étaient fondamentalement hostiles ; leur but avoué strictement religieux :

L'ISLAM EST LA SEULE VOIE DE L'HUMANITÉ POUR TOUS

Et encore, les slogans du Shiv Sena, qui traînaient dans tout Bombay, étaient pires (LE MAHARASHTRA AUX MAHARASHTRIENS, ou encore SOIS FIER DE DIRE : « JE SUIS HINDOU »).

Comme le ver dans le fruit, le mal s'était glissé dans la pureté de la prière. La dignité et la discrétion d'un homme comme le Dr Aziz, avec son tapis de prière déroulé sur son balcon, avaient été compromises par le prosélytisme, dévoyées par la politique. Et si cette folie avait dû prendre une voix, Farrokh savait qu'elle aurait pris celle de ces chiens, avec leurs aboiements irrationnels.

Inopérable

Le Dr Daruwalla et le Dr Aziz étaient les lève-tôt les plus réguliers de tout l'escalier, à cause des opérations qu'ils effectuaient tous deux, car le Dr Aziz était urologue. « S'il prie tous les matins, je devrais bien en faire autant », s'était dit Farrokh ; ce matin-là, il avait attendu poliment que le musulman ait fini ; puis on avait entendu ses mules glisser sur le balcon pendant qu'il roulait son tapis de prière, et le docteur avait feuilleté son *Book of Common Prayer* ; il y cherchait une prière de circonstance, ou du moins une qui lui fût familière. A sa grande honte, son ardeur pour le christianisme semblait de plus en plus appartenir au passé – ou bien sa foi elle-même s'était-elle tout à fait enfuie ? Après tout, le miracle qui l'avait converti était vraiment mineur ; peut-être avait-il besoin d'un nouveau petit miracle pour l'inspirer, à présent. Il se rendait bien compte que la plupart des chrétiens n'avaient pas besoin d'un miracle pour garder la foi, et cette prise de conscience l'empêcha aussitôt de poursuivre sa recherche. Ces derniers temps, il avait le sentiment qu'en matière de religion aussi, il pourrait bien être un imposteur.

A Toronto, il était un Canadien non assimilé, et un Indien qui fuyait la communauté indienne. A Bombay, le quotidien ne cessait de lui rappeler combien il était ignorant de l'Inde, et combien il se sentait peu indien. A vrai dire, le docteur était orthopédiste et duckworthien. Cela faisait de lui le membre de deux clubs privés, voilà tout. Même sa conversion au christianisme lui semblait fallacieuse. Il n'allait à l'église que pour les fêtes d'obligation, Pâques et Noël, et il aurait été en peine de se rappeler la dernière fois qu'il avait connu le plaisir tout intérieur de la prière.

Malgré son côté indigeste – c'était l'alpha et l'oméga de ce qu'il était censé croire – il entama ses oraisons expérimentales par le Credo des apôtres, profession de foi reconnue : « Je crois en Dieu le Père tout-puissant, Créateur du ciel et de la terre… » récita-t-il d'un trait ; mais les majuscules le distrayaient ; il s'arrêta.

Plus tard, en montant dans l'ascenseur, il remarqua combien ses dispositions pour la prière s'étaient vite envolées. Il résolut de féliciter le Dr Aziz pour la grande discipline de sa foi, et ce à la première occasion. Mais lorsque le Dr Aziz monta dans l'ascenseur à son tour, au cinquième, il en fut tout décontenancé et ne réussit qu'à lui dire :

– Bonjour, docteur, vous avez l'air en pleine forme !

– Eh bien, merci, alors… vous aussi, docteur, répondit le Dr Aziz avec des mines de conspirateur.

Lorsque les portes de l'ascenseur se refermèrent et qu'ils furent seuls, l'urologue lui demanda :

– Vous êtes au courant, pour le Dr Dev ?

Mais quel Dr Dev ? se demandait Farrokh. Il y en avait un qui était cardiologue, un autre qui était anesthésiste. Il y en avait toute une bande, songea-t-il. Entre médecins, le Dr Aziz lui-même était connu comme Aziz l'urologue, ce qui était la seule façon logique de le différencier de la demi-douzaine de ses homonymes.

– Le Dr Dev ? demanda-t-il sans se compromettre.

– Dev le gastro-entérologue, répondit Aziz l'urologue.

– Ah oui, celui-là, d'accord…

– Alors, vous êtes au courant ? reprit le Dr Aziz. Il a le sida, et il l'a attrapé par une malade. Pas par voie sexuelle, je veux dire.

– En l'auscultant ?

– En lui faisant une coloscopie, je crois. C'était une prostituée.

– Une coloscopie, mais enfin, comment ça ?

– Il doit y avoir au moins quarante pour cent des prostituées infectées. Chez mes patients, ceux qui vont chez les prostituées sont séropositifs dans vingt pour cent des cas !

– Mais je vois mal comment, au cours d'une coloscopie… objecta Farrokh.

Cependant le docteur était trop surexcité pour l'écouter.

– J'ai des patients qui viennent me dire, à moi, urologue, qu'ils ont guéri leur sida en buvant leur urine !

– Ah oui, le traitement par l'urine, c'est un vieux remède populaire, mais…

– C'est bien le problème, s'écria le Dr Aziz.

Il tira de sa poche un bout de papier plié en quatre ; on y voyait des mots griffonnés d'une écriture cursive.

– Vous savez ce que dit le *Kama sutra* ? s'enquit-il.

Voilà qu'un musulman lui parlait, à lui, un parsi, converti au christianisme, d'un recueil d'aphorismes hindous sur des exploits sexuels

– d'autres auraient dit « sur l'amour ». Le Dr Daruwalla jugea que la circonspection était de mise, il s'abstint de répondre.

Quant au traitement par l'urine, il était plus sage de n'en rien dire. Moraji Desai, l'ancien Premier ministre, le pratiquait. Et n'y avait-il pas aussi une fondation qui s'appelait Les Eaux de la vie ? Mieux valait n'en rien dire non plus. En outre, Aziz l'urologue voulait lui lire un extrait du *Kama sutra* : autant écouter.

– Parmi les nombreuses situations où l'adultère est permis, il y a, dit le docteur, écoutez bien : « les cas où ces relations clandestines sont sans danger, et font une méthode sûre de gagner de l'argent ».

Le Dr Aziz replia le papier qui avait visiblement déjà beaucoup été consulté, et remit cette pièce à conviction dans sa poche.

– Hein, vous voyez ? dit-il.

– Qu'est-ce que vous voulez dire ? demanda Farrokh.

– C'est bien là le problème, de toute évidence !

Farrokh était toujours en train d'essayer de se représenter comment le Dr Dev avait pu attraper le sida en pratiquant une coloscopie, et il entendit le Dr Aziz conclure que les prostituées attrapaient le sida à cause des mauvais conseils du *Kama sutra*. (Farrokh doutait fort que la plupart ait su lire.) Le Dr Daruwalla sourit nerveusement jusque devant la ruelle derrière l'immeuble, où Aziz l'urologue avait garé sa voiture.

Il y eut un instant de confusion, parce que l'Ambassador de Vinod bloquait le passage, mais le Dr Aziz fut bientôt parti. Farrokh avait attendu dans la ruelle que le nain ait fait son demi-tour. La ruelle, étroite et fermée, sentait le sel, à cause de la mer toute proche ; elle avait la tiédeur et l'humidité d'un égout bouché. C'était un refuge pour les mendiants qui fréquentaient les petits hôtels de bord de mer, sur Marine Drive. Sans doute y recherchaient-ils la clientèle arabe, réputée généreuse, songeait Farrokh. Mais le mendiant qui surgit tout à coup de la ruelle ne faisait pas partie de ceux-là.

C'était un gamin qui boitait très bas, et que l'on voyait parfois faire le poirier sur la plage de Chowpatty. Le docteur savait bien que ce tour de force-là n'était pas assez prometteur pour que Vinod et Deepa proposent un foyer au cirque à ce gamin. Il avait couché sur la plage, et avait encore du sable plein les cheveux ; le soleil levant lui avait fait chercher l'ombre de la ruelle, pour dormir encore quelques heures. Ce va-et-vient de voitures avait dû attirer son attention. Tandis que

Vinod faisait marche arrière dans la ruelle, l'enfant barra le passage au docteur qui s'avançait vers la voiture. Il restait là, planté, bras tendus, paumes ouvertes ; il y avait un voile de mucus sur ses yeux, et une écume blanchâtre aux coins de sa bouche.

Le regard de l'orthopédiste se fixa sur l'infirmité du garçon. Le pied droit était bloqué à quatre-vingt-dix degrés, comme si pied et cheville avaient été d'un seul tenant, déformation qui s'appelle ankylose, et que le docteur connaissait bien pour avoir étudié les points communs des pieds bots, malformation congénitale. Mais le pied comme la cheville étaient singulièrement aplatis – ils avaient dû être écrasés dans un accident, spécula le docteur – et tout le poids de la jambe reposait sur le talon. En outre, le pied infirme était beaucoup plus petit que le pied valide ; l'accident avait dû toucher les plaques de l'épiphyse, qui déterminent la croissance. Non seulement le pied et la cheville étaient désormais solidaires, mais le pied avait cessé de grandir. Inopérable, sans aucun doute, diagnostiqua Farrokh.

C'est alors que Vinod ouvrit sa portière pour sortir. Le mendiant l'observait avec méfiance, mais Vinod ne brandissait pas ses manches de raquette. Il était simplement résolu à ouvrir la porte arrière au Dr Daruwalla, qui remarqua que l'enfant était plus grand mais plus frêle que Vinod. Ce dernier se contenta donc de le pousser du chemin. Farrokh vit l'enfant trébucher ; son pied écrasé raide comme un piquet. Une fois dans l'Ambassador, il baissa à peine la vitre, juste assez pour se faire entendre du mendiant.

– *Maaf karo*, lui dit-il avec douceur.

C'était ce qu'il disait toujours aux mendiants : « Pardonne-moi. »

L'enfant parlait anglais :

– Non, je vous pardonne pas, répondit-il.

En anglais, alors, Farrokh lui posa la question qui l'intéressait :

– Qu'est-ce qui lui est arrivé, à ton pied ?

– Un éléphant lui a marché dessus, répondit l'infirme.

Évidemment, cela expliquerait tout, pensa le docteur ; mais il n'en croyait pas un mot : les mendiants sont menteurs.

– Un éléphant de cirque ? s'enquit Vinod.

– Un éléphant qui descendait d'un train. J'étais bébé, mon père m'avait laissé sur le quai de la gare ; il était dans une boutique de bidis.

171

– Un éléphant t'a marché dessus pendant que ton père était allé acheter des cigarettes ? demanda Farrokh.

Une histoire à dormir debout !

– Alors je suppose qu'on t'a appelé Ganesh, d'après le dieu-éléphant ?

Sans paraître remarquer le sarcasme, l'infirme acquiesça.

– C'était pas le nom qu'il me fallait.

Vinod, lui, semblait croire le gamin.

– Il est docteur, lui dit-il en désignant Farrokh. Peut-être qu'il pourra te réparer...

Mais déjà l'enfant s'éloignait en claudiquant.

– Ça se répare pas, ce que font les éléphants, lança-t-il.

Le docteur ne croyait pas non plus qu'il y pourrait grand-chose.

– *Maaf karo*, répéta-t-il.

L'infirme ne prit pas la peine de s'arrêter ni de se retourner ; il ne répondit rien à la formule favorite de Farrokh.

Puis le nain conduisit le docteur à l'hôpital, où l'attendaient deux interventions, l'une sur un pied bot, et l'autre sur un torticolis. Farrokh essaya de se distraire en rêvassant à une opération du dos, une laminectomie avec fusion ; puis à quelque chose de plus ambitieux, la mise en place de tiges de Harrington pour une infection sévère des vertèbres, avec tassement. Mais même en installant ses instruments chirurgicaux pour les opérations qu'il allait pratiquer, il ne cessait de penser à la manière dont il pourrait traiter le pied du mendiant.

Il pourrait inciser les tissus fibreux, et les tendons contractés et atrophiés ; il y avait des prothèses en plastique pour allonger les tendons ; mais le problème, dans ces écrasement accidentels, c'était la fusion des os ; il faudrait scier l'os. S'il touchait les réseaux de veines qui entouraient le pied, il risquait de compromettre la circulation du sang ; et alors ce serait peut-être la gangrène. Bien sûr, on pouvait toujours amputer et mettre une prothèse, mais l'enfant refuserait sans doute pareille opération. D'ailleurs, Farrokh savait bien que son père lui-même aurait refusé de la pratiquer ; Lowji avait toujours exercé la chirurgie selon le vieil adage *Primum non nocere*, avant tout ne pas nuire.

N'y pensons plus, s'était dit Farrokh. Et c'est ainsi qu'il avait opéré son pied bot et son torticolis, pour affronter ensuite le comité d'examen des candidatures au Duckworth, où il avait déjeuné avec l'inspecteur Dhar, déjeuner bien perturbé par la mort de Mr Lal, et par les tracas que leur avait causés le commissaire Patel. Oui, le docteur venait d'avoir une journée chargée.

Et maintenant, tout en écoutant les messages, il essayait de situer le moment précis où l'on avait assommé Mr Lal, au milieu des bougainvillées du neuvième trou. Cela s'était peut-être passé pendant qu'il opérait ; ou encore avant, au moment où il avait partagé l'ascenseur avec le Dr Aziz ou l'une des fois où il avait dit « *Maaf karo* » au mendiant infirme, qui parlait étonnamment bien anglais.

Ce devait être un de ces mendiants dégourdis qui louent leurs services en tant que guides aux touristes étrangers. Ils n'ont pas leur pareil pour racoler, Farrokh le savait. Beaucoup d'entre eux s'étaient mutilés eux-mêmes ; certains avaient été mutilés intentionnellement par leurs parents – être infirme augmentait les chances, dans la mendicité. Ces variations sur les mutilations, et surtout sur l'automutilation, ramenèrent les pensées du docteur vers les hijras ; et, de là, il se remit à s'interroger sur le crime du golf.

Ce qui le laissait pantois, rétrospectivement, c'est que quelqu'un ait pu s'approcher assez du vieux golfeur pour l'assommer avec son propre putter. Pas facile de se glisser discrètement jusqu'à un type qui fait des moulinets dans les fleurs. Il devait se tortiller dans tous les sens, se courber en deux pour batailler avec cette maudite balle... Et où avait-il mis sa sacoche de clubs ? Elle ne pouvait pas être bien loin. Il aurait donc fallu s'approcher de la sacoche, sortir le putter, et frapper Mr Lal – tout ça sans se faire voir ! Ça ne passerait jamais dans un film, Farrokh en était sûr. Pas même dans un *Inspecteur Dhar*.

C'est alors que le docteur réalisa que le meurtrier devait être un familier de sa victime. Mais s'il s'agissait d'un autre golfeur, il avait sans doute sa propre sacoche avec lui ; pourquoi s'être servi du putter de Mr Lal ? D'un autre côté, ce qu'un non-golfeur aurait bien pu faire aux alentours du neuvième trou, et sans éveiller les soupçons de Mr Lal, l'imaginatif créateur de l'inspecteur Dhar ne parvenait pas à se le figurer.

Il se demandait quels chiens aboyaient dans la tête du meurtrier. Il fallait qu'ils soient furieux, en tout cas, car une irrationalité effarante y régnait. A côté, le Dr Aziz était un modèle de bon sens. Mais les spéculations de Farrokh en la matière furent interrompues par le troisième message téléphonique. Décidément, le répondeur ne lui laisserait pas de répit.

« Bonté divine ! » s'écriait une voix inconnue. Il y passait une exubérance si délirante qu'elle ne lui rappelait personne de sa connaissance.

8
Trop de messages

Pour une fois, les jésuites ne savent pas tout

Farrokh n'avait pas reconnu tout de suite l'enthousiasme hystérique qui caractérisait la voix du père Cecil, optimiste opiniâtre ; à soixante-douze ans, la perspective de parler clairement et calmement sur un répondeur devait l'affoler. Le père Cecil, doyen de Saint-Ignace, était un Indien à la bonne humeur sans failles ; il offrait un contraste frappant avec le père supérieur, le père Julian, britannique de soixante-huit ans, type même du jésuite intellectuel doté d'une complexion caustique. L'ironie du père Julian avait le don de réveiller instantanément l'ambivalence, respect et suspicion, du docteur à l'égard des catholiques. Mais ce message-ci émanait du père Cecil ; il n'y fallait donc entendre aucune malice. « Bonté divine ! », s'écriait le prêtre, comme une manière d'état des lieux du monde qui l'entourait.

« Qu'est-ce qu'ils me veulent encore ? » se demanda le docteur. En tant qu'ancien élève distingué, l'école de Saint-Ignace lui avait souvent demandé de faire des conférences sur son vécu pour galvaniser les élèves ; par le passé, il avait également fait des discours à l'Association des jeunes chrétiennes. Il avait aussi milité au sein de l'Association catholique et anglicane pour l'unité chrétienne, et au sein de ce qu'on appelait le Comité de l'espoir vivant ; mais ces activités ne l'intéressaient plus. Il espérait de tout cœur que le père Cecil ne l'appelait pas dans le but de lui demander pour la énième fois de raconter la bouleversante expérience de sa conversion.

Car enfin, malgré son engagement de jadis dans la cause de l'unité des deux religions, il était anglican ; il se sentait mal à l'aise en présence de certains zélotes de Saint-Ignace, même s'ils étaient peu nombreux. Il venait d'ailleurs de décliner une invitation à parler au Centre

175

catholique d'information charismatique, le sujet proposé étant : « Le renouveau charismatique en Inde ». Il avait répondu que sa modeste expérience, le petit miracle discret de sa conversion, n'avait rien à voir avec les expériences d'extase religieuse, où les sujets parlaient « en langues », connaissaient des guérisons spontanées, etc. « Mais un miracle est toujours un miracle ! » avait dit le père Cecil. Or, à sa grande surprise, le père supérieur avait pris le parti de Farrokh.

« Je suis tout à fait d'accord avec le Dr Daruwalla, avait-il dit, ce qui lui est arrivé peut difficilement passer pour un miracle. »

Le Dr Daruwalla en avait été froissé. Il était lui-même tout à fait enclin à évoquer les circonstances de sa conversion comme un miracle mineur et les racontait toujours avec humilité. Il n'avait sur le corps aucune marque qui ressemblât de près ou de loin aux plaies du Christ. Son histoire ne lui avait pas laissé de stigmates ; il ne saignait pas à longueur d'années. De là à ce que le père supérieur niât qu'il s'agît d'un miracle... le Dr Daruwalla était vexé, et cette insulte alimentait ses doutes et ses préventions à l'égard de l'excellente formation des jésuites. Non seulement ils vous en remontraient sur la voie de la vertu, mais ils voulaient aussi être plus malins que tout le monde.

Le message, cependant, n'avait rien à voir avec la conversion du docteur ; il portait sur le frère jumeau de Dhar.

Il aurait dû s'en douter ! Pour l'école, le jumeau en question était le premier missionnaire américain en cent vingt-cinq ans d'histoire vénérable ; ni l'église ni l'école n'avaient jamais connu cette bénédiction du ciel. Le jumeau de Dhar était ce que les jésuites appellent un scolastique ; autrement dit, il avait fait beaucoup de théologie et de philosophie, et il avait prononcé ses vœux provisoires, dits « vœux simples ». Il lui resterait donc encore quelques années avant son ordination, sans doute une période de quête spirituelle, la mise à l'épreuve de ces vœux.

Or ces vœux suffisaient à donner le frisson à Farrokh. Pauvreté, chasteté, obéissance, rien de si simple, donc. On avait du mal à s'imaginer la progéniture d'un scénariste hollywoodien comme Danny Mills optant pour la pauvreté ; et encore plus de mal à se figurer le rejeton de Veronica Rose choisissant la chasteté. Quant aux implications complexes – proprement jésuites – de l'obéissance, Farrokh était loin d'en savoir assez sur la question. Au reste, il soupçonnait que si l'un de ces jésuites retors se piquait de le lui expliquer, l'explication elle-même serait un prodige de casuistique, fertile en subtilités, et qu'il en saurait plutôt moins après qu'avant. Le docteur considérait les jésuites comme habiles et retors, et ce qu'il avait le plus de mal à s'imaginer, c'était que l'enfant de Danny Mills et Veronica Rose puisse l'être aussi. Dhar lui-même, qui avait fait des études honorables en Europe, n'était pas du tout un intellectuel.

Mais enfin, se dit le docteur, on ne pouvait écarter la possibilité que les garçons aient hérité les chromosomes de Neville Eden. Lui, Farrokh l'avait toujours jugé habile et retors. Quel casse-tête ! Et puis quel genre d'homme fallait-il être pour être prêtre – novice ! – à quarante ans ? Quels échecs y avait-il derrière cela ? Farrokh tenait pour acquis que seules les erreurs et les désillusions pouvaient mener un homme à prononcer des vœux aussi répressifs.

Et voilà que le père Cecil expliquait qu'au cours d'une de ses lettres, le « jeune Martin » avait parlé du Dr Daruwalla comme d'un « vieil ami de la famille ». Ainsi, il s'appelait Martin, Martin Mills. Farrokh se souvenait que, dans sa lettre, Vera le lui avait dit. Par ailleurs le « jeune Martin » n'était pas si jeune que ça, sauf pour le père Cecil, qui avait soixante-douze ans. Mais la substance de ce message téléphonique prit le docteur de court.

« Savez-vous quand il arrive exactement ? » demandait le père Cecil.

« Et pourquoi donc devrais-je le savoir, moi ? » se dit Farrokh. C'est plutôt lui qui devrait être au courant. Mais ni le père Julian ni le père Cecil ne pouvaient se rappeler la date exacte de son arrivée ; c'était la faute du frère Gabriel, qui avait perdu la lettre de l'Américain, disaient-ils.

Le frère Gabriel était arrivé à Bombay et à Saint-Ignace après la guerre d'Espagne ; il était du côté des communistes, et la première chose qu'il avait faite pour la communauté, c'était de collectionner les icônes russes et byzantines qui avaient rendue célèbre la chapelle de la mission. C'était également lui qui s'occupait du courrier.

Au temps où Farrokh était élève à Saint-Ignace, et qu'il avait environ douze ans, le frère Gabriel en avait sans doute vingt-six ou vingt-huit. Le docteur se rappelait qu'il avait bien du mal à assimiler l'hindi et le maharathi ; il parlait un anglais chantant, avec l'accent espagnol. Il le revoyait comme un petit homme trapu, en soutane noire, en train d'exhorter une armée de balayeurs à soulever avec plus d'ardeur des nuages de poussière sur les marches de pierre. Il avait aussi d'autres domestiques sous sa responsabilité, ainsi que la charge du jardin, de la cuisine, et de la lingerie – en plus du courrier. Mais sa passion, c'étaient les icônes. C'était un homme cordial et vigoureux, ni intellectuel ni prêtre, qui à l'heure actuelle devait avoir dans les soixante-quinze ans : pas étonnant qu'il égare les lettres !

Si bien que personne ne savait la date exacte de l'arrivée du frère de Dhar ! Le père Cecil ajoutait que les cours qui lui seraient confiés commenceraient tout de suite ou presque. En effet, la semaine précédant Noël et le Jour de l'An n'était pas une semaine de vacances pour l'école ; le jour de Noël et le 1er janvier étaient les deux seuls jours de congé, Farrokh se souvenait d'en avoir subi les désagréments au temps où il y était élève ; sans doute l'école tenait-elle toujours compte de l'avis des parents d'élèves non chrétiens, qui lui reprochaient de faire trop de battage autour de Noël.

Certes, poursuivait le père Cecil, le jeune Martin prendrait peut-être contact avec le Dr Daruwalla avant même de prendre contact avec l'un d'entre eux. A moins d'ailleurs qu'il ne lui ait déjà donné de ses nouvelles ? Comment ça, qu'il m'ait déjà donné de ses nouvelles ! se répéta le docteur affolé.

Voilà que son frère jumeau allait arriver d'un jour à l'autre, et Dhar n'était encore au courant de rien. Sans compter que le naïf (le Dr Daruwalla tenait tous les Américains en Inde pour des naïfs) arriverait à l'aéroport de Sahar vers deux ou trois heures du matin, heures auxquelles arrivaient les vols en provenance d'Europe ou des États-Unis. A une heure aussi effroyablement matinale, Saint-Ignace serait verrouillé, comme une forteresse, comme une caserne, comme le cloître qu'il était en fait. Si les prêtres et les frères ne savaient pas la date ni l'heure d'arrivée de Martin Mills, personne ne laisserait de lumière allumée ni de porte ouverte pour lui ; personne n'irait l'attendre à l'avion. Si bien que le missionnaire, dans son ahurissement (le docteur tenait que tous les missionnaires en Inde étaient des ahuris) pourrait en effet très bien venir tout droit chez lui, et se retrouver sur son paillasson entre trois et quatre heures du matin.

Qu'avait dit Farrokh dans sa réponse à l'odieuse Vera ? Lui avait-il donné son adresse personnelle, ou celle de l'hôpital ? Non sans à-propos, elle lui avait écrit « aux bons soins du Duckworth ». De tout

Bombay, et de toute l'Inde, c'était peut-être le seul souvenir qu'elle ait gardé (elle avait dû refouler l'incident de la vache).

Au diable les dégâts des autres, marmonna le docteur à haute voix. Il était chirurgien, et donc extrêmement net et soigné. Le gâchis qui marquait les rapports humains le terrifiait, surtout lorsqu'il s'agissait des liens sur lesquels lui avait veillé avec le plus grand soin : les relations entre frère et sœur, entre frères, entre parents et enfants. Qu'est-ce qu'ils avaient donc, les humains, pour faire un tel massacre dans ces relations essentielles ?

Le docteur ne voulait pas cacher l'existence de Dhar à son frère jumeau ; il ne voulait pas faire de peine à Danny, en lui offrant la preuve cruelle du forfait de sa femme et de ses mensonges ; mais il avait surtout l'impression de la couvrir, en fin de compte. Quant à Dhar, il était si écœuré par tout ce qu'on lui avait raconté sur sa mère qu'il avait cessé d'en être curieux passé vingt ans ; il n'avait jamais exprimé le désir de la connaître, ni même de la rencontrer. Sa curiosité à l'égard de son père, il est vrai, avait tenu jusque vers la trentaine ; mais, depuis peu, il semblait s'être résigné à l'idée de ne jamais le connaître non plus – résigné… ou blindé.

A trente-neuf ans, John D. s'était fait à l'idée de ne pas connaître ses père et mère. Mais qui n'aurait pas envie de connaître, ou du moins de rencontrer, son frère jumeau ? Pourquoi ne pas se contenter de présenter à Dhar cet imbécile de missionnaire (le docteur tenait que les missionnaires étaient tous des imbéciles d'une façon ou d'une autre), en lui disant : « Martin, voilà votre frère, il faudra bien que vous vous y fassiez. » Ce serait bien fait pour Vera ; et cela empêcherait peut-être Martin Mills de se lancer dans quelque chose d'aussi mutilant que la prêtrise. C'était sans conteste l'anglican, qui, chez le docteur, renâclait devant l'idée même de chasteté, qui lui semblait tout à fait mutilante.

Il se souvenait de ce que son discutailleur de père lui avait dit sur la chasteté. Il lui en avait parlé à la lumière de l'expérience de Gandhi. Le Mahatma s'était marié à treize ans, et il avait fait vœu d'abstinence sexuelle à trente-sept. « D'après mes calculs, disait Lowji, ça fait donc vingt-quatre ans de pratiques sexuelles ; il y a beaucoup de gens qui ne peuvent pas en dire autant sur toute une vie ; le Mahatma a choisi l'abstinence après vingt-quatre ans de sexe ! Quel homme à femmes, tiens, celui-là, avec sa bande de Marie-Madeleine ! »

Après toutes ces années, le docteur entendait encore l'autorité iné-branlable qui accompagnait cette déclaration comme toutes celles de son père, qui pérorait toujours avec la même véhémence incendiaire. Que ce fût pour railler, diffamer, provoquer, conseiller, pour donner des avis judicieux (en général dans le domaine médical) ou exprimer les préjugés les plus crasses, l'opinion la plus extravagante ou la plus simpliste, Lowji parlait sur le ton de l'expert autohabilité. Quel que fût l'interlocuteur ou le sujet, il adoptait la voix qui l'avait rendu célèbre du temps de l'Indépendance et de la Partition, du temps où il lançait avec une telle autorité le débat sur la Médecine des catastro-phes. (« Par ordre d'importance, repérez les amputations critiques et les blessures graves des extrémités avant de traiter les fractures et les déchirures. Mieux vaut laisser toutes les blessures à la tête aux spé-cialistes, s'il y en a. ») Il était bien dommage qu'un avis aussi sensé soit resté lettre morte dans la mesure où le mouvement lui-même n'avait pas duré, même si, à l'heure actuelle encore, les volontaires dans ce domaine parlaient de la Médecine des catastrophes comme d'une cause louable.

Là-dessus, Farrokh tenta de s'arracher au passé. Il se força à consi-dérer le mélodrame du jumeau comme la seule crise du moment. Avec une clarté d'esprit inhabituelle chez lui, il conclut qu'il revenait à Dhar de décider si oui ou non le pauvre Martin Mills devait apprendre qu'il avait un frère. Des deux, Martin Mills n'était pas celui que le docteur connaissait et chérissait. Toute la question, c'était ce que son cher Dhar préférerait : faire la connaissance de son frère – ou pas. Quant à Danny et Vera, qu'ils aillent au diable – surtout Vera –, avec le gâchis qu'ils avaient pu faire de leur vie. Elle devait avoir soixante-cinq ans, et Danny avait presque dix ans de plus qu'elle : ils étaient assez grands pour faire face à leurs responsabilités.

Mais les beaux raisonnements du docteur furent balayés comme fétus de paille par le message suivant, qui reléguait les démêlés de Dhar avec son frère au rang de vulgaires potins.

« Ici Patel », disait la voix, avec une intonation de détachement moral que Farrokh n'avait jamais entendue. Patel, Patel… l'anesthé-siste ? le radiologue ? C'était un nom du Gujarat, il n'y en avait pas tant que ça, des Patel, à Bombay. Et puis tout à coup Farrokh se rappela, et cela lui fit l'effet d'une douche froide, presque aussi froide que la voix sur le répondeur : c'était le commissaire Patel, le vrai policier. Il devait être le seul originaire du Gujarat dans la police de Bombay, ils étaient presque tous du Maharashtra, là-dedans.

« Docteur, disait le détective, il nous faut discuter d'un sujet tout autre, et pas en présence de Dhar, s'il vous plaît. Je veux vous parler seul à seul. » La façon de raccrocher était aussi abrupte que le message lui-même.

Si l'appel l'avait moins perturbé, Farrokh se serait peut-être félicité de sa clairvoyance de scénariste : il avait toujours attribué ce laconisme à l'inspecteur Dhar lorsqu'il parlait au téléphone, surtout à un répondeur. Mais au lieu de se féliciter de la vraisemblance psychologique de ses scénarios, il se sentit dévoré de curiosité : quel était donc ce sujet dont Patel voulait l'entretenir, et pourquoi ne pouvait-on pas l'aborder en présence de Dhar ? En même temps, l'idée que le divisionnaire ait pu résoudre l'énigme du meurtre l'épouvantait.

Y avait-il un nouvel indice sur le crime du golf ? Une nouvelle menace planant sur Dhar ? Ou bien ce tout autre sujet était-il le « tueur de canaris », le vrai, c'est-à-dire pas celui du film ?

Mais il n'eut pas le temps de spéculer sur ce mystère. Car le message suivant, une fois de plus, le prit aux rets du passé.

Vieille épouvante, menace toute neuve

Le message n'était pas nouveau, cela faisait vingt ans qu'il l'entendait. Ces appels, il les avait reçus à Toronto et à Bombay, à domicile et au travail. Il avait bien essayé de les faire localiser, mais sans succès : ils provenaient de cabines téléphoniques, de diverses postes, de halls d'hôtels, d'aéroports, d'hôpitaux... et il avait beau en connaître le contenu par cœur, chaque fois la haine qui les inspirait captivait toute son attention.

Sarcastique, cruelle, la voix commençait par citer les recommandations du vieux Lowji aux volontaires de la Médecine des catastrophes, « repérez les amputations critiques et les blessures graves des extrémités », sur quoi elle s'interrompait : « A la rubrique amputations dramatiques, votre père, il a eu la tête sectionnée, crac, sectionnée net ! Je l'ai vue sur le siège du passager, sa tête, avant que la voiture disparaisse dans les flammes. Et alors les blessures graves des extrémités !... Ses mains ne pouvaient plus lâcher le volant, et pourtant il avait les doigts en feu. J'ai vu les poils grillés sur le dos de ses mains, avant que la foule s'attroupe et que je sois obligé de m'esquiver. "Mieux vaut laisser les blessures à la tête aux spécialistes", qu'il disait, votre père ; c'est moi, le spécialiste ! C'est moi qui ai fait le coup. C'est moi qui lui ai explosé la tête. Je l'ai regardé brûler. Il l'avait pas volé, je vous le dis. C'est tout ce que votre famille mérite. »

Ce n'était pas nouveau : vingt ans qu'on le terrorisait en ces termes. Mais le docteur n'en était pas moins affecté. Il était là dans sa chambre, à frissonner, comme il l'avait déjà fait cent fois. Sa sœur, à Londres, n'avait jamais reçu ces appels. Sans doute avait-elle été épargnée pour la seule raison que le maniaque ignorait son nom de femme mariée. En revanche, son frère Jamshed en avait reçu à Zurich. Les deux frères avaient enregistré les messages sur divers répondeurs, et sur des bandes de la police. Une fois, à Zurich, ils avaient passé et repassé l'un de ces enregistrements en présence de leurs femmes. Personne ne reconnaissait la voix, mais, à la grande surprise de Farrokh et Jamshed, les deux sœurs étaient convaincues que c'était celle d'une femme. Eux n'avaient jamais douté qu'il s'agisse d'un homme. Mais lorsque Julia et Josefine étaient d'accord sur un point, c'était avec une certitude mystique. Cette voix était celle d'une femme, elles en étaient sûres.

Ils en discutaient encore avec acharnement lorsque John D. arriva chez Jamshed et Josefine pour dîner. Tout le monde insista pour qu'il tranche la question. Après tout, les acteurs travaillent leur voix, et ils ont un talent aigu pour observer et imiter la voix des autres. John D. se contenta d'écouter l'enregistrement une fois.

– C'est un homme qui essaie de se faire passer pour une femme, dit-il.

Le Dr Daruwalla était outré ; non pas tant par cette opinion ; elle lui paraissait seulement extravagante ; mais par l'autorité exaspérante exprimée par John D. C'était l'acteur qui parlait, il en était sûr, l'acteur, dans son rôle de détective. Cette arrogance, cette assurance, c'est de la scène qu'elles venaient !

Tout le monde s'était élevé contre la conclusion de Dhar, si bien que l'acteur avait dû rembobiner la bande ; il l'avait écoutée de nouveau, deux fois même. Puis, tout à coup, les tics que le docteur associait au personnage de l'inspecteur Dhar avaient disparu ; John D. était revenu sur sa déclaration avec le plus grand sérieux :

– Pardon ; je me suis trompé. C'est une femme qui essaie de se faire passer pour un homme.

Cette phrase avait été prononcée avec une assurance d'une tout autre nature que celle de l'inspecteur dans les films ; si bien que le docteur demanda :

– Rembobine la bande, et repasse-la.

Cette fois-là, ils tombèrent tous d'accord avec John D. C'était une femme, et elle essayait de se faire passer pour un homme. Aucun d'entre eux n'était en mesure de la reconnaître ; là-dessus aussi, ils étaient d'accord. Son anglais était presque parfait ; très britannique, avec à peine un soupçon d'accent hindi.

« C'est moi qui ai fait le coup. C'est moi qui lui ai explosé la tête. Je l'ai regardé brûler. Il l'avait pas volé, je vous le dis. C'est tout ce que mérite votre famille », disait la femme, depuis vingt ans. Mais qui était-elle ? D'où lui venait cette haine ? Et avait-elle vraiment fait le coup ?

Sa haine était peut-être encore plus violente si elle ne l'avait pas fait. Mais alors, pourquoi revendiquer l'attentat ? se demandait le docteur. Pouvait-il se trouver quelqu'un pour haïr Lowji à ce point ?

Il savait bien que Lowji avait assez parlé pour outrager tout le monde, mais, à sa connaissance, il n'avait jamais fait de tort à personne. En Inde, on avait un peu trop tendance à tenir pour acquis que tout acte de violence était dicté par le ressentiment politique ou l'outrage religieux. Lorsqu'un homme aussi en vue que Lowji, et aussi excessif en paroles, disparaissait dans un attentat à la voiture piégée, on parlait automatiquement d'assassinat politique. Mais Farrokh ne pouvait s'empêcher de se demander s'il n'y avait pas là une vengeance plus personnelle, et si ce meurtre n'était pas tout bonnement d'origine privée.

Mais il lui était difficile de s'imaginer que qui que ce soit, surtout une femme, puisse entretenir une rancune personnelle contre son père. Puis il se mit à penser à la haine viscérale que le meurtrier de Lal devait nourrir à l'égard de l'inspecteur Dhar (D'AUTRES MEMBRES VONT MOURIR SI DHAR N'EST PAS RADIÉ). Et il lui vint à l'esprit qu'ils étaient peut-être allés un peu vite en supposant que c'était le personnage de l'inspecteur Dhar qui avait inspiré cette détestation venimeuse. Et si son cher enfant, son John D. bien-aimé, s'était attiré des ennuis à titre personnel ? Et s'il s'agissait d'une liaison qui ait tourné à la haine

183

assassine ? Il avait posé si peu de questions à Dhar sur sa vie privée et sentimentale qu'il en avait honte à présent. Il craignait de lui avoir donné l'impression de ne pas s'en soucier.

Certes, John D. menait une vie rangée à Bombay ; en tout cas, c'était ce qu'il disait. Il se montrait en public avec des starlettes – le cinéma ne manque jamais de ravissantes idiotes disponibles pour cet emploi –, mais ces apparitions étaient orchestrées avec soin pour créer tout le scandale souhaitable, et les intéressées les démentaient par la suite. Ce n'étaient pas des liaisons, c'était de la publicité.

Le succès des *Inspecteur Dhar* tenait au fait qu'ils scandalisaient les uns et les autres, entreprise dangereuse en Inde. Pourtant, la gratuité du crime du golf dénotait une haine plus exacerbée que celle que le docteur avait pu déceler dans les réactions habituelles aux films.

Comme s'il donnait la réplique à ses propres pensées, comme si la seule idée d'outrager ou d'être outragé lui soufflait son appel, le message suivant émanait du metteur en scène de tous les *Inspecteur Dhar*, Balraj Gupta. Depuis quelque temps, ce dernier le harcelait sur un sujet délicat, la date de sortie du nouveau film. A cause des assassinats de prostituées, et de la disgrâce générale où était tombé *L'Inspecteur Dhar et le Tueur de canaris*, Gupta avait retardé la sortie du dernier-né de la série ; mais son impatience allait croissant.

Quant au docteur, il avait décidé que si la chose ne tenait qu'à lui le film ne verrait jamais le jour, mais il savait bien en même temps qu'il serait impuissant à faire appliquer cette décision ; et il ne pourrait pas compter bien longtemps encore sur le sens ténu des responsabilités sociales de Balraj Gupta ; le peu de compassion maladroite qu'il avait eue pour les prostituées assassinées n'avait pas duré.

« Gupta à l'appareil, disait-il. Voilà comment il faut prendre les choses. Le nouveau Dhar va choquer d'autres gens. Le type qui assassine les filles va peut-être arrêter et se lancer dans autre chose. Nous, on donne au public un nouveau sujet pour piquer des crises ; et aux filles, on leur fait une fleur ! » Balraj Gupta possédait une logique de politicien ; le docteur ne doutait pas que le nouvel *Inspecteur Dhar* fasse piquer des crises à une nouvelle tranche de spectateurs.

Le film s'appelait *L'inspecteur Dhar et les Tours du Silence* ; son seul titre allait choquer toute la communauté parsi, puisque les Tours du Silence étaient les puits où ils déposaient leurs morts. Il y avait toujours des cadavres nus de parsis dans ces puits ; le docteur avait d'ailleurs cru qu'ils attiraient les vautours au-dessus du parcours de golf. Il était compréhensible que les parsis protègent leurs Tours du Silence. Parsi lui-même, le docteur ne l'ignorait pas. Et pourtant, dans le dernier *Inspecteur Dhar*, l'assassin tuait des hippies occidentaux et c'était leurs corps qu'il déposait dans les Tours du Silence.

Même vivants, les hippies européens et américains choquaient souvent les Indiens, alors !... Doongarwadi était un fait culturel admis, à Bombay. Au mieux, les parsis seraient dégoûtés. Et tous les habitants de Bombay rejetteraient les présupposés du film comme absurdes. Il est impossible de s'approcher des Tours du Silence, même pour les parsis, sauf lorsqu'ils sont morts. Mais bien sûr, se disait fièrement le docteur, c'était là toute l'astuce, tout le génie du film : la façon dont les cadavres y sont déposés, et celle dont l'intrépide inspecteur perce le secret.

Le docteur était résigné : il savait bien qu'il ne pourrait pas différer indéfiniment la sortie de *L'Inspecteur Dhar et les Tours du Silence* ; en revanche il pouvait passer en accéléré les arguments de Balraj Gupta pour sortir le film tout de suite. Il aimait entendre la voix du metteur en scène déformée par l'accélération ; il la préférait de loin à sa voix normale.

Tandis que le docteur s'amusait ainsi, le dernier message se fit entendre sur le répondeur. Le correspondant était une femme. D'abord, Farrokh eut l'impression de ne pas la connaître. « C'est le docteur ? » demandait sa voix. On y décelait comme de l'épuisement ; ou, plus grave, une dépression en phase terminale. On aurait dit que cette femme parlait en ouvrant trop la bouche, comme si sa mâchoire inférieure était relâchée en permanence. La voix sans timbre, sans expression ; l'accent ordinaire, plat – un accent d'Amérique du Nord, sans aucun doute ; le docteur, qui était très fort pour identifier les accents, devina que la femme était du Middle West ou des Prairies canadiennes. D'Omaha, de Sioux City, de Regina ou de Saskatoon.

« C'est le docteur ? » demandait-elle. Et puis : « Je connais votre véritable identité, votre vrai métier. Dites-les au commissaire, le vrai policier. Dites-lui qui vous êtes ; dites-lui ce que vous faites. » Sa façon de raccrocher ne semblait pas bien maîtrisée ; comme si elle avait voulu faire claquer le combiné sur son support, mais, dans sa colère contenue, avait raté son coup.

Assis dans sa chambre, Farrokh tremblait. Il entendait à présent Roopa en train de mettre le couvert du dîner sur le plateau de verre de la table. D'une minute à l'autre, elle allait annoncer à Dhar et Julia qu'il était rentré, et qu'à cette heure si tardive, le repas était servi. Julia se demanderait pourquoi il s'était glissé dans la chambre comme un voleur ; et c'était bien l'effet qu'il se faisait lui-même ; mais sans savoir au juste ce qu'il avait volé ni à qui.

Il revint en arrière pour réécouter le dernier message. Il était porteur d'une menace inédite ; mais à force de se concentrer sur le contenu du message, le docteur faillit passer à côté de l'indice le plus important : l'identité de la femme. Il avait toujours su que quelqu'un le démasquerait comme le créateur de Dhar ; en ce sens, le message ne le surprenait pas. Mais qu'est-ce que cela avait à voir avec le vrai policier ? Pourquoi quelqu'un pouvait-il penser qu'il fallait mettre le commissaire au courant ?

« Je connais votre identité, je connais votre métier. » Et puis après ? se demandait le scénariste. « Dites-lui qui vous êtes, dites-lui ce que vous faites ». Mais pourquoi ? Puis, par hasard, il se retrouva en train d'écouter la première phrase de la femme, celle qu'il avait failli rater. « C'est le docteur ? » Il se la repassa tant et plus, jusqu'à en avoir les mains qui tremblaient si fort qu'il revint trop loin en arrière, sur la liste d' arguments de Balraj Gupta pour sortir le nouvel *Inspecteur Dhar* tout de suite.

« C'est le docteur ? »

Pour la première fois de sa vie, le Dr Daruwalla eut l'impression que son cœur s'arrêtait de battre. Ça ne peut pas être elle ! se dit-il. Mais si, c'était bien elle ; il en était sûr. Non, pourtant, après toutes ces années. Si, si ; c'était elle, bien sûr. Elle avait compris, quoi de plus normal ? Il avait suffi d'une conjecture intelligente pour qu'elle devine.

C'est alors que sa femme fit irruption dans la chambre.

– Farrokh, s'écria Julia, je ne savais même pas que tu étais rentré à la maison !

« Mais je ne suis pas à la maison, pensait le docteur ; je suis en pays étranger – très étranger. »

– *Liebchen*, dit-il doucement à sa femme.

Chaque fois qu'il employait ce mot doux en allemand, Julia savait qu'il était d'humeur tendre – ou bien qu'il avait des ennuis.

– Qu'est-ce qu'il y a, *Liebchen* ? demanda-t-elle.

Il lui tendit la main et elle s'approcha de lui ; elle s'assit même si près qu'elle sentit qu'il frissonnait ; alors elle lui passa un bras autour des épaules.

– S'il te plaît, écoute ça, lui dit-il, *Bitte.*

Au premier passage de la cassette, il vit à son expression qu'elle commettait la même erreur que lui ; elle se polarisait sur le contenu du message.

– Ne fais pas attention à ce que ça dit. Demande-toi plutôt qui parle.

Il fallut trois passages pour qu'il vît l'expression de Julia changer.

– C'est elle, non ? demanda-t-il à sa femme.

– Mais elle est bien plus âgée, cette femme, objecta aussitôt Julia.

– Ça fait vingt ans, Julia ! s'écria le docteur. A elle aussi, ça lui fait vingt ans de plus. *C'est* une femme bien plus âgée !

Ils écoutèrent tous deux plusieurs fois encore, et à la fin, Julia dit :

– Oui, je crois que c'est elle, effectivement. Mais quel rapport avec ce qui se passe en ce moment ?

Dans le froid de sa chambre, dans son costume d'enterrement bleu marine, ridiculement relevé par le perroquet vert cru de sa cravate, le Dr Daruwalla craignait de ne le savoir que trop.

La Marche dans les airs

Le passé l'entourait comme des visages dans une foule. Parmi ces visages, il y en avait un qu'il connaissait, mais lequel ? Comme toujours, un souvenir du Grand Cirque royal s'offrit à lui pour l'éclairer. Pratap Singh, le présentateur, était marié à une femme ravissante qui s'appelait Sumitra, et que tout le monde appelait Sumi. Elle avait la trentaine, la quarantaine, peut-être, et non contente de faire office de mère auprès de bien des enfants du cirque, elle était elle-même une acrobate douée. Elle faisait un numéro qui s'appelait Roue double, un numéro de vélo, avec sa belle-sœur, Suman. Suman était la sœur adoptive de Pratap, et elle n'était pas mariée ; la dernière fois que le Dr Daruwalla l'avait vue, elle devait avoir entre vingt-huit et trente-deux ans. C'était une beauté de petit gabarit, musclée, et la meilleure acrobate de la troupe de Pratap. Son prénom signifiait « Fleur de Rose », à moins que ce ne soit « Parfum de Rose », ou encore « Parfum de Fleur », en général. Farrokh ne l'avait jamais vraiment su, pas plus qu'il ne savait quand ni par qui elle avait été adoptée.

Peu importait. Le cyclo-duo de Suman et Sumi avait beaucoup de succès. Elles savaient rouler en arrière, ou se coucher sur leurs bicyclettes et pédaler avec les mains ; elles savaient rouler sur une seule roue, comme sur un monocycle, ou pédaler assises sur le guidon. C'était peut-être une faiblesse, chez Farrokh, ce plaisir qu'il prenait à voir deux jolies femmes faire un numéro si gracieux ensemble. Mais Suman était la vedette, et sa marche dans les airs était le meilleur numéro du Grand Cirque royal.

C'était Pratap Singh qui lui avait enseigné ce numéro, après l'avoir vu à la télévision ; le modèle venait sans doute d'un cirque européen, pensait Farrokh (le présentateur ne pouvait résister à l'envie d'enseigner des numéros à tout le monde, pas seulement aux lions). Il avait installé une sorte d'échelle contre le toit de la tente familiale ; les barreaux de cette échelle étaient des anneaux en corde, et l'échelle était accrochée à l'horizontale, parallèlement au toit. Suman se suspendait tête en bas, les pieds engagés dans les anneaux. Elle prenait de l'élan en se balançant d'avant en arrière, la corde lui écorchant le dessus des pieds, tout en se tenant rigide, son corps perpendiculaire à ses pieds. Lorsqu'elle avait assez d'élan, elle « marchait » tête en bas, d'un bout à l'autre de la corde, simplement en passant un pied après l'autre dans les anneaux, sans cesser de se balancer. Lorsqu'elle s'entraînait le long du toit de la tente familiale, sa tête n'était qu'à quelques centimètres du sol de sable. Pratap Singh demeurait près d'elle pour la rattraper si elle tombait.

Mais lorsqu'elle faisait son numéro de Marche dans les airs tout en haut du grand chapiteau, elle se trouvait à vingt-cinq mètres du sol, et elle refusait qu'on mette un filet. Si elle était tombée et que Pratap ait voulu la rattraper, ils se tuaient tous deux. S'il se jetait sous elle, en essayant de deviner la trajectoire de sa chute, alors il pourrait l'amortir ; et il serait le seul à mourir.

L'échelle comportait dix-huit anneaux. Le public comptait en silence chacun des pas de Suman. Suman, elle, ne les comptait jamais ; mieux valait, disait-elle « marcher sans penser à rien ». Pratap lui avait dit qu'elle serait mal avisée de regarder en bas. Entre le haut du chapiteau et le sol, si loin, il n'y avait que les visages levés des spectateurs, qui lui rendraient son regard, guettant la chute. Le passé ressemblait à cela, songeait le docteur – le vertige de ces visages à l'envers. On était mal avisé de les regarder ; il le savait.

9
Seconde lune de miel

Avant sa conversion, Farrokh raille les fidèles

Vingt ans plus tôt, attiré dans l'île de Goa par une nostalgie épi-curienne de la viande de porc, rare partout en Inde mais à la base de la gastronomie locale, le docteur avait été converti au christianisme par le gros orteil de son pied droit. Il parlait de sa conversion avec l'humilité la plus sincère. S'il est vrai qu'il venait de voir la momie miraculeusement préservée de saint François-Xavier, ce n'était pas ce qui l'avait amené à Dieu ; avant d'avoir éprouvé l'intervention divine à titre personnel, il avait même raillé les reliques du saint, exposées sous une vitrine à la basilique de Bom Jesus, dans la vieille ville de Goa.

Il s'était moqué des restes du missionnaire parce qu'il prenait un malin plaisir à taquiner sa femme sur le chapitre de la religion. Elle n'avait jamais été catholique pratiquante et elle disait souvent combien elle était contente d'avoir laissé à Vienne les bondieuseries de son enfance. Néanmoins, juste avant leur mariage, Farrokh avait dû subir le catéchisme d'un raseur de prêtre viennois. Le docteur avait cru comprendre qu'il était censé faire preuve de passivité théologique à seule fin de contenter la mère de Julia ; mais, toujours pour taquiner sa femme, il s'obstinait à appeler la bénédiction des anneaux la « les-sive rituelle des anneaux » ; et il faisait mine de s'offusquer de cette pantomime bien plus qu'il ne l'était réellement. A la vérité, il n'avait pas trouvé désagréable de dire au prêtre que même s'il n'était pas baptisé, et même s'il n'était pas zoroastrien pratiquant, il avait tou-jours « cru en quelque chose » ; à l'époque, justement, il ne croyait en rien. Et il avait menti au prêtre et à la mère de Julia en toute quiétude, leur affirmant qu'il ne voyait aucun inconvénient à ce que leurs enfants soient baptisés et élevés dans la religion catholique. Par-devers eux, Julia et lui étaient convenus que si ce mensonge n'était pas tout à fait pieux, du moins il rassurait Frau Zilk.

D'ailleurs cela ne pouvait pas faire de mal à ses filles d'être bap-tisées. Du vivant de la mère de Julia, lorsqu'elle venait les voir, eux et leurs enfants, ou encore lorsqu'ils allaient lui rendre visite à Vienne, cela ne leur avait jamais coûté grand-chose d'aller à la messe. Farrokh et Julia avaient dit aux petites que, de cette façon, elles faisaient plaisir à leur grand-mère. Il y avait là une tradition acceptable et même louable dans l'histoire des pratiques religieuses : on faisait les gestes de la foi pour complaire à un membre de la famille qui paraissait être ce personnage intraitable entre tous – un vrai croyant. Aucun d'entre eux ne s'était insurgé contre ces pratiques occasionnelles d'une foi qui leur était si étrangère à tous, peut-être même à la mère de Julia. Car Farrokh se demandait parfois si elle aussi faisait les gestes de la foi uniquement pour leur faire plaisir.

Tout se passa comme les Daruwalla l'avaient prévu. A la mort de la mère de Julia, le catholicisme à éclipses de la famille fit plus que décliner – ils cessèrent quasiment d'aller à l'église. Le docteur en concluait rétrospectivement que ses filles avaient été conditionnées à trouver normal que la religion ne fût rien d'autre que l'accomplisse-ment des gestes de la foi pour faire plaisir à une tierce personne. C'était pour lui complaire, à lui, après sa conversion, qu'elles avaient reçu le sacrement du mariage, et observé diverses cérémonies selon le rituel anglican canadien. Selon le rituel anglican : c'était peut-être pourquoi le père Julian traitait avec une telle légèreté le miracle auquel Farrokh devait sa conversion. Aux yeux du supérieur, ce ne pouvait être qu'un miracle mineur : un vrai grand miracle eût fait de lui un catholique !

C'était le bon moment pour partir à Goa, pensait Farrokh.

– Ce voyage sera un peu une seconde lune de miel pour Julia, avait-il dit à son père.

– Fameuse lune de miel, si tu emmènes les enfants, avait rétorqué celui-ci.

Lowji et Meher étaient fâchés de ne pas se voir confier leurs peti-tes-filles. Les petites, qui avaient onze, treize et quinze ans, n'auraient jamais supporté qu'on les évince du projet. La réputation des plages de Goa était bien plus émoustillante pour elles qu'un séjour chez leurs grands-parents. Et puis elles n'auraient pas raté ces vacances pour un empire, puisque John D. serait de la partie. Aucune baby-sitter n'avait un tel ascendant sur elles : elles étaient éperdument amoureuses de leur frère aîné adoptif.

En juin 1969, John D. avait dix-neuf ans. C'était un Européen extrêmement bien de sa personne, surtout aux yeux des petites Daruwalla. Julia et Farrokh admiraient aussi ce garçon superbe, mais c'était moins pour sa beauté que pour les dispositions tolérantes qu'il manifestait à l'égard de leurs filles. Tous les garçons de dix-neuf ans n'auraient pas été capables d'encaisser autant d'affection débridée de la part de filles mineures ; mais John D. était patient avec elles, il était même charmant. Et comme il avait fait ses études en Suisse, se disait le docteur, il ne risquait guère de se laisser intimider par les désaxés qui pullulaient à Goa. En 1969, on appelait les hippies américains et européens des « désaxés », surtout en Inde.

« En fait de seconde lune de miel, vous voilà gâtée, ma chère petite, avait dit Lowji à Julia. Il vous emmène avec les enfants sur les plages louches où les désaxés vont se débaucher – et tout ça parce qu'il est fou de viande de porc ! »

C'est sur cette paternelle bénédiction que la famille Daruwalla junior s'était embarquée pour l'ancienne enclave portugaise. Farrokh avait dit à Julia, à John D. et à ses filles (elles s'en moquaient) que les églises et les cathédrales de Goa comptaient parmi les jalons les plus clinquants de la chrétienté en Inde. Il s'y connaissait en architecture goenne ; le monumental et le massif étaient à son goût, et l'excès, son régime alimentaire le manifestait aussi, lui donnait un frisson de plaisir.

Il préférait la cathédrale de Sainte-Catherine-de-Se et la façade de l'église franciscaine à la pâle église de la Croix-Miraculeuse. Quant à son faible spécial pour la basilique de Bom Jesus, il ne tenait pas à un snobisme architectural ; non, ce qui l'amusait, c'était la niaiserie des pèlerins – y compris des hindous ! – qui s'y attroupaient pour voir les restes momifiés de saint François.

En Inde, surtout chez les non-chrétiens, on soupçonne que saint François-Xavier a fait plus pour la christianisation de Goa après sa mort que de son vivant, n'ayant d'ailleurs séjourné que quelques mois dans l'île. Il était mort et avait été enterré dans une île au large de Canton. Mais lorsque sa sépulture avait été ouverte, on avait découvert que son corps ne s'était presque pas décomposé ; ce corps miraculeusement indemne avait été expédié à Goa, où la merveille attirait des foules de pèlerins en transes. La partie de l'histoire que Farrokh préférait concernait une femme, qui, dans un accès de ferveur propre aux plus grands dévots, avait tranché d'un coup de dents le gros orteil de ce cadavre exquis. Xavier allait encore perdre un peu de lui-même par la suite : le Vatican exigea qu'on expédiât son bras droit à Rome ; faute de cette pièce à conviction, la canonisation du saint risquait de n'être jamais prononcée.

Le Dr Daruwalla raffolait de cette histoire ! Il dévorait des yeux la relique rabougrie, emmaillotée de riches vêtements et brandissant une crosse d'or, elle-même incrustée d'émeraudes. Si le saint était ainsi présenté sous vitrine, en hauteur, dans un tombeau à pignon, se disait-il, c'était sûrement pour décourager les zélotes épigones de témoigner leur dévotion par de nouvelles morsures. Tout en observant les dehors du parfait respect, le docteur avait examiné le mausolée avec une malice contenue, en riant sous cape. Autour de lui, jusque sur le cercueil, se déployaient les représentations des hauts faits du missionnaire ; mais aucune de ses aventures héroïques, aucune des splendeurs qui entouraient sa dépouille, l'argent, le cristal, l'albâtre, le jaspe ou le marbre rouge, rien de tout cela n'impressionnait Farrokh comme l'orteil avalé tout cru.

« Ça c'est du miracle ! disait volontiers le docteur. Si je l'avais vu de mes yeux, je me serais peut-être fait chrétien moi-même. »

Lorsqu'il était d'humeur moins badine, il abreuvait sa femme de grands discours sur les horreurs de l'Inquisition à Goa, qui, dans la foulée des Portugais et de leur zèle missionnaire, avait converti les gens sous la menace, confisqué les biens des hindous, incendié leurs temples, et, bien sûr, brûlé les hérétiques sur le bûcher, en multipliant les « actes de foi » à grand spectacle. Le vieux Lowji se serait délecté à entendre son fils reprendre le flambeau de son irrévérence. Quant à Julia, elle constatait avec agacement combien il ressemblait à son père sous ce rapport. Aiguillonner quelqu'un sur ses convictions religieuses, alors même que ces dernières étaient vagues, lui inspirait une hostilité superstitieuse.

« Je ne me moque pas de ton absence de foi, moi, lui dit-elle. Alors ne me tiens pas responsable de l'Inquisition, et évite de rire du malheureux orteil de saint François. »

Une lecture excitante

Farrokh et Julia se disputaient rarement avec acrimonie, mais ils aimaient bien se taquiner. Or, comme ils se refusaient à taire en public ces mises en boîte exagérées et théâtrales, les gens qui ont coutume de surprendre les conversations d'autrui (personnel des hôtels, serveurs, ou encore tristes couples installés à la table voisine et n'ayant plus rien à se dire) les prenaient pour des scènes de ménage. A cette époque, dans les années soixante, lorsque les Daruwalla voyageaient *en famille* [1], l'hystérie adolescente de leurs filles ajoutait au tohu-bohu qu'ils créaient. Si bien que lorsqu'ils envisagèrent leurs vacances, cette année-là, ils déclinèrent les invitations de plusieurs amis, qui leur proposaient de les recevoir dans les plus belles demeures du Vieux Goa.

Avec leur smala bruyante et les repas que le docteur se plaisait à manger à toute heure du jour et de la nuit, ils jugèrent plus sage, plus diplomatique, du moins tant que les filles étaient encore jeunes, de ne pas s'installer chez les autres, où il y aurait de la vaisselle et des vases portugais à casser, et du mobilier ciré en bois de rose. Ils choisirent donc de descendre dans l'un des hôtels de la plage, qui, même à l'époque, avait connu des jours meilleurs, mais où les enfants ne risquaient pas de faire des dégâts, ni l'appétit permanent du docteur d'offusquer qui que ce soit. Au Bardez, le personnel et la clientèle blasée n'écoutaient rien des passes d'armes pour rire auxquelles Farrokh et Julia se livraient ; on y servait une nourriture fraîche et copieuse à défaut d'être vraiment appétissante et les chambres y étaient propres. Après tout, ce qui comptait, c'était la plage.

Ce Bardez avait été recommandé au Dr Daruwalla par l'un des jeunes membres du club. Il regrettait de ne pouvoir se rappeler qui lui en avait fait la réclame et pourquoi, mais sa mémoire n'avait enregistré que des bribes d'éloges. La clientèle était surtout européenne, et Farrokh s'était dit que cela plairait à Julia et mettrait John D. à l'aise. Julia avait taquiné son mari sur ce dernier point : il était absurde de s'imaginer que le jeune homme puisse être plus « à l'aise » qu'il

---

1. En français dans le texte (NdT).

ne l'était déjà ! Quant à la clientèle européenne, Julia la jugeait infréquentable ; elle était « canaille », même pour John D. qui, étudiant à Zurich, devait avoir des mœurs aussi relâchées que celles des jeunes gens de son âge, se disait le docteur.

Le contingent Daruwalla ne pouvait que mettre John D. en valeur. Il était d'un calme olympien, aussi serein et maître de lui que les petites étaient surexcitées. Ces dernières, fascinées par les clients européens les moins recommandables de l'hôtel, s'accrochaient cependant à lui ; il était leur protecteur dès que ces jeunes femmes et ces jeunes gens, portant tous des strings, s'approchaient un peu trop. A la vérité, il était patent que, garçons comme filles, ils ne s'approchaient de la famille Daruwalla que pour voir de plus près John D. dont la beauté sublime surpassait celle des hommes jeunes en général, et des garçons de dix-neuf ans en particulier.

Farrokh lui-même avait tendance à béer d'admiration devant lui, même s'il savait par Jamshed et Josefine que seul l'intéressait l'art dramatique, et que sa timidité semblait lui interdire la carrière des planches. Il suffisait à Farrokh de regarder le jeune homme pour dissiper les inquiétudes qu'il avait entendu exprimer par son frère et sa belle-sœur. C'était Julia qui lui avait dit la première que John D. avait un physique d'acteur de cinéma ; ce qu'elle voulait dire par là, c'est qu'il attirait le regard, même lorsqu'il ne faisait rien de spécial ou qu'il ne pensait rien de spécial, apparemment. En outre, lui avait fait remarquer sa femme, il était difficile de lui donner un âge. Quand il se rasait de près, sa peau était si lisse que, loin de paraître ses dix-neuf ans, il avait l'air d'un pré-adolescent. Mais lorsqu'il laissait pousser sa barbe, ne serait-ce qu'une journée, alors c'était un homme fait ; on lui donnait bien vingt-huit ans, il paraissait expérimenté, plein d'assurance, dangereux.

– Alors c'est ça, pour toi, un physique d'acteur ? avait demandé le docteur à sa femme.

– C'est ça qui plaît aux femmes, avait répondu Julia sans détour. Ce garçon, c'est un homme, et c'est un enfant.

Mais les premiers jours des vacances, le docteur n'avait pas eu le loisir de penser à l'avenir de John D. au cinéma. Julia lui avait donné des inquiétudes quant aux duckworthiens qui lui avaient recommandé l'hôtel Bardez. Car s'il était amusant d'observer la racaille européenne, et les indigènes intéressants, qu'en serait-il s'ils se retrouvaient en compagnie d'autres membres de leur club ? Ils auraient l'impression de ne pas avoir quitté Bombay, disait Julia.

C'est ainsi que le docteur passait en revue la clientèle de l'hôtel pour y repérer les duckworthiens égarés ; son œil inquiet voyait déjà les Sorabjee apparaître comme par enchantement au café-restaurant, les Bannerjee surgir des profondeurs de la mer d'Oman sur la crête d'une vague, ou encore les Lal bondir de derrière les aréquiers. Et lui, de son côté, ne pensait qu'à une chose, avoir l'esprit assez libre pour réfléchir sur les exigences croissantes de sa pulsion créatrice.

Le Dr Daruwalla était déçu de ne plus être le lecteur qu'il avait été. Il était plus facile de regarder des films ; il avait le sentiment de s'être laissé gagner par la paresse pure et simple, le plaisir d'absorber de la pellicule. Du moins était-il fier d'avoir su résister aux films masala, ces fonds de tiroirs du cinéma de Bombay, cocktails hindis de rengaines et de violence. En revanche, il était sous le charme louche de tout ce que l'Europe et l'Amérique avaient à offrir dans le domaine du polar ; ce qui lui plaisait, c'était les films de série B, mettant en scène des personnages de vrais durs.

Ses goûts en matière de films étaient diamétralement opposés à ceux de sa femme en matière de livres. Ainsi, pour les vacances, Julia avait emporté une autobiographie d'Anthony Trollope dont il n'était pas pressé qu'elle lui fasse la lecture ; elle aimait bien, en effet, lui lire à haute voix les passages d'un livre qu'elle trouvait bien écrits, amusants, ou émouvants ; mais le préjugé de Farrokh à l'égard de Dickens s'étendait à Trollope ; il n'avait jamais fini ses romans et il ne lui serait jamais venu à l'esprit de simplement commencer son autobiographie. En principe, Julia préférait les romans ; mais, se disait Farrokh, l'autobiographie d'un romancier entrait sans doute presque dans cette catégorie : comment résisterait-il au besoin de romancer sa vie ?

Ces réflexions amenaient le docteur à rêvasser davantage sur sa propre créativité encore latente. Depuis qu'il avait quasiment arrêté la lecture, il se demandait s'il ne devrait pas s'essayer à l'écriture. Mais enfin, l'autobiographie était un genre réservé aux gens déjà célèbres, ou encore à ceux qui avaient eu des existences palpitantes. Quant à lui, il était obscur et n'avait pas mené une vie des plus excitantes, par conséquent, l'autobiographie n'était pas pour lui. N'importe, il jetterait un coup d'œil au Trollope quand Julia aurait le dos tourné, ne serait-ce que pour voir s'il pouvait y puiser quelque inspiration – ce dont il doutait, d'ailleurs.

Malheureusement, en fait de lecture, tout ce que sa femme avait apporté d'autre était un roman qui ne laissait pas d'alarmer Farrokh. Il n'avait fait qu'y jeter un coup d'œil en douce et il avait l'impression qu'il n'y était question que de sexe, à toutes les pages, jusqu'à l'obsession. En outre, l'auteur lui était strictement inconnu, ce qui l'intimidait tout autant que la teneur érotique explicite du roman. C'était un de ces romans très bien faits, écrits dans une prose limpide et raffinée ; il n'en savait pas plus, et cela aussi l'intimidait.

Le Dr Daruwalla commençait tous les romans avec une impatience irritable. Julia lisait lentement, comme si elle dégustait chaque mot ; lui plongeait dans le livre, nerveusement ; il accumulait de menus griefs contre l'auteur jusqu'à ce qu'il tombe sur quelque chose qui le persuade de la valeur de l'œuvre ou, au contraire, jusqu'à ce qu'il repère une bourde caractérisée, ou se mette à s'ennuyer ferme – et alors, dans les deux cas, il ne lisait pas un mot de plus. Chaque fois qu'il prenait parti contre un roman, il accablait sa femme de mépris pour le plaisir qu'elle semblait prendre à le lire. Elle s'intéressait à un éventail de sujets très vaste et achevait presque toujours ce qu'elle avait entrepris ; sa boulimie intimidait également le docteur.

Il en était donc là, au cours de sa seconde lune de miel – décidément un abus de langage puisqu'il n'avait même pas encore flirté avec Julia depuis qu'ils étaient arrivés à Goa –, sur le qui-vive en permanence, redoutant de voir apparaître ces duckworthiens qui menaçaient de lui gâcher ses vacances. Et pour tout arranger, il éprouvait une vive contrariété, mais aussi un trouble sexuel certain, à découvrir le roman que sa femme lisait. A supposer qu'elle le lût. Peut-être ne l'avait-elle pas encore commencé. Si c'était le cas, elle ne lui en avait pas lu de passages à haute voix ; comme les scènes érotiques s'y enchaînaient, dans des descriptions maîtrisées mais intenses, elle aurait été embarrassée de les lui lire. Ou bien était-ce lui qui aurait été embarrassé ?

Le roman était si passionnant qu'il ne pouvait plus se contenter d'y jeter un coup d'œil à la dérobée ; il s'était mis à l'emporter en douce dans un hamac, en le dissimulant à l'intérieur d'un journal ou d'un magazine. Julia ne semblait pas le chercher ; peut-être lisait-elle Trollope.

La première image qui captiva l'attention de Farrokh se trouvait à deux pages du début, dans le premier chapitre. Le narrateur roulait dans un train, en France. « En face de moi, la fille s'est endormie. Elle a une bouche étroite, dont les commissures retombent, lestées par l'amertume de l'expérience. » Farrokh comprit aussitôt qu'il s'agissait d'un bon bouquin, mais il pensa aussi qu'il finirait mal. Il ne lui était jamais venu à l'esprit qu'un des différends entre lui et l'ensemble de la « grande littérature », c'était qu'il n'aimait pas les fins tristes. Il avait oublié que, dans sa jeunesse, c'étaient celles-là même qu'il préférait.

Il lui fallut arriver au chapitre cinq pour éprouver un malaise devant les penchants franchement voyeurs du narrateur, qui parlait à la première personne ; car ces penchants lui rendaient manifeste son propre voyeurisme. « Lorsque je la vois marcher, j'ai les jambes qui flageolent. Une démarche féminine, déhanchée. Les hanches rondes. La taille mince. » Fidèlement, comme toujours, Farrokh pensait à Julia. « Un éclair de combinaison blanche là où son chandail s'ouvre, à peine, sur les seins. Mon regard y retourne en coups d'œil furtifs, je n'y peux rien. » Elle aime ça, Julia ? se demandait-il. Et puis, au chapitre huit, le roman prenait un tour qui lui inspira une envie et un désir douloureux. Vous parlez d'une seconde lune de miel ! se dit-il. « Elle lui tourne le dos. Du même mouvement, elle retire son chandail et, tendant le coude maladroitement derrière elle, elle dégrafe son soutien-gorge. Lentement, il la tourne vers lui. »

Le docteur trouvait louche ce narrateur qui disait « je » et qu'obsédaient les détails des découvertes sexuelles d'un Américain à l'étranger avec une Française de la campagne, une serveuse de dix-huit ans qui s'appelle Anne-Marie. Il ne comprenait pas que, sans la présence dérangeante de ce narrateur, le lecteur n'aurait pas pu connaître l'envie et le désir de l'éternel spectateur – sensations qui, justement, le hantaient et l'obligeaient à poursuivre sa lecture. « Le lendemain matin ils le refont. Lumière grise, il est très tôt. Elle a mauvaise haleine. »

C'est là que le docteur comprit qu'un des amants allait mourir ; la mauvaise haleine de la fille était une allusion déplaisante à la mortalité. Il aurait voulu fermer le livre, mais il en était incapable. Il décida que le jeune Américain lui était antipathique ; un fils à papa, qui ne travaillait même pas ; mais son cœur souffrait pour la petite Française, qui était en train de perdre son innocence ; le docteur ne savait pas que c'était précisément ce qu'il était censé éprouver. Le livre le dépassait.

Lui qui exerçait la médecine presque par pure bonté se trouvait mal préparé aux réalités du monde. La plupart du temps, il voyait des enfants mal formés, contrefaits, accidentés, et il essayait de rendre à leurs petites articulations la perfection qu'elles étaient censées avoir. Mais le monde en général n'était pas régi par un propos aussi clair. Encore un chapitre et j'arrête, se dit-il. Il en avait déjà lu neuf.

Allongé dans son hamac aux confins de la plage, la torpeur de midi immobilisant les frondaisons des aréquiers et des cocotiers, il sentait lui parvenir l'odeur de la noix de coco, du poisson et du sel, avec, de temps en temps, un effluve de haschich planant sur la grève. Là où la plage rencontrait le fouillis vert tropical de la végétation, un stand qui vendait de la canne à sucre disputait un triangle d'ombre à une roulotte qui préparait des milk-shakes à la mangue. En fondant, la glace avait mouillé le sable.

Les Daruwalla régnaient sur une armada de chambres ; ils avaient réservé un étage entier à l'hôtel Bardez et jouissaient d'un vaste balcon, équipé cependant d'un seul hamac, que John D. s'était approprié. Mais le docteur se sentait si bien dans le hamac de la plage qu'il résolut de persuader John D. de lui céder celui du balcon ne serait-ce qu'une nuit. Après tout, le jeune homme avait sa chambre et son lit, lui aussi. Quant à Farrokh et Julia, ils pouvaient dormir l'un sans l'autre une nuit – le docteur entendait par là qu'ils n'étaient pas enclins à faire l'amour tous les soirs, ni même deux soirs par semaine. Vous parlez d'une seconde lune de miel, pensa-t-il de nouveau. Il soupira.

Il aurait dû remettre la lecture du chapitre dix à plus tard, mais voilà qu'il se surprenait à le lire ; comme tout bon roman, le livre le berçait, le mettait dans un état de lucidité sereine, et puis, sans préavis, lui donnait une bonne secousse qui le désarçonnait totalement. « Puis, en toute hâte, comme s'il se ravisait, il retire ses vêtements et se glisse auprès d'elle. Un acte qui nous menace tous. Autour d'eux toute la ville est silencieuse. Sur les cadrans des pendules, visages laiteux, les aiguilles avancent à l'unisson, par saccades. Les trains sont à l'heure. Le long des rues désertes, passent de temps en temps les phares d'une voiture ; et des cloches sonnent l'heure, le quart, la demie. D'une main légère comme une fleur, elle entoure délicatement la base de sa queue, enfoncée profonde en elle à présent, touche ses couilles, et se met à se tordre sous lui, lentement, en une sorte de rébellion consentante, tandis que lui, dans son rêve, se soulève un peu, et définit du doigt l'anneau humide de son con, et dans ce geste il se met à jouir comme un taureau. Ils restent tout près l'un de l'autre longtemps, toujours sans parler. Ce sont ces échanges qui les soudent, c'est cela qui est terrible. Ces atrocités les poussent à l'amour. »

Le chapitre ne s'arrêtait même pas là-dessus, mais le docteur dut cesser de lire. Il était choqué, et il bandait, ce qu'il cachait avec le livre ouvert comme une tente sur son entrejambe. Tout à coup, au fil de cette prose transparente, de cette élégance nerveuse, on tombait sur les mots « queue », « couilles » et même « con » (avec un « anneau humide »), et les gestes des amants devenaient des « atrocités ». Farrokh ferma les yeux. Est-ce que Julia avait lu ce passage ? D'ordinaire, il était indifférent au plaisir qu'elle prenait à lui lire des extraits à haute voix ; elle aimait discuter avec lui de sa réaction ; mais il était rare qu'ils lui fassent le moindre effet, à lui. Le Dr Daruwalla se surprenait à éprouver le besoin de parler de l'effet de ce passage-là avec sa femme ; et l'idée de lui en parler le faisait bander, et il sentait son érection toucher ce livre stupéfiant.

Rencontre avec une transsexuelle incomplète

Lorsque le docteur ouvrit les yeux, il se demanda s'il était mort, et venait de se réveiller dans ce que les chrétiens appellent l'enfer. Là, contre son hamac, le regard plongeant sur lui, se tenaient deux duckworthiens qui ne comptaient pas parmi ses préférés.

– Vous le lisez, ce bouquin, ou bien c'est juste pour vous endormir ? s'enquit Promila Rai.

A côté d'elle se trouvait le seul neveu qui lui restait, le détestable Rahul Rai, jadis dépourvu de poils. Mais Rahul avait quelque chose d'anormal, remarqua le docteur. Rahul semblait être devenu une femme. En tout cas, il avait des seins de femme, et ce n'était certes plus un garçon.

Le docteur resta sans voix, ce qui peut se comprendre.

– Vous dormez encore ? lui demanda Promila Rai.

Elle pencha la tête de côté pour pouvoir déchiffrer le titre du roman et le nom de l'auteur, tandis que Farrokh maintenait solidement le

livre dans sa position protectrice, peu soucieux qu'il était, bien sûr, de révéler son érection à Promila ou à son effroyable neveu mamelu.
Promila lut le titre à haute voix avec agressivité.
– A *Sport and a Pastime*. Jamais entendu parler, dit-elle.
– C'est très bon, lui assura Farrokh.
Soupçonneuse, Promila lut le nom de l'auteur à haute voix :
– James Salter. Qui est-ce ?
– Quelqu'un de formidable.
– Ah bon ? Et de quoi ça parle ? demanda-t-elle avec impatience.
– De la France profonde.
C'était une expression que le docteur avait retenue du roman.
Déjà sa compagnie ennuyait Promila, il s'en rendait compte. Il ne l'avait pas vue depuis plusieurs années. Meher lui avait fait part de ses nombreux voyages à l'étranger, et des résultats peu concluants de la chirurgie esthétique sur elle. Et en la regardant depuis son hamac, le docteur reconnaissait, au niveau de sa paupière inférieure, la tension artificielle de son dernier lifting ; pourtant, il lui restait d'autres zones à retendre. Elle était d'une laideur spectaculaire, comme une poule d'une espèce rare, dotée d'un jabot en vagues pléthoriques. Loin de s'étonner que le même homme l'ait laissée tomber devant l'autel deux fois, Farrokh s'étonnait plutôt que le même homme ait osé s'approcher si près d'elle deux fois – car elle avait l'air, comme le disait le vieux Lowji, d'une Miss Havisham deuxième prise, et de plus d'une manière. Non seulement elle avait été abandonnée deux fois, mais elle paraissait deux fois plus vindicative, deux fois plus dangereuse et, à en juger par son sinistre neveu mamelu, deux fois plus fourbe.
– Vous vous rappelez Rahul, dit Promila à Farrokh.
Et pour être sûr de monopoliser son attention, elle tapotait de ses longs doigts aux veines saillantes sur le dos du livre qui dissimulait toujours l'érection moins fougueuse de Farrokh. Lorsque celui-ci leva les yeux vers Rahul, il sentit son sexe se rabougrir tout à fait.
– Rahul, mais comment donc ! dit-il.
Il avait eu vent des rumeurs, mais s'était figuré que Rahul avait dû embrasser l'homosexualité flamboyante de son frère, en hommage à sa mémoire, peut-être ; rien de plus scandaleux. Il n'avait pas oublié cette terrible mousson de 1949, où Neville Eden lui avait dit pour le choquer qu'il emmenait Subodh Rai en Italie parce qu'un régime à base de pâtes vous donnait du cœur au ventre pour les rigueurs de la

bougrerie. Après quoi ils s'étaient tués tous deux dans un accident de voiture. Le docteur pensait bien que le jeune Rahul aurait du mal à s'en remettre, mais pas à ce point !

– Rahul a subi une petite transformation sexuelle, dit Promila Rai avec une vulgarité qui passait pour le summum du raffinement auprès d'individus peu sûrs d'eux.

Rahul rectifia cette déclaration d'une voix qui reflétait le conflit des poussées hormonales.

– Je la subis encore, Tatie, puis il précisa au docteur : je ne suis pas tout à fait complète.

– Je vois, répondit ce dernier, mais il ne voyait rien du tout, il ne concevait pas les transformations que Rahul avait pu subir, et encore moins celles qui manquaient encore pour le rendre « complète ». Les seins étaient assez menus, mais fermes, et d'une très jolie forme ; les lèvres plus pleines et plus douces que dans son souvenir, et le fard agrandissait l'œil sans excès. Si Rahul avait douze ou treize ans en 49, et pas plus de neuf ou dix ans lorsque le vieux Lowji avait été consulté pour ce que sa tante appelait son « inexplicable absence de poils », il devait en avoir trente-deux ou trente-trois aujourd'hui, cal-cula Farrokh. Allongé sur le dos dans le hamac, le docteur ne voyait Rahul que jusqu'à la taille : le jeune homme l'avait svelte et flexible comme celle d'une fille.

Le docteur voyait bien qu'on lui administrait des œstrogènes ; et à en juger par ses seins et sa peau parfaitement unie, le traitement était une réussite remarquable ; malgré tout, ses effets sur la voix de Rahul étaient encore, au mieux, à perfectionner, car son timbre variait du masculin au féminin dans la confusion la plus totale. Rahul était-il castré ? Mais posait-on ces questions-là ? Il paraissait plus féminin que la plupart des hijras… Et pourquoi se serait-il fait retirer le pénis s'il avait l'intention de devenir « complète », puisque cela signifiait sans doute posséder un vagin complètement formé, que les chirur-giens fabriquaient en retournant le pénis ? Dieu merci, songea le doc-teur, je suis orthopédiste. Il se borna à demander à Rahul :

– Et vous changez aussi de nom ?

Rahul lui décocha un sourire hardi et même aguichant ; et, de nou-veau, l'homme et la femme luttèrent dans sa voix lorsqu'il répliqua :

– J'attends d'être une femme-femme.

– Je vois, dit le docteur.

Il essaya de rendre son sourire à Rahul, ou du moins de faire passer de la tolérance dans sa voix. De nouveau Promila le fit sursauter en tambourinant sur le dos du livre qu'il tenait serré.

– Toute la famille est là, demanda-t-elle ?

Au ton sur lequel elle disait cela, « toute la famille » prenait une allure grotesque, devenait une population entière dont il aurait perdu le contrôle.

– Oui, répondit le docteur.

– Et ce garçon superbe aussi, j'espère. Je veux absolument que Rahul le voie !

– Ça doit lui faire dix-huit ans, non, dix-neuf, dit Rahul, d'un air rêveur.

– Dix-neuf ans, oui, répondit le Dr Daruwalla avec raideur.

– Surtout, que personne ne me le montre ! dit Rahul. Je veux voir si je suis capable de le reconnaître au milieu de la foule.

Là-dessus, il tourna les talons et s'éloigna du hamac pour traverser la plage. Le docteur pensa qu'il avait soigné sa sortie pour lui assurer une vue imprenable sur ses hanches de femme. Ses fesses aussi étaient mises en valeur par le sarong ajusté, et ses seins soulignés de même par un débardeur moulant. N'empêche, observa Farrokh, critique, il a les mains trop grandes ; les épaules trop larges, le haut des bras trop musclé... les pieds trop longs et les chevilles trop vigoureuses. Rahul n'était ni parfaite ni complète.

– Elle est délicieuse, non ? chuchota Promila Rai à l'oreille du docteur.

Elle se penchait sur son hamac et il sentait son lourd pendentif d'argent, pièce maîtresse de son collier, lui battre la poitrine. Ainsi, dans l'esprit de Promila, Rahul était d'ores et déjà « elle » à part entière.

– Elle paraît tellement... féminine, dit le docteur pour flatter sa fierté.

– Elle *est* féminine ! repartit Promila Rai.

– Euh... oui, convint le docteur.

Il se sentait coincé dans son hamac, Promila juchée au-dessus de lui comme un oiseau de proie – comme une volaille de proie ! Son parfum était pénétrant, alliage de bois de santal et d'un baume qui sentait l'oignon mais aussi la mousse. Farrokh devait faire un effort

203

pour ne pas vomir. Il sentit que Promila tirait le livre vers elle, mais il s'y agrippa des deux mains.

– S'il est si extraordinaire que ça, ce bouquin, j'espère que vous allez me le passer.

– Je crois que Meher a l'intention de le lire après moi, objecta-t-il.

Il n'avait pas voulu dire Meher, sa mère, mais Julia, sa femme.

– Ah bon, Meher est là aussi ? demanda aussitôt Promila.

– Non, je voulais dire Julia.

A son sourire ironique, il vit bien qu'elle le jugeait : pas encore quarante ans, et sa vie sexuelle était si morne qu'il confondait sa femme et sa mère ! Il se sentit humilié, mais furieux aussi. Ce qui l'avait dérangé, au départ, dans *A Sport and a Pastime,* le tenait désormais sous le charme ; il se sentait vigoureusement stimulé, mais sans le sentiment de culpabilité que donne la pornographie. C'était un érotisme raffiné qu'il avait envie de partager avec Julia. En un mot, c'était merveilleux, le roman lui rendait sa jeunesse.

Pour le docteur, Promila et Rahul étaient des créatures sexuellement aberrantes. Ils avaient gâché ses bonnes dispositions ; ils avaient jeté une ombre sur un livre excitant, écrit avec sincérité, parce qu'eux-mêmes étaient contre nature, pervers, au plus haut point. Sans doute devrait-il avertir Julia que Promila et son neveu mamelu rôdaient dans les parages. Et il leur faudrait peut-être donner à leurs filles mineures quelques explications sur ce qui « clochait » chez Rahul. En tout cas, il allait en parler à John D. Il n'avait pas du tout aimé l'empressement avec lequel Rahul était parti tenter de le reconnaître « dans la foule ».

Selon Promila, John D. était bien trop beau pour être le fils de Danny Mills. Elle avait dû mettre cette théorie dans la tête de Rahul, et l'aspirant transsexuel était parti à sa recherche dans l'espoir de retrouver en lui – son cher enfant ! songeait le docteur – quelque chose qui rappelât Neville Eden.

Promila s'était détournée du hamac comme pour chercher des yeux la « délicieuse Rahul » sur la plage ; le docteur profita de l'occasion pour examiner sa nuque. Mal lui en prit, car ce qui lui sauta aux yeux, tapie dans les rides décolorées, c'était une tumeur mélanoïde. Promila devrait consulter, mais il ne se résolut pas à le lui conseiller. De toute façon, ce n'était pas l'affaire d'un orthopédiste ; et puis, il n'avait pas oublié combien Promila avait été odieuse avec son père parce qu'il ne prenait pas au sérieux l'absence de poils de Rahul. Au demeurant, le diagnostic de Lowji avait été un peu léger ; il aurait peut-être fallu lire là l'indication précoce d'une rectification sexuelle à envisager.

Il cherchait désespérément à se rappeler la question restée sans réponse à propos du Dr Tata. Il se souvenait du jour où Promila et Rahul avaient déposé ce vieil idiot devant leur propriété, et des spéculations auxquelles ils s'étaient livrés pour savoir lequel des deux était allé consulter le gynécologue, et pourquoi. L'excellente et célébrissime clinique de gynécologie et obstétrique du Dr Tata n'avait guère de chances d'avoir été retenue par Promila pour son compte personnel : elle n'aurait jamais mis sa précieuse anatomie en péril chez un médecin réputé moins bon que la moyenne. Lowji avait avancé que c'était peut-être Rahul le patient du Dr Tata. « Ça doit être pour cette histoire de poils qui ne poussent pas », avait dit le vieux médecin, si Farrokh avait bonne mémoire.

A présent, le vieux Dr Tata était mort, et pour vivre avec une époque moins superlative, le fils, lui aussi gynécologue-obstétricien, avait retiré « excellente et célébrissime » de sa plaque ; ce qui ne l'empêchait pas d'avoir une réputation tout aussi calamiteuse que son père : à Bombay, dans les milieux médicaux, on l'appelait en bonne logique Tata Deux. Pour autant il avait pu conserver les dossiers de son père. Il serait peut-être intéressant d'en apprendre plus sur cette fameuse absence de poils.

Farrokh trouvait amusant d'imaginer que, dans leur désir obsessionnel de faire changer de sexe à Rahul, Promila et son neveu avaient jugé bon de s'adresser à un gynécologue. Après tout, en effet, on n'a pas idée d'aller trouver un spécialiste de l'organe qui vous manque ; on va en trouver un qui connaît et qui comprend celui qu'on a déjà. C'est un urologue qu'il leur aurait fallu, présumait Farrokh, ainsi qu'un bilan psychiatrique, peut-être ; en tout cas, aucun médecin pleinement responsable ne lui aurait réalisé une opération complète sur simple demande.

Là-dessus, Farrokh se rappela que ces opérations étaient illégales en Inde, ce qui n'empêchait d'ailleurs guère les hijras de se castrer ; mais enfin l'émasculation était un devoir de leur caste ; tandis qu'apparemment, ce type de sentiment du devoir n'étouffait pas Rahul. Non, le choix de celui-ci semblait dicté par d'autres mobiles ; il ne voulait pas faire partie d'un troisième sexe, être un eunuque-travesti, un marginal ; il voulait être « complète », être une femme-femme, voilà ce qu'il voulait, spéculait le docteur.

– C'est sans doute le jeune Sidwha qui vous a recommandé cet hôtel, lui lança Promila, avec froideur.

Farrokh fut contraint de se rappeler sa source d'information inattendue. Sidwha était un jeune homme aux goûts bien trop « dans le vent » pour lui mais, en l'occurrence, il avait fait l'article de l'hôtel avec un enthousiasme si débridé.

– Oui, c'est bien lui, admit Farrokh ; je suppose qu'il vous en a parlé aussi…

– C'est moi qui lui en ai parlé, rectifia-t-elle. Le Bardez, c'est mon hôtel. J'y viens depuis des années.

Eh bien j'ai eu la main heureuse ! pensa le docteur. Mais Promila en avait fini avec lui, du moins pour l'instant ; elle tourna les talons sans plus de cérémonie, sans le moindre geste qui pût passer de près ou de loin pour une concession à la politesse la plus élémentaire, elle qui avait grandi dans les bonnes manières et savait en rajouter sur le protocole lorsque cela lui chantait.

Bon, la mauvaise nouvelle qu'il faudrait annoncer à Julia, c'est que deux duckworthiens détestables venaient d'arriver à l'hôtel Bardez, qui se trouvait être une de leurs adresses favorites. Mais la bonne nouvelle, c'était ce roman de James Salter, *A Sport and a Pastime* ; car Farrokh avait trente-neuf ans, et cela faisait longtemps qu'un livre ne s'était pas emparé de son esprit et de son corps à ce point.

Le Dr Daruwalla désirait sa femme ; il ne l'avait jamais désirée de façon plus soudaine, plus troublante, plus dénuée de fausse honte ; et il s'émerveillait que la prose de Mr Salter ait eu ce pouvoir, dans sa beauté, de lui inspirer bien plus qu'une simple érection. Il trouvait dans ce roman une séduction héroïque ; il avait réveillé tous ses sens.

Il sentait le sable de la plage se rafraîchir sous ses pieds ; à midi, il était si brûlant qu'il n'avait pas pu marcher sans ses sandales ; mais à cette heure-ci il avançait nu-pieds sans inconfort ; la température lui paraissait idéale. Il se promit de se lever très tôt un matin pour le sentir aussi au moment où il était le plus frais. S'il allait oublier cette résolution, malgré tout, les prémices d'une nouvelle lune de miel se faisaient bel et bien sentir en lui. Je vais écrire à Mr James Salter, décida-t-il. Il n'en fit rien et devait passer le reste de sa vie à déplorer sa négligence. Mais, ce jour de juin 1969, sur la plage de Baga, à

Goa, il se sentit, un temps très court, un homme neuf. Il ne lui restait qu'un jour avant de rencontrer la personne dont la voix sur son répondeur, vingt ans plus tard, aurait toujours assez d'autorité pour le remplir de terreur.

« C'est le docteur, c'est bien lui ? » demandait l'inconnue. Lorsque Farrokh avait entendu ces questions pour la première fois, il n'avait pas la moindre idée du monde où il allait entrer.

10

Destins croisés

Un symptôme caractéristique de la syphilis

A l'hôtel Bardez, les réceptionnistes annoncèrent au Dr Daruwalla qu'était passée une jeune femme qui boitait ; l'éclopée avait longé toute la plage depuis l'enclave hippie d'Anjuna ; elle faisait tous les hôtels pour trouver un médecin. « Y a un docteur ici ? » avait-elle demandé. Ils se flattaient de l'avoir expédiée, mais avertirent le docteur qu'ils étaient sûrs de la voir revenir ; elle ne trouverait personne pour la soigner à Calangute, et même si elle poussait jusqu'à Aguada, elle se ferait éconduire proprement ; avec l'allure qu'elle avait, il n'était même pas dit qu'on n'appellerait pas la police.

Farrokh ne voulait pas faire mentir la réputation des parsis en matière d'équité et de justice sociale ; il était toujours prêt à aider les infirmes et les mutilés – une fille qui boitait faisait du moins partie de sa clientèle spécifique. Ce n'était pas comme si l'on avait requis ses services pour rendre Rahul Rai « complète ». Mais, en même temps, il ne pouvait pas en vouloir au personnel du Bardez. C'était par respect pour son intimité qu'ils avaient expédié l'éclopée ; ils cherchaient seulement à le protéger, même si, par ailleurs, ils n'avaient pas été fâchés d'insulter une fille qui avait des allures de « désaxée ». Vers la fin des années soixante en particulier, les habitants de Goa nourrissaient une certaine rancune à l'égard des hippies européens et américains qui écumaient les plages ; c'étaient en effet des voyageurs qui dépensaient peu – quand ils ne volaient pas ! – et les touristes occidentaux et indiens, des nantis ceux-là, dont les autochtones souhaitaient la clientèle, les jugeaient indésirables. Si bien que, sans leur reprocher leur attitude, le docteur fit poliment savoir aux employés qu'il souhaitait examiner la hippie blessée, si jamais elle repassait.

Sa décision déçut le vieil employé qui servait le thé, et qui faisait des navettes lasses entre l'hôtel Bardez et les bungalows disséminés sur la plage – quatre piquets fichés dans le sable et un toit de palmes. Quand il s'allongeait dans son hamac sous les palmiers, le docteur voyait souvent le serveur s'approcher, et c'était surtout l'intérêt professionnel qui l'avait amené à l'examiner de si près. L'homme s'appelait Ali Ahmed et disait n'avoir qu'une soixantaine d'années, même s'il en paraissait quatre-vingts ; il présentait plusieurs des signes cliniques les plus reconnaissables et les plus pittoresques de la syphilis congénitale. La première fois qu'il était venu lui servir du thé, le médecin avait remarqué ses « dents d'Hutchinson », ses incisives en portemanteau qu'on ne pouvait pas ne pas voir. La surdité du serveur, le voile caractéristique qui recouvrait sa cornée confirmaient le diagnostic.

Farrokh était surtout curieux de placer Ali Ahmed face au soleil du matin, de façon à pouvoir repérer un quatrième symptôme, très rare dans les syphilis congénitales et bien plus répandu dans celles acquises plus tard : les pupilles d'Argyll Robertson ; c'est pourquoi le docteur avait imaginé une astuce pour examiner Ali Ahmed sans qu'il s'en aperçût.

Dans son hamac, où le vieil homme venait lui servir le thé, Farrokh était face à la mer d'Oman. Derrière lui, dans l'arrière-pays, le soleil du matin diffusait un halo éblouissant sur le village ; et c'est aussi de là que la brise rabattait sur la plage un arôme de noix de coco fermentée. Farrokh avait regardé les yeux nébuleux d'Ali Ahmed, en lui demandant sans avoir l'air de rien :

– Qu'est-ce que c'est que cette odeur, Ahmed ? D'où ça vient ?

Pour être sûr de se faire entendre, il lui avait fallu hausser la voix.

Le serveur était en train de lui tendre un verre de thé ; il avait donc les pupilles contractées pour accommoder sa vision sur un objet proche, le verre. Mais lorsque le docteur lui avait demandé d'où venait cette odeur puissante, Ali Ahmed avait regardé vers le village ; ses pupilles s'étaient dilatées pour accommoder sa vision au sommet des cocotiers et des aréquiers lointains ; or, tandis qu'il levait le visage vers le soleil féroce, ses pupilles ne s'étaient pas contractées contre la lumière. C'était le symptôme classique, appelé « pupille d'Argyll Robertson », avait conclu le docteur.

Farrokh se rappelait son professeur préféré de maladies infectieuses, Herr Doktor Fritz Meitner, qui aimait bien dire à ses étudiants que le meilleur « truc » pour se rappeler le comportement d'une pupille d'Argyll Robertson, c'était de penser à une prostituée : accommodante, mais sans réaction. Il n'y avait pas de filles dans la classe. Ils avaient tous éclaté de rire, mais Farrokh sans trop d'assurance : il n'était jamais allé avec une prostituée, malgré le succès qu'elles avaient à Bombay comme à Vienne.

– C'est du *feni*, dit le serveur, pour expliquer l'odeur.

Mais le Dr Daruwalla connaissait déjà la réponse, tout comme il savait que les pupilles de certains syphilitiques ne réagissent pas à la lumière.

Scène de séduction littéraire

Au village, à moins que l'odeur ne vînt de plus loin, là-bas, à Panjim, on distillait des noix de coco et de cajou pour en faire le breuvage local qui s'appelle le *feni* ; les vapeurs lourdes et écœurantes en parvenaient jusqu'aux quelques touristes et aux quelques familles en vacances à Baga Beach.

Le Dr Daruwalla et sa famille étaient déjà les chouchous du personnel du petit hôtel, et on leur faisait un accueil princier dans les buvettes et les petites tavernes qu'ils fréquentaient sur le bord de mer. Le docteur avait le pourboire généreux, et sa femme était une beauté classique dans les canons européens (contrairement à la racaille louche des hippies) ; ses filles étaient intelligentes, jolies, vibrantes – et elles faisaient encore partie de la race des vraies jeunes filles – quant au spectaculaire John D., il fascinait les Indiens comme les Européens. Ce n'était qu'auprès d'une famille aussi sympathique que les Daruwalla que le personnel du Bardez s'excusait de l'odeur du *feni*.

A cette époque, en mai-juin, juste avant la mousson, les étrangers avertis et les Indiens évitaient également Goa ; il y faisait trop chaud ; en revanche, c'était l'époque où les natifs de Goa qui n'y vivaient pas venaient rendre visite à leur famille et à leurs amis. Pour les enfants, c'étaient les grandes vacances. La crevette et le homard abondaient, et c'était la pleine saison des mangues (le Dr Daruwalla raffolait des mangues). Pour ne pas manquer à la générosité, et pour complaire aux catholiques, l'Église distribuait des jours fériés ; tout en n'étant pas encore pratiquant, Farrokh n'avait rien contre un banquet ou deux.

Les catholiques n'étaient plus majoritaires à Goa ; les ouvriers qui y avaient immigré pour travailler dans les mines de fer étaient hindous. Mais Farrokh, comme son père, persistait à penser que c'étaient les « cathos » qui faisaient la loi. L'influence portugaise se faisait encore sentir dans l'architecture monumentale que le Dr Daruwalla adorait ; et elle se dégustait encore distinctement dans la cuisine qui lui réjouissait le palais. Parmi les noms de bateaux des pêcheurs chrétiens, il n'était pas rare de trouver *Le Christ-Roi*. Les autocollants de pare-brise, plaisants ou militants, étaient la dernière mode à Bombay, sur une échelle encore réduite ; le docteur dit pour rire que le nom des bateaux de pêche chrétiens était l'équivalent local des autocollants. Ce trait d'esprit n'amusa pas Julia davantage que les éternelles bouffonneries de Farrokh sur les restes profanés de saint François. Si bien que le docteur, voyant que sa femme refusait de l'écouter, se tourna vers John D., qui avait étudié un peu de théologie à l'université (même si, à Zurich, ce devait plutôt être de la théologie protestante).

– Je me demande comment qui que ce soit pourrait justifier la canonisation ! Tu te rends compte ! le chapitrait-il, une furieuse gobe l'orteil de Xavier, et crac, on lui coupe le bras pour l'expédier à Rome !

Devant son petit déjeuner, le jeune homme sourit sans rien dire. Les filles Daruwalla ne surent que sourire à John D. Et lorsque le docteur regarda sa femme, il eut la surprise de constater qu'elle lui rendait son regard, en souriant elle aussi. Il était clair qu'elle n'avait pas entendu le premier mot de ce qu'il racontait. Le docteur rougit. Le sourire de Julia n'était pas moindrement ironique ; au contraire, elle avait une expression amoureuse si sincère qu'elle s'apprêtait sûrement à lui rappeler leur plaisir de la nuit – et devant les enfants et John D. encore ! A en juger par le tour polisson des pensées de sa femme après cette nuit, leur séjour était bien devenu une seconde lune de miel.

Lire au lit ne lui paraîtrait plus jamais innocent, même si tout avait commencé de façon plutôt anodine. Sa femme lisait Trollope, et lui ne lisait rien ; il essayait de prendre son courage à deux mains pour lire *A Sport and a Pastime* devant elle. N'y parvenant pas, il demeurait couché sur le dos, les doigts croisés sur son ventre qui gargouillait (sous l'effet d'une dose massive de porc ou de la conversation déplaisante du dîner).

Au cours du dîner, en effet, il avait essayé d'expliquer à sa famille son besoin d'être plus créatif, son désir d'écrire ; mais ses filles n'avaient pas fait attention à lui, et sa femme s'était méprise : elle lui avait suggéré d'écrire une rubrique médicale sinon pour le *Times of India*, du moins pour le *Globe and Mail*. John D. lui avait conseillé de tenir un journal ; il l'avait fait lui-même, autrefois, et cela lui avait plu – mais une de ses petites amies le lui avait volé, et il avait perdu l'habitude de le tenir. Là-dessus la conversation avait dégénéré complètement parce que les petites Daruwalla avaient tanné John D. pour qu'il leur dise combien de petites amies il avait eues.

Après tout, on était à la fin des années soixante ; même les vraies jeunes filles parlaient comme des filles sexuellement averties. Farrokh constata avec contrariété qu'elles étaient en train de demander à John D. avec combien de filles il avait couché. Égal à lui-même, et pour le plus grand soulagement du docteur, le jeune homme avait éludé la question avec habileté et bonne grâce. Mais le chapitre de la créativité encore insatisfaite du docteur s'était trouvé clos, ou ignoré délibérément.

Pourtant, le sujet n'avait pas échappé à Julia. Après dîner, calée contre une pile d'oreillers, sa femme l'avait agressé avec Trollope tandis qu'il était couché sur le dos.

– Écoute ça, *Liebchen*, avait-elle dit. « Tôt dans la vie, dès l'âge de quinze ans, j'ai pris la dangereuse habitude de tenir un journal, et je l'ai conservée dix ans. J'en gardai les volumes en ma possession, sans jamais y penser ni y jeter les yeux jusqu'en 1870, où je les examinai, et, tout rougissant, les détruisis. Ils venaient de me convaincre de sottise, d'ignorance, d'indiscrétion, d'oisiveté, d'extravagance et de fatuité. Mais ils m'avaient aussi habitué à me servir avec dextérité de la plume et de l'encre ; ils m'avaient appris à m'exprimer avec facilité. »

– Je n'ai ni envie ni besoin de tenir un Journal, dit Farrokh sèchement. Je sais déjà m'exprimer avec facilité.

– Je ne vois pas pourquoi tu te sens attaqué, lui dit Julia. Je croyais seulement que le sujet t'intéresserait.

– Ce que je veux, moi, c'est créer quelque chose, annonça le Dr Daruwalla. Ça ne m'intéresse pas de tenir registre des mondanités de mon existence.

– Je ne m'étais jamais rendu compte que nous menions une vie si mondaine...

Réalisant son erreur, le docteur rectifia :

– Bien sûr que non. Je voulais seulement dire que je préfère m'essayer à une œuvre d'imagination ; je voudrais inventer quelque chose.

– Tu veux dire une histoire ?

– Oui. Dans l'idéal, j'aimerais bien écrire un roman, mais je ne me crois pas capable d'en écrire un très bon.

– Il y en a de toutes sortes, hasarda Julia, encourageante.

Enhardi à ces mots, le Dr Daruwalla tira le roman de James Salter de sa cachette sous une pile de journaux posés par terre au chevet du lit. Il l'en extirpa avec soin, comme s'il s'agissait d'une arme potentiellement dangereuse, ce qui était d'ailleurs le cas.

– Par exemple, je ne crois pas que je serais jamais capable d'écrire un roman aussi bon que celui-ci.

Julia lança un bref coup d'œil au Salter, avant que son regard ne revienne au Trollope.

– Non, c'est vrai, dit-elle.

Ha ha ! se dit le docteur. Elle l'a donc lu ! Mais il demanda avec un détachement factice :

– Tu l'as lu, ce bouquin ?

– Oui, répondit-elle sans quitter son propre livre des yeux. A vrai dire je l'ai apporté pour le relire.

Farrokh avait du mal à garder son flegme, mais il essayait :

– Ah bon ! C'est qu'il t'a plu, alors...

– Oh oui, beaucoup, répondit-elle.

Et après un lourd silence, elle demanda :

– Et à toi ?

– Je l'ai trouvé pas mal du tout, avoua le docteur, qui ajouta : il doit y avoir des lecteurs qui seraient choqués, scandalisés par certains passages.

– Ah sûrement, convint Julia.

Puis elle ferma Trollope et, regardant son mari :

– Tu penses à quels passages ?

Les choses ne se déroulaient pas tout à fait comme il l'avait imaginé, mais c'était tout de même ce qu'il voulait. Comme Julia avait monopolisé presque tous les oreillers, il se mit sur le ventre, en appui sur les coudes. Il choisit d'abord un passage assez peu compromettant, et lut à voix haute :

– « Il s'arrête enfin. Il se penche pour l'admirer ; elle ne le voit pas. Ses cheveux lui couvrent la joue. Sa peau paraît très blanche. Il lui embrasse le flanc, et puis, sans appuyer, comme on fait s'ébranler une jument favorite, il recommence. Elle reprend conscience avec un soupir épuisé, comme une femme sauvée de la noyade. »

Julia se mit sur le ventre, elle aussi, en ramenant les oreillers autour de ses seins.

– On voit mal comment ce passage-là pourrait choquer ou scandaliser qui que ce soit, remarqua-t-elle.

Le docteur s'éclaircit la voix. Le ventilateur du plafond ébouriffait la nuque duveteuse de Julia ; sa lourde chevelure avait glissé devant son visage, lui dérobant ses yeux. Lorsqu'il retenait son souffle, il l'entendait respirer.

– « Elle n'est jamais assouvie, poursuivit-il tandis que Julia s'enfouissait le visage dans les bras. Elle ne veut pas le laisser tranquille. Elle retire ses vêtements, et elle l'appelle. Une fois cette nuit-là et deux fois le matin, il s'exécute, et entre-temps il reste éveillé dans le noir, les lumières de Dijon vaguement reflétées au plafond, les boulevards muets. C'est une mauvaise nuit. Des bancs de pluie passent. De lourdes gouttes résonnent dans la gouttière, devant leur fenêtre, mais eux sont dans un colombier, eux sont des pigeons sous les tuiles. Tout autour d'eux la pluie tombe. Eux sont couchés au creux de la plume, ils respirent doucement. Son sperme l'inonde lentement, puis suinte entre ses jambes. »

– C'est déjà mieux, dit Julia.

Lorsqu'il la regarda, il vit qu'elle avait tourné le visage vers lui ; la lueur jaunâtre et vacillante de la lampe au kérosène n'était pas d'une pâleur aussi fantomatique que le clair de lune qu'il avait vu sur son visage lors de leur première lune de miel, mais même cet éclat terni lui montrait la confiance que sa femme était disposée à lui faire. Leur nuit de noces, dans l'hiver autrichien, s'était passée dans l'une

214

de ces villes des Alpes enneigées, et le train qu'ils avaient pris à Vienne avait failli arriver trop tard pour qu'on les reçoive à la *Gasthof*, malgré la réservation. Le temps qu'ils se soient déshabillés, qu'ils aient pris un bain, il devait bien être deux heures du matin lorsqu'ils s'étaient glissés dans le lit de plumes, aussi blanc que les montagnes de neige réfléchissant le clair de lune à leur fenêtre – éclat intemporel.

Mais lors de leur seconde lune de miel, le docteur faillit bien rompre le charme en se livrant à une critique de détail :

– Je me demande s'il est bien exact que le sperme l'inonde « lentement », dit-il ; et puis, strictement, c'est de la semence et pas du sperme qui doit suinter entre ses cuisses.

– Pour l'amour du ciel, Farrokh, s'écria sa femme. Donne-moi ce livre.

Elle n'eut aucun mal à trouver le passage qu'elle cherchait, et pourtant le livre n'était pas corné. Farrokh se tourna sur le côté et la regarda pendant qu'elle lui faisait la lecture :

– « Elle est si mouillée, le temps qu'il ait installé les coussins sous son ventre luisant, qu'il entre en elle d'une seule longue poussée délicieuse. Ils commencent lentement. Lorsqu'il est près de jouir, il se retire et laisse refroidir sa verge. Puis il recommence, en guidant son sexe d'une main, en le faisant pénétrer comme une canne à pêche dans l'eau. Elle commence à rouler des hanches, à crier. Il a l'impression de donner des soins à une folle. Enfin, il se retire de nouveau. Tout en attendant, tranquille, délibéré, son regard tombe sans cesse sur des lubrificateurs, sa crème de soin, des bouteilles dans l'armoire. Ils le distraient ; leur présence a quelque chose d'effrayant, comme l'évidence. Ils recommencent, et cette fois ils ne s'arrêtent pas avant qu'elle crie, et qu'il se sente jouir en une série de longs tremblements, le bout de sa verge touchant de l'os, on dirait. »

Julia lui rendit le livre :

– A toi, dit-elle.

Elle était couchée sur le flanc, elle aussi, à le regarder ; mais comme il commençait à lui faire la lecture, elle ferma les yeux ; il vit son visage sur l'oreiller, presque exactement comme il l'avait vu au matin, dans les Alpes. Le village s'appelait Saint-Anton, oui, c'est ça, et il avait été réveillé par le bruit des galoches des skieurs sur la neige durcie ; on aurait dit qu'une armée de skieurs traversait la ville au pas de charge pour atteindre les remonte-pente. Il n'y avait que Julia et lui pour ne pas être allés skier. Eux, ils étaient venus pour baiser, pensait-il en regardant le visage endormi de sa femme. Et c'était bien de cette façon qu'ils avaient passé la semaine, tentant de brèves sorties sur les chemins enneigés du village, pour retourner bien vite à leur lit de plume. Le soir, ils n'avaient pas moins d'appétit que les skieurs pour les plats substantiels de l'hôtel. Tout en regardant Julia, au fil de sa lecture, Farrokh se rappelait chaque jour et chaque nuit à Saint-Anton.

– « Il pense aux serveurs du casino, au public du cinéma, aux hôtels sombres tandis qu'elle est allongée sur le ventre ; et aussi facilement qu'on s'assoirait à une table bien mise, mais pas plus, il s'introduit. Ils sont couchés sur le côté. Il essaie de ne pas bouger. Il n'y a que de toutes petites secousses invisibles, comme un poisson qui mord. »

Julia ouvrit les yeux et Farrokh chercha un autre passage.

– Continue ! demanda-t-elle.

Alors il trouva ce qu'il cherchait ; quelque chose de court et de simple.

– « Elle a les seins durs, lut-il à sa femme. Elle a le con trempé... »

Là-dessus il marqua un temps :

– Il y a sans doute des lecteurs que ça pourrait choquer ou scandaliser, ça.

– Pas moi, dit Julia.

Il referma le livre et le remit sur le journal, au chevet du lit. Lorsqu'il revint vers Julia, elle avait glissé les oreillers sous ses hanches et elle l'attendait. Il commença par lui toucher les seins.

– Toi aussi, tu as les seins durs.

– Oh non ! les miens, ils sont vieux, et tout mous.

– Alors je les préfère mous.

Après l'avoir embrassé, elle lui dit :

– J'ai le con trempé.

– Bien sûr que non, dit-il instinctivement, mais lorsqu'elle lui prit la main pour qu'il la touche, il s'aperçut qu'elle n'avait pas menti.

Le lendemain matin, le soleil passait entre les fentes étroites du store, zébrant le brun café du mur nu. Les journaux, sur le sol, étaient agités par un petit lézard, un gecko, dont on ne voyait que le bout du museau ; et lorsque le docteur tendit la main pour ramasser *A Sport and a Pastime*, le gecko fila sous le lit. Trempé, pensa le docteur. Il ouvrit le livre sans bruit, persuadé que sa femme dormait encore.

– Continue à lire, murmura Julia, lis à haute voix.

Déjeuner, suivi d'un moment d'abattement

C'est avec une confiance retrouvée dans ses capacités sexuelles que Farrokh fit face aux problèmes de la matinée. Rahul Rai avait engagé la conversation avec John D., et si Farrokh lui-même ne pouvait s'empêcher de « la » trouver attirante, la minuscule « pièce à conviction » qui renflait le bas de son bikini lui sembla suffisante pour épargner au jeune homme une éventuelle confrontation. Tandis que Julia restait auprès des filles sur la plage, les deux hommes s'en allèrent déambuler le long de la grève pour échanger de viriles confidences.

– Il y a quelque chose qu'il faut que tu saches sur Rahul, commença Farrokh.

– Comment elle s'appelle ?

– Il s'appelle Rahul, expliqua le docteur. Et je suis presque sûr que si tu allais voir dans sa culotte, tu trouverais un pénis et une paire de couilles – modestes tous les trois.

Ils continuaient à longer le ressac, John D. apparemment médusé par les petits cailloux polis par le sable, et les éclats de coquillage arrondis. Le jeune homme finit par déclarer :

– Ses seins font vrai !

– Ils sont artificiels, sans aucun doute ; ils ont poussé avec des hormones, dit le Dr Daruwalla.

Il expliqua le fonctionnement des œstrogènes, qui font pousser les seins, s'arrondir les hanches, se rabougrir le pénis jusqu'à ce qu'il ne soit pas plus gros que celui d'un enfant. Les testicules rapetissent tellement qu'on dirait une vulve. Le pénis rétrécit au point d'avoir l'air d'un clitoris hypertrophié. Le docteur dit aussi tout ce qu'il savait sur l'opération permettant un changement de sexe complet.

– Dément... s'exclama John D.

Ensuite de quoi ils se demandèrent si Rahul préférait les hommes ou les femmes. Dans la mesure où il voulait devenir femme, il devait sans doute s'intéresser aux hommes, déduisait le docteur.

– Difficile à dire, hasarda John D.

De fait, lorsqu'ils revinrent à l'endroit où les filles s'étaient installées, sous un parasol de palmes, ils y trouvèrent Rahul Rai en grande conversation avec... Julia.

– Je crois, dit celle-ci par la suite, qu'il s'intéresse aux messieurs, mais une dame pourrait sans doute faire l'affaire, à la rigueur.

L'affaire, se demanda Farrokh ? Promila lui avait confié que « cette pauvre Rahul » traversait une mauvaise passe. Si le docteur avait bien compris, la tante et le neveu n'étaient pas arrivés de Bombay ensemble ; il l'avait précédée de plus d'une semaine sur les lieux. Il s'était fait des « amis hippies », avait dit Promila, quelque part du côté d'Anjuna, mais les choses ne s'étaient pas passées comme il l'espérait. Farrokh ne tenait pas à en savoir plus, mais Promila avait tout de même spéculé.

– Il a dû se passer des choses qui l'ont un peu égaré, sur le plan sexuel…

– Oui, sûrement, dit le docteur.

En temps normal, ces considérations l'auraient contrarié, mais il était encore sur la lancée de son triomphe auprès de Julia, la veille. Et l'égarement sexuel de Rahul, qu'il trouvait pourtant dérangeant, ne réussit pas à lui couper l'appétit, malgré la chaleur féroce.

Il faisait une canicule impitoyable à midi, et on ne sentait pas la moindre brise. Le long de la côte, les palmiers et les cocotiers étaient immobiles, comme le grand arbre à cajou vénérable, et les manguiers de l'arrière-pays, du côté des villages assoupis. Le triporteur qui passait, avec son pot d'échappement déglingué, ne parvenait pas à faire aboyer un seul chien. Sans la présence lourde du *feni* distillé, le docteur aurait pu croire qu'il n'y avait pas le moindre déplacement d'air.

Mais la chaleur ne refrénait pas l'enthousiasme avec lequel il attaqua son repas. Il commença par un *guisado* d'huîtres et des gambas à la vapeur, accompagnées d'une sauce moutarde au yaourt ; puis il essaya le poisson vindaloo, dont la sauce était si piquante qu'elle lui engourdit instantanément la lèvre supérieure et le fit transpirer. Il arrosa son repas de *feni* au gingembre glacé – il en prit même deux – et commanda du *bebinca* en dessert. Sa femme s'était contentée d'un *xacuti* qu'elle partagea avec les filles ; c'était un curry incendiaire, rendu presque lénifiant par le lait de coco, les clous de girofle et la noix muscade. Les petites essayèrent aussi un dessert à la mangue glacée. Le docteur n'avait pas perdu tout sens du goût, mais rien ne pouvait atténuer la brûlure de son palais. Comme remède, il commanda une bière fraîche. Puis il reprocha à Julia de laisser ses filles boire tant de sirop de canne.

– Avec la chaleur ça va les rendre malades, tout ce sucre, lui dit-il.

– Tu es bien placé pour parler ! répliqua Julia.

Farrokh se mit à bouder. Il ne connaissait pas cette marque de bière et n'allait pas s'en souvenir. Ce qu'il se rappellerait, en revanche, c'était l'étiquette, qui disait : « L'alcool ravage la patrie, la famille et la vie ».

Mais le docteur avait beau avoir un appétit pantagruélique, ses rondeurs n'avaient jamais été et ne seraient jamais disgracieuses. C'était un homme d'assez petit gabarit, ce qui apparaissait surtout dans la délicatesse de ses mains et dans les traits précis et bien dessinés de son visage, lui-même rond, juvénile et sympathique, tandis que ses bras et ses jambes étaient maigres et noueux ; il avait un petit derrière, aussi. Même sa modeste bedaine semblait mettre en valeur une silhouette menue, nette et soignée. Il aimait porter une courte barbe, car il aimait aussi se raser ; son menton et le tour de son visage étaient le plus souvent rasés de près. Lorsqu'il portait la moustache, sa moustache elle-même était nette et petite. Il n'avait pas la peau beaucoup plus foncée qu'une coquille d'amande ; ses cheveux étaient noirs ; il grisonnerait bientôt mais ne les perdrait jamais. Ils étaient drus, avec une légère ondulation ; il les gardait assez longs sur le haut de la tête et courts sur la nuque et au-dessus des oreilles, qui étaient elles aussi petites, et parfaitement collées à son crâne. Ses yeux étaient d'un brun si foncé qu'ils paraissaient presque noirs, et dans son petit visage, ils paraissaient grands – peut-être l'étaient-ils en effet. S'ils l'étaient, ils étaient bien la seule partie de lui à refléter son appétit. Seule la comparaison avec John D. aurait pu empêcher qu'on le trouve beau ; petit, mais beau. Il n'était pas gros, il était potelé ; un petit monsieur, avec une petite bedaine.

Tandis qu'il connaissait une digestion difficile, il aurait pu s'aviser que les autres avaient fait preuve de plus de bon sens que lui. John D., comme pour faire preuve de cette discipline et de cette modération diététique que les futures vedettes de cinéma feraient bien d'imiter, évitait de manger en pleine chaleur. C'était à midi qu'il allait faire ses longues promenades sur la plage ; parfois il allait nager avec indolence, seulement pour se rafraîchir. A son attitude languide, il était difficile de décider s'il se promenait sur la plage pour regarder les essaims de jeunes filles, ou pour leur offrir le luxe de contempler sa personne.

Dans la torpeur suivant la déflagration de son déjeuner, le docteur ne remarqua guère que Rahul Rai était invisible. Il était soulagé de constater que l'aspirant transsexuel avait cessé de poursuivre John D. de ses assiduités. Quant à Promila Rai, elle n'avait suivi le jeune homme que sur une courte distance au bord de l'eau : à croire qu'il l'avait découragée en lui déclarant son intention d'aller jusqu'au prochain village, voire au suivant. Coiffée d'un absurde chapeau à larges bords – comme s'il n'était pas déjà trop tard pour protéger sa peau cancéreuse –, elle était retournée seule à la tache d'ombre ménagée par son auvent de palmes, et là, apparemment, s'était ointe de toute une gamme d'huiles et produits chimiques.

Sous leur propre groupe de parasols, les petites Daruwalla enduisirent d'autres huiles et produits chimiques leurs corps plus jeunes et plus beaux ; après quoi elles se risquèrent au soleil parmi les intrépides adeptes du bronzage, des Européens surtout, et relativement peu nombreux à cette période de l'année. Il était formellement interdit aux petites de suivre John D. dans ses randonnées méridiennes ; le docteur et sa femme estimaient tous deux que le jeune homme méritait bien ce moment de liberté.

Mais la personne la plus sensée, le midi, c'était toujours Julia ; elle allait chercher la fraîcheur relative de leur suite au deuxième. Il y avait là une loggia protégée du soleil où se trouvaient le hamac de John D. ainsi qu'un petit lit ; c'était l'endroit idéal pour lire ou faire la sieste.

C'était sans aucun doute l'heure de la sieste pour le docteur, qui doutait de pouvoir grimper jusqu'au deuxième étage. Depuis la taverne, il voyait le balcon qui courait le long des chambres et lui jetait des regards langoureux. Il se disait qu'il ferait bon dans le hamac, et se proposait d'y coucher ce soir-là ; pourvu que la moustiquaire soit efficace, il y serait très à l'aise, et toute la nuit il entendrait la mer d'Oman. Plus il laissait John D. y passer de nuits, plus le jeune homme penserait qu'il lui revenait de droit. D'un autre côté, le nouvel attrait érotique qu'il trouvait à sa femme lui faisait différer ce projet : il restait des passages de *A Sport and a Pastime* qu'il n'avait pas encore commentés avec sa femme.

Il aurait bien aimé savoir ce que Mr James Salter avait écrit d'autre. Pourtant, malgré le piment inattendu que le roman avait apporté à sa vie de couple, Farrokh se sentait abattu. L'œuvre du romancier était tellement supérieure à ce qu'il pouvait espérer imaginer – ne disons même pas réussir. Et puis, il avait vu juste, l'un des amants meurt, comme pour donner à entendre que l'amour, vécu avec une passion aussi dévorante, ne dure jamais. En outre, le roman s'achevait sur une note qui faisait presque mal physiquement au docteur. A la fin, il avait l'impression que la vie qu'il menait avec Julia, cette vie qui lui était si chère, était tournée en dérision. N'était-ce qu'une impression ?

De la Française, l'ancienne serveuse, qui survit à son amant, voici tout ce qui est dit : « Elle est mariée ; je suppose qu'il y a des enfants. Le dimanche ils font une promenade ensemble, le soleil les inonde. Ils vont voir des amis, ils parlent, ils rentrent chez eux le soir, au cœur même de cette vie que nous nous accordons à trouver tellement désirable. » Ne fallait-il pas lire de la cruauté entre les lignes ? Parce qu'enfin, se disait le docteur, c'est vrai qu'elle est désirable, cette vie, non ? Bien sûr, la vie conjugale ne pouvait pas avoir l'intensité brûlante d'une passion...

Ce qui le perturbait, c'était que la fin du roman lui donnait le sentiment d'être ignorant, ou du moins de manquer d'expérience. Plus humiliant encore, il était sûr que Julia pourrait la lui expliquer de façon qu'il la comprenne. Tout était question de ton ; peut-être l'auteur avait-il voulu faire passer de l'ironie plus que de la dérision. Il écrivait avec limpidité ; s'il y avait des zones d'ombre, elles étaient à coup sûr imputables à la confusion mentale du lecteur.

Mais ce qui séparait le Dr Daruwalla de James Salter, ou de tout romancier accompli, ce n'était pas seulement la virtuosité technique. Salter et ses pairs faisaient passer une vision du monde dans leur écriture ; ils avaient des convictions ; et c'était la passion avec laquelle ils les défendaient qui donnait à leur œuvre une part de sa valeur. La seule conviction du docteur, c'était qu'il aimerait bien être plus créatif, qu'il aimerait inventer une histoire. Des romanciers de ce type n'étaient pas une espèce rare, et il ne trouvait pas valorisant de s'y assimiler. Il en conclut qu'il lui fallait donner dans une forme de divertissement qu'il pût revendiquer sans vergogne. S'il était incapable d'écrire des romans, peut-être pourrait-il écrire des scénarios. Après tout, les films, c'était moins sérieux que les livres ; d'abord, c'était moins long. Son absence de vision du monde ne devrait pas l'empêcher d'écrire des scénarios réussis.

Mais cette conclusion elle-même le déprimait. Dans sa quête d'un emploi à sa créativité jusque-là oisive, il était arrivé à un compromis avant d'avoir rien entrepris ! Cette idée l'amena à envisager de se consoler dans l'affection conjugale. Mais le regard qu'il lança au lointain balcon ne le rapprochait pas de Julia, et il n'était pas certain que l'absorption de *feni* et de bière fût le prélude le mieux choisi à l'aventure amoureuse, surtout par cette chaleur tenace. Une phrase de Salter lui semblait scintiller au-dessus de sa tête, dans l'enfer de midi : « Plus on voit le monde clairement, plus on est contraint de feindre qu'il n'existe pas. » La liste des choses que je ne sais pas s'allonge, se dit le docteur.

Ainsi, il ne savait pas le nom de l'épaisse plante grimpante qui s'élançait du sol pour venir enserrer les balcons du deuxième et du troisième étage, à l'hôtel Bardez. Elle faisait beaucoup d'usage aux petits écureuils rayés qui y détalaient ; la nuit les geckos la parcouraient en tous sens bien plus vite et bien plus légèrement encore. Lorsque le soleil brillait sur ce mur de l'hôtel, on y voyait s'ouvrir des fleurs du rose le plus pâle ; mais le Dr Daruwalla ne savait pas que ce n'étaient pas ces fleurs qui attiraient là les mésanges. Les mésanges mangent des graines, mais cela, il ne le savait pas non plus, de même qu'il ignorait que le perroquet vert qui venait s'y percher avait des pattes dotées de deux serres tournées vers l'avant et de deux autres tournées vers l'arrière. Tels étaient les détails qui lui échappaient, et ils contribuaient à allonger cette liste des choses qu'il ignorait. C'est en ce sens qu'il représentait l'homme moyen ; un peu perdu, mal informé, voire pas informé du tout, presque partout où il passait. Pourtant, malgré ses excès à table, le docteur était incontestablement séduisant. Plus séduisant que la moyenne des hommes moyens.

Une sale hippie

Le docteur était si somnolent, à sa table pas encore débarrassée, qu'un des petits employés de l'hôtel Bardez lui suggéra d'aller se mettre dans un nouveau hamac tendu à l'ombre des palmiers et des cocotiers. Tout en objectant qu'il serait trop près de la grande plage et qu'il allait subir les attaques des puces de sable, le docteur alla essayer le hamac ; il n'était pas sûr qu'il puisse supporter son poids.

Mais le hamac tint bon. Pour l'instant, il n'y avait pas de puces en vue. Il fallut donc donner un pourboire au gamin.

Ce gamin, nommé Punkaj, semblait avoir pour seul office la récolte des pourboires, car les messages qu'il portait à l'hôtel et à la buvette-taverne adjacente étaient le plus souvent de son cru et totalement superflus. Ainsi, il demanda à Farrokh s'il voulait qu'il coure à l'hôtel dire à la « Madame Docteur » que le docteur faisait la sieste dans un hamac près de la plage. Le Dr Daruwalla lui répondit que non. Mais quelques instants plus tard, le gamin était de retour, annonçant :

– La Madame Docteur elle est en train de lire. Un livre, je crois.

– Va-t'en, Punkaj, dit le Dr Daruwalla, mais il n'en donna pas moins un autre pourboire au jeune parasite.

Au fait, est-ce que Julia était en train de lire Trollope, ou de relire Salter ?

Compte tenu du volume de son déjeuner, il pouvait s'estimer heureux d'arriver à dormir. Si le labeur de son appareil digestif lui interdisait un sommeil profond, malgré les gargouillements de protestation émis par son estomac, malgré un hoquet ou un rot par-ci par-là, il sombra dans un sommeil haché, traversé par des rêves, et s'éveilla en sursaut pour se demander si ses filles ne s'étaient pas noyées, et si l'insolation et l'agression sexuelle ne les guettaient pas. Sur quoi il se rendormit.

Tandis qu'il naviguait entre veille et sommeil, le changement de sexe complet de Rahul lui apparaissait, il en imaginait les détails, à la lisière de la conscience, nébuleux comme les vapeurs du *feni* distillé. Cette aberration exotique était aux antipodes des idéaux plutôt conventionnels de Farrokh, qui croyait en la pureté de ses filles, et qui était fidèle à sa femme. A peine moins conventionnelle était l'idée qu'il se faisait de John D., puisqu'il désirait voir le jeune homme s'élever au-dessus des circonstances sordides de sa naissance et de son abandon. Si seulement je pouvais jouer un rôle là-dedans, songeait le docteur, je ferais un jour œuvre aussi créative que Mr James Salter.

Mais les seules qualités visibles chez John D. étaient éphémères et superficielles ; il était d'une beauté frappante, et son inébranlable confiance en lui, son aplomb, dissimulaient son absence d'autres qualités ; car le docteur présumait, hélas, qu'il n'en avait pas d'autres. En cela, il avait bien conscience de se fier trop à l'appréciation de son frère, confirmée par sa belle-sœur ; car pour Jamshed et Josefine l'absence d'avenir du jeune homme était une inquiétude chronique. Il ne se sentait pas « concerné » par ses études, disaient-ils. Mais peut-être ne fallait-il voir dans ce désintérêt qu'une marque précoce de talent pour la comédie...

Mais, oui, pourquoi pas ? John D. pourrait devenir vedette de cinéma, décida le docteur, en oubliant que l'idée lui avait été soufflée par sa femme. Il lui semblait soudain que le jeune homme était destiné à être acteur de cinéma – ou rien. Il était en train de s'apercevoir pour la première fois qu'un soupçon de désespoir peut parfois stimuler les sucs créatifs. Et c'étaient sans doute ces sucs-là, agissant de conserve avec le suc gastrique (dont l'existence est, elle, prouvée par la science), qui lui mettaient l'imagination en branle.

C'est alors qu'un rot si alarmant qu'il le crut poussé par quelqu'un d'autre tira le docteur de ses rêveries ; il se haussa dans son hamac pour vérifier que ses filles n'avaient toujours pas été violentées par les forces de la nature ni par la main de l'homme. Puis il se rendormit bouche ouverte et doigts en éventail, main inerte dans le sable.

Sans rêves s'avançait l'après-midi. La plage se fit moins étouffante. Une brise légère se leva, balançant mollement le hamac où le docteur était couché, digérant. Quelque chose lui avait laissé un mauvais goût dans la bouche ; ses soupçons se portaient sur le vindaloo de poisson, ou encore la bière, et il avait des gaz. Il ouvrit un œil discrètement pour voir s'il y avait quelqu'un à proximité du hamac, auquel cas il aurait été grossier de péter – et justement, voilà qu'arriva cet enquiquineur de Punkaj, le petit parasite.

– Elle est revenue, annonça le gamin.

– Va-t'en, Punkaj, dit le docteur.

– Elle vous cherche, l'hippie qu'a mal au pied, précisa Punkaj.

Comme il prononçait « lipi », dans sa torpeur digestive, le docteur ne comprenait toujours pas.

– Va-t'en, Punkaj, répéta-t-il.

Puis il vit la jeune femme s'approcher en boitant.

– C'est lui ? C'est lui le docteur ? demanda-t-elle à Punkaj

– Bougez pas ! C'est moi qui préviens le docteur ! lui dit le gamin.

A voir comme ça, elle pouvait avoir dix-huit ans comme elle pouvait en avoir vingt-cinq, mais c'était une fille charpentée, avec des épaules larges et des seins lourds, des hanches massives ; elle avait de même la cheville épaisse et des mains qui semblaient très puissantes ; et elle souleva le gosse du sol en l'attrapant par le devant de sa chemise, pour l'envoyer promener sur le sable les quatre fers en l'air.

– Va te faire foutre, lui lança-t-elle.

Punkaj se releva et s'enfuit vers l'hôtel. Farrokh lança ses jambes hors du hamac d'un geste mal assuré, et il se tourna vers elle. Lorsqu'il fut debout, il constata avec surprise combien la brise de la fin d'après-midi avait rafraîchi le sable ; il ne fut pas moins surpris de voir à quel point la jeune femme était plus grande que lui. Il se pencha aussitôt pour enfiler ses sandales ; c'est là qu'il vit qu'elle était pieds nus, et qu'un de ses pieds avait presque doublé de volume. Tandis qu'il avait encore un genou à terre, la jeune femme fit tourner son pied enflé et lui en montra la plante enflammée et infectée.

– J'ai marché sur un bout de verre, dit-elle lentement. J'étais sûre de les avoir tous ramassés, mais faut croire que non.

Il lui prit le pied et la sentit s'appuyer de tout son poids sur son épaule pour ne pas perdre l'équilibre. Il y avait plusieurs petites écorchures, toutes refermées, rouges, et froncées par l'infection ; à la naissance des orteils, on voyait une bosse enflammée grosse comme un œuf ; au centre, une plaie suppurait, déchirée, longue de deux doigts.

Le docteur leva les yeux vers la fille, mais celle-ci ne le regardait pas ; elle avait le regard ailleurs ; il fut sidéré non seulement par sa taille, mais aussi par sa masse. Elle avait des formes féminines et pleines, des muscles de paysanne ; ses jambes sales, non épilées, étaient couvertes de poils blonds ; ses blue-jeans coupés en short étaient légèrement déchirés à l'entrejambe, laissant dépasser une touffe de poils pubiens blonds, obscènes. Elle portait un T-shirt noir sans manches, orné d'un insigne avec un crâne et des tibias entrecroisés ; sa poitrine basse pendait au-dessus de Farrokh comme une mise en garde. Lorsqu'il se leva pour regarder son visage, il vit qu'elle ne pouvait pas avoir plus de dix-huit ans. Elle avait de bonnes joues rondes, couvertes de taches de rousseur, et le soleil avait fait éclater la peau des lèvres. Son petit nez d'enfant avait pris un coup de soleil, lui aussi, et ses cheveux étaient d'un blond presque blanc, emmêlés, hirsutes, décolorés comme de l'étoupe par l'huile solaire qu'elle mettait pour se protéger le visage.

Ses yeux déconcertaient le Dr Daruwalla, non seulement à cause de leur couleur, un bleu glacier, mais aussi parce qu'ils lui évoquaient les yeux d'un animal encore mal réveillé, encore dans le vague. Dès qu'elle s'aperçut qu'il la regardait, ses pupilles se contractèrent et se fixèrent intensément sur lui – tout comme celles d'un animal, justement. Maintenant, oui, elle était sur la défensive ; tout son instinct soudain mobilisé. Le docteur ne pouvait pas lui rendre l'intensité de son regard ; il détourna les yeux.

– Je crois qu'il me faudrait des antibiotiques, dit la jeune femme.

– Oui, vous avez une infection, répondit le Dr Daruwalla. Il faut que j'incise l'enflure. Il y a quelque chose, là-dedans ; il faut que ça sorte.

Oui, elle tient une bonne infection, pensa-t-il. Il avait également remarqué les raies lymphangitiques.

La jeune femme haussa les épaules et, à ce simple geste, Farrokh perçut son odeur. Ce n'était pas seulement une âcre odeur d'aisselles ; on y sentait aussi comme un relent d'urine, ainsi qu'un ferment lourd, blet, légèrement pourri ou gâté.

– Il faut absolument que vous vous laviez avant que je vous incise, dit le Dr Daruwalla.

Il regardait ses mains ; il semblait y avoir du sang séché sous ses ongles. Elle haussa de nouveau les épaules, et Farrokh fit un pas en arrière.

– Bon... et vous voulez faire ça où ? demanda-t-elle avec un regard circulaire.

A la taverne, le barman les observait. A la buvette, il n'y avait qu'une table occupée par trois buveurs de *feni* ; or ces imbibés eux-mêmes avaient les yeux sur la fille.

– Il y a une baignoire à l'hôtel, dit le docteur. Ma femme vous aidera.

– Je sais prendre un bain toute seule, lui rétorqua la jeune femme.

Farrokh était en train de penser qu'elle ne pouvait pas venir de bien loin, avec ce pied. Comme elle traînait la patte jusqu'à l'hôtel, il vit qu'elle boitait très bas ; elle s'appuya de tout son poids à la rampe pour monter l'escalier qui menait à leur suite.

– Vous n'êtes tout de même pas venue d'Anjuna à pied ? s'enquit-il.

– Je viens de l'Iowa, répondit-elle.

D'abord, le docteur ne comprit pas ; il essaya de se rappeler s'il y avait un Iowa à Goa. Puis il se mit à rire, mais pas elle.

– Non, je voulais dire, où est-ce que vous avez jeté l'ancre, à Goa ?

– J'ai pas jeté l'ancre ; dès que je pourrai marcher je prends le premier ferry pour Bombay.

– Mais où vous êtes-vous blessé le pied ?

– Sur un bout de verre. Du côté d'Anjuna, là-bas…

Cette conversation et le fait de voir la fille monter l'escalier épuisaient le docteur. Il précéda la fille dans sa suite : il voulait avertir Julia qu'il avait trouvé une patiente sur la plage, ou plutôt qu'elle l'avait trouvé.

Farrokh et Julia attendirent sur le balcon pendant que la fille prenait un bain. Ils attendirent très longtemps, plongés dans la contemplation, assortie de peu de commentaires, du sac à dos en triste état qu'elle leur avait laissé sur le balcon. Il fallait croire qu'elle n'envisageait pas de se changer, ou encore que les vêtements du sac à dos étaient plus sales que ceux qu'elle avait sur elle – ce qui était difficile à envisager.

Divers badges en tissu étaient cousus sur le sac à dos, signe des temps, sans doute. Le docteur reconnaissait le symbole pacifiste, les fleurs pastel, Bugs Bunny, un drapeau américain sur lequel se détachait une tête de cochon, et un autre crâne d'argent avec tibias. Il ne reconnaissait pas l'espèce de personnage de bande dessinée, un oiseau noir et jaune à l'expression menaçante ; ce ne pouvait guère être une quelconque version de l'aigle américain. Il n'avait évidemment aucune raison de connaître Herky le Faucon, symbole vengeur du club sportif universitaire de l'Iowa ; en regardant de plus près, il lut sous l'oiseau noir et jaune : « Vas-y œil de faucon ! »

– Elle doit être membre d'un club bizarre, dit-il à sa femme.

Pour toute réponse, Julia soupira. C'était sa manière de feindre l'indifférence ; mais en fait la découverte de cette jeune géante, avec ses touffes blondes sous les aisselles, lui avait causé un choc dont elle n'était pas tout à fait remise.

Dans la salle de bains, la fille remplit et vida la baignoire deux fois. La première, c'était pour se raser les jambes, mais pas les aisselles ; elle tenait à ces poils-là, signe extérieur de sa révolte ; par-devers elle, elle appelait ses poils d'aisselles et ses poils pubiens « ma fourrure ». Elle se servit du rasoir du docteur ; elle pensa bien à l'embarquer, d'ailleurs, mais elle se rappela qu'elle avait oublié son sac à dos sur le balcon. Elle en fut distraite de son projet ; haussant les épaules, elle remit le rasoir où elle l'avait trouvé. En s'installant dans son deuxième bain, elle s'endormit aussitôt – d'épuisement –, mais l'eau qui lui couvrit bientôt la bouche la réveilla. Elle se savonna, se lava les cheveux, se rinça. Puis elle vida la baignoire et se fit couler un troisième bain, en laissant l'eau monter autour d'elle.

Ce qui la stupéfiait dans ces meurtres, c'est qu'elle n'arrivait pas à trouver en elle le moindre commencement de remords. Elle n'y était pour rien, même si on pouvait éventuellement lui en attribuer la responsabilité involontaire. Elle refusait de se sentir coupable, car elle n'aurait jamais pu faire quoi que ce soit pour sauver les victimes. Quant au fait qu'elle n'avait pas essayé d'empêcher ces meurtres, elle n'y pensait que vaguement. Aussi bien, elle était victime, elle aussi ; et par conséquent, elle sentait planer autour d'elle une éternelle absolution aussi visible que la vapeur qui s'élevait du bain. Elle gémit ; la température de l'eau était à la limite de ce qu'elle pouvait supporter. Elle n'en revenait pas de voir flotter cette mousse infecte sur l'eau. Elle en était à son troisième bain, et il lui sortait encore de la crasse.

11
Le godemiché

Aucun voyage n'est sans mobile

C'était la faute de ses parents, conclut-elle. Elle s'appelait Nancy ; elle venait d'une famille d'éleveurs de porcs ; des fermiers d'origine allemande ; à l'école, elle avait été une « bonne petite », dans son patelin de l'Iowa. Et puis elle était partie à l'université, à Iowa City. Comme elle était blonde, et qu'elle avait de la poitrine, elle avait fait une candidate populaire à l'escouade des majorettes. Elle n'avait pas la personnalité qu'il fallait, et n'avait pas été retenue ; mais elle avait fréquenté les majorettes, qui à leur tour lui avaient présenté tous ces footballeurs. Il y avait tout le temps ces soirées, dont elle n'avait pas l'habitude. Et au cours de ces soirées, elle avait couché avec un garçon pour la première fois ; puis couché avec un Noir pour la première fois ; puis couché avec un Hawaïen pour la première fois ; et aussi avec le premier homme originaire de Nouvelle-Angleterre qu'elle rencontrait – de quelque part dans le Maine, ou le Massachusetts.

Elle quitta l'université sans diplôme au bout d'un semestre ; lorsqu'elle rentra au patelin où elle avait grandi, elle était enceinte. Elle se considérait toujours comme une bonne petite, puisqu'elle s'était rangée à l'avis de ses parents sans discuter : elle garderait l'enfant, l'abandonnerait légalement à sa naissance et trouverait du travail. Sans attendre d'accoucher, elle alla donc travailler à la quincaillerie-bazar du coin, au rayon des aliments pour bétail et des graines, et se mit bientôt à douter du bien-fondé des conseils parentaux : des hommes qui auraient pu être son père lui faisaient des propositions malgré son état.

Elle partit accoucher au Texas ; le médecin de l'orphelinat refusa de lui laisser voir l'enfant, et les infirmières de lui dire si c'était une fille ou un garçon. Lorsqu'elle rentra chez elle, ses parents la firent asseoir et la chapitrèrent : ils espéraient qu'elle allait acheter une conduite. Sa mère priait pour qu'un garçon bien, un garçon du pays, ait la générosité de fermer les yeux, et de l'épouser. Un jour. Son père lui dit que Dieu s'était montré indulgent avec elle ; il lui laissa entendre que Dieu n'inclinait pas deux fois à l'indulgence.

Pendant un temps, Nancy essaya d'obtempérer. Mais il y avait tellement d'hommes qui tentaient de la séduire, la tenant pour une fille facile ; et puis les femmes étaient pires : il y en avait tellement qui tenaient pour acquis qu'elle couchait déjà avec tout le monde. Cette expérience punitive eut sur elle un effet singulier. Nancy n'en voulut pas tant aux footballeurs qui avaient contribué à sa déchéance ; non, curieusement, ce qu'elle haïssait le plus, c'était sa propre innocence. Elle refusait de se croire immorale, mais elle trouvait dégradant de se sentir stupide. Et avec ce sentiment lui venait une colère jamais éprouvée, qui lui était étrangère, et qui pourtant faisait partie d'elle-même au même titre que le fœtus qu'elle avait porté si longtemps sans jamais le voir.

Elle fit une demande de passeport. Lorsqu'il arriva, elle dévalisa la quincaillerie, et particulièrement le rayon graines et aliments pour bétail, jusqu'au dernier sou. Sa famille était originaire d'Allemagne, elle se dit que c'était là-bas qu'elle devrait aller. Le vol le moins cher au départ de Chicago était un vol pour Francfort. Mais si elle s'était trouvée trop simplette pour Iowa City, elle était loin de savoir ce qui l'attendait auprès des jeunes Allemands entreprenants qui fréquentaient le quartier de la Hauptbahnhof et de la Kaiserstrasse, où elle rencontra presque tout de suite un grand brun nommé Dieter ; dealer de son état, et gagne-petit à l'année.

Le premier délit qu'il lui fit commettre fut excitant quoique mineur. Il la faisait déambuler comme une prostituée dans les ruelles sordides qui jouxtent la Kaiserstrasse et qui portent des noms de fleuves allemands. Elle réclamait un prix si astronomique que seuls les touristes et les hommes d'affaires les plus riches et les plus stupides la suivaient jusque dans une chambre minable de l'Elbestrasse ou de la Moselstrasse. Dieter l'y attendait. Nancy faisait payer son client, puis elle ouvrait la porte de la chambre ; une fois à l'intérieur, Dieter faisait mine de la surprendre ; il la saisissait sans ménagement, la jetait sur le lit, l'insultait pour sa malhonnêteté et son infidélité, menaçant de la tuer, tandis que le client qui venait de s'offrir ses services s'éclipsait invariablement. Il n'y en eut jamais un pour essayer de lui porter secours. Nancy aimait profiter de leur lubricité, et puis elle prenait un malin plaisir à constater leur lâcheté systématique. Dans son esprit, elle se vengeait de ces hommes qui l'avaient rendue si malheureuse au rayon des graines et des aliments pour bestiaux.

Selon Dieter, tous les Allemands avaient honte de leurs désirs sexuels. C'est pourquoi il préférait l'Inde, pays tourné à la fois vers les sens et la spiritualité. Il entendait par là qu'on pouvait s'y procurer presque tout pour presque rien. Presque tout, c'est-à-dire, des femmes, des filles très jeunes, en plus du *bhang* et de la *ganja* ; mais il ne lui parla que de la qualité du haschich – combien il le paierait sur place, combien il le revendrait en Allemagne. Il ne lui révéla pas tous les détails de son plan et tut en particulier le fait que son passeport américain et sa dégaine de paysanne étaient pour lui le meilleur moyen de faire passer la douane allemande à la marchandise. Il comptait également sur Nancy pour faire passer la douane indienne à ses marks. Il envoyait des marks pour rapporter du haschich. Il avait déjà organisé ce type de voyage avec des Américaines ; parfois avec des Canadiennes, dont les passeports éveillaient encore moins les soupçons.

Avec les unes comme avec les autres, la procédure était simple. Il ne prenait jamais le même avion qu'elles ; il s'assurait qu'elles étaient bien arrivées, et qu'elles avaient passé la douane ; après quoi, seulement, il prenait l'avion pour Bombay. Il leur disait toujours qu'il voulait qu'elles se remettent du décalage horaire dans une chambre confortable, à l'hôtel Taj, parce que, lorsqu'il les rejoindrait, ils auraient du boulot sérieux ; il voulait dire qu'il faudrait s'installer dans un hôtel moins en vue, et il savait que le trajet en car de Bombay à Goa pouvait être éprouvant. Dieter aurait pu acheter sa marchandise à Bombay, mais chaque fois, il se laissait persuader, généralement par l'ami d'un ami, d'aller l'acheter à Goa. Le hasch y était plus cher, à cause de tous les hippies européens et américains qui en achetaient comme de l'eau minérale, mais la qualité était sans surprise ; et c'était cette qualité qui allait chercher un bon prix, à Francfort.

Dieter rentrait en Allemagne un jour avant la fille ; si elle était bloquée à la douane allemande, ça signifiait qu'il ne devait pas la retrouver. Mais son système était au point, et aucune de ses filles ne s'était jamais fait prendre, ni à l'aller ni au retour.

Il leur faisait arborer la panoplie du touriste le plus zélé : guides, romans en collections de poche ; les premiers étaient cornés et annotés pour attirer l'attention des douaniers sur des sites culturels ou historiques d'un ennui si mortel qu'il fallait écrire une thèse sur eux pour s'y intéresser. Les seconds, des romans d'Hermann Hesse ou de Lawrence Durrell, dénoteraient en principe des tendances poético-mystiques chez leur lecteur ; or les douaniers ne voyaient là que des préoccupations de jeunes filles détachées des questions d'argent – et quand on ne s'intéressait pas au profit, on ne pouvait guère s'intéresser au trafic de drogue.

En revanche, ces jeunes filles n'étaient pas au-dessus de tout soupçon quant à l'usage de la drogue ; leurs effets personnels étaient donc consciencieusement fouillés pour voir si elles n'avaient pas leur petite réserve. On n'y trouvait jamais la moindre miette de preuve. Dieter était malin, il faut le dire ; une bonne part de la marchandise était dissimulée avec succès dans un récipient qui ne laissait passer aucune odeur pour les chiens, un récipient franchement scandaleux, mais d'une ingéniosité non moins incontestable.

Rétrospectivement, la pauvre Nancy convenait que la servitude sexuelle qu'il savait faire naître chez autrui décuplait les talents de Dieter. En sûreté relative dans la baignoire des Daruwalla, à l'hôtel Bardez, elle se disait qu'elle avait suivi Dieter strictement pour le sexe. Ses footballeurs étaient bien gentils, mais c'étaient des abrutis ; et la plupart du temps elle s'était saoulée à la bière. Avec Dieter elle fumait juste ce qu'il fallait de hasch ou de marijuana ; Dieter n'avait rien d'un abruti. Il avait la beauté décharnée d'un jeune homme qui relève d'une maladie gravissime ; s'il n'avait pas été assassiné, il serait sans doute devenu un de ces hommes qui font leur chemin dans la vie par l'intermédiaire de filles de plus en plus jeunes et de plus en plus naïves, ses appétits sexuels se confondant avec son désir d'initier les innocentes à une série d'expériences plus dégradantes les unes que les autres. En effet, sitôt qu'il avait rassuré Nancy sur ses capacités sexuelles, il sabotait le peu d'estime qu'elle se portait ; il la faisait douter d'elle-même, se prendre en horreur de façon qu'elle n'aurait jamais imaginée.

Au début, il lui avait simplement demandé :

– Quelle est la première expérience sexuelle qui t'ait inspiré une certaine confiance ?

Comme elle ne répondait rien, parce qu'elle était en train de se dire que la masturbation était la *seule* expérience sexuelle qui lui ait inspiré la moindre confiance, il avait dit pour elle :

– La masturbation, je me trompe ?

– C'est vrai, avait-elle avoué tranquillement.

Il ne l'avait pas brusquée. Au début, ils n'avaient fait qu'en parler.

– Nous sommes tous différents, lui avait-il dit, philosophe. Le tout, c'est que tu découvres ce qui te convient le mieux.

Puis il lui avait raconté des petites histoires, pour la détendre. Un jour, lorsqu'il était adolescent, il avait volé une culotte dans le tiroir où la mère de son meilleur ami mettait sa lingerie.

– Quand elle avait perdu toute son odeur, je la remettais dans le tiroir, et j'en fauchais une autre, dit-il à Nancy. L'ennui avec la masturbation, c'est que j'avais toujours peur de me faire prendre. J'ai connu une fille qui n'arrivait à jouir que debout.

– Moi, il faut que je sois couchée, lui avait dit Nancy.

Cette conversation elle-même était plus intime que tout ce qu'elle avait connu auparavant. Cela semblait si naturel, la façon dont il l'avait amenée à lui montrer comment elle se masturbait. Elle se couchait à plat dos, la main gauche serrant sa fesse gauche ; elle ne se touchait jamais l'endroit même (ça ne marchait pas, sinon) ; elle se frottait juste au-dessus, avec trois doigts de la main droite, le pouce et le petit doigt écartés comme des ailes. Elle tournait le visage de côté et Dieter se couchait auprès d'elle pour l'embrasser, tant et si bien qu'il lui fallait tourner la tête – pour respirer. Lorsqu'elle avait fini, il la pénétrait ; à ce stade, elle était toujours excitée.

Un jour, lorsqu'elle eut fini, il lui dit :

– Tourne-toi sur le ventre ; attends-moi et ne bouge pas. J'ai une surprise pour toi.

Lorsqu'il revint, il se glissa dans le lit auprès d'elle et se mit à l'embrasser sans répit, à pleine bouche, avec la langue, tout en passant une main sous son ventre pour pouvoir la toucher exactement comme elle s'était touchée. La première fois, elle ne vit même pas le gode-miché.

Lentement, de l'autre main, il se mit à enfoncer l'objet en elle ; au début, elle se collait contre ses doigts comme pour lui échapper, mais au bout d'un moment elle se cambra pour aller à sa rencontre. Il était très gros, mais Dieter ne lui faisait jamais mal avec ; lorsqu'elle arrivait à un état d'excitation tel qu'elle devait arrêter de l'embrasser – parce qu'elle ne pouvait pas se retenir de crier –, il lui retirait le godemiché et la pénétrait lui-même, par-derrière, ses doigts ne cessant pas de la toucher en même temps. (Après le godemiché, le calibre de Dieter était un peu décevant.)

Ses parents lui avaient dit un jour que les jeux sexuels peuvent rendre fou ; mais la folie que Dieter avait fait naître en elle ne lui paraissait pas dangereuse. Malgré tout, ce n'était pas la meilleure raison d'aller en Inde.

Une arrivée mémorable

Elle avait eu des problèmes avec son visa, et elle se demandait avec inquiétude si ses vaccins étaient en règle ; avec ces noms en allemand, elle n'avait pas compris de quoi il s'agissait. Elle était sûre de prendre trop de cachets contre le paludisme, mais Dieter était incapable de lui dire combien il fallait en prendre. Il semblait indifférent à la maladie. Ce qui l'inquiétait davantage, lui, c'était qu'un douanier indien confisque le godemiché – mais, dit-il à Nancy, cela n'arriverait que si elle le dissimulait. Il insista pour qu'elle le transporte comme si de rien n'était, avec ses affaires de toilette, dans son bagage à main. Seulement l'objet était énorme. Pis encore, il était d'un rose effroyable, couleur chair ; et le bout, qui avait la forme d'un pénis circoncis, avait une nuance bleuâtre, comme une bitte qu'on aurait oubliée au froid, pensait Nancy. Là où le prépuce était repoussé, on aurait dit qu'il restait un voile de gel lubrifiant, qui n'aurait pas pu partir. Nancy embarqua la chose dans une vieille chaussette de sport, longue jusqu'au genou. Elle priait le ciel pour que les douaniers indiens lui supposent une vocation médicinale inavouable – tout sauf la fonction la plus évidente. Bien sûr, elle aurait préféré que ce soit Dieter qui voyage avec. Mais il lui fit observer qu'alors les douaniers en concluraient qu'il était homosexuel, et il fallait bien qu'elle sache que quel que soit le pays ou le point d'arrivée à la frontière, les homosexuels étaient en butte à des vexations classiques. Il lui dit aussi que c'était lui qui allait faire le voyage avec les marks excédentaires ; s'il ne voulait pas l'emmener par le même vol, c'était pour qu'elle ne soit pas inquiétée s'il se faisait prendre.

Tout en trempant dans la baignoire, à l'hôtel Bardez, Nancy se demandait comment elle avait pu le croire ; dans l'après-coup, les erreurs de jugement paraissent toujours flagrantes. Nancy réfléchissait que Dieter n'avait eu aucun mal à la convaincre d'emporter le gode-miché à Bombay. Ce n'était pas la première fois qu'un godemiché pénétrait en Inde par ce canal-là. Mais ce spécimen précis allait semer une panique sans précédent.

C'était la première rencontre de Nancy avec l'Asie ; et les présen-tations eurent lieu à l'aéroport de Bombay, sur le coup de deux heures du matin. Elle n'avait jamais vu d'hommes si diminués, si délabrés, si métamorphosés par la pagaille, le vacarme, par cette énergie qui tournait à vide ; leurs mouvements incessants, leur curiosité agressive évoquaient un grouillement de rats. Et beaucoup d'entre eux étaient pieds nus. Elle essaya de se concentrer sur l'inspecteur des douanes, assisté de deux policiers ; eux n'étaient pas pieds nus. Mais les poli-ciers, deux agents en chemise et vaste short bleus, portaient les jam-bières les plus absurdes qu'elle ait jamais vues – surtout par cette chaleur. Et puis c'était la première fois qu'elle voyait des flics porter des casquettes à la Nehru.

A Francfort, Dieter l'avait envoyée chez un gynécologue, pour se faire faire un diaphragme sur mesure ; mais en apprenant qu'elle avait déjà eu un bébé, le médecin avait préféré lui poser un stérilet. Ce n'est pas qu'elle y tenait, mais en voyant l'inspecteur des douanes examiner ses articles de toilette, et l'un des policiers ouvrir un pot de crème hydratante et en prendre une noisette sur le bout du doigt, que son collègue se mit en devoir de renifler, elle fut bien contente de ne pas transporter de diaphragme ou de gelée spermicide avec lesquels ils puissent faire joujou. Ils n'iraient tout de même pas toucher ni flairer son stérilet.

Mais bien sûr, il restait le godemiché, intact dans sa longue chaus-sette de sport tandis que l'inspecteur tripotait ses vêtements dans son sac à dos et vidait le contenu de son bagage à main, une sorte de grand sac en faux cuir. L'un des policiers s'empara de son exemplaire fatigué de *Cléa,* le dernier tome du *Quatuor d'Alexandrie*, de Lawrence Durrell, série dont Dieter n'avait lu que le premier tome, *Justine*. Nancy n'en avait lu aucun, mais le roman était corné, sans doute à l'endroit où le dernier lecteur s'était arrêté ; ce fut à cette page-là que l'agent ouvrit le livre, ses yeux tombant tout de suite sur le passage que Dieter avait souligné au crayon exprès. A la vérité cet exemplaire avait déjà fait l'aller et retour deux fois, avec deux autres recrues de Dieter, qui ne l'avaient lu ni l'une ni l'autre – pas même le passage souligné. Dieter avait choisi ce passage-là parce qu'il pensait qu'il n'en faudrait pas plus pour faire passer le lecteur pour un inoffensif crétin aux yeux de tous les douaniers du monde.

Le policier fut tellement scié par le passage en question qu'il tendit le livre à son collègue, lequel parut accablé, comme si on lui demandait de décoder un message indéchiffrable ; lui aussi fit passer le livre. Ce fut l'inspecteur des douanes qui finit par lire le passage. Nancy regardait le mouvement involontaire de ses lèvres, comme s'il isolait des noyaux d'olives. Petit à petit, les mots, ou quelque chose qui leur ressemblait, devinrent audibles ; ils semblaient impénétrables à Nancy, et elle se demanda ce que l'inspecteur des douanes et les agents pouvaient bien y comprendre.

« Tout le quartier était assoupi dans le violet ombreux du crépuscule proche, lut l'inspecteur, un ciel de velours palpitant, entamé par l'éclat nu de mille ampoules électriques. Il était tendu au-dessus de Tatwig Street, cette nuit, comme une écorce de velours. » L'inspecteur des douanes s'interrompit dans sa lecture, comme quelqu'un qui trouverait un drôle de goût à ce qu'il vient de manger. L'un des policiers jetait des regards furibonds au livre ; on aurait dit qu'il se voyait dans l'obligation de le confisquer, ou de le détruire sur-le-champ ; mais l'autre avait les yeux dans le vague, comme un enfant qui s'ennuie ; il prit le godemiché dans sa chaussette de sport, et il dégaina le pénis géant comme on dégaine une épée. La chaussette retomba mollement dans sa main gauche, tandis que sa main droite saisissait la grosse bitte à sa base, par la paire de couilles amovibles dures comme du bois.

Soudain, il s'aperçut de ce qu'il avait en main ; il passa aussitôt le godemiché à son collègue qui prit l'instrument par le prépuce dégagé avant de reconnaître le membre viril outrancier, qu'il tendit derechef à l'inspecteur des douanes. Sans se départir de *Cléa*, qu'il tenait dans sa main gauche, l'inspecteur empoigna le godemiché par le scrotum ; puis il laissa tomber le roman et arracha la chaussette au premier policier, qui était resté bouche bée. Mais le formidable pénis était plus difficile à rengainer qu'à dégainer ; dans sa précipitation, l'inspecteur l'enfonça à l'envers. Les couilles se retrouvèrent fourrées dans le talon de la chaussette, trop petit pour elles, et où elles firent une drôle de bosse ; le gland circoncis bleuâtre semblait dévisager les agents et l'inspecteur des douanes comme le mauvais œil des proverbes.

– Où allez-vous habiter ? demanda l'un des policiers à Nancy.

Il s'essuyait furieusement la main sur ses jambières : une trace de gel lubrifiant ?

– Ne confiez jamais votre sac à personne, lui conseilla l'autre agent

– Convenez d'un prix avec le chauffeur de taxi avant de monter en voiture, reprit le premier agent.

L'inspecteur des douanes évita de la regarder. Elle s'était attendue à pire, persuadée que le godemiché lui attirerait des rires grossiers ou égrillards. Mais elle était au pays du *lingam* – croyait-elle –, n'y adorait-on pas le symbole phallique ? Il lui semblait avoir lu que le pénis était le symbole de Sa Majesté Shiva. Peut-être que ce qu'elle portait dans son sac était le lingam le plus réaliste (malgré ses dimensions) que ces hommes aient jamais vu. Peut-être avait-elle fait un usage profane de ce symbole, ce qui expliquerait qu'ils ne veuillent plus la regarder. Mais les agents et l'inspecteur des douanes ne pensaient pas aux lingams ni à Sa Majesté Shiva ; ils étaient tout bonnement effarés par ce pénis de voyage.

La pauvre Nancy fut livrée à elle-même sitôt quitté l'aéroport, assaillie par les cris aigus des chauffeurs de taxi. Une queue de taxis interminable allait se perdre dans les ténèbres infernales de cette grande banlieue de Bombay ; à part l'oasis de l'aéroport, il n'y avait pas de lumière à Santa Cruz ; Sahar n'existait pas en 1969. Il était dans les trois heures du matin.

Nancy dut batailler avec son chauffeur de taxi sur le prix de la course jusqu'à Bombay. Mais même en payant le prix convenu, elle n'était pas au bout de ses difficultés ; le chauffeur était un Tamoul, qui venait apparemment d'arriver à Bombay. Il prétendait ne pas comprendre l'hindi ni le maharati ; ce fut dans un anglais hésitant qu'elle l'entendit demander le chemin du Taj aux autres taxis.

« Ma petite dame, il faut pas monter avec lui », lança un autre chauffeur à Nancy, mais elle avait payé d'avance et s'était déjà installée sur le siège.

Tandis qu'ils allaient vers la ville, le Tamoul poursuivait une longue discussion animée avec l'un de ses collègues et compatriotes, dont le taxi serrait le leur dangereusement. Ils roulèrent plusieurs kilomètres de cette façon, dépassant des taudis sans lumière dans les ténèbres incommensurables qui précédaient l'aube, et où l'on ne décelait les habitants qu'à l'odeur de leurs excréments, et à celles de leurs feux éteints ou assoupis. (Mais qu'est-ce qu'ils brûlaient, des ordures ?) Lorsque les trottoirs des premiers faubourgs de Bombay apparurent, toujours sans électricité, les deux Tamouls se mirent à foncer, y compris sur les sens giratoires, ces ronds-points diaboliques. Leur querelle s'envenimant, c'était à qui gueulerait plus fort que l'autre, et ils en arrivèrent à des menaces qui, même en tamoul, parurent sinistres à Nancy.

Les passagers apparemment flegmatiques de l'autre taxi étaient un couple d'Anglais bien vêtus qui pouvaient avoir la quarantaine. Nancy devina qu'ils allaient au Taj, eux aussi, et que cette coïncidence était au cœur de la querelle entre les deux Tamouls. Dieter l'avait prévenue de cette pratique courante ; si deux taxis conduisaient leurs clients au même endroit, naturellement, l'un des deux tentait de persuader l'autre de prendre les deux clients.

A un feu rouge, les deux taxis à l'arrêt furent soudain encerclés par des chiens qui aboyaient ; des fauves affamés, enragés les uns contre les autres ; Nancy se dit que si l'un d'entre eux sautait par la vitre ouverte pour l'attaquer, elle pourrait l'assommer à coups de godemiché. Cette idée passagère la prépara peut-être à ce qui se produisit au croisement suivant, où ils ratèrent le feu vert une fois de plus ; mais cette fois-là, pendant qu'ils attendaient, ils virent des mendiants s'approcher, et non plus des chiens. Les vociférations des Tamouls avaient tiré de leur sommeil des hommes couchés sur les trottoirs, dont les corps amoncelés se repéraient à leurs vêtements clairs contre l'obscurité des rues et des immeubles. Pour commencer, un homme vêtu d'un dhoti sale et déguenillé fourra son bras par la vitre de Nancy. Celle-ci remarqua que les Anglais comme il faut avaient remonté la leur, non par peur, mais par pure obstination. A leur place, elle aurait suffoqué.

Elle ordonna sèchement à son chauffeur de démarrer. Tout de même : le feu était passé au vert ! Mais les deux Tamouls étaient trop absorbés par leur duel verbal pour respecter les feux de signalisation. Son chauffeur ignora son injonction ; quant à l'autre il mit un comble à son irritation en débarquant ses passagers sur le trottoir ; il leur fit signe de monter dans son taxi à elle – Dieter le lui avait bien dit !

Elle se mit à incendier son chauffeur, qui se tourna vers elle en haussant les épaules ; puis elle passa la tête par la vitre pour incendier l'autre Tamoul, qui gueula aussi fort qu'elle ; alors elle brailla au couple d'Anglais qu'ils n'avaient pas à se laisser posséder de cette façon ; ils avaient payé, ils n'avaient qu'à exiger de leur chauffeur qu'il les conduise jusqu'à leur destination.

– Il faut pas vous faire baiser par ces salauds ! brailla-t-elle.

C'est alors qu'elle s'aperçut qu'elle était en train de brandir le godemiché dans leur direction ; certes, il était toujours dans sa chaussette ; ils ne savaient pas ce que c'était ; ils pouvaient tout au plus conjecturer qu'ils avaient à faire à une jeune hystérique, qui les menaçait avec une chaussette.

Elle se glissa au bout de la banquette.

– Montez, je vous en prie, dit-elle.

Mais lorsqu'ils ouvrirent la porte, son chauffeur protesta ; il fit même une embardée, exprès. Nancy lui tapa sur l'épaule avec le godemiché, toujours sous protection. Le chauffeur ne fit pas grand cas de son geste ; son homologue était déjà en train de fourrer les bagages des Anglais dans la malle, tandis que ceux-ci se tassaient sur le siège à côté d'elle.

Nancy était donc coincée contre la portière lorsqu'une mendiante fourra son bébé par la vitre et le lui tint sous le nez ; l'enfant sentait une odeur immonde ; il était inerte, sans expression ; il avait l'air à moitié mort. Nancy souleva le godemiché, mais qu'en faire ? Sur qui cogner ? Elle se mit donc à invectiver la femme qui, indignée, retira son bébé de la fenêtre. Il est peut-être même pas à elle, ce bébé, se dit Nancy ; c'est peut-être même un bébé dont les gens se servent pour mendier ; c'est peut-être même pas un vrai bébé.

Devant eux, deux jeunes gens soutenaient un ami ivre ou drogué. Ils firent une pause avant de traverser la rue, comme s'ils n'étaient pas sûrs que le taxi soit à l'arrêt. Mais le taxi était bel et bien arrêté, et Nancy enrageait de voir que la dispute entre les deux Tamouls n'était pas finie. Elle se pencha en avant, et assena un bon coup de godemiché sur la nuque du chauffeur. La chaussette s'envola. Le chauffeur se retourna pour la regarder. Elle le cogna en plein sur le nez avec l'énorme bitte.

– Roulez ! hurla-t-elle au Tamoul.

Dûment impressionné par le pénis géant, il fit faire un bond en avant à sa voiture, et brûla le feu, repassé au rouge entre-temps. Heureusement, il n'y avait pas d'autre véhicule dans la rue. Malheureusement, les deux jeunes gens et leur camarade affalé se trouvaient en plein sur leur trajectoire. D'abord, Nancy crut qu'ils étaient touchés tous les trois. Par la suite, elle parvint à se souvenir clairement que deux d'entre eux s'étaient enfuis ; elle n'aurait pas pu dire qu'elle avait vraiment vu le choc ; elle avait dû fermer les yeux.

Tandis que l'Anglais aidait le chauffeur à hisser le corps sur le siège avant, Nancy réalisa que le jeune homme qui avait été touché était celui qui paraissait ivre ou drogué. Il ne lui était pas venu à l'esprit qu'il était peut-être déjà mort lorsque la voiture l'avait percuté. Mais c'était de cela que parlaient l'Anglais et le chauffeur : l'homme, le garçon avait-il été poussé sous les roues de la voiture exprès ? Était-il conscient avant d'être percuté ?

– Il avait l'air mort, répétait l'Anglais.

– Oui, oui, lui mort déjà, braillait le Tamoul. Moi je tue pas lui.

– Mais il est mort, maintenant ? s'enquit Nancy sans émotion.

– Tout à fait mort, répondit l'Anglais.

A l'instar de l'inspecteur des douanes, il évitait de la regarder. Sa femme dévisageait en revanche cette mégère, son farouche godemiché au poing. Toujours sans la regarder, l'Anglais rendit la chaussette à Nancy. Elle couvrit l'arme et la remit dans son grand sac.

– C'est la première fois que vous venez en Inde ? lui demanda l'Anglaise, tandis que le Tamoul fêlé les conduisait de plus en plus vite par des rues qui connaissaient de plus en plus souvent les bienfaits de l'électricité ; les monticules colorés des dormeurs apparaissaient sur tous les trottoirs.

– A Bombay, la moitié de la population dort sur les trottoirs, reprit l'Anglaise, mais en fait il n'y a aucun danger, par ici.

A son expression pincée, le couple devinait que Nancy découvrait la ville et ses odeurs. A vrai dire, c'était l'odeur tenace du bébé qui lui faisait cet effet : une si petite chose, sentir si mauvais !

Sur le siège avant, le cadavre se comportait comme le poids mort qu'il était. La tête du jeune homme ballottait, ses épaules étaient d'une mollesse invraisemblable. Chaque fois que le chauffeur freinait, ou tournait à un coin de rue, le corps réagissait avec la même inertie qu'un sac de sable. Nancy remerciait le ciel de ne pas pouvoir voir le visage du jeune homme, qui allait s'écraser contre le pare-brise avec un bruit mat, et y restait collé, jusqu'à ce que le Tamoul tourne de nouveau, et accélère.

Toujours en évitant de regarder Nancy, l'Anglais conseilla :

— Il ne faut pas faire attention à ce corps, mon petit.

On ne savait pas très bien s'il s'adressait à Nancy ou à sa femme.

— Moi, il ne me gêne pas du tout, répondit sa femme.

Un épais brouillard de pollution planait sur Marine Drive, chaud comme un linceul de laine ; la mer d'Oman était voilée, mais l'Anglaise désigna du doigt la direction où l'on aurait dû la voir :

— Là-bas, c'est l'océan, dit-elle à Nancy, qui commençait à avoir des haut-le-cœur.

Là-haut, sur les lampadaires, les publicités elles-mêmes disparaissaient dans le brouillard. Les guirlandes de lumières de Marine Drive n'étaient pas encore antibrouillard ; elles étaient blanches, pas jaunes.

Dans le taxi qui donnait de la bande, l'Anglais tendit le doigt par la fenêtre en direction du voile de pollution :

— C'est le Collier de la Reine, dit-il à Nancy ; et tandis que le taxi poursuivait sa course folle, il ajouta, plus pour se rassurer et rassurer sa femme que pour réconforter Nancy : Bon, on y est presque, à présent.

— Je vais vomir, dit Nancy.

— Il ne faut pas y penser, mon petit, lui dit l'Anglaise, et vous ne serez pas malade.

Le taxi quitta Marine Drive pour les petites rues tortueuses ; les trois passagers vivants se penchaient dans les tournants, et le jeune mort du siège avant parut renaître à la vie. Sa tête ballotta contre le déflecteur ; il glissa en avant, et son visage alla ricocher sur le pare-brise, l'élan l'envoyant contre le Tamoul, qui dut le repousser d'un coup de coude. Les mains du jeune homme se portèrent à son front, comme s'il venait de se rappeler quelque chose d'important. Puis, de nouveau, le corps inerte sembla oublieux de tout.

On entendit des coups de sifflet sonores et suraigus : c'étaient les vastes portiers sikhs du Taj qui régissaient la circulation. Nancy ouvrait l'œil pour apercevoir une présence policière. Près de la porte de l'Inde, qui les dominait de sa masse, il lui avait semblé repérer des allées et venues d'agents ; il y avait des lumières, des éclats de voix hystériques, du tapage sur la voie publique. Selon une première version, des marmots qui mendiaient en étaient la cause. L'histoire était la suivante : ils n'avaient pas réussi à extorquer une seule roupie à un jeune couple de Suédois qui photographiaient la porte de l'Inde avec un déploiement de matériel professionnel : spots et réflecteurs. Là-dessus, les marmots avaient uriné sur la porte de l'Inde, dans l'espoir de gâcher la photo ; mais comme cet effort n'attirait pas toute l'attention souhaitée – les Suédois auraient trouvé un intérêt symbolique à ce geste –, les marmots s'étaient mis en devoir d'uriner sur le matériel photographique, et c'était là la cause du barouf. Une enquête plus approfondie allait toutefois faire apparaître que c'étaient les Suédois qui avaient commandité les marmots pour pisser sur la porte de l'Inde, geste aux conséquences limitées dans la mesure où la porte de l'Inde était déjà souillée. Quant aux marmots, ils ne se seraient jamais risqués à pisser sur le matériel photographique des Suédois ; ils étaient loin d'avoir un pareil culot. Ils se plaignaient simplement de n'avoir pas été assez payés pour pisser sur la porte de l'Inde. Telle était la véritable origine du barouf.

Pendant ce temps, le jeune mort dut attendre dans le taxi. Dans l'allée du Taj, le chauffeur tamoul piquait une crise ; on lui avait balancé un mort sous les roues de sa voiture – apparemment elle était cabossée. Le couple d'Anglais confia à un agent que le Tamoul avait brûlé un feu rouge, après avoir été frappé à coups de godemiché, il est vrai. Leur interlocuteur était le policier un peu perplexe qui avait fini par tirer au clair l'affaire des compisseurs de porte. Nancy ne comprenait pas très bien si le couple lui imputait l'accident – s'il s'agissait d'ailleurs d'un accident, puisque le Tamoul et l'Anglais s'accordaient à dire que le jeune homme semblait déjà mort avant d'être touché par le taxi. En revanche, il lui apparaissait clairement que l'agent ne savait pas ce que c'était qu'un godemiché.

– Un pénis, assez gros, lui expliqua l'Anglais, en désignant Nancy.
– Elle, là ? demandait l'agent. Elle frappe taxi-walla avec quoi ?
– Il va falloir que vous lui fassiez voir, mon petit, dit l'Anglaise.
– Il peut toujours attendre, répliqua Nancy.

Notre ami, le vrai policier

Une heure plus tard, Nancy put enfin prendre possession de sa chambre à l'hôtel. Et une demi-heure après, alors qu'elle sortait tout juste d'un long bain chaud, un second policier vint la voir dans sa chambre. Celui-là n'était pas un agent de police ; il ne portait pas de short bleu d'un mètre de large, ni de jambières ridicules. Ce n'était pas un débile en casquette Nehru ; il portait un képi d'officier, avec l'insigne de la police du Maharashtra, une chemise kaki et un pantalon long assorti, des chaussures noires, un revolver. C'était l'officier de police qui se trouvait de service au commissariat de Colaba, et le Taj relevait de sa juridiction. Sans ses bajoues, mais déjà avec sa fine moustache, vingt ans avant d'avoir l'occasion d'interroger le Dr Daruwalla et l'inspecteur Dhar au Duckworth, le jeune inspecteur Patel faisait tout de suite bonne impression. Le futur commissaire perçait déjà sous ce jeune policier plein d'empire sur lui-même.

L'inspecteur Patel était ferme, mais courtois ; même à vingt ans, c'était un détective intimidant à cause de l'ambiguïté qu'il entretenait autour de ses questions. Sa manière suggérait en effet qu'il connaissait déjà les réponses à la plupart des questions qu'il posait – ce qui n'était pas le cas ; il engageait donc à dire la vérité, en sous-entendant qu'elle lui était connue. Et cette méthode impliquait en outre qu'à travers les réponses de son interlocuteur, il était en mesure de juger de sa moralité.

Dans l'état où elle se trouvait, Nancy ne pouvait guère résister au charme d'un jeune homme aussi bien fait de sa personne, et d'une correction aussi exceptionnelle. Disons à sa décharge que l'inspecteur Patel n'avait pas l'allure de quelqu'un à qui une jeune femme, même effrontée ou tout à fait sûre d'elle, aurait montré un godemiché si elle avait pu faire autrement. D'autre part, il était cinq heures du matin. Peut-être y avait-il des lève-tôt enthousiastes pour annoncer le lever du soleil – lorsqu'il se levait sur la mer et s'encadrait dans l'arc parfait de la porte de l'Inde, il pouvait faire revivre la gloriole du Raj –, mais la pauvre Nancy n'en faisait pas partie. Et puis, ses seules fenêtres et son petit balcon ne donnaient pas sur la mer ; Dieter lui avait réservé une chambre parmi les moins chères.

En bas, dans la lumière ocre tirant sur le gris, on voyait la troupe habituelle des mendiants ; essentiellement des petits acrobates. Pour les étrangers fraîchement débarqués, encore groggys sous l'effet du décalage horaire, ces marmots du petit matin allaient représenter le premier contact diurne avec l'Inde.

Nancy était assise au pied de son lit, dans son peignoir de bain. L'inspecteur avait pris la seule chaise que n'encombraient pas les affaires et les sacs de la jeune femme. Ils entendaient tous deux la baignoire se vider. Posés en évidence, selon les conseils de Dieter, se trouvaient le guide usé mais inutilisé, et le roman jamais lu de Lawrence Durrell.

Pousser un assassiné sous les roues d'une voiture n'était pas une pratique rare, expliqua l'inspecteur. Ce qui l'était plus, c'était en l'occurrence que la supercherie fût si grossière.

– Pas pour moi, dit Nancy.

Elle lui expliqua qu'elle n'avait pas vu l'instant du choc ; elle avait cru que les trois hommes avaient été touchés – sans doute parce qu'elle fermait les yeux.

L'inspecteur lui apprit que l'Anglaise non plus n'avait pas remarqué le choc.

– Elle vous regardait, à ce moment-là, expliqua-t-il.

– Ah bon… dit Nancy.

L'Anglais, lui, était sûr qu'un cadavre, ou en tout cas un corps inanimé, avait été poussé sur la trajectoire de la voiture.

– Mais, ajouta l'inspecteur Patel, le taxi-walla ne sait pas ce qu'il a vu. Il change sans arrêt sa version des faits.

Et comme Nancy le regardait sans comprendre, il ajouta :

– Il dit avoir été distrait.

– Distrait par quoi ? demanda Nancy qui ne savait que trop la réponse.

– Par l'instrument avec lequel vous l'avez frappé, répondit l'inspecteur.

Il y eut un silence embarrassé. Le regard de l'inspecteur se posa sur les chaises, survola les sacs vides, les deux livres, les vêtements. Nancy se dit que Patel devait bien avoir cinq ans de plus qu'elle, même s'il faisait plus jeune. Son assurance désarmante le faisait paraître adulte ; mais il n'avait pas l'arrogance machiste des flics. Il ne roulait pas de mécaniques. Il y avait quelque chose, dans la retenue de ses manières, qui venait de la légitimité parfaite de ses intentions. Nancy voyait en lui une bonté pure qu'elle trouvait attachante. Et puis, il avait une merveilleuse couleur café au lait ; une chevelure du plus beau noir, et une moustache si fine, si bien taillée qu'elle avait envie de la toucher.

La netteté du jeune homme sur toute sa personne contrastait d'emblée avec l'absence de vanité couramment attribuée aux hommes heureux en ménage. Là, au Taj, en présence de cette blonde plantureuse en peignoir de bain, il était évident que l'inspecteur Patel n'était pas marié ; il était tout aussi attentif aux détails de sa propre apparence qu'au moindre pouce de chair de Nancy, et qu'aux indices révélés par sa chambre. Elle ne se rendait pas compte qu'il cherchait le godemiché.

– Puis-je voir l'objet avec lequel vous avez frappé le taxi-walla, demanda-t-il enfin.

Dieu sait en quels termes le Tamoul débile avait pu le lui décrire. Nancy, qui avait décidé de le laisser avec ses affaires de toilette, partit le chercher dans la salle de bains. Dieu sait ce que le couple d'Anglais avait pu raconter à l'inspecteur. S'il les avait interrogés, ils avaient dû la faire passer pour une poissarde brandissant une énorme bitte.

Elle tendit le godemiché à l'inspecteur Patel, et se rassit au pied de son lit. Le jeune policier lui rendit poliment l'engin sans la regarder.

– Excusez-moi, dit-il, mais il fallait que je le voie ; j'avais du mal à me le représenter.

– Les deux chauffeurs avaient reçu le prix de leur course à l'aéroport, expliqua Nancy, j'ai horreur de me faire filouter.

– L'Inde n'est pas le pays le plus commode à traverser pour une femme seule, dit l'inspecteur, et au bref regard qu'il lui jeta, Nancy comprit que c'était une question.

– J'attends des amis, dit-elle. Ils vont venir me chercher.

(C'était ce que Dieter lui avait conseillé de dire ; il suffirait d'évaluer ses vêtements d'étudiante et ses sacs bon marché pour comprendre qu'elle n'avait pas de quoi passer beaucoup de nuits au Taj.)

– Et alors vous allez voyager avec vos amis, ou bien vous allez séjourner à Bombay ?

Nancy reconnut son avantage. Tant qu'elle tiendrait le godemiché à la main, le jeune policier n'oserait pas la regarder dans les yeux.

– Je vais faire comme eux, dit-elle d'un ton égal.

Elle tenait le pénis sur ses genoux ; il lui suffisait d'un geste infime du poignet pour tapoter le bout circoncis contre son genou nu. Mais c'étaient ses pieds nus qui semblaient méduser l'inspecteur ; peut-être était-ce leur impossible blancheur, ou encore leur taille invraisemblable ; même nus, ils étaient plus grands que les petites chaussures de l'inspecteur.

Nancy le regardait impitoyablement. Elle aimait son visage architecturé, ses traits aigus ; il lui aurait été impossible de l'imaginer avec des bajoues, même dans vingt ans. Il avait les yeux les plus noirs, les cils les plus longs qu'on puisse voir.

Toujours perdu dans la contemplation des pieds de Nancy, l'inspecteur demanda d'une voix mélancolique :

– Bien sûr vous n'avez pas d'adresse ou de téléphone où je puisse vous joindre ?

Nancy avait l'impression de comprendre tout ce qui l'attirait en lui. Elle avait fait son possible pour gâcher son innocence dans l'Iowa, mais ses footballeurs l'avaient laissée intacte. Maintenant, depuis Dieter et l'Allemagne, elle était perdue pour de bon. Et voilà un homme qui avait gardé la sienne. Sans doute l'effrayait-elle autant qu'elle l'attirait – s'il en avait conscience.

– Vous voulez vraiment me revoir ? lui demanda-t-elle.

Elle avait cru mettre assez d'ambiguïté dans sa question, mais il contemplait ses pieds, avec un désir mêlé d'horreur – pensait-elle.

– Mais vous seriez incapable d'identifier les deux autres hommes même si nous mettions la main dessus, dit l'inspecteur Patel.

– Je pourrais identifier l'autre chauffeur de taxi…

– Lui, on l'a déjà.

Nancy se leva du lit pour aller remettre le godemiché à la salle de bains. Lorsqu'elle revint, l'inspecteur était à la fenêtre et regardait les mendiants. Elle ne voulait plus avoir d'avantage sur lui. Peut-être figurait-elle qu'il était tombé éperdument amoureux d'elle, et que si elle le culbutait sur le lit pour tomber sur lui, il lui vouerait un culte et serait son esclave à jamais. Peut-être même n'était-ce pas lui qu'elle désirait, mais seulement sa correction évidente ; et peut-être était-ce seulement parce qu'elle pensait s'être départie sans retour de sa bonté essentielle.

Puis elle remarqua qu'il ne s'intéressait plus à ses pieds ; il ne cessait de regarder ses mains ; bien qu'elle ait rangé le godemiché, il évitait toujours de la regarder dans les yeux.

– Vous voulez bien me revoir ? répéta-t-elle.

Cette fois, il n'y avait plus d'ambiguïté dans sa question. Elle s'était rapprochée de lui plus qu'il n'était nécessaire, mais il ignora la question en montrant du doigt les petits acrobates, en bas.

– Toujours les mêmes tours, observa-t-il ; ils n'en changent jamais.

Nancy refusait de regarder les mendiants ; elle continua de dévisager l'inspecteur Patel.

– Vous pourriez me donner votre numéro de téléphone ; comme ça je vous appellerais.

– Mais pour quoi faire ? demanda-t-il ; il continuait de regarder les mendiants.

Nancy se détourna de lui et alla s'allonger sur le lit. Elle se mit sur le ventre, son peignoir ramené autour d'elle pour la mouler. Elle pensait à ses cheveux blonds ; ils devaient faire joli, répandus sur les oreillers ; mais elle ne savait pas si l'inspecteur Patel la regardait. Elle savait simplement que lorsqu'elle parlerait, sa voix serait assourdie par les oreillers, et donc qu'il lui faudrait s'approcher du lit pour l'entendre.

– Et si j'ai besoin de vous ? lui demanda-t-elle. Si j'ai des ennuis, et que j'aie besoin de la police ?

– Le jeune homme a été étranglé, lui dit l'inspecteur.

Au son de sa voix, elle comprit qu'il s'était approché, en effet. Elle garda le visage enfoui dans les oreillers, mais tendit les mains vers les côtés du lit. Elle s'était dit qu'elle n'en saurait jamais plus sur le jeune mort ; pas même s'il avait été tué par accident, ou si c'était un acte pervers, un acte de haine. Maintenant elle savait ; le jeune homme ne pouvait pas avoir été étranglé par accident.

– Ce n'est pas moi qui l'ai étranglé, dit-elle.

– Ça, je le sais, dit l'inspecteur Patel.

Lorsqu'il toucha sa main, elle resta allongée sans bouger ; puis elle ne le sentit plus. Une seconde plus tard, elle l'entendit dans la salle de bains. On aurait dit qu'il se faisait couler un bain.

– Vous avez de grandes mains, vous, lui cria-t-il de là-bas. Le jeune homme a été étranglé par quelqu'un qui avait de petites mains ; un garçon de son âge, sans doute ; une femme, peut-être.

– Vous me soupçonniez ? demanda Nancy – impossible de dire s'il l'entendait, avec le bruit de l'eau qui coulait. Je dis, vous me soupçonniez avant de voir mes mains ?

Il ferma le robinet. La baignoire ne pouvait pas s'être remplie beaucoup…

– Je soupçonne tout le monde, répondit l'inspecteur. Mais, non, je ne vous soupçonnais pas vraiment d'avoir étranglé ce jeune homme.

Nancy était dévorée de curiosité ; elle se leva pour aller jusqu'à la salle de bains. L'inspecteur était assis sur le bord de la baignoire ; il regardait le godemiché flotter en décrivant des cercles, comme un petit bateau.

– C'est bien ce que je pensais, dit-il, il flotte.

Puis il l'enfonça dans l'eau et le tint au fond près d'une minute sans le quitter des yeux.

– Sans faire de bulles, dit-il. Il flotte parce qu'il est creux. Mais si on le démontait, si vous pouviez l'ouvrir, là, il y aurait des bulles. Je pensais qu'il allait se dévisser.

Il vida la baignoire et essuya le godemiché avec une serviette.

– L'un de vos amis a appelé pendant que vous remplissiez votre fiche, dit l'inspecteur Patel. Il ne voulait pas vous parler ; il voulait simplement vérifier que vous étiez bien arrivée.

Nancy lui barrait le passage, dans le cadre de la porte ; il attendit qu'elle lui laisse la voie libre.

– D'habitude, ça veut dire que quelqu'un cherche à savoir si vous avez bien passé la douane. C'est pourquoi j'ai pensé que vous transportiez peut-être quelque chose. Mais je me trompais, n'est-ce pas ?

– Oui, souffla Nancy.

– Bon ! Eh bien alors, en partant, je vais dire à l'hôtel de vous transmettre vos messages directement.

– Merci !

Il avait déjà ouvert la porte du hall lorsqu'il lui tendit sa carte.

– N'hésitez pas à m'appeler si vous avez le moindre problème, dit-il.

Elle préféra regarder la carte ; c'était mieux que de le regarder partir. Il y avait là plusieurs numéros de téléphone, dont un entouré au stylo-bille, avec son nom et son grade.

VIJAY PATEL
INSPECTEUR DE POLICE
COMMISSARIAT DE COLABA

Nancy ne pouvait pas savoir le chemin que Vijay Patel avait fait depuis qu'il était parti de chez lui. Lorsque toute sa famille avait quitté le Gujarat pour s'installer au Kenya, il était venu à Bombay. Faire son chemin dans la police du Maharashtra était un tour de force pour un habitant du Gujarat, mais il venait d'une famille de négociants, et son mérite ne les aurait guère impressionnés. Vijay était aussi coupé d'eux – ils étaient dans les affaires à Nairobi – que Nancy était coupée de l'Iowa.

Après avoir lu et relu la carte du policier, elle sortit sur le balcon regarder les mendiants un moment. Leurs tours étaient audacieux, et d'une monotonie apaisante. Comme la plupart des étrangers, elle était facilement impressionnée par les contorsionnistes.

De temps en temps, un pensionnaire de l'hôtel jetait une orange aux petits acrobates, une banane ; certains leur envoyaient quelques pièces. Nancy trouvait cruelle la façon dont les enfants frappaient un petit infirme unijambiste avec une béquille entortillée dans du tissu dès qu'il essayait de s'approcher en sautillant en équilibre instable pour attraper un fruit ou une pièce avant eux. Elle ne se rendait pas compte que le rôle de l'infirme était soigneusement orchestré. Il était même au centre du drame. D'ailleurs, l'enfant était plus âgé que ses camarades et c'était leur chef. En réalité, c'était lui qui aurait pu les rosser, et la chose lui était arrivée.

Mais Nancy n'avait pas l'habitude de ce pathétique. Elle se mit à chercher quelque chose à lancer au gamin, et elle ne trouva qu'un billet de dix roupies. C'était beaucoup trop, pour un mendiant, mais elle n'en savait rien. Elle lesta le billet avec deux barrettes et sortit sur le balcon en tenant l'argent au-dessus de sa tête jusqu'à ce que son manège attire l'attention de l'infirme.

– Hé, m'dame ! appela-t-il.

Certains des autres acrobates s'arrêtèrent de marcher sur les mains ou de se contorsionner et Nancy envoya le billet comme une fusée de papier dans les airs ; il s'éleva un instant, dans un souffle de vent, puis retomba mollement. Les enfants couraient dans tous les sens, pour essayer de le réceptionner. L'infirme semblait vouloir se contenter de laisser les autres enfants mettre la main dessus.

– Non, c'est pour toi ! pour toi, là ! lui cria Nancy ; mais il fit la sourde oreille.

Une grande gamine, l'une des contorsionnistes, s'empara du billet de dix roupies ; elle fut tellement surprise de sa valeur qu'elle ne le tendit pas à l'infirme assez vite ; et il lui donna un coup de béquille dans les reins – un coup qui suffit à l'envoyer par terre à quatre pattes. Là-dessus, il lui arracha l'argent et s'éloigna en sautillant tandis qu'elle se mettait à pleurer.

Nancy comprit qu'elle avait perturbé le scénario habituel ; elle avait commis une erreur, d'une façon ou d'une autre. Tandis que les mendiants s'éparpillaient, l'un des grands portiers sikhs s'approcha de la fille qui pleurait. Il portait une longue perche de bois avec un crochet de laiton luisant au bout, qui servait à ouvrir et fermer les impostes au-dessus des hautes portes ; le portier souleva la jupe sale et déguenillée de la gosse avec sa perche. Il la dénuda prestement avant qu'elle ait pu rabattre sa jupe entre ses jambes pour se protéger. Puis il lui donna un coup dans la poitrine avec le bout en laiton, et comme elle essayait de se relever, il lui donna un bon coup dans les reins, à l'endroit même où l'infirme l'avait frappée avec sa béquille. La fillette hurla, puis elle se carapata à quatre pattes pour échapper au sikh ; il était habile à la pourchasser ; il la faisait avancer en lui allongeant des bourrades avec sa perche. Enfin, elle réussit à se mettre sur ses jambes et le prit de vitesse.

Le sikh avait une barbe sombre, taillée en pointe et filetée d'argent ; il portait un turban rouge sombre ; il mit la perche sur son épaule, comme un fusil, et jeta un coup d'œil en passant à Nancy, qui n'avait pas quitté le balcon. Elle recula pour gagner sa chambre ; elle était sûre qu'il voyait sous son peignoir, jusqu'à son entrecuisse : il était juste au-dessous d'elle. Mais le balcon n'était pas transparent ; Nancy se faisait des idées.

Il y a des règles, c'est clair, se dit-elle. Les mendiants ont le droit de mendier, mais pas de pleurer ; c'est trop tôt, ils réveilleraient les pensionnaires qui parviennent à dormir. Elle commanda aussitôt les plats les plus américains qu'elle ait trouvés sur la carte du service d'étage – des œufs brouillés et des toasts ; et quand son plateau arriva, elle vit deux enveloppes cachetées coincées entre le jus d'orange et le thé. Son cœur bondit dans sa poitrine parce qu'elle espérait que c'étaient des déclarations d'amour éternel de l'inspecteur. Mais l'un des deux messages était celui de Dieter que l'inspecteur avait intercepté ; il disait seulement que Dieter avait appelé. Il était content qu'elle soit arrivée à bon port ; il lui disait à bientôt. L'autre message émanait de la direction, qui priait Nancy de s'abstenir de lancer des objets par sa fenêtre.

Elle était affamée, et dès qu'elle eut fini de manger elle eut sommeil. Elle tira les rideaux pour ne pas laisser entrer le jour et poussa le ventilateur de plafond au maximum. Pendant un moment elle resta éveillée, pensant à l'inspecteur Patel. Elle caressa même l'espoir que Dieter se fasse coincer avec les devises qu'il essayait de passer à la douane. Elle était encore assez naïve pour se figurer que les marks arriveraient avec lui. Il ne lui était même pas venu à l'esprit qu'elle venait de les acheminer.

Un courrier qui s'ignore

Il lui sembla avoir dormi des jours. Il faisait noir lorsqu'elle se réveilla. Elle ne saurait jamais si c'était les ténèbres qui précédaient l'aube du lendemain ou du surlendemain. Elle fut réveillée par un incident, dans le hall, devant sa chambre. Quelqu'un essayait d'entrer, mais elle avait fermé à double tour, et même mis la chaîne de sûreté. Elle sortit du lit. Là, dans le hall, elle trouva Dieter. Il fut désagréable avec le portier, qu'il renvoya sans pourboire. Sitôt dans la chambre, après avoir verrouillé la porte et remis la chaîne de sûreté, il se tourna vers elle et lui demanda où était le godemiché. Ce n'était pas très galant de sa part, pensa-t-elle, mais elle était encore dans le cirage, et elle en conclut que c'était sa manière un peu agressive de manifester son ardeur. Elle le lui désigna du doigt dans la salle de bains.

Alors elle ouvrit son peignoir et le laissa glisser de ses épaules et tomber à ses pieds ; elle se tenait dans l'encadrement de la porte, s'attendant à ce qu'il l'embrasse, ou du moins qu'il la regarde. Il tenait le godemiché au-dessus du lavabo et semblait chauffer le bout de ce pénis hors gabarit avec son briquet. Aussitôt Nancy fut bien réveillée. Elle reprit son peignoir, le renfila et fit un pas en arrière – sans perdre Dieter des yeux. Il faisait bien attention à ne pas noircir le godemiché avec la flamme ; il concentrait la chaleur non pas au bout, mais à l'endroit où le prépuce était repoussé. Nancy comprit alors qu'il était en train de faire fondre le godemiché lentement ; elle s'aperçut qu'il y avait une substance semblable à de la cire qui gouttait dans le lavabo. Là où le prépuce était repoussé apparut une ligne fine, circonscrivant le bout. Lorsque Dieter eut fait fondre la cire à cacheter, il passa le bout du gros pénis sous l'eau froide, puis il attrapa le gland circoncis avec une serviette. Il lui fallait un maximum de prise pour dévisser le godemiché, qui était creux, comme l'avait deviné l'inspecteur Patel. La cire qui le cachetait avait empêché l'air de s'échapper ; il n'y avait pas eu de bulles sous l'eau. L'inspecteur ne s'était pas trompé de beaucoup. Il avait bien regardé où il fallait, mais pas comme il fallait – erreur de jeune flic.

A l'intérieur du godemiché, roulés bien serré, il y avait des milliers de deutsche marks. Pour le voyage de retour, on pourrait stocker une belle quantité de haschich de qualité supérieure, en le tassant, dans un godemiché aussi gros ; la cire empêcherait les chiens de sentir le chanvre indien caché là.

Nancy s'assit au pied du lit tandis que Dieter tirait un rouleau de marks du godemiché et étalait les billets dans sa main, en éventail. Puis il les fit passer dans une pochette à billets qu'il portait à la taille, sous sa chemise, et referma la fermeture Éclair. Il laissa plusieurs rouleaux de billets d'un beau calibre dans le godemiché, qu'il revissa bien serré, sans toutefois se donner la peine de le recacheter à la cire. De toute façon la ligne de démarcation entre les deux parties était à peine visible, recouverte en partie par le prépuce. Lorsque Dieter en eut fini avec ces opérations qui étaient son principal souci, il se déshabilla et remplit la baignoire. Nancy attendit qu'il s'y soit installé pour lui parler.

– Et qu'est-ce que je serais devenue, si je m'étais fait choper ?

– Mais tu te serais pas fait choper, toi, baby. (Il avait appris à dire baby en regardant des films américains.)

– Tu aurais quand même pu me le dire.

– Mais ça t'aurait rendue nerveuse, et c'est là que tu te serais fait choper.

Après son bain, il roula un joint, qu'ils fumèrent ensemble. Nancy avait cru faire attention, mais elle fut plus défoncée qu'elle n'aurait voulu, et vaguement désorientée. Le hasch était fort, mais Dieter lui assura qu'on en trouvait du bien meilleur – c'était juste une bricole qu'il avait achetée en rentrant de l'aéroport.

– J'ai fait un petit détour, lui dit-il.

Elle était trop cassée pour lui demander où il avait bien pu aller à deux ou trois heures du matin, et il ne se donna pas la peine de lui préciser qu'il était allé dans un bordel de Kamathipura. Il avait acheté sa came à la patronne, et pendant qu'il y était, il en avait profité pour baiser une petite pute de treize ans pour seulement cinq roupies. On lui avait dit qu'elle était la seule qui ne soit pas en mains pour l'instant, et il l'avait baisée debout, entre deux portes, parce que les couchettes de toutes les cellules étaient occupées – disait la patronne.

Une fois le joint fumé, Dieter put engager Nancy à se masturber ; elle eut l'impression que cela durait très longtemps, et elle ne put pas se rappeler quand il s'était levé du lit pour aller chercher le godemiché. Plus tard, pendant qu'il dormait, elle resta allongée un moment à réfléchir aux milliers de marks cachés dans l'engin qu'elle avait eu dans son corps. Elle décida de ne rien dire à Dieter du jeune homme assassiné ni de l'inspecteur Patel. Elle se leva et vérifia que la carte donnée par l'inspecteur était bien cachée dans ses vêtements. Elle n'alla pas se recoucher ; elle était sur le balcon lorsque les premiers mendiants arrivèrent. Au bout d'un moment, les petits saltimbanques furent au complet à leur place, comme des figures peintes par l'aube elle-même – jusqu'à l'infirme à la béquille emmaillotée. Il lui fit un signe de la main. Il était si tôt qu'il fit attention à ne pas l'appeler trop fort, mais elle l'entendit distinctement dire : « Hé, madame ! »

Il lui mit les larmes aux yeux. Elle rentra dans la chambre et regarda Dieter dans son sommeil. Elle pensa de nouveau aux milliers de marks ; elle aurait voulu les jeter par la fenêtre aux petits saltimbanques, mais elle appréhendait la scène effroyable que son geste risquait de provoquer. Elle alla dans la salle de bains et essaya de dévisser le godemiché pour compter combien il y restait de marks, mais Dieter l'avait vissé trop serré. Il l'a sans doute fait exprès, se dit-elle ; elle commençait enfin à comprendre.

Elle fouilla ses vêtements, en quête de la ceinture portefeuille, pour voir combien de marks il y avait mis, mais elle ne la trouva pas. Elle souleva le drap et vit que Dieter était nu, à l'exception de la ceinture en question. Elle n'arrivait pas à se rappeler s'être endormie, ni à revoir Dieter se lever pour passer cette ceinture ; cela l'ennuyait. Il lui faudrait être plus attentive. Elle commençait à évaluer à quel point il avait peut-être l'intention de se servir d'elle ; elle avait contracté la curiosité morbide de découvrir jusqu'où il irait, et cela l'ennuya aussi.

Elle trouva apaisant de penser à l'inspecteur Patel. Elle aimait à se dire, idée réconfortante, qu'elle pourrait toujours faire appel à l'inspecteur si elle avait besoin de lui, s'il lui arrivait de vrais ennuis. Malgré l'éclat intense du matin, elle ne ferma pas les rideaux ; dans la lumière du jour, il était plus facile de s'imaginer que, pour quitter Dieter, il lui suffirait de s'y prendre au bon moment. Et puis si ça tourne trop mal, se dit-elle, je pourrai toujours décrocher un téléphone et demander Vijay Patel, inspecteur de police du commissariat de Colaba.

Mais Nancy n'était jamais allée en Asie. Elle ne savait pas où elle était arrivée. Elle était loin du compte.

12

Les rats

Quatre bains

A Bombay, dans sa chambre où sa femme l'entourait de ses bras, le docteur se sentait abattu par ces messages qui posaient presque tous problème : les jérémiades de Ranjit contre la femme du nain ; les espérances de celle-ci sur le potentiel de flexibilité d'une petite prostituée ; la peur de Vinod devant les chiens du premier ; la consternation du père Cecil parce que, à Saint-Ignace, personne ne savait au juste la date d'arrivée du frère jumeau de Dhar ; l'avidité de Balraj Gupta qui voulait absolument sortir le dernier *Inspecteur Dhar* au milieu d'une série de meurtres inspirés par l'avant-dernier. Certes, il y avait la voix familière de la femme qui essayait de se faire passer pour un homme, et qui, appel après appel, se repaissait des détails de l'attentat à la voiture piégée ; ce message-là était résolu, mais son tranchant s'émoussait à force de répétition. Le message frisquet du détective qui lui annonçait vouloir lui parler en tête à tête ne lui paraissait pas irrésolu non plus ; si le docteur ne voyait pas où il voulait en venir, le commissaire semblait tout à fait fixé. Mais tout cela était loin de déprimer le docteur autant que le souvenir de la grande blonde costaud, avec son pied blessé.

– *Liebchen*, lui murmura Julia, on ne devrait pas laisser John D. tout seul. Tu penseras à ta hippie une autre fois.

Pour le tirer de la rêverie où il s'abîmait, et pour lui manifester son affection, Julia étreignit son mari. Elle l'attrapa en lui passant les bras sous la cage thoracique, ou peut-être juste au-dessus de son petit ventre de buveur de bière et, à sa surprise, il tressaillit de douleur. L'élancement qu'il sentit dans son flanc – une côte, sûrement – rappela au docteur sa collision avec la seconde Mrs Dogar au foyer du

255

Duckworth. Il raconta l'incident à Julia, et lui dit que cette bonne femme était en béton armé.

– Mais tu m'as dit que tu étais tombé ; tu as dû te faire mal contre le dallage.

– Non ! C'est cette maudite bonne femme ; son corps est un roc ! soutint le docteur. Mr Dogar s'est retrouvé au tapis, lui aussi. Il n'y a qu'elle, cette brute, qui soit restée debout.

– Après tout, il paraît qu'elle est dingue de gymnastique.

– Elle fait de l'haltérophilie ! s'écria Farrokh.

Puis il se souvint que le seconde Mrs Dogar lui avait rappelé quelqu'un – décidément, ce devait être une vedette du temps jadis. Un de ces soirs, il retrouverait qui sur son magnétoscope ; que ce soit à Bombay ou à Toronto, il avait tant de cassettes de vieux films qu'il se demandait bien comment il vivait avant l'invention du magnétoscope.

Il soupira, et sa côte s'en fit l'écho avec un petit pincement de douleur.

– Je vais te masser avec du liniment, *Liebchen*, lui proposa Julia.

– Mais le liniment c'est pour les muscles, je te dis qu'elle m'a cogné la côte.

Julia n'avait pas renoncé à sa théorie ; elle était convaincue que les dalles du sol étaient la cause de cette douleur, mais elle choisit de ne pas contrarier son mari.

– C'est son coude ou son épaule qui t'a touché ? lui demanda-t-elle.

– Tu vas trouver ça drôle, mais je te jure que je lui suis rentré en plein dans la poitrine.

– Alors, pas étonnant qu'elle t'ait fait mal, *Liebchen* !

Julia trouvait que la seconde Mrs Dogar n'avait pour ainsi dire pas de poitrine.

Le docteur sentait que sa femme s'impatientait un peu en pensant à John D. Pas tellement parce qu'on l'avait laissé tout seul, mais surtout parce que leur cher enfant n'avait toujours pas été prévenu de l'arrivée imminente de son frère jumeau. Mais ce dilemme lui-même paraissait trivial au docteur, oui, aussi minime que la poitrine de la seconde Mrs Dogar, comparé à la grande blonde costaud dans la baignoire de l'hôtel Bardez. Les vingt ans écoulés ne parvenaient pas à amortir le choc de ce qui lui était arrivé là ; l'affaire l'avait changé plus que tout ce qu'il avait pu vivre d'autre dans sa vie, et le souvenir lointain n'avait pas perdu ses couleurs, même si le docteur n'était jamais retourné à Goa. Cette expérience malencontreuse avait gâché toutes les autres plages pour lui.

Julia reconnut l'expression qui passait sur le visage de son mari ; elle vit qu'il était loin, elle sut exactement où. Elle aurait voulu aller rassurer John D., lui dire que Farrokh les rejoindrait tout de suite ; mais il aurait fallu être sans cœur pour abandonner ce dernier ; elle resta donc fidèlement assise auprès de lui. Parfois, il lui semblait qu'elle aurait dû lui dire que c'était sa curiosité qui lui avait attiré des ennuis ; mais cette accusation n'était pas tout à fait fondée ; elle demeura donc fidèlement silencieuse. Ses souvenirs, même s'ils n'avaient pas la richesse de détail qui tourmentait le docteur, étaient vivaces. Elle revoyait Farrokh sur le balcon de l'hôtel, impatient comme un enfant qui s'ennuie.

– Elle en met un temps à se baigner, cette hippie ! s'était-il exclamé.

– Écoute, *Liebchen*, ce n'est pas vraiment du luxe, lui avait répondu Julia.

C'est alors qu'il avait tiré le sac à dos vers lui, pour jeter un coup d'œil par le rabat, qui ne fermait pas tout à fait.

– Tu ne vas pas regarder ses affaires !

– Ce n'est qu'un livre, dit Farrokh, en extrayant l'exemplaire de *Cléa* du sac. J'étais juste curieux de savoir ce qu'elle lisait.

– Remets-le en place !

– Mais bien sûr, dit le docteur non sans lire le passage souligné, le fameux passage du violet ombreux et de l'écorce de velours qui avait tant médusé les douaniers. Elle est sensible à la poésie, conclut-il.

– Ça, j'ai du mal à le croire, dit Julia. Allez, remets-le en place.

Mais ranger le livre posa un nouveau problème au docteur ; il y avait quelque chose qui gênait.

– Arrête de farfouiller dans ses affaires ! lui intima Julia.

– Je ne farfouille pas dans ses affaires, c'est ce fichu livre, il ne veut plus rentrer !

Un remugle puissant s'échappait des profondeurs du sac, le prenant à la gorge, une odeur de moisi. Les vêtements de la hippie étaient moites. Homme marié et père de trois filles, le docteur était particulièrement incommodé par les odeurs de culottes sales dans le linge des femmes en général. Un soutien-gorge déchiqueté s'accrocha à son poignet comme il tentait de retirer sa main du sac, mais l'exemplaire de *Cléa* refusait toujours de tenir droit au sommet du sac ; il y avait quelque chose de pointu qui le poussait. Mais qu'est-ce que ça peut bien être, bon sang, se demanda le docteur. Puis Julia l'entendit s'étrangler de surprise ; elle le vit faire un bond en arrière, comme s'il venait de se faire mordre la main par un animal.

– Qu'est-ce que c'est ? s'écria-t-elle.

– Je n'en sais rien, gémit le docteur.

Il se traîna jusqu'à la rambarde du balcon, et saisit les branches emmêlées de la plante grimpante. Une gerbe de mésanges jaune vif qui y avaient élu domicile en fusa, graines s'échappant de leur bec, et à la droite du docteur un gecko jaillit de la branche la plus proche pour aller se couler en se tortillant dans la bouche d'une gouttière à l'instant même où le Dr Daruwalla se penchait par-dessus le balcon pour vomir dans le patio. Par chance, personne n'était en train d'y prendre le thé. La seule personne présente était un balayeur de l'hôtel, endormi pelotonné à l'ombre d'une grande plante en pot. La cascade de vomi ne le tira pas de son sommeil.

– *Liebchen*, s'écria Julia.

– Ce n'est rien... tout va bien... déjeuner mal passé, bredouilla Farrokh.

Julia fixait le sac à dos de la hippie comme si elle s'attendait à voir une bête apparaître en rampant sous l'exemplaire de *Cléa*.

– Qu'est-ce que c'est ? Qu'est-ce que tu as vu ?

– Je ne suis pas sûr, dit le docteur, mais il avait réussi à exaspérer sa femme.

– Tu ne sais pas, tu n'es pas sûr, ce n'est rien du tout, ça te fait vomir, quoi ! dit-elle.

Elle tendit la main vers le sac à dos.

– Bon, puisque tu ne veux pas me le dire, je vais regarder moi-même !

– Non ! Ne fais pas ça !

– Mais dis-moi, alors.

– J'ai vu un pénis, dit Farrokh. Je veux dire, pas un vrai. Non ce n'est pas un pénis coupé, rien d'aussi macabre.

– Mais qu'est-ce que tu veux dire ?

– Je veux dire que c'est un membre viril très bien imité, très réaliste, très gros, aussi. C'est une énorme bitte, avec des couilles, voilà !

– Un godemiché, quoi ? demanda Julia.

Farrokh fut choqué qu'elle connaisse le mot ; c'était tout juste s'il le connaissait lui-même. Un confrère de Toronto, chirurgien comme lui, avait une collection de revues pornographiques dans son vestiaire, à l'hôpital, et c'était dans ces pages que le docteur avait vu un godemiché – et encore, la publicité était loin d'être aussi effarante que l'engin qui se trouvait dans le sac de la hippie.

– Eh bien oui, je crois que c'est un godemiché.

– Fais voir, dit Julia en tentant de s'approcher du sac malgré son mari qui s'interposait.

– Non, Julia, s'il te plaît !

– Mais tu l'as bien vu, toi. Moi aussi, je veux le voir.

– Non, ça m'étonnerait que tu veuilles.

– Pour l'amour du ciel, Farrokh !

Vaincu, le docteur se poussa ; il jetait des coups d'œil inquiets à la porte de la salle de bains derrière laquelle l'immense hippie était toujours en train de se baigner.

– Dépêche-toi, Julia, et ne va pas mettre de désordre dans ses affaires.

– Ce n'est pas comme si tout était bien plié… Oooh là là ! s'exclama Julia.

– Bon, ça y est, tu l'as vu, maintenant pousse-toi, demanda le docteur un peu surpris que sa femme n'ait pas frémi d'horreur.

– Ça marche à piles ? s'enquit-elle, sans quitter l'objet des yeux.

– A piles ? s'écria Farrokh. Pour l'amour du ciel, Julia, s'il te plaît, éloigne-toi.

L'idée qu'un engin pareil fonctionne avec des piles allait hanter les rêves du docteur pendant vingt ans, et elle aggrava l'attente insupportable tandis que la hippie n'en finissait pas de se baigner.

Craignant que cette désaxée ne se soit noyée, le docteur s'approcha timidement de la porte de la salle de bains, à travers laquelle il n'entendait ni chanter ni éclabousser ; pas le moindre signe de vie aquatique. Mais avant qu'il ait pu frapper, il fut surpris par le sixième sens de la hippie ablutionniste : on aurait dit qu'elle avait deviné une présence proche.

– Salut, vous, dit-elle, laconique. Vous pourriez me passer mon sac, s'il vous plaît, je l'ai oublié.

Le Dr Daruwalla alla chercher le sac à dos ; il était singulièrement lourd pour sa taille. Plein de piles, sans doute. Il entrouvrit la porte de la salle de bains précautionneusement, juste assez pour passer le bras tenant le sac à dos. Il fut envahi par une bouffée de buée, et mille odeurs discordantes.

– Merci, dit la fille, laissez-le tomber où il est.

Le docteur retira sa main et ferma la porte, étonné par le bruit métallique que fit le sac en tombant sur le sol. Une machette ou une mitraillette, sans doute ; il ne voulait pas le savoir.

Julia avait disposé une table solide sur le balcon, et l'avait recouverte d'un drap blanc propre. Même en fin d'après midi on y voyait plus clair dehors que dans les chambres pour pratiquer une intervention. Le Dr Daruwalla rassembla ses instruments et prépara l'anesthésiant.

Dans la salle de bains, Nancy avait réussi à attraper le sac à dos sans sortir de la baignoire ; elle commença par chercher quelque chose de vaguement moins sale que ce qu'elle avait mis. C'était vraiment échanger une crasse pour une autre, mais elle avait envie de mettre une blouse de coton à manches longues, un soutien-gorge et un pantalon ; elle voulait aussi laver le godemiché et, si elle en avait la force, le dévisser pour compter combien il restait d'argent. Toucher cette bitte la dégoûtait, mais elle réussit à la retirer du sac en pinçant une des couilles entre le pouce et l'index de la main droite ; puis elle laissa tomber le godemiché dans le bain, où il flotta comme il se devait, les couilles à peine immergées, la tête circoncise levée, presque comme celle d'un nageur solitaire et perplexe. Son œil unique et maléfique était fixé sur Nancy.

Quant au Dr Daruwalla et sa femme, leur anxiété croissante ne fut pas moindrement soulagée lorsqu'ils entendirent un bruit caractéristique de baignoire vidée puis remplie. C'était le quatrième bain de la hippie.

Farrokh et Julia se méprenaient sur les grognements et les soupirs de Nancy. On peut comprendre leur erreur : au fond, malgré la renaissance de leur ardeur sexuelle, agrément qu'ils devaient en partie à Mr James Salter, c'était sur ce plan-là un couple sans fantaisie excessive. Étant donné le calibre de l'engin redoutable qu'ils avaient vu dans le sac à dos de la hippie, et les halètements d'effort qui passaient à travers la porte, on leur pardonnera d'avoir laissé leur imagination vagabonder. Comment auraient-ils deviné que ces cris et ces exclamations de rage venaient de ce que Nancy n'arrivait pas à dévisser le godemiché pour savoir combien il restait de marks dedans ? Et ils avaient beau laisser leur imagination vagabonder, ils n'auraient jamais pu se douter de ce qui venait d'arriver à la jeune femme. Car il lui faudrait plus de quatre bains pour en laver la trace...

Avec Dieter

Du jour où Dieter leur avait fait quitter le Taj, tout était allé de mal en pis pour Nancy. Leur nouvelle chambre était dans un petit établissement de Marine Drive, le Sea Green Guest House, qui, observat-elle, était d'un blanc écru, ou peut-être, dans le brouillard, gris-bleu. Dieter dit qu'il avait choisi l'endroit parce qu'il attirait une nombreuse clientèle arabe, et qu'on ne risquait rien avec les Arabes. Nancy n'avait pas remarqué beaucoup d'Arabes, mais elle ne les avait peut-être pas repérés tous. Par ailleurs, elle ne savait pas ce que Dieter voulait dire en déclarant qu'on ne risquait rien ; il voulait simplement dire que les Arabes étaient indifférents au trafic de drogue sur une échelle aussi réduite que la sienne.

Au Sea Green Guest House, Nancy découvrit que pour acheter des narcotiques de qualité il fallait d'abord et surtout attendre. Dieter passait des coups de téléphone, et puis ils attendaient. Il lui avait expliqué que les meilleures affaires se présentaient par la bande ; on avait beau essayer de traiter directement, à Bombay même, on se retrouvait toujours à Goa, en train de faire affaire avec l'ami d'un ami. Et il fallait toujours attendre.

En l'occurrence, l'ami d'un ami était un habitué des quartiers réservés de Bombay, mais, dans la rue, le bruit courait qu'il était déjà parti à Goa. Pour le trouver, il fallait louer un bungalow sur une certaine plage et attendre. On pouvait chercher à savoir où il était, mais cela ne servait à rien ; c'était lui qui vous trouvait. Cette fois, il s'appelait Rahul. C'était toujours un nom répandu, et l'on ne savait jamais le nom de famille. Rahul, c'était tout. Dans le quartier des bordels, on l'appelait « Mignonne ».

– Drôle de surnom pour un mec, remarqua Nancy.

– Ça doit être le genre poule à couilles, expliqua Dieter, expression

261

qu'il n'avait certainement pas apprise en regardant des films américains.

Il tenta de lui décrire le milieu des travestis, mais il n'avait pas compris que les hijras sont des eunuques et qu'ils ont été émasculés pour de bon. Il confondait les hijras et les zénanas, travestis intacts. Un hijra s'était un jour exhibé à Dieter, mais il avait pris la cicatrice pour un vagin et le hijra pour une vraie femme. Quant aux zénanas, les fameuses poules à couilles, il les appelait aussi les petits garçons avec des petits tétons. Il lui raconta que c'étaient tous des pédales qui prenaient des hormones pour faire pousser les nichons, mais que les hormones en question leur atrophiaient le pénis au point qu'ils finissaient par être comme des petits garçons.

Dieter aimait parler de sexe à longueur de temps, et il invoqua l'espoir ténu de trouver Rahul à Bombay pour emmener Nancy dans les quartiers réservés. Elle ne tenait pas à y aller, mais Dieter semblait régi par une mathématique de la dégradation. La débauche ne connaît pas le flou. Il y a quelque chose d'exact dans la dépravation sexuelle, que Dieter trouvait sans doute rassurant par rapport au flottement qui entourait la quête de Rahul. Pour Nancy, la touffeur moite et l'odeur putride de Bombay ne furent qu'aggravées par la proximité des « canaris » de Falkland Road.

– Elles sont fabuleuses, non ? lui demanda Dieter.

Mais elle ne voyait pas en quoi elles étaient fabuleuses. Au rez-de-chaussée de vieux immeubles de bois, il y avait des pièces qui ressemblaient à des cages, avec des filles qui appelaient le client ; au-dessus de ces cages, l'immeuble ne comportait pas plus de quatre ou cinq étages, où d'autres filles paraissaient aux fenêtres, sauf si un rideau était tiré, signe que la prostituée était avec un client.

Nancy et Dieter allèrent prendre le thé à l'Olympia, sur Falkland Road ; c'était un vieux café tendu de miroirs et fréquenté par les tapineuses et leurs macs – Dieter semblait connaître plusieurs d'entre eux. Mais ses contacts ne pouvaient ou ne voulaient pas l'éclairer sur les coordonnées de Rahul ; ils refusaient même de parler de lui, sauf pour dire qu'il appartenait au milieu travesti, milieu avec lequel ils n'avaient rien à voir.

– Je te l'avais bien dit que c'était une poule à couilles, dit Dieter à Nancy.

La nuit tombait lorsqu'ils quittèrent le café, et sur leur passage les

« canaris » témoignèrent à la jeune femme une curiosité plus hostile. Certaines soulevèrent leur jupe avec des gestes obscènes, d'autres lui lancèrent des ordures, et des groupes d'hommes soudain agglutinés l'entourèrent sur la chaussée. Dieter les poussait, d'un air presque indifférent. Il semblait trouver amusante cette attention ; plus les marques en étaient vulgaires, plus elles l'amusaient.

La situation dépassait trop Nancy pour qu'elle lui pose des questions ; c'était seulement maintenant qu'elle se rendait compte, en s'enfonçant dans la baignoire du docteur, qu'elle avait fini par briser ce schéma. Elle plongea le godemiché sous l'eau et le tint contre son ventre. Comme il n'avait pas été recacheté, il ne faisait pas de bulles. De peur que les marks ne se mouillent, elle cessa de jouer avec l'engin, pour penser à l'outil qu'elle avait dans son sac ; le docteur avait sûrement entendu le bruit métallique qu'il avait fait en touchant le sol.

Dieter l'avait acheté dans un surplus de l'armée, à Bombay. Il était d'un vert olive terne ; déplié, c'était une pelle avec un manche court, d'une cinquantaine de centimètres ; une charnière de métal le rendait télescopique, et le tranchant pouvait venir perpendiculairement au manche, de sorte que l'outil ressemblât plutôt à une pioche de trente centimètres. Si Dieter était toujours vivant, il aurait été le premier à convenir qu'on pouvait aussi en faire un parfait tomahawk. Il avait dit à Nancy que l'instrument pourrait leur servir à Goa, à la fois pour se défendre contre les *dacoits* – ces bandits qui rançonnaient parfois les hippies – et pour creuser des latrines improvisées. Nancy souriait avec regret en réfléchissant aux caractéristiques de l'outil déplié. En effet, elle l'avait trouvé adéquat pour creuser la tombe de Dieter.

Lorsqu'elle fermait les yeux et se plongeait plus profond dans la baignoire, elle avait encore dans la bouche le parfum douceâtre du thé fumé qu'on servait à l'Olympia ; et elle en gardait encore l'arrière-goût sec et amer. Les yeux fermés, portée par l'eau chaude, elle se souvenait d'avoir changé d'expression dans les miroirs piqués du café. Le thé lui avait fait la tête légère. Elle n'avait pas l'habitude de voir le crachat rouge que les mâcheurs de bétel expectoraient partout autour d'eux, et même les musiques de films hindis et le *quawwali* qui passait au juke-box de l'Olympia ne l'avaient pas préparée à l'agression sonore de Falkland Road. Un ivrogne la suivit et lui tira les cheveux, jusqu'à ce que Dieter l'envoie au tapis et le bourre de coups de pied.

– Les meilleurs bordels, c'est ceux dans les salles au-dessus des cages, avait-il dit à Nancy en connaissance de cause.

Un gamin portant une outre pleine d'eau était venu la tamponner ; elle était sûre qu'il lui avait marché sur le pied exprès. Quelqu'un lui pinça le sein, mais elle ne vit pas qui, homme, femme ou enfant.

Dieter l'attira dans une boutique de bidis, qui vendait aussi de la papeterie et des babioles en argent, ainsi que de petites pipes pour fumer la ganja. Le propriétaire salua Dieter d'un : « Hé, ganja-man, Mistah marchand de bhang. » Il gratifia Nancy d'un joyeux sourire en lui désignant Dieter :

– Lui c'est le maître du bhang, le meilleur vendeur de ganja, dit-il en connaisseur.

Nancy tripotait un stylo-bille original ; c'était de l'argent véritable, et il portait inscrit dans le sens de la longueur *Made in India*. Le corps du stylo annonçait *Made in*, et le capuchon *India* ; le stylo ne fermait pas si l'inscription n'était pas parfaitement alignée ; Nancy pensa que c'était un défaut de fabrication idiot. Et puis quand on se servait du stylo, les mots se retrouvaient dans le désordre ; le stylo disait *in Made India,* et *in Made* était à l'envers.

– Qualité supérieure, lui dit le propriétaire, fabriqué en Angleterre.

– Mais ça dit Made in India, objecta Nancy.

– Oui, on en fait en Inde aussi, admit le patron.

– T'es qu'un menteur de merde, lui dit Dieter, mais il offrit le stylo à Nancy.

Celle-ci se disait qu'elle irait bien dans un endroit frais pour envoyer des cartes postales. Ils n'en reviendraient pas, dans l'Iowa, de voir où elle était. Mais en même temps, elle se disait que jamais elle ne leur enverrait de ses nouvelles. Bombay la terrifiait et l'enivrait en même temps ; la ville était si exotique, elle semblait si anarchique… Nancy avait l'impression qu'elle pouvait y être qui elle voulait. Elle aurait souhaité recommencer de zéro. Au fond d'elle-même, elle s'obstinait à entretenir cet impossible idéal de pureté qui l'avait attirée chez l'inspecteur Patel.

Avec une tendance à dramatiser que partagent beaucoup de filles déchues, elle croyait qu'il lui restait deux voies en tout et pour tout : soit tomber encore plus bas, jusqu'à être indifférente à sa propre déchéance, soit donner dans le bénévolat et l'abnégation jusqu'à l'héroïsme pour prétendre à recouvrer son innocence, se racheter. Dans le monde où elle s'était enfoncée, de deux choses l'une, ou bien elle restait avec Dieter ou bien elle allait trouver l'inspecteur Patel. Mais qu'avait-elle à lui offrir, à Vijay Patel ? Rien qui puisse intéresser le bon policier, craignait-elle.

Un peu plus tard, sur le seuil d'un bordel à travestis, un hijra s'exhiba devant elle avec une telle audace et une telle rapidité qu'elle n'eut pas le temps de détourner les yeux. Dieter lui-même dut bien reconnaître qu'il n'y avait pas trace de pénis, même petit. Quant à ce qu'il y avait à la place, Nancy n'était pas sûre. Dieter en concluait que Rahul devait être comme ça, « un genre d'eunuque intégral ».

Ses questions sur Rahul jetaient un froid, à la limite de l'hostilité. Le seul hijra qui les ait laissés entrer dans sa cage était une grande folle d'une quarantaine d'années, assise devant un miroir, et qui tentait de fixer sa perruque avec des mimiques de plus en plus consternées. Dans la même pièce minuscule, un hijra plus jeune était en train de donner un biberon de lait grisâtre coupé d'eau à un cabri nouveau-né. De Rahul, il ne savait que répéter : « C'est pas une d'entre nous. » Son aîné précisa seulement que Rahul était à Goa. Aucun des deux hijras ne se laissait entraîner sur le terrain du surnom de Rahul. Lorsqu'il entendit prononcer « Mignonne », celui qui donnait à manger au cabri lui retira brusquement le biberon, qui fit « flop » ; le cabri en bêla de surprise. Le jeune hijra désigna Nancy de la tétine, avec un geste dépréciatif. Nancy interpréta la chose comme signifiant qu'elle était moins mignonne que Rahul. Elle constata avec soulagement que Dieter ne semblait pas avoir envie de se battre, même si elle sentait bien qu'il était furieux ; il ne faisait pas d'excès de galanterie auprès d'elle, mais enfin il était furieux.

Quand ils se retrouvèrent dans la rue, pour lui montrer qu'elle prenait cette comparaison défavorable avec philosophie, Nancy déclara sur un ton qu'elle espérait tolérant, dans la veine « vivre et laisser vivre » :

– Ils ont pas été très sympas avec nous, mais enfin c'était sympa de voir comment ils s'occupaient de cette chèvre.

– Sois pas idiote, lui dit Dieter. Il y a des types qui baisent les filles, d'autres qui baisent les eunuques-travelos, et puis il y en a qui baisent les chèvres.

A cette idée effroyable son angoisse la reprit ; elle comprit qu'elle s'était leurrée en croyant ne pas pouvoir tomber plus bas.

A Kamathipura, il y avait d'autres bordels. Devant un labyrinthe de petites pièces, une grosse femme en sari rouge sombre était assise en tailleur sur un lit de sangles dont le socle était fait de cageots à oranges ; le lit, ou peut-être la femme, oscillaient légèrement. Elle maquait des prostituées d'une classe supérieure à celles que l'on trouvait sur Falkland Road ou Grant Road. Dieter se garda bien de dire à Nancy que c'était le bordel où il avait baisé une gamine de treize ans pour cinq roupies seulement parce qu'il avait fallu le faire debout faute de place.

Nancy avait l'impression que Dieter connaissait l'énorme tenancière, mais elle ne comprenait rien à leur conversation ; deux des prostituées les plus hardies étaient sorties du bordel pour la voir en gros plan.

Une troisième, qui pouvait avoir douze ou treize ans, se montrait particulièrement curieuse ; elle se souvenait de Dieter, venu la veille. Nancy lui vit un tatouage bleu sur le haut du bras, et Dieter lui expliqua par la suite que c'était simplement son nom. Nancy n'aurait pas su dire si ses autres parures avaient une signification religieuse ou si elles étaient seulement décoratives. Son *bindi*, le rond de fard qui ornait son front, était d'un jaune safran, bordé d'or ; elle portait un anneau dans la narine.

Nancy, qui trouvait sa curiosité décidément excessive, se détourna pendant que Dieter continuait à parler à la mère maquerelle. Le ton montait ; Dieter détestait qu'on lui tienne des propos vagues, et tout le monde lui en tenait sur Rahul.

– Toi tu vas à Goa, tu dis tu le cherches, expliqua la grosse femme, et lui il te trouve.

Mais Nancy voyait bien que Dieter aurait préféré maîtriser la situation davantage. Elle devinait aussi la suite. De retour au Sea Green Guest House, Dieter fut très pressant ; l'exaspération avait souvent cet effet sur lui. D'abord il fit se masturber Nancy, et puis il lui enfonça le godemiché sans ménagement. Elle s'étonna d'éprouver une quelconque excitation. Mais cela n'avait pas calmé Dieter. Tandis qu'ils attendaient un car de nuit pour les mener à Goa, elle commença à se demander comment faire pour le quitter. Le pays était tellement intimidant qu'elle avait du mal à se voir le planter là si elle n'avait personne d'autre.

Dans le car, il y avait une jeune Américaine toute petite, que quelques Indiens étaient en train d'importuner. Nancy dit à haute voix :

– T'es un lâche, Dieter, ou quoi ? Pourquoi tu leur dis pas de la laisser tranquille, à ces types ? Pourquoi tu lui demandes pas de s'asseoir avec nous, à cette fille ?

Nancy tombe malade

Au souvenir du tour si prévisible que ses relations avec Dieter avaient pris, Nancy sentit son assurance revenir dans la salle de bains de l'hôtel Bardez. Elle n'arrivait pas à dévisser le godemiché, et puis après ? Elle trouverait bien quelqu'un qui ait plus de poigne qu'elle, voire des tenailles. Rassérénée par cette perspective, elle balança le godemiché de l'autre côté de la salle de bains ; il alla frapper contre les carreaux bleus du mur, et rebondit vers la baignoire. Là-dessus, Nancy ouvrit la bonde et le tuyau gargouilla bruyamment : derrière la porte, le Dr Daruwalla battit promptement en retraite.

De retour sur le balcon, il confia à sa femme :

– Je crois qu'elle a enfin fini. Il me semble qu'elle a balancé la bitte contre le mur – en tout cas elle a balancé quelque chose.

– C'est un godemiché, rectifia Julia. Tu me ferais plaisir en arrêtant de l'appeler la bitte.

– En tout cas, il me semble qu'elle l'a envoyé valdinguer, dit Farrokh.

Ils tendaient l'oreille en direction de la baignoire ; elle gargouillait toujours. Au-dessous d'eux, dans le patio, le balayeur s'était éveillé de sa sieste à l'ombre de la plante en pot ; ils l'entendaient analyser le vomi du docteur avec Punkaj, le garçon de courses ; ce dernier pensait que le coupable était un chien.

Il fallut que Nancy sorte de la baignoire et se sèche pour que la douleur de son pied lui rappelle pourquoi elle se trouvait là. La petite intervention nécessaire pour retirer les éclats serait la bienvenue ; dans sa situation, la jeune femme ne pouvait que trouver presque purifiante la douleur qui s'annonçait.

« T'es un lâche, Dieter, ou quoi ? » se chuchota-t-elle, rien que pour s'entendre le dire ; le plaisir en avait été si court.

La jeune fille frêle du car, originaire de Seattle, se révéla être un pilier d'ashram qui traversait le sous-continent en changeant sans arrêt de religion. Elle dit qu'on venait de l'expulser du Penjab pour avoir fait quelque chose d'insultant contre les sikhs – mais elle n'avait pas compris de quoi il s'agissait. Elle portait un débardeur moulant, décolleté ; elle n'avait pas de soutien-gorge et ça se voyait. Elle avait aussi fait l'acquisition de plusieurs bracelets d'argent, qu'elle portait aux deux poignets ; on lui avait dit qu'ils venaient d'une dot (ce n'était pas ce qu'on y trouvait d'ordinaire).

Elle s'appelait Beth. Elle avait été déçue par le bouddhisme le jour où une bodhisattva haut placée avait essayé de la séduire en lui faisant prendre du *chang* ; Nancy pensa que c'était quelque chose à fumer, mais Dieter lui expliqua que c'était la bière de riz tibétaine, qui avait la réputation de rendre malades les Occidentaux.

Dans le Maharashtra, elle connaissait Poona, dit-elle, seulement pour afficher son mépris de ses compatriotes qui méditaient à l'ashram de Rajneesh. Elle avait été déçue par ce qu'elle appelait « la méditation californienne », aussi. Ce n'était pas un « minable gourou d'exportation » qui allait la rallier.

Beth s'intéressait à l'hindouisme en érudite. Elle n'était pas près d'étudier les Védas, les anciens textes spirituels, les écritures hindoues orthodoxes, sous la férule de qui que ce soit. Elle avait l'intention de commencer par son interprétation personnelle des Upanishads, qu'elle était en train de lire. Elle fit voir le petit livre de traités spirituels à Nancy et Dieter ; c'était un de ces volumes où l'introduction et les notes sur la traduction occupent plus d'espace que le texte lui-même.

Beth ne voyait rien de bizarre au fait d'aller à Goa pour y étudier l'hindouisme, même si Goa attirait plus de pèlerins chrétiens que de toute autre religion ; elle reconnut qu'elle y allait pour les plages, et pour la compagnie de gens qui lui ressemblaient. En outre, ce serait bientôt la mousson partout, et alors elle serait au Rajasthan ; il faisait très bon autour des lacs, pendant la mousson ; et elle avait entendu parler d'un ashram sur un lac. Pour l'instant, elle était heureuse de les avoir rencontrés ; ce n'était pas drôle d'être une femme seule en Inde, leur assura-t-elle.

Autour du cou, elle portait une lanière de cuir au bout de laquelle pendait une pierre polie en forme de vulve. Elle expliqua que c'était son *yoni*, objet de vénération dans les temples de Shiva. Le lingam phallique, qui représente le pénis de Seigneur Shiva, est placé dans le yoni vulvien, qui représente le sexe de Parvati, la femme de Shiva. Les prêtres versent des libations sur les deux symboles ; les fidèles prennent une sorte de communion dans ce qui déborde.

Après ce speech surprenant sur son curieux collier, Beth, épuisée, se blottit sur le siège près de Nancy ; elle s'endormit la tête sur ses genoux. Dieter s'endormit aussi, de l'autre côté du couloir central, non sans avoir dit à Nancy que ce serait « très marrant » de montrer le godemiché à Beth. « Attends un peu qu'elle se cloque ce lingam-là dans son yoni à la con ! » dit-il crûment. Nancy ne parvint pas à s'endormir, pleine de haine pour lui, tandis que le car traversait le Maharashtra.

Dans l'obscurité, le magnétophone du chauffeur, qui ne passait que du quawwali, faisait un bruit de fond ; l'appareil était mis au minimum, et Nancy trouvait les versets religieux apaisants. Bien entendu, elle ignorait que c'étaient des versets musulmans, et d'ailleurs cela lui aurait été bien égal. La respiration de Beth était douce et régulière contre sa cuisse. Elle se demanda depuis combien de temps elle n'avait pas eu une amie – une amie, simplement.

A Goa, l'aube était couleur sable. Nancy s'émerveilla de voir combien la physionomie de Beth était enfantine, dans le sommeil ; dans ses petites mains, l'enfant perdue serrait le vagin de pierre comme si ce yoni avait le pouvoir de la protéger contre tous les dangers du sous-continent – y compris Dieter et Nancy.

A Mapusa ils changèrent de car parce que le leur continuait sur Panjim. Ils passèrent une longue journée à Calangute où Dieter s'occupa de ce qui l'amenait, en harcelant de questions les clients, à · l'arrêt du car, pour essayer d'apprendre quelque chose sur Rahul. Dans Baga Road ils s'arrêtèrent aussi aux bars, aux hôtels et aux buvettes ; chaque fois Dieter prenait quelqu'un à part, tandis que Beth et Nancy attendaient. Tout le monde prétendait avoir entendu parler de Rahul, mais personne ne l'avait jamais vu.

Dieter avait réservé un bungalow près de la plage. Il n'y avait qu'une salle de bains et il fallait remplir les toilettes et la baignoire avec des seaux tirés à un puits extérieur ; mais il y avait deux grands lits qui paraissaient tout propres, et une cloison en persiennes entre les deux, qui était presque un mur laissant à chacun son intimité. Ils avaient une plaque chauffante au propane pour faire bouillir de l'eau. Au plafond, une main optimiste avait fixé un ventilateur immobile en prévision du jour où il y aurait aussi l'électricité ; et s'il n'y avait pas de moustiquaires aux fenêtres, il y en avait autour des lits et elles semblaient à peu près en bon état. Devant le bungalow se trouvait une citerne d'eau douce, sinon claire ; l'eau du puits dont on se servait pour la baignoire et les toilettes était, quant à elle, légèrement saumâtre. Mais la citerne était une hutte de palmes, et si on humidifiait les feuilles en permanence, on pouvait y rafraîchir commodément sodas, jus de fruits et fruits frais. Beth était déçue qu'ils soient un peu loin de la plage. Ils entendaient la mer d'Oman, surtout la nuit, mais il leur fallait traverser toute une bande de terrain jonchée de palmes putrescentes avant d'atteindre le sable, ou même de voir l'eau.

Ces luxes et ces inconvénients étaient également perdus pour Nancy ; sitôt arrivée, elle tomba malade. Elle fut prise de vomissements, et la diarrhée lui coupait tellement les jambes que c'était Beth qui devait aller chercher les seaux d'eau pour rincer les toilettes après elle. C'était Beth aussi qui lui remplissait ses baignoires. Avec sa fièvre, Nancy avait des frissons si violents et des suées si abondantes qu'elle ne pouvait pas quitter le lit de la journée ni de la nuit, sauf lorsque Beth retirait les draps pour les donner au *dhobi* qui passait prendre le linge à laver.

Dieter était dégoûté d'elle ; il continuait de chercher Rahul. C'était Beth qui faisait le thé à Nancy et lui apportait des bananes fraîches ; lorsque Nancy fut un peu plus forte, elle lui fit du riz. A cause de la fièvre, Nancy se retournait comme une carpe toute la nuit. Beth dormait dans un petit coin du lit avec elle ; Dieter couchait de l'autre côté de la cloison, tout seul. Nancy se dit que lorsqu'elle serait remise, elle partirait au Rajasthan avec Beth. Elle espérait que sa maladie n'avait pas écœuré la jeune fille.

Et puis un soir, elle se réveilla un peu mieux. Elle avait les idées si claires qu'il lui sembla que la fièvre devait être tombée ; elle était si affamée qu'elle se dit qu'elle était sortie des vomissements et de la diarrhée. Dieter et Beth n'étaient pas là ; ils étaient partis dans une discothèque de Calangute. Il y avait là-bas une boîte qui portait un nom idiot, du genre Coco Banana, où il s'enquérait longuement de

Rahul. Il disait qu'on avait l'air beaucoup plus affranchi en y allant avec une fille que tout seul ; tout seul, apparemment, on faisait *loser*.

Il n'y avait rien d'autre à manger que des bananes, au bungalow, et Nancy en mangea trois ; puis elle se fit du thé. Après quoi elle entreprit plusieurs voyages pour tirer des seaux et prendre un bain ; elle s'étonna de constater combien cet effort l'avait fatiguée et, sa fièvre tombée, l'eau lui sembla frisquette.

Après son bain, elle alla jusqu'à la hutte de palmes pour prendre une bouteille de sirop de canne, en espérant que cela n'allait pas lui donner la diarrhée ; il n'y avait rien d'autre à faire qu'attendre le retour de Beth et Dieter. Elle essaya de lire les Upanishads, mais le texte lui avait semblé plus intelligible quand elle avait la fièvre et que Beth le lisait à haute voix. En outre, comme elle avait allumé la lampe à huile pour lire, il y eut tout de suite des nuées de moustiques. Enfin, elle tomba sur un passage exaspérant dans Katha Upanishad ; une phrase y revenait, lancinante comme un refrain : « Ceci est en vérité cela. » Elle se dit que cette phrase allait la rendre folle si elle la lisait une fois de plus. Elle souffla la lampe à huile et se retira sous la moustiquaire.

Elle avait pris l'outil tranchant avec elle parce qu'elle avait peur, toute seule la nuit dans le bungalow. Il n'y avait pas que la menace des gangs de bandits *dacoits*, il y avait aussi un gecko qui avait élu domicile derrière le miroir de la salle de bains ; elle le voyait souvent passer comme un éclair sur les murs et le plafond de la salle de bains quand elle était dans la baignoire. Elle ne l'avait pas vu de la soirée ; elle aurait bien voulu savoir où il était.

Tout le temps qu'elle avait eu de la fièvre, elle s'était demandé ce que c'était que ces ombres projetées par les gargouilles en haut de la cloison ; puis une nuit, plus de gargouilles, et la suivante, une seule. Maintenant que la fièvre était tombée elle se rendait compte que ces « gargouilles » se déplaçaient presque sans arrêt – c'étaient des rats. Ils appréciaient le point de vue que leur offrait le paravent sur les deux lits. Nancy les regarda jusqu'à ce qu'elle s'endormît.

Elle commençait à comprendre qu'elle était loin de Bombay, qui était loin du reste du monde. Même le jeune Vijay Patel – inspecteur de police au poste de Colaba – ne pouvait rien pour elle ici.

13
Ce n'est pas un rêve

Une belle inconnue

Lorsque la fièvre la reprit, ce ne furent pas les sueurs qui l'éveillèrent, mais les frissons. Elle comprit qu'elle délirait : qu'aurait fait là cette belle femme en sari assise sur le lit, à lui tenir la main ? La trentaine environ, la femme était au sommet de sa beauté, et son subtil parfum de jasmin aurait dû prouver à Nancy qu'elle ne délirait pas. Une femme qui sentait si délicieusement bon ne pouvait pas être un rêve. Lorsque la femme parla, Nancy commença d'ailleurs à se demander s'il s'agissait vraiment d'une hallucination.

– C'est vous la malade, alors ? Et ils vous ont laissée toute seule ?
– Oui, murmura Nancy.

Elle frissonnait tant qu'elle claquait des dents. Elle avait beau serrer l'outil, elle doutait qu'elle aurait pu trouver la force de le soulever.

Et puis, comme souvent dans les rêves, sans transition ni logique dans l'ordre des événements, la belle femme dénoua son sari ; elle se déshabilla complètement. Même dans la pâleur du clair de lune, sa chair avait la couleur du thé ; ses membres étaient lisses et durs comme du bois précieux, comme du merisier. Ses seins étaient à peine plus gros que ceux de Beth, mais ils pointaient beaucoup plus, et lorsqu'elle se glissa sous la moustiquaire pour s'allonger auprès de Nancy, cette dernière lâcha son outil, et laissa la belle dame la prendre dans ses bras.

– C'est pas bien du tout de vous laisser toute seule, comme ça... lui dit la femme.

– Non, murmura Nancy ; elle avait cessé de claquer des dents, et ses frissons diminuaient entre les bras puissants de la belle.

D'abord elles restèrent allongées face à face, les seins fermes de

272

la femme contre ceux, plus mous, de Nancy, leurs jambes entremêlées. Puis Nancy se retourna et la femme se colla contre son dos ; dans cette position les seins de l'inconnue touchaient les omoplates de Nancy et son souffle lui venait dans les cheveux. Nancy admirait la souplesse de cette taille longue et menue, qui se ployait pour s'adapter aux hanches larges et au derrière rond qu'elle lui offrait. Et à sa surprise, les mains de la femme, qui enserraient délicatement ses seins lourds étaient plus grandes encore que les siennes.

– Ça va mieux comme ça, non ? demanda la femme.

– Oui, chuchota Nancy, mais sa propre voix était insolite, rauque, lointaine.

L'étreinte procurait une torpeur contre laquelle on ne pouvait lutter, ou alors c'était un nouveau stade de la fièvre, indiquant le début d'un sommeil trop lourd pour rêver.

Nancy n'avait jamais dormi avec les seins d'une femme contre son dos ; elle s'émerveilla de l'apaisement que cela procurait. Était-ce ce que les hommes éprouvaient en s'endormant ainsi ? Auparavant, il lui était arrivé de s'endormir avec la sensation curieuse d'un pénis d'homme inerte et ramolli contre ses fesses. A la lisière du sommeil, cette impression se rappela à elle, avec un sentiment d'étrangeté ; tout ceci devait relever du rêve ou du délire, ou des deux : il lui semblait en même temps avoir des seins de femme contre son dos et un pénis assoupi recroquevillé contre ses fesses. Les rêves que la fièvre fait naître, pensa-t-elle...

– Ils vont en avoir une surprise, quand ils vont rentrer, non ? lui demanda la belle femme, mais Nancy était déjà bien trop loin pour lui répondre.

Nancy témoin

Lorsque Nancy s'éveilla, elle était seule dans la clarté de la lune ; elle sentait l'odeur de la ganja, et elle entendait Dieter et Beth chuchoter de l'autre côté du paravent. Là-haut, les rats se tenaient si cois qu'on aurait dit qu'ils écoutaient, eux aussi – à moins que le nuage de fumée dégagé par Beth et Dieter ne les ait défoncés.

Nancy entendit Dieter demander à Beth :

– Quelle est la première expérience sexuelle qui t'ait donné confiance en toi ?

Elle compta dans sa tête ; elle savait ce que Beth pensait, bien sûr. Et puis Dieter reprit :

– La masturbation, non ?

Elle entendit Beth chuchoter :

– Oui.

– Chacun est différent des autres, répondit Dieter philosophe. Ce qu'il faut, c'est que tu découvres ce qui te convient le mieux.

Nancy regardait les rats tout en écoutant Dieter. Il réussit à amener Beth à se détendre, même si elle eut la décence de demander :

– Et Nancy ?

– Nancy dort, assura Dieter. Elle n'aura rien contre.

– Il faut que je me mette sur le ventre, dit Beth.

Nancy entendit Beth se retourner. Ce fut le silence pendant un moment, puis le souffle de Beth se précipita, et Dieter lui murmura ses encouragements. On entendit des baisers baveux ; Beth haletait, puis elle émit un son si étrange que les rats se mirent à courir sur la cloison, et que Nancy elle-même tendit ses grandes mains vers l'instrument tranchant.

Tandis que Beth continuait à gémir, Dieter lui dit :

– Ne bouge pas, j'ai une surprise pour toi.

La surprise, pour Nancy, c'est que l'outil n'était plus là, alors qu'elle était certaine de l'avoir emporté dans son lit. Elle avait l'intention de donner un coup dans les jarrets à Dieter, rien que pour le faire tomber à genoux, pour lui dire sa façon de penser. A Beth, elle donnerait une deuxième chance. Tout en cherchant à tâtons sous la moustiquaire, et par terre, au pied du lit, elle espérait encore que Beth et elle pourraient partir au Rajasthan ensemble.

C'est alors que sa main rencontra le sari à l'odeur de jasmin que la belle dame du rêve portait. Nancy le tira jusqu'à elle pour le sentir ; le parfum lui rappelait la belle femme, avec ses mains curieusement grandes, ses seins curieusement fermes. Enfin lui revint le souvenir de ce curieux pénis de femme, enroulé comme un escargot contre ses fesses, au moment où elle s'était endormie...

Elle essaya d'appeler tout bas « Dieter ! », mais aucun son ne sortit de sa bouche ; c'était donc bien ce qu'on leur avait dit à Bombay : on allait à Goa non pas pour trouver Rahul, mais pour qu'il vous trouve. Et Dieter avait raison sur un point : il y avait bien des poules à couilles ; Rahul n'était pas un hijra ; c'était un zénana, en fin de compte.

Nancy entendait Dieter chercher le godemiché dans la pénombre de la salle de bains. Une bouteille se cassa sur le sol. Il avait dû la placer en équilibre instable sur le bord de la baignoire ; le clair de lune ne parvenait guère dans la salle de bains, il lui fallait sans doute chercher le godemiché à tâtons. Il poussa un bref juron ; en allemand, sans doute, parce que Nancy ne comprit pas le mot.

Beth, oubliant que Nancy était censée dormir, lança : « T'as cassé ton Coca, Dieter ? » question qui se termina en gloussements. Dieter était un accro du Coca.

– Chut ! lança-t-il depuis la salle de bains.

– Chut ! répéta l'écervelée sans réussir à réprimer son fou rire.

Le bruit suivant fut celui que Nancy redoutait ; mais elle ne put retrouver le son de sa voix pour avertir Dieter qu'il n'était pas seul. Elle entendit ce qui ne pouvait être que l'outil, son tranchant, qui entrait en contact violent avec ce qui devait être le crâne de Dieter – à en juger par le bruit ; le métal résonna après le coup, mais la chute de Dieter, bizarrement, fut assourdie. Puis un nouveau choc, presque comme si le tranchant de la pelle allait cogner le tronc d'un arbre ; Nancy comprit que Beth n'avait rien entendu, car elle était en train de suçoter la pipe de ganja éteinte et tentait de la rallumer.

Nancy se tenait immobile, serrant le sari embaumé de jasmin contre elle. La silhouette fantomatique aux petits seins dardés et au pénis d'enfant passa près d'elle sans bruit. Rahul méritait bien son surnom de Mignonne, se dit-elle.

– Beth, essaya-t-elle d'articuler.

Mais une fois de plus, aucun son ne passa ses lèvres.

Derrière le paravent, une lumière soudaine glissa entre les persiennes, les ombres des rats effarouchés dansèrent au plafond. Nancy vit entre les lames que Beth avait ouvert la moustiquaire pour allumer une lampe à huile ; elle cherchait de la ganja pour bourrer la pipe lorsque le corps nu couleur thé parut à son chevet. Les grandes mains de Rahul tenaient l'outil derrière son dos, manche logé au niveau de la cambrure délicate, pelle cachée entre ses omoplates.

– Salut, dit-il à Beth.

– Salut, répondit Beth, qui êtes-vous ?

Puis Nancy entendit la jeune fille étouffer un petit cri de surprise, et elle cessa de regarder entre les persiennes. Elle se remit sur le dos en se couvrant le visage du sari parfumé ; elle ne voulait pas regarder le plafond non plus, où les ombres des rats palpitaient.

– Hé, vous êtes quoi, au juste, entendit-elle Beth demander. Un garçon ou une fille ?

– Je suis mignonne, hein ? dit Rahul.

– Disons... originale, répondit Beth.

A la réplique de l'outil, Nancy devina que Rahul n'avait pas aimé l'adjectif « original » ; son surnom préféré était « Mignonne ». Nancy repoussa le sari à l'odeur de jasmin hors du lit et de la moustiquaire. Elle espérait qu'il retombe sur le sol aussi près que possible de l'endroit où Rahul l'avait laissé. Puis elle resta allongée les yeux ouverts, fixés sur le plafond où l'ombre des rats courait d'un mur à l'autre ; comme si le deuxième et le troisième coup leur avait donné le signal de la débandade.

Un peu plus tard, Nancy se tourna sans bruit sur le côté pour regarder entre les lames ce que Rahul était en train de faire ; on aurait dit qu'il tentait une opération chirurgicale sur le ventre de Beth, mais Nancy comprit assez vite qu'il dessinait dessus. Elle ferma les yeux en espérant que la fièvre revienne ; même sans fièvre, elle avait si peur qu'elle se mit à claquer des dents. Ce fut ce qui la sauva. Lorsque Rahul vint la voir, ses dents s'entrechoquaient de façon aussi incontrôlable qu'auparavant. Aussitôt, elle sentit qu'elle ne l'attirait pas sexuellement ; il se moquait d'elle, ou bien il était simplement curieux.

– Ça t'a reprise, cette fièvre ? demanda-t-il.

– J'arrête pas de faire des rêves.

– Hé oui, bien sûr, chérie.

– J'essaye de dormir mais j'arrête pas de rêver.

– Et c'est des mauvais rêves ?

– Plutôt, oui...

– Tu veux me les raconter, chérie ?

– Je voudrais juste dormir, lui dit Nancy.

A sa surprise, il ne s'y opposa pas. Il entrouvrit la moustiquaire et s'assit sur le lit auprès d'elle ; il la frictionna entre les omoplates jusqu'à ce que les frissons passent, et qu'elle soit en mesure de contrefaire une respiration régulière de dormeuse – elle alla jusqu'à entrouvrir les lèvres, et essaya d'imaginer qu'elle était déjà morte ; il lui déposa un baiser sur la tempe, et un autre sur le bout du nez ; enfin elle sentit son poids quitter le lit. Puis, elle sentit l'instrument lorsque Rahul le mit délicatement entre ses mains. Quoiqu'elle n'ait pas entendu la porte s'ouvrir ou se refermer, elle sut que Rahul était parti lorsqu'elle entendit les rats reprendre leur sarabande dans le bungalow ; ils eurent l'audace de cavalcader sous la moustiquaire, sur son lit, sûrs qu'ils étaient de trouver trois morts au lieu de deux. Alors, Nancy jugea qu'elle pouvait se lever sans risque. Si Rahul avait été encore là, les rats l'auraient su.

Dans la lueur précédant l'aube, elle vit qu'il s'était servi du stylo de la blanchisserie, et de l'encre indélébile, pour décorer le ventre de Beth. Le stylo marqueur n'était qu'un manche de bois brut, avec une simple plume large ; l'encre était noire. Rahul avait laissé l'encrier et la plume sur l'oreiller de Nancy. Elle se souvenait que son premier mouvement avait été de les ramasser, avant de les remettre tous deux sur le lit ; elle avait laissé ses empreintes sur le manche de l'outil.

Elle était tombée malade dès son arrivée ; mais elle avait tout de même l'impression très nette que l'endroit était un trou perdu. Elle aurait beaucoup de mal à convaincre la police locale qu'une belle femme avec un pénis d'enfant avait assassiné Beth et Dieter. Rahul avait eu l'astuce de ne pas vider la ceinture portefeuille de Dieter ; il l'avait emportée avec lui. On ne décèlerait pas de trace d'un vol ; les bijoux de Beth n'avaient pas bougé, et il y avait même de l'argent dans le portefeuille de Dieter ; les passeports étaient là, eux aussi. L'essentiel de l'argent était dans le godemiché, mais Nancy n'essaya même pas de l'ouvrir : Dieter avait saigné dessus et il était tout gluant. Elle l'essuya avec une serviette humide ; puis elle le rangea dans son sac à dos avec ses affaires.

Elle pensait que l'inspecteur Patel la croirait ; mais encore fallait-il qu'elle arrive à Bombay avant que la police locale n'ait retrouvé sa trace. A première vue, on croirait à un crime passionnel ; une histoire de ménage à trois qui aurait mal tourné. Le dessin, sur le ventre de Beth, amènerait les enquêteurs à soupçonner un tempérament un peu diabolique, ou du moins enclin à l'humour noir. L'éléphant était curieusement petit et rudimentaire ; représenté de face. La tête était plus large que longue ; les yeux étaient dissemblables, et l'un des deux louchait ; on aurait même dit qu'il était crevé. La trompe pendait mollement, pointée vers le bas ; tout au bout, l'artiste avait tracé des lignes espacées en éventail – indiquant de manière enfantine que la trompe vaporisait de l'eau, comme une pomme de douche ou un embout de tuyau d'arrosage. Ces lignes allaient jusqu'au pubis de Beth. Le dessin tout entier était de la taille d'une petite main.

Puis Nancy comprit pourquoi il était légèrement décentré, et pourquoi l'un des deux yeux semblait crevé. C'est qu'il était placé dans le nombril de Beth, simplement souligné à l'encre ; l'autre n'en était qu'une imitation imparfaite, à laquelle manquaient ses trois dimensions ; et l'œil du nombril semblait cligner. Pour accentuer l'expression hilare ou moqueuse de l'éléphant, l'une de ses défenses était en position normale tandis que l'autre était pointée en l'air, presque comme si l'animal avait pu la lever comme un humain hausse le sourcil. C'était un petit éléphant plein d'ironie ; un éléphant à l'humour déplacé, sans aucun doute.

La cavale

Nancy revêtit le corps de Beth du débardeur qu'elle lui avait vu porter le jour de leur rencontre ; il avait le mérite de cacher le dessin. Autour du cou de la jeune fille, elle laissa le yoni talismanique, en espérant qu'il se révélerait plus efficace dans l'autre monde qu'ici-bas.

Le soleil se levait sur l'arrière-pays, et une lumière ambrée filtrait à travers les aréquiers et les cocotiers, laissant les trois quarts de la plage dans l'ombre, ce qui fut une bénédiction pour Nancy lorsqu'elle dut besogner une heure d'arrache-pied avec sa pelle, sans parvenir à creuser une fosse bien profonde au point limite de la marée haute. La fosse était déjà à moitié pleine d'eau lorsqu'elle traîna le corps de Dieter pour l'y rouler en boule. Le temps qu'elle ait disposé le corps de Beth à ses côtés, elle aperçut les crabes bleus qu'elle avait découverts en creusant, et qui se carapataient pour se cacher de nouveau dans le sable. Elle avait choisi une bande de sable particulièrement mou, sur la plage, au plus près du bungalow ; elle comprenait maintenant pourquoi le sable y était si élastique : un courant de marée traversait la plage et allait se perdre dans la jungle jonchée de palmes ;

elle avait creusé trop près et les corps ne resteraient pas ensevelis bien longtemps.

Pour comble de malchance, dans sa hâte à balayer les bris de verre de la salle de bains, elle avait marché sur le cul hérissé de la bouteille de Coca-Cola et plusieurs éclats étaient allés se loger dans son pied. Elle avait eu le tort de croire qu'elle avait tout ramassé, mais elle était pressée. Elle avait saigné si abondamment sur le tapis de bain qu'il lui avait fallu le rouler et le glisser dans la tombe, avec les éclats de verre ; elle le recouvrit, avec le reste des effets de Beth et Dieter, y compris les bracelets de Beth, qui étaient bien trop petits pour elle, et son exemplaire bien-aimé des Upanishads, qui ne l'intéressait pas du tout elle-même.

Elle constata avec surprise que creuser la tombe était plus harassant que de traîner le corps de Dieter sur la plage ; Dieter était grand, mais il ne pesait pas lourd, moins qu'elle n'aurait cru. L'idée lui traversa l'esprit qu'elle aurait pu le quitter quand bon lui semblait : il lui aurait suffi de le soulever de terre et de le balancer contre un mur. Elle se sentit incroyablement forte ; mais dès qu'elle eut fini de creuser la tombe, elle fut épuisée.

Elle faillit céder à la panique en s'avisant qu'elle ne pouvait pas remettre la main sur le capuchon du stylo-bille en argent offert par Dieter – ce stylo qui portait l'inscription *Made in India* sur sa longueur. Le corps de l'objet indiquait *Made in,* et la partie manquante *India.* Nancy avait déjà découvert le défaut de fabrication qui faisait que le stylo fermait mal si l'inscription n'était pas parfaitement alignée ; il perdait sans arrêt son capuchon. Elle fouilla le bungalow pour le récupérer ; il lui semblait improbable que Rahul l'ait embarqué – on ne pouvait même pas écrire avec. Enfin, comme il lui restait la partie utile, elle la garda ; elle était si petite qu'elle se caserait facilement dans son sac à dos. Et puis, c'était de l'argent véritable.

Elle vit bien qu'elle n'avait plus de fièvre parce qu'elle eut la présence d'esprit de prendre les passeports de Beth et de Dieter. Elle n'avait pas oublié qu'on ne tarderait pas à retrouver leurs corps. La personne qui avait loué le bungalow à Dieter savait qu'ils étaient trois. Il était plus que probable que la police présumerait qu'elle avait pris le car à Calangute, ou le ferry à Panjim. Son plan manifestait une lucidité remarquable : elle allait placer les passeports de Beth et Dieter en évidence à l'arrêt du car de Calangute ; quant à elle, elle prendrait le ferry de Panjim à Bombay. De cette façon, avec un peu de chance, pendant qu'elle serait sur le ferry, la police la chercherait aux arrêts du car.

Mais elle allait jouer de plus de chance qu'elle n'en escomptait. Lorsqu'on découvrit les corps, le propriétaire du bungalow avoua qu'il n'avait vu Beth et Nancy que de loin. Dieter étant allemand, il en déduisait que ses deux camarades l'étaient aussi ; et puis il avait pris Nancy pour un homme. Après tout, elle était si grande, si costaud, surtout à côté de Beth. Il indiqua donc à la police qu'il fallait rechercher un hippie allemand. Lorsqu'on retrouva les passeports à Calangute, la police découvrit que Beth était américaine, mais continua de croire que l'assassin était un Allemand voyageant par le car.

D'autre part, la tombe n'allait pas être découverte immédiatement ; la marée mettait longtemps à creuser le sable, près du courant. On ne saurait jamais si les charognards ou les chiens errants avaient été les premiers à avoir vent de quelque chose ; en tout cas, Nancy était déjà partie.

Elle attendit que le soleil noie la plage de sa lumière blanche : le sable humide de la tombe sécha en un clin d'œil. Avec une palme, elle lissa ses traces entre la plage et le bungalow ; puis elle se mit en route, clopin-clopant. Il était encore tôt lorsqu'elle quitta Anjuna. Elle crut être tombée sur une enclave d'excentriques lorsqu'elle croisa des nudistes qui se baignaient ou se faisaient bronzer. C'était presque une tradition dans le coin, mais elle avait été malade, et n'en savait rien.

Le premier jour, son pied ne la fit pas trop souffrir, mais il lui fallut traverser tout Calangute après avoir déposé les passeports. Il n'y avait pas de médecin descendu au Meena, ni au Varma. Quelqu'un lui dit qu'elle en trouverait un qui parlait anglais au Concha ; mais quand elle y arriva, il était déjà parti. Le personnel lui en indiqua un autre, parlant anglais lui aussi, à l'hôtel Bardez, de Baga. Lorsqu'elle y arriva, le lendemain, on la mit dehors ; entretemps son pied s'était infecté.

Tandis qu'elle émergeait de ses bains interminables, elle chercha à se rappeler si les meurtres remontaient à deux jours ou à trois. En revanche, elle se souvint d'avoir commis une erreur grossière. Elle avait déjà dit au Dr Daruwalla et à sa femme qu'elle allait prendre le ferry pour Bombay ; quel faux pas ! Lorsqu'ils l'aidèrent à s'allonger sur la table du balcon, ils mirent son silence sur le compte de l'appréhension devant la petite intervention, mais elle ne pensait qu'à rattraper sa bévue. Elle eut tout juste une grimace pendant l'anesthésie, et tandis que le Dr Daruwalla récupérait les éclats de verre, elle déclara calmement :

– Vous savez, j'ai changé d'avis pour Bombay. Finalement je vais dans le sud. Je vais prendre le car de Calangute à Panjim, et de là un autre pour Margao. J'ai envie d'aller à Mysore, voir les fabriques d'encens, vous savez ? Qu'est-ce que vous en pensez ? demanda-t-elle au médecin.

Elle voulait qu'il se rappelle ce faux itinéraire.

– J'en pense que vous devez être une voyageuse très entreprenante, répondit le docteur.

Il parvint à extraire un éclat de verre d'une grosseur surprenante, en demi-lune ; c'était sans doute un morceau de cul de bouteille de Coca-Cola, lui expliqua-t-il. Il désinfecta les petites entailles lorsqu'il en eut extirpé les autres fragments. Il pansa la blessure plus importante avec de la gaze, et donna à Nancy un antibiotique qu'il avait emporté dans ses bagages, pour ses enfants. Il faudrait qu'elle revoie un médecin dans quelques jours – ou plus tôt si une rougeur apparaissait autour de la plaie, ou si la fièvre se déclarait.

Nancy n'écoutait pas ; elle s'inquiétait de la façon dont elle allait le payer. Il ne serait guère convenable de lui demander de dévisser le godemiché ; d'ailleurs il n'avait pas l'air assez fort pour y arriver ; de son côté, Farrokh était aussi distrait par ses réflexions sur le même objet.

– Je n'ai pas de quoi vous payer beaucoup, lui dit-elle.

– Mais je ne veux pas que vous me payiez du tout ! s'exclama-t-il.

Il lui tendit sa carte ; c'était son habitude.

Nancy la lut et objecta :

– Je viens de vous dire que je ne vais pas à Bombay.

– Je sais bien, mais si la fièvre vous prend, ou si l'infection s'aggrave, il faut m'appeler, où que vous soyez. Ou bien si vous allez voir un médecin qui ne vous comprend pas, dites-lui qu'il m'appelle.

– Merci, dit Nancy.

– Et puis, évitez de marcher plus que nécessaire, ajouta le docteur.

– Puisque je vous dis que je prends le car, répéta Nancy.

Comme elle se dirigeait vers l'escalier en boitant, le docteur la présenta à John D. Elle n'était pas d'humeur à faire la connaissance d'un aussi beau garçon, et malgré sa courtoisie – il proposa même de l'aider à descendre les marches – l'attitude de supériorité européenne qu'il arborait la piqua au vif. Il ne lui manifestait pas la moindre étincelle d'intérêt sexuel, ce qui la blessa plus que les éclats de verre. Mais elle prit congé du médecin et laissa John D. la porter jusqu'au rez-de-chaussée ; elle savait qu'elle était lourde, mais il paraissait fort. Son désir de le choquer se fit impérieux. Et puis, elle était sûre qu'il aurait la poigne nécessaire pour dévisser le godemiché.

– Si je n'abuse pas de votre bonne volonté, lui dit-elle dans le hall de l'hôtel, vous pourriez me rendre un grand service.

Elle lui désigna le godemiché sans le retirer du sac à dos.

– Le bout se dévisse, lui dit-elle en le regardant dans les yeux, mais je n'ai pas assez de force.

Elle continua de le dévisager pendant qu'il empoignait la grosse bitte à deux mains ; elle n'était pas près d'oublier un homme qui avait un tel empire sur lui-même.

Dès qu'il débloqua le capuchon, elle lui dit :

– Parfait !

Elle ne tenait pas du tout à ce qu'il voie l'argent. Elle était déçue de ne pas avoir réussi à le choquer, mais ne se tenait pas pour battue. Elle résolut de lui faire baisser les yeux.

– Je ne voudrais pas vous offenser la vue, susurra-t-elle, il ne faut pas que vous voyiez ce qu'il y a dedans.

Elle n'était pas près d'oublier le sourire dédaigneux qui lui vint spontanément aux lèvres, car John D. était comédien bien avant d'incarner l'inspecteur Dhar – et c'était avec ce sourire que l'inspecteur Dhar mettrait tout Bombay en rage. Ce fut elle qui dut baisser les yeux, et cela non plus, elle n'était pas près de l'oublier.

Elle préféra éviter l'arrêt du car de Calangute et faire de l'auto-stop jusqu'à Panjim, même si cela supposait de marcher, voire de se défendre avec l'instrument tranchant. Elle comptait sur un ou deux jours de répit avant que les corps ne soient découverts. Mais avant de repérer la route de Panjim, elle se rappela le gros bout de verre que le docteur avait retiré de son pied. Après le lui avoir montré, il l'avait mis dans un cendrier sur une petite table, près du hamac. Sans doute allait-il le jeter. Mais supposons qu'il entende parler des bris de verre dans la tombe hippie – c'est ainsi qu'on allait bientôt l'appeler – et qu'il vienne à se demander si l'éclat de verre ne trouverait pas sa place dans le puzzle ?

282

Il était très tard, cette nuit-là, lorsque Nancy retourna à l'hôtel Bardez. La porte d'entrée était close, et le petit veilleur qui couchait sur une natte tressée dans le hall avait déjà commencé ses discours au chien qui partageait toutes ses nuits ; c'est pourquoi le chien n'entendit pas Nancy escalader les lianes pour gagner le balcon des Daruwalla, au deuxième étage. Les effets de la piqûre de procaïne se dissipant, le sang battait fort à son pied. Mais elle aurait pu hurler de douleur et renverser les meubles, elle n'aurait pas risqué de réveiller le Dr Daruwalla.

Le déjeuner du médecin ayant été précédemment décrit, nous nous abstiendrons de faire le détail de son menu du soir. Qu'il suffise de dire qu'il remplaça le poisson vindaloo par du porc accommodé de la même manière, et s'accorda en sus un ragoût de porc appelé *soportel*, comportant du foie de porc et largement aromatisé au vinaigre. Pourtant, c'était l'arôme de caneton séché au tamarin qui dominait son haleine chargée, et ses ronflements étaient ponctués de vapeurs soudaines de vin rouge acide, breuvage qu'il allait amèrement regretter au réveil – il aurait dû s'en tenir à la bière. Julia n'était pas fâchée que son mari ait élu domicile sur le hamac du balcon pour la nuit, où seule la mer d'Oman – ainsi que les lézards et les insectes qui étaient légion la nuit – pouvaient être dérangés par ses bruits d'instrument à vent. Elle appréciait en outre ce répit après les passions nées de l'art de Mr James Salter. Pour l'instant, ses spéculations personnelles sur le godemiché de la hippie qui venait de partir refroidissaient ses ardeurs.

Quant à la gent lézarde et insecte – geckos et moustiques – accrochée à la moustiquaire entourant le hamac du docteur endormi comme un chérubin, elle semblait sous le charme de la musique et des senteurs qui en émanaient. En effet le docteur s'était baigné avant de se coucher, et son corps dodu café au lait était nimbé de poudre de cuticura, du cou aux orteils. Il avait rafraîchi sa gorge et ses joues rasées de frais d'un puissant astringent citronné. Il avait même rasé sa moustache, ne laissant qu'une mouche sur son menton ; son visage était presque aussi lisse que celui d'un bébé. Le docteur était si propre, il sentait une odeur si délicieuse que seule la moustiquaire empêchait les geckos et les moustiques de le dévorer tout cru, se dit Nancy.

Enfoui au plus profond du sommeil, Farrokh se croyait mort et enterré quelque part en Chine ; et il rêvait que ses admirateurs les plus ardents étaient en train d'ouvrir sa tombe pour en tirer argument. Il aurait voulu qu'on le laissât tranquille, car il se sentait en paix ; à la vérité, il avait perdu conscience dans ce hamac, abruti par ses excès alimentaires. Rêver qu'il était la proie des pilleurs de tombes en disait long sur la nature de ses abus.

Quand bien même mon corps serait un miracle, rêvait-il, pour l'amour du ciel, fichez-lui donc la paix !

Pendant ce temps, Nancy trouva ce qu'elle cherchait ; dans le cendrier où il n'avait laissé qu'une petite tache de sang séché, elle vit l'éclat de verre en forme de demi-lune. A l'instant où elle le prenait, elle entendit le docteur crier : « Laissez-moi en Chine ! » Ses jambes firent un battement, et Nancy vit que l'un de ses jolis pieds couleur cannelle s'était échappé du hamac et dépassait de la moustiquaire, livré aux terreurs de la nuit.

Effarouchés les geckos se carapatèrent dans toutes les directions ; les moustiques, eux, s'agglutinèrent.

Tout de même, se dit Nancy, le docteur m'a rendu service, c'est vrai… Elle resta immobile comme une statue le temps de s'assurer qu'il dormait d'un sommeil profond ; elle ne voulait pas le réveiller, mais elle trouvait dur de l'abandonner avec son superbe pied en proie aux éléments. Elle médita sur la façon de lui faire réintégrer la moustiquaire, mais son bon sens fraîchement acquis lui dicta de s'en abstenir. Elle descendit jusqu'au patio en s'accrochant aux lianes ; il lui fallut ses deux mains, si bien qu'elle tint l'éclat de verre entre ses dents, en faisant bien attention à ne pas se couper la langue ou les lèvres. Elle marchait en boitillant le long de la route qui mène à Calangute lorsqu'elle jeta le bout de verre. Il alla se perdre dans une palmeraie touffue, sans un bruit – avec la même discrétion que son innocence lorsqu'elle l'avait perdue.

Erreur sur l'orteil

Nancy avait eu de la chance de quitter l'hôtel Bardez à temps. Elle ne se doutait pas que Rahul y était client, pas plus que celui-ci ne se doutait qu'elle avait consulté le Dr Daruwalla. C'était même une chance inouïe, parce que cette nuit-là, justement, Rahul escalada lui aussi les lianes qui menaient au deuxième étage, sur le balcon des

Daruwalla. Nancy était déjà passée, mais lorsque Rahul se hissa sur le balcon, le malheureux pied du docteur était toujours exposé aux prédateurs de la nuit.

Or c'est bien en prédateur que Rahul arrivait. Il avait appris par les innocentes filles du docteur que John D. avait coutume de coucher dans le hamac du balcon. Il était donc monté pour le séduire. Le lecteur curieux des questions sexuelles spéculera peut-être sur ses chances de succès dans une telle entreprise. Mais la vertu de John D., ce beau jeune homme, ne fut pas mise à l'épreuve puisque, lors de cette nuit fertile en rebondissements, c'était le Dr Daruwalla qui dormait dans le hamac.

Trompé par l'obscurité, aveuglé par la concupiscence, Rahul n'y vit que du feu. Le corps endormi sous la moustiquaire dégageait décidément une odeur désirable. Peut-être le clair de lune projetait-il ses leurres sur la couleur de la peau, se disait-il ; peut-être n'était-ce que le clair de lune qui lui donnait cette impression que John D. s'était laissé pousser une mouche. Quant aux orteils du pied découvert, ils étaient tout petits et dénués de poils, et le pied lui-même n'était pas plus grand que celui d'une fillette. Rahul trouvait attendrissante la partie au-dessous des orteils, charnue et douce, et il songea que la plante de ce pied était d'un rose presque indécent, par contraste avec la cheville brune et déliée.

Rahul s'agenouilla auprès du petit pied du docteur ; il le caressa de sa grande main ; il se frotta la joue contre les orteils parfumés de frais. Certes, il aurait sursauté si le docteur avait crié : « Mais je refuse d'être un miracle, moi ! »

Le docteur rêvait qu'il était saint François-Xavier, exhumé de sa tombe et emporté contre son gré dans la basilique de Bom Jesus à Goa. Plus précisément, il rêvait qu'il était le corps miraculeusement préservé de saint François, et qu'on faisait des choses à son corps, toujours contre son gré. Mais malgré la terreur que lui inspirait ce qui lui arrivait, dans son rêve, Farrokh ne parvenait pas à exprimer son angoisse ; le repas et le vin absorbés lui faisaient l'effet d'un sédatif si puissant qu'il était contraint de souffrir en silence, alors même qu'il s'attendait qu'une fidèle en délire lui dévorât l'orteil. Après tout, il connaissait l'histoire.

Rahul glissa sa langue le long du pied parfumé du docteur, qui avait un goût prononcé de poudre de cuticura, avec une pointe d'ail.

Comme le pied du docteur était la seule partie de son corps hors de la moustiquaire, Rahul ne pouvait manifester combien l'adorable John D. l'attirait qu'en introduisant le gros orteil de son pied droit dans sa bouche brûlante. Il se mit à sucer l'orteil avec une telle vigueur que le Dr Daruwalla gémit. Au début Rahul réussit à lutter contre le désir de le mordre, mais bientôt il céda, et enfonça lentement ses dents dans l'orteil qui se tortillait ; puis, de nouveau, il réprima sa pulsion impérieuse, puis céda encore, et mordit plus fort. C'était une torture pour lui de s'empêcher d'aller trop loin – d'avaler le Dr Daruwalla tout entier ou morceau par morceau. Lorsqu'il finit par lâcher le pied, ils suffoquaient tous les deux ; dans son rêve, le docteur était certain que l'obsédée avait déjà perpétré ses ravages ; elle avait sectionné la relique sacrée qu'était son orteil, et maintenant, on venait d'entamer tragiquement le miracle de son corps.

Tandis que Rahul se déshabillait, le docteur arracha son pied mutilé aux dangers de ce monde ; il se pelotonna dans le hamac sous la moustiquaire car, dans son rêve, il attendait avec effroi les émissaires du Vatican qui emporteraient son bras à Rome. Tandis qu'il s'efforçait d'exprimer sa terreur de l'amputation, Rahul tentait de pénétrer les mystères de la moustiquaire.

Si John D. se réveillait, le mieux serait qu'il lui ait coincé la tête entre ses seins fermes, car ces artefacts comptaient parmi ses atouts les plus sûrs. D'un autre côté, puisque le jeune homme semblait avoir été excité par l'expérience insolite de se faire sucer et mordre l'orteil, une approche plus hardie serait peut-être couronnée de succès. Rahul trouvait frustrant de ne pouvoir tenter aucune approche avant d'avoir résolu l'énigme de l'entrée de la moustiquaire, qui l'excédait. Et ce fut en ce point crucial de sa tentative de séduction que Farrokh finit par retrouver sa voix pour exprimer sa peur – voix que Rahul reconnut en l'entendant hurler : « Je refuse d'être un saint ! J'en ai besoin, de mon bras ! Il fonctionne très bien ! »

A ces mots le chien du hall poussa un coup de gueule ; le gamin se remit à lui parler. Rahul détestait le Dr Daruwalla avec la même ferveur qu'il désirait John D. Il fut donc effaré à l'idée qu'il lui avait caressé le pied, et écœuré de lui avoir sucé et mordu le gros orteil. Il se rhabilla en toute hâte, penaud ; comme il redescendait le long des lianes, il sentait le goût amer que la poudre de cuticura lui avait laissé sur la langue ; le chien du hall l'entendit cracher dans le patio et aboya de nouveau ; cette fois, le garçon déverrouilla la porte et jeta un coup d'œil anxieux vers la plage embrumée.

Il entendit le docteur crier : « Cannibales ! Psychopathes papistes ! », ce qui même dans son inexpérience lui sembla une association redoutable. Puis le chien se répandit en aboiements à la porte du hall, où Rahul s'encadra soudain, les faisant sursauter tous deux.

– Ne me laissez pas dehors ! dit-il.

Le garçon le fit entrer et lui donna la clef de sa chambre. Rahul portait une jupe vague, de celles qu'on enlève et qu'on remet d'un geste, ainsi qu'un débardeur jaune vif, d'une coupe qui attira l'attention embarrassée du gamin sur ses seins bien formés. A une époque, Rahul lui aurait saisi le visage à deux mains et l'aurait plaqué sur sa poitrine ; après quoi il aurait pu s'amuser avec le petit sexe du gosse, ou encore, il l'aurait embrassé sur la bouche en lui enfonçant la langue si loin qu'il en aurait suffoqué. Mais là, non, il n'était pas d'humeur.

Il monta dans sa chambre ; il se lava les dents pour se débarrasser du goût de la poudre de cuticura. Puis il se déshabilla et se coucha sur son lit, d'où il se voyait dans le miroir ; il n'était pas non plus d'humeur à se masturber. Il fit quelques dessins, mais rien ne marchait. Il en voulait terriblement au docteur de s'être trouvé dans le hamac de John D. Il était même si furieux qu'il n'arrivait pas à s'exciter sexuellement. Dans la chambre à côté, tante Promila ronflait.

En bas, dans le hall, le garçon essayait de calmer son chien. Il trouvait bizarre qu'il soit si agité ; d'habitude les femmes ne lui faisaient aucun effet, à ce chien ; il n'y avait que les hommes qui lui hérissent le poil, ou qui le fassent tournicoter, jarret raidi, à renifler partout où ils étaient passés. Le gosse était surpris que Rahul lui ait inspiré une telle réaction. Et il avait aussi besoin de se calmer, car il avait réagi aux seins de Rahul, à sa manière ; il était si excité qu'il avait une érection de belle taille pour un enfant de son âge. Et il savait très bien que le hall de l'hôtel Bardez n'était pas l'endroit rêvé pour donner libre cours à ses fantasmes. Il n'y avait rien à faire. Il se coucha sur la natte tressée, où il finit par amadouer son chien et le persuader de s'allonger auprès de lui, et où il continua de lui parler comme auparavant.

Farrokh se convertit

A l'aube, sur la route de Panjim, Nancy eut la chance d'être prise en pitié par un motocycliste qui avait remarqué qu'elle boitait. L'engin n'était pas un bolide, mais elle s'en contenterait. C'était une Yezdi 250, avec des rubans de plastique rouge à ses poignées, un rond noir sur le phare, et un protège-sari sur le côté gauche de la roue arrière. Comme Nancy portait des jeans, elle enfourcha d'office la selle derrière le jeune homme efflanqué. Elle lui noua les bras autour de la taille sans un mot : il ne roulerait jamais assez vite pour lui faire peur.

La Yezdi était équipée de pare-carters qui dépassaient de chaque côté à la manière d'un d'une moto carénée Dans la profession du Dr Daruwalla on appelait ces fameux pare-carters des casse-tibias, parce qu'ils avaient la réputation de causer des fractures aux motocyclistes – et tout ça pour ne pas bosseler le réservoir à essence.

Au début, le jeune conducteur fut déconcerté par le poids de Nancy ; elle avait une incidence dangereuse sur le rayon de ses virages ; il évita d'accélérer.

– Ça va pas plus vite, ton truc ? lui demanda-t-elle.

Il la comprit à moitié ; ou alors il trouva sa voix excitante à son oreille ; à moins qu'il ne l'ait pas remarquée pour sa claudication mais pour sa blondeur, ou encore pour la façon dont ballottaient ses seins qu'il sentait maintenant collés contre son dos.

– Mieux ! lui dit-elle lorsqu'il s'enhardit à accélérer.

Aux poignées, les rubans flottaient, fouettés par le vent de la marche ; ils semblaient indiquer à Nancy la direction de la jetée du ferry, et du destin qu'elle s'était choisi à Bombay.

Elle avait embrassé le vice, et n'y avait pas trouvé son compte. Elle était la pécheresse en quête du salut impossible ; elle pensait que seul le policier, étranger à la corruption, avait le pouvoir de restaurer ce qu'il y avait de bon en elle. Elle avait remarqué une contradiction chez l'inspecteur Patel. Elle le tenait pour un homme honorable et vertueux, mais pas insensible à son charme ; et, dans sa logique, elle escomptait que l'homme lui transmette son honorabilité et sa vertu. Il n'y avait rien d'exceptionnel, ni de spécifiquement féminin dans cette conviction que plusieurs choix de partenaires malheureux peuvent être rachetés, voire annulés, par un seul choix heureux. Personne ne pouvait blâmer Nancy d'essayer.

Tandis qu'elle s'acheminait vers le ferry et vers son destin sur la Yezdi, une douleur sourde mais tenace au gros orteil du pied droit tira le Dr Daruwalla d'un sommeil perturbé par les chimères et l'indigestion. Il se dégagea de la moustiquaire, et lança les jambes hors du hamac ; mais lorsqu'il posa la pointe du pied droit sur le sol, un élancement lui traversa l'orteil comme un coup de poignard ; l'espace d'une seconde, il crut qu'il rêvait toujours être le corps de saint François. Dans la lueur de l'aube, d'une couleur cannelle qui n'était pas sans évoquer celle de sa peau, le docteur inspecta son orteil. Il n'y avait pas d'écorchure, mais des meurtrissures cramoisies et violettes indiquaient sans équivoque des marques de morsure. Le docteur n'eut qu'un cri :

– Julia ! J'ai été mordu par un fantôme !

Sa femme accourut aussitôt

– Qu'est-ce qui se passe, *Liebchen* ? s'enquit-elle.

– Regarde mon gros orteil ! lui intima-t-il.

– Tu t'es mordu ? demanda-t-elle sans dissimuler son écœurement.

– C'est un miracle, je te dis ! brailla le docteur. C'est le fantôme de cette cinglée qui a mordu saint François.

– Attention, ne blasphème pas !

– Je ne blasphème pas – je crois ! s'écria le docteur.

Il tenta de poser le pied droit, mais la douleur était si aiguë qu'il tomba à genoux en poussant un cri.

– Veux-tu te taire, gronda Julia. Tu vas réveiller les enfants. Tu vas réveiller tout l'hôtel.

– Loué soit Dieu ! murmura Farrokh en rampant vers son hamac. Je crois en toi, mon Dieu. Je t'en prie, ne me torture pas davantage !

Il s'effondra dans le hamac, ses bras étreignant sa poitrine.

– Et s'ils reviennent chercher mon bras ?

Julia trouvait son attitude dégoûtante :

– Tu as dû mal digérer, dit-elle, ou bien rêver de ce godemiché.

– Parle pour toi ! rétorqua Farrokh, piqué. Je viens de subir une sorte de conversion, et toi tu ne penses qu'à une grosse bitte !

– Je pense surtout que tu as un comportement bizarre.

– Mais je viens de connaître une expérience… religieuse, soutint Farrokh.

– Je ne vois pas ce qu'il y a de religieux là-dedans.

– Regarde mon orteil.

– Tu t'es peut-être mordu dans ton sommeil...

– Julia ! Et moi qui te prenais pour une vraie chrétienne.

– Eh bien ce n'est pas pour ça que je vais aller brailler et gémir sur tous les toits !

John D. parut sur le balcon. Il était loin de se douter que l'expérience religieuse du Dr Daruwalla avait failli être la sienne, dans un registre un peu différent.

– Qu'est-ce qui se passe ? demanda le jeune homme.

– Il semblerait qu'il soit imprudent de coucher sur le balcon, lui expliqua Julia. Farrokh s'est fait mordre. Par un animal, sûrement.

– Ces marques ont été faites par des dents humaines ! affirma le docteur.

John D. examina l'orteil mordu avec son détachement coutumier et déclara :

– C'était peut-être un singe.

Le Dr Daruwalla se roula en boule dans son hamac ; puisque sa femme et son jeune homme préféré le prenaient comme ça, le silence était le plus grand des mépris. Julia et John D. commandèrent leur petit déjeuner en bas, dans le patio, avec les filles ; de temps en temps ils levaient les yeux pour suivre les lianes dans la direction où, supposaient-ils, Farrokh était en train de bouder. Ils se trompaient. Farrokh ne boudait pas, il priait. Et comme il n'avait pas l'expérience de cette pratique, sa prière ressemblait à un monologue intérieur proche de la confession classique – et plus spécifiquement de la confession classique suscitée par la gueule de bois.

« Ne te crois pas obligé de m'enlever mon bras, O mon Dieu ! L'orteil me suffit. Je n'ai pas besoin d'autres arguments. Tu m'as gagné à toi du premier coup, mon Dieu. » Le docteur marqua un temps ; puis il ajouta : *« Je t'en supplie, laisse-moi mon bras. »*

Plus tard, le serveur syphilitique posté dans le hall de l'hôtel Bardez pensa avoir entendu des voix qui provenaient du balcon du deuxième étage, celui de la suite des Daruwalla. Mais comme il était plus que dur d'oreille, on considérait qu'il entendait sans doute des voix en permanence. Or Ali Ahmed avait bel et bien entendu le docteur prier, car lorsque le milieu de la matinée arriva, il murmurait ses prières à haute voix, et ce dans un registre que le serveur syphilitique percevait justement.

« Je te demande pardon de tout mon cœur de t'avoir offensé, O mon Dieu ! Bien sincèrement, oui, et de tout mon cœur ! répétait-il avec ferveur. Je n'avais nullement l'intention de me moquer de qui que ce soit. Je plaisantais, c'est tout. Saint François, toi aussi, je t'en prie, pardonne-moi. » On entendait des aboiements plus nourris qu'à l'ordinaire, comme si les chiens, eux aussi, avaient été sensibles au timbre de ces prières. « Je suis chirurgien, mon Dieu, gémissait Farrokh, j'en ai besoin de mon bras, il me faut mes deux bras ! » C'est ainsi que Farrokh refusait de quitter le hamac de sa conversion miraculeuse tandis que Julia et John D. consacraient la matinée à ourdir des subterfuges pour l'empêcher d'y passer une nuit de plus.

Un peu plus tard dans la journée, sa gueule de bois se tassant, Farrokh reprit un peu d'assurance. Il lui semblait que se faire chrétien suffirait, dit-il à Julia ; il entendait par là qu'il n'était peut-être pas indispensable de se faire catholique. Pensait-elle qu'une conversion au protestantisme ferait l'affaire ? Ou à l'anglicanisme, aussi bien ? L'aspect de la morsure, les profondes meurtrissures violettes avaient fini par affoler Julia ; malgré l'absence d'écorchure, elle redoutait la rage.

– Julia ! soupira Farrokh. Moi je m'inquiète du salut de mon âme, et tu t'inquiètes de la rage !

– Il y a des tas de singes enragés, intercéda John D.

– Mais enfin quels singes ? hurla le docteur. Moi j'en vois pas des singes, dans le coin ! Vous en avez vu, vous ?

Dans leur dispute, ils ne remarquèrent pas que Promila Rai et son neveu mamelu étaient en train de quitter l'hôtel. Ils rentraient à Bombay, mais pas le soir même. Une fois de plus, le hasard servait Nancy ; Rahul ne prendrait pas le même ferry qu'elle. Sachant que les vacances de Rahul avaient été décevantes, Promila Rai avait accepté l'invitation d'amis à passer la soirée dans leur villa du vieux Goa ; ce serait une soirée déguisée ; Rahul pourrait trouver ça très amusant.

Ces vacances n'avaient pas été une déception sur toute la ligne pour Rahul. Sa tante avait l'argent facile, mais elle comptait qu'il apporte sa contribution personnelle au financement d'un voyage à Londres dont ils avaient longuement discuté ; elle était d'accord pour l'aider, à condition qu'il ait rassemblé un peu d'argent lui-même. Il y avait plusieurs milliers de marks dans la ceinture portefeuille de Dieter, mais pas tant que Rahul en espérait étant donné la qualité et la quantité de haschich que l'Allemand avait clamé partout vouloir acheter – certes il y en avait plus, beaucoup plus, dans le godemiché.

Promila croyait que son neveu voulait suivre des cours d'arts plastiques dans une école, à Londres. Elle savait aussi qu'il avait l'intention de devenir un transsexuel complet, et elle savait que ces opérations étaient coûteuses ; avec son aversion pour les hommes, elle se félicitait du choix de son neveu, qui deviendrait ainsi sa nièce. Mais elle se leurrait si elle croyait que le mobile le plus puissant de Rahul était cette école d'art.

Si la femme de chambre qui faisait le ménage de Rahul avait regardé de plus près les dessins qu'il jetait dans la corbeille, elle aurait pu dire à Promila qu'il exerçait surtout son talent dans une veine pornographique que la plupart des écoles de dessin ne verraient pas d'un bon œil. Les autoportraits en particulier auraient perturbé la bonne, mais les dessins dont Rahul se débarrassait n'étaient que des boulettes de papier pour elle ; elle ne se donnait pas la peine de les examiner.

Tante et neveu étaient sur le chemin de la villa lorsque Promila jeta un coup d'œil dans le sac à main de Rahul et vit sa nouvelle pince à billets, plutôt curieuse ; à vrai dire il s'en servait comme d'une pince à billets, mais c'était un capuchon de stylo en argent.

– Ce que tu peux être excentrique, ma chérie ! dit Promila. Pourquoi est-ce que tu ne t'en achètes pas une vraie, si tu aimes ce genre de chose ?

– Tu vois, Tatie, expliqua patiemment Rahul, je trouve que les vraies ne pincent pas assez. Ça va si tu as une énorme liasse de billets. Mais moi j'aime avoir juste quelques petites coupures sous la main ; on n'a pas à ouvrir son portefeuille pour payer le taxi ou pour les pourboires.

Il fit la démonstration que le capuchon d'argent pinçait fort et serré – puisqu'on était censé le glisser dans une poche de poitrine – et qu'il n'y avait pas mieux pour tenir quelques roupies.

– Et puis, c'est de l'argent véritable, ajouta-t-il.

Promila le prit dans sa main aux veines saillantes.

– Ma foi, tu as raison, ma chérie, observa-t-elle.

Et elle lut à haute voix le mot unique gravé sur le capuchon :

– *India.* Tiens, c'est curieux, ça...

– N'est-ce pas ? reprit Rahul en remettant le drôle de petit objet dans son sac.

Entre-temps, le docteur sentait venir la faim, et ses prières devenaient moins anxieuses ; il ralluma précautionneusement la flamme de son humour. Après déjeuner, il était presque capable de traiter sa conversion à la blague. « Je me demande ce que le Tout-Puissant va exiger de moi, la prochaine fois », dit-il à Julia qui lui rappela de ne pas blasphémer.

Or ce qui attendait le Dr Daruwalla allait mettre à l'épreuve sa foi nouvelle, selon des voies qu'il trouverait inquiétantes. La police découvrit où il se trouvait de la même façon que Nancy avant elle. Les policiers s'étaient mis à la recherche d'un médecin en vacances. Un médecin du coin risquait de parler trop du crime ; c'est du moins ce qu'on dit au Dr Daruwalla. Après la macabre découverte de ce que tout le monde appelait la « tombe hippie », il fallait que le docteur émette une hypothèse sur la cause de la mort.

« Mais je ne fais pas d'autopsies », protesta-t-il ; il se rendit tout de même à Anjuna pour examiner les cadavres.

L'opinion générale tenait les crabes bleus pour responsables de leur défiguration ; et si l'eau de mer les avait peut-être un peu conservés, elle ne faisait pas grand-chose pour voiler la puanteur. Farrokh n'eut pas de mal à conclure que le couple avait succombé à des coups sur la tête, mais le corps de la femme était plus abîmé ; ses avant-bras et les dos de ses mains étaient défoncés, ce qui donnait à penser qu'elle s'était débattue ; l'homme, au contraire, n'avait pas vu venir le coup.

C'était surtout le petit dessin d'éléphant que Farrokh allait se rappeler. Le nombril de la victime avait été transformé en œil qui clignait ; la défense opposée était dressée avec désinvolture, comme on soulèverait son chapeau. Des traits minimaux, courts, enfantins, indiquaient que l'éléphant soufflait de l'eau par sa trompe, une eau qui se répandait en éventail sur les poils pubiens de la morte. Un sarcasme aussi délibéré allait rester dans la mémoire du Dr Daruwalla pendant vingt ans ; le petit dessin y resterait gravé.

Lorsque le docteur vit le verre brisé, il n'éprouva qu'un malaise vague, qui passa aussitôt. De retour à l'hôtel Bardez, il ne put pas remettre la main sur l'éclat qu'il avait retiré du pied de la jeune fille. Et quand bien même il aurait correspondu à ceux de la tombe ? Il y en avait partout, des bouteilles de soda. En outre la police lui avait déjà dit que le meurtrier présumé était un Allemand.

Cette théorie correspondait bien aux préjugés de la police locale, trouvait Farrokh : il n'y avait qu'un hippie européen ou américain pour perpétrer deux assassinats et les tourner en dérision avec un petit dumbo. Ironie des choses, ces meurtres et ce croquis stimulèrent le besoin de créativité qui se faisait sentir chez le docteur. Il se surprit à rêver que c'était lui qui était chargé d'une enquête.

Son succès dans le domaine de l'orthopédie lui avait donné quelques espérances d'ordre commercial ; et c'étaient sans doute ces considérations qui le portaient de nouveau à se voir en scénariste. Un seul film ne suffirait jamais à satisfaire sa créativité soudain insatiable. Ce qui lui faudrait à lui, c'était une série de films, qui mettent en scène le même détective. Et en fin de compte, c'est bien ainsi que les choses se passèrent. A la fin de ses vacances, sur le ferry qui le ramenait à Bombay, le Dr Daruwalla inventa l'inspecteur Dhar.

Les jeunes femmes du bord n'avaient d'yeux que pour le beau John D. Et soudain, Farrokh eut la vision de ce héros qu'elles imaginaient à travers sa physionomie. L'excitation inspirée par l'exemple de James Salter appartenait déjà au passé sexuel du docteur ; elle faisait partie de cette seconde lune de miel qu'il était en train de laisser derrière lui. Pour lui, le meurtre et la corruption parlaient plus fort que l'art. Et puis, quelle carrière, pour John D. !

Farrokh n'aurait jamais songé un seul instant que la jeune fille au gros godemiché avait vu les victimes qu'il avait autopsiées. Pourtant, vingt ans plus tard, la version cinématographique du dessin sur le ventre de Beth allait rappeler des souvenirs à Nancy. Comment voir une coïncidence dans ce nombril transformé en œil d'éléphant qui cligne, ou dans cette défense levée ? Dans le film on ne montrait pas de poils pubiens, mais des traits enfantins indiquaient que la trompe de l'éléphant soufflait de l'eau, comme une pomme de douche, ou comme l'embout d'un tuyau d'arrosage.

Nancy allait aussi se rappeler ce beau jeune homme impossible à choquer que le Dr Daruwalla lui avait présenté. Lorsqu'elle vit son premier *Inspecteur Dhar*, elle reconnut le sourire dédaigneux et averti. Le futur acteur avait eu la force de la porter jusqu'au bas des escaliers sans effort apparent ; il avait eu le flegme nécessaire pour dévisser le godemiché fauteur de trouble sans marquer le moindre effarement.

C'est tout cela qu'elle avait voulu dire en laissant sur le répondeur du médecin ce message sans concessions : « Je sais qui vous êtes, je sais ce que vous faites en réalité. » Sur quoi elle avait enjoint au crypto-scénariste : « Parlez au commissaire, au vrai policier. Dites-lui qui vous êtes ; dites-lui ce que vous faites » ; car elle avait deviné par recoupements qui était le créateur de Dhar.

Elle savait bien que la version cinématographique de ce dessin sur le ventre de Beth ne pouvait pas être une invention ; il fallait que le créateur de Dhar ait vu ce qu'elle avait vu elle-même. Quant au beau John D. qui se faisait passer pour l'inspecteur Dhar, il n'avait aucune raison d'avoir été invité à examiner les victimes du meurtre. Cette tâche revenait d'office à un médecin. Par conséquent Dhar ne s'était pas créé tout seul ; il était l'œuvre du docteur lui aussi.

Le Dr Daruwalla était perplexe. Il se rappelait avoir présenté John D. à Nancy, et n'avait pas oublié qu'il avait galamment porté cette jeune personne de poids jusqu'au rez-de-chaussée. Avait-elle vu un *Inspecteur Dhar* ? Tous, peut-être ? Avait-elle reconnu John D. malgré les années ? Admettons même. Mais de là à imaginer que c'était lui qui en était le créateur… Et puis comment connaissait-elle le « vrai policier », comme elle disait ? Car, sûrement, c'était le commissaire Patel qu'elle désignait ainsi ? Le docteur ne pouvait guère se douter que Nancy connaissait le détective Patel depuis vingt ans ; moins encore qu'elle l'avait épousé.

Le médecin retrouve sa patiente

On se souvient peut-être d'avoir laissé le Dr Daruwalla assis dans sa chambre à Bombay, de nouveau tout seul. Julia avait fini par le planter là pour aller s'excuser auprès de John D. et s'assurer qu'il n'était pas nécessaire de faire réchauffer le souper. Le docteur savait bien que cette attente infligée à son jeune homme préféré était un manque d'égards sans précédent ; mais sur les informations du message de Nancy, il se sentait obligé de parler au commissaire Patel. Le sujet dont le détective voulait l'entretenir en tête à tête n'était pas le but essentiel de son appel ; Farrokh était surtout curieux de savoir où était Nancy, et comment elle connaissait le « vrai policier ».

Étant donné l'heure tardive, le Dr Daruwalla appela le domicile du détective. Il se disait que, dans le Gujarat, les Patel couraient les rues, et qu'il y en avait beaucoup en Afrique également. Il connaissait une chaîne d'hôtels et une autre de grands magasins qui portaient ce nom à Nairobi. Mais il ne connaissait qu'un seul Patel policier, songeait-il, lorsque, par chance, ce fut Nancy qui répondit. Elle dit seulement « Allô », mais il n'en fallut pas plus pour que Farrokh reconnaisse sa voix. Et s'il était trop décontenancé pour parler, son silence suffisait pour que Nancy sache que c'était lui.

– C'est le docteur ? demanda-t-elle à sa façon familière.

Le docteur pensait bien qu'il serait stupide de raccrocher, mais sur le moment, il ne voyait pas que faire d'autre. Il savait par expérience – la longévité et l'harmonie surprenantes de son propre couple avec Julia – qu'on ne peut jamais deviner ce qui lie les gens, ou les retient l'un à l'autre. S'il avait appris que la relation entre Nancy et le détective Patel était profondément liée au godemiché, il se serait avoué encore moins averti des ressorts de l'attrait sexuel et de la compatibilité. Il soupçonnait que, pour elle comme pour lui, l'élément racial, les contraires qui s'attirent, avait joué son rôle ; lui et Julia le connaissaient bien. Dans le cas insolite de Nancy, il était également possible que ses allures de délinquante cachent une bonne petite ; il imaginait facilement qu'elle ait voulu un flic. Quant à ce que le commissaire lui trouvait, à elle, le docteur avait tendance à surestimer la valeur du teint clair ; après tout, il adorait la couleur de la peau de Julia, qui n'était même pas une blonde. Malgré les recherches qu'il avait effectuées pour le personnage de l'inspecteur Dhar, Farrokh n'avait pas su découvrir une caractéristique commune à beaucoup de policiers – le goût des aveux. Le pauvre Vijay Patel était amateur de confessions, et Nancy ne lui avait rien caché. Elle avait commencé par lui tendre le godemiché.

– Vous aviez raison, lui avait-elle dit. Ça se dévisse. Seulement il était cacheté avec de la cire. Je ne savais pas qu'il s'ouvrait. Je ne savais pas ce qu'il y avait dedans. Et regardez un peu ce que j'ai fait entrer dans le pays.

Tandis que l'inspecteur Patel comptait les marks, elle poursuivait :

– Il y en avait davantage ; mais Dieter en a dépensé, et puis on en a volé.

Après un court silence, elle avait ajouté :

– Il y a eu deux meurtres, mais un seul dessin.

Ensuite, elle lui avait tout raconté, en commençant par les footballeurs. On a vu des gens tomber amoureux pour des raisons moins plausibles.

Au bout du fil, Nancy s'impatientait à attendre la réponse du médecin.

– Allô, vous êtes toujours là ? demanda-t-elle.

Puis elle répéta :

– C'est le docteur ?

Porté à l'atermoiement par sa nature, le docteur savait tout de même que Nancy ne se laisserait pas ignorer ; mais enfin, il n'aimait pas qu'on le bouscule. Le crypto-scénariste avait sur le bout de la langue toutes sortes de réflexions idiotes ; des reparties de dur, de petit malin – ce qu'on entendait en voix *off* dans les vieux *Inspecteur Dhar* (« Il était arrivé du vilain – le pire restait à venir. La femme en valait la peine : après tout, elle savait peut-être quelque chose. Il était temps de jouer cartes sur table »). Lui qui avait fait carrière en écrivant des dialogues de cette profondeur trouvait évidemment difficile de dire autre chose à Nancy. Vingt ans après, s'adresser à elle comme si de rien n'était n'allait pas de soi, mais il essaya maladroitement :

– Alors comme ça, c'est vous ? dit-il.

Au bout du fil, Nancy se contentait d'attendre. Comme si elle n'escomptait rien de moins que des aveux complets. Farrokh trouvait qu'elle était injuste envers lui. Pourquoi voulait-elle lui donner un sentiment de culpabilité ? Il aurait dû se douter que faire appel à l'humour de Nancy était une entreprise hasardeuse, mais il n'en lança pas moins :

– Et dites-moi, ce pied, alors ? Ça va mieux ?

14

Vingt ans

Une femme-femme, mais qui déteste les femmes

La plaisanterie vaseuse du docteur était tombée à plat, elle avait sonné creux dans le récepteur qu'il gardait à l'oreille : Nancy ne disait rien ; son silence résonnait, comme lors d'un appel international. Puis le docteur l'entendit annoncer : « C'est lui », à quelqu'un d'autre. Sa voix était indistincte, même si son effort pour mettre la main sur le combiné manquait de conviction. Farrokh ne pouvait pas savoir qu'au fil de ces vingt ans, l'enthousiasme de Nancy s'était émoussé dans bien des domaines.

Et pourtant, vingt ans auparavant, elle s'était représentée devant le jeune inspecteur Patel avec une détermination admirable. Non seulement elle lui apportait sur un plateau le godemiché (et les détails sordides des délits de Dieter), mais elle étaya ses aveux par le désir déclaré de changer. Elle dit qu'elle voulait passer sa vie à redresser les torts, et elle se déclara au jeune Patel en des termes si explicites que cet homme comme il faut en fut interdit. D'autre part, comme elle l'avait espéré, elle réussit à lui inspirer les affres d'un désir violent. Mais, contrairement à un footballeur lourdaud ou à un Européen blasé, il refusait de prendre son désir pour guide : c'était un professionnel hors pair, doublé d'un gentleman. Si l'attrait physique qui les poussait l'un vers l'autre s'accompagnait un jour du passage à l'acte, Nancy savait qu'il lui faudrait en prendre l'initiative.

Elle avait beau savoir qu'elle finirait par épouser le détective idéaliste, certaines circonstances indépendantes de sa volonté contribuaient à lui faire retarder ce chapitre. Par exemple, il y avait le désarroi où la plongeait la disparition de Rahul. Convertie de fraîche date à la cause de la justice, avec le zèle du néophyte, elle était profondément déçue qu'on ne puisse pas retrouver Rahul. Le meurtrier présumé était un zénana qui s'était brièvement acquis un statut de légende dans les quartiers réservés de Bombay, avait disparu de Falkland et Grant Road ainsi que de Kamathipura. D'autre part, l'inspecteur Patel avait découvert que le travesti connu sous le nom de Mignonne avait toujours été un marginal ; les hijras le détestaient – les rares hijras qui le connaissaient, du moins – et ses consœurs zénanas ne le haïssaient pas moins.

Rahul monnayait ses services des sommes astronomiques, mais il ne vendait que son image ; sa beauté, le résultat de sa féminité remarquable alliée à une stature et une force qui en imposaient faisaient de lui le point de mire de n'importe quel bordel à travestis. Une fois qu'un client s'y était laissé prendre et avait franchi la porte du bordel, seuls les autres zénanas – ou les hijras – lui étaient sexuellement accessibles. D'où son surnom, qui rendait justice à ses capacités de séduction, mais reflétait le mépris de sa personne ; car en refusant d'être plus qu'une allumeuse, Rahul faisait montre d'une hauteur insultante pour les autres prostitués travestis.

Ces derniers voyaient bien que c'était le cadet de ses soucis ; en outre, il était trop grand et trop costaud, trop sûr de lui : ils n'osaient pas s'attaquer à lui. Les hijras le détestaient parce qu'il était zénana ; les zénanas le détestaient parce qu'il leur avait dit son intention de devenir « complète ». Mais tous les prostitués le haïssaient parce qu'il ne se prostituait pas.

Il circulait de méchants bruits sur lui, mais l'inspecteur n'avait jamais pu réunir les moindres preuves. Certains travestis prostitués prétendaient qu'il fréquentait les bordels à filles de Kamathipura ; l'idée que Rahul s'exhibait dans leurs bordels de Falkland Road et Grant Road pour s'encanailler mettait un comble à leur exaspération. Et puis on racontait de vilaines histoires sur le traitement qu'il faisait subir aux putains de Kamathipura ; on disait qu'il ne couchait jamais avec elles, mais qu'il les battait. On parlait d'une matraque en caoutchouc flexible. Si ces rumeurs étaient fondées, les filles n'avaient que des bleus enflés à montrer pour trace de sévices ; ces marques-là passaient très vite, et on les tenait pour négligeables par rapport aux fractures et aux ecchymoses violacées plus profondes infligées par une arme plus dure. Les filles n'auraient donc aucun recours légal si elles avaient été battues de cette manière. Quoi qu'on ait pu dire contre Rahul, il était malin. Peu après le meurtre de Beth et Dieter, il s'empressa de quitter le pays.

L'inspecteur Patel soupçonnait que Rahul avait quitté l'Inde. Cela ne consolait guère Nancy ; elle qui avait choisi le bien contre le mal escomptait que l'énigme serait résolue. Il fallut, hélas, vingt ans pour qu'une conversation téléphonique simple mais riche d'informations permette au docteur et à sa malade de découvrir qu'ils connaissaient le même Rahul. Pourtant, même un détective aussi tenace que le commissaire Patel n'aurait pu deviner que c'était au Duckworth qu'il avait des chances de retrouver un assassin transsexuel. En outre, sur quinze ans, il ne l'y aurait pas trouvé, ou du moins, pas très souvent. Il vivait plus souvent à Londres où, après en avoir fini avec les différentes phases de sa longue et douloureuse opération, il avait pu consacrer davantage de son énergie et de son attention à ce qu'il appelait son art. Hélas, il aurait beau déployer énergie et attention, son talent ou ses thèmes n'en seraient pas plus vastes ; il était incapable de dépasser les petits dumbos sur le ventre. Sa tendance à la caricature sexuelle explicite perdurait.

Tel était le grand thème de Rahul, un éléphant à l'hilarité déplacée, avec une défense levée et un œil à demi fermé, de l'eau giclant du bout de sa trompe baissée. La taille et la forme du nombril des victimes permettaient à l'artiste une grande variété de clins d'œil ; la densité et la couleur des poils pubiens n'étaient pas toujours la même. L'eau qui sortait de la trompe était une constante, en revanche ; l'éléphant giclait sur tous les ventres avec les dehors de l'indifférence. Beaucoup de ces prostituées assassinées avaient le pubis rasé ; l'éléphant ne s'en avisait pas, ou n'en avait cure, apparemment.

Mais ce n'était pas seulement que Rahul avait l'imagination perverse ; une véritable guerre pour établir son identité sexuelle authentique se livrait en lui. Et, à sa grande surprise, l'achèvement du processus qui lui avait permis de changer de sexe, et qu'il avait tant attendu, n'avait pas clarifié les choses. Selon toutes les apparences, Rahul était désormais une femme ; s'il ne pouvait pas porter d'enfant, ce n'était de toute façon pas ce qui l'avait poussé à troquer son « il » contre un « elle ». Non, il s'était figuré à tort que sa nouvelle identité sexuelle lui procurerait une tranquillité d'esprit durable.

Il avait détesté être un homme. En compagnie des homosexuels, il ne s'était pas non plus senti des leurs. Mais il avait peu d'atomes crochus avec les autres travestis ; parmi les hijras et les zénanas, il se sentait différent – et supérieur. Il ne lui arrivait jamais de penser qu'ils étaient satisfaits de leur sort : lui n'avait jamais été satisfait du sien. Il y a plus d'une manière d'appartenir au troisième sexe, mais chez Rahul la singularité allait de pair avec le goût de nuire, qu'il éprouvait aussi à l'endroit des autres travestis.

Il avait horreur des gestes hyper-féminins de la plupart des hijras et zénanas ; il trouvait que leurs vêtements provocants dénotaient une frivolité hyper-féminine. Quant aux pouvoirs traditionnellement prêtés aux hijras de bénir ou de maudire, c'est bien simple, il n'y croyait pas. Lui croyait plutôt qu'ils avaient tendance à se donner en spectacle pour le plus grand plaisir hypocrite de mornes hétérosexuels, ou pour émoustiller les homosexuels les plus conventionnels. Dans la communauté homosexuelle, il y avait du moins quelques individus qui, comme Subodh, son frère mort, sortaient du rang avec défi ; ils revendiquaient leurs préférences sexuelles, non pas pour réjouir les timorés, mais pour déstabiliser les intolérants. Pourtant, il pensait bien que même ceux qui avaient l'audace de Subodh étaient vulnérables dans la mesure où ils recherchaient avec veulerie l'amour de leurs semblables. Rahul avait détesté la niaiserie de collégienne avec laquelle Subodh s'était laissé dominer par Neville Eden.

Il se disait que s'il voulait dominer et les hommes et les femmes, il – elle – ne pourrait le faire que dans la peau d'une femme. Il se disait aussi qu'être une femme lui permettrait de les envier un peu moins, voire pas du tout ; il pensait même que son désir de leur faire mal et de les humilier se dissiperait tout seul. Il ne s'attendait pas à ce que persiste son aversion, qui s'accompagnait du désir de leur nuire. Les prostituées et les autres femmes à qui il prêtait des mœurs dissolues le choquaient particulièrement, d'une part parce qu'elles faisaient peu de cas de leurs faveurs, et d'autre part parce qu'elles trouvaient « normal » de posséder ces parties sexuelles qui avaient coûté tant de persévérance et de douleur à Rahul.

Il s'était soumis aux rigueurs de ce qu'il tenait pour nécessaire à son bonheur ; et pourtant sa vindicte était restée entière. Comme quelques femmes, heureusement rares, il méprisait les hommes qui cherchaient à attirer son attention, tout en désirant violemment ceux que sa beauté évidente laissait froids. Et ce n'était que la moitié de son problème, l'autre étant que son besoin de tuer certaines femmes, à sa grande surprise, n'avait pas décru. Et après les avoir étranglées ou assommées – c'était son mode d'exécution favori –, il ne résistait pas au plaisir de laisser sa signature d'artiste sur leur ventre flasque ; l'estomac mou d'une morte était son support préféré, sa toile d'élection.

Beth avait été la première. Le meurtre de Dieter n'avait pas laissé un souvenir impérissable à Rahul. Mais la spontanéité avec laquelle il avait abattu Beth, et l'absence totale de réaction de son abdomen sous le stylo de la blanchisserie l'avaient excité si violemment qu'il continuait à céder à sa pulsion.

Tels étaient les ressorts de son drame : son changement de sexe ne lui avait pas permis de voir dans les femmes des êtres amis. Et, les haïssant toujours, il était conscient de ne pas être parvenu à en devenir une à part entière. Ce qui l'isolait encore davantage à Londres, c'est qu'il ne haïssait pas moins les autres transsexuels. Avant son opération, il avait dû se soumettre à d'innombrables entretiens avec des psychologues ; mais il était clair que ces entretiens n'allaient pas loin, puisqu'il avait réussi à dissimuler parfaitement son ressentiment sexuel. Il avait remarqué que la sociabilité – selon lui élan de sympathie gluante – faisait bonne impression au psychiatre chargé d'évaluer les cas, ainsi qu'aux sexologues.

Il y avait des rencontres avec d'autres candidats au changement de sexe, certains attendant encore leur opération, d'autres déjà « en stage » pour devenir ces femmes que l'opération leur permettrait d'être. Quelques transsexuels achevés assistaient aussi à ces insupportables réunions. On considérait qu'il était encourageant pour les novices de faire leur connaissance – pour bien voir les vraies femmes qu'ils étaient devenus. Rahul en avait la nausée, car il trouvait odieux que quelqu'un se permette de suggérer qu'il était « comme lui ». « Comme lui », il n'y avait que lui.

Il était effaré de découvrir que ces transsexuels complets révélaient les noms et les numéros de téléphone d'hommes avec lesquels ils étaient sortis. « Ces hommes-là, expliquaient-ils, n'éprouvent aucune répulsion devant des femmes comme nous. » Qui sait si ces intéressants spécimens ne les trouvaient même pas plus attirantes ? Quelle idée, se disait Rahul ! S'il se faisait femme, ce n'était pas pour entrer dans un club de transsexuels ; si l'opération marchait, personne ne saurait jamais qu'il n'était pas né femme !

Si, il y avait bien quelqu'un qui le savait : tante Promila. Elle avait été un tel soutien pour lui. Pourtant, avec les années, il lui en voulait de sa mainmise. Elle allait continuer de lui apporter son généreux soutien financier pour lui permettre de vivre à Londres, mais seulement à condition qu'il ne l'oublie pas ; qu'il vienne la voir et s'intéresse à elle, de temps en temps. Il n'était pas opposé à ces visites périodiques à Bombay, ce qui le contrariait c'était qu'elle en impose le calendrier. Et puis, en vieillissant, elle se faisait plus pressante ; il lui arrivait souvent de lancer des allusions sans vergogne au traitement de faveur qu'elle lui réservait dans son testament.

Même si Promila avait le bras long, et le bakchich au bout, il fallut plus de temps à Rahul pour légaliser son changement de nom qu'il ne lui en avait fallu pour changer de sexe. Et s'il y avait bien des noms de femmes qui lui plaisaient plus, il jugea néanmoins diplomatique de choisir celui de sa tante, ce qui fit grand plaisir à celle-ci, et lui assura à lui une position suprême dans le fameux testament. Malgré tout, ce nouveau nom sur son nouveau passeport laissait à Rahul une impression d'insatisfaction ; peut-être avait-il le sentiment qu'il ne serait jamais Promila tant que sa tante serait vivante ; et comme elle était la seule personne qu'il aimait au monde, il se sentait coupable de l'impatience avec laquelle il attendait sa mort.

Souvenir de tante Promila

Il avait cinq ou six ans ; ou peut-être seulement quatre ; il n'aurait pas su dire. Mais il était sûr qu'il avait déjà l'âge d'aller dans les toilettes des hommes lorsque tante Promila l'avait emmené dans celles des femmes, et fait entrer dans sa cabine. Il lui avait dit qu'il y avait des urinoirs chez les hommes, et que les hommes faisaient pipi debout.

– Je connais une meilleure façon de faire pipi, lui avait-elle dit.

Au Duckworth, les toilettes pour femmes étaient affligées d'une décoration placée sous le signe de l'éléphant ; chez les hommes le décor chasse au tigre était bien plus discret. Chez les femmes, donc, il y avait par exemple un abattant dans chaque cabine, contre la porte. C'était une simple étagère escamotable lorsqu'on ne s'en servait pas. On la tirait avec une poignée, et on pouvait y déposer son sac à main, ou n'importe quel objet qu'on aurait emporté avec soi. Cette poignée était un anneau semblable à une boucle d'oreille, glissé à la base de la trompe d'un éléphant.

Promila soulevait sa jupe et baissait sa culotte ; puis elle s'asseyait sur le siège et Rahul, qui avait aussi baissé son pantalon et son slip, s'asseyait sur ses genoux.

– Baisse l'éléphant, mon chéri, lui disait tante Promila ; et il se penchait en avant pour attraper l'anneau de la trompe.

L'éléphant n'avait pas de défenses ; Rahul ne le trouvait pas bien imité dans l'ensemble – il n'y avait pas de trous au bout de sa trompe, par exemple.

Promila faisait pipi la première, puis c'était le tour de Rahul. Il restait assis sur les genoux de sa tante et l'écoutait. Lorsqu'elle s'essuyait, il sentait le dos de sa main contre son petit derrière nu. Puis elle tendait la main entre ses cuisses et pointait son petit pénis vers le bas. Ce n'était pas facile de faire pipi dans cette position.

– Ne fais pas à côté, lui chuchotait-elle à l'oreille. Tu fais bien attention ?

Rahul essayait de faire attention. Lorsqu'il avait fini, tante Promila lui essuyait le pénis avec du papier hygiénique. Puis elle le tâtait de sa main nue. « Il faut vérifier que tu es bien sec, mon chéri », disait-elle. Elle le gardait toujours en main jusqu'à ce qu'il soit raide. « Oh, mais c'est un grand garçon ! » lui chuchotait-elle alors.

Quand ils avaient fini, ils se lavaient les mains ensemble.

– L'eau chaude est trop chaude, lui disait-elle. Tu vas te brûler.

Ils se mettaient tous deux devant le lavabo à la décoration surchargée. Il n'y avait qu'un seul robinet, en forme de tête d'éléphant. L'eau coulait par la trompe, en un jet vigoureux. Il fallait lever une défense pour l'eau chaude, et l'autre pour la froide.

– Ne mets que de la froide, mon chéri, disait tante Promila.

Elle laissait Rahul ouvrir le robinet ; c'était lui qui baissait et qui levait la défense pour avoir de l'eau froide, une seule défense, donc.

– Il faut toujours se laver les mains, mon chéri, répétait tante Promila.

– Oui, Tatie, répondait-il.

Sans doute la préférence de sa tante pour l'eau froide était-elle à mettre sur le compte de sa génération ; elle devait se rappeler une époque où on n'avait pas encore l'eau chaude.

Lorsqu'il fut un peu plus grand, il devait avoir une dizaine d'années, sa tante l'envoya consulter le Dr Lowji Daruwalla. Elle s'inquiétait de ce qu'elle appelait son inexplicable absence de poils – c'est du moins ce qu'elle dit. Rétrospectivement, Rahul se rendait compte qu'il avait déçu sa tante, et ce en mainte occasion. Sa déception était d'ordre sexuel ; il en était conscient aussi. La prétendue absence de poils n'avait pas grand-chose à voir dans l'histoire. Mais comment Promila aurait-elle pu se plaindre – et au Dr Daruwalla, encore – de la taille du pénis de son neveu, ou de la brièveté de ses érections ? La question de savoir si Rahul était impuissant devrait attendre ses onze ou douze ans ; et alors le médecin consulté serait le vieux Dr Tata.

Plus tard, Rahul allait se rendre compte que ce qui importait surtout, pour sa tante, c'était de savoir s'il était impuissant avec elle ou impuissant tout court. Elle s'était évidemment bien gardée de dire au Dr Tata que ses expériences sexuelles avec Rahul étaient toujours décevantes ; elle s'était contentée de laisser entendre qu'il se faisait du souci lui-même parce qu'il n'avait pas réussi à bander assez longtemps avec une prostituée. La réponse du Dr Tata allait la décevoir autant :

– Ça vient peut-être de la prostituée, avait déclaré le vieux médecin.

Des années plus tard, lorsqu'il penserait à sa tante Promila, Rahul se rappellerait cet épisode. Ça venait peut-être de la prostituée, se disait-il ; peut-être n'était-il pas impuissant en fin de compte. Tout bien considéré, maintenant qu'il était femme, quelle importance ? Il aimait sincèrement sa tante Promila. Quant à se laver les mains… il n'oublierait jamais l'éléphant à la défense levée – mais il préférait se laver les mains à l'eau chaude.

Un couple sans enfants à la recherche de Rahul

Avec le recul du temps, on ne peut qu'admirer la perspicacité avec laquelle le détective Patel avait deviné que Rahul possédait en Inde des attaches d'ordre à la fois familial et financier. Il s'était dit que les séjours rares mais réguliers de l'assassin à Bombay devaient s'expliquer par des visites à un parent nanti. Quinze ans durant, les victimes au ventre décoré de l'éléphant goguenard furent des prostituées des bordels de Kamathipura, ou de ceux de Grant Road et Falkland Road. Les meurtres se produisaient par série de deux ou trois, sur une durée de deux ou trois semaines ; après quoi il y avait un répit de presque neuf mois ou un an. On n'en avait enregistré aucun pendant les mois chauds, à la veille de la mousson ou pendant celle-ci ; l'assassin préférait frapper à une saison moins éprouvante. Seuls les deux premiers meurtres, ceux de Goa, avaient été commis en pleine chaleur.

Le détective Patel n'avait pas trouvé trace de meurtres à l'éléphant dans une autre ville d'Inde ; c'est pourquoi il en concluait que l'assassin devait vivre à l'étranger. Il ne lui fut pas difficile de découvrir le nombre relativement restreint de meurtres analogues à Londres. Même si elles n'appartenaient pas toutes à la communauté indienne, les victimes étaient toujours des prostituées, ou des étudiantes – ces dernières, gravitant le plus souvent dans le milieu des beaux-arts, avaient la réputation de vivre de façon bohème, ou peu conventionnelle. Plus il étudiait cet assassin, plus il aimait Nancy, et plus le détective se rendait compte qu'elle avait de la chance d'être encore en vie.

Avec le temps, Nancy arborait de moins en moins l'expression d'une femme qui connaît sa chance. Les deutsche marks du godemiché – une somme si astronomique que Nancy et le jeune inspecteur Patel s'en étaient sentis libérés – avaient représenté en fait le début de leurs compromissions. L'argent qu'elle avait envoyé à ses parents pour rembourser la quincaillerie ne l'entamait qu'à peine. C'était, selon elle, la meilleure façon d'effacer le passé ; mais sa nouvelle croisade pour la justice entrait en conflit avec la pureté de ses intentions. L'argent devait servir à rembourser la quincaillerie, mais en l'expédiant elle ne put résister au désir de nommer ceux qui, du temps qu'elle tenait le rayon des graines et de l'alimentation pour bétail, lui avaient donné le sentiment d'être une moins que rien. A ses parents de décider s'ils voulaient toujours dédommager la quincaillerie après les révélations de leur fille.

C'est ainsi qu'elle leur causa un dilemme qui eut l'effet opposé à celui escompté ; elle n'avait pas effacé l'ardoise du passé ; au contraire, ce passé était reparu sous les yeux de ses parents ; et vingt ans durant, jusqu'à leur mort, il lui tinrent une chronique fidèle de leurs états d'âme, là-bas dans l'Iowa – tout en la suppliant de « rentrer à la maison », et en refusant de venir la voir. Elle ne put jamais savoir au juste ce qu'ils avaient fait de l'argent.

Quant au jeune inspecteur jusque-là incorruptible, la somme qu'il engagea dans son premier et dernier pot-de-vin n'entama pas sensiblement plus les marks de Dieter. C'était la somme nécessaire s'il désirait être promu à un poste plus lucratif, et il ne faut pas oublier qu'il n'était pas originaire du Maharashtra ; pour un natif du Gujarat, passer du poste d'inspecteur au commissariat de Colaba à celui de commissaire au QG de la Crime de Crawford Market exigeait, comme on dit, de graisser quelques pattes autour de soi. Mais, au fil des années, comme il ne parvenait pas à découvrir Rahul, ce pot-de-vin initial ne l'aidait pas à remonter dans sa propre estime. La dépense avait été raisonnable ; elle n'avait rien d'extravagant. Contrairement au mythe présenté par ces exaspérants *Inspecteur Dhar*, dans la police de Bombay on ne pouvait espérer de promotion significative sans un minimum de pots-de-vin.

Et même si Nancy et le détective vivaient une histoire d'amour romanesque, ils étaient malheureux. Ce n'était pas seulement que l'austère service de la justice avait fini par être une corvée, ni que Rahul s'était échappé impunément. Mr et Mrs Patel supposaient qu'un jugement venu d'en haut les tenait pour coupables, car Nancy était stérile ; et ils avaient mis presque dix ans pour en savoir la raison, et presque dix autres à essayer d'adopter un enfant, pour finir par ne plus vouloir.

Au cours de la première décennie de leurs efforts pour procréer, Nancy et le jeune Patel, qu'elle appelait Vijay, crurent qu'ils étaient punis pour avoir touché aux marks de Dieter. Nancy avait oublié les brefs ennuis de santé qu'elle avait connus lors de son retour à Bombay avec le godemiché. Quand elle avait ressenti une légère brûlure de l'urètre et observé des pertes insignifiantes sur ses sous-vêtements, elle en avait souhaité d'autant plus retarder le début de sa relation physique avec Vijay Patel. Les symptômes n'avaient rien d'aigu, et ils se superposaient plus ou moins avec une cystite et une infection des voies urinaires. Elle se refusait à imaginer que Dieter lui avait transmis une maladie vénérienne, quoique son souvenir de ce bordel de Kamathipura et de la familiarité avec laquelle il avait parlé avec la tenancière fussent des raisons suffisantes de s'inquiéter.

En outre, elle voyait bien que le jeune Patel et elle-même étaient en train de tomber amoureux l'un de l'autre ; ce n'était pas à lui qu'elle allait demander l'adresse d'un médecin pour la circonstance. En revanche, dans le guide usé qu'elle transportait toujours fidèlement, elle trouva des indications pour se faire une injection vaginale de fortune. Mais elle se trompa sur la dose de vinaigre, et s'infligea des brûlures pires que les premières. Pendant une semaine, les taches furent plus jaunes sur ses sous-vêtements – et elle se dit qu'elle avait été mal avisée de se faire cette injection. Quant à ses douleurs au ventre, elles arrivèrent exactement au début de ses règles, qui furent particulièrement abondantes ; elle eut beaucoup de crampes, et même quelques frissons. Elle se demanda si ses organes étaient en train de rejeter son stérilet. Et puis elle se remit tout à fait et ne se rappela cet épisode que dix ans plus tard. Elle était assise avec son mari dans le cabinet d'un vénérologue chic et – avec l'aide de Vijay – elle remplissait le questionnaire détaillé ; cela faisait partie du dépistage de la stérilité.

En fait Dieter lui avait passé une gonorrhée qu'il avait lui-même attrapée avec la prostituée de treize ans baisée debout dans le couloir de ce bordel de Kamathipura. La tenancière l'avait mené en bateau en lui disant qu'il ne restait plus de cellules avec un matelas ou une couchette ; en fait, c'était la jeune prostituée qui exigeait de faire l'amour debout parce que sa gonorrhée avait atteint un stade si aigu que les symptômes d'inflammation du pelvis se faisaient cruellement sentir. Elle souffrait de ce que l'on appelle le « symptôme du lustre », qui entraîne des douleurs dans les trompes et les ovaires lorsque la matrice monte et descend ; bref, le poids d'un homme en train de lui pilonner le ventre lui faisait mal. Mieux valait rester debout.

Dieter, pour sa part, était un jeune Allemand maniaque qui se faisait des piqûres de pénicilline avant de quitter le bordel ; un ami étudiant en médecine lui avait dit que cela empêchait la syphilis d'incuber. Seulement la piqûre était inefficace contre la gonorrhée Neisseria, qui produit de la pénicillinase. Personne ne lui avait dit que ces variétés étaient endémiques sous les latitudes où il allait. En outre, il s'était fait assassiner moins d'une semaine après ses rapports avec la prostituée malade ; il avait tout juste commencé à remarquer les symptômes les plus ténus.

Quant aux symptômes relativement anodins que Nancy avait ressentis avant sa guérison spontanée, ils provenaient de l'inflammation qui s'étendait du col aux parois de l'utérus, puis aux trompes. Lorsque le spécialiste expliqua à Mr et Mrs Patel que c'était la cause de la stérilité, les malheureux furent convaincus qu'à travers la vilaine maladie de Dieter, transmise au-delà de la tombe hippie, le ciel était contre eux. Ils n'auraient jamais dû prendre un seul pfennig de cet argent sale caché dans le godemiché.

Dans les efforts qu'ils firent par la suite pour adopter un enfant, ils connurent une expérience assez banale. Les meilleures agences d'adoption, qui tenaient des carnets de santé prénataux, ainsi qu'un dossier médical sur la mère naturelle, ne voyaient pas d'un œil très charitable le problème posé par ce couple « mixte » ; ce n'est pas ce qui aurait arrêté les Patel, au bout du compte, mais cela fit durer la phase d'entretiens humiliants et le bourbier de la paperasserie ; entre-temps, l'attente de l'agrément se prolongeant, Nancy, puis Vijay commencèrent à se dire qu'ils seraient peut-être déçus d'adopter un enfant après avoir espéré en avoir un à eux. Si on leur avait donné la possibilité d'en adopter un rapidement, ils se seraient mis à l'aimer avant de se poser trop de questions. Mais à force d'attendre, ils perdirent courage. Non parce qu'ils craignaient de ne pas pouvoir aimer assez un enfant adoptif ; ils craignaient plutôt que le ciel, qui était contre eux, ne le condamne à un destin atroce.

Ils avaient fait quelque chose de mal. Ils le payaient. Ils ne voulaient pas demander à un enfant de le payer en plus. C'est ainsi qu'ils renoncèrent à en avoir un ; et après quinze ans d'espérances, ce renoncement leur coûta très cher. Leur démarche, l'engourdissement perceptible de leurs gestes lorsqu'ils levaient une de leurs innombrables tasses de thé, reflétaient qu'ils étaient conscients eux-mêmes de s'être seulement résignés à leur sort. C'est à peu près à cette époque que Nancy prit un travail – d'abord dans l'une de ces agences d'adoption qui l'avaient soumise à des interrogatoires si rigoureux, puis comme bénévole dans un orphelinat. Ce n'était guère un travail qu'elle pouvait supporter à long terme ; il lui rappelait son bébé abandonné au Texas.

De son côté, pour la première fois depuis une quinzaine d'années, le commissaire Patel commençait à croire que Rahul était revenu à Bombay, cette fois pour n'en plus partir. Désormais, les meurtres avaient lieu toute l'année, à intervalles réguliers ; tandis qu'à Londres ils avaient cessé tout à fait. C'était que la tante Promila avait fini par mourir ; et sa demeure sur Ridge Road, sans parler d'une rente considérable, étaient désormais entre les mains de sa nièce unique, celle qui portait son nom, l'ex-Rahul. Il était devenu l'héritier de Promila, ou plutôt, pour respecter la logique anatomique, elle était devenue l'héritière de Promila. Et la nouvelle Promila n'eut pas bien longtemps à attendre son entrée au Duckworth, que sa tante avait fidèlement postulée pour elle avant même qu'elle fût techniquement une femme.

Ladite nièce avait pris son temps pour soigner son entrée au Duckworth, dans la société qu'il lui ouvrait ; elle n'était pas pressée d'être vue. Certains membres jugèrent qu'elle manquait un peu de raffinement et presque tous s'accordèrent à dire que si elle avait dû être une beauté dans sa jeunesse, elle avait aujourd'hui la quarantaine passablement défraîchie... surtout pour une femme qui était restée célibataire. Tout le monde s'étonnait d'ailleurs qu'elle ne se soit jamais mariée, mais avant que la chose ait fait parler les gens, la nouvelle Promila Rai – avec une rapidité surprenante puisque personne ou presque ne la connaissait – se retrouva fiancée ; et fiancée à un autre duckworthien, vieillard si fortuné qu'on disait que sa demeure sur Ridge Road aurait fait pâlir d'envie Promila Rai elle-même ! Rien d'étonnant, donc, que le mariage eût lieu au Duckworth. Mais il est bien dommage que le Dr Daruwalla se soit trouvé à Toronto à ce moment-là ; car lui ou Julia auraient reconnu cette nouvelle Promila, qui se faisait si bien passer pour la nièce de l'ancienne.

Lorsque les Daruwalla et l'inspecteur Dhar furent de retour à Bombay, la nouvelle Promila Rai était connue sous son nom de femme – sous deux noms, à vrai dire, selon qu'elle était présente ou pas : Rahul, qui était devenu Promila, était depuis peu la belle Mrs Dogar, comme Mr Sethna l'appelait lorsqu'il s'adressait à elle.

Car, bien sûr, Rahul n'était autre que la seconde Mrs Dogar, et chaque fois que le Dr Daruwalla sentait un élancement dans ses côtes, suite à leur collision dans le hall d'entrée du Duckworth, il fouillait sa mémoire défaillante pour y retrouver une de ces stars de cinéma oubliées qu'il voyait à longueur de temps sur ses vieilles cassettes vidéo favorites. Il avait tort. Ce n'était pas là qu'il allait la trouver. Rahul ne se cachait pas dans les vieux films.

La police sait que le film est innocent

Au moment même où le commissaire Patel décidait qu'il ne mettrait jamais la main sur Rahul sortait à Bombay un autre *Inspecteur*

Dhar, aussi abominable que prévu. Le vrai policier n'avait aucun désir de se faire insulter davantage, mais lorsqu'il apprit le sujet de *L'Inspecteur Dhar et le Tueur de canaris*, non seulement il alla le voir, mais il y retourna, et cette fois avec Nancy. Il ne pouvait pas y avoir le moindre doute sur l'origine du petit dessin maladroit ; Nancy était certaine de savoir d'où il venait. Un nombril de morte transformé en clin d'œil, c'était un détail qui ne pouvait pas sortir de deux cerveaux différents ; et même dans le film l'éléphant levait une défense – toujours la même, en plus. Quant à l'eau qui sortait de sa trompe – qui pouvait bien inventer ce genre de choses ? Nancy se le demandait depuis vingt ans. Il fallait être un enfant pour inventer ce genre de choses, lui avait répondu le commissaire.

C'étaient des détails que la police n'avait jamais donnés à la presse ; les enquêteurs préférant les garder par-devers eux, ils avaient même évité de rendre publique l'existence du maniaque au coup de crayon assassin. Des meurtres de prostituées, il y en avait souvent. Pourquoi inviter la presse à sensation à créer une psychose autour d'un seul diabolique ? De sorte qu'à la vérité, la police, et le détective Patel en particulier, savaient pertinemment que les meurtres étaient bien antérieurs à la sortie d'une œuvre de haute fantaisie comme *L'Inspecteur Dhar et le Tueur de canaris*. Le film ne faisait qu'attirer l'attention du public sur les vrais meurtres. C'était à tort que les médias le tenaient pour responsable.

L'idée de ne pas démentir venait de Patel lui-même ; il voulait voir si le film inspirerait de la jalousie à Rahul, car il était d'avis que si sa femme reconnaissait l'inspiration du créateur de l'inspecteur Dhar, le vrai meurtrier aussi. L'assassinat de Mr Lal – et en particulier cet intéressant billet de deux roupies dans sa bouche – prouva que le commissaire avait vu juste. Rahul devait avoir vu le film – si même il n'en était pas le scénariste.

Ce qui laissait le détective perplexe, c'est que le message disait : D'AUTRES MEMBRES VONT MOURIR SI DHAR N'EST PAS RADIÉ. Puisque Nancy avait eu assez de flair pour déduire que seul un médecin pouvait avoir vu le ventre décoré de Beth, sûrement Rahul savait aussi que ce n'était pas l'acteur qui avait vu ses œuvres d'art ; ce ne pouvait être que le docteur qui était si souvent en sa compagnie.

La question que le détective voulait aborder en tête à tête avec le Dr Daruwalla avait trait à cette énigme, précisément. Il voulait l'entendre confirmer les théories de Nancy – à savoir qu'il était le véritable créateur de Dhar, et qu'il avait vu le dessin sur le ventre de Beth. Mais le commissaire voulait aussi mettre le docteur en garde. D'AUTRES MEMBRES VONT MOURIR… cela pouvait signifier que le médecin serait peut-être la prochaine victime. Car le détective Patel croyait comme sa femme que Farrokh ferait une meilleure cible que Dhar.

Pour livrer toutes ces informations complexes au téléphone, il fallait du temps au policier, et il en fallait au docteur pour comprendre. Et depuis que Nancy avait passé son mari au Dr Daruwalla, le fait que le meurtrier soit un travesti, ou même une femme convaincante, n'était pas intervenu dans leur conversation. Malheureusement, le nom de Rahul n'y avait jamais été mentionné. Ils avaient convenu que le docteur passerait au QG de la Crime où le commissaire lui ferait voir les photographies des éléphants dessinés sur le corps des victimes – et ce pour avoir simple confirmation de ce qu'il croyait. D'autre part, le détective avait recommandé la plus grande prudence au docteur et à l'acteur : le véritable assassin s'était apparemment senti provoqué par le film *L'Inspecteur Dhar et le Tueur de canaris*, même si ce n'était pas exactement de la façon que le public ainsi que de nombreuses prostituées en colère se le figuraient.

Deux couples vus à un moment critique
de leur histoire

Aussitôt que le Dr Daruwalla eut raccroché, il se mit à table en y apportant son anxiété ; Roopa s'excusa de servir le mouton en charpie, ce qui était sa façon à elle de dire que cette bouillie, dans le dhal préparé avec amour, c'était la faute du docteur – ce qui était vrai, bien sûr. Dhar demanda alors au docteur s'il avait lu la dernière livraison des lettres de haine. Non, il ne l'avait pas lue. Dommage, dit John D., c'étaient peut-être les dernières lettres de prostituées en colère. Balraj Gupta, le metteur en scène, venait en effet de lui annoncer que le dernier *Inspecteur Dhar (L'Inspecteur Dhar et les Tours du Silence)* sortait le lendemain. Après quoi, conclut ironiquement John D., les lettres de haine risquaient bien d'émaner de tous les parsis outragés.

– Demain ? s'exclama le docteur.

– Ce soir même, à vrai dire, rectifia John D., juste après minuit.

Le Dr Daruwalla aurait dû s'en douter. Chaque fois que Balraj Gupta l'appelait pour lui parler de quelque chose qu'il avait l'intention de faire, c'était qu'il l'avait déjà fait.

– Mais passons aux choses sérieuses, dit Farrokh à sa femme et à John D.

Il prit une profonde inspiration, puis leur raconta tout ce que Patel venait de lui expliquer.

Julia n'eut qu'une question :

– Combien de meurtres a-t-il réussi à commettre ? Il y a combien de victimes ?

– Soixante-neuf, dit le Dr Daruwalla.

Le cri étouffé de Julia fut moins surprenant que le calme déplacé de John D.

– En comptant Mr Lal ? demanda le jeune homme.

– Soixante-dix avec Mr Lal, si c'est bien la même piste, répondit Farrokh.

– Bien sûr que c'est la même piste, dit l'inspecteur Dhar, ce qui, comme toujours, agaça Farrokh.

Voilà qu'une fois de plus son personnage s'arrogeait une autorité réelle. Ce dont Farrokh n'arrivait pas à se rendre compte, c'est que Dhar était un bon acteur, qui faisait bien son travail. Il avait étudié de près ce rôle de composition, et il en avait intériorisé de nombreux traits ; d'instinct, il était devenu un détective tout à fait valable. Le docteur, lui, n'avait fait qu'imaginer le personnage ; il relevait de la fiction pure, pour lui ; de scénario en scénario, les recherches qu'il faisait sur les divers aspects du travail d'un policier ne lui laissaient qu'un souvenir flou ; Dhar, au contraire, oubliait rarement les finesses de ses rôles, pas plus qu'il n'oubliait ses répliques qui ne brillaient pourtant pas par leur originalité. Le médecin-scénariste était au mieux un amateur doué ; quant à l'inspecteur Dhar, en revanche, ni l'acteur qui l'incarnait ni son créateur n'imaginaient à quel point il était proche de la réalité.

– Je peux venir voir les photographies avec toi ? demanda Dhar à son créateur.

– Je crois comprendre que le commissaire souhaite me les montrer en tête à tête, répondit le docteur.

– J'aimerais bien les voir, Farrokh, insista John D.

313

– Il a le droit de les voir, s'il en a envie ! dit Julia d'une voix mordante.

– Je ne suis pas sûr que la police soit d'accord, commença le Dr Daruwalla, mais l'inspecteur Dhar eut un geste des plus familiers et des plus désinvoltes – qui exprimait le mépris le plus total.

Farrokh sentit une grande fatigue l'oppresser, comme un cercle de parents et de vieux amis réunis autour de son lit de malade, imaginait-il.

Lorsque John D. prit congé pour se coucher sur le balcon, Julia s'empressa de changer de sujet – avant même que Farrokh ait réussi à se déshabiller pour se coucher.

– Tu ne lui as rien dit, s'écria-t-elle.

– Ah, je t'en prie, tu ne vas pas revenir à la charge avec cette malheureuse histoire de frère jumeau. Qu'est-ce qui te fait croire que c'est la priorité absolue ? Surtout en ce moment...

– Je crois en effet que pour John D., en tout cas, l'arrivée de son jumeau est peut-être plus une priorité que pour toi, dit Julia, marquant un point.

Elle laissa son mari dans la chambre pour faire sa toilette de nuit. Puis lorsqu'il sortit de la salle de bains à son tour, ce fut pour constater qu'elle dormait déjà – à moins qu'elle ne fît semblant.

Il essaya d'abord de se coucher sur le flanc, ce qui était sa position favorite ; mais la douleur au niveau de ses côtes se fit sentir ; sur le ventre, elle était plus aiguë. A plat dos, posture dans laquelle il lui était impossible de trouver le sommeil et il avait tendance à ronfler, il se creusa fébrilement la tête pour retrouver l'image précise de l'actrice qui lui était venue à l'esprit pendant qu'il dévisageait sans vergogne la seconde Mrs Dogar. Il sentait le sommeil le gagner malgré lui. Des noms d'actrices lui venaient fugacement aux lèvres. Il revoyait la bouche sensuelle de Neelam ; celle, bien dessinée de Rekha, aussi ; il pensait au sourire espiègle de Sridevi ; il faisait l'inventaire des attraits de Sonu Walia. Puis il se réveilla à demi et pensa : Non, non... ce n'est pas une actrice de maintenant, sans doute même pas une Indienne. Jennifer Jones, peut-être ? Ida Lupino ? Rita Moreno ? Dorothy Lamour ! Mais non... quelle idée ! C'était une femme à la beauté beaucoup plus cruelle que toutes celles-là. Cet instant de clairvoyance faillit le réveiller tout à fait. Et s'il s'était éveillé en même temps sur la douleur que lui causaient ses côtes, il

314

aurait peut-être trouvé la solution. Mais pour avancée qu'était la nuit, l'heure de savoir n'avait pas encore sonné...

Le courant passait plus, en cette même heure tardive, dans le lit conjugal de Mr et Mrs Patel. Nancy pleurait, et comme souvent, ses larmes étaient dues à un mélange d'exaspération et de chagrin. Quant au commissaire Patel, comme souvent, il essayait de la réconforter.

Nancy venait de se rappeler ce qui lui était arrivé, environ deux semaines après la disparition du dernier symptôme de gonorrhée. Elle avait eu une effroyable éruption de boutons, tout rouges, qui la démangeaient d'une façon insupportable ; elle y avait vu une nouvelle phase de cette maladie vénérienne que Dieter lui avait passée. En outre, il était impossible de cacher cette phase-là au flic de son cœur ; le jeune inspecteur Patel l'avait aussitôt conduite chez un médecin, qui lui avait expliqué qu'elle avait pris trop de pilules antipaludéennes ; elle faisait une allergie, voilà tout. Mais qu'elle avait eu peur ! Et ce n'était que maintenant que les chèvres lui revenaient en mémoire.

Pendant toutes ces années, elle n'avait pas oublié les chèvres des bordels. Mais c'était seulement à l'instant qu'elle venait de se rappeler qu'au début, elle avait eu peur que ce soit une maladie des chèvres qui lui ait donné cette éruption abominable et ces démangeaisons irrépressibles. Pendant vingt ans, lorsqu'elle avait pensé aux bordels et aux femmes qui y avaient été assassinées, elle avait oublié ces hommes dont Dieter lui avait parlé – ces types ignobles qui baisaient les chèvres. Peut-être que Dieter baisait les chèvres, lui aussi. Pas étonnant qu'elle ait essayé d'oublier ça !

– Mais personne ne les baise, ces chèvres, venait de lui dire Vijay.

– Comment ça ?

– Aux États-Unis, ou dans certaines campagnes reculées de l'Inde, je ne dis pas... mais à Bombay, je peux t'assurer que personne ne baise les chèvres.

– Comment ça ? Mais Dieter me l'a dit !

– Voyons ! Ça n'est pas vrai du tout. Ce sont des animaux d'agrément. Bien entendu, il y en a qui donnent du lait, en prime, quoi... pour les enfants, sans doute. Mais ce sont des animaux de compagnie, c'est tout.

– Oh Vijay ! s'écria Nancy.

Il dut la prendre dans ses bras.

– Oh, il m'a menti, Dieter ! Qu'est-ce qu'il a pu me mentir… dire que j'ai cru ça, toutes ces années ! Il m'a bien baisée, tiens !

Elle avait dit ces derniers mots avec une telle conviction que dans la ruelle, en bas, un chien s'arrêta de farfouiller les ordures et poussa un aboiement. Au-dessus de leurs têtes, le ventilateur ne faisait que brasser un air vicié, qui semblait toujours sentir l'égout bouché, et la mer, qui dans leur quartier n'était pas particulièrement propre ni tonique.

– Oh, encore un mensonge ! hurlait Nancy.

Vijay la garda dans ses bras, même si, avec cette chaleur, ils n'allaient pas tarder à transpirer tous deux. Il n'y avait pas d'air là où ils habitaient.

Ces chèvres étaient des animaux de compagnie. Dire que depuis vingt ans, la phrase de Dieter lui avait fait tant de mal ; parfois, elle en avait été littéralement malade ! Et la chaleur, les relents d'égout, le fait que Rahul, quelle que soit son identité, courait encore, tout cela, elle l'avait accepté ; mais elle s'y était résignée comme elle s'était résignée à sa stérilité, c'est-à-dire avec le temps, et un sentiment d'échec total et tenace.

Ce que voit le nain

Il était tard. Nancy s'endormait à force de pleurer ; le Dr Daruwalla ne parvenait pas à saisir que la seconde – et belle – Mrs Dogar lui rappelait Rahul… et pendant ce temps, Vinod reconduisait en taxi l'une des danseuses exotiques de Mr Garg.

C'était une femme du Maharashtra, qui pouvait avoir la quarantaine et qui répondait au nom anglais de Muriel – qui n'était pas son vrai nom mais son pseudonyme de danseuse exotique. Elle était encore sous le choc parce qu'un client de La Poule mouillée lui avait lancé une orange pendant qu'elle dansait. La clientèle du cabaret était ignoble, avait conclu Muriel. Mais tout de même, il fallait dire que Mr Garg était un gentleman. Il avait bien vu qu'elle était sous le choc, après cet épisode ; et c'était lui qui avait appelé Vinod et son taxi « de luxe », pour qu'il la ramène chez elle.

Si le nain louait volontiers l'effort humanitaire consenti par Mr Garg en faveur des petites prostituées fugueuses, il ne serait peut-être pas allé jusqu'à dire que c'était un gentleman ; avec les femmes de quarante ans, peut-être ; avec les petites, il n'en aurait pas mis sa main au feu. Sans partager tout à fait les soupçons du Dr Daruwalla à son propos, Vinod et Deepa étaient parfois tombés sur une petite prostituée qui avait l'air d'avoir besoin qu'on l'arrache à Garg lui-même. Sauvez cette pauvre enfant, semblait dire Mr Garg ; peut-être voulait-il dire : « Protégez-la de moi. »

Mais si par leur faute le Dr Daruwalla se mettait à traiter Garg comme un criminel, ce n'était pas ce qui avancerait leurs opérations de sauvetage. Ainsi la dernière fugueuse, par exemple, la désossée, la future fille en caoutchouc ; c'était un cas de figure. Elle semblait en effet connaître Mr Garg de plus près qu'il n'aurait fallu, mais cela n'aiderait pas sa cause auprès du docteur ; il était censé la déclarer saine ; sinon le Grand Nil bleu ne la prendrait pas.

Vinod s'aperçut que la danseuse mûrissante au nom exotique de Muriel s'était endormie. Elle dormait avec une expression d'amertume, bouche ouverte de façon disgracieuse, les mains sur ses gros seins. Le nain ne s'étonnait pas tant qu'on lui jette une orange ; ce qui était bizarre c'était qu'on veuille la regarder danser. Mais ses instincts humanitaires s'étendaient aux strip-teaseuses de quarante ans ; il ralentit parce que les rues n'étaient pas planes, et qu'il ne voyait pas pourquoi il faudrait réveiller la pauvre femme avant l'arrivée. Dans son sommeil, Muriel se pelotonna soudain ; elle essayait sans doute d'éviter les oranges...

Quand il eut déposé la danseuse, il était trop tard pour faire autre chose que retourner dans le quartier des bordels ; ce quartier réservé était le seul de Bombay où on pourrait vouloir un taxi à deux heures du matin ; bientôt les passagers des longs-courriers arriveraient au Taj et à l'Oberoi, mais il ne fallait pas compter qu'un Européen ou un Américain veuille sillonner la ville à sa descente d'avion.

Vinod se dit qu'il allait attendre la fin du dernier spectacle à La Poule mouillée ; peut-être que l'une des danseuses exotiques de Mr Garg voudrait rentrer chez elle tranquillement, en taxi. Il s'étonnait toujours que Mr Garg puisse se sentir chez lui à La Poule mouillée, sur place ; lui, Vinod ne voyait pas comment on pouvait y dormir. Il y avait sans doute des chambres au premier, au-dessus du bar luisant, des tables poisseuses et de la scène en déclivité. Il frémissait à l'idée de ce bar aux lumières tamisées, de cette scène à l'éclairage cru, de ces tables où les hommes s'asseyaient dans l'obscurité, certains pour se masturber – même si la note dominante était une odeur d'urine. Comment faisait-il, Garg, pour dormir dans un endroit pareil, même au premier ?

Pour déplaisante qu'il trouvât cette maraude dans le quartier des bordels, comme s'il transportait un client potentiel sur le siège arrière de l'Ambassador, Vinod avait décidé qu'il ne serait pas plus mal de veiller. Il était fasciné par cette heure où la plupart des bordels « changeaient d'équipe » ; à Kamathipura, ainsi que sur Falkland et Grant Road, au petit matin, il venait une heure où les bordels n'acceptaient plus que des clients qui passent la nuit. Selon le nain, il fallait être un homme à part, un désespéré ; sinon qui voudrait passer toute la nuit avec une prostituée ?

Il ouvrait l'œil, il était nerveux, comme si dans ces venelles de Kamathipura, précisément, il risquait d'apercevoir un homme pas tout à fait humain. Et puis, quand venait la fatigue, il faisait un somme dans sa voiture ; il s'y sentait chez lui bien davantage que dans son appartement, du moins lorsque Deepa était au cirque. Et lorsqu'il s'ennuyait, il allait traîner du côté des bordels à travestis de Falkland et Grant Road. il aimait bien les hijras. Il les trouvait si effrontés, si choquants. Et ils avaient l'air de bien aimer les nains. Peut-être qu'à leurs yeux c'étaient les nains qui étaient choquants.

Vinod savait tout de même que, parmi les hijras, il y en avait qui ne l'aimaient pas : ceux qui savaient qu'il était le chauffeur de l'inspecteur Dhar ; ceux qui détestaient *L'Inspecteur Dhar et le Tueur de canaris*. Ces derniers temps, il lui fallait faire un peu attention, dans le quartier des bordels ; avec ces meurtres de prostituées, autant dire que l'inspecteur et son nain n'y avaient pas que des amis. C'est pourquoi, à l'heure de la « relève » dans la plupart des bordels, le nain ouvrait l'œil, plus tendu qu'à l'ordinaire.

Tout en roulant à vide, il fut l'un des premiers à noter ce qui avait changé dans Bombay ; c'était un changement à vue, en l'occurrence. Disparue, l'affiche de son client le plus célèbre, cette affiche qui représentait l'inspecteur Dhar plus grand que nature, cette affiche à laquelle il s'était accoutumé ainsi que tous les autres habitants de Bombay, ces panneaux démesurés, ces placards publicitaires pour *L'Inspecteur Dhar et le Tueur de canaris*. Le beau visage de Dhar, qu'une légère estafilade ne déparait nullement ; la chemise blanche déchirée, ouverte pour révéler les pectoraux avantageux ; la jolie fille ravagée par les épreuves que l'inspecteur portait sur ses robustes épaules ; et, toujours, le semi-automatique gris-bleu qu'il tenait dans la main droite. A sa place, dans tout Bombay, on venait de coller une nouvelle affiche. Il n'y avait que le semi-automatique qui n'ait pas changé, se dit Vinod, même si le sourire de dédain y était aussi extraordinairement familier. *L'Inspecteur Dhar et les Tours du Silence* ; cette fois, l'originalité de la jeune femme que Dhar portait sur ses épaules c'était qu'elle était morte ; autre originalité plus marquante, c'était une hippie occidentale.

Il n'y avait guère qu'à cette heure-ci qu'on puisse mettre les affiches ; si les gens avaient été debout, ils auraient agressé le colleur d'affiches. Dans le quartier des bordels, on avait détruit celles du précédent film depuis longtemps. Ce soir, les prostituées n'avaient pas touché aux nouvelles, peut-être parce qu'elles n'étaient pas fâchées de voir que *L'Inspecteur Dhar et le Tueur de canaris* était remplacé par un nouveau titre scandaleux, mais scandaleux pour d'autres, cette fois.

A mieux y regarder, Vinod se rendit compte que cette affiche ne se démarquait pas des précédentes autant qu'il l'aurait cru. Morte ou vive, la posture de la jeune femme, sur ses épaules, était sensiblement la même ; en outre, si l'estafilade s'était légèrement déplacée, le beau visage cruel de l'inspecteur saignait une fois encore. Plus Vinod regardait la nouvelle affiche, plus il lui trouvait de ressemblance avec l'ancienne ; il avait l'impression que l'inspecteur portait la même chemise déchirée. Cela expliquait peut-être que le nain ait pu rouler plus de deux heures dans Bombay avant de s'apercevoir qu'un nouvel *Inspecteur Dhar* était né. Vinod mourait déjà d'envie d'aller le voir.

La vie inavouable du quartier réservé grouillait autour de lui ; les marchandages, les trahisons, les sévices, aussi effroyables qu'invisibles – c'est du moins ce que lui suggérait son imagination surchauffée. Et le constat le plus optimiste qu'on aurait pu faire, c'est que dans tous les bordels de Bombay, personne – mais vraiment personne – n'était en train de baiser une chèvre.

15

Le frère jumeau de Dhar

Trois vieux missionnaires s'endorment

La semaine entre Noël et le Jour de l'An, alors que le premier missionnaire américain était attendu à Saint-Ignace-de-Mazagaon, la mission jésuite se préparait à fêter avec éclat l'année 1990. En effet, Saint-Ignace, un des lieux de mémoire de Bombay, allait avoir 125 ans ; et depuis sa fondation, la mission avait accompli son œuvre sacrée aussi bien que séculière sans l'assistance d'un Américain. La responsabilité de son administration incombait à un triumvirat qui s'y était illustré avec presque autant de bonheur que la Sainte Trinité en personne. Le supérieur (le père Julian, un Anglais de soixante-huit ans), le doyen (le père Cecil, un Indien de soixante-douze ans) et le frère Gabriel (un Espagnol qui pouvait avoir dans les soixante-quinze ans et qui avait fui l'Espagne après la guerre civile) constituaient une autorité tricéphale rarement contestée, et jamais outrepassée ; ils s'accordaient tous trois à penser que Saint-Ignace pouvait continuer à servir l'humanité et le Royaume des Cieux sans l'aide d'un Américain – or voilà qu'on leur en proposait un. Certes, ils auraient préféré un autre Indien, ou à défaut un Européen. Mais la moyenne d'âge de ces trois vénérables étant de soixante et onze ans et huit mois, ils se laissèrent tenter par un des atouts de ce « jeune » scolastique, comme ils disaient. A trente-neuf ans, Martin Mills n'était plus un gamin. Mais il fallait être le Dr Daruwalla pour le juger trop vieux pour n'avoir pas encore été ordonné prêtre. Les presque quarante ans du scolastique étaient du moins un léger réconfort pour le père Julian, le père Cecil et le frère Gabriel, même s'ils pensaient tous trois que le cent vingt-cinquième jubilé risquait d'être déparé par leur obligation d'accueillir l'ex-Californien, que l'on disait affectionner les chemises hawaïennes.

Cette excentricité risible, ils l'avaient apprise au fil du dossier par ailleurs impressionnant de Martin Mills, dont les lettres de recommandation étaient chaleureuses. Toutefois le supérieur était d'avis que, lorsqu'il s'agissait des Américains, il fallait lire entre les lignes. Ainsi, expliqua-t-il, il était clair que Martin Mills avait « fui » sa Californie natale, même si rien ne l'indiquait dans son dossier. Il avait fait ses études dans un autre État, et il avait pris un poste d'enseignant à Boston – il aurait difficilement pu en trouver un plus loin de la Californie ! Cela montrait sans équivoque que Martin Mills venait d'une famille à problèmes. Peut-être était-ce son père ou sa mère qu'il avait fui de cette façon.

Outre son goût inexpliqué du tapageur, où le père Julian voyait la cause de ce penchant signalé pour les chemises hawaïennes, le dossier faisait état du succès de Martin Mills dans sa tâche apostolique, particulièrement auprès des jeunes. La mission Saint-Ignace à Bombay était une bonne école ; on attendrait de Martin Mills qu'il soit bon professeur ; la plupart des élèves n'étaient pas catholiques, beaucoup n'étaient même pas chrétiens. « Nous aurons sur les bras un Américain dérangé qui fera du prosélytisme parmi nos élèves », déclara le père Julian à ses compagnons, quoique le dossier de Martin Mills ne mentionnât ni qu'il fût dérangé ni qu'il fût prosélyte.

Le dossier indiquait en revanche qu'il avait entrepris un pèlerinage de six mois dans le cadre de son noviciat, et qu'au cours de ce pèlerinage il n'avait pas dépensé d'argent, pas un sou. Il avait réussi à se trouver des points de chute où loger et travailler en retour de services humanitaires ; parmi ces points de chute, il y avait des soupes populaires, des hôpitaux pour enfants handicapés, des foyers pour personnes âgées, des centres d'accueil pour malades du sida, et une clinique pour bébés affligés d'embryofœtopathie alcoolique – ceci dans une réserve d'Indiens.

Le frère Gabriel comme le père Cecil inclinaient à voir le dossier d'un œil favorable. Le père Julian, au contraire, cita l'*Imitation du Christ* de Thomas a Kempis : « Évite la compagnie des jeunes et des étrangers. » Le supérieur s'était livré à un décryptage systématique du dossier. Enseigner à Saint-Ignace et servir la mission de diverses manières s'inscrivait dans les trois ans de service préparatoire à la prêtrise ; on appelait cette période la « régence », et elle était suivie de trois ans d'études théologiques, couronnées par l'ordination. Martin Mills ferait une quatrième année de théologie après son ordination. Il avait fait deux ans de noviciat à Saint-Aloysius, dans le Massachusetts. Choix d'extrémiste, disait le père Julian : la rigueur des hivers y était bien connue. Voilà qui laissait présager une tendance à l'auto-flagellation et autres mortifications de la chair, voire le goût du jeûne, que les jésuites n'encourageaient pas – ils n'étaient pas contre le jeûne à condition qu'il fût raisonnable. Mais, une fois de plus, le père supérieur semblait passer le dossier au crible pour y débusquer les preuves d'une tare chez Martin Mills. Le frère Gabriel et le père Cecil lui firent observer que Martin était entré chez les jésuites dans leur province de Nouvelle-Angleterre, du temps qu'il était à Boston ; le noviciat de cette province se faisait dans le Massachusetts ; il était donc bien naturel que Martin Mills se fût retrouvé à Saint-Aloysius – on ne pouvait guère y voir un choix.

Mais pourquoi donc avait-il enseigné dix ans dans une sordide école paroissiale de Boston ? Le dossier ne spécifiait pas que l'école fût sordide, mais seulement qu'elle n'était pas agréée. A vrai dire, il s'agissait plus ou moins d'une maison de redressement où les jeunes délinquants étaient encouragés à retrouver le droit chemin ; pour autant que l'on sache, poursuivait le père supérieur, ceci s'accomplissait sur les planches. Martin Mills avait mis en scène des pièces où tous les rôles étaient tenus par d'anciens délinquants, des mécréants et des tueurs ! Et c'est dans ce milieu qu'il avait découvert sa vocation, c'est-à-dire ressenti la présence du Christ et le désir de devenir prêtre. Oui, mais pourquoi lui avait-il fallu dix ans, demandait le père Julian. Après avoir fini son noviciat, il avait été envoyé à l'université de Boston pour y étudier la philosophie ; ce point trouvait grâce aux yeux du supérieur. Mais au milieu de sa « régence », voilà que le jeune Martin réclamait une « expérience » de trois mois en Inde. Cela signifiait-il qu'il avait des doutes sur sa vocation ?

– Nous n'allons pas tarder à le savoir, répondit le père Cecil. Il me paraît très bien, à moi.

Il avait failli dire que Martin Mills lui semblait tout à fait dans la ligne de Loyola, mais il s'était ravisé, sachant que le supérieur se défiait des jésuites qui réglaient trop délibérément leur conduite sur la vie de saint Ignace de Loyola, fondateur de l'ordre de la Compagnie de Jésus.

Au pèlerin sans cervelle, le pèlerinage lui-même n'est qu'errance. Les *Exercices spirituels* de saint Ignace de Loyola sont un manuel destiné au maître de la retraite, pas à celui qui l'entreprend ; c'est un ouvrage qui n'a jamais été écrit pour être publié, moins encore pour être mémorisé par les futurs prêtres. Non que le dossier suggérât que Martin Mills suivait les exercices avec un zèle excessif. Là encore, c'était son intuition qui soufflait au père Julian que la piété de Martin Mills était pathologique. Il soupçonnait tous les Américains de fanatisme acharné ; il mettait cela sur le compte de l'éducation américaine, cette « lecture sur une île déserte », comme il disait, qui livrait le sujet à lui-même à un point effrayant. Le père Cecil, au contraire, était un homme bienveillant, de cette école qui disait qu'il fallait donner à Martin Mills une chance de faire ses preuves.

Le doyen reprocha son cynisme au supérieur.

– Vous n'avez pas lieu d'affirmer que notre Martin ait voulu faire son noviciat à Saint-Aloysius parce que les hivers sont rigoureux en Nouvelle-Angleterre.

De même il laissa entendre que cette idée que Martin Mills espérait entrer à Saint-Aloysius par désir de faire pénitence, de châtier la chair, était pure conjecture. De fait le père Julian se trompait. S'il avait su la vraie raison du choix de Martin Mills pour son noviciat, alors, oui, il se serait inquiété pour de bon ; car Martin Mills avait souhaité être novice à Saint-Aloysius uniquement parce qu'il s'identifiait à saint Aloysius de Gonzague, l'avide Italien à la chasteté si fervente qu'il refusa de regarder sa propre mère après avoir prononcé ses vœux.

Martin Mills voyait là son exemple favori de cette « maîtrise des sens » que tout jésuite cherche à atteindre. Selon lui, cette idée de ne jamais revoir sa propre mère était tout à fait admirable ; sa propre mère, après tout, n'était autre que Veronica Rose ; et se refuser de lui lancer ne fût-ce qu'un dernier coup d'œil consoliderait sans aucun doute son idéal jésuite de brider sa voix, son corps et sa curiosité. Martin Mills se tenait très en bride ; et ses pieuses intentions, tout comme la vie qui les nourrissait, étaient parcourues de point en point par un zèle plus fanatique encore que le père Julian ne pouvait le soupçonner.

Or voilà qu'à présent le frère Gabriel, ce septuagénaire qui collectionnait les icônes, avait perdu la lettre du scolastique. S'ils ne savaient pas à quelle date le missionnaire arrivait, comment pourraient-ils aller l'attendre à l'aéroport ?

– Bah, dit le père Julian, on dirait que notre Martin aime bien les défis…

Le père Cecil trouva cette boutade cruelle. Arriver à Bombay en pleine nuit, à l'heure où les vols internationaux atterrissent à Sahar, devoir gagner la mission par ses propres moyens – mission qui serait verrouillée et pratiquement impénétrable jusqu'à la première messe – voilà qui était pire que tous les pèlerinages accomplis par Martin Mills.

– Après tout, dit le père Julian avec la causticité qui était la sienne, saint Ignace de Loyola a trouvé la route de Jérusalem tout seul. Personne n'est allé l'attendre à l'avion, lui.

Ce n'est pas juste, pensait le père Cecil. C'est pourquoi il avait appelé le Dr Daruwalla pour lui demander s'il savait quand Martin Mills arrivait. Mais le doyen n'avait pu que laisser un message sur le répondeur, et le docteur ne l'avait pas rappelé. Si bien qu'il ne lui restait plus qu'à prier pour Martin Mills en général. En particulier, il priait pour que le missionnaire ne soit pas trop traumatisé par son arrivée à Bombay.

Le frère Gabriel priait lui aussi pour Martin Mills en général. En particulier, il priait pour retrouver la lettre qu'il avait perdue. Mais la lettre du scolastique ne fut jamais retrouvée. Longtemps avant que le Dr Daruwalla ne sombre dans le sommeil, au milieu de ses efforts pour situer une star de cinéma qui ressemble à la seconde Mrs Dogar, le père Gabriel renonça à mettre la main sur la lettre ; il alla se coucher, et s'endormit de même. Tandis que Vinod ramenait Muriel chez elle, et qu'ils parlaient de l'ignominie de la clientèle à La Poule mouillée, le père Cecil cessa de prier ; puis il s'endormit comme les autres. Et peu après que Vinod eut repéré que *L'Inspecteur Dhar et les Tours du Silence* allait déferler sur la ville endormie, le père Julian alla verrouiller la porte du cloître, et le portail où s'arrêtait l'autocar scolaire, et les portes de l'église de Saint-Ignace. Et bientôt, il dormait comme un loir, lui aussi.

Prémices de quiproquo

Sur le coup de deux heures du matin, à l'heure même où les colleurs d'affiches placardaient les nouveaux panneaux publicitaires pour le dernier *Inspecteur Dhar*, et où Vinod longeait les bordels de Kamathipura, l'avion qui transportait le frère jumeau de Dhar atterrit sans encombre à l'aéroport de Sahar. Pendant ce temps, Dhar lui-même dormait sur le balcon du Dr Daruwalla.

Néanmoins, le douanier dont le regard passait sans cesse de l'expression intense du nouveau missionnaire à la photo parfaitement anodine de son passeport était convaincu d'avoir l'inspecteur Dhar en face de lui. La chemise hawaïenne le surprenait bien un peu ; il ne voyait vraiment pas pourquoi Dhar tentait de se cacher sous ce déguisement de touriste ; de même, l'idée de raser la moustache qui était l'un de ses signes distinctifs lui semblait un piètre subterfuge : au contraire, maintenant que la lèvre supérieure était découverte, l'expression de dédain inimitable était encore plus accusée.

Mais le passeport américain, alors ça, oui, c'était rusé ! pensa l'employé des douanes. Quoique, quand même, le passeport admettait « né à Bombay ». Le douanier mit le doigt sur ce point révélateur, puis il fit un clin d'œil au missionnaire, histoire de montrer à l'inspecteur Dhar qu'à lui, le douanier, on ne la lui faisait pas.

Martin Mills était très fatigué. Le vol avait duré des heures, qu'il avait passées à apprendre l'hindi, et à se documenter sur les divers comportements sociaux des indigènes. Il savait tout sur les salutations, par exemple ; or ce douanier venait de lui faire un clin d'œil, sans aucun doute ; il ne lui avait pas adressé de formules de politesse ; pourtant, il n'était question nulle part de clin d'œil dans ses documents sur les comportements sociaux. Quoi qu'il en soit, n'ayant nul désir de manquer à la politesse, il rendit son clin d'œil au douanier en l'accompagnant de salutations, par acquit de conscience.

Le douanier fut très content de lui. Il venait de voir ce clin d'œil dans un film récent avec Charles Bronson, mais il s'était demandé si ce serait « branché » d'en faire un à l'inspecteur Dhar ; car ce qu'il voulait surtout, c'est avoir l'air « branché » auprès de Dhar. Contrairement à la plupart des habitants de Bombay, et à tous les policiers, le douanier adorait les *Inspecteur Dhar*. Pour l'instant, on n'y avait jamais vu de douaniers ; par conséquent ils n'avaient pas eu lieu de se formaliser. D'autre part, avant de devenir douanier, l'employé avait essayé d'entrer dans la police mais sa candidature avait été rejetée ; de sorte que ce qu'on voyait dans chacun des *Inspecteur Dhar*, la police tournée en dérision, l'omniprésence des pots-de-vin, tout cela, le douanier l'adorait.

Pour autant, il était parfaitement irrégulier d'entrer dans le pays sous une fausse identité, et l'employé voulait montrer à Dhar qu'il l'avait reconnu sous son déguisement, mais aussi qu'il ne ferait rien pour contrecarrer les plans du génie créateur qu'il avait en face de lui. D'ailleurs Dhar n'avait pas l'air bien : il était un peu pâlot, malgré quelques rougeurs ; et puis il semblait très amaigri.

– C'est votre premier séjour à Bombay depuis votre naissance ? lui demanda-t-il, ponctuant sa question d'un clin d'œil.

Martin Mills sourit et cligna de l'œil en retour.

– Oui, dit-il, mais je vais y rester au moins trois mois.

Le douanier trouvait la chose absurde, mais il tenait à rester dégagé. Il vit que le visa du missionnaire était « conditionnel » ; il pouvait le faire prolonger trois mois. L'examen dudit visa provoqua d'autres clins d'œil. Le douanier était également censé fouiller les effets personnels du missionnaire. Or pour un séjour de trois mois, ce dernier n'avait apporté qu'une valise, certes grosse et lourde, et dans ce bagage qui ne payait pas de mine, quelques surprises attendaient le douanier : les chemises noires à col amovible ; car quoique Martin Mills n'ait pas encore reçu son ordination, il avait l'autorisation de porter ces vêtements de prêtre. Il y avait aussi un costume noir froissé, ainsi qu'une demi-douzaine de chemises hawaïennes ; ensuite, le douanier tomba sur les perles de contrition, le fouet long de trente centimètres avec des lanières tressées, sans parler de la chaîne de pénitence portée autour de la cuisse, avec des pointes mordant la chair. Mais le douanier garda son calme ; il ne cessait de sourire et de cligner de l'œil, malgré l'horreur que lui inspiraient ces instruments de torture masochiste.

Le père supérieur aurait éprouvé la même horreur devant ces pièces de musée de la mortification ; c'étaient les artefacts d'une époque révolue – le père Cecil lui-même en aurait été horrifié, à moins qu'il n'en ait ri franchement. Les fouets et les fers n'avaient jamais joué un rôle significatif dans la « voie de la perfection », selon les jésuites. Même le chapelet de pénitence suggérait que Martin Mills n'avait peut-être pas la vraie vocation jésuite.

Mais, pour le douanier, les livres du scolastique parachevaient l'authenticité du déguisement – puisque c'était ainsi qu'il comprenait les choses – c'étaient des accessoires d'acteurs. Dhar se préparait certainement pour un prochain rôle à la limite de l'impossible. Cette fois, il va jouer un prêtre ? se demandait le douanier. Il parcourut les livres – sans cesser de signifier son approbation par force sourires et clins d'œil, que le missionnaire stupéfait lui rendit scrupuleusement. Il y avait l'*Almanach catholique* de 1988 ; et plusieurs numéros d'une revue qui s'appelait *Études sur la spiritualité des jésuites* ; il y avait un catéchisme catholique de poche, et un petit dictionnaire de la Bible ; il y avait aussi une Bible et un bréviaire, plus un petit livre intitulé *Sadhana, une voie vers Dieu*, d'Anthony de Mello, C de J ; il y avait une *Autobiographie de saint Ignace de Loyola*, un exemplaire des *Exercices spirituels* et quantité d'autres livres. Il y avait plus de livres dans cette valise que de chemises hawaïennes et de cols ecclésiastiques réunis.

– Et où allez-vous habiter, ces trois mois, demanda le douanier à Martin Mills dont l'œil gauche commençait à fatiguer.

– A Saint-Ignace-de-Mazagaon, répondit le jésuite.

– Hé oui, bien sûr, dit le douanier.

Puis il ajouta à voix basse :

– J'admire beaucoup ce que vous faites.

Sur quoi il gratifia le jésuite ébahi d'un dernier clin d'œil – pour la route.

Un frère, un chrétien là où on s'attend le moins à en trouver, songea le nouveau missionnaire.

Cet échange de clins d'œil allait bien mal préparer Martin Mills aux comportements sociaux de la plupart des habitants de Bombay, qui trouvent la pratique agressive, suggestive, tout à fait grossière. Mais c'est ainsi que le scolastique passa la douane et se retrouva dans la nuit qui sentait la merde – non sans espérer qu'un frère jésuite soit venu lui faire un accueil cordial.

Où étaient-ils donc, ses frères ? se demandait le nouveau missionnaire. Bloqués dans les encombrements ? Autour de l'aéroport régnait le plus grand désordre, mais il n'y avait pas beaucoup de circulation.

On voyait de nombreux taxis en attente, tous garés à la lisière d'une obscurité immense : on aurait dit qu'au lieu d'être cette masse grouillante, comme Martin Mills l'avait d'abord pensé, l'aéroport n'était qu'un précaire avant-poste de brousse dans un vaste désert où des feux invisibles s'éteignaient lentement tandis que des individus non moins invisibles s'accroupissaient pour déféquer, le tout sans interruption, jusqu'au bout de la nuit.

Puis, telles des mouches, les chauffeurs de taxi se posèrent sur lui ; ils touchaient ses vêtements du bout du doigt, ils tiraient sa valise, dont il refusait de se départir, malgré son poids considérable.

– Non merci, disait-il, on m'attend.

Il constatait que son hindi l'avait abandonné, ce qui n'était pas plus mal, puisqu'il l'avait toujours atrocement baragouiné. Avec la fatigue, le missionnaire se soupçonnait de verser dans ce délire de persécution propre aux touristes qui arrivent en Asie pour la première fois : la façon dont les taxi-wallas le regardaient le mettait de plus en plus mal à l'aise. Les uns avec une terreur sacrée, les autres avec une lueur de meurtre. C'est qu'ils le prenaient pour l'inspecteur Dhar. Mais s'ils s'approchaient de lui d'un coup d'aile, comme des mouches, et repartaient de même, ils avaient l'air infiniment plus dangereux.

Une heure plus tard, Martin Mills était toujours planté là, à écarter d'un geste les mouches qui arrivaient, tandis que celles qui étaient déjà reparties voletaient à distance, sans le quitter des yeux, mais sans se donner la peine de l'approcher de nouveau. Le missionnaire était si fatigué qu'il lui vint à l'esprit que les taxi-wallas faisaient partie de la famille des hyènes, et que s'il avait le malheur de montrer que ses forces vitales l'abandonnaient, ils se jetteraient sur lui en nombre. Une prière lui vint aux lèvres, mais il était trop épuisé pour la dire. Il en venait à penser que les autres missionnaires étaient peut-être trop vieux pour se déplacer jusque-là, car on lui avait parlé de leur âge vénérable. Les fêtes du jubilé étaient imminentes, sans aucun doute il était plus important de marquer cent vingt-cinq ans de service de Dieu et de l'humanité que d'aller chercher un nouvel arrivant à l'aéroport. Ces réflexions résumaient parfaitement Martin Mills : pratiquée à un tel degré, l'autodépréciation tourne à la vanité.

Il faisait passer le poids de sa valise d'une main à l'autre ; il ne voulait pas la poser sur le trottoir ; d'abord parce qu'il savait qu'au premier signe de faiblesse les taxi-wallas allaient fondre sur lui ; et aussi parce que son poids était en passe devenir un moyen tout trouvé pour mortifier la chair. Martin Mills trouvait dans la spécificité de cette douleur quelque chose de net ; un à-propos bien venu. Ce n'était pas une douleur aiguë et permanente comme le fer de jambe, quand il l'ajustait comme il faut à sa cuisse ; ce n'était pas non plus cette fulgurance à couper le souffle que lui procurait le fouet sur son dos nu. Et pourtant, cette douleur, il la recevait avec zèle, et la valise elle-même portait la marque de la tâche qui l'attendait, sa formation, sa quête de la volonté de Dieu, la force de son abnégation. En effet, le vieux cuir portait l'inscription « *Nostris* », à nous jésuites, à nous la vie, au sein de la Compagnie de Jésus.

En outre, elle lui remettait en mémoire ses deux ans de noviciat à Saint-Aloysius ; sa chambre avait pour tout meuble un lit, une table, une chaise à dossier droit, et un prie-Dieu à ras du sol. Tandis que ses lèvres formaient le mot « *nostris* », il se rappelait la clochette qui indiquait « *flagellatio* » ; il se rappelait sa première retraite silencieuse, qui avait duré trente jours ; ces deux ans lui donnaient toujours de la force : prière, rasage, travail, silence, obéissance, étude, prière. Il n'y avait pas là un accès de dévotion, mais une obéissance bien ordonnée aux règles : la pauvreté perpétuelle, la chasteté, l'obéissance. L'obéissance à un supérieur religieux, bien sûr, mais surtout à la vie en communauté. C'était ces règles qui lui donnaient un sentiment de liberté. Et pourtant, sur le chapitre de l'obéissance, il était hanté par le reproche d'un de ses supérieurs de jadis, qui le croyait mieux fait pour un ordre monastique, un ordre plus strict, comme les chartreux, par exemple. Les jésuites ont vocation d'aller dans le monde ; sans être ce qu'on peut appeler « mondains », ce ne sont pas des moines.

« Je ne suis pas moine », dit Martin Mills à haute voix ; ce qu'entendant, les taxis à proximité comprirent comme un appel ; de nouveau, ils l'entourèrent de leur essaim.

Évite le souci du monde, se morigéna Martin Mills. Il sourit avec indulgence aux chauffeurs agglutinés autour de lui. Il y avait une admonestation en latin, au-dessus de son lit, à Saint-Aloysius ; c'était un rappel à l'ordre indirect, signifiant que tout homme doit faire son lit « *etiam si sacerdotes sint* » fût-il prêtre. Puisqu'il en était ainsi, Martin Mills décida de se rendre à Bombay par ses propres moyens.

Choix fatal de chauffeur

Parmi les taxi-wallas, il n'y en avait qu'un qui semblait assez fort pour porter la valise. Il était grand, barbu, le teint foncé, un nez en figure de proue, pointu, agressif.

– Saint Ignace, à Mazagaon, dit Martin à ce chauffeur qui lui faisait l'effet d'être un étudiant pratiquant la nuit ce métier prenant – sûrement un jeune homme admirable qui payait ses études de cette façon.

Le jeune homme lui décocha un regard féroce, prit la valise et la lança dans son véhicule. Tous les chauffeurs avaient attendu l'Ambassador et son micro-tueur, parce qu'aucun d'entre eux n'avait vraiment cru que l'inspecteur condescendrait à prendre une autre voiture. Il y avait souvent des taxi-wallas dans les *Inspecteur Dhar* ; ils étaient toujours représentés comme des chauffards cinglés.

Celui qui venait de s'emparer de la valise du missionnaire, et le regardait à présent s'installer à l'arrière, était une tête brûlée. Il se nommait Bahadur et venait de se faire renvoyer d'une école hôtelière pour avoir triché à un examen de restauration – il avait copié la réponse à une question assez simple sur l'approvisionnement (Bahadur signifie « le Brave »). Par ailleurs, il venait d'arriver à l'aéroport, et il avait donc vu les affiches de *L'Inspecteur Dhar et les Tours du Silence*, en ville ; ses allégeances en avaient été mortellement blessées. Sans adorer faire le taxi, il était reconnaissant envers son employeur Mr Mirza. Or, Mr Mirza était parsi ; nul doute qu'il allait trouver le film odieusement choquant. Une dette d'honneur obligeait Bahadur à représenter les sentiments de son patron.

Bahadur, faut-il s'en étonner, avait détesté tous les films précédents. Avant la sortie de cette nouvelle provocation, il espérait déjà que l'inspecteur se ferait assassiner par des hijras ou des prostituées outragées. Pour sa part, il était favorable à l'assassinat des gens célèbres, trouvant désobligeant pour la foule des obscurs que la célébrité fût le privilège de quelques-uns. En outre, pour lui, faire le taxi, c'était déchoir ; il ne le faisait que pour prouver à un oncle fortuné qu'il était capable de se « mêler au peuple » ; et il escomptait que cet oncle l'enverrait bientôt dans une autre école. Il passait une période difficile en attendant, soit, mais il aurait pu tomber plus mal que chez Mr

Mirza ; comme Vinod, Mr Mirza possédait sa compagnie de taxis. Et, pour meubler ses loisirs, Bahadur essayait d'améliorer son anglais en concentrant son effort sur les expressions familières et vulgaires : si jamais il rencontrait une célébrité, il voulait pouvoir posséder ces expressions sur le bout du doigt.

Leur réputation était totalement surfaite, il le savait bien. Par exemple, l'inspecteur Dhar, on racontait que c'était un dur ; qu'il était culturiste ! Il suffisait d'un coup d'œil sur les bras grêles du missionnaire pour s'apercevoir que c'était un mensonge éhonté. Bluff et cinéma ! pensa Bahadur. Il aimait bien faire des virées dans le secteur des studios parce qu'il espérait charger des actrices. Mais personne d'important ne choisissait jamais son taxi, et chez Ashra Pictures, Rajkamal Studio, Famous Studio et Central Studio, c'était la police qui l'avait hélé en le soupçonnant de vagabondage. Qu'ils aillent se faire foutre, ces gens du cinéma, pensait-il.

– Vous savez où se trouve Saint-Ignace, bien sûr ? s'enquit nerveusement Martin Mills, une fois qu'ils furent en route. C'est une mission jésuite, avec une église, et une école, ajouta-t-il, quêtant une expression de compréhension dans l'œil féroce du taxi-walla.

Lorsque le scolastique vit que le jeune homme le regardait dans le rétroviseur, il fit une mimique engageante, du moins c'est ce qu'il croyait ; il fit ce que faisaient les indigènes ; il cligna de l'œil.

Ça, c'est le comble ! pensa Bahadur. Qu'il faille lire de la condescendance dans ce clin d'œil, ou l'invite salace d'un homosexuel, sa décision était prise. L'inspecteur Dhar ne devait pas continuer impunément à tourner la vie de Bombay en dérision. Au milieu de la nuit, voilà qu'il voulait se rendre à Saint-Ignace ! Et pour quoi faire ? Pour prier, peut-être !

Cet inspecteur Dhar était bidon de A à Z, et par-dessus le marché c'était un hindou bidon, décida Bahadur. En fait l'inspecteur Dhar était un enfoiré de chrétien.

– Vous êtes censé être hindou, dit-il au jésuite.

Martin Mills en fut tout émoustillé. Sa première confrontation religieuse au royaume missionnaire ! son premier hindou ! Il n'ignorait pas qu'ils y constituaient la majorité religieuse.

– Allons, allons, nous sommes tous frères, hommes de toutes fois, dit-il gaiement.

– Va te faire foutre avec ton Jésus, déclara froidement Bahadur.

– Allons, allons, dit Martin.

Peut-être y avait-il un temps pour cligner de l'œil et un temps pour s'en abstenir, songea-t-il.

Un prosélyte chez les prostituées

Le taxi fonçait en cahotant dans la nuit puante où rougeoyaient des braises ; mais Martin Mills n'avait jamais eu peur du noir. Il pouvait lui arriver de s'angoisser au milieu d'une foule, mais le plus noir de la nuit ne le menaçait pas. Il ne s'inquiétait pas non plus de faire les frais d'une violence quelconque. Il méditait sur le rêve médiéval irréalisé de reconquérir Jérusalem pour le Christ. Il se disait que le pèlerinage de saint Ignace de Loyola lui-même avait été un voyage semé d'embûches et d'accidents. Sa tentative de reconquête n'avait pas abouti, puisqu'il avait été renvoyé ; et pourtant, le saint avait gardé fervent son désir de sauver les âmes en péril. Le propos d'Ignace était toujours de se soumettre à la volonté de Dieu. Et c'était à dessein qu'il ouvrait les *Exercices spirituels* par une représentation frappante de l'enfer dans toute son horreur. La crainte de Dieu était purificatrice ; elle l'était depuis longtemps pour Martin Mills. Pour contempler du même coup les flammes de l'enfer et l'union avec Dieu dans l'extase mystique, il suffisait de suivre les *Exercices spirituels*, et de s'en remettre à l'« œil de l'imagination » – l'œil le plus clairvoyant, sans aucun doute, selon le missionnaire.

– Le labeur et la volonté, dit-il tout haut.

Tel était son credo.

– J'ai dit : va te faire foutre, avec ton Jésus, répéta le taxi-walla.

– Soyez béni, dit Martin Mills. Car vous aussi, quoi que vous me fassiez, vous êtes la volonté de Dieu.

Par-dessus tout, Martin admirait la rencontre mémorable entre Ignace de Loyola et un Maure sur sa mule, rencontre qui avait amené une discussion sur la Vierge Marie. Le Maure voulait bien croire que Notre Dame avait pu concevoir sans le concours d'un homme ; mais pas qu'elle soit restée vierge après avoir donné naissance à un enfant. Une fois qu'il eut passé son chemin, le jeune Ignace se dit qu'il devrait lui donner la chasse et le tuer : il se sentait tenu de défendre l'honneur de Notre Dame. Diffamer l'état de son hymen après la naissance du

Christ relevait de la grossièreté la plus intolérable. Comme toujours, Ignace décida de s'en remettre à Dieu. A la première bifurcation, il lâcha la bride à sa mule ; si elle prenait la route que le Maure avait prise, il irait tuer l'infidèle. Mais la mule prit l'autre route.

– Et ton saint Ignace aussi, qu'il aille se faire foutre ! brailla le taxi-walla.

– Saint Ignace, c'est là que j'aimerais aller, répondit calmement le missionnaire, mais conduisez-moi où bon vous semble.

Où qu'ils aillent, ce serait la volonté de Dieu. Lui n'était qu'un passager.

Il pensait au livre du regretté père de Mello ; les célèbres *Exercices chrétiens sous une forme orientale* ; tant de ces exercices l'avaient aidé, par le passé. Ainsi l'un d'eux portait sur la « cicatrisation des souvenirs douloureux ». Chaque fois que Martin Mills était troublé par la honte que ses parents lui avaient causée, ou par son incapacité de les aimer, de leur pardonner et de les honorer, il suivait les exercices du père de Mello à la lettre. « Revenez sur un événement désagréable » ; des événements désagréables, il n'en manquait pas, il avait même, pour tout dire, l'embarras du choix parmi ces horreurs. « Maintenant placez-vous devant le Christ en croix » – précepte qui gardait toujours un certain impact : même les turpitudes de Veronica Rose devenaient négligeables en regard de cette agonie ; même le tempérament autodestructeur de Danny Mills semblait une vétille. « Passez sans arrêt de cet événement pénible à l'image de Jésus sur la croix » ; pendant des années, Martin Mills s'était appliqué à passer de l'une aux autres. Pour lui le père de Mello était un héros ; né à Bombay où il avait été jusqu'à sa mort directeur de l'institut Sadhana du Conseil pastoral (près de Poona), le missionnaire lui avait inspiré son propre voyage.

A présent que l'étreinte de l'obscurité cédait peu à peu aux lumières de Bombay, les corps des dormeurs, sur le trottoir, apparaissaient entassés les uns sur les autres. Le clair de lune luisait d'un éclat métallique sur Mahim Bay. Martin ne sentit pas les chevaux lorsque le taxi passa comme un bolide le long de l'hippodrome de Mahalaxmi, mais il vit la silhouette sombre du tombeau de Hadji Ali ; ses minarets élancés se découpaient contre une mer d'Oman argentée comme un dos de poisson. Puis, sur un coup de volant, l'océan et son firmament disparurent, et le missionnaire vit la ville endormie s'éveiller à la vie – si l'activité sexuelle permanente de Kamathipura mérite le nom de « vie ». Une vie que Martin Mills n'avait jamais connue, ni même imaginée ; et il se mit à prier que la vision fugitive du mausolée musulman ne soit pas le dernier édifice saint qu'il lui serait donné de contempler en ce monde.

Il vit les bordels déverser le flot de leur population dans les venelles. Il vit les visages des hommes échappés de La Poule mouillée, hébétés par la drogue du sexe ; le dernier spectacle venait de prendre fin, et ceux qui n'étaient pas encore prêts à rentrer chez eux déambulaient. Au moment précis où Martin Mills crut avoir rencontré un stupre plus terrible que celui découvert par saint Ignace dans les rues de Rome, le chauffeur de taxi louvoya à travers la cohue pour plonger dans un enfer pire encore. Voilà qu'apparaissaient ces prostituées dans des cages, bêtes humaines de Falkland Road.

– C'est les canaris qui vont être contents de te voir, toi ! cria Bahadur qui s'était promu grand persécuteur de l'inspecteur Dhar.

Martin Mills se rappela que saint Ignace avait levé de l'argent auprès des riches et fondé un asile pour les femmes perdues. C'était à Rome que le saint avait annoncé qu'il sacrifierait volontiers sa vie s'il pouvait épargner les péchés d'une seule prostituée au cours d'une seule nuit.

– Merci de m'avoir conduit ici, dit le missionnaire au taxi-walla, qui s'arrêta dans un crissement de pneus devant un fascinant éventail d'eunuques-travestis en cage.

Bahadur présumait en effet que c'étaient les hijras qui nourrissaient le plus de ressentiment contre l'inspecteur Dhar. Mais, à sa grande surprise, Martin Mills ouvrit avec entrain sa portière, et descendit sur le trottoir de Falkland Road plein d'impatience et d'enthousiasme. Il prit la lourde valise dans le coffre, et lorsque le chauffeur balança le prix de la course, réglé d'avance, à ses pieds en crachant dessus, il le ramassa, crachat compris, et le lui tendit de nouveau.

– Non, non. Vous avez fait votre travail. Ma place est ici, dit-il.

Un cercle de pickpockets et de filles de trottoir avec leurs maquereaux se formait lentement autour de lui. Mais Bahadur voulait que les hijras voient bien leur ennemi, si bien qu'il fendit la foule agglutinée.

– C'est Dhar, c'est l'inspecteur Dhar, cria-t-il.

Mais c'était bien superflu ; l'inspecteur Dhar dans Falkland Road, la nouvelle avait précédé les cris du taxi. Martin Mills se fraya sans peine un chemin parmi la foule ; c'était à ces femmes tombées au dernier degré de la déchéance, à ces femmes en cage qu'il voulait parler (bien entendu, il ne soupçonnait pas une seconde que ce n'étaient pas de vraies femmes).

– Je vous en prie, laissez-moi vous parler, dit le missionnaire à un travesti dans sa cage. Sur le coup, la plupart des hijras furent trop ahuris pour agresser l'acteur honni. Vous avez certainement entendu parler des maladies ; et aujourd'hui de la mort certaine à laquelle vous vous exposez ! Mais je vous le dis, si vous voulez être sauvées, cela suffit ; il suffit de le vouloir, oui.

Deux pickpockets et quelques maquereaux se disputaient l'argent que Martin Mills avait tenté de rendre au chauffeur de taxi. La foule avait déjà fait tomber ce dernier sur les genoux, et plusieurs filles de trottoir continuaient de le bourrer de coups de pied. Mais Martin Mills ne pensait pas à ce qui se passait derrière lui. En face, dans ces cages, il y avait des femmes (croyait-il) et c'est à elles seules qu'il s'adressait.

– Saint-Ignace, disait-il, à Mazagaon ? Vous connaissez sûrement. Vous pourrez toujours m'y trouver. Il suffit de venir.

On se plaît à spéculer sur l'accueil que le père Julian et le père Cecil auraient réservé à cette invitation généreuse ; car à coup sûr les cérémonies du cent vingt-cinquième jubilé de la mission seraient beaucoup plus pittoresques agrémentées de la présence de quelques eunuques-travestis en quête du salut. Par bonheur, le supérieur et le doyen ne furent pas témoins de l'extraordinaire proposition. Martin supposait-il que si les prostituées arrivaient à Saint-Ignace pendant les heures de cours les écoliers pourraient bénéficier de la conversion éclatante de ces pauvres pécheresses ?

– Si vous éprouvez ne serait-ce que l'ombre d'un remords, voyez là le signe que vous pouvez être sauvées, leur dit le scolastique.

Ce ne fut pas un hijra qui porta le premier coup, mais l'une des filles de trottoir ; sans doute se sentait-elle exclue. Elle lui donna une bourrade au creux des reins, qui le fit tomber sur un genou ; après quoi maquereaux et pickpockets lui arrachèrent sa valise. C'est alors que les hijras entrèrent dans la danse. Après tout, Dhar s'était adressé à eux ; ils n'entendaient pas qu'on les dépossède de leur territoire ni de leur vengeance – surtout cette racaille des rues. Ils n'eurent aucun mal à repousser les filles de trottoir, et même leurs maquereaux et les pickpockets ne parvinrent pas à s'échapper avec la lourde valise, que les hijras ouvrirent pour leur compte personnel.

Ils ne touchèrent pas au costume fripé, ni aux chemises noires, ni aux cols ecclésiastiques – ce n'était pas leur style ; mais ils trouvèrent les chemises hawaïennes à leur goût, et ils firent main basse dessus aussitôt. Puis l'un d'entre eux délesta Martin Mills de celle qu'il avait sur le dos, en prenant bien garde de ne pas la déchirer, et lorsque le missionnaire fut torse nu, l'un des hijras découvrit le fouet à lanières tressées, bien trop tentant pour être laissé de côté. A la première cinglée cuisante, Martin Mills se retrouva à plat ventre ; puis il se roula en boule. Il ne voulait pas se couvrir le visage, parce qu'il lui importait bien plus de croiser les doigts pour prier ; c'est ainsi qu'il réussit à garder la conviction que cette raclée elle-même lui était donnée *ad majorem Dei gloriam*, pour la plus grande gloire de Dieu.

Les prostitués-travestis furent respectueux de cette panoplie d'instruments éducatifs que contenait la valise ; dans leur excitation, ils se relayaient au fouet, mais ils se gardèrent de déchirer ou de froisser une seule page de livre. La vocation des perles de contrition et de la chaîne de pénitence leur échappa cependant ; l'un d'entre eux balança les perles après avoir y avoir mis la dent. Quant à la chaîne, ils ne savaient pas qu'elle s'adaptait autour de la cuisse, à moins qu'ils n'aient jugé plus approprié de la fixer autour du cou de l'inspecteur. Ils optèrent en tout cas pour cette solution ; le fer ne serrait pas trop, mais les pointes avaient labouré le visage de leur victime tant ils étaient impatients de le lui enfiler ; et maintenant les pointes s'enfonçaient dans sa gorge, en lui faisant une multitude de coupures superficielles. Le torse du missionnaire était zébré de sang.

Vaillamment, il tenta de se relever. Ses efforts se heurtaient au fouet. Les travestis reculèrent d'un pas : il ne réagissait pas comme ils l'avaient prévu. Il n'essayait pas de se battre, et il ne les suppliait pas non plus de l'épargner.

– C'est vous, et ce qui vous arrive, qui m'importez ! leur clamait-il. Vous pouvez me traîner dans la boue, je ne suis rien, moi, je veux que vous soyez sauvées. Je peux vous montrer comment, mais seulement si vous me laissez le faire.

Les hijras continuaient de se passer le fouet, mais l'enthousiasme était retombé. Lorsque l'un d'entre eux le prenait, il le repassait aussitôt, sans s'en servir. Les boursouflures rouges couvraient désormais la chair vulnérable de Martin – elles étaient spectaculaires sur le visage ; et la chaîne qui lui enserrait le cou faisait ruisseler du sang sur sa poitrine. Il protégeait ses livres au lieu de se protéger ! Il ferma la valise hermétiquement sur les trésors de son savoir, et continua de supplier les prostitués de le suivre.

– Conduisez-moi à Mazagaon, leur dit-il, et vous y serez les bienvenues aussi.

Pour les rares hijras qui comprenaient ce qu'il disait, l'idée était absurde. A leur grande surprise, l'homme qu'ils avaient devant eux était un gringalet, mais son courage semblait invincible ; ce n'était pas le genre de dur qu'ils s'attendaient à trouver. Personne n'avait envie de lui faire du mal. Ils le détestaient, mais il leur faisait honte.

Les filles de trottoir et leurs maquereaux, au contraire, sans compter les pickpockets, n'auraient fait qu'une bouchée de lui sitôt que les hijras l'abandonnèrent. Mais, à ce moment précis, l'Ambassador écrue que tout le monde connaissait bien et qui avait passé la nuit à sillonner Kamathipura, Grant Road et Falkland Road repassa devant eux. Derrière la vitre, leur jetant un regard sans émotion, se trouvait celui qu'ils appelaient tous le micro-barbouze de Dhar.

On imagine la surprise de Vinod lorsqu'il aperçut son client le plus célèbre à moitié dévêtu et en sang. Cette bande de misérables lui avaient même rasé la moustache ! Au-delà de la douleur, sa vedette de cinéma bien-aimée venait de subir une humiliation. Et quel sinistre instrument de torture ces prostitués infects avaient-ils passé autour du cou de l'acteur ? On aurait dit un collier de chien, sauf que les pointes étaient à l'intérieur. En plus, le pauvre Dhar était pâle et décharné comme un cadavre. Vinod avait l'impression qu'il avait perdu dix kilos !

Un maquereau qui portait un gros trousseau de clefs en cuivre raya la portière de Vinod avec l'une d'entre elles, en le regardant droit dans les yeux. Il ne vit pas le nain se pencher sous son siège spécialement aménagé, où il tenait toujours un jeu complet de manches de raquettes de squash. On ne sait pas au juste ce qui se passa ensuite. Certains dirent que le taxi du nain donna un coup de volant exprès pour passer sur le pied du maquereau ; d'autres dirent que l'Ambassador avait mordu sur le trottoir et que c'était la foule affolée qui avait poussé le maquereau – mais ce qui est sûr, c'est qu'il eut le pied écrasé par la voiture. Tous s'accordèrent à dire que Vinod était difficile à voir dans la cohue : il était tellement plus petit que tout le monde. Mais les plus observateurs purent détecter sa présence, car partout, les gens tombaient comme des quilles, qui en se tenant les genoux, qui le poignet ; et ils se tordaient sur le trottoir jonché d'ordures. Vinod maniait ses manches de raquettes au niveau du genou de la plupart des gens. Leurs cris se mêlaient à ceux des canaris de Falkland Road, qui faisaient leur propre réclame en permanence.

Lorsque Martin Mills vit le visage sinistre du nain qui s'avançait vers lui en distribuant les horions, il crut sa dernière heure arrivée. Il répéta ce que Jésus avait dit à Pilate (Jean, 18,36) : « Mon royaume n'est pas de ce monde. » Puis il se tourna vers le nain qui s'approchait et lui dit : « Je te pardonne », en courbant la tête, comme s'il attendait le coup de grâce. Il ne lui vint pas à l'esprit que, s'il n'avait pas courbé la tête, le nain n'aurait jamais pu l'atteindre avec ses manches de raquette.

Mais Vinod se contenta de saisir le missionnaire par les poches revolver de son pantalon, et de le diriger vers le taxi. Lorsque Martin fut sauvé, cloué au siège arrière par le poids de sa valise, cet écervelé tenta encore, ne serait-ce qu'un instant, de retourner sur Falkland Road.

– Attendez, s'écria-t-il. Je veux mon fouet ! Il est à moi, ce fouet !

Vinod avait déjà joué du manche de raquette et écrabouillé le poignet du malheureux hijra qui avait eu le fouet en main le dernier. Il récupéra donc aisément le joujou mortificatoire de Martin Mills et le lui rendit.

– Soyez béni, dit celui-ci.

Les portes de l'Ambassador claquèrent et se verrouillèrent ; le coup d'accélérateur le cloua au siège.

– A Saint-Ignace, intima-t-il à ce chauffeur brutal.

Vinod crut que Dhar priait, ce qui le plongea dans un certain désarroi car il ne l'avait jamais vu comme un homme qui ait de la religion.

Au carrefour de Falkland et Grant Road, un gamin qui servait des plateaux de thé dans l'un des bordels jeta un verre de thé au taxi qui passait. Vinod continua de rouler, non sans s'assurer de ses doigts courts que les manches de raquettes étaient bien à leur place.

Avant de tourner dans Marine Drive, il arrêta son véhicule et baissa les glaces arrière ; il savait que Dhar aimait sentir l'odeur de la mer.

338

– Vous alors, vous m'avez bien eu. Moi qui crois que toute la nuit vous dormez sur balcon de Daruwalla !, dit-il à son épave de client. Mais le missionnaire s'était endormi. Le spectacle qu'il offrait dans le rétroviseur coupa le souffle à Vinod. Ce n'était pas tant les zébrures du fouet sur son visage enflé ; ni même son torse nu et en sang ; c'était cette terrible chaîne de pénitence à pointes qui lui enserrait le cou ; car le nain avait vu ces abominables images que les chrétiens vénéraient – leur Christ en croix, cette boucherie ; et il avait l'impression que l'inspecteur Dhar avait endossé le rôle du Christ. Cependant sa couronne d'épines avait glissé ; le cruel accessoire serrait l'acteur célèbre à la gorge.

Enfin réunis, dans le même (petit) appartement

Quant à Dhar, le vrai, l'acteur, il était toujours endormi sur le balcon du Dr Daruwalla, que noyait à présent un brouillard de la couleur et de la consistance du blanc d'œuf. S'il avait ouvert un œil, il n'aurait rien vu dans cette purée de pois ; en tout cas, il n'aurait pas vu Vinod se débattre avec son frère jumeau presque inanimé sur le trottoir, six étages plus bas, dans l'aube naissante. La star du cinéma n'entendit pas plus le déclenchement prévisible des chiens du premier. Vinod traversa le couloir pour gagner l'ascenseur interdit ; il soutenait le poids mort du missionnaire tout en traînant la valise qui contenait son éducation. Un copropriétaire du premier, membre de l'Association, eut le temps d'apercevoir le chauffeur-barbouze et son éclopé avant que les portes ne se referment.

Martin Mills, tout en capilotade qu'il était, et oublieux de ce qui l'entourait, s'étonna de la présence de cet ascenseur et de la modernité de l'immeuble, car il savait que l'école de la mission et sa vénérable église avaient cent vingt-cinq ans. Les vociférations de ces chiens féroces lui semblaient déplacées.

– Saint-Ignace ? demanda le missionnaire au Bon Samarinain.

– C'est pas un saint qu'il vous faut ; c'est un docteur, lui répondit le nain.

– A vrai dire j'en connais un, de médecin, à Bombay. C'est un ami de mes parents, un certain docteur Daruwalla, dit Martin Mills.

Vinod fut alarmé pour de bon. Les marques laissées par le fouet, et même les écorchures causées par la chaîne autour du cou du malheureux semblaient sans gravité ; mais ces propos décousus et incompréhensibles sur le Dr Daruwalla montraient bien que l'acteur souffrait d'une forme d'amnésie. Peut-être était-il grièvement blessé à la tête.

– Mais bien sûr que vous connaissez docteur Daruwalla ! lui criat-il. On va le voir, docteur Daruwalla.

– Ah bon, vous le connaissez, vous aussi ? s'enquit le scolastique, stupéfait.

– Essayez de pas trop bouger tête, répondit le nain avec inquiétude.

Dans une allusion aux aboiements sonores des chiens du premier, allusion qui échappa complètement à Vinod, Martin Mills dit :

– On se croirait chez un vétérinaire… je pensais qu'il était orthopédiste.

– Mais bien sûr qu'il est orthopédiste ! s'écria Vinod.

Il se dressa sur la pointe des pieds pour tenter de jeter un coup d'œil dans les pavillons de Martin, comme s'il s'attendait à y voir de la bouillie de cervelle échappée. Mais il n'était pas assez grand.

Le docteur s'éveilla aux premières mesures du concert canin. De là-haut, au sixième étage, leurs aboiements et leurs cris étaient assourdis mais néanmoins identifiables ; il n'eut aucun doute sur la cause de leur cacophonie.

– Quel abruti, ce nain, dit-il tout haut ; à quoi Julia ne répondit rien ; elle avait l'habitude d'entendre son mari parler d'abondance dans son sommeil.

Mais lorsqu'il sortit du lit en mettant son peignoir, elle se réveilla dans l'instant.

– C'est Vinod qui revient ? demanda-t-elle.

– Il faut croire, répondit le Dr Daruwalla.

Il était presque cinq heures du matin lorsqu'il longea sans bruit la porte-fenêtre fermée, et le balcon dans son linceul de brume. Le brouillard se mêlait à une épaisse bruine de mer ; le docteur ne pouvait pas voir les spirales antimoustiques dont l'acteur s'entourait lorsqu'il couchait sur le balcon. Dans l'entrée, Farrokh s'empara d'un parapluie poussiéreux ; il espérait faire une peur bleue à Vinod. Là-dessus, il ouvrit la porte de son appartement. Le nain et le missionnaire venaient de sortir de l'ascenseur ; lorsque le Dr Daruwalla vit Martin Mills pour la première fois, il craignit que Dhar, l'acteur honni du public, ait rasé sa moustache d'un geste brusque dans le brouillard, et ne se soit infligé une multitude de coupures, ensuite de quoi, logiquement déprimé, il se serait jeté du balcon du sixième.

Pour sa part, le missionnaire fut décontenancé de voir un homme en kimono noir tenant un parapluie noir, image de mauvais augure. Mais il en fallait plus pour impressionner Vinod, qui se glissa auprès du docteur pour lui dire à voix basse :

– Je le retrouve en train de faire un sermon à prostitués ; hijras l'ont presque tué !

Farrokh identifia Martin Mills sitôt que le missionnaire s'expliqua :

– Je crois que vous connaissez mes parents ; je m'appelle Martin, Martin Mills.

– Entrez, je vous en prie, dit le docteur en prenant le bras du blessé, je vous attendais.

– Ah bon ? s'exclama Martin Mills.

– Cerveau est touché, chuchota Vinod au docteur, qui soutint le missionnaire flageolant jusqu'à la salle de bains.

Il lui ordonna de se déshabiller tandis qu'il lui faisait couler un bain avec des sels d'Epsom. Pendant que la baignoire se remplissait, il tira Julia du lit et lui enjoignit de se débarrasser de Vinod.

– Qui est-ce qui prend un bain à cette heure-ci, demanda-t-elle à son mari.

– C'est le frère jumeau de John D., répondit celui-ci.

Le libre arbitre

Malgré toute sa diplomatie, Julia n'avait pas réussi à entraîner Vinod plus loin que le hall lorsque le téléphone sonna. Elle répondit promptement, et Vinod entendit toute la conversation, parce que l'homme au bout du fil braillait. C'était Mr Munim, le copropriétaire du premier, qui faisait partie de l'Association.

– Je l'ai vu monter dans l'ascenseur ! Il a réveillé tous les chiens ! Je l'ai vu, votre nain, braillait Mr Munim.

– Je suis navrée, dit Julia, mais nous ne possédons pas de nain.

– Ne me prenez pas pour un imbécile, brailla Mr Munim. Je vous parle du nain de votre vedette de cinéma, là.

– Nous ne possédons pas non plus de vedette de cinéma.

– Vous violez le règlement, se mit à glapir Mr Munim.

– Je ne sais pas de quoi vous parlez, vous perdez la tête, je crois…

– Le taxi-walla, votre micro-barbouze, là, il a pris l'ascenseur !

– Ne m'obligez pas à appeler la police, dit Julia avant de raccrocher.

– Je prends escaliers, dit Vinod, mais ça me fait boiter, six étages, rien que ça.

Le martyre lui seyait curieusement, pensa Julia, mais elle se rendit compte que s'il traînait dans l'entrée c'est qu'il avait une bonne raison.

– Il y a cinq parapluies dans votre porte-parapluies, fit observer le nain.

– Et tu veux qu'on t'en prête un, Vinod ?

– C'est juste pour m'appuyer en descendant escaliers, répondit-il. J'ai besoin d'une canne.

Il avait laissé les manches de raquette dans sa voiture, et s'il venait à croiser un chien du premier, ou bien Mr Munim, il lui fallait une arme. C'est pourquoi il prit un parapluie ; Julia le fit sortir par la porte de la cuisine, qui donnait sur l'escalier de service.

– Peut-être vous me revoyez jamais, lui dit-il.

Tandis qu'il regardait par-dessus la rampe, elle s'aperçut qu'il était un peu plus petit que le parapluie qu'il avait choisi : il avait pris le plus long.

Dans la baignoire, on aurait dit que Martin Mills recevait comme une grâce les ecchymoses rouges et cuisantes qu'il avait sur le corps, et il n'eut pas une grimace lorsque le docteur tamponna les nombreuses coupures superficielles causées par la sinistre chaîne de pénitence ; Farrokh se dit même qu'elle semblait lui manquer, depuis qu'il la lui avait retirée ; et Martin s'inquiéta par deux fois du fouet qu'il avait laissé dans la voiture du nain héroïque.

– Vinod ne manquera pas de vous le rendre, dit le Dr Daruwalla.

L'histoire du missionnaire le sidérait moins qu'elle ne sidérait l'intéressé. Étant donné l'ampleur du quiproquo, ce qui stupéfiait le docteur, c'était que Martin Mills fût encore vivant, et avec des blessures sans gravité, qui plus est. Et plus le missionnaire bavassait pour raconter son aventure, moins il ressemblait, aux yeux de Farrokh, à son taciturne jumeau. Dhar n'était pas du genre volubile.

– Bon, je veux dire, je le savais que je n'étais pas parmi des chrétiens, dit Martin Mills, mais quand même, de là à imaginer une hostilité aussi violente au christianisme !

– Euh... à votre place ce n'est peut-être pas ce que j'en déduirais, dit le docteur pour mettre en garde le scolastique agité. Il règne ici une sensibilité exacerbée au prosélytisme... de tout bord.

– Mais sauver des âmes, ce n'est pas du prosélytisme, se défendit Martin Mills.

– Enfin, vous l'avez dit vous-même, vous n'étiez pas précisément en territoire chrétien.

– Combien de ces prostituées sont porteuses du virus du sida ?

– Moi, vous savez, je suis orthopédiste... mais ceux qui savent disent quarante pour cent ; certains vont jusqu'à soixante pour cent.

– Dans les deux cas, nous sommes bien en territoire chrétien.

Pour la première fois, Farrokh s'avisa que si sa ressemblance frappante avec l'inspecteur Dhar était un danger pour Martin Mills, sa propre folie l'était encore bien davantage.

– Mais je vous croyais professeur d'anglais, lui dit-il. Moi qui suis un ancien élève de Saint-Ignace, je peux vous assurer que c'est d'abord et surtout une école.

Le médecin connaissait le supérieur ; il voyait d'avance ce que le père Julian dirait du sauvetage des prostituées. Mais Martin Mills sortait nu de la baignoire, et se mettait en devoir de se frotter vigoureusement avec sa serviette, comme s'il n'avait pas eu la moindre blessure : le supérieur et tous les vieux défenseurs de la foi de Saint-Ignace n'auraient pas la partie facile pour convaincre un pareil zélote que sa mission se bornait à parfaire l'anglais des classes dominantes. Et tandis qu'il s'étrillait jusqu'à ce que ses marques, sur le visage et sur le torse, soient aussi rouges qu'après la cinglée, Martin Mills ne cessait de méditer une réponse. Jésuite retors qu'il était, il l'amena par une question.

– N'êtes-vous pas chrétien ? demanda-t-il au docteur. Il me semble que mon père m'a dit que vous étiez converti, mais que vous n'êtes pas catholique.

– Oui, c'est exact, confirma Farrokh avec circonspection.

Il donna un pyjama propre à Martin Mills, son plus beau pyjama de soie ; mais le scolastique préféra rester nu.

– Vous connaissez la position calviniste, janséniste, quant au libre arbitre ? C'est peut-être un peu simpliste, mais disons qu'à l'origine la querelle a été ouverte par la Réforme, avec Luther et les docteurs de la foi protestante qui tenaient que nous sommes condamnés sans rémission par le péché originel, et que seule peut nous sauver la grâce divine. Luther niait que les bonnes actions puissent aider à notre salut. Et Calvin niait même que la foi puisse nous sauver. Selon lui, nous sommes prédestinés – au salut ou à la damnation. Vous croyez ça, vous ?

Étant donné le tour que prenait la logique du jésuite, Farrokh se dit qu'il n'était pas censé croire ça ; il répondit donc :

– Non, non, pas tout à fait.

– A la bonne heure, conclut le scolastique, vous n'êtes donc pas janséniste. Ils étaient très décourageants, ces gens-là. Leur doctrine de la grâce contre celle du libre arbitre, c'est vraiment défaitiste. Ils nous donnaient le sentiment qu'il n'y avait rien à faire pour notre salut – bref, pourquoi prendre la peine d'accomplir de bonnes actions ; et si nous péchons, quelle importance ?

– Vous simplifiez toujours, là ? demanda le Dr Daruwalla.

Le jésuite le regarda avec un respect madré et profita de cette interruption pour enfiler le pyjama de soie.

– Si vous entendez par là qu'il est presque impossible de réconcilier le concept de libre arbitre avec notre foi en un Dieu omnipotent et omniscient, c'est difficile, je vous l'accorde. La question du rapport entre la volonté de l'homme et l'omnipotence de Dieu... car c'est bien votre question ?

Le Dr Daruwalla devinait que ce devrait l'être, si bien qu'il confirma :

– Oui, en quelque sorte.

– Eh bien, voilà une question vraiment intéressante. J'ai horreur de ces gens qui veulent réduire le monde spirituel à des théories purement mécanistes ; les béhavioristes, par exemple : les théories sur les poux de plantes ou les chiens de Pavlov, on s'en fiche, hein...

Le Dr Daruwalla acquiesça sans oser rien dire ; il n'avait jamais entendu parler des poux de plantes. Les chiens de Pavlov, il connaissait, bien sûr, il se rappelait même pourquoi ils salivaient et ce que le phénomène signifiait.

– Nous devons vous paraître rigoristes, nous les catholiques, à vous les protestants, je veux dire, déclara Martin.

Le Dr Daruwalla fit non de la tête.

– Oh que si ! reprit le missionnaire, nous avons une théologie de récompenses et de châtiments, qui sont distribués dans la vie après la mort. Par rapport à vous, nous accordons beaucoup d'importance au péché. Cela dit, nous, jésuites, avons tendance à minimiser le péché par intention.

– Par opposition à celui par commission, glissa le Dr Daruwalla.

C'était une remarque tout à fait superflue, qui soulignait l'évidence, mais le docteur pensait que seul un imbécile n'aurait rien à dire, et il n'avait rien dit depuis un moment.

– Nous, nous les catholiques, j'entends, il nous arrive de penser que vous les protestants, vous exagérez l'importance de la pente des hommes à faire le mal...

Le missionnaire marqua un temps, mais le docteur n'était pas sûr qu'il fallait faire non de la tête ; si bien qu'il se contenta de regarder fixement l'eau du bain qui s'échappait en spirale par la bonde, comme si c'était le flot de ses pensées qui lui échappait.

– Vous connaissez Leibniz ? demanda soudain le jésuite.

– Euh... ça remonte à la faculté, il y a bien des années...

– Leibniz considère que le libre arbitre de l'homme ne lui a pas été confisqué après la chute ; de sorte qu'il est notre grand ami, à nous les jésuites. Il y a des passages de Leibniz que je n'oublierai jamais, par exemple : « Bien que l'élan et l'assistance nous viennent de Dieu, ils sont toujours accompagnés par la coopération de l'homme lui-même, dans une certaine mesure. Sinon nous ne saurions dire que nous avons agi. » Mais vous êtes d'accord, n'est-ce pas ?

– Naturellement, dit le Dr Daruwalla.

– Eh bien, voyez-vous, c'est pour cela que je ne saurais me résoudre à n'être qu'un professeur d'anglais, répondit le jésuite. Bien entendu je m'efforcerai d'améliorer l'anglais des enfants, et ce jusqu'au plus grand degré de perfection possible. Mais étant donné que je suis libre d'agir, quoique l'élan et l'assistance me viennent de Dieu, bien sûr, je dois faire tout ce que je peux pour le salut de mon âme, mais aussi pour le salut de celle des autres.

– Je vois, dit le Dr Daruwalla, qui commençait aussi à comprendre pourquoi les travestis déchaînés n'étaient pas parvenus à entamer bien profond la chair ni la volonté indomptable de Martin Mills.

Par ailleurs, le docteur s'aperçut qu'il était là dans son salon à regarder Martin Mills s'allonger sur le canapé, alors qu'il n'avait aucun souvenir d'avoir quitté la salle de bains. C'est alors que le missionnaire lui tendit la chaîne de pénitence, qu'il reçut avec répugnance.

– Je vois que je n'en aurai pas besoin ici, dit le scolastique. Il y aura assez d'adversité sans ça. Saint Ignace lui-même a changé d'avis sur ces instruments de mortification.

– Ah bon ?

– Je crois qu'il en avait abusé – mais ce n'était qu'une réaction de dégoût très positive contre ses fautes passées, dit le jésuite. En fait, dans la seconde version des *Exercices spirituels*, il nous prévient contre ces châtiments de la chair ; il est également hostile au jeûne prolongé.

– Moi aussi, dit le Dr Daruwalla, qui ne savait que faire de l'instrument de torture.

– Jetez-le, je vous en prie, dit Martin Mills. Et vous seriez très aimable de dire au nain qu'il garde le fouet – je n'en ai pas besoin.

Le docteur n'ignorait rien de l'usage que le nain faisait des manches de raquettes ; la perspective de le doter d'un fouet lui faisait froid dans le dos. Puis il s'aperçut que le missionnaire s'était endormi. Avec ses doigts croisés sur sa poitrine et l'expression de béatitude totale qu'il avait sur le visage, il avait l'air d'un martyr en partance pour le royaume des cieux.

Farrokh entraîna Julia dans le salon pour le lui faire voir. Au début, elle refusa de dépasser le guéridon de verre. Elle considérait Martin Mills de l'œil qu'on considère un cadavre souillé. Mais le docteur l'encouragea à regarder de plus près. Au fur et à mesure qu'elle avançait, elle se détendait. On aurait dit que – dans son sommeil du moins – Martin Mills avait des vertus apaisantes sur tout son entourage. Julia finit par s'asseoir par terre à son chevet. Elle dirait par la suite qu'il lui rappelait John D., en beaucoup plus jeune, et plus insouciant ; mais Farrokh soutint toujours que la différence tenait à ce qu'il n'était pas culturiste ni buveur de bière, autrement dit il n'avait pas de muscles, mais pas de ventre non plus.

Sans se rappeler s'être assis, le docteur se retrouva sur le plancher à côté de sa femme. Ils étaient tous deux assis près du canapé, comme hypnotisés par le corps endormi, lorsque Dhar rentra du balcon pour prendre une douche et se laver les dents. Arrivant de l'extérieur, il eut l'impression que Farrokh et Julia étaient en prière. C'est alors que l'acteur vit le mort – car l'homme lui parut mort – et sans y regarder de trop près, il demanda :

– Qui c'est, ça ?

Farrokh et Julia furent choqués que la vedette de cinéma ne reconnaisse pas son frère jumeau ; tout de même, un acteur est bien placé pour connaître ses traits, même sous les divers maquillages y compris ceux destinés à vieillir considérablement la physionomie. Mais Dhar n'avait jamais vu pareille expression sur son propre visage. Il est douteux qu'il ait jamais reflété la béatitude, car même dans son sommeil, l'inspecteur Dhar n'avait jamais imaginé le bonheur des cieux. Dhar avait toute une gamme d'expressions, mais la sainteté n'en faisait pas partie.

Il finit par chuchoter :

– Bon, qui c'est, je vois, OK. Mais qu'est-ce qu'il fiche ici ? Il va mourir ?

– Il va se faire prêtre, dit Farrokh tout bas.

– Seigneur Dieu ! s'exclama John D.

Peut-être aurait-il dû continuer à chuchoter ; peut-être le nom qu'il venait de prononcer était-il de ceux que Martin Mills entendait facilement : il passa sur le visage endormi du missionnaire un sourire de gratitude si profonde que Dhar et les Daruwalla eurent honte, tout à coup. Sans échanger un mot ils gagnèrent la cuisine sur la pointe des pieds, comme gênés, tous trois, d'avoir épié un homme endormi ; mais ce qui les perturbait vraiment, et qui leur avait donné le sentiment qu'ils n'avaient rien à faire là, c'était la satisfaction parfaite d'un homme en paix avec son âme ; pourtant, aucun d'entre eux n'aurait su dire ce qu'il y avait là de si dérangeant.

– Qu'est-ce qu'il a qui va pas ? demanda John D.

– Rien ; il va très bien, répondit le Dr Daruwalla, se demandant aussitôt pourquoi il disait cela d'un homme qui venait de se faire frapper et fouetter en faisant du prosélytisme parmi les prostitués-travestis. J'aurais dû te prévenir de son arrivée, ajouta-t-il, penaud.

Dhar leva les yeux au ciel ; sa colère se réduisait souvent à une mimique expressive ; Julia aussi leva les yeux au ciel.

– En ce qui me concerne, je te laisse seul juge ; à toi de voir si tu veux le mettre au courant de ton existence ou non. Encore que, personnellement, je ne suis pas sûr que ce soit le moment.

– Là n'est pas la question, répliqua Dhar. Dis-moi plutôt quel genre de personne c'est.

Le premier mot qui vint à l'esprit du docteur mais qu'il n'articula pas fut « cinglé ». A mieux y réfléchir, il faillit dire : « Comme toi, sauf que lui, il parle. » Mais il y avait là une telle contradiction ; et puis l'idée même d'un Dhar qui parle, Dhar la trouverait peut-être insultante.

– Eh bien, c'est quel genre de personne ? répéta John D.

– Moi, je ne l'ai vu qu'endormi, lui dit Julia.

Tous deux avaient les yeux rivés sur Farrokh, à présent ; mais sur la question de la personnalité de Martin Mills, son esprit tournait à vide. Il ne lui venait pas une seule image, et pourtant le missionnaire avait réussi à avoir une discussion théologique avec lui, à le chapitrer, et même à faire son éducation – l'essentiel s'étant dégagé pendant qu'il était nu.

– Il fait montre d'un certain zèle, hasarda Farrokh, sans se compromettre.

– D'un certain zèle ? répéta John D. sur un ton interrogateur.

– *Liebchen*, c'est tout ce que tu trouves à nous dire ? reprit Julia. Je l'ai entendu qui te faisait de grands discours dans la salle de bains. Il faut bien qu'il t'ait dit quelque chose.

– Dans la salle de bains ? demanda John D.

– Il est très décidé, bredouilla Farrokh.

– C'est sans doute le propre des gens zélés, répliqua l'inspecteur Dhar, en veine de sarcasme.

Ils s'attendaient tous deux qu'il soit capable de résumer la personnalité du jésuite, et sur la base de cette rencontre particulière ! Le docteur en était exaspéré.

Il ne connaissait pas l'histoire de cet autre zélote, le plus grand zélote du XVIᵉ siècle, saint Ignace de Loyola, qui avait tant inspiré Martin Mills. Ignace n'avait jamais permis qu'on fît son portrait, si bien que les frères de son ordre avaient essayé d'en avoir un sur son lit de mort. Un peintre fameux s'y était essayé en vain. Quant aux disciples, ils déclaraient que le masque mortuaire, dû à un inconnu, n'était pas non plus le vrai visage du père des jésuites. Trois autres artistes avaient tenté en vain de le représenter, mais ils n'avaient que le masque mortuaire pour modèle. Il fut donc décidé que Dieu ne souhaitait pas qu'on peignît Ignace de Loyola, son serviteur. Le Dr

Daruwalla ne pouvait pas savoir combien Martin Mills adorait cette histoire, mais, à n'en pas douter, le nouveau missionnaire se fût réjoui de voir les difficultés du docteur à décrire un serviteur de Dieu aussi débutant que ce modeste scolastique.

Farrokh eut le mot juste sur le bout de la langue, mais il lui échappa.

– Il a beaucoup d'instruction, parvint-il à dire.

John D. et Julia ronchonnèrent en chœur.

– Mais bon Dieu ! il est compliqué, s'écria-t-il ; c'est trop tôt pour savoir qui il est !

– Chut ! lui intima Julia, tu vas le réveiller.

– S'il est trop tôt pour savoir qui il est, déclara John D., il est trop tôt pour que je sache si je veux faire sa connaissance...

Cette remarque agaça le docteur ; elle était bien de l'inspecteur Dhar. Julia devina ce que son mari pensait :

– Ne dis rien, lui enjoignit-elle.

Elle fit du café pour John D. et pour elle, et une théière pour Farrokh. Ensemble, les Daruwalla regardèrent leur acteur chéri disparaître par la porte de la cuisine. Dhar aimait bien prendre l'escalier de service pour ne pas être vu ; le matin de bonne heure – il n'était pas encore six heures – c'était le seul moment de la journée où il pouvait aller de Marine Drive jusqu'au Taj à pied sans être reconnu et entouré par la foule ; à cette heure, seuls des mendiants l'importuneraient, qui importunaient tout le monde. Les mendiants se fichaient éperdument qu'il soit l'inspecteur Dhar ; beaucoup allaient au cinéma, mais que signifiait une vedette, pour eux ?

L'immobilité comme exercice spirituel

A six heures précises, alors que Farrokh et Julia prenaient un bain ensemble, elle lui savonnant le dos, lui lui savonnant les seins sans que leurs ébats aillent plus loin, Martin Mills fut éveillé par les accents apaisants du Dr Aziz, l'urologue aux prières matinales. « Loué soit Allah, Seigneur de la Création. » Les incantations du Dr Aziz se propagèrent depuis son balcon du cinquième et firent aussitôt se dresser sur ses pieds le nouveau missionnaire. Quoiqu'il n'ait pas même dormi une heure, le jésuite se sentait aussi dispos qu'un homme ordinaire après une nuit complète ; revigoré, donc, il bondit sur le balcon du Dr Daruwalla, d'où il pouvait observer le rituel matinal du Dr Aziz l'urologue sur son tapis de prière. Depuis le sixième étage, on avait une vue à couper le souffle sur Back Bay. Martin Mills pouvait voir Malabar Hill et la pointe Nariman ; et, là-bas au loin, la population d'une petite ville s'était déjà rassemblée sur la plage de Chowpatty. Mais le jésuite n'était pas venu à Bombay pour admirer la vue. Il suivait les prières du Dr Aziz avec une concentration aiguë ; il y avait toujours quelque enseignement à tirer de la sainteté d'autrui.

Martin Mills ne considérait pas la prière comme allant de soi. Il savait que prier n'était pas comme penser, et que ce n'était pas non plus une manière d'échapper à ses pensées. Il ne suffisait jamais de demander. Au contraire, c'était une recherche de lumières ; car connaître la volonté de Dieu était ce que Martin désirait ; et pour atteindre cet état de perfection – l'union avec Dieu dans l'extase mystique – il fallait la patience d'un cadavre.

Lorsqu'il vit Aziz l'urologue enrouler son tapis de prière, Martin Mills sut que c'était le moment idéal pour pratiquer un autre des *Exercices chrétiens à la mode orientale* du père de Mello, à savoir « l'immobilité ». Peu de gens se doutent à quel point il est difficile, presque impossible, de demeurer absolument immobile ; cela peut même être douloureux. Mais Martin Mills excellait à cet exercice. Il était tellement immobile que, dix minutes plus tard, un milan royal qui passait faillit se poser sur sa tête. Et si l'oiseau avait donné un coup d'aile à la dernière minute, ce n'était pas parce que le missionnaire avait même battu des cils ; c'était parce que l'éclat reflété par ses yeux lui avait fait peur.

Pendant ce temps, le docteur dépouillait fébrilement son courrier de la haine, où il trouva un inquiétant billet de deux roupies. L'enveloppe était adressée à l'inspecteur Dhar, aux bons soins des studios de cinéma ; dactylographié sur le numéro de série du billet, on pouvait lire ce message en majuscules « TU ES AUSSI MORT QUE LAL ». Le docteur allait montrer cette pièce à conviction au commissaire Patel, bien sûr, mais il sentait bien qu'il n'avait nul besoin de sa confirmation pour savoir que l'envoyeur était le fou même qui avait dactylographié le message sur le billet trouvé dans la bouche de Mr Lal.

Sur ces entrefaites, Julia fit irruption dans la chambre ; elle avait jeté un œil dans le salon pour voir si Martin Mills dormait encore, mais il n'était plus sur le canapé. Les panneaux coulissants qui donnaient sur le balcon étaient ouverts, mais elle n'avait pas vu le missionnaire dehors – il était tellement immobile que son regard était passé sur lui sans le voir. Le Dr Daruwalla fourra le billet de deux roupies dans sa poche, et se précipita sur le balcon.

Le temps qu'il y arrive, le missionnaire était déjà passé à une autre tactique de prière, qui était l'un des exercices du père de Mello dans le domaine des « sensations corporelles » et du « contrôle de la pensée ». Il levait le pied droit, le tendait vers l'avant, puis le posait. Tout en faisant ces gestes, il psalmodiait « lever, lever, lever », puis comme de juste « avancer, avancer, avancer », et enfin « poser, poser, poser ». Bref, il était en train de traverser le balcon, au ralenti extrême, tout en soulignant ses mouvements de l'exclamation correspondante. Aux yeux du Dr Daruwalla, il avait l'air d'un malade en rééducation fonctionnelle – quelqu'un qui viendrait d'avoir une attaque – car il semblait en train de réapprendre tout seul à parler et à marcher, l'un comme l'autre avec un succès limité.

Farrokh retourna sur la pointe des pieds dans la chambre, où se trouvait Julia.

– J'ai peut-être sous-estimé les lésions, lui confia-t-il. Il va falloir que je l'emmène au cabinet avec moi. Mieux vaut le tenir à l'œil, dans un premier temps du moins.

Mais lorsque les Daruwalla s'approchèrent prudemment du jésuite, il avait endossé ses vêtements ecclésiastiques et fouillait dans sa valise.

– Ils ne m'ont pris que mes perles de contrition et mes habits de tous les jours, remarqua-t-il. Mais il va falloir que je m'achète des vêtements pas chers comme on en porte ici. Ce serait vraiment ostentatoire si je me présentais à Saint-Ignace dans cette tenue.

Là-dessus il se mit à rire en dégrafant son col d'un blanc éclatant.

Pas question qu'il se balade dans Bombay comme ça, en effet, se dit Farrokh. Ce qu'il lui fallait, c'était de quoi habiller les fous. Je pourrais m'arranger pour qu'il se fasse raser la tête, pensa-t-il. Julia regardait Martin Mills, bouche bée. Mais dès qu'il entreprit de lui raconter *(bis repetita)* l'aventure de son arrivée à Bombay, il la charma si bien qu'elle se mit à lui répondre tantôt sur le ton du flirt, tantôt avec une timidité de collégienne. Pour un homme qui avait fait vœu de chasteté, le jésuite était fort à l'aise avec les femmes, remarqua le Dr Daruwalla ; les femmes plus âgées que lui, en tout cas.

Les tracasseries de la journée qui l'attendait semblaient presque aussi effarantes au docteur que l'idée de passer les douze prochaines heures enserré dans le fer de jambe que le missionnaire venait de mettre au rancart, ou d'être suivi partout par un nain furibond qui brandirait le fouet du missionnaire.

Il n'y avait pas de temps à perdre. Tandis que Julia préparait une tasse de café à Martin, Farrokh jeta un coup d'œil rapide à la bibliothèque réunie dans la valise. Le *Sadhana, une voie vers Dieu*, du père de Mello, s'attira un regard à la dérobée, car Farrokh y aperçut une page cornée, et une phrase soulignée avec approbation : « L'un des pires ennemis de la prière, c'est la tension nerveuse. » Et voilà, conclut le docteur, c'est pour ça que je n'y arrive pas.

Lorsqu'ils traversèrent le hall de l'immeuble, le médecin et le missionnaire ne purent tromper la vigilance du copropriétaire, membre de l'Association, un Mr Munim d'humeur assassine.

– Le voilà, tiens ! votre acteur de cinéma ! Et votre nain, où il est ? brailla-t-il.

– Ne faites pas attention à cet homme, dit Farrokh à Martin, c'est un fou furieux.

– Il est dans la valise, le nain ! hurla Mr Munim.

Ce disant, il donna un coup de pied dans la malle du scolastique. Il en fut mal inspiré, car il portait une paire de sandales particulièrement légères ; à voir l'expression de douleur qui se peignit aussitôt sur son visage, son pied avait dû entrer en contact avec l'un des tomes les plus solides de la bibliothèque de Martin Mills. Peut-être le *Dictionnaire abrégé de la Bible* ; abrégé, oui, mais pas mou.

– Je vous assure, monsieur, qu'il n'y a pas de nain dans cette valise, commença Martin Mills, mais le Dr Daruwalla l'entraîna dehors.

Décidément la pente naturelle du nouveau missionnaire était de parler à n'importe qui.

Dans la ruelle, ils trouvèrent Vinod endormi dans l'Ambassador, dont il avait verrouillé les portes. Et, appuyé contre la portière du chauffeur, se trouvait le « n'importe qui » que le docteur redoutait le plus, car il imaginait que rien ne pourrait stimuler le zèle missionnaire mieux qu'un petit infirme... sinon, bien sûr, un enfant manchot et cul-de-jatte. A la lueur d'excitation qui brilla dans les yeux du scolastique, Farrokh vit que l'enfant au pied mutilé l'inspirait tout à fait.

Fiente d'oiseau

C'était le mendiant de la veille, le gamin qui faisait l'équilibre sur la tête à Chowpatty, l'infirme qui dormait dans le sable. De nouveau, la vue de ce pied écrasé choqua le chirurgien dans ses exigences d'hygiène, mais Martin Mills, lui, eut l'attention irrésistiblement attirée par les sécrétions glaireuses qui bordaient les yeux du mendiant ; dans son esprit de missionnaire, c'était comme si le pauvre éprouvé serrait déjà un crucifix dans ses mains. Le scolastique ne détacha qu'un instant les yeux du gamin – pour les lever vers le ciel –, mais il n'en fallut pas plus pour que le mendiant lui fasse découvrir une spécialité de Bombay : l'infâme arnaque à la fiente d'oiseau.

Le Dr Daruwalla en avait fait l'expérience, c'était une farce dégoûtante, dont les étapes étaient généralement les suivantes : la petite crapule tendait une main vers le ciel, pour montrer un oiseau imaginaire, tandis que de l'autre il arrosait les chaussures ou le pantalon de sa victime. L'instrument qui lançait la prétendue « fiente d'oiseau » ressemblait à une poche à douille, mais n'importe quelle ampoule dotée d'un embout faisant seringue pouvait suffire. Le liquide employé était une mixture blanchâtre, lait caillé ou farine diluée dans l'eau, mais sur les chaussures ou le pantalon, il passait tout à fait pour de la fiente d'oiseau. Lorsqu'on baissait les yeux, n'ayant pas vu l'oiseau, on voyait sa fiente – trop tard ! – et alors le petit sournois tirait de sa poche un chiffon providentiel pour vous essuyer. Ensuite de quoi il avait droit à sa récompense : une roupie ou deux, pour le moins.

Mais en l'occurrence, Martin Mills ne comprit pas qu'un salaire était escompté. Il s'était tourné vers le ciel sans que le gamin ait eu à le lui désigner ; moyennant quoi le mendiant avait sorti sa seringue et arrosé les chaussures au cuir éraflé du jésuite. Et il était si rapide à la détente, si habile à cacher la seringue dans sa chemise que le Dr Daruwalla ne l'avait vu ni dégainer ni tirer, mais seulement rengainer prestement. Martin Mills, quant à lui, crut qu'un oiseau irrévérencieux avait conchié ses souliers, et que l'enfant tragiquement mutilé était en train d'essuyer cette fiente dans les loques de son short flottant. Pour lui, le petit mutilé était sans aucun doute envoyé par le ciel.

353

C'est dans ces dispositions qu'il se jeta à genoux dans la ruelle même ; réaction inhabituelle devant la main tendue du mendiant. L'étreinte du missionnaire affolait le gamin.

– Merci, mon Dieu ! s'écria Martin Mills, tandis que les yeux de l'infirme appelaient le Dr Daruwalla au secours. C'est ton jour de chance, annonça Martin Mills au gosse éberlué : cet homme est médecin, il va pouvoir guérir ton pied.

– Jamais de la vie, s'écria le Dr Daruwalla. Il ne faut pas lui dire ça !

– Écoutez, vous pouvez sûrement lui donner meilleure allure, répliqua Martin Mills.

L'infirme s'était tapi comme un animal acculé, son regard passant furtivement d'un homme à l'autre.

– Si vous croyez que je n'y ai pas déjà pensé, dit Farrokh, sur la défensive, mais je suis sûr que je ne peux pas lui donner un pied qui fonctionne. Alors vous savez, lui, l'allure, il s'en fiche. C'est pas ça qui l'empêchera de boiter.

– Tu n'aimerais pas que ton pied ait l'air plus propre ? Tu n'aimerais pas qu'il ressemble moins à une pioche ou à une matraque ? demanda Martin Mills au mendiant tout en arrondissant sa main à la jonction de la cheville et du pied, qu'il posait gauchement sur son talon.

De près, le docteur confirmait ce qui lui avait déjà semblé : il faudrait scier l'os. Peu de chances de réussite, plus de risques de complications.

– *Primum non nocere*, dit-il à Martin Mills. Vous savez le latin, sans doute ?

– Surtout ne pas nuire, répondit le jésuite.

– Un éléphant lui a marché dessus, expliqua le Dr Daruwalla ; puis il se souvint de ce que l'enfant lui avait dit, et le répéta au missionnaire, mais en regardant le gosse : On ne peut pas réparer les dégâts des éléphants.

Le gamin hocha la tête, avec une certaine prudence tout de même.

– Tu as un père, ou une mère ? demanda le jésuite.

Le mendiant secoua la tête.

– Quelqu'un qui s'occupe de toi ?

Le mendiant secoua de nouveau la tête. Le docteur savait qu'il était impossible de déterminer ce qu'il comprenait et ce qu'il ne comprenait pas, mais il se souvint que son anglais était meilleur qu'il ne le laissait paraître ; ce gosse était un petit malin.

– Ils sont toute une bande à Chowpatty, dit le docteur ; ils mendient avec un ordre de préséance.

Mais Martin ne l'écoutait pas. Si le zélote manifestait une certaine « modestie du regard », encouragée chez les jésuites, il n'y en avait pas moins une grande intensité dans sa façon d'observer les yeux larmoyants de l'infirme. Le Dr Daruwalla s'aperçut que le gosse était comme hypnotisé.

– Mais si, il y a quelqu'un qui s'occupe de toi, annonça le missionnaire au mendiant, qui acquiesça lentement.

– Ce sont tes seuls vêtements ?

– Les seuls, dit promptement le gosse.

Il était petit pour son âge, mais endurci par la loi de la rue. Il pouvait avoir huit ans. Ou dix.

– Et il y a combien de temps que tu n'as pas mangé ? Mais vraiment mangé, beaucoup ?

– Longtemps, dit le mendiant.

Il pouvait avoir douze ans, tout au plus.

– Vous ne pouvez pas faire ça, Martin, expliqua Farrokh. A Bombay, des gosses comme lui, il y en a tellement qu'ils n'entreraient pas tous dans Saint-Ignace. Ils n'entreraient pas dans l'école, ni dans l'église, ni dans le cloître. La cour ne suffirait pas à les contenir, ni le parking ! Il y en a trop des gosses comme lui, s'écria-t-il. Vous ne pouvez pas commencer votre premier jour ici en les adoptant tous.

– Tous, non ; seulement celui-ci, répondit le missionnaire. Saint Ignace a dit qu'il sacrifierait volontiers sa vie s'il pouvait empêcher une seule prostituée de pécher une seule nuit.

– Je vois ; mais j'ai cru comprendre que vous aviez déjà donné.

– Écoutez, c'est tout simple. J'allais m'acheter des vêtements. Eh bien, je n'en achèterai que la moitié, et le reste sera pour lui. Je vais sûrement manger quelque chose, tout à l'heure. Je mangerai la moitié de ce que je mangerais normalement...

– Et le reste sera pour lui, ça va, j'ai compris, s'exclama le docteur avec colère. Bravo ! Génial ! Je me demande pourquoi je n'y ai pas pensé moi-même, depuis le temps.

– Tout n'est que de commencer, repartit calmement le jésuite. Il n'y a rien d'écrasant si l'on procède pas à pas.

355

Il se leva en soulevant l'enfant dans ses bras et, laissant le docteur s'occuper de sa valise, il se mit à marcher avec l'enfant autour du taxi où Vinod dormait comme un sonneur.

– Lever, lever, lever, commenta-t-il, puis : avancer, avancer, avancer, et enfin : poser, poser, poser.

L'enfant crut que c'était un jeu ; il éclata de rire.

– Vous voyez : il est heureux ! annonça Martin Mills. D'abord les vêtements, ensuite la nourriture, et puis, si vous ne pouvez rien faire pour son pied, vous pourrez tout de même bien lui soigner les yeux, non ?

– Je ne suis pas ophtalmologiste, répondit le Dr Daruwalla. Les maladies des yeux sont fréquentes, ici. Je peux l'envoyer à un confrère...

– Eh bien voilà, c'est déjà un début, approuva Martin Mills. Tu vois, dit-il à l'infirme, on va te donner un nouveau départ.

Le Dr Daruwalla cogna à la vitre du conducteur, le réveillant en sursaut ; avant qu'il n'ait reconnu le docteur, les doigts boudinés du nain allèrent instinctivement chercher les manches de raquettes. Mais aussitôt, il s'empressa de déverrouiller la voiture. Si, à la lumière du jour, il s'apercevait que Martin Mills ressemblait de façon moins frappante à son célèbre frère jumeau, il n'en laissa rien paraître. Le col ecclésiastique lui-même ne semblait pas le déconcerter. Si Dhar lui paraissait changé, il mettait ce changement sur le compte de la raclée que lui avaient infligée les putes travestis. Farrokh fourra rageusement la valise de l'ahuri dans la malle arrière.

Il n'y avait pas de temps à perdre. Il se rendait compte qu'il fallait le conduire à Saint-Ignace au plus tôt. Le père Julian et les autres le boucleraient. Il serait bien obligé de se soumettre à eux – ce n'était pas pour rien qu'il avait fait vœu d'obéissance. Ce que lui, Farrokh, allait dire au supérieur, c'était bien simple : ou bien ils l'affectaient à la mission, ou bien ils l'affectaient à l'école. Mais jamais au grand jamais il ne fallait le lâcher dans Bombay. Il y sèmerait une pagaille inimaginable !

Tandis que Vinod faisait marche arrière pour sortir de la ruelle, le Dr Daruwalla vit que le scolastique et l'enfant souriaient tous deux. C'est alors que le mot qui lui avait échappé lui revint, avec l'esprit de l'escalier ; ce qu'il aurait voulu répondre à John D., c'est que

Martin Mills était « un danger public » ; et il ne put s'empêcher de le dire à l'intéressé.

– Vous savez ce que vous êtes ? Vous êtes un danger public.

– Merci, dit le jésuite.

La conversation s'arrêta là-dessus, jusqu'à ce que le nain gare la voiture non sans mal sur la partie la plus animée de Cross Maidan, près du gymkhana de Bombay. Le Dr Daruwalla emmenait Martin Mills et l'infirme à Fashion Street, où ils pourraient acheter les vêtements de coton les moins chers, surplus d'usine avec de petits défauts. Et tout à coup, il aperçut le glaviot de fausse fiente qui avait fait une croûte sur la bride de sa sandale droite ; il sentit qu'il avait aussi un échantillon de la même matière séchée entre les orteils. Le gosse avait dû l'arroser pendant qu'il se disputait avec le missionnaire – encore qu'on ne savait jamais, la fiente pouvait aussi être authentique.

– Comment tu t'appelles ? demanda le missionnaire au mendiant.

– Ganesh, répondit l'enfant.

– D'après le dieu-éléphant, le dieu le plus populaire au Maharashtra, expliqua le Dr Daruwalla à Martin Mills.

Un garçon sur deux portait ce nom, à Chowpatty.

– Ganesh, demanda Farrokh au mendiant, je peux t'appeler Fiente d'oiseau ?

Mais il était impossible de déchiffrer les yeux d'un noir profond qui brillaient dans la physionomie sauvage de l'enfant ; soit il ne comprenait pas, soit il jugeait plus diplomatique de se taire – un petit malin.

– Mais il ne faut pas l'appeler Fiente d'oiseau, voyons ! protesta le missionnaire.

– Ganesh ? dit le Dr Daruwalla. Je crois que toi aussi tu es dangereux, Ganesh.

Les yeux noirs se posèrent aussitôt sur Martin Mills ; puis revinrent se fixer sur Farrokh.

– Merci, dit Ganesh.

Ce fut Vinod qui eut le mot de la fin ; contrairement au missionnaire, les infirmes ne lui inspiraient pas automatiquement de la pitié.

– Toi, Fiente d'oiseau, dit-il, tu es danger public pour de bon.

16
La petite amie de Garg

Un tout petit problème vénérien

Deepa avait pris le train de nuit pour Bombay ; elle venait d'un coin du Gujarat où le Grand Nil bleu était en tournée. Elle avait inscrit la petite prostituée fugueuse à la consultation de Farrokh, à l'hôpital des Enfants infirmes, dans l'idée de la chaperonner lors de cet examen médical, qui serait sa première visite du genre. Elle ne pensait pas qu'on découvrirait le moindre problème et comptait ramener la petite au Nil bleu avec elle. L'enfant s'était sauvée d'un bordel, certes, mais selon Mr Garg elle avait réussi à s'en sauver vierge. Le Dr Daruwalla, lui, n'en croyait rien.

Elle s'appelait Madhu, ce qui veut dire Miel. Elle avait des mains et des pieds aux formes molles, trop grands pour son corps minuscule ; l'air d'un de ces chiots patauds dont on se dit toujours qu'ils vont faire de grands chiens. Mais chez elle, ce n'était qu'un signe de malnutrition : son corps n'avait pas pu se développer à proportion de ses mains et de ses pieds. D'autre part, sa tête n'était pas aussi grosse qu'il y paraissait tout d'abord. C'était plutôt que son long visage ovale n'était pas celui qu'on attendait sur ce corps menu. Ses yeux à fleur de tête avaient le jaune ambré des yeux de lion, mais ils étaient lointains, absents ; elle avait les lèvres pleines d'une femme adulte, beaucoup trop bien dessinées pour son visage indécis, pas encore dégagé du flou de l'enfance.

C'était cette allure de femme-enfant qui avait dû faire son succès particulier au bordel d'où elle s'était sauvée ; son corps arrêté dans sa croissance reflétait cette ambiguïté troublante. Elle n'avait pas de hanches, ou disons des hanches de garçonnet, mais ses seins, absurdement petits, avaient la plénitude et le dessin parfait de sa bouche sensuelle. Garg avait dit à Deepa que la petite n'était pas encore pubère, mais le Dr Daruwalla était persuadé que si elle n'avait pas de règles, c'était parce qu'elle n'avait jamais mangé à sa faim, et qu'elle travaillait trop ; d'ailleurs, elle avait des poils sous les bras et sur le pubis, mais on les lui avait rasés avec art. Farrokh fit toucher du doigt à Deepa le début de repousse, sous les aisselles de Madhu.

Le souvenir de sa rencontre accidentelle avec le pubis de Deepa resurgissait dans les moments les plus inattendus. A regarder la femme du nain toucher le creux de l'aisselle de la petite, il avait le frisson. Il revoyait la main puissante et noueuse de l'ancienne acrobate ; la façon dont elle lui avait saisi le menton tandis qu'il essayait désespérément de soulever son nez de son os pubien, la façon dont elle lui avait dégagé la tête. Comme il avait perdu l'équilibre, son front s'était enfoncé dans le ventre de la femme et les paillettes râpeuses de son justaucorps, de sorte qu'il pesait sur elle de presque tout son poids ; et pourtant, elle avait poussé son menton comme si sa main avait été un cric. C'était sans aucun doute son travail de voltige qui lui donnait cette poigne. Et aujourd'hui, la vue de sa main noueuse dans l'aisselle de la petite faisait détourner les yeux à Farrokh – non pas pour ne pas voir la nudité de l'enfant, mais pour ne pas voir Deepa.

Il se rendait compte que Deepa avait sans doute gardé davantage d'innocence que Madhu – à supposer que Madhu en ait moindrement gardé ; car la femme du nain ne s'était jamais prostituée. L'indifférence avec laquelle la petite s'était déshabillée pour cet examen de routine lui donnait même à penser que c'était une prostituée expérimentée. Il était bien placé pour savoir combien la plupart des enfants de cet âge sont pudiques : il n'était pas seulement médecin ; il était aussi père.

Madhu se taisait ; peut-être ne comprenait-elle pas pourquoi on lui faisait passer cette visite ; peut-être avait-elle honte. Lorsqu'elle couvrait ses seins et mettait la main sur sa bouche, elle avait l'air d'avoir huit ans. Mais le Dr Daruwalla était persuadé qu'elle en avait au moins treize ou quatorze.

– Je suis sûr que quelqu'un l'a rasée ; elle ne l'a pas fait toute seule, dit-il à Deepa.

Ses recherches pour *L'Inspecteur Dhar et le Tueur de canaris* lui avaient appris deux ou trois choses sur les bordels. Dans les bordels, la virginité est un argument de vente, pas une réalité anatomique.

Peut-être que, pour avoir l'air d'une vierge, il fallait qu'une fille soit rasée. Le docteur savait que la plupart des prostituées plus âgées se rasaient aussi. Les poils du pubis ou des aisselles attiraient les poux.

La femme du nain était déçue ; elle avait espéré que le docteur serait le premier et le dernier médecin que Madhu aurait à voir. Or il n'était pas de cet avis. Il la trouvait d'une maturité préoccupante ; même pour faire plaisir à Deepa, il ne pouvait pas la déclarer en bonne santé sans l'avoir d'abord envoyée chez Tata le gynécologue ; Tata Deux, comme on l'appelait communément.

Le Dr Tata fils n'était pas le meilleur gynécologue de Bombay, mais, tout comme son père avant lui, il prenait aussitôt les clientes envoyées par un confrère. Le Dr Daruwalla soupçonnait d'ailleurs depuis longtemps que ces patientes constituaient le gros de ses pratiques. Car il voyait mal comment il y en aurait eu beaucoup qui soient tentées de consulter Tata Deux deux fois. Le médecin ayant retiré les adjectifs « meilleure et célébrissime » de sa plaque, sa clinique se présentait désormais comme CLINIQUE DU DR TATA, GYNÉCOLOGIE ET MATERNITÉ, mais c'était la clinique la plus fidèlement médiocre de tout Bombay. Si l'une des patientes qu'il voyait en orthopédie avait eu un problème gynécologique ou obstétrique, le Dr Daruwalla ne l'aurait jamais envoyée chez Tata Deux. Mais pour un examen de routine, pour un simple certificat de santé ou un dépistage des maladies vénériennes les plus courantes, le Dr Tata ferait l'affaire ; et puis il travaillait vite. Pour Madhu, il fit même remarquablement vite.

Tandis que Vinod conduisait Deepa et sa pupille chez le gynécologue, qui ne les ferait pas attendre longtemps, Farrokh tentait de refréner les ardeurs de Martin Mills qui s'enflammait déjà pour la cause que le nain et sa femme pratiquaient comme une religion. Vinod, ayant remarqué la compassion du scolastique envers le mendiant au pied d'éléphant, n'avait pas perdu de temps pour se rallier les célèbres services de l'inspecteur Dhar. Hélas, on n'avait pas pu cacher au missionnaire que le seul enfant de la salle d'attente qui ne soit pas infirme était, ou avait été, une petite prostituée.

Avant même que Farrokh ait eu le temps de finir d'examiner Madhu, le mal était fait. Martin Mills était gagné par le délire de Deepa et Vinod, qui voulaient que toutes les fugueuses des bordels de Bombay puissent devenir acrobates de cirque. Pour Martin, envoyer les petites prostituées au cirque, c'était la première étape vers le salut de leur âme. Farrokh ne voyait que trop ce qui leur pendait au nez – dès que Martin s'en aviserait : tôt ou tard, il déciderait que Ganesh, le gamin au pied d'éléphant, pouvait aussi sauver sa petite âme au cirque. Il n'y aurait jamais assez de cirques pour tous les enfants que le jésuite croyait pouvoir sauver.

Un peu plus tard, le Dr Tata l'appela pour lui donner des nouvelles de Madhu.

– Oui, alors elle a bien une vie sexuelle ; elle ne compte plus les partenaires ! Et puis, effectivement, il y a un petit problème vénérien, mais enfin, vu les circonstances, ce pourrait être bien pire, déclara Tata Deux.

– Et vous allez lui faire un dépistage du sida ? demanda Farrokh.

– On est en train ; on vous dira le résultat.

– Et qu'est-ce que c'est son problème vénérien ? Une gonorrhée ?

– Non, une légère inflammation du col, avec des petites pertes, expliqua le Dr Tata. Elle ne se plaint pas d'infection urinaire ; l'inflammation de son urètre est si bénigne qu'elle aurait pu passer inaperçue. Moi je pense à une chlamydiose. Je vais la mettre sous tétracycline. Mais il est dificile de diagnostiquer les chlamydioses, comme vous le savez le virus est invisible, même au microscope.

– Oui, oui, dit le Dr Daruwalla avec impatience.

Il ne savait rien du virus de la chlamydiose, mais il ne tenait pas à savoir. On l'avait assez chapitré pour la journée : à commencer par ce rabâchage de la querelle des jésuites et des réformés sur le libre arbitre. Lui, ce qu'il voulait savoir, c'était si Madhu avait une vie sexuelle. Et si, ce petit problème vénérien, il pourrait l'imputer à Garg le vitriolé. Car toutes les précédentes découvertes de Garg avaient un petit problème vénérien ; et il aurait bien aimé pouvoir en faire porter la responsabilité à Garg lui-même. Il n'était pas convaincu que ces maladies sexuellement transmissibles venaient toujours du bordel dont la gamine s'était enfuie. Mais surtout, et il n'aurait su dire pourquoi, ce que le docteur aurait voulu battre en brèche, c'était la bonne opinion que Deepa et Vinod semblaient avoir de Mr Garg. Comment le nain et sa femme ne voyaient-ils pas que c'était un personnage louche au dernier degré ?

– Bon, et si elle est séronégative, vous la déclarerez saine ? demanda Farrokh à Tata Deux.

– Après son traitement, et à condition qu'on ne la laisse pas retourner au bordel.

Et à condition que Deepa ne la ramène pas à La Poule mouillée ou à Mr Garg, compléta Farrokh en son for intérieur. Il comprenait que Deepa serait obligée de rentrer au Grand Nil bleu avant qu'on ait reçu le dépistage du sida. Il faudrait que Vinod prenne Madhu en charge, et ne laisse pas Garg s'en approcher ; avec le nain, la petite ne risquerait rien.

Sur ces entrefaites, le docteur observa que Martin Mills avait un instant mis en veilleuse sa morale de l'engagement permanent ; il était sous le charme de la photo de cirque favorite de Farrokh, photo qui trônait sur son bureau. Elle représentait la sœur adoptive de Pratap Singh, Suman, l'étoile du Grand Royal. La jeune fille portait son costume de la Danse des Paons ; elle était dans les coulisses du grand chapiteau et elle aidait deux petites filles à mettre leurs costumes de paons. C'étaient toujours des petites filles qui jouaient les paons. Suman était en train de leur enfiler leur tête d'oiseau ; elle glissait leurs cheveux sous les plumes bleu-vert de leurs longs cous.

La Danse du Paon s'exécutait dans tous les cirques de l'Inde (le paon est l'emblème de l'Inde). Au Grand Royal, Suman jouait toujours l'héroïne de la légende, éprise d'un amant à qui l'on a jeté un sort pour qu'il l'oublie. Au clair de lune, elle danse avec deux paons, des grelots à ses chevilles et à ses poignets.

Mais ce qui obsédait Farrokh dans la Danse du Paon, ce n'était ni la beauté de Suman ni les fillettes costumées. Sa hantise, c'était que les petites filles allaient mourir. La musique de la danse était douce, et comme surnaturelle ; on entendait les lions, dans les coulisses. Dans l'obscurité qui entourait la piste, on était en train de faire sortir les lions de leur cage pour les faire passer par le tunnel de communication, qui était un long tube donnant sur la piste. Les lions détestaient être coincés dans ce tunnel. Ils se battaient parce qu'ils n'avaient pas la place de lever la tête et qu'ils ne pouvaient ni retourner dans leurs cages ni sortir sur la piste. Farrokh s'était toujours imaginé que l'un d'entre eux pourrait s'échapper. Pendant que les petits paons, leur danse finie, retourneraient en courant à leur tente, là, dans le passage sombre, le lion échappé les attraperait et les tuerait.

Après la Danse du Paon, les machinistes montaient la cage des lions sur la piste. Pour distraire le public le temps que durait cette opération fastidieuse, et qu'on préparait les cerceaux de feu, on exécutait un numéro de moto dans les coulisses ouvertes du grand chapiteau. Ce numéro faisait un bruit infernal, de sorte qu'on n'aurait jamais entendu les danseuses si un lion s'échappait. Les motos fonçaient dans des directions opposées à l'intérieur d'un filet d'acier sphérique ; on appelait ça le Globe de la Mort parce que si jamais il y avait collision, les motards risquaient de se tuer tous deux. Mais pour le Dr Daruwalla, c'était le Globe de la Mort parce que le bruit des motos couvrirait les cris des danseuses.

La première fois qu'il avait vu Suman, elle était en train d'aider les petites à passer leurs costumes de paons ; c'était une mère pour elles, même si elle n'avait pas d'enfants ; mais Farrokh avait l'impression qu'elle les habillait pour la dernière fois. Elles allaient quitter la piste en courant ; le Globe de la Mort commencerait, et le lion échappé serait déjà à l'affût dans le passage obscur entre les tentes de la troupe.

Peut-être que si elle n'était pas séropositive Madhu deviendrait paon au Grand Nil bleu... mais séropositive ou danseuse costumée en paon, ses chances lui paraissaient bien minces. Les gamines de Garg, ce n'était pas une dose de tétracycline qui pouvait les tirer d'affaire.

Où Martin Luther est utilisé à des fins douteuses

Martin Mills avait insisté pour que le docteur le laisse l'observer toute une journée dans ses tâches de médecin ; car ce fanatique était déjà convaincu avant même d'avoir vu un seul des malades que le docteur accomplissait « l'œuvre du Seigneur ». Parce qu'enfin, guérir les enfants infirmes, y avait-il activité plus évangélique ? Cela et sauver leur âme, c'était tout un, songeait Farrokh. Il avait laissé le missionnaire le suivre comme son ombre, mais seulement parce qu'il voulait voir comment il se remettait de sa raclée. Il l'avait observé avec la plus grande attention pour détecter tout signe de lésion grave à la tête, mais le scolastique offrait un démenti catégorique à cette théorie. Sa forme de folie ne semblait guère post-traumatique ; au contraire, c'était plutôt le résultat d'une conviction aveugle et d'une éducation systématique. En outre, depuis l'incident de Fashion Street, il n'osait plus le laisser déambuler librement dans Bombay ; et dans tout cela il n'avait pas encore trouvé le temps de déposer le fou fanatique à Saint-Ignace – en lieu sûr, espérait-il.

Dans Fashion Street, Martin Mills n'avait absolument pas remarqué les affiches géantes de l'inspecteur Dhar qu'on venait de placarder au-dessus des stands du bazar aux vêtements ; en revanche, il avait remarqué l'affiche de l'autre film ; à côté de *L'Inspecteur Dhar et les Tours du Silence*, il y avait une affiche pour *Un justicier dans la ville*, avec une effigie impressionnante de Charles Bronson.

– On dirait Charles Bronson, avait observé le jésuite.

– C'est Charles Bronson, lui avait confirmé Farrokh.

Mais sa propre image, sous les traits de l'inspecteur Dhar, avait tout à fait échappé au missionnaire. En revanche, les vendeurs de vêtements lui lançaient des regards assassins. L'un d'entre eux refusa de lui vendre quoi que ce soit ; le scolastique en déduisit qu'il n'avait pas sa taille. Un autre lui cria qu'il n'était venu dans Fashion Street que pour se faire la pub. C'était sans doute parce qu'il s'obstinait à porter le mendiant infirme. L'accusation avait été lancée en maharati, si bien que l'enfant au pied d'éléphant avait pimenté l'échange en crachant sur l'étalage de vêtements.

– Allons, allons, même s'ils te traînent dans la boue, contente-toi de sourire ; témoigne-leur de la charité, avait dit Martin Mills à Ganesh ; sans doute supposait-il que c'était le pied écrasé qui était à l'origine de cet incident.

C'était un miracle qu'ils soient sortis vivants de Fashion Street, songeait le Dr Daruwalla, qui avait également persuadé Martin Mills de se faire couper les cheveux. Comme ils étaient déjà plutôt courts, le docteur avait dû arguer du temps, qui irait en se réchauffant, et du fait qu'en Inde beaucoup d'ascètes et d'hommes pieux se rasaient la tête. La coupe que Farrokh avait demandée – à l'un de ces barbiers des rues que l'on trouve au bout des stands de vêtements, dans Fashion Street et qui prennent trois roupies – se rapprochait autant que faire se peut d'un rasage en bonne et due forme. Mais même en « skinhead », Martin Mills avait quelque chose de l'agressivité de Dhar dans sa physionomie. Leur air de famille allait bien au-delà du sourire dédaigneux qu'ils affichaient volontiers.

John D. n'était pas bavard, mais il avait de la suite dans les idées et lorsqu'il jouait, il savait toujours ses répliques par cœur. Martin Mills, au contraire, était un moulin à paroles. Mais ne récitait-il pas un texte, lui aussi ? Le texte d'un autre type d'acteur, l'intervention permanente d'un vrai croyant ? Et les jumeaux n'avaient-ils pas tous deux de la suite dans les idées ? En tout cas, ils étaient aussi têtus l'un que l'autre.

Le docteur était fasciné de voir qu'il y avait tout juste un habitant de Bombay sur deux pour reconnaître l'inspecteur Dhar en Martin Mills ; les autres ne semblaient pas percevoir la moindre ressemblance. Vinod, qui connaissait bien Dhar, n'avait jamais douté que Mills soit Dhar. Deepa le connaissait aussi, et elle était indifférente à sa célébrité ; comme elle n'avait pas vu un seul *Inspecteur Dhar*, le personnage ne lui disait rien. Lorsqu'elle avait rencontré Martin Mills dans la salle d'attente du Dr Daruwalla, elle l'avait aussitôt pris pour ce qu'il était : un Américain charitable. Mais c'était ce qu'elle pensait aussi depuis longtemps de Dhar lui-même. Si elle n'avait jamais vu ses films, elle l'avait vu à la télévision, dans ses clips pour l'hôpital des Enfants infirmes. Pour elle, c'était une âme charitable ; et ce n'était pas un Indien. Ranjit, lui, ne s'était pas fait avoir. Le secrétaire médical avait bien vu l'ombre d'une ressemblance entre Dhar et le frêle missionnaire mais jamais il n'aurait soupçonné qu'ils étaient jumeaux ; son seul commentaire, qu'il avait chuchoté à l'oreille du Dr Daruwalla, c'était qu'il ignorait que Dhar avait un frère. Dans l'état de délabrement où se trouvait Martin Mills, Ranjit l'avait pris pour son frère aîné.

Le premier souci du docteur était de maintenir Martin Mills dans l'ignorance ; une fois qu'il aurait réussi à l'amener à Saint-Ignace, on l'y maintiendrait dans une perpétuelle ignorance ; en tout cas, c'est ce que le docteur espérait. Il voulait que ce soit John D. qui décide s'il allait faire la connaissance de son jumeau ou non. Mais dans le cabinet du docteur, et dans la salle d'attente, il avait été difficile de le tenir à l'écart de Vinod et Deepa. A moins de leur révéler que le missionnaire n'était autre que le jumeau de Dhar, Farrokh voyait mal sous quel prétexte les séparer.

C'était à l'instigation de Vinod que Madhu et Ganesh avaient été présentés l'un à l'autre, comme si une prostituée de treize ans et un mendiant de dix avaient des milliers de choses en commun. A la surprise du Dr Daruwalla, les enfants avaient l'air de bien s'entendre. Madhu s'enthousiasmait à l'idée qu'on puisse bientôt venir à bout des vilains écoulements d'yeux de Ganesh, à défaut de guérir son vilain pied. Ganesh pensait qu'il se débrouillerait très bien au cirque, lui aussi.

– Avec ton pied ? objecta Farrokh. Qu'est-ce que tu pourrais bien faire, dans un cirque, avec ton pied ?

– Eh bien, ça ne l'empêche pas de faire quelque chose de ses bras, répondit Martin Mills.

Le docteur redoutait que le jésuite ne soit entraîné à réfuter tout argument défaitiste.

– Vinod, supplia Farrokh, est-ce qu'il pourrait être seulement machiniste, ce gosse, avec sa mauvaise jambe ? Tu les vois le laisser déblayer la merde d'éléphant ? Bon, il pourrait toujours suivre la brouette en traînant la patte...

– Clowns boitent, répondit Vinod, et il ajouta : je boite, moi aussi.

– Tu es en train de me dire qu'il pourra toujours boiter pour faire rire le monde, comme un clown ?

– Il pourra toujours être employé dans tente du cuisinier, dit Vinod, têtu. Il peut pétrir et rouler pâte pour chapati. Il peut hacher ail et oignon pour dhal.

– Mais pourquoi veux-tu qu'ils le prennent, lui, alors qu'ils ont des tas de garçons avec leurs jambes valides pour faire le même travail ? demanda le docteur.

Tout en parlant, il tenait Fiente d'oiseau à l'œil, conscient que ses arguments décourageants pourraient lui attirer la réprobation du mendiant, et lui valoir une dose correspondante de déjection.

– Nous pourrions dire au cirque qu'il ne faut pas les séparer, s'écria Martin. Qu'il faut prendre Madhu et Ganesh ! Nous pourrions leur dire qu'ils sont frère et sœur, que l'un veille sur l'autre.

– Nous pourrions leur mentir, en somme ? dit le Dr Daruwalla.

– Pour le bien de ces enfants, moi, je pourrais mentir, dit le missionnaire.

– Le contraire m'étonnerait, s'exclama Farrokh.

Il était frustré de ne pas pouvoir se rappeler les termes dans lesquels son père se plaisait à condamner Martin Luther. Qu'est-ce qu'il disait, déjà, le vieux Lowji, sur Luther et la justification du mensonge ? Il aurait bien aimé prendre le scolastique de court avec une citation appropriée, mais ce fut le scolastique qui le surprit.

– Vous êtes protestant, il me semble, lui demanda le jésuite. Vous devriez donc suivre le précepte de votre vieil ami Luther, qui disait :

« Quel mal y a-t-il à dire un vrai mensonge caractérisé pour une bonne cause »...

– Luther n'est pas mon vieil ami, coupa le Dr Daruwalla.

Martin Mills avait caviardé une partie du passage, mais il ne pouvait pas se rappeler laquelle. Il avait évacué la partie qui disait que le bon mensonge caractérisé était non seulement pour la bonne cause, mais aussi « pour l'avancement de l'Église chrétienne ». Farrokh savait qu'on venait de le flouer, mais il n'avait pas les arguments pour contre-attaquer ; alors il préféra s'en prendre à Vinod.

– Et puis tu vas me dire, j'imagine, que Madhu ici présente est une nouvelle Pinky, c'est ça ?

C'était une pierre d'achoppement entre eux. Comme Vinod et Deepa avaient rallié la troupe du Grand Nil bleu, la préférence que le docteur affichait pour la troupe du Grand Royal les chagrinait. Il y avait une Pinky au Grand Royal, une étoile. Le cirque l'avait achetée à l'âge de deux ou trois ans. C'est Pratap Singh et sa femme Sumi qui l'avaient formée. Lorsque Pinky avait sept ou huit ans, elle faisait l'équilibre sur le front au bout d'une perche en bambou de trois mètres ; la perche tenait sur le front d'une fillette un peu plus âgée, debout sur les épaules d'une troisième... un défi aux lois de la pesanteur ; le sens de l'équilibre qu'il fallait pour un numéro pareil se rencontrait chez une fille sur un million. Vinod et Deepa n'avaient jamais fait partie de la troupe du Grand Royal, mais ils savaient très bien quels étaient les cirques qui avaient des exigences de niveau, ou du moins, des exigences supérieures à celles du Grand Nil bleu. Et malgré tout, Deepa continuait d'amener au docteur les épaves de Kamathipura et proclamait qu'elles avaient l'étoffe des acrobates ; l'étoffe des acrobates du Grand Nil bleu, à la rigueur...

– Est-ce que Madhu arrive à se mettre sur la tête, au moins ? demanda Farrokh à Deepa. Est-ce qu'elle sait marcher sur les mains ?

La femme du nain suggéra que la petite pouvait toujours apprendre. Après tout, elle avait bien été vendue elle-même au Grand Nil bleu comme désossée, future fille en caoutchouc ; et en apprenant elle était devenue trapéziste, voltigeuse.

– Mais tu es tombée, rappela le docteur.

– Elle tombe dans filet, s'exclama Vinod.

– Il n'y en a pas toujours de filet. Tu es tombé dans un filet, toi, peut-être ? demanda le docteur à Vinod.

– Moi j'ai chance d'autre façon, répondit ce dernier. Madhu va pas travailler avec clowns – ni avec éléphants, ajouta-t-il.

Mais Farrokh avait plutôt l'impression que Madhu était gauche ; elle paraissait gauche ; quant à la coordination problématique du boiteux préposé à l'ail et l'oignon, et récemment promu frère de Madhu, autant n'en pas parler. Farrokh était sûr qu'il s'arrangerait pour qu'un éléphant lui marche à nouveau sur le pied. Qui sait si le Grand Nil bleu ne trouverait pas moyen de donner sa difformité en spectacle ? Ganesh deviendrait une attraction secondaire : Elephant Boy.

C'est alors que le missionnaire, fort de sa longue expérience – une journée à Bombay – avait chapitré le docteur :

– Quels que soient les dangers du cirque, le cirque vaut toujours mieux que leur situation présente – nous connaissons l'alternative : le cirque ou la rue.

Vinod avait fait remarquer à l'inspecteur Dhar qu'il semblait étonnamment bien remis du cauchemar vécu sur Falkland Road (Farrokh trouvait au missionnaire une mine épouvantable). Pour les empêcher de se parler plus longuement, ce qui risquait de les embrouiller l'un et l'autre, le docteur prit Vinod à part et lui confia qu'il fallait suivre la fantaisie de Dhar et surtout, « éviter de le contredire », car son diagnostic du problème de l'acteur était juste. Il y avait effectivement des lésions au cerveau ; il était encore difficile d'en évaluer l'ampleur.

– Et vous avez dû épouiller lui, aussi, avait chuchoté Vinod à Farrokh, en faisant allusion à l'abominable « coupe de cheveux » du scolastique.

Le docteur avait acquiescé gravement. Oui, des poux et des lésions cérébrales.

– Prostituées sont dégoûtantes, s'était exclamé Vinod.

Quelle matinée ! pensait le Dr Daruwalla. Il avait fini par se débarrasser de Vinod et Deepa en les expédiant avec Madhu chez le Dr Tata. Il ne s'attendait guère que son confrère les lui renvoie aussi vite. Il avait à peine eu le temps de se débarrasser de Martin Mills ; il ne voulait en aucun cas qu'il se trouve dans le cabinet ou dans la salle d'attente à leur retour. Qui plus est, il lui fallait un moment à lui ; le commissaire l'attendait au QG de la Crime. Quand il aurait vu les photos des prostituées assassinées, l'optimisme conjugué du jésuite, du nain et de la femme du nain n'y résisterait guère. Mais avant qu'il ait pu filer à l'anglaise pour retrouver le policier à Crawford Market, il lui fallait trouver un service à demander au jésuite ; ne serait-ce qu'une heure ou deux, il fallait investir ce missionnaire d'une mission.

Nouvel avertissement

Elephant Boy faisait des siennes. Il s'était mal conduit dans la cour de gymnastique, où de nombreux patients en chirurgie faisaient les divers exercices requis par leur convalescence. Il en avait profité pour asperger plusieurs d'entre eux, les plus faibles, avec sa seringue à fiente ; et lorsque Ranjit la lui avait confisquée, le petit teigneux avait mordu la main du fidèle secrétaire. Ce dernier était outré de s'être fait mordre par un mendiant ; il n'avait tout de même pas suivi une formation de secrétaire médical pour se colleter avec des petits voyous de cette espèce !

La journée avait à peine commencé que le docteur était déjà épuisé. Il ne sut pas moins en mettre l'incident à profit illico. Puisque Martin Mills était si sûr que Fiente d'oiseau saurait prendre sa part des besognes quotidiennes d'un cirque, aurait-il l'obligeance de se charger du petit mendiant ? Martin Mills ne demandait pas mieux. Ce zélote, soupçonnait Farrokh, ne demandait pas mieux que de prendre en charge toute une population d'infirmes. Là-dessus, il lui donna pour mission de conduire Ganesh à l'Hôpital général parsi ; il voulait que le mendiant infirme soit examiné par Jeejeeboy l'ophtalmologiste, oto-rhino-laryngologiste, Jeejeeboy l'OORL, comme on l'appelait. Le Dr Jeejeeboy était un spécialiste des maladies des yeux endémiques en Inde.

Malgré les écoulements, et le fait que Ganesh se plaignait d'avoir les paupières collées au réveil, il n'y avait pas de ramollissement de la prunelle marquant le stade final, celui des « yeux blancs », où la cornée devient opaque et terne, et le patient aveugle. Farrokh espérait bien que, quel que soit le problème de Ganesh, il n'en était qu'à un stade précoce. Vinod avait reconnu lui-même que le cirque – même le Grand Nil bleu – refuserait d'engager un garçon en train de perdre la vue.

Mais avant que Farrokh n'ait réussi à expédier Elephant Boy et le jésuite à l'Hôpital parsi, qui était à deux pas, Martin Mills était spontanément venu en aide à une femme, dans la salle d'attente. C'était la mère d'un petit infirme ; le missionnaire s'était jeté à ses genoux, habitude qui commençait à taper sur les nerfs de Farrokh. La femme avait pris peur. Au reste, elle n'avait pas besoin de secours car, contrairement à ce qu'affirmait le scolastique, elle ne saignait pas de la bouche et des gencives ; elle mâchait seulement de la noix de bétel, et le jésuite n'en avait jamais vu.

Le Dr Daruwalla l'avait fait passer de la salle d'attente dans son bureau, où il espérait qu'il trouverait moins d'occasions de nuire. Et il avait insisté pour que Ganesh les accompagne : il avait peur que le dangereux mendigot ne trouve une autre main à mordre... Une fois dans son cabinet, il avait calmement expliqué à Martin Mills ce que c'était que le *paan*, variété locale de bétel. On enveloppe la noix d'aréca dans une feuille de bétel. Parmi les autres ingrédients les plus répandus, il y a du sirop de rose, de la graine d'anis, de la pâte de citron vert... mais on y met tout ce qu'on veut, dans la feuille de bétel, y compris de la cocaïne. Le mangeur de bétel invétéré finit par avoir les lèvres, les gencives et les dents tachées de rouge. La femme que le missionnaire avait affolée ne saignait pas, elle mâchait du paan, c'était tout.

Enfin, Farrokh parvint à se libérer de Martin Mills. Il espérait que Jeejeeboy l'OORL prendrait des heures pour examiner les yeux de Ganesh.

En milieu de matinée, la pagaille avait atteint un tempo dément. La journée était de celles qui rappelaient à Farrokh les fillettes moricaudes à face blanchie et tutu violet ; oui, c'était une journée cyclo-pyramidale, comme si tout le monde, dans le cabinet du docteur et dans la salle d'attente, chevauchait des vélos sur une musique de cancan. Comme pour souligner ce chaos, Ranjit entra sans frapper. Il venait de lire le courrier du Dr Daruwalla. L'enveloppe qu'il tendait au docteur lui était bien adressée ; elle n'était pas pour Dhar. Pourtant Farrokh reconnut la froide neutralité des caractères d'imprimerie. Avant même de regarder dans l'enveloppe pour y voir le billet de deux roupies, il savait ce qu'il allait trouver. Il n'en fut pas moins sidéré de lire le message dactylographié en majuscules sur la face qui portait le numéro de série du billet. Cette fois l'avertissement disait : TU ES AUSSI MORT QUE DHAR.

Madhu n'a pas sa langue dans sa poche

Il y eut un appel téléphonique qui mit un comble à la confusion générale ; dans son affolement, Ranjit avait fait une bourde. Il croyait que le correspondant était Patel le radiologue – il voulait savoir à quelle heure le docteur viendrait examiner les clichés. Ranjit avait supposé que ces clichés étaient des radios ; et il avait répondu avec brusquerie que le docteur était occupé ; lui ou le docteur rappellerait. Mais après avoir raccroché, il s'était rendu compte que son correspondant n'était pas Patel le radiologue. C'était Patel le commissaire, bien sûr.

– J'ai eu un certain... Patel au téléphone, pour vous, dit-il à Farrokh, d'un air dégagé. Il veut savoir quand vous viendrez regarder les clichés.

Et maintenant le docteur avait deux billets de deux roupies dans sa poche ; il y avait l'avertissement à Dhar (TU ES AUSSI MORT QUE LAL) et l'avertissement au docteur (TU ES AUSSI MORT QUE DHAR). Farrokh était sûr que ces menaces donneraient un peu de couleur aux tristes photographies que le divisionnaire voulait lui faire voir.

Il savait que John D., qui dissimulait très bien sa colère, était fâché qu'il ne l'ait pas prévenu de l'arrivée de son trublion de jumeau. Il serait encore plus fâché si le docteur allait voir sans lui les photographies des éléphants dessinés sur le ventre des prostituées assassinées ; mais il pensait aussi qu'il serait imprudent d'emmener Dhar au QG de la Crime ; tout comme il serait imprudent d'y emmener Martin Mills. Ce commissariat se trouvait en effet près du collège Saint-Xavier, autre institution jésuite, qui était mixte alors que Saint-Ignace ne prenait que des garçons. Martin Mills serait tenté de persuader ses frères jésuites de prendre Madhu dans leur école, si jamais le cirque n'en voulait pas. Ce fou insisterait sans doute pour que l'école distribue des bourses aux autres prostituées qu'on pourrait trouver ! Il avait d'ailleurs déjà annoncé qu'il irait parler au supérieur pour Ganesh. Le docteur avait hâte de voir comment le père Julian et Saint-Ignace accueilleraient l'idée de donner une éducation à un mendiant infirme de Chowpatty.

Tandis qu'il spéculait de la sorte, et qu'il examinait ses derniers patients sans perdre de temps, Vinod et Deepa revinrent avec Madhu et la tétracycline. Avant de s'éclipser vers le commissariat, il se sentit obligé de tendre un piège à Mr Garg. Il enjoignit à Deepa de dire à Mr Garg qu'on traitait Madhu contre une maladie sexuellement transmissible ; c'était vague à souhaits. Si Mr Garg avait bidouillé la gamine, il serait obligé de téléphoner au Dr Daruwalla pour savoir le traitement prescrit.

– Et dis-lui qu'on lui a fait un dépistage du sida, ajouta Farrokh.

Ça devrait le mettre sur le gril, ce salaud, pensa-t-il.

Il voulait que Vinod et Deepa comprennent qu'il fallait tenir Madhu à distance de La Poule mouillée et de Mr Garg. Le nain conduirait sa femme à la gare, car elle devait retourner au Grand Nil bleu ; mais il garderait Madhu auprès de lui.

– Et n'oublie pas, tant qu'elle n'a pas fini son traitement, elle n'est pas saine, dit le docteur au nain.

– J'oublie pas, dit Vinod.

Puis le nain demanda des nouvelles de Dhar. Où était-il ? Allait-il bien ? N'avait-il pas besoin de son fidèle chauffeur ? Le Dr Daruwalla expliqua à Vinod que Dhar souffrait d'une lubie courante chez les victimes d'un traumatisme : il se prenait pour quelqu'un d'autre.

– Qui il est, là ? s'enquit le nain.

– Un missionnaire jésuite qui se prépare à devenir prêtre, répondit le docteur.

Cette lubie inspira une sympathie immédiate à Vinod. Le cerveau de l'acteur était plus touché qu'il ne l'avait cru tout d'abord ! La clef du comportement de Dhar, lui expliqua le docteur, c'était qu'il fallait s'attendre à le voir passer d'une identité à l'autre en un clin d'œil. Le nain hocha gravement sa grosse tête.

Puis Deepa dit au revoir au docteur en l'embrassant. Sur ses lèvres traînait toujours le goût douceâtre et poisseux des pastilles au citron qu'elle aimait. Le moindre contact physique avec la femme du nain faisait toujours rougir le Dr Daruwalla.

Il se sentait rougir, mais il n'avait jamais su si cela se voyait. Il avait le teint mat pour un parsi, bien que plutôt clair par rapport à d'autres Indiens, les gens de Goa ou du Sud, par exemple, sans aucun doute. Au Canada, bien sûr, il avait conscience d'être considéré comme un homme « de couleur ». Mais quant à rougir, il ne savait pas s'il pouvait rougir sans que cela se voie. Certes, son embarras se manifestait par d'autres signes qui n'avaient rien à voir avec la couleur de sa peau et dont lui-même ignorait tout ; ainsi, ravagé par le baiser de Deepa, il détourna les yeux, mais garda les lèvres entrouvertes, comme s'il avait oublié ce qu'il voulait dire ; il était d'autant moins sur ses gardes lorsque Madhu l'embrassa.

Il voulait croire que l'enfant ne faisait qu'imiter la femme du nain, mais son baiser était trop voluptueux, trop expert : Deepa ne l'avait pas embrassé avec la langue. Farrokh sentit celle de Madhu jaillir comme un petit serpent pour s'enrouler à la sienne. Et l'haleine de la petite était parfumée par une épice forte – pas par des pastilles au citron mais par de la cardamome ou des clous de girofle. Lorsqu'elle se sépara de lui, elle le gratifia pour la première fois d'un sourire éclatant, et il vit la lisière rouge sang entre ses gencives et ses dents. Que la petite prostituée fût une mangeuse de bétel invétérée, il n'y avait rien là de surprenant ; c'était même insignifiant. Sans doute l'accoutumance au paan était-elle le dernier de ses problèmes.

Rencontre au QG de la Crime

Cet épisode lascif tout à fait déplacé n'avait pas disposé le docteur à l'indulgence vis-à-vis des œuvres d'art de Rahul sur le ventre de ses victimes, les putains. Les photographies trahissaient les limites du genre tout autant que ce que le docteur avait vu tracé sur le ventre de Beth, vingt ans auparavant ; et les vingt ans écoulés n'avaient pas inspiré à l'artiste un affinement sensible de sa manière. L'éléphant à l'hilarité perpétuelle clignait de l'œil, et levait la défense opposée ; l'eau giclait toujours au bout de la trompe sur les poils pubiens, souvent rasés, des mortes. Après tant d'années, sans parler de l'horreur de tant de meurtres, Rahul n'avait toujours pas dépassé le premier acte de son imagination : le nombril de la victime était toujours l'œil qui clignait. La seule différence, au fil de ces nombreux clichés, tenait à la forme du nombril des femmes. Le détective Patel fit remarquer que les clichés et les meurtres donnaient un sens nouveau à la notion d'idée fixe. Trop horrifié pour parler, le Dr Daruwalla signifia son approbation par un hochement de tête.

Il montra au commissaire les billets de deux roupies et leurs menaces, mais le détective n'en fut pas surpris ; il s'attendait à en voir arriver. Il savait que celui qu'on avait découvert dans la bouche de Mr Lal n'était que le premier d'une série ; il n'avait jamais connu d'assassin qui se contente de lancer un seul avertissement à ses victimes. Il y avait les tueurs qui ne prévenaient pas, et ceux qui multipliaient les avertissements. Pourtant, en vingt ans, celui-là n'avait jamais averti qui que ce soit ; or voilà qu'avec Mr Lal s'ouvrait une manière de vendetta contre l'inspecteur Dhar et le Dr Daruwalla. Patel avait du mal à croire que la seule raison de ce revirement soit un film idiot. Il devait y avoir un élément de la filière Dhar-Daruwalla qui avait suscité une vindicte tenace chez Rahul. Selon le commissaire, *L'Inspecteur Dhar et le Tueur de canaris* n'avait fait qu'exacerber une haine qui remontait loin.

– Je voulais vous demander, simple curiosité, dit-il au Dr Daruwalla, vous en connaissez des hijras, je veux dire personnellement ?

Dès qu'il vit que le docteur réfléchissait – il avait été incapable de répondre spontanément –, le détective ajouta :

– Dans votre film, vous avez choisi un hijra pour assassin. Qu'est-ce qui a bien pu vous donner une idée pareille ? Pour ma part, voyez-vous, les hijras que je connais sont des gens assez pacifiques. C'est vrai que les prostitués hijras sont plus hardis que les prostituées femmes, mais je ne les crois pas dangereux pour autant. Alors je me demandais si par hasard vous en auriez connu un peu recommandable – par simple curiosité.

– Mais il me fallait bien un assassin, dit Farrokh pour se défendre. Il n'y a rien de personnel dans ce choix.

– Je vais préciser, alors, dit le commissaire. La réplique attira l'attention du docteur, car il l'avait souvent mise dans la bouche de l'inspecteur Dhar.

– Est-ce que vous avez connu quelqu'un qui ait des seins de femme et un pénis de garçon ? Un tout petit pénis, d'après les témoignages, ajouta le détective. Pas un hijra, donc, un zénana, un travesti avec un pénis, et des seins.

A ce moment-là, Farrokh sentit comme une palpitation douloureuse dans la région du cœur. C'était sa côte fêlée qui tentait de lui rappeler Rahul. La côte lui criait que Rahul était la seconde Mrs Dogar, mais le docteur prit la douleur pour un symptôme cardiaque. Son cœur lui soufflait Rahul, mais le rapport entre Rahul et Mrs Dogar continuait de lui échapper.

– Oui, enfin, peut-être. J'ai connu un homme qui essayait de devenir femme, répondit-il. Il avait visiblement pris des œstrogènes, peut-être s'était-il même fait mettre des prothèses – en tout cas il avait des seins de femme. Mais s'il était castré, ou s'il avait subi une opération quelconque, je l'ignore. Ce que je veux dire, c'est que j'ai supposé qu'il avait un pénis, parce qu'il souhaitait une opération complète... il voulait devenir un transsexuel complet.

– Et il l'a subie, cette opération ?

– Je ne saurais pas vous dire. Cela fait vingt ans que je ne l'ai pas vu, cet homme... ou cette femme.

– Cela ferait le compte, non ? demanda le détective.

De nouveau Farrokh sentit ce pincement dans la côte qu'il prenait pour une palpitation cardiaque.

– Il espérait partir à Londres pour subir cette opération, expliqua-t-il. De ce temps-là, je crois qu'il lui aurait été très difficile de réaliser un changement de sexe complet en Inde. D'ailleurs c'est toujours illégal, ici.

– J'ai la conviction que notre meurtrier est allé à Londres, lui aussi, annonça Patel au docteur. Mais de toute évidence, et tout récemment, il ou elle est rentré.

– La personne que j'ai connue voulait s'inscrire dans une école d'art... à Londres, dit Farrokh d'une voix engourdie.

Les clichés des ventres tatoués commençaient à prendre un sens plus clair, même s'il n'en voyait pour l'instant que le verso sur le bureau du commissaire. Ce dernier en reprit un en main, pour l'examiner de nouveau.

– Une école de haut niveau ne l'aurait jamais pris, je suppose, dit-il.

Il ne fermait jamais la porte de son bureau, qui donnait, comme une douzaine d'autres semblables, sur un balcon courant le long de la façade ; il avait imposé pour politique que personne ne ferme jamais sa porte – sauf pendant les pluies de la mousson, et encore, quand le vent venait du mauvais côté. Toutes portes ouvertes, personne ne pouvait se plaindre par la suite d'avoir été frappé pendant un interrogatoire. Et puis, le bruit des secrétaires tapant les rapports des policiers lui était agréable ; le crépitement des machines à écrire lui parlait d'ordre et d'industrie. Il n'ignorait pas pour autant que de nombreux collègues étaient paresseux et leurs secrétaires négligents ; les rapports de police étaient rarement aussi ordonnés que le claquement des

375

touches sur le clavier. Ainsi il avait sous le coude trois rapports qui avaient grand besoin d'être refaits, et un quatrième pire encore ; mais il les poussa tous les quatre pour étaler les photographies des ventres. Les dessins des éléphants lui étaient devenus si familiers qu'ils le calmaient ; il ne voulait pas que le docteur perçoive sa curiosité avide.

– Et cette personne que vous avez connue, n'aurait-elle pas un nom banal, un nom comme Rahul ? demanda le détective.

C'était une formule d'une fausse ingénuité digne de l'inspecteur Dhar.

– Rahul Rai, dit le Dr Daruwalla ; c'était presque un murmure, mais le plaisir du commissaire n'en fut pas moins vif.

– Et ce Rahul Rai, il aurait pu se trouver à Goa… en séjour sur les plages, peut-être… à quelque chose près au moment où l'Allemand et l'Américaine, dont vous avez vu les cadavres, ont été assassinés ? demanda le détective Patel.

Le docteur était affalé sur sa chaise, comme cassé en deux par une indigestion.

– A mon hôtel, le Bardez, répondit-il. Il y était descendu avec sa tante. Et le fait est que si Rahul est à Bombay, il connaît certainement très bien le Duckworth – sa tante en était membre !

– En *était* membre ?

– Elle est morte, expliqua le docteur. Je présume que Rahul, son neveu ou sa nièce, a hérité de sa fortune.

Le commissaire Patel toucha la défense tendue de l'éléphant sur l'une des photos ; puis il les mit toutes en pile, soigneusement. Il avait toujours su qu'il y avait de l'argent dans les familles en Inde, mais la filière du Duckworth le surprenait. Depuis vingt ans, ce qui le mettait sur une fausse piste, c'était la brève notoriété de Rahul dans les bordels à travestis de Falkland et Grant Road ; ce n'étaient guère les lieux de prédilection d'un duckworthien.

– Bien sûr, je sais que vous connaissez ma femme, dit le détective. Il faut que je vous mette en rapport avec elle. Elle connaît votre Rahul elle aussi, et ça m'aiderait peut-être que vous compariez vos données, si j'ose dire.

– Nous pourrions déjeuner au club. Quelqu'un pourrait peut-être nous en dire plus sur Rahul, là-bas, suggéra Farrokh.

– Gardez-vous bien de poser des questions, s'écria soudain le commissaire.

Le Dr Daruwalla fut outré de cet éclat, mais le détective retrouva aussitôt son tact, sinon ses facultés d'apaisement.

– C'est que nous ne voudrions pas mettre la puce à l'oreille de Rahul, n'est-ce pas, dit-il comme s'il parlait à un enfant.

La poussière qui s'élevait de la cour s'était déposée en pellicule sur les feuilles des neem ; la rampe du balcon en était couverte, elle aussi ; dans le bureau du détective, le ventilateur de plafond, un appareil poussif en laiton terni, s'évertuait à chasser les particules de poussière par la porte ouverte. De temps à autre l'ombre des milans royaux passait d'un coup d'aile sur la table. Sur la photo du haut de la pile, l'œil ouvert de l'éléphant semblait ne rien perdre de tous ces détails, que le docteur n'oublierait jamais, il le savait.

– On déjeune aujourd'hui ? proposa le détective.

– Demain m'arrangerait mieux, dit le Dr Daruwalla.

Il devait sans faute remettre Martin Mills aux mains des jésuites de Saint-Ignace, et n'était pas fâché de ce contretemps ; il avait besoin de parler à Julia, et il voulait prendre le temps de mettre Dhar au courant – il fallait qu'il vienne au déjeuner avec la hippie blessée. Il savait que l'acteur avait une mémoire hors pair, peut-être même qu'il était celui qui se rappelait le mieux Rahul.

– Parfait, demain, répondit le commissaire, mais sa déception était évidente.

Les mots que sa femme avait employés pour décrire Rahul le hantait. Tout comme le hantait la taille de ses grandes mains, qui avaient tenu les gros seins de sa femme ; ainsi que la fermeté et la joliesse de ses seins, que Nancy avait sentis contre son dos ; et ce pénis soyeux de petit garçon, que sa femme avait senti contre ses fesses. Nancy disait Rahul condescendant, moqueur, narquois – certainement sophistiqué, sans doute cruel.

Le Dr Daruwalla commençait juste à phosphorer sur sa première déposition à propos de Rahul Rai, et ce détective ne le laissait pas tranquille.

– Donnez-moi un mot pour définir Rahul, lui demanda-t-il. Le premier qui vous vienne à l'esprit, pour savoir.

– Arrogant, répondit le docteur.

Après vingt ans d'attente, cette réponse ne satisfaisait guère le détective ; sa déception se lut sur son visage.

– S'il vous plaît, trouvez-en un autre, insista-t-il.

– Imbu de sa supériorité.

– Vous brûlez...

– Rahul nargue les gens, expliqua Farrokh. Il est condescendant, moqueur, il vous bouscule avec une espèce de sophistication autosatisfaite. Tout comme sa tante, il se sert de sa sophistication comme d'une arme. Je pense qu'au fond, c'est quelqu'un de cruel, dit le docteur, interrompant sa description parce que le détective avait fermé les yeux et souriait, assis à son bureau.

Depuis que Farrokh avait commencé à parler, le commissaire pianotait comme s'il était en train de taper un nouveau rapport ; mais ses doigts ne frappaient pas le clavier ; une fois de plus, il avait étalé les photographies ; elles couvraient son bureau ; et il tapait sur les nombreuses têtes des éléphants moqueurs ; ses doigts rencontrant les nombrils des prostituées assassinées, autant d'yeux clignant en permanence.

Au bout du balcon, dans le bureau d'un autre détective, un homme était en train de hurler qu'il disait la vérité, tandis qu'un policier le contredisait calmement, en lui opposant la répétition presque harmonieuse du mot « mensonges ». Depuis le chenil de la cour parvenaient des vociférations correspondantes : c'étaient les chiens d'attaque de la police.

Après que le Dr Daruwalla eut terminé son rapport écrit sur Rahul, il sortit sur le balcon jeter un coup d'œil aux chiens ; à force d'aboyer, ils étaient aphones. Le soleil de la fin de matinée écrasait la cour ; les chiens policiers, des dobermans, tous, s'étaient endormis dans le seul coin d'ombre du chenil, dérobé à la vue de Farrokh par un bouquet de neems. Mais, sur le balcon même, il y avait une petite cage tapissée d'un journal ; et le docteur s'agenouilla pour jouer avec un chiot pinscher, prisonnier de ce panier à chien. Le chiot frétilla et piaula pour attirer son attention. Il poussait sa truffe noire et luisante entre deux barreaux de la cage ; il lécha la main du docteur ; ses dents pointues comme des aiguilles lui mordillèrent les doigts.

– Est-ce que tu es un bon chien ? lui demanda le docteur.

Les yeux farouches du chiot présentaient la bordure feuille morte caractéristique de sa race, qui était celle que la police préférait pour Bombay, parce que le poil ras des dobermans était bien adapté à la chaleur. Les chiens étaient grands, puissants et rapides ; ils avaient les mâchoires et la ténacité du terrier, à défaut d'avoir tout à fait l'intelligence du berger allemand.

Un sous-inspecteur, officier de police adjoint, sortit de l'un des bureaux où l'on entendait cliqueter au moins trois machines à écrire ; et ce jeune important se mit à parler à Farrokh sur un ton agressif : « gâter » le chiot doberman allait le rendre impropre au travail que la police lui demandait, on n'était pas censé traiter un chien d'attaque comme un chien de manchon, etc. Chaque fois qu'on lui parlait hindi à brûle-pourpoint, de cette façon, le docteur se sentait paralysé par son manque de maîtrise de la langue.

– Excusez-moi, dit-il en anglais.

– Mais ce n'est pas à vous de vous excuser, tonna une voix derrière lui.

C'était le commissaire ; il venait de sortir de son bureau comme un diable de sa boîte, et tenait encore à la main la déposition écrite de Farrokh.

– Allez-y, cria-t-il, jouez avec le chiot, ne vous gênez pas.

Son subalterne comprit sa bévue et s'excusa aussitôt auprès du docteur, en lui donnant du « saar ». Mais avant qu'il ait pu filer dans son bureau, à l'abri dans le tintamarre des machines, le détective Patel aboya :

– Mais oui, vous pouvez vous excuser. Vous n'avez pas à parler à mon témoin !

Alors comme ça me voilà témoin, pensa le Dr Daruwalla. Lui qui avait amassé une petite fortune en faisant la satire de la police se rendait compte qu'il ne savait rien d'un détail aussi banal que le respect de la préséance chez les policiers.

– Allez-y, allez-y, vous pouvez continuer à jouer avec ce chiot, répéta Patel au docteur, si bien que ce dernier s'intéressa de nouveau au doberman.

Comme le petit chien venait de pondre un étron d'une taille surprenante sur le journal qui tapissait sa cage, l'attention du docteur fut temporairement captée par cet étron. C'est alors qu'il vit que le journal était le numéro du jour du *Times of India*, et que l'étron du doberman était tombé sur la critique de *L'Inspecteur Dhar et les Tours du Silence*. C'était une mauvaise critique ; elle était même si hostile que son acrimonie semblait soulignée par l'odeur de la merde du chien.

L'étron ne permettait qu'une lecture partielle de la critique, ce qui n'était pas plus mal, car Farrokh était déjà assez furieux. Il y avait même un coup au-dessous de la ceinture : le critique avait remarqué que Dhar s'empâtait un peu ; avec cette bedaine de buveur de bière, les studios auraient désormais du mal à le faire passer pour le Charles Bronson de Bombay.

En entendant un froissement de papier dans son dos, le Dr Daruwalla comprit que le commissaire avait fini de lire sa déposition. Le détective, quant à lui, était assez près de la cage pour voir ce que le docteur venait de lire ; c'était d'ailleurs lui qui avait mis le journal au fond de la cage.

– Ce n'est pas une très bonne critique, j'en ai bien peur, observa-t-il.

– Ce serait bien la première, dit Farrokh.

Il suivit le policier dans son bureau. Il sentait que son rapport ne le satisfaisait pas tout à fait.

– Asseyez-vous, dit le détective Patel.

Mais lorsqu'il vit le docteur se diriger vers la chaise où il s'était assis auparavant, il lui prit le bras et le fit passer de l'autre côté du bureau.

– Non, non. Asseyez-vous donc à ma place, lui enjoignit-il.

C'est ainsi que Farrokh prit son siège ; Il était plus haut que celui qu'il avait occupé au début leur entretien ; les photographies des prostituées assassinées étaient plus faciles à voir, ou plus difficiles à ignorer. Le docteur se rappelait la fête à Chowpatty où le petit John D. avait eu si peur de la populace, et de toutes ces têtes d'éléphants qu'on menait à la mer. « Ils noient les éléphants ! avait crié l'enfant. Et maintenant, les éléphants vont se fâcher ! »

Dans sa déposition, Farrokh attribuait à Rahul les odieux appels téléphoniques qui revendiquaient l'assassinat de son père ; après tout, c'était une voix de femme tentant de se faire passer pour un homme ; ce qui pourrait bien correspondre à la voix que Rahul avait fini par se faire. Vingt ans auparavant, sa voix avait encore quelque chose d'expérimental ; elle marquait l'indécision sexuelle. Mais si le détective trouvait cette spéculation intéressante, il n'en était pas moins troublé par la conclusion du Dr Daruwalla – à savoir que c'était Rahul l'assassin de Lowji. C'était trop rocambolesque ; un saut excessif dans l'imagination. Des conclusions de ce genre ternissaient la qualité de la déposition ; elles lui donnaient, selon le commissaire, un côté amateur.

– Ce sont des professionnels qui ont fait sauter votre père, expliqua-t-il à Farrokh. J'étais encore au poste de Colaba ; c'est moi qui étais de service. Le commissariat de Tadeo avait répondu à l'appel. On ne m'a pas autorisé à me rendre sur les lieux du crime ; et puis l'enquête a été confiée au gouvernement. Mais je sais avec certitude que l'attentat au cours duquel Lowji Daruwalla a sauté est l'œuvre d'une équipe. Pendant un moment, on a raconté que le chef mali était peut-être dans le coup.

– Le jardinier du Duckworth ? s'écria le docteur.

Il l'avait toujours détesté sans savoir pourquoi.

– Ce n'était pas le même que maintenant, vous vous en souvenez sûrement, rectifia le détective.

– Ah ! dit Farrokh.

Il se sentait de plus en plus « amateur ».

– Quoi qu'il en soit, à supposer que Rahul soit l'auteur des appels téléphoniques, hypothèse qui en vaut une autre, dit Patel, ce n'est pas un expert de l'attentat à la voiture piégée.

Le docteur, démoralisé, ne disait mot. Il regardait les photos des femmes assassinées.

– Mais pourquoi voulez-vous que Rahul me déteste, ou qu'il déteste Dhar ? demanda-t-il.

– C'est la question à laquelle vous ne répondez pas, et que vous ne posez même pas, dans votre déposition, dit le détective. Eh oui, pourquoi ?

C'est ainsi que les deux hommes se retrouvèrent avec cette question sans réponse : le Dr Daruwalla alors qu'il prenait un taxi pour aller chercher Martin Mills, et le détective Patel alors qu'il réintégrait son siège, derrière son bureau. Une fois de plus le commissaire se trouvait face aux éléphants qui clignaient des yeux sur le ventre mou des femmes violentées.

Sans mobile

Le commissaire en venait à penser que la haine de Rahul était sans doute un mystère insondable, un chapitre sur lequel on pourrait multiplier sans fin les conjectures, sans pouvoir apporter de réponse satisfaisante – jamais, sans doute. Au fond, l'invraisemblance la plus criante, c'était au contraire que dans tous les *Inspecteur Dhar* les mobiles de tous les meurtriers soient clairement établis ; la raison de telle ou telle vindicte, qui amènerait telle ou telle violence, était toujours dépourvue d'ambiguïté. Le détective Patel regrettait que Rahul ne soit pas dans un film.

Outre sa déposition écrite, le détective Patel avait obtenu du docteur qu'il lui fasse une lettre car, ce détail ne lui avait pas échappé, il était président invité du Comité de sélection des membres au Duckworth. La lettre, écrite au nom du détective, requérait la liste des « nouveaux » membres du club – ceux qui y étaient entrés depuis vingt ans. Le commissaire envoya un inspecteur adjoint porter la lettre au club, avec l'ordre de n'en pas partir avant d'avoir obtenu la liste. Le détective Patel comptait bien qu'il n'aurait pas à lire les six mille noms des membres ; avec un peu de chance, il serait facile de repérer l'admission récente d'un membre apparenté à feue Promila Rai. En attendant le retour de son subalterne, le commissaire avait du mal à contenir son impatience.

Il était assis à son bureau, dans le ballet des grains de poussière chassés sans bruit par le ventilateur ; non que l'appareil fût silencieux, à vrai dire, mais la symphonie constante des machines à écrire en couvrait les ronronnements et le cliquetis étouffés. Sur le coup, le commissaire avait reçu les informations du Dr Daruwalla avec enthousiasme. Il ne s'était jamais approché aussi près de Rahul ; il pensait désormais que l'arrestation du tueur était inéluctable, et qu'on l'appréhenderait même dans un futur imminent. Pourtant, il ne pouvait se résoudre à faire partager son enthousiasme à sa femme. Il n'aurait pas supporté de la voir déçue s'il restait quelque détail en suspens. Or il restait toujours quelque détail en suspens, il le savait.

– Mais pourquoi voulez-vous que Rahul me déteste, ou qu'il déteste Dhar ? avait demandé le Dr Daruwalla.

Ineptie typique du père de l'inspecteur Dhar ; mais enfin le détective – le vrai – avait encouragé le docteur à ne pas cesser de se poser la question.

Le détective Patel vivait avec les photos depuis trop longtemps ; ce petit éléphant, avec sa défense effrontée, et ses yeux pleins de malice, lui avait porté au cerveau ; sans parler des victimes, avec leur ventre mou. On ne trouverait jamais de cause plausible à une haine de cet ordre. Le vrai crime de Rahul, précisément, c'est que rien ne justifiait vraiment ses actes. Il y aurait toujours une part de lui qui leur échapperait ; l'horreur de crimes comme ceux qu'il commettait, c'est qu'ils ne répondaient jamais à des mobiles suffisants. Par conséquent le détective pensait que sa femme se préparait une déception ; il ne voulait pas l'appeler, parce qu'il ne voulait pas lui donner de faux espoirs. Mais, comme il aurait pu s'y attendre, ce fut elle qui l'appela.

– Non, chérie, dit le détective.

Dans le bureau d'à côté, les machines à écrire se turent ; puis dans le suivant, et ainsi de suite, sur toute la longueur du balcon.

– Non, je te l'aurais dit, chérie, dit le commissaire.

Depuis vingt ans, Nancy l'appelait presque tous les jours ; elle lui demandait invariablement s'il avait attrapé l'assassin de Beth.

– Oui, bien sûr que je te le promets, chérie, dit le détective.

En bas dans la cour, les grands dobermans dormaient toujours, et le mécanicien de la police, affairé à faire tourner les motos des patrouilles, avait eu la bonté d'interrompre son boucan infernal. Le réglage de ces machines était un bruit si permanent qu'il ne réveillait même pas les chiens, d'ordinaire. Mais ce bruit-là avait cessé lui aussi, comme si le mécanicien, tout en ouvrant et en coupant les gaz, avait réussi à entendre les machines à écrire s'arrêter. Le mécano des motos avait imité leur silence.

– Oui, j'ai montré les photos au docteur, dit Patel à Nancy. Oui, bien sûr, tu avais raison, chérie.

Percevant un bruit insolite dans son bureau, il regarda autour de lui, pour en chercher l'origine. Peu à peu, il s'aperçut qu'on n'entendait plus les machines. Puis il leva les yeux vers le ventilateur en marche, et se rendit compte que c'était lui qui ronronnait et cliquetait ainsi. Il régnait un tel silence qu'il entendait crisser les roues de fer rouillées d'un chariot qui passait livrer des déjeuners chauds dans Dr Dadabhai Navroji Road ; les *dabba-wallas* étaient en route pour servir des repas chauds aux employés de bureau du quartier.

Le commissaire Patel savait que ses collègues et leurs secrétaires ne perdaient pas un mot de sa conversation ; il se mit à chuchoter dans l'appareil :

– Nous avons tout de même un peu progressé, chérie. Le docteur n'a pas seulement vu les corps, il connaît Rahul. Daruwalla et Dhar, ils savent très bien qui il est... ou du moins qui il ou elle était.

Patel marqua un temps, puis il reprit, toujours à voix basse :

– Non, chérie, ils ne l'ont pas vu... pas vu depuis vingt ans.

Puis le détective écouta une fois de plus sa femme – puis le ventilateur, puis le crissement lointain des chariots des dabba-wallas.

Lorsqu'il reprit la parole, ce fut pour tonner :

– Mais je n'ai jamais négligé tes théories !

Puis sa voix trahit une nuance familière de résignation ; une nuance qui navrait ses collègues, qui l'admiraient tous et ne pouvaient pas plus sonder les ressorts de cet amour extrême qu'il nourrissait pour sa femme qu'on ne pouvait sonder les mobiles de la haine extrême de Rahul. Il était tout simplement impossible de déterminer l'origine d'un amour ou d'une haine comme ceux-là ; et ce mystère obligeait les policiers et leurs secrétaires à tendre l'oreille. Sur toute la longueur du balcon, l'intensité de ce qui leur apparaissait comme un amour irrationnel et sans fondement les laissait pantois.

– Mais non, bien sûr, je ne suis pas fâché, dit Patel à Nancy. Excuse-moi si je t'en ai donné l'impression, chérie.

Il avait l'air vidé ; les policiers et leurs secrétaires auraient bien voulu pouvoir l'aider. S'ils écoutaient ainsi, ce n'était pas pour en savoir plus sur les meurtres des prostituées ; ils savaient que les preuves de ce qu'on avait fait à ces femmes, le détective les avait toujours à portée de main, dans le premier tiroir de son bureau. Ce qui avait arrêté la main du mécano sur l'arrivée des gaz, c'était, dans la voix du détective, cet amour pathétique pour sa malheureuse femme.

Patel remit avec effort les photographies dans le premier tiroir ; il les y remettait toujours une par une ; de même qu'il les passait en revue par ordre chronologique.

– Moi aussi, je t'aime, chérie, dit-il dans l'appareil.

Il attendait toujours que ce soit Nancy qui raccroche. Puis il referma le tiroir d'un coup sec et se rua sur le balcon. Il prit ses collègues et leurs secrétaires par surprise ; aucun n'eut le temps de se remettre à taper avant qu'il ait poussé son coup de gueule.

– Vous n'avez plus rien à décrire ? brailla-t-il. Plus de doigts à vos mains ? Il n'y a plus de meurtres ? Le crime appartient à l'histoire ?

Vous êtes en vacances ? Vous n'avez rien de mieux à faire que d'écouter mes conversations ?

Le crépitement des machines reprit, et le détective se douta que les premiers mots n'auraient guère de sens. En bas, dans la cour, les dobermans se mirent à aboyer comme des crétins ; il les voyait s'égosiller dans leur chenil. Et puis le mécanicien avait enfourché la moto la plus proche et sautait, sautait, sautait sans résultat sur le kick. Le moteur poussait un bref soupir.

– Purge le carburateur – il y a trop d'air ! cria Patel au mécanicien qui s'escrima derechef, sa jambe infatigable continuant de pilonner le kick.

Le moteur démarra, et le mécano le fit monter à un tel régime que son bruit noya les aboiements des dobermans. Alors le commissaire rentra dans son bureau, et s'assit à sa table, les yeux clos. Petit à petit sa tête se mit à dodeliner, comme s'il avait trouvé un rythme à suivre, sinon une mélodie, dans le staccato explosif des claviers de la police.

S'il n'avait pas encore annoncé à Nancy qu'ils déjeuneraient le lendemain au Duckworth avec le Dr Daruwalla et sans doute l'inspecteur Dhar, c'était à dessein. La perspective allait l'inquiéter, et lui vaudrait une crise de larmes, ou pour le moins une longue nuit blanche, hantée par un chagrin inconsolable. Nancy détestait se montrer en public. En outre, elle avait pris Dhar et son créateur en aversion sans qu'on puisse s'expliquer pourquoi. Le détective Patel comprenait que l'antipathie de sa femme n'était pas plus logique que les reproches qu'elle faisait aux deux hommes, incapables, selon elle, de comprendre le traumatisme effroyable qu'elle avait subi à Goa. Avec la même absence de logique, prévoyait le détective, Nancy aurait honte d'elle-même auprès d'eux, car elle ne supportait pas de rencontrer quelqu'un qui l'ait connue à l'époque.

Il lui parlerait du déjeuner le lendemain matin, décida-t-il ; ainsi, elle pourrait peut-être passer une nuit paisible. Et puis il espérait qu'après avoir lu la liste des nouveaux membres du club il saurait qui était Rahul, ou du moins pour qui il ou elle se faisait passer, à l'heure actuelle.

Les collègues de Patel et leurs secrétaires purent enfin se détendre lorsqu'ils entendirent le cliquetis de sa machine joindre sa mélopée fastidieuse à la leur. Cet ennui était le bienvenu, ils le savaient ; car avec le claquement mat des touches, ils étaient soulagés de savoir qu'il avait recouvré sa santé mentale, sinon sa tranquillité d'esprit. Ses subalternes étaient même réconfortés à l'idée qu'il refaisait leurs rapports bâclés. Ils s'attendaient à voir, dans l'après-midi, resurgir sur leur table ces rapports préfacés par un échantillonnage d'insultes inventives dirigées contre leurs myriades de lacunes – aucun d'entre eux, selon Patel, n'était fichu de rédiger un rapport convenable. Et les secrétaires se feraient houspiller pour les fautes de frappe. Il était si dédaigneux de leurs offices, le commissaire, qu'il tapait tous ses textes lui-même.

La mère de Martin lui donne la nausée

Le trachome, une des causes essentielles de la cécité dans le monde, se traite facilement à son stade précoce, l'inflammation de la conjonctive due à des chlamydes. Dans le cas de Ganesh, la cornée n'était pas atteinte. Jeejeeboy l'OORL avait prescrit trois semaines de tétracycline par voie orale, et en pommade. Il était probable que les larmoiements d'Elephant Boy allaient cesser.

– Vous voyez ? avait demandé Martin Mills au Dr Daruwalla. Nous lui avons déjà fait du bien, à cet enfant. Ce n'était pas difficile, franchement ?

Le docteur trouvait déloyal de rouler dans un taxi qui ne soit pas conduit par Vinod ; un taxi qui n'appartenait même pas à sa compagnie. Par ailleurs cela lui semblait dangereux, car le chauffeur décrépit les avait prévenus qu'il ne connaissait pas bien Bombay. Avant de gagner la mission de Mazagaon, ils déposèrent le mendiant à la plage de Chowpatty, où il avait demandé à aller. Le Dr Daruwalla ne put résister à l'envie de dire à Martin Mills que le petit infirme devait avoir hâte de vendre les vêtements achetés dans Fashion Street.

– Vous êtes bien cynique ! dit le missionnaire.

– Il va sans doute vendre la tétracycline, en plus, repartit Farrokh. Il sera sans doute aveugle avant de voir le cirque.

Tout en accompagnant le missionnaire à Saint-Ignace, Farrokh se sentait assez dépassé par les événements pour en arriver à prendre des résolutions amères quant à sa propre vie. Il décida de ne plus écrire un seul *Inspecteur Dhar* et de réunir une conférence de presse pour revendiquer la responsabilité totale de sa création.

Perturbé par ces considérations, et de surcroît jamais très rassuré lorsqu'il était passager à Bombay – même passager de Vinod, qui conduisait plutôt bien –, le Dr Daruwalla découvrit avec effroi que leur chauffeur avait failli faucher un piéton. Cet accident évité de justesse n'endigua pas la conférence que Martin Mills improvisait sur le jainisme, « un rejeton prébouddhiste de l'hindouisme », déclarait-il. Les jains étaient des purs : ils ne mangeaient pas de viande, mais pas d'œufs non plus ; ils ne tuaient pas, pas même une mouche ; ils se baignaient tous les matins. Il aimerait beaucoup rencontrer un jain. Il ne lui avait pas fallu longtemps pour se remettre du chaos du matin, à supposer qu'il s'en souvienne encore.

Sans lien aucun, le scolastique embraya sur Gandhi, sujet rebattu entre tous. Farrokh se demandait comment détourner la conversation ; peut-être pourrait-il dire qu'il préférait le guerrier Shivaji à Gandhi. Avec Shivaji, au moins, on n'avait pas droit à ces conneries du type « tendez la joue gauche ». Mais avant que le docteur ait pu saborder une seule phrase de ce vibrant hommage à Gandhi, le scolastique avait déjà changé de sujet, une fois de plus.

– Personnellement je m'intéresse davantage à Shirdi Sai Baba, déclara-t-il.

– Ah oui ! Le Jésus du Maharashtra, répondit Farrokh, non sans malice.

Sai Baba était le saint patron de beaucoup d'enfants de la balle ; les acrobates portaient autour du cou des petites médailles à l'effigie de Shirdi Sai Baba, équivalent hindou des médailles de saint Christophe. Il y avait des calendriers de Shirdi Sai Baba dans les tentes de la troupe du Grand Nil bleu et du Grand Royal. Le saint avait son sanctuaire dans le Maharashtra.

– Il est aisé de comprendre pourquoi on a établi des parallèles avec Jésus, commença Martin Mills, même si Sai Baba n'était qu'un gamin quand il a commencé à faire parler de lui, et un vieillard de quatre-vingts ans quand il est mort… en 1918, je crois.

– Sur ses photos, je lui ai toujours trouvé un air de Lee Marvin, dit Farrokh. C'était le Lee Marvin du Maharashtra.

– Shirdi Sai Baba, un Lee Marvin ! protesta le missionnaire.

Là-dessus, pour couper court à la conférence qu'il sentait venir sur le parallélisme entre la foi chrétienne et le culte de Shirdi Sai Baba, le docteur se lança dans une description du terrible numéro de bascule qui avait catapulté Vinod par la voie des airs sur le public ahuri du Grand Nil bleu, qui n'avait de grand que le nom. Le Dr Daruwalla ne cacha pas que leur avenir au cirque réservait sans doute ces numéros irresponsables à Madhu qui n'avait d'innocente que la réputation, et à Ganesh avec sa patte d'éléphant. Mais son pessimisme calculé ne réussit pas à faire réagir le missionnaire ; ce dernier ne lui répéta pas sa théorie selon laquelle les périls du cirque – quel qu'il soit – n'étaient rien en comparaison des épreuves qui attendaient un mendiant et une prostituée dans les rues de Bombay. Aussi facilement qu'il était passé de Gandhi à Sai Baba, Martin Mills abandonnait à présent le Jésus du Maharashtra.

Son attention venait d'être captée par une affiche devant laquelle ils passaient, une publicité pour le dentifrice Très Près :

VOUS GARGARISEZ-VOUS APRÈS VOUS ÊTRE DENTIFRICÉ ?

– Regardez-moi ça ! s'écria-t-il.

Leur chauffeur sursauta et faillit se faire emboutir de côté par un camion de Thums Up Cola aussi gros et aussi rouge qu'une voiture de pompiers.

– C'est tellement important de parler un bon anglais, déclara le scolastique. Ce qui m'inquiète, à propos de ces enfants, c'est que leur anglais risque de se dégrader, au cirque. Peut-être pourrions-nous insister pour qu'ils prennent des cours.

– A quoi voulez-vous que l'anglais leur serve, dans un cirque ? demanda Farrokh.

Où le missionnaire était-il allé chercher que Madhu possédait assez d'anglais pour que sa maîtrise de la langue se dégrade ? Quant au niveau de l'anglais parlé d'Elephant Boy et à sa compréhension apparente de cette langue, c'était encore un mystère pour le Dr Daruwalla ; peut-être quelqu'un lui avait-il déjà donné des cours. Peut-être le missionnaire allait-il suggérer que Ganesh donne des cours à Madhu. Mais Martin Mills ne lui laissa pas le temps de développer la thèse que l'anglais n'avancerait ces enfants à rien – au cirque en tout cas.

– L'anglais sert à tout, dit le professeur d'anglais. Un jour l'anglais sera la langue universelle.

– Le mauvais anglais est déjà la langue universelle, dit le Dr Daruwalla avec désespoir.

Que les enfants se fassent écraser par les éléphants, cet abruti s'en fichait éperdument ; ce qui lui importait, c'était qu'ils parlent un anglais correct !

En dépassant la Clinique de gynécologie et d'obstétrique du Dr Vora, Farrokh s'aperçut que leur chauffeur décrépit s'était perdu ; le misérable avait tourné brusquement. Il avait failli être heurté sur le flanc par un fourgon vert olive appartenant à la Société spastique de l'Inde et donnait de la bande. Le docteur s'aperçut quelques instants plus tard (bien plus tard, en réalité, mais il ne s'en rendait pas compte) que son propre sens de l'orientation l'avait abandonné ; car ils étaient en train de dépasser l'immeuble du *Times of India* lorsque Martin Mills annonça :

– On pourrait abonner les enfants au *Times of India*. Il faudrait insister pour qu'ils y consacrent au moins une heure par jour, naturellement.

– Naturellement, dit le Dr Daruwalla.

Il se dit qu'il allait s'évanouir d'exaspération car le chauffeur venait de rater la rue où il aurait dû tourner, et voilà Sir J. J. Road qui arrivait.

– J'ai l'intention de lire le *Times of India* moi-même tous les jours, poursuivit le missionnaire. Lorsqu'on est étranger, il n'y a rien de tel qu'un journal local pour se repérer.

Se repérer d'après le *Times of India* ! pensa Farrokh.

Une collision de plein fouet avec un bus à impériale vaudrait toujours mieux que la conversation du scolastique… Une minute plus tard, ils plongeaient dans Mazagoan. Saint-Ignace n'était plus très loin ; et le docteur, sans préméditation, enjoignit au chauffeur de faire un petit détour par les bidonvilles de Sophia Zuber Road.

– Une partie de ce bidonville a servi de plateau de tournage, un jour, expliqua le Dr Daruwalla à Martin Mills. C'est dans ce taudis même que votre mère s'est évanouie parce qu'une vache lui avait éternué dessus, et puis l'avait léchée. C'est vrai qu'elle était enceinte de vous à l'époque, votre mère – je suppose que vous connaissez l'histoire.

– Arrêtez la voiture, s'il vous plaît, cria le missionnaire.

Dès que leur chauffeur freina, mais sans attendre l'arrêt complet, Martin Mills ouvrit la portière arrière et vomit dans la rue encore mouvante. Comme rien ne passe inaperçu dans un taudis, cet épisode attira l'attention de plusieurs résidents, qui se mirent à marcher au trot le long de cette voiture qui ralentissait. Apeuré, le chauffeur accéléra pour se débarrasser d'eux.

– Après que votre mère se fut évanouie, il y a eu une émeute, poursuivit Farrokh. Apparemment une vaste confusion a régné ; on ne savait pas qui avait léché l'autre... votre mère ou la vache.

– S'il vous plaît, arrêtez ! dit Martin Mills. Pas la voiture. Arrêtez de parler de ma mère.

– Je suis désolé, dit le docteur qui jubilait secrètement : enfin, il venait de trouver un sujet qui lui donnait la haute main sur le missionnaire.

Une demi-douzaine de cobras

La journée ne devait pas être moins longue pour le commissaire que pour le docteur, mais la confusion n'y atteindrait pas tout à fait un degré aussi alarmant. Le détective révisa sans difficulté le premier rapport bâclé qui attendait sa lecture – une présomption de meurtre à l'auberge de jeunesse de Suba. Ce meurtre était finalement un suicide ; il fallait réécrire le rapport parce que le policier de service avait interprété le dernier message du suicidé comme un indice laissé par l'assassin présumé. Par la suite, la mère de la « victime » avait identifié l'écriture de son fils. Le commissaire n'était qu'indulgence pour cette méprise, car le billet ne ressemblait guère à une lettre de suicidé.

COUCHÉ AVEC UNE FEMME QUI SENTAIT LA VIANDE
EXPÉRIENCE ASSEZ IMPURE

Quant au deuxième rapport qu'il fallait reformuler, le commissaire adjoint se sentait moins enclin à l'indulgence envers l'inspecteur adjoint appelé au collège anglais pour jeunes filles Alexandria. Une élève avait été découverte dans les toilettes, violée et assassinée, croyait-on. Mais lorsque l'inspecteur adjoint était arrivé à l'école, il avait trouvé la jeune fille bien vivante ; elle était tout à fait remise de son meurtre, et indignée qu'on l'ait crue violée. Il apparut qu'elle venait d'avoir ses premières règles ; s'étant isolée dans les toilettes pour voir la chose de plus près, elle s'était évanouie à la vue de son propre sang. C'est là qu'un professeur hystérique l'avait découverte, et qu'elle avait pris le sang pour celui d'une vierge violée ; et considéré de surcroît que la jeune fille était morte.

La raison pour laquelle il fallait réécrire le rapport, c'est que l'inspecteur n'avait pu se résoudre à préciser que la malheureuse venait d'avoir ses premières « règles » ; interrogé, il avait avoué qu'il ressentait une impossibilité morale à écrire ce mot, tout comme il aurait été incapable d'écrire le mot « menstruation », qui, ajoutait-il, lui était quasiment impossible à prononcer. C'est ainsi que viol et meurtre supposés étaient devenus dans son rapport « une affaire de premier saignement féminin ». Le détective Patel se souvint que les vingt ans passés avec Nancy lui permettaient d'y voir clair quant à la moralité torturée de beaucoup de ses collègues. Il s'interdit de juger trop sévèrement l'inspecteur adjoint.

Le troisième rapport à corriger était lié à l'inspecteur Dhar ; il n'entrait nullement à la rubrique « crime », d'ailleurs. Il y avait eu un barouf incompréhensible sur Falkland Road, aux petites heures. Le garde du corps de Dhar, ce tueur effronté, avait rossé une demi-douzaine de hijras. Deux d'entre eux étaient toujours hospitalisés, et l'un des quatre déjà sortis avait le poignet dans le plâtre ; deux des prostitués-travestis avaient été persuadés de ne pas porter plainte contre le nain de Dhar que le policier chargé de l'enquête appelait comme nombre de ses collègues « Barbouzet ». Mais le rapport était rédigé en dépit du bon sens, parce que l'agression de l'inspecteur Dhar n'y occupait pas trois lignes ; il n'était pas question de ce que Dhar était venu faire dans le coin, d'abord – on n'aurait pas dû soumettre un rapport aussi incomplet.

Le commissaire rédigea une note pour demander à Dhar ce qui lui avait pris d'aller se frotter aux prostitués hijras. Si ce crétin voulait s'envoyer une pute, il avait largement les moyens de s'offrir les services d'une call-girl de haut vol – et c'était moins dangereux. L'incident intriguait le détective parce qu'il ne correspondait guère à la personnalité circonspecte de la star. Ce serait tout de même piquant que l'acteur soit homosexuel, se dit le commissaire adjoint.

La journée lui réservait du moins quelques pointes d'humour. Le quatrième rapport émanait du poste de police de Tardeo. Six serpents au moins s'étaient échappés près du temple de Mahalaxmi, mais on ne signalait aucune morsure – pour l'instant. Le policier de service au poste de Tardeo avait pris des photos. Le détective Patel reconnaissait la vaste volée d'escaliers qui menaient au sanctuaire. Tout en haut des marches, où se dressait le temple, il y avait un large pavillon où les fidèles venaient porter les noix de coco et les fleurs de leurs offrandes ; c'était là aussi qu'ils se déchaussaient. Mais, sur les photos, le commissaire voyait que les marches du temple étaient jonchées de sandales et de chaussures en souffrance, ce qui indiquait qu'une foule affolée venait de monter ou de descendre les marches. Après les émeutes le sol était toujours jonché de sandales ; les gens les avaient perdues en route, ou bien ils étaient montés sur les talons de leurs prédécesseurs.

D'ordinaire, les marches du temple étaient noires de monde. Là, elles étaient désertes ; les échoppes de fleurs et les stands de noix de coco étaient abandonnés, eux aussi. Partout on ne voyait que sandales et chaussures éparses ! Au pied des marches, le détective aperçut les hauts paniers d'osier où l'on enfermait les cobras ; ces paniers étaient renversés – vides de leurs occupants, sans doute. Les charmeurs de serpents s'étaient enfuis avec la foule. Mais les cobras, où étaient-ils passés ?

La scène avait dû être haute en couleur, songeait le commissaire. Les fidèles prenant leurs jambes à leur cou dans un hurlement, et les serpents se faisant la belle ventre à terre... Pour sa part, il pensait que la plupart des cobras qui appartenaient à des charmeurs n'étaient plus venimeux, même s'ils avaient toujours des crocs.

Le plus intriguant, dans ces photographies, était ce qui y manquait. Quel avait été le crime ? Est-ce que l'un des charmeurs de serpents avait lancé son cobra contre un confrère ? Est-ce qu'un touriste avait marché sur un panier et l'avait renversé ? Il n'avait pas fallu plus d'une seconde pour que les cobras s'échappent, et pas plus de deux pour que la foule perde ses chaussures. Mais quel était le délit ?

Le commissaire renvoya le rapport au poste de Tardeo. Cette histoire de serpents échappés, c'était l'affaire de ses collègues. Il était probable que les bestioles n'avaient pas de venin ; si elles appartenaient à des charmeurs de serpents, elles étaient en tout cas apprivoisées. Le détective savait qu'une demi-douzaine de serpents lâchés dans Mahalaxmi étaient moins dangereux que Rahul – et de loin !

La mission inspire Farrokh

Ce fut un missionnaire étonnamment docile que Farrokh remit aux jésuites de Saint-Ignace. Une fois dans les murs, Martin Mills fit montre d'une obéissance de chien bien dressé ; la modestie du regard, que Farrokh avait admirée une fois sur sa physionomie, s'y fixa en permanence ; il avait plus l'air d'un moine que d'un jésuite. Le docteur n'aurait pas pu deviner que le supérieur, le père Cecil et le frère Gabriel attendaient un bouffon tapageur en chemise hawaïenne ; il fut déçu par l'accueil quasi déférent que reçut le scolastique. Dans sa chemise de Fashion Street, qu'il avait enfilée sans la repasser, avec son visage habité, labouré de marques, et sa coupe de déporté, le nouveau missionnaire donnait une première impression de sérieux.

Sans pouvoir s'expliquer pourquoi, le docteur s'attardait à la mission. Il pensa tout d'abord que c'était dans l'espoir de trouver le moment de prévenir le père Julian que Martin Mills était un fou. Mais, à la réflexion, il n'était pas si sûr de vouloir s'engager davantage dans l'avenir du nouveau venu. En outre, il découvrit qu'il était impossible de parler en tête à tête au supérieur. Ils étaient arrivés juste après que les écoliers avaient fini de déjeuner ; le père Cecil et le frère Gabriel – qui comptaient quelque cent quarante-cinq ans à eux deux, avaient insisté pour traîner la valise du scolastique, ce qui avait laissé au père Julian le soin de faire visiter les lieux à Martin, le Dr Daruwalla sur leurs talons.

Depuis qu'il avait quitté l'école, Farrokh n'y avait fait que des visites intermittentes. Il considéra la liste des reçus à l'examen punaisée dans le hall avec une curiosité détachée. Le premier cycle d'études secondaires était couronné par l'Indian Certificate of Secondary Education (ICSE). Sur la liste de 1973, Saint-Ignace affichait ses liens avec l'Espagne en commémorant la mort de Picasso ; cette idée venait sans doute du frère Gabriel. Une photographie de l'artiste figurait parmi celle des lauréats, comme s'il avait lui aussi réussi à l'examen obligatoire ; et l'on pouvait lire « Picasso nous quitte ». En 1975, c'était le trois centième anniversaire du couronnement de Shivaji qu'on célébrait ; en 76, les Jeux Olympiques de Montréal faisaient l'affiche ; en 77, on regrettait la mort de Charlie Chaplin et celle d'Elvis Presley – leurs photos figuraient aussi parmi celles des lauréats. Cette sentimentalité d'almanach était ponctuée par des accès de ferveur nationaliste et religieuse. Au beau milieu du hall d'entrée trônait une statue de la Vierge Marie plus grande que nature ; la Vierge écrasait la tête du serpent qui tenait la pomme dans sa bouche, comme si elle parvenait de cette façon à circonvenir l'Ancien Testament, à en adoucir la rigueur. Et au-dessus de la grande porte on pouvait voir deux portraits en pendant : celui du pape actuel, et celui de Nehru jeune homme.

Hanté par la nostalgie, mais surtout perturbé par cette culture qui n'était jamais devenue la sienne, Farrokh se sentait perdre le peu de résolution qu'il avait eu. A quoi bon avertir le supérieur ? A quoi bon avertir n'importe lequel d'entre eux ? Toute la maison, peut-être sous l'influence de saint Ignace de Loyola lui-même, respirait la survivance, sans parler de l'humble instinct du repentir. Quant au succès des jésuites à Bombay et dans le reste de l'Inde, Farrokh se disait que le culte maternel, si important pour les Indiens, donnait un avantage certain aux catholiques. Car enfin le culte de la vierge était bien une forme de culte de la mère. Même dans cette école de garçons, la Sainte Mère de Dieu dominait la statuaire.

Les listes ne comprenaient qu'une poignée de noms anglais. Cependant on n'était pas pris à Saint-Ignace sans parler un anglais correct, et les élèves qui en sortaient étaient censés maîtriser cette langue ; c'était la langue dans laquelle tous les cours de l'institution étaient assurés, la langue dans laquelle les divers avis étaient rédigés.

Au réfectoire, dans la cour, trônait une photographie du dernier voyage des collégiens : on les voyait en chemises blanches et cravates bleu marine ; portant des shorts bleu marine, des chaussettes hautes et des souliers noirs. La légende indiquait : « Nos petits, dt minimes et poussins » (le docteur était opposé aux abréviations).

A l'infirmerie, un garçon qui avait mal au ventre était recroquevillé sur un lit de camp au-dessus duquel était punaisé un chromo du tombeau d'Hadji Ali au coucher du soleil. La légende qui accompagnait ce coucher de soleil valait les truismes définitifs proférés par Martin Mills : « On ne vit qu'une fois, mais si l'on vit bien, une fois suffit. »

Lorsqu'il passa dans la salle de musique, le docteur fut tellement agressé par un piano archi-faux et par la voix perçante d'un professeur de musique qu'il ne reconnut pas un chant funèbre aussi rebattu que

Swing Low Sweet Chariot. La dame, une certaine Miss Tanuja, était professeur d'anglais et le Dr Daruwalla entendit le père Julian expliquer à Martin Mills que l'apprentissage d'une langue étrangère par le chant, une bonne vieille méthode, avait toujours du succès auprès des petits. Dans la mesure où il n'y avait que de rares gamins pour chantonner vaguement à l'unisson des braiments de Miss Tanuja, Farrokh était enclin à un certain scepticisme ; le problème ne venait peut-être pas de la méthode, au reste, mais plutôt de Miss Tanuja.

Le docteur vit tout de suite que c'était une de ces Indiennes qui n'arrivaient pas à se loger dans le vêtement occidental, qu'elle portait en la circonstance avec une absence de grâce et de discernement insignes. Peut-être les enfants ne parvenaient-ils pas à chanter *Swing Low Sweet Chariot* parce que leur attention était distraite par l'ensemble dont elle était affublée ; Martin Mills lui-même semblait en être distrait. Elle devait chercher désespérément un mari, songea Farrokh avec cruauté. Elle avait un visage tout rond, le teint ni clair ni foncé, d'une nuance un peu chocolat et elle portait des lunettes papillon dont les coins remontaient en ailes et s'incrustaient de petits brillants. Peut-être croyait-elle que ces lunettes offraient un contraste plaisant avec la rondeur lisse de son visage.

Elle avait la silhouette juvénile et rebondie d'une Messaline de collège, mais elle portait une jupe sombre qui moulait trop ses hanches et lui coupait la silhouette. Miss Tanuja était petite, et la jupe qui lui tombait au mollet la tassait ; on aurait dit que ses chevilles épaisses étaient des poignets, et ses petits pieds potelés des mains. Son corsage bleu-vert était moiré, comme tacheté d'algues sorties des fonds d'une mare. Et si l'atout essentiel de cette femme tenait à ses courbes accortes, elle avait choisi un soutiens-gorge qui la desservait. Quoique loin d'être expert en la matière, Farrokh diagnostiqua que ce devait être un de ces soutiens-gorge des années soixante, à armature pointue, avec bonnets renforcés mieux faits pour protéger du fleuret la poitrine des escrimeuses que pour rehausser leur forme naturelle. Et entre ses seins outrageusement dardés, Miss Tanuja portait un crucifix en sautoir : ainsi le Christ en croix, outre ses autres plaies, était condamné à rebondir sur cette poitrine généreuse mais taillée en obus.

– Miss Tanuja est avec nous depuis bien des années, chuchota le père Julian.

– Je vois, dit le docteur, mais Martin Mills se contenta d'écarquiller les yeux.

Puis ils dépassèrent une classe de tout-petits. Ils étaient endormis sur leurs bureaux ; des minimes ou des poussins, pensa Farrokh.

– Jouez-vous du piano ? demanda le père Julian au nouveau missionnaire.

– J'ai toujours voulu apprendre, répondit Martin.

Peut-être qu'entre deux « repérages » dans le *Times of India*, ce fou pourrait s'y mettre, pensa le Dr Daruwalla.

Et pour ne pas s'appesantir sur son absence de talents musicaux, le scolastique questionna le père Julian au sujet des balayeurs ; un peu partout dans la mission, en effet, on voyait une pléthore d'hommes et de femmes de service – ils nettoyaient aussi les toilettes – et le missionnaire présumait qu'ils appartenaient à la caste des intouchables.

Le supérieur préférait employer les termes *banghes* et *maitrani* mais Martin Mills était un homme à la mission bien plus vaste qu'il ne le soupçonnait. Il lui demanda donc sans ambages :

– Et leurs enfants, ils sont élèves ici ?

Aussitôt, le Dr Daruwalla se prit à l'aimer.

– Euh, non, articula le père Julian, ce ne serait pas convenable.

Mais Farrokh fut impressionné par la grâce avec laquelle Martin interrompit son interlocuteur. Il se fit plus léger que l'air pour lui raconter le « sauvetage » des enfants, le mendiant et la prostituée ; un pas à la fois, c'était sa méthode ; et c'est de main de maître qu'il menait le père Julian dans cette manière de valse à trois temps. Un, le cirque, plutôt que la mendicité ou le bordel. Deux, la maîtrise de la langue anglaise « tellement civilisatrice qu'elle en devenait essentielle ». Trois, la conversion intelligente, que Martin Mills appelait également « la vie instruite en Christ ».

Des « grands », en récréation, étaient occupés à se lancer de la terre du bout de leurs chaussures, en une bataille aussi sauvage que muette ; mais le Dr Daruwalla s'émerveilla de constater que cette violence mineure ne distrayait nullement les jésuites ; ils parlaient et ils écoutaient avec la concentration de lions à l'affût.

– Mais enfin, il va de soi, Martin, que vous ne sauriez vous attribuer le mérite de cette conversion, si conversion il y a, s'entend, dit le père Julian.

– Euh… non. Que voulez-vous dire ?

– Seulement ceci : moi je n'ai jamais la certitude d'avoir converti qui que ce soit, repartit le supérieur. Donc si ces enfants se convertissaient, comment pourriez-vous dire que c'est grâce à vous ? Ne péchez pas par orgueil. Si cela arrive, c'était Dieu, pas vous.

– Mais, cela va de soi, naturellement, dit Martin Mills ; si cela arrive, c'était Dieu.

Et ça, se demandait Farrokh, c'est de l'obéissance ?

Lorsque le père Julian conduisit Martin à sa cellule, que le docteur se représentait comme une geôle avec instruments de torture incorporés pour châtier la chair, il poursuivit ses déambulations dans l'école. Il voulait revoir les enfants endormis parce que cette image de la sieste tête sur le bureau lui rappelait son meilleur souvenir de Saint-Ignace, tant d'années auparavant. Mais lorsqu'il passa la tête en salle I.3, un professeur qu'il n'avait pas remarqué auparavant le regarda d'un air sévère, comme si, en s'encadrant dans la porte, il allait déranger les enfants. C'est alors qu'il remarqua les fils électriques nus qui alimentaient des ampoules fluorescentes, pour le moment éteintes, ainsi que ceux qui alimentaient le ventilateur, allumé, lui. Suspendue au-dessus du tableau, comme une marionnette à des fils embrouillés et immobiles, on voyait une autre statue de la Vierge Marie ; pour le Canadien qu'était Farrokh, cette sainte mère-là était recouverte d'une pellicule de givre, ou de neige duveteuse ; mais en fait ce n'était que la poussière de craie qui s'était déposée sur la statue trop proche du tableau.

Le docteur s'amusa à lire tous les avis, messages et annonces qui lui tombaient sous les yeux. Le groupe d'entraide sociale pressait chacun d'« aider ses frères et sœurs moins favorisés ». On faisait des prières pour le repos des âmes en purgatoire. Il trouva cocasse le voisinage immédiat d'un extincteur Minimax avec la statue du Christ à l'enfant malade, sur le mur ; au-dessous, une brève liste de recommandations en langage d'extincteur était affichée, à côté d'une page de cahier à carreaux proclamant d'une écriture enfantine : « Merci à l'Enfant Jésus et à Notre Dame de Bon Secours. » Farrokh se sentait plutôt plus rassuré par la présence de l'extincteur. La grande mission de pierre avait été bâtie en 1885 : les lampes au fluor, les ventilateurs de plafond et le réseau électrique aléatoire étaient des ajouts postérieurs, et un incendie pouvait toujours se déclarer à la suite d'un court-circuit.

Farrokh tentait de se familiariser avec tous les événements auxquels un bon chrétien pouvait se rendre. On annonçait une rencontre des Lecteurs liturgiques, ainsi que la réunion des Membres de la Croix, en vue de sensibiliser les paroissiens aux questions politiques. Le thème de réflexion proposé par le Programme d'éducation chrétienne aux adultes était pour lors : « Le chrétien aujourd'hui dans un monde de religions non chrétiennes ». Ce mois-ci, le Centre de l'espoir vivant était animé par le Dr Yusuf Merchant. Qu'est-ce qu'« animé » pouvait bien vouloir dire ? Il y avait une soirée sur le thème « Connaissons-nous mieux les uns les autres », pour les Serviteurs de la Messe – cela promettait une folle ambiance, se dit Farrokh.

Au deuxième étage, sous la voûte du balcon, les vitraux lui parurent étonnamment irréguliers et inaboutis ; comme si l'idée de Dieu elle-même était à ce point fragmentaire et incomplète. Dans la chapelle des icônes, il referma brusquement un recueil de cantiques parce qu'il était tombé par hasard sur celui qui s'intitule « Portez-moi de l'huile ». Puis il lut le signet qu'il venait d'en retirer ; il célébrait l'année à venir qui serait celle du cent vingt-cinquième jubilé de Saint-Ignace dans son œuvre de formation de la jeunesse, qui veut tant de patience et d'amour. Il tomba aussi sur l'expression « témoins qui affirment le monde » ; il n'avait pas la moindre idée de ce qu'elle recouvrait. Il jeta un nouveau coup d'œil dans le livre de cantiques mais son titre lui-même le rebutait. C'était *Le Livre de prières du renouveau charismatique* en Inde. Un renouveau charismatique en Inde, première nouvelle ! Il troqua donc le recueil de cantiques contre un livre de prières, où il n'alla pas plus loin que la première ligne du premier texte : « Garde-nous, seigneur, comme la prunelle de tes yeux. »

Le Dr Daruwalla découvrit ensuite les orientations du Saint Père pour 1990. En janvier, il était conseillé de poursuivre le dialogue entre la communauté anglicane et la communauté catholique, pour la quête de l'unité chrétienne. En février, on prierait pour les catholiques qui, dans bien des pays du monde, étaient persécutés en paroles ou en actions. En mars, les paroissiens étaient exhortés à faire un effort plus authentique pour subvenir aux besoins des nécessiteux, et à être fidèles à l'idéal de pauvreté des Évangiles. Il ne put pas lire au-delà parce que la formule l'arrêtait. Il se sentait entouré par trop d'éléments qui n'avaient pas de sens pour lui.

Même cette collection d'icônes, méticuleusement rassemblées par le frère Gabriel, n'avait guère de sens pour lui, et pourtant elle était célèbre dans tout Bombay. Farrokh trouvait ces représentations lugubres et obscures. Il y avait une *Adoration des mages*, école ukrainienne, XVIᵉ siècle ; une *Décollation de saint Jean-Baptiste*, école des régions du centre septentrional, XVᵉ siècle. Dans la catégorie Passion de Notre Seigneur, on trouvait une *Cène*, une *Crucifixion*, une *Déposition* (ou descente de croix), une *Mise au tombeau*, une *Résurrection* et une *Ascension* ; la date de ces icônes s'échelonnait entre le XIVᵉ et le XVIIIᵉ siècle ; il y en avait de l'école de Novgorod, de l'école byzantine, de l'école de Moscou, entre autres. L'une d'entre elles s'intitulait *La Dormition de la Vierge*, ce qui acheva le docteur. Il ignorait ce qu'était la dormition.

Du cabinet des icônes, il s'en fut vers le bureau du supérieur, où un tableau qui ressemblait à un standard était cloué contre la porte fermée ; par des trous où venaient se planter des fiches, le père Julian pouvait indiquer où il se trouvait et s'il était disponible. « Je reviens tout de suite », « Ne pas déranger », « Salle de détente », « Rentrerai tard », « Rentrerai dîner », ou bien encore « Hors Bombay ». Farrokh se prit à penser que c'était lui qui aurait dû être « Hors Bombay » ; il avait beau y être né, il n'y était pas chez lui.

Lorsqu'il entendit la sonnerie annonçant la fin des cours, il s'aperçut qu'il était déjà trois heures de l'après-midi. Il demeura sur le balcon du deuxième étage, et regarda les écoliers quitter en courant la cour poussiéreuse. Des voitures et des cars scolaires les attendaient ; leurs mères ou leurs *ayahs* étaient venues les chercher. Là-haut sur son balcon, Farrokh décida qu'il n'avait jamais vu d'enfants aussi gras dans toute l'Inde. Ce n'était pas charitable. Il était deux fois plus potelé que les trois quarts d'entre eux. Néanmoins, il savait qu'il ne refrénerait pas plus le zèle du nouveau missionnaire qu'il ne se jetterait du balcon pour s'écraser devant ces irréprochables enfants.

Il savait aussi qu'aucun dignitaire de la mission ne confondrait Martin Mills avec l'inspecteur Dhar. Les jésuites n'étaient pas réputés aimer « Bollywood », le cinéma hindi de bas étage ; les jeunes femmes en saris trempés n'avaient pas leur suffrage, pas plus que les super héros, les traîtres démoniaques, la violence et la vulgarité, le sentimentalisme à bon marché, ni les dieux qui ne dédaignaient pas de descendre se mêler des pathétiques affaires humaines... L'inspecteur Dhar n'était pas une vedette à Saint-Ignace. Parmi les écoliers, en revanche, plus d'un noterait peut-être la ressemblance entre Martin Mills et le populaire inspecteur Dhar.

Le Dr Daruwalla était toujours là. Il avait à faire, mais il ne se décidait pas à partir. Il ne savait pas qu'il était en train d'écrire ; ça n'avait jamais commencé tout à fait de cette façon. Lorsque les enfants furent partis, il entra dans l'église de Saint-Ignace, mais pas pour prier. Un immense lustre circulaire de cierges éteints était suspendu au-dessus de la table centrale, qui n'avait que la forme d'une table de réfectoire ; c'était une table pliante qu'on aurait mieux vue dans une buanderie, par exemple, pour plier le linge. La chaire, à droite de cette table en regardant vers l'autel, était pourvue d'un micro excessivement brillant ; sur cette chaire, un missel était ouvert, où l'orateur allait lire un passage, à la messe du soir, peut-être. Le Dr Daruwalla ne put pas résister à l'envie d'y fourrer son nez. Le missel était ouvert à la Seconde Épître de Paul aux Corinthiens : « Aussi, puisque par miséricorde nous détenons ce ministère, nous ne perdons pas courage », écrivait le converti (4,1). Sautant quelques versets, le docteur lut « Pressés de toutes parts nous ne sommes pas écrasés ; dans des impasses mais nous arrivons à passer ; pourchassés mais non rejoints ; terrassés mais non achevés ; sans cesse nous portons dans notre corps l'agonie de Jésus-Christ afin que la vie de Jésus soit elle aussi manifestée dans notre corps » (4,8-10).

Le Dr Daruwalla se sentait tout petit. Il s'aventura dans une travée sur l'un des bas-côtés – comme s'il était trop insignifiant, homme de trop peu de foi, pour s'installer dans la nef. Sa propre conversion lui semblait négligeable, et loin derrière lui. Dans ses pensées quotidiennes, il ne lui faisait guère honneur ; peut-être avait-il bien été mordu par un singe, à la réflexion. Il remarqua qu'il n'y avait pas d'orgue dans l'église ; un autre piano, désaccordé sans doute, jouxtait la table pliante, à gauche ; il y avait un autre micro trop brillant dessus.

Là-bas au loin, il entendait passer les mobylettes, leurs faibles moteurs qui renâclaient, leurs avertisseurs infernaux qui lançaient leurs « couacs » comme autant de canards. Le retable soigneusement mis en scène attira le regard de Farrokh. On y voyait le Christ en croix, et les silhouettes familières des deux femmes esseulées qui l'encadraient. La Vierge Marie et Marie-Madeleine, sans doute. Des statues de saints grandeur nature surmontaient les colonnes, le long des bas-côtés ; chacun des piliers massifs soutenait un saint et, au pied des saints, on avait orienté des ventilateurs tournant vers le bas pour rafraîchir les fidèles.

Le docteur se fit cette remarque blasphématoire qu'une des saintes de pierre avait réussi à fausser compagnie à son pilier ; on lui avait attaché autour du cou une grosse chaîne elle-même assujettie au pilier par un cadenas d'acier de belle taille. Le docteur aurait bien voulu savoir qui était cette sainte : toutes les saintes ressemblaient trop à la Vierge Marie, sur les statues du moins. En tout cas, celle-ci semblait avoir été pendue en effigie ; mais, sans la chaîne autour de son cou, elle aurait pu dégringoler sur une travée de sièges. Le Dr Daruwalla jugea que cette sainte de pierre était assez grande pour tuer toute une rangée de fidèles.

Il finit tout de même par prendre congé de Martin Mills et des autres jésuites. Le scolastique le pria tout à coup de lui raconter les détails de sa conversion. Le docteur soupçonnait le père Julian de lui en avoir fait un rapport adroitement ironique.

– Oh, il n'y a rien à raconter, dit-il avec modestie – ce qui corroborait sans doute la version du supérieur.

– Mais j'adorerais que vous m'en parliez, insista Martin.

– Si vous lui racontez la vôtre, je suis sûr qu'il vous racontera la sienne, dit le père Julian à Farrokh.

– Une autre fois, peut-être, répondit celui-ci.

Jamais il n'avait autant eu envie de prendre la fuite. Il lui fallut promettre qu'il irait écouter la conférence de Martin au YMCA, bien qu'il n'en eût pas la moindre intention. Des topos, Martin Mills lui en avait fait assez comme ça.

– Ça se passe au YMCA de Cooperage Road, vous savez, précisa le père Cecil.

Ces habitants de Bombay qui se figuraient qu'il ne se repérait pas dans la ville vexaient Farrokh. Il répondit avec humeur :

– Je le sais très bien.

Puis une petite fille parut, surgie de nulle part ; elle pleurait parce qu'elle était venue avec sa mère chercher son frère à Saint-Ignace, et que la voiture était repartie sans elle – il y avait d'autres enfants dans la voiture. Ce n'était pas un drame, conclurent les jésuites ; la maman allait se rendre compte de ce qui s'était passé, et elle reviendrait à l'école. Ce qu'il fallait c'était consoler l'enfant, et passer un coup de fil à la mère, sinon, dans la crainte que la petite se soit perdue, elle risquait de revenir comme un bolide. Mais un autre problème se posait ; la petite fille leur confia qu'elle avait envie de faire pipi. Le frère Gabriel déclara qu'il n'y avait pas de lieux d'aisance officiels pour les filles, à Saint-Ignace.

– Et Miss Tanuja, s'enquit Martin Mills, où va-t-elle alors ?

Un bon point pour lui, pensa Farrokh ; il va les rendre fous, tous tant qu'ils sont.

– Et j'ai vu plusieurs femmes parmi les agents de service, ajouta Martin.

– Vous avez bien trois ou quatre professeurs femmes, n'est-ce pas ? glissa Farrokh d'une voix flûtée.

Certes, il y avait des toilettes pour femmes ! Seulement ces vieux messieurs ne savaient pas où elles se trouvaient !

– Quelqu'un pourrait aller voir s'il y a des toilettes pour hommes qui soient libres, suggéra le père Cecil.

– Et puis l'un d'entre nous monterait la garde devant la porte, conseilla le père Julian.

Lorsque Farrokh finit par les quitter, ils étaient en train de débattre de cette embarrassante entorse au règlement. Sans doute la petite fille avait-elle toujours envie de faire pipi.

Tétracycline

Le Dr Daruwalla avait repris le chemin de l'hôpital des Enfants infirmes lorsqu'il s'aperçut qu'il venait de commencer un nouveau scénario ; il savait que l'inspecteur Dhar n'en serait pas la vedette. Il voyait un mendiant, opérant dans les hôtels arabes de Marine Drive ; il voyait le Collier de la Reine, la nuit... son rang de lanternes jaunes antibrouillard... et il entendait Julia lui dire que le jaune ne convenait guère aux perles d'une reine. Pour la première fois, il eut le sentiment de comprendre comment l'histoire se nouait ; les personnages étaient mis en mouvement par les destins qui les attendaient. La scène d'ouverture avait déjà dans sa tonalité la nuance définitive d'une scène finale.

Il était épuisé ; il avait beaucoup de choses à dire à Julia, et il lui fallait parler à John D. Il devait dîner de bonne heure au Ripon Club, avec sa femme. Ensuite il avait prévu de rédiger le premier jet d'une causerie qu'il donnerait bientôt ; il avait été invité à dire quelques mots par l'Association pour la réhabilitation des enfants handicapés, et cette association apportait fidèlement son soutien financier à l'hôpital. Mais maintenant, il savait qu'il passerait la nuit à écrire – et pas son discours. Enfin, il tenait un scénario qui valait la peine d'être raconté. Il voyait les personnages arriver à la gare Victoria, mais cette fois, il savait où ils allaient ; il se demandait s'il avait déjà été aussi excité de sa vie.

La silhouette familière qu'il aperçut dans sa salle d'attente le détourna de l'histoire qu'il était en train d'imaginer. De haute taille, l'homme se remarquait au milieu des enfants et, même assis, son maintien d'une rigidité militaire attira l'attention de Farrokh. La peau tendue et cireuse, les lèvres molles, les yeux jaunes comme ceux d'un lion, l'oreille rongée par le vitriol, la cicatrice rose vif qui s'enfonçait le long de sa mâchoire pour descendre sur la gorge, où elle disparaissait dans le col de chemise de Mr Garg, tous ces détails attiraient l'attention de Farrokh, eux aussi.

Il lui suffit d'un coup d'œil sur les mains croisées dont les doigts se tordaient nerveusement, pour confirmer ses soupçons. Ce qui démangeait Mr Garg était clair : il voulait savoir la nature exacte de la maladie sexuellement transmise à Madhu. Mais le docteur n'éprouva qu'un triomphe creux. Voir Garg coupable, prêt à s'humilier, et réduit à attendre son tour parmi les petits infirmes, telle serait sa mince victoire. Car il comprit, en cet instant précis, que s'il évitait de révéler sa culpabilité à Vinod et Deepa, ce ne serait pas par simple respect du secret professionnel. D'ailleurs, comment auraient-ils ignoré que Mr Garg tripotait les petites filles ? C'était peut-être son propre sentiment de culpabilité qui l'obligeait à leur laisser les coudées franches pour envoyer toutes ces enfants au cirque. Bien sûr, le nain et sa femme savaient déjà ce que le docteur commençait seulement à deviner : beaucoup de ces petites prostituées auraient préféré rester avec Mr Garg. Tout comme le cirque, fût-ce le Grand Nil bleu, Garg valait peut-être mieux qu'un bordel.

Mr Garg se leva, et regarda Farrokh en face. Dans la salle d'attente du Dr Daruwalla, les yeux de tous les petits infirmes étaient rivés à la cicatrice du vitriol ; mais le docteur ne voyait que le blanc des yeux de Mr Garg, un blanc jaunâtre ; il ne voyait que le jaune plus foncé de ses iris de lion, qui faisait ressortir le noir de ses pupilles. Garg avait les mêmes yeux que Madhu. Farrokh se demanda un instant si par hasard ils étaient parents.

– J'étais là le premier, avant tout le monde, chuchota Mr Garg.

– Je vous crois volontiers, répondit le docteur.

Si c'était de la culpabilité qui était passée dans les yeux de lion, elle semblait s'évanouir ; un sourire timide tendait sa bouche molle, et il prit un ton de conspirateur pour murmurer :

– Eh bien alors, je suppose que vous avez compris... pour Madhu et moi.

Que dire à un tel homme ? se demandait le Dr Daruwalla. Il se rendait compte que Vinod et Deepa, et même Martin Mills, avaient raison : que toutes ces gamines se fassent acrobates de cirque, même au Grand Nil bleu, et même si c'était pour se rompre le cou en tombant ! Qu'elles se fassent dévorer par les lions ! Car il était vrai que Madhu était une enfant, et une prostituée, et pire encore, elle était la petite amie de Mr Garg. Il n'y avait rien à dire à un tel homme. Si bien que la seule question qui vint à l'esprit de Farrokh fut strictement professionnelle, et il lui la posa avec toute la brusquerie dont il était capable :

– Vous êtes allergique à la tétracycline ?

17
Des coutumes étranges

La Californie du Sud

Coucher dans une chambre qui n'était pas la sienne avait toujours été pénible à Martin Mills ; dans sa cellule de Saint-Ignace, il était étendu, les yeux grands ouverts. Il commença par s'en remettre à Thérèse d'Avila, à l'exercice spirituel favori de la sainte, qui lui permettait de faire l'expérience de l'amour du Christ. *« Mira que te mira »* ; regarde-le te regarder. Mais ce remède lui-même fut impuissant à le réconforter ; le sommeil le fuyait.

Le souvenir des nombreuses chambres où l'imprévoyance de ses parents – son abominable mère et son pitoyable père – l'avait exilé lui était odieux. La faute en revenait à une maison de Westhouse, tout près de l'université, que Danny Mills louait un prix exorbitant, rarement dans ses moyens. On la sous-louait en permanence pour pouvoir vivre du loyer. Par ailleurs, le couple qui battait de l'aile trouvait là mainte occasion de ne pas vivre ensemble. Enfant, il manquait toujours à Martin Mills un vêtement ou un jouet dont avait l'usufruit un locataire qu'il ne se rappelait que vaguement.

Il se rappelait mieux l'étudiante à UCLA qui était sa baby-sitter, parce qu'elle le traînait par un bras pour lui faire traverser Wiltshire Boulevard – à la vitesse du son, et le plus souvent hors des passages piétons. Elle avait un petit ami qui faisait de la course de fond sur la piste d'UCLA ; elle y emmenait Martin, et ils regardaient tous deux le garçon courir inlassablement. Elle lui faisait mal aux doigts à lui serrer la main si fort. Si la circulation du boulevard les obligeait à traverser encore plus vite que d'habitude, il avait des élancements dans le haut du bras.

Chaque fois que Danny et Vera sortaient le soir, Vera insistait pour qu'il couche dans la chambre de la baby-sitter, qui avait des lits jumeaux. Le reste des appartements de la fille consistait en une kitchenette minuscule, une alcôve pour prendre le petit déjeuner, où un poste de télévision en noir et blanc partageait le comptoir avec un grille-pain. La baby-sitter s'asseyait sur l'un des deux tabourets de bar parce qu'il n'y avait pas la place de mettre une table et des chaises.

Souvent, lorsqu'il couchait dans cette chambre, il l'entendait se masturber ; ou alors, la chambre étant hermétiquement fermée et climatisée en permanence, lorsqu'il se réveillait, il détectait qu'elle s'était masturbée à l'odeur qu'il sentait sur les doigts de sa main droite quand elle lui caressait le visage et lui disait qu'il était l'heure de se lever et de se laver les dents. Ensuite elle le conduisait à l'école ; sa conduite « sportive » correspondait étroitement à la façon dont elle le traînait sur l'autre rive du boulevard. Il y avait une bretelle de sortie sur l'autoroute de San Diego qui semblait arracher à la fille le même soupir que celui qu'elle poussait en se masturbant ; juste avant cette sortie, Martin Mills fermait toujours les yeux.

C'était une bonne école – les jésuites de l'université Loyola, de Marymount, y proposaient un programme accéléré –, mais ce n'était pas la porte à côté. En dépit des aléas du trajet, le fait que Martin Mills fréquentât des locaux qui servaient aussi à des étudiants semblait avoir un effet austère sur l'enfant. Comme il convient à un projet pédagogique expérimental sur la petite enfance – celui-là fut abandonné au bout de quelques années –, les chaises étaient pour adultes, et les classes ne s'ornaient pas d'une ribambelle de dessins d'enfants au crayon, ni d'abécédaire animal. Dans les toilettes, ces jeunes surdoués devaient monter sur un tabouret pour faire pipi (on n'avait pas encore inventé l'urinoir pour handicapés, à hauteur de fauteuil roulant). Ainsi, devant ces urinoirs monumentaux et ces salles aux murs nus, on aurait dit que ces petits privilégiés s'étaient vu proposer de sauter l'enfance comme on saute une classe. Mais si les salles et les toilettes disaient tout le sérieux de l'entreprise, pour Martin, elles étaient aussi tristement anonymes et impersonnelles que les nombreuses chambres jalonnant l'histoire de sa jeune vie.

Chaque fois qu'ils sous-louaient la maison de Westwood, Danny et Vera se privaient du même coup des services de la baby-sitter. Alors, depuis des coins inconnus de la ville, c'était Danny le chauffeur désigné pour lancer Martin sur la trajectoire de ses études accélérées, à l'école de Marymount. Rouler avec Danny n'était pas moins dangereux que de faire le trajet avec la baby-sitter d'UCLA. Le matin de bonne heure il avait encore la gueule de bois – à supposer qu'il ait dessaoulé – et à l'heure où Martin sortait de l'école il avait déjà recommencé à boire. Vera, pour sa part, ne savait pas conduire. Née Hermione Rosen, elle n'avait jamais appris, ce qui n'est pas rare chez les gens qui ont grandi dans Brooklyn ou à Manhattan. Harold Rosen, son père, le producteur, n'avait jamais appris non plus ; habitué des voitures de place, une année, lorsque Danny Mills s'était fait retirer son permis plusieurs mois pour conduite en état d'ivresse, il avait envoyé une limousine conduire son petit-fils à l'école.

En revanche Gordon Hathaway, le metteur en scène oncle de Vera, était un fou du volant, et son penchant pour la vitesse, aggravé par le violet permanent et la surdité variable de ses oreilles, lui valait des retraits de permis chroniques. Il n'avait jamais cédé le passage à une voiture de pompiers, une ambulance, ou un véhicule de la police ; quant à son klaxon, comme il ne l'entendait pas, il ne s'en servait jamais ; et les coups d'avertisseur émanant des autres véhicules le laissaient de marbre. Il devait rencontrer son Créateur sur l'autoroute de Santa Monica, le jour où il emboutit une camionnette bourrée de surfeurs. Il fut tué sur le coup par une planche de surf, qui, soit qu'elle ait glissé de la galerie, soit qu'elle se soit échappée du coffre ouvert, traversa son pare-brise. Des collisions variées s'ensuivirent, sur quatre files, dans les deux sens, entre huit voitures et une moto. Il est certain que le metteur en scène eut une seconde ou deux pour voir la mort venir, mais lors du service funèbre, sa sœur, la fameuse c... de m... qui se trouvait par ailleurs être la femme de Harold Rosen et la mère de Vera, observa que sa surdité lui avait au moins épargné le boucan. Car, s'accordait-on à penser, un carambolage de neuf véhicules, ça fait du bruit.

Pourtant, Martin Mills survécut à ces éprouvantes navettes ; c'était les chambres où il se sentait dépaysé et désorienté qui lui affectaient le moral. Gestionnaire de choc, Danny Mills avait acheté la maison de Westwood sur un coup de tête, avec l'argent d'un contrat pour trois scénarios ; hélas, au moment où il avait touché l'argent, les scénarios restaient à écrire ; et aucun ne serait produit. Alors, comme toujours, il y eut d'autres transactions, passées sur des œuvres inachevées. Il fut obligé de louer la maison ; il en était déprimé, et buvait pour noyer son dégoût de soi. Cela l'amenait aussi à vivre chez les autres ; le plus souvent des producteurs et des metteurs en scène à qui il devait un scénario achevé. Comme ces philanthropes ne supportaient ni le spectacle ni la compagnie du scénariste aux abois, ils vidaient les lieux, et s'enfuyaient à New York ou en Europe. Parfois, Martin Mills le découvrit par la suite, Vera s'enfuyait avec eux.

Écrire un scénario sous une telle pression, Danny Mills appelait ça « s'exploser les couilles », expression qui avait longtemps eu la faveur de Gordon Hathaway. Tout en cherchant le sommeil, dans sa cellule de Saint-Ignace, Martin ne pouvait s'empêcher de passer en revue ces maisons appartenant à des étrangers, qui avaient toujours une position de force par rapport à son irresponsable de père.

Il y avait celle qui appartenait à un metteur en scène de Beverly Hills ; elle était située sur Franklyn Canyon Drive, et Danny avait perdu le privilège d'y vivre à cause de la rampe d'accès au garage, qui était trop raide – c'est en tout cas ce qu'il disait. La vérité, c'est qu'il était rentré ivre ; il avait laissé la voiture du metteur en scène au point mort, sans serrer le frein à main, et la porte du garage ouverte ; de sorte que le véhicule était passé sur un pamplemoussier pour faire un plongeon dans la piscine. Les dégâts auraient pu s'arrêter là, si Vera n'avait pas entretenu une liaison avec la bonne du metteur en scène : le lendemain matin, la jeune personne avait plongé nue dans la piscine, et s'était fracassé la mâchoire et la clavicule contre le pare-brise de la voiture immergée. Pendant ce temps, Danny était en train d'appeler la police et de porter plainte pour vol. Naturellement la bonne traîna le metteur en scène en justice pour détention de voiture dans une piscine. Le film que Danny écrivait à l'époque ne fut jamais produit – conclusion qui n'était pas rarissime lorsqu'il s'explosait les couilles.

Martin Mills avait bien aimé la maison, à défaut d'aimer la bonne. Rétrospectivement, il regrettait même que le penchant de sa mère pour les jeunes femmes eût été de courte durée ; son faible pour les jeunes gens faisait plus de dégâts. La chambre de Martin, dans la maison de Franklyn Canyon Drive, lui avait paru plus agréable que les autres. C'était une pièce d'angle, assez aérée naturellement pour qu'il y puisse dormir sans la climatisation, raison pour laquelle il avait entendu la voiture sombrer dans la piscine – d'abord le « plouf ! », puis les bulles. Mais il n'avait pas quitté son lit pour aller voir car il

pensait que c'était son père qui rentrait ivre ; et à l'entendre il soupçonnait qu'il devait être en train de batifoler avec une douzaine de
poivrots : ça rotait et ça pétait, sous l'eau ! Il était loin de se douter
qu'il s'agissait d'une voiture.

Le lendemain, tôt levé comme toujours, Martin n'avait pas été
surpris outre mesure de voir la voiture sagement immobile au fond
du grand bain. Ce n'est qu'au bout d'un moment qu'il s'avisa que
son père était peut-être prisonnier dedans. Il descendit l'escalier d'un
bond, tout nu et en larmes, et parvint à la piscine où il trouva la bonne,
nue elle aussi, en train de se noyer sous le plongeoir. On ne lui reconnut jamais le mérite de lui avoir sauvé la vie. Il alla chercher la longue
perche terminée par une épuisette dont on se servait pour sortir les
grenouilles et les salamandres de la piscine, et il la tendit à la petite
brunette sauvage, qui était d'origine mexicaine. Mais la bonne ne
pouvait pas parler, parce qu'elle avait la mâchoire fracassée, ni se
hisser hors de l'eau, à cause de sa clavicule. Elle s'accrocha à la
perche que Martin lui tendait et il la traîna jusqu'au bord, où elle
s'agrippa ; elle le regardait d'un air suppliant, et il se couvrit les
parties génitales de ses mains. Des profondeurs de la piscine, la voiture émit une bulle de plus.

C'est alors que la mère de Martin sortit du bungalow de la bonne,
qui jouxtait la cabane où l'on entreposait les jouets de bain. Entortillée
dans une serviette, Vera vit Martin tout nu au bord du grand bain,
mais elle ne vit pas le naufrage de son amante de la nuit.

– Martin, lui lança-t-elle, tu sais que je suis pas d'accord pour la
trempette à poil, va vite mettre ton caleçon avant que Maria te voie.
(Maria, bien sûr, pratiquait aussi la « trempette à poil ».)

Quant à enfiler ses vêtements... c'est là que Martin Mills mit le
doigt sur l'une des raisons pour lesquelles il n'aimait pas passer sa
vie dans la chambre des autres : c'était toujours leurs affaires qui
étaient dans les tiroirs – au mieux ceux du bas avaient été vidés pour
lui faire de la place ; toujours leurs vêtements sans vie mais intimi-
dants qu'on trouvait dans les penderies. Leurs vieux jouets encombraient les commodes ; leurs photos de bébé s'étalaient sur les murs.
Parfois leurs trophées de tennis ou leurs rubans d'équitation trônaient.
Souvent il y avait des autels à leurs premiers chiens ou chats, apparemment trépassés si l'on en jugeait par le bocal de verre contenant
une griffe de chien ou une touffe de poils de chat. Et lorsque Martin

rapportait ses petits triomphes « à la maison », ses bonnes notes et autres jalons de sa scolarité accélérée, on lui interdisait de les afficher sur leurs murs.

Et puis, à Los Angeles, il y avait eu la maison quasiment jamais habitée d'un acteur, dans South Lorraine Road – une maison immense, conçue avec munificence, comprenant une multitude de petites chambres sentant le moisi et exhibant toutes des photographies floues d'enfants inconnus, qui, singulièrement, avaient tous le même âge. Martin avait l'impression que les enfants qui avaient grandi là étaient tous morts entre six et huit ans ; ou alors qu'en atteignant cet âge ils étaient devenus, tous tant qu'ils étaient, indignes d'être photographiés ; le fin mot de l'histoire, c'est qu'il y avait eu un divorce, tout simplement. Dans cette maison, le temps s'était arrêté – Martin ne s'y plaisait pas du tout –, et Danny avait fini par lasser l'hospitalité offerte un jour qu'il s'était endormi sur le canapé devant la télévision – avec une cigarette allumée. L'alarme déclenchée par la fumée le réveilla, mais comme il était saoul il appela la police au lieu d'alerter les pompiers, et le temps que l'erreur soit rectifiée, tout le salon avait brûlé. Danny entraîna Martin à la piscine, où il se mit à pagayer des mains sur un canot pneumatique à tête de Donald – autre relique de ces enfants figés dans l'éternité à l'âge de six-sept ans.

En pantalon long et chemise de soirée chiffonnée, Danny barbotait dans le petit bain en serrant contre sa poitrine le scénario en chantier ; il était clair qu'il ne voulait pas mouiller les pages. Ensemble, père et fils regardèrent les pompiers venir à bout du désastre.

L'acteur qui était presque célèbre et dont le salon n'était plus que décombres rentra beaucoup plus tard – après l'extinction de l'incendie et le départ des pompiers. Danny et Martin étaient encore en train de jouer dans la piscine.

– Attendons Maman, avait suggéré Danny, comme ça tu pourras lui raconter l'incendie.

– Elle est où, Maman ?

– Elle est sortie, avait répondu Danny.

Elle était « sortie » avec l'acteur. Lorsqu'ils rentrèrent ensemble, Martin se dit que Danny ne devait pas être mécontent d'avoir réduit le salon en cendres. Le scénario n'avançait guère ; il était censé donner à l'acteur un rôle qui « tombe à pic » – c'était l'histoire d'un jeune homme avec une femme plus âgée. « Quelque chose de doux-amer », avait-il suggéré. Vera espérait le rôle de la femme plus âgée. Mais le film ne vit jamais le jour, lui non plus. Martin ne fut pas fâché de quitter South Lorraine Road et ces enfants figés pour l'éternité à l'âge de six-sept ans.

Entre les quatre murs nus de sa cellule à Mazagoan, le missionnaire cherchait à présent son exemplaire du *Catéchisme catholique de poche* ; il espérait que les fondements de sa foi lui épargneraient de repasser dans sa mémoire toutes les chambres qu'il avait connues en Californie. Mais il ne trouva pas le rassurant petit volume broché et conclut qu'il l'avait laissé sur le guéridon de verre du Dr Daruwalla. Il ne se trompait pas. Le docteur en avait déjà fait bon usage. Il avait lu le passage sur l'Extrême Onction, l'administration des saintes huiles aux malades, car cette question trouvait bien sa place dans le nouveau scénario qu'il mourait d'envie de commencer ; il avait aussi parcouru quelques lignes sur la crucifixion, qu'il pensait pouvoir accommoder à une sauce spéciale. Car il se sentait mauvais esprit, et le début de soirée lui avait semblé interminable : plus rien ne comptait autant que d'écrire ce texte soudain capital. Si Martin Mills avait su que le docteur se proposait de faire de lui un personnage de comédie dramatique, il aurait peut-être encore préféré, à tout prendre, se rappeler son enfance nomade à Los Angeles.

Il y en avait eu une autre, maison à Los Angeles, sur King's Road, et Martin s'était peu à peu risqué à l'aimer ; elle avait une mare avec des poissons, et le producteur entretenait des oiseaux rares, malheureusement sous la responsabilité de Danny, qui s'était installé dans la maison pour écrire. Dès le premier jour Martin avait remarqué qu'il n'y avait pas de grillage aux fenêtres ; les oiseaux rares eux-mêmes n'étaient pas dans une volière, mais enchaînés à leur perchoir. Un soir, au cours d'un dîner, un faucon entra dans la maison, suivi d'un autre ; et, pour la plus grande inquiétude des convives, les oiseaux rares se firent massacrer par ces visiteurs du soir. Tandis que les pauvres bêtes agonisaient en piaillant, Danny était tellement saoul qu'il insista pour finir son histoire : il racontait comment il s'était fait virer de son bungalow favori sur la plage de Venice. C'était un récit qui mettait toujours la larme à l'œil de Martin, parce qu'il y était question de la mort de son unique chien. Entre-temps les faucons meurtriers s'abattaient sur leur proie, et les dîneurs – les femmes

411

seulement, au début – fourraient la tête sous la table, tandis que Danny poursuivait son histoire.

Le jeune Martin n'avait jamais réfléchi que la courbe descendante de la carrière paternelle les entraînerait parfois à louer des appartements bon marché ; même si c'était moins reluisant que de parasiter les demeures le plus souvent cossues des metteurs en scène et des producteurs – sans compter celles des acteurs presque célèbres –, ces locations démocratiques n'étaient pas encombrées par les jouets et les vêtements des autres ; en ce sens, Martin Mills trouvait qu'elles représentaient plutôt une promotion. Mais pas à Venice. Il ne lui était pas plus venu à l'esprit que ses parents attendaient tout simplement qu'il soit assez grand pour l'envoyer en pension. Ils pensaient que cela lui épargnerait l'embarras permanent de les voir vivre leurs vies parallèles, même lorsqu'ils partageaient le même toit, et de les voir gérer tant bien que mal les liaisons de l'une et les beuveries de l'autre. Mais la maison de Venice n'était pas assez bien pour Vera ; elle choisit de passer cette période à New York, tandis que Danny martelait le clavier d'une machine à écrire portative, et qu'il assurait les dangereuses navettes entre la maison et l'école de Martin. Sur la plage de Venice, père et fils occupaient le rez-de-chaussée d'un bungalow rose shocking à un étage.

– J'ai jamais autant aimé une maison ! Putain, cette baraque elle était tellement authentique, tellement vraie, quoi ! expliqua Danny à ses hôtes apeurés. Hein, Martin ?

Mais le jeune Martin ne répondit pas ; il observait l'agonie d'un myna, écharpé par un faucon, à quelques centimètres des hors-d'œuvre qu'on n'avait pas touchés, sur une desserte du salon.

Pour tout dire, Venice lui avait paru plutôt surréaliste, à lui. Il y avait des hippies drogués sur South Venice Boulevard, et ce voisinage le paralysait de terreur, mais Danny lui avait fait une surprise touchante en lui offrant un chien, juste avant Noël. C'était un corniaud d'un gabarit de beagle, qu'il avait trouvé à la fourrière, « arraché à la mort » comme il disait. A cause de sa couleur, et malgré les protestations de Martin, il l'avait appelé Whisky – donner à ce chien le nom d'un spiritueux n'avait pas dû lui porter bonheur.

La proximité de l'océan rendait la chambre humide, mais Whisky couchait dans le lit de Martin, et Martin avait le droit de mettre ce qu'il voulait au mur. Lorsqu'il rentrait « chez lui » après l'école, il attendait que les marins-pompiers soient partis pour promener Whisky sur la plage, où, pour la première fois de sa vie, il se figurait faire l'envie de ces enfants qui traînent toujours sur les terrains de jeux – en l'occurrence devant le toboggan, où ils faisaient la queue. Sans aucun doute, ils auraient bien aimé avoir un chien à eux pour le promener sur le sable.

Pour Noël, Vera leur rendit visite – sans s'attarder. Elle refusa de s'installer avec eux, cependant, et prit une suite à Santa Monica, dans un hôtel modeste mais propre, sur Ocean Avenue ; le jour de Noël, elle y prit le petit déjeuner avec Martin – le premier des nombreux repas solitaires qu'il se rappellerait avec sa mère, laquelle lui fit un éloge mesuré de la qualité du service – pierre de touche du luxe à ses yeux. Veronica Rose se plaisait à dire qu'elle aurait préféré vivre à l'hôtel que chez elle si le service était bien fait – comprendre : si l'on pouvait jeter les serviettes par terre, laisser traîner les assiettes sur le lit, et tout à l'avenant. Elle fit cadeau d'un collier de chien au petit Martin, pour Noël, ce qui l'émut profondément, car c'était la première fois qu'il voyait ses parents collaborer ; pour la circonstance, Danny avait dû communiquer avec Vera, ne serait-ce que pour qu'elle sache qu'il avait offert un chien à l'enfant.

Mais le trente et un décembre, un patineur qui habitait le bungalow turquoise voisin donna au chien une plâtrée de lasagnes à la marijuana. Lorsque Martin et Danny sortirent le chien, après minuit, le malheureux roquet défoncé s'attaqua au rottweiler d'un culturiste, et fut tué sur le coup à la première peignée.

Le propriétaire du chien, un adepte de la gonflette en débardeur et short de gymnastique, était tout contrit ; Danny alla chercher une pelle, et, pour se faire pardonner, le culturiste creusa une fosse démesurée au pied du toboggan. Personne n'ayant le droit d'enterrer un chien mort sur la plage de Venice, un témoin plein de civisme appela la police. Aux premières heures du Jour de l'An, Martin fut réveillé par deux flics, et comme Danny avait trop la gueule de bois pour l'aider, et qu'il n'y avait pas de culturiste sous la main, cette fois, Martin dut exhumer le chien tout seul. Quand il eut achevé de fourrer Whisky dans un sac poubelle, l'un des flics mit le cadavre dans la malle arrière de la voiture de police, tandis que l'autre, tendant sa contravention à Martin, lui demanda où il allait à l'école.

413

– Je suis un programme accéléré à l'institut Loyola de Marymount, expliqua l'enfant.

Ce label d'excellence ne suffit pas à empêcher leur propriétaire de les expulser peu après : il ne voulait plus d'ennuis avec la police. Lorsqu'ils partirent, Martin avait changé d'avis sur l'endroit. Presque tous les jours il voyait le culturiste avec son rottweiler assassin ; et il devait supporter la présence quotidienne du patineur porté sur les lasagnes à la marijuana, chaque fois qu'il sortait de son bungalow turquoise ou qu'il y rentrait. Une fois de plus, Martin n'était pas fâché de partir.

C'était cet écervelé de Danny qui adorait l'histoire. Et dans la maison du producteur de King's Road, il semblait en faire durer le récit, presque comme si le trépas des oiseaux fournissait un contrepoint dramatique à la mort subite du pauvre Whisky.

– Ah, putain ! c'était un coin génial ! braillait-il à ses invités.

A présent les hommes se cachaient la tête sous la table, comme les femmes : les convives des deux sexes redoutaient que les faucons fondent sur eux en les prenant pour des oiseaux rares.

– Papa, y a des faucons, dans la maison ! Papa, papa, les oiseaux ! avait crié Martin.

– On est à Hollywood, ici, Marty, avait répondu son père. T'en fais pas pour les oiseaux ! Ça compte pas les oiseaux. On est à Hollywood. Ce qui compte, c'est le scénario !

Ce scénario-là ne vit jamais le jour non plus ; cela devenait un leitmotiv dans la vie de Danny Mills. Quant au dédommagement du producteur pour la mort de ses oiseaux rares, il allait faire redécouvrir aux Mills les charmes des loyers modérés.

C'est à ce tournant de ses souvenirs que Martin Mills tenta désespérément de penser à autre chose ; car si, enfant, il avait eu largement conscience des carences de son père dès avant son départ en pension, c'était après seulement que l'indifférence morale de sa mère lui avait sauté aux yeux, et semblé plus odieuse que toutes les faiblesses repérables chez Danny.

Tout seul dans sa cellule de Mazagoan, le nouveau missionnaire cherchait par tous les moyens à endiguer ses souvenirs de sa mère. Il pensa au père Joseph Moriarty, qui avait été son mentor à l'institut Loyola, et qui, lorsque l'enfant avait été expédié en pension dans le Massachusetts – dans des écoles qui n'étaient pas dirigées pas les jésuites, ni même catholiques –, avait continué à répondre à ses questions sur la religion par lettres. Il pensa aussi au frère Brennan, et au frère LaBombard, ses *coadjutores* ou compagnons de travail du temps de son noviciat à Saint-Aloysius. Il se rappela même frère Flynn, qui se demandait si les pollutions nocturnes étaient « permises » – car n'était-il pas impossible d'avoir du plaisir sans pécher ? Était-ce le père Toland, ou le père Feeney, qui avait laissé entendre que les pollutions nocturnes étaient vraisemblablement de la masturbation inconsciente ? Martin était sûr que le frère Monahan, ou peut-être le frère Dooley avait demandé si la masturbation était défendue dans le cas où elle était inconsciente.

– Oui, toujours, avait répondu le père Gannon.

Le père Gannon était cinglé, bien sûr. Aucun prêtre ayant son bon sens n'aurait assimilé une pollution nocturne involontaire à la masturbation ; rien d'inconscient ne peut jamais être un péché puisque le péché implique la liberté de choix. Un jour, des infirmiers viendraient chercher le père Gannon dans sa classe, parce que son délire risquait de donner raison aux brochures antipapistes du XIXᵉ siècle qui décrivaient les monastères comme des bordels pour prêtres.

Mais comme il avait approuvé la réponse du père Gannon ! Voilà qui allait faire la différence entre les hommes et les gamins. C'était une règle à laquelle il n'avait jamais failli : pas de pollutions nocturnes, conscientes ou inconscientes. Il ne s'était jamais touché.

Mais il savait que le souvenir de son triomphe sur la masturbation le renverrait à sa mère, si bien qu'il essaya de penser à autre chose, n'importe quoi. Il répéta cent fois la date du 15 août 1534 ; c'était le jour où, dans une chapelle de Paris, saint Ignace avait fait le vœu d'aller à Jérusalem. Pendant quinze minutes, il se concentra sur la prononciation correcte de « Montmartre ». Lorsqu'il constata que cela ne marchait pas ; lorsqu'il se prit à revoir le geste de sa mère pour se brosser les cheveux avant de se coucher, il ouvrit sa Bible à la Genèse, chapitre 19, car la destruction de Sodome et Gomorrhe par le Seigneur le calmait toujours ; et au fil de ce récit de la colère de Dieu se trouvait adroitement semée une leçon d'obéissance qu'il admirait beaucoup. La femme de Loth s'était retournée bien que le Seigneur leur ait commandé à tous : « Ne regardez pas derrière vous ! » – trop humain ! Elle n'en avait pas moins été changée en statue de sel pour avoir désobéi. Et c'était bien ainsi, pensait Martin Mills. Mais même le plaisir qu'il éprouvait à voir le Seigneur anéantir ces cités bouffies de dépravation fut impuissant à refouler ses souvenirs les plus intenses de son départ en pension.

Une dinde et un Turc

Puisque leur fils était un brillant sujet, Veronica Rose et Danny Mills décidèrent d'un commun accord qu'il fallait l'envoyer dans une école de haut niveau, en Nouvelle-Angleterre ; mais Vera n'attendit pas qu'il ait l'âge du lycée ; elle trouvait qu'il devenait bigot. Les jésuites, comme s'il ne leur suffisait pas de l'enseigner, lui avaient mis dans la tête qu'il devait aller à la messe tous les dimanches, et à confesse aussi. « Je te demande un peu ce qu'il a à confesser, ce gosse-là ! » avait-elle dit à Danny. Elle voulait dire que, pour un gamin, Martin n'était que trop sage. Quant à la messe, Vera disait que ça lui aurait « foutu son week-end en l'air ». C'était donc Danny qui l'y conduisait. Avoir son dimanche matin de libre ne rimait pas à grand-chose pour lui, d'ailleurs ; avec les gueules de bois qu'il tenait, il pouvait aussi bien s'asseoir et se mettre à genoux à l'église.

Ils envoyèrent tout d'abord Martin à l'école Fessenden, dans le Massachusetts ; c'était une pension stricte, mais non confessionnelle ; et Vera l'aimait bien parce qu'elle se trouvait près de Boston. Lorsqu'elle rendait visite à Martin, elle descendait au Ritz-Carlton, et non pas dans un motel sinistre ou une auberge rustico-kitsch. Martin entra à l'école Fessenden en sixième, et il allait y rester jusqu'en troisième, car l'école n'allait pas plus loin. Il n'était pas trop malheureux – il y avait des pensionnaires encore plus jeunes que lui à l'école –, même si la majorité des élèves rentraient chez eux pour le week-end. Les « sept sur sept », comme lui, comptaient des fils de diplomates américains en poste dans des pays inhospitaliers, ainsi que de nombreux élèves étrangers, fils de diplomates en poste à Washington ou New York ; c'était le cas de son voisin de chambre.

Voisin de chambre mis à part, car il aurait préféré être seul, Martin aimait bien la turne encombrée ; il avait le droit de mettre au mur les illustrations qu'il aimait, à condition de ne pas abîmer la tapisserie, et que les images ne soient pas obscènes ; or les images obscènes ne le tentaient pas – contrairement à son camarade de chambre.

Ce dernier s'appelait Arif Korma et c'était un Turc, fils d'attaché au consulat de Turquie à New York ; Arif cachait un calendrier de pin-ups en maillot de bain entre son matelas et son sommier ; il n'avait jamais proposé à Martin de l'en faire bénéficier ; au contraire, il attendait le moment où il le croyait endormi pour faire un usage masturbatoire des douze femmes. Souvent, une bonne demi-heure après l'extinction des feux, Martin apercevait la lampe de poche d'Arif allumée entre les draps et la couverture, et il entendait le grincement du matelas qui s'ensuivait. Martin avait jeté un coup d'œil au calendrier, pour sa gouverne, pendant qu'Arif était sous la douche, ou sorti. A en juger par l'usure des pages, le Turc préférait Mars et Août aux autres femmes – mais pourquoi, mystère. Cela dit Martin n'avait pas regardé le calendrier de très près ni à loisir ; il n'y avait pas de porte à la chambre qu'il partageait avec Arif ; rien qu'un rideau. Si un membre du personnel l'avait surpris avec le calendrier des bikinis, les douze pin-ups eussent été confisquées sans exception. Martin aurait trouvé la chose injuste pour Arif.

Si les garçons partagèrent la même chambre jusqu'à leur dernière année à Fessenden, ce fut moins parce que leur amitié avait prospéré qu'à cause d'un certain respect mutuel inexprimé. L'école considérait que tant que l'on ne se plaignait pas de son camarade de chambre, c'était qu'on l'aimait bien ; et puis, les garçons étaient allés en vacances dans la même colonie. Au printemps de sa première année à Fessenden, alors que son père manquait sincèrement à Martin et qu'il en était à attendre avec impatience toutes les horreurs résidentielles qu'il lui faudrait subir en été, Vera lui envoya une brochure depuis L. A. C'était la colonie de vacances où il allait partir ; la question était réglée, on ne lui demandait pas son avis. Et tandis qu'il tournait les pages de la brochure, Arif regarda les photos avec lui.

– Je ferais aussi bien de venir avec toi, lui déclara-t-il. C'est vrai, il faut bien que j'aille quelque part !

Ils avaient une autre raison de rester ensemble : tous deux étaient peu doués pour le sport, et ils n'étaient pas enclins à se mesurer physiquement. Dans une école comme Fessenden, où le sport était obligatoire et la compétition féroce entre les garçons, partager la même chambre était le seul moyen pour Arif et Martin de protéger leur indifférence à l'athlétisme. Dans le domaine du sport, les deux écoles rivales de Fessenden, celles que l'on méprisait avec le plus d'acharnement s'appelaient Fay et Fenn. Les deux garçons en plaisantaient entre eux : ils trouvaient comique que ce soit justement des écoles en F, comme si la lettre avait recouvert un complot des athlètes, une Frénésie de la compétition. D'accord sur ce point, ils inventèrent un code pour signifier leur dédain de l'obsession musculaire qui prévalait à Fessenden ; ils résolurent non seulement de demeurer réfractaires au sport, mais de trouver des mots en F pour tout ce qui leur déplaisait dans l'école.

Les professeurs affichaient une prédilection pour le jaune et le rose pour leurs chemises habillées ; les garçons disaient « fantaisie ». Une femme de professeur jugée ingrate était dite « fait pas flasher » Le règlement intérieur exigeait que le dernier bouton de la chemise soit fermé lorsqu'on portait une cravate ? C'était « fastidieux ». Leur répertoire comprenait aussi un assortiment d'adjectifs portant sur leurs professeurs et leurs petits camarades : fasciste, fat, fécal, fébrile, flatulent, foireux, foldingue, folklo, frauduleux, fumeux.

Ces « adjectifs de passe » les amusaient ; Martin et Arif, devinrent, comme bien des camarades de chambre, une société secrète à eux tout seuls. Ce qui entraîna leurs congénères à les surnommer en retour des fayots, des faux-culs, des femmelettes, et des folles. Mais la seule activité sexuelle qui ait eu cours dans leur chambre, c'était les masturbations régulières d'Arif. Lorsqu'ils arrivèrent en troisième, on leur fournit une chambre avec une vraie porte, et Arif ne se donnait plus autant de mal pour cacher sa lampe de poche.

Avec ce souvenir, le missionnaire de trente-neuf ans qui était tout seul, et bien réveillé, dans sa cellule de Saint-Ignace se rendit compte à quel point la masturbation était un sujet insidieux. Il savait où il le mènerait : à sa mère. Et dans un effort désespéré pour s'en détourner, il s'assit tout droit sur sa couchette, alluma la lumière et se mit à lire au hasard le *Times of India*. Ce n'était même pas un numéro récent ; il avait bien deux semaines, et il avait été roulé en cylindre et glissé sous le lit parce que c'était une arme commode pour estourbir les cafards et les moustiques. Mais c'est ainsi que le nouveau missionnaire entreprit le premier exercice par lequel il entendait se repérer dans Bombay. Restait à savoir s'il y avait dans le *Times of India* quoi que ce fût qui puisse détourner ses souvenirs de sa mère et du rapport entre celle-ci et le thème indésirable de la masturbation

Le regard de Martin tomba sur les annonces matrimoniales – c'était bien sa chance ! Il vit qu'un monsieur de trente-deux ans, professeur dans une école privée avouait un « léger strabisme » ; un haut fonctionnaire (propriétaire de sa maison) reconnaissait une petite déviation des jambes, mais affirmait marcher parfaitement – il accepterait aussi une épouse handicapée. Un peu plus loin, un « veuf ss enf. soixantaine ; teint maïs », cherchait « dame moins quarant. ; traits fins ; mince, belle, avenante ; teint maïs ; non fumeuse ; végétarienne ; ne buvant pas d'alcool » ; le veuf était cependant tolérant et proclamait une louable indifférence à la langue, à la caste, à l'origine géographique et au degré d'instruction (c'était l'annonce de Ranjit, bien sûr). Une dame qui cherchait un mari faisait sa réclame en spécifiant qu'elle avait un « joli visage » et un « diplôme de brodeuse » ; une jeune fille « mince, belle, avenante », qui disait avoir l'intention d'étudier l'informatique, cherchait un jeune homme indépendant, avec assez d'instruction pour s'être affranchi des préjugés réactionnaires sur « le teint clair, la caste et la dot ».

La seule conclusion que Martin Mills put tirer de cette autopromotion et de ces désirs, c'est qu'« avenant » signifiait adapté à la vie familiale, et qu'un teint « maïs » devait être raisonnablement clair – un café au lait avec beaucoup de lait, comme le Dr Daruwalla. Martin n'aurait jamais deviné que ce fameux veuf « soixantaine, ss enf ; teint maïs » n'était autre que Ranjit. Il avait vu le secrétaire, qui avait la peau brune – et certainement rien d'autre à ses yeux. Toute annonce matrimoniale, tout désir de vivre en couple qui s'exprimait, le missionnaire les percevait comme quelque chose de triste, de désespéré. Il se leva de sa couchette pour allumer une autre spirale antimoustiques, non qu'il en ait vu aucun, mais parce que la dernière spirale lui avait été allumée par le frère Gabriel, et qu'il voulait en allumer une lui-même.

Il se demandait si son ancien camarade de chambre, Arif, avait un teint « maïs ». Non, décida-t-il en se rappelant la couleur de sa peau. Arif était bien plus foncé. Dans l'adolescence, le teint clair est plus remarquable que les autres. En troisième, Arif était déjà obligé de se raser tous les jours, ce qui faisait paraître son visage plus mûr que celui des autres garçons de la classe ; pourtant, il y avait quelque chose de résolument adolescent dans son absence de pilosité : sa poitrine, ses jambes étaient lisses, de même que son derrière pas plus velu que celui d'une fille... ces attributs lui conféraient une beauté soyeuse. Bien qu'ils aient partagé la même chambre trois ans, ce n'était qu'en troisième que Martin s'était mis à le trouver beau. Par la suite, il se rendit compte que c'était Vera qui lui en avait fait prendre conscience. « Et comment va ton mignon camarade de chambre, ce beau garçon ? » lui demandait-elle invariablement lorsqu'elle lui rendait visite.

C'était l'usage, dans les pensions, que les parents venus voir leurs enfants les emmènent dîner ; souvent le voisin de chambre était de la partie. Pour des raisons évidentes, les parents de Martin ne venaient jamais le voir en même temps ; à l'instar d'un couple divorcé, Vera et Danny venaient chacun de son côté. Danny emmenait généralement Martin et Arif dans une auberge du New Hampshire pour les vacances de Thanksgiving ; Vera faisait plus volontiers des visites d'un soir.

Pour les congés de Thanksgiving, l'année de troisième, Arif et Martin furent invités à l'auberge du New Hampshire par Danny et au Ritz de Boston par Vera. Le samedi soir de ce long week-end, Danny ramena les garçons à Boston, où Vera les attendait à l'hôtel. Elle avait réservé une suite avec deux chambres – la sienne d'un grand luxe, avec un lit immense et une salle de bains somptueuse ; la leur plus petite, avec des lits jumeaux, douche et toilettes.

Martin avait passé un moment agréable dans l'auberge du New Hampshire. Deux chambres les y attendaient aussi, mais réparties différemment entre eux : à l'auberge, Arif avait eu une chambre pour lui avec salle de bains, tandis que Danny partageait l'autre, celle qui avait des lits jumeaux, avec son fils. Danny s'était excusé auprès du jeune homme de cet isolement forcé :

– Vous, vous l'avez dans votre chambre toute l'année, lui avait-il expliqué.

– Mais bien sûr, je comprends, avait répondu Arif.

Et comme, en Turquie, l'âge est le fondement de l'autorité et de la déférence, il avait ajouté plaisamment :

– Je sais le respect dû aux aînés.

Hélas, Danny but plus que de raison ; il s'endormit presque tout de suite et se mit à ronfler. Martin fut déçu qu'ils n'aient pas parlé davantage, tous les deux. Mais avant de sombrer dans l'inconscience, alors qu'ils étaient encore éveillés, dans le noir, le père dit au fils :

– J'espère que tu es heureux. J'espère que tu te confieras à moi, si jamais ça ne va pas – ou même, comme ça, en général.

Avant que Martin n'ait su quoi répondre, les ronflements paternels avaient retenti. Mais tout de même, il avait été sensible à l'attention. Le lendemain, à voir combien Danny était fier et démonstratif, on aurait cru qu'ils avaient eu une conversation des plus intimes.

A Boston, le samedi soir, Vera ne voulut pas s'aventurer plus loin que la salle à manger du Ritz ; pour elle le paradis était un bon hôtel, et elle s'y trouvait déjà. Mais au Ritz, l'étiquette de la salle à manger était encore plus stricte qu'à Fessenden. Le majordome les arrêta parce que Martin portait des chaussettes de sport avec ses mocassins. Vera dit simplement : « J'allais te le faire remarquer, mon chéri, mais voilà qui est fait. » Elle lui donna la clef de la chambre pour qu'il aille changer de chaussettes pendant qu'elle restait en bas avec Arif. Martin dut emprunter les socquettes en Nylon noir de son camarade. Cet incident attira l'attention de Vera sur l'aisance avec laquelle, par rapport à Martin, Arif portait des vêtements habillés ; elle attendit que Martin les ait rejoints pour faire part de cette remarque.

– Ce doit être parce que vous avez vécu dans les milieux de la diplomatie, observa-t-elle. Il doit y avoir des tas d'occasions de s'habiller à l'ambassade de Turquie.

– Au consulat, rectifia Arif, comme il l'avait déjà fait une douzaine de fois.

– Je suis effroyablement indifférente aux détails, lui dit Vera. Je vous mets au défi de rendre intéressante la différence entre une ambassade et un consulat – vous avez une minute !

Cette réplique embarrassa Martin, car il lui semblait que sa mère venait tout juste d'apprendre à parler de cette façon. Elle était si vulgaire, jeune femme, et elle ne s'était pas le moins du monde cultivée depuis ses années canailles ; pourtant, faute de trouver des rôles, elle avait appris à imiter la façon de parler de la bourgeoisie instruite. Elle avait assez de bon sens pour sentir que le genre canaille est moins seyant chez une femme qui avance en âge. Quant à l'adverbe « effroyablement » et à l'amorce « Je vous mets au défi », Martin Mills savait pour sa plus grande honte d'où sa mère tenait ces maniérismes.

Il y avait un Anglais prétentieux à Hollywood, un de ces metteurs en scène parmi tant d'autres qui n'arrivent pas à faire un film. Danny en avait écrit le scénario qui n'avait pas séduit les producteurs. Pour se consoler, l'Anglais avait tourné une série de publicités pour une crème hydratante ; la cible en était la femme mûrissante qui fait un effort pour soigner sa peau ; c'est Vera qui avait tenu ce rôle.

La mère de Martin apparaissait donc sans vergogne dans un caraco qui ne laissait rien ignorer de ses charmes ; elle était assise devant un miroir entouré d'ampoules puissantes comme un miroir de loge. L'image était sous-titrée de la façon suivante : Veronica Rose, actrice de Hollywood (à la connaissance de Martin, cette publicité était le premier rôle qu'elle décrochait depuis des années).

« Je suis effroyablement contre la peau sèche, disait Vera au miroir, et à la caméra : Dans cette ville, il faut rester jeune pour tenir le coup. » La caméra montrait les commissures de ses lèvres en gros plan ; un joli doigt étalait la crème hydratante. Étaient-ce les rides révélatrices de l'âge que l'on apercevait ? On aurait dit que quelque chose venait friper l'arc de sa bouche bien dessinée ; mais aussitôt, la lèvre se lissait comme par miracle – effet de l'imagination ?

« Je vous mets au défi de me dire que je vieillis », disait la bouche. C'était un truquage, Martin en était sûr. Avant le gros plan, c'était bien sa mère, mais pendant, il s'agissait d'autres lèvres qui lui étaient inconnues, et de la bouche d'une femme plus jeune, à coup sûr !

C'était une des publicités préférées des élèves de troisième, à Fessenden ; lorsqu'ils étaient réunis dans les appartements du maître d'internat pour regarder une émission de télévision, ils étaient toujours prêts à répondre à la question des lèvres en gros plan – « Je vous mets au défi de me dire que je vieillis » : « T'es déjà vieille. » Ils n'étaient que deux à savoir que Veronica Rose, actrice de Hollywood, était la mère de Martin. Or Martin ne s'en vantait pas, et Arif ne l'aurait jamais trahi.

Arif disait toujours : « Moi je trouve qu'elle fait assez jeune. »

Martin fut donc doublement gêné lorsque sa mère dit à Arif : « Je suis effroyablement indifférente aux détails. Je vous mets au défi de rendre intéressante la différence entre une ambassade et un consulat. Vous avez une minute. » Il savait qu'Arif reconnaîtrait la provenance d'« effroyablement » et de « Je vous mets au défi ».

Dans leur langage secret, Martin dit soudain :

– « F » royablement.

Il pensait qu'Arif comprendrait : sa mère méritait un adverbe en F. Mais Arif prit Vera au mot.

– L'ambassade a une mission auprès d'un gouvernement et elle est dirigée par un ambassadeur, expliqua le Turc. Le consulat est la résidence officielle du consul, qui n'est qu'un fonctionnaire nommé par le gouvernement d'un pays pour veiller sur ses intérêts commerciaux et sur le bien-être de ses ressortissants. Mon père est consul général à New York, parce que c'est une ville importante sur le plan commercial. Un consul général est le fonctionnaire de plus haut rang, et il a sous sa responsabilité des agents consulaires.

– Et ça n'a pris que trente secondes, signala Martin à sa mère ; mais ce n'était pas le temps qui intéressait Vera.

– Parlez-moi de la Turquie, dit-elle à Arif. Je vous donne trente secondes.

– Le turc est la langue maternelle de quatre-vingt-dix pour cent de la population, et nous sommes musulmans à plus de quatre-vingt-dix-neuf pour cent.

Là-dessus Arif Korma marqua un temps, car Vera frissonnait ; le mot « musulman » la faisait toujours frissonner.

– Sur le plan ethnique, reprit Arif, nous sommes un creuset. Les Turcs peuvent être blonds aux yeux bleus. Certains sont de type alpin ; ils ont la tête ronde, les cheveux et les yeux bruns. D'autres sont de type méditerranéen, c'est-à-dire bruns aussi, mais dolichocéphales. Et on rencontre aussi le type mongol, avec les pommettes saillantes.

– Et vous, interrompit Vera, vous êtes quoi ?

– Ça ne fait que vingt secondes, fit remarquer Martin, mais on aurait dit qu'il n'était pas à table avec eux ; ils se parlaient comme en tête à tête.

– Je suis plutôt méditerranéen, je crois ; mais j'ai les pommettes légèrement mongoles.

– Je ne trouve pas, dit Vera ; et vos cils, d'où les tenez-vous ?

– De ma mère, dit Arif timidement.

– Elle en a de la chance, cette maman ! s'exclama Veronica Rose.

– Qui prend quoi ? s'enquit Martin, qui était le seul à regarder le menu. Moi je crois que je vais prendre la dinde.

– Vous devez avoir des coutumes étranges, dit Vera à Arif. Racontez-moi quelque chose d'étrange… sur le plan sexuel, je veux dire.

– Le mariage est permis entre proches parents, dans les lois islamiques sur l'inceste, répondit Arif.

– Plus étrange, insista Vera.

– Les garçons sont circoncis entre six et douze ans, dit Arif.

Ses yeux noirs, baissés, parcouraient le menu.

– Et vous, vous aviez quel âge ?

– C'est une cérémonie publique, balbutia le jeune homme. J'avais dix ans.

– Oh, mais alors vous devez très bien vous en souvenir, dit Vera.

– Je crois que je vais prendre la dinde, moi aussi, dit Arif à Martin.

– Quel souvenir est-ce que vous en avez gardé, Arif ? insista Vera.

– La façon dont on se tient pendant l'opération rejaillit sur la réputation de votre famille, répondit Arif, qui, en parlant, regardait son camarade de chambre, et non la mère de celui-ci.

– Et alors, vous vous êtes tenu comment ?

– Je n'ai pas pleuré, j'aurais déshonoré ma famille, lui dit le jeune homme.

Puis il répéta :

– Je vais prendre la dinde.

– Mais vous n'avez pas déjà eu de la dinde avant-hier ? leur demanda Vera. Vous n'allez pas en prendre de nouveau, c'est monotone ! Prenez autre chose.

– D'accord, je vais prendre la langouste, répondit Arif.

– Très bonne idée. Moi aussi, je vais prendre de la langouste, dit Vera. Et toi, Martin ?

– Moi je prends de la dinde, répondit-il.

La force soudaine de sa propre volonté le surprit ; dans le pouvoir de sa volonté, il y avait déjà quelque chose de jésuite.

Ce souvenir précis donna au missionnaire la force de se concentrer de nouveau sur le *Times of India,* où il apprit qu'une famille de quatorze personnes avait péri, brûlée vive dans l'incendie de sa maison – incendie qui avait été allumé par une famille rivale. Martin se demanda ce que pouvait signifier l'expression « famille rivale », puis il pria pour les quatorze personnes brûlées vives.

Le frère Gabriel, qui avait été réveillé par des pigeons qui se perchaient, aperçut un rai de lumière sous la porte de Martin. Parmi ses innombrables attributions, le frère Gabriel était censé contrecarrer les pigeons dans leurs efforts pour se percher à la mission ; le vieil Espagnol était capable de les détecter dans son sommeil. Au deuxième étage, les nombreuses colonnes du balcon donnaient aux pigeons un accès presque illimité aux corniches supérieures. Le frère Gabriel avait entouré ces corniches de fils de fer, l'une après l'autre. Cette nuit-là, après avoir fait fuir les pigeons, il laissa l'escabeau contre la colonne ; ainsi, il se rappellerait quelle corniche entourer de fil de fer le lendemain matin.

Lorsqu'il repassa devant la cellule de Martin Mills pour aller se coucher, il vit que la lumière du nouveau missionnaire était toujours allumée. S'arrêtant devant la porte, il tendit l'oreille, craignant que le « jeune » Martin ne soit malade. Mais, à sa grande surprise et son infini réconfort, il entendit Martin prier. Des litanies aussi tardives lui donnèrent à penser que la nouvelle recrue était fermement dans la main du Seigneur ; pourtant l'Espagnol avait dû mal comprendre le détail de cette prière. Ce devait être l'accent américain, pensa-t-il ; car s'il n'y avait pas à hésiter sur le ton de la voix, et la répétition, les mots semblaient dépourvus de sens.

Pour se remémorer le pouvoir de sa volonté, qui était certainement la preuve de la volonté de Dieu en lui, Martin Mills se répétait inlassablement la phrase qui témoignait de son courage intérieur de jadis : « Je vais prendre la dinde. » « Je vais prendre la dinde », répéta-t-il en s'agenouillant à même le sol, au chevet de son lit, l'exemplaire roulé du *Times of India* serré dans sa main.

Une prostituée avait tenté de manger son rosaire, puis elle l'avait jeté ; un nain détenait son fouet ; il avait inconsidérément enjoint au docteur de jeter son fer de jambe. Il faudrait un moment pour que le sol de pierre lui fasse mal aux genoux, mais il attendrait la douleur – pire, il l'accueillerait avec joie. « Je vais prendre la dinde », priait-il. il revoyait encore Arif Korma, incapable de lever ses yeux noirs pour croiser le regard insistant de Vera, qui ne quittait pas des yeux le Turc circoncis.

– Ça a dû vous faire effroyablement mal, lui disait-elle. Et honnêtement, vous n'avez pas pleuré ?

– J'aurais déshonoré ma famille, répéta Arif.

Martin Mills voyait que son camarade de chambre était au bord des larmes ; il l'avait déjà vu pleurer. Vera s'en rendait compte aussi.

– Mais maintenant vous pouvez pleurer, c'est pas grave, lui dit-elle.

Arif secoua la tête, mais les larmes montaient. Vera prit son propre mouchoir pour lui tamponner les yeux. Un instant, il se couvrit le visage complètement dans le mouchoir de Vera ; c'était un mouchoir outrageusement parfumé, Martin Mills le savait. Le parfum de sa mère lui donnait parfois envie de vomir.

« Je vais prendre la dinde, je vais prendre la dinde, je vais prendre la dinde », priait le missionnaire. C'était une prière aux cadences si régulières, pensa le frère Gabriel ; curieusement, elle lui faisait penser aux pigeons, avec leur manie de se percher sur les corniches.

Deux hommes bien différents, tous deux bien réveillés

Le Dr Daruwalla était en train de lire le *Times of India*, lui aussi, mais le numéro du jour. Et si cette nuit d'insomnie semblait apporter tous les tourments de l'enfer au scolastique, le docteur au contraire éprouvait de l'exaltation à se sentir si bien réveillé. Il ne se servait du *Times of India*, qu'il détestait, que pour se donner de l'énergie. Rien ne l'électrisait de haine comme la critique d'un *Inspecteur Dhar* qui venait de sortir. « L'inspecteur Dhar ne change pas de registre », annonçait le titre de l'article. Farrokh trouvait cela typiquement exaspérant. Le critique faisait partie de ces gardiens de la culture qui n'auraient jamais condescendu à dire une seule phrase positive sur un seul des *Inspecteur Dhar*. L'étron de chien qui avait empêché le docteur de lire l'article jusqu'au bout était une bénédiction ; il fallait être idiot pour s'en infliger la lecture intégrale. La première phrase aurait dû suffire : « Le problème de l'inspecteur Dhar, c'est qu'il ne parvient pas à couper le cordon avec ses premières – rares – créations. » Farrokh sentit que cette phrase lui donnerait toute la hargne souhaitable pour passer la nuit à écrire.

« Couper le cordon ! » s'écria-t-il. Puis il se rappela qu'il ne fallait pas réveiller Julia : elle qui était déjà fâchée contre lui ! Il adapta le *Times of India* à un nouvel usage, en le glissant sous la machine à écrire ; de cette façon, celle-ci ne ferait pas trop de bruit contre le plateau de verre de la table. Il s'était installé dans la salle à manger avec tout ce qui lui fallait pour écrire : à cette heure tardive, il était hors de question de se mettre à son bureau, dans la chambre.

Mais c'était la première fois qu'il tentait d'écrire dans la salle à manger. La table de verre n'avait jamais été commode pour les repas ; elle était trop basse. Pour y dîner, il fallait s'asseoir sur des coussins, à même le sol. Soucieux d'améliorer son confort, le docteur essaya d'en glisser deux sous ses fesses, et posa ses coudes en appui de part et d'autre du clavier. Orthopédiste, il savait que cette position était mauvaise pour le dos ; et puis voir ses jambes croisées et ses pieds nus sous le plateau de verre le distrayait. Pendant un instant, il se laissa également distraire par son sentiment d'injustice devant la bouderie de Julia.

Au Ripon Club, ils avaient dîné à la va-vite et en se disputant. La journée était difficile à résumer, et Julia estimait que son mari télescopait trop d'informations intéressantes dans son compte rendu ; elle avait déjà de quoi spéculer toute la nuit sur l'hypothèse que Rahul était un assassin en série. En outre, elle était contrariée d'apprendre que Farrokh jugeait sa présence indésirable au Duckworth lors du déjeuner avec le détective Patel et Nancy – alors que John D. y serait, lui.

– Je lui ai demandé de venir parce qu'il a de la mémoire, avait-il dit pour se justifier.

– Dis tout de suite que je n'en ai pas, moi ! avait rétorqué Julia.

Le plus agaçant, c'est qu'il n'avait pas réussi à joindre John D. Il avait laissé des messages à l'Oberoi et au Taj pour lui dire qu'il y aurait un déjeuner important au Duckworth, mais l'acteur ne l'avait pas rappelé ; peut-être lui en voulait-il encore pour cette histoire de jumeau – mais il ne daignerait jamais en convenir.

D'autre part, en apprenant les efforts déployés pour envoyer la pauvre Madhu et Ganesh l'estropié au Grand Nil bleu, Julia lui avait demandé avec scepticisme s'il était bien raisonnable de sa part de se lancer dans une « intervention aussi dramatique » ; elle s'étonnait qu'il n'ait jamais encore entrepris de façon aussi directe le sauvetage problématique des mendiants infirmes et des prostituées mineures. Le docteur s'en était irrité, parce que c'étaient là les doutes mêmes qu'il entretenait pour sa part. Le scénario qu'il mourait d'envie de commencer lui attira de même les critiques de sa femme : comment pouvait-il être aussi égocentrique en un pareil moment – elle voulait dire par là qu'elle le trouvait égoïste de penser à ses scénarios quand il y avait tant de violence et de traumatismes dans la vie des autres.

Ils avaient même réussi à s'accrocher sur les programmes de radio. Julia choisissait les stations diffusant des programmes qui l'endormaient ; les chansons, la « musique légère régionale » étaient ses préférés. Mais le Dr Daruwalla se laissa capter par la fin d'un entretien avec un écrivain qui se plaignait amèrement qu'il n'y ait jamais de « suivi » en Inde. « On laisse tout en suspens, protestait-il, on ne va jamais au fond des choses ! Dès que nous fourrons notre nez dans une question intéressante, nous nous empressons de nous tourner ailleurs. » La colère de l'écrivain intéressait Farrokh, mais Julia était passée sur une autre station qui proposait de la « musique instrumentale » ; lorsque le docteur avait retrouvé l'écrivain véhément, sa vindicte était dirigée contre un fait divers qu'il avait entendu le jour même. Un viol et un meurtre avaient été signalés à l'institut de jeunes filles Alexandria ; mais le compte rendu que l'écrivain en avait entendu disait ceci : « Contrairement aux informations précédentes, il n'y a pas eu viol et meurtre à l'institut de jeunes filles Alexandria, aujourd'hui. » C'était le genre de choses qui excédaient l'écrivain – sans doute ce qu'il entendait par l'absence de « suivi ».

« On n'a pas idée d'écouter des âneries pareilles », s'était exclamée Julia, si bien qu'il l'avait abandonnée à sa musique instrumentale.

A présent, il ne voulait plus penser à tout cela. Il pensait aux boiteux – à toutes les variétés de boiteux qu'il lui avait été donné de voir. Il n'allait pas garder le prénom de Madhu ; il appellerait la petite fille de son scénario Pinky, parce que Pinky était une étoile authentique. Et puis il en ferait une enfant beaucoup plus jeune que Madhu ; de cette façon, aucun drame sexuel ne pourrait la menacer – dans l'histoire du Dr Daruwalla.

Ganesh était bien le nom qui convenait pour le garçon, mais dans le film, c'est lui qui serait plus âgé que la fille ; il se proposait tout simplement d'inverser leurs âges. Son Ganesh boiterait très bas lui aussi, mais il n'aurait jamais un pied écrasé de façon aussi grotesque que le vrai : comment trouver un acteur affligé d'une si vilaine difformité ? Et puis les enfants auraient une mère, parce que le scénariste avait déjà prévu les circonstances de son élimination : l'art du récit est incompatible avec les scrupules.

L'espace d'un moment le Dr Daruwalla se dit que non seulement il avait été incapable de comprendre son pays d'origine, mais qu'il avait été incapable de l'aimer. Il se rendait compte qu'il était sur le point d'inventer une Inde qu'il puisse à la fois comprendre et aimer – une version simplifiée ; mais ces états d'âme s'envolèrent, comme il convient si l'on veut commencer une histoire.

C'était une histoire qui avait pour origine la Vierge Marie, se disait-il en pensant à la statue de pierre vue à la chapelle de Saint-Ignace, celle qu'il fallait retenir avec une chaîne et un cadenas d'acier.

Ce n'était pas la Mère de Dieu, en fait, mais pour le Dr Daruwalla elle était tout de même devenue la Vierge Marie. La phrase lui plut assez pour qu'il l'écrivît : « une histoire qui a pour origine la Vierge Marie ». Dommage que cela ne fasse pas un bon titre, se disait-il ; il faudrait trouver quelque chose de plus court pour le titre ; mais la simple répétition de cette phrase lui permit de démarrer. Il l'écrivit encore une fois, puis deux : « une histoire qui a pour origine la Vierge Marie ». Puis il se mit à la rayer dans tous les sens, au point de ne plus pouvoir la lire lui-même. Alors il la dit à haute voix, inlassablement.

C'est ainsi qu'au cœur de la nuit, alors que cinq millions d'habitants ou presque dormaient profondément sur les trottoirs de Bombay, ces deux hommes avaient les yeux grands ouverts et marmottaient. L'un se parlait à lui-même, en disant : « Une histoire qui a pour origine la Vierge Marie », et cela lui permettait de démarrer. L'autre se parlait à lui-même, mais il parlait aussi à Dieu, ce qui explique qu'il ait psalmodié plus fort. Il disait : « Je vais prendre la dinde » et ses litanies, espérait-il, l'empêcheraient de se laisser consumer par ce passé qui l'assiégeait de toutes parts. C'était le passé qui lui avait donné cette volonté tenace, où il voyait la preuve de celle de Dieu en lui. Pourtant, comme il avait peur du passé !

« Je vais prendre la dinde », disait Martin Mills. A présent il sentait battre le sang dans ses genoux. « Je vais prendre la dinde. Je vais prendre la dinde. »

18
Une histoire qui a pour origine
la Vierge Marie

La roulette limousine

Le matin, Julia trouva Farrokh affalé sur le guéridon, comme s'il s'était endormi en contemplant à travers le plateau l'orteil de son pied droit. Elle savait que c'était l'orteil même qui avait été mordu par un singe, ce qui avait valu quelques déchirements religieux à la famille – encore remerciait-elle le ciel que cette morsure n'ait pas eu d'effets plus fanatisants ni plus durables ; mais voir son mari dans cette posture, où il avait l'air de prier son orteil, voilà qui était déconcertant.

La vue des pages du scénario en chantier la rassura : tel était l'objet que contemplait Farrokh, ce n'était pas son orteil. La machine à écrire avait été poussée de côté ; les pages dactylographiées portaient plusieurs corrections, et le docteur tenait encore son crayon à la main. Julia comprit qu'écrire avait eu l'effet d'un soporifique à son mari. Sans doute était-elle témoin de la genèse d'un nouveau désastre qui mettrait en scène l'inspecteur Dhar ; mais elle vit au premier coup d'œil que Dhar n'était pas le personnage parlant en voix off. Qui sait s'il apparaissait même dans le film, se demanda-t-elle après avoir lu les cinq premières pages. C'était tout de même curieux. Il pouvait y avoir vingt-cinq pages en tout. Elle les emporta dans la cuisine et fit du café pour elle et du thé pour Farrokh.

La voix off était celle d'un garçon de douze ans qui avait été mutilé par un éléphant. Allons bon ! pensa Julia, c'est Ganesh. Elle connaissait bien le mendiant. Chaque fois qu'elle sortait de l'immeuble, il était là à la suivre. Elle lui avait acheté toutes sortes de choses, qu'il s'empressait presque toujours de revendre, mais la qualité exceptionnelle de son anglais l'avait charmée. Contrairement au Dr Daruwalla, Julia savait pourquoi Ganesh parlait un anglais si châtié.

Un jour qu'il était en train de mendier au Taj, un couple d'Anglais l'avait repéré ; ils voyageaient avec un petit garçon timide et solitaire, un peu plus jeune que lui ; et cet enfant avait exigé qu'on lui trouve un compagnon de jeux. Ganesh avait voyagé avec cette famille, flanquée d'une nounou, pendant plus d'un mois. On l'avait nourri, on l'avait vêtu, et tenu propre comme jamais ; on l'avait fait examiner par un médecin, pour être sûr qu'il ne souffrait pas d'une maladie contagieuse, le tout dans l'idée qu'il fasse un compagnon de jeux pour l'esseulé. La nounou apprit l'anglais à Ganesh plusieurs heures par jour, ayant reçu l'ordre de le faire pour le fils de la maison. Et lorsque la famille dut retourner en Angleterre, on laissa tout bonnement Ganesh où on l'avait trouvé – au Taj, pour y mendier. Il avait vendu sans perdre de temps les vêtements superflus. Les premiers temps, disait-il, la nounou lui avait manqué. L'histoire avait touché Julia. Certes, elle la trouvait peu vraisemblable, mais enfin pourquoi le mendiant l'aurait-il inventée ? Or maintenant voilà que son mari mettait le pauvre infirme dans un film !

Et il lui avait donné une sœur, une petite fille de six ans nommée Pinky ; c'était une acrobate des rues douée pour ce qu'elle faisait, une mendiante de trottoir qui exécutait toutes sortes de tours. Julia n'était pas dupe. Elle connaissait la vraie Pinky, étoile dans un cirque. Il était clair que l'autre source d'inspiration pour le personnage était Madhu, la dernière petite prostituée de Vinod et Deepa. Dans le film, Farrokh faisait de Pinky une parfaite innocente. Ces enfants fictifs connaissaient aussi la chance d'avoir une mère (pas pour longtemps).

La mère était femme de service à Saint-Ignace, où les jésuites l'avaient embauchée, mais aussi convertie. Ses enfants étaient des hindous strictement végétariens, passablement dégoûtés par la conversion de leur mère, et surtout par l'idée de la Sainte Communion. Que le vin puisse être vraiment le sang du Christ, le pain vraiment son corps... on comprendra qu'il y avait là de quoi écœurer ces petits végétariens.

Julia était choquée de voir que son mari avait pillé sans vergogne les Mémoires d'une religieuse ; c'était une histoire abominable qui l'avait longtemps amusé, comme le vieux Lowji avant lui. La religieuse avait eu toutes les peines du monde à convertir une tribu d'anciens cannibales. Elle avait eu beaucoup de mal à leur expliquer la présence réelle du Christ dans l'Eucharistie. Du fait que certains d'entre eux avaient été cannibales, et qu'ils se rappelaient avoir mangé de la chair humaine, le dogme de la Sainte Communion ouvrit bien des portes en eux...

Julia vit que son mari était retourné à ses blasphèmes habituels. Mais où était donc l'inspecteur Dhar, dans tout cela ?

Elle s'attendait plus ou moins à le voir s'élancer au secours des enfants, mais l'histoire continuait sans lui. La mère était tuée à l'église Saint-Ignace, au milieu d'une génuflexion : une statue de la Vierge Marie dégringolait de son piédestal et l'écrabouillait. On lui donnait l'extrême-onction sur-le-champ. Ganesh ne perdait pas trop de temps à pleurer sa mort. « Au moins, elle a été heureuse, disait-il en voix off. Tous les chrétiens n'ont pas la chance d'être tués sur le coup par la Sainte Vierge. » Si Dhar devait venir à leur rescousse, se dit Julia, c'était maintenant ou jamais. Mais Dhar ne venait pas.

Les petits mendiants se mettaient à jouer à un jeu appelé « la roulette limousine ». Tous les gosses des rues à Bombay savaient qu'il y avait deux limousines pas comme les autres en ville. Dans l'une se déplaçait un chasseur de têtes qui travaillait pour le compte d'un cirque – un nain nommé Vinod, bien sûr. Il avait été clown ; sa tâche était de repérer les acrobates doués. Or Pinky était tellement douée que Vinod accepterait que son frère l'accompagne pour veiller sur elle, se disait Ganesh l'invalide. Le problème était l'autre chasseur de têtes, un homme qui volait les enfants pour le compte du cirque-aux-monstres. On l'appelait Vitriol, parce qu'il vous jetait de l'acide au visage, et qu'après on était tellement défiguré que votre propre famille ne vous reconnaissait même plus. Il ne restait plus que le cirque-aux-monstres pour vous recueillir.

Voilà que Farrokh s'en prenait de nouveau à Mr Garg, pensa Julia. Quelle histoire effarante ! Même sans l'inspecteur Dhar, le bien et le mal étaient dans un rapport sans équivoque, une fois de plus. Quel rabatteur trouverait les enfants le premier ? Le Bon Samarinain, ou l'homme au vitriol ?

Les limousines tournent la nuit. On voit une voiture étincelante dépasser les enfants, qui courent après. On voit les feux arrière clignoter, mais la voiture sombre ne s'arrête pas ; d'autres enfants la poursuivent. On voit une limousine arrêtée sur le bord du trottoir, moteur tournant ; les enfants s'en approchent avec circonspection. La vitre du chauffeur s'entrouvre d'un centimètre ; on voit les doigts courtauds sur le bord de la vitre, comme des serres. Lorsque la glace est baissée, c'est la grosse tête du nain qui apparaît. C'est la bonne limousine ; c'est Vinod.

Ou alors c'est la mauvaise. La porte arrière s'ouvre, il s'en échappe une sorte de brouillard givrant ; on dirait que la climatisation de la voiture est trop poussée – le véhicule est comme un freezer, comme une chambre froide. Peut-être qu'il faut conserver l'acide à basse température ; peut-être que c'est Vitriol lui-même qui doit être tenu au froid, sinon il pourrirait.

Apparemment, les pauvres enfants ne seraient pas obligés de jouer à la roulette limousine si la Sainte Vierge n'était pas tombée de son piédestal pour assassiner leur mère. A quoi pense mon mari, se demandait Julia. En principe, elle avait l'habitude de lire ses premiers jets, ses brouillons sans avoir le sentiment de violer son intimité ; il partageait toujours les étapes de ce qu'il écrivait avec elle. Mais ce scénario-ci, il n'était pas dit qu'il le partage jamais avec elle. On y trouvait comme du désespoir. Peut-être y sentait-on la crainte de la déception à laquelle on s'expose chaque fois qu'on a de vraies ambitions artistiques – point faible certes inconnu dans les *Inspecteur Dhar*. Julia se dit que son mari risquait de prendre ce scénario trop à cœur.

C'est ce raisonnement qui l'amena à reposer le manuscrit où elle l'avait trouvé, sur la table de verre, plus ou moins entre la machine à écrire et la tête de Farrokh. Ce dernier dormait toujours, un large sourire béat indiquant qu'il rêvait ; et il fredonnait un petit air nasillard, impossible à suivre. La position inconfortable de sa tête sur le plateau de verre lui permettait d'imaginer qu'il était enfant, et qu'il faisait un somme à Saint-Ignace, la tête sur son bureau dans la salle I, 3.

Tout à coup, il renâcla dans son sommeil. Julia vit bien qu'il était sur le point d'ouvrir les yeux, mais elle sursauta lorsqu'il s'éveilla en hurlant. Elle crut qu'il faisait un cauchemar : c'était une crampe de la voûte plantaire droite. Il avait l'air tellement défait qu'elle en fut gênée pour lui. Puis sa colère lui revint... « Déplacée », sa présence à ce déjeuner palpitant avec le commissaire et la hippie qui boitait, vingt ans auparavant ! Pire encore, il but son thé sans dire un mot du scénario en chantier ; il avait même tenté d'en dissimuler les feuillets dans sa sacoche de médecin.

Julia demeura distante lorsqu'il l'embrassa en la quittant ; mais elle resta sur le seuil de la porte ouverte et le regarda appuyer sur le bouton de l'ascenseur. Si c'était les premiers symptômes d'un tempérament artiste qu'il présentait là, elle était résolue à tuer dans l'œuf une affection de ce genre. Elle attendit que la porte de l'ascenseur s'ouvre pour lui lancer :

– Si jamais tu en fais un film, Mr Garg te traînera en justice !

Le docteur resta planté là, ahuri, tandis que la porte de l'ascenseur se refermait sur sa sacoche, puis s'ouvrait de nouveau ; elle ne cessait de se fermer et de s'ouvrir tandis qu'il regardait sa femme d'un air indigné. Julia lui souffla un baiser, rien que pour l'embêter. La porte de l'ascenseur se fit plus agressive ; il dut forcer le passage. La porte se referma sur lui et l'ascenseur se mit à descendre avant qu'il ait trouvé quelque chose à répondre. Il n'avait jamais réussi à cacher quoi que ce soit à Julia. D'ailleurs, elle avait raison : Garg le traînerait devant les tribunaux ! Le docteur se demanda si le processus de la création n'avait pas mis son bon sens en veilleuse.

Dans la ruelle, un nouveau coup à ce bon sens l'attendait. Lorsque Vinod lui ouvrit la porte de l'Ambassador, il vit le mendiant au pied d'éléphant endormi sur la banquette arrière. Madhu s'était octroyé le siège du passager, à côté du chauffeur nain. A l'exception des écoulements qui lui collaient les paupières, Ganesh avait l'air angélique dans son sommeil. Son pied écrasé était caché sous un des chiffons qu'il portait toujours – pour enlever la fausse fiente. Même dans son sommeil, il avait réussi à cacher sa difformité. Ce n'était pas un personnage de film, c'était le vrai Ganesh. Pourtant le docteur se prit à le regarder avec le recul et la fierté qu'il aurait éprouvés pour une de ses créations. Il pensait toujours à son histoire ; il se disait que ce qui arriverait ensuite à Ganesh ne dépendait que de son imagination de scénariste. Dans la réalité le mendiant avait trouvé un bienfaiteur ; jusqu'à ce que le cirque l'engage, il aurait sa place sur la banquette arrière de l'Ambassador – c'était déjà mieux que tout ce qu'il avait connu.

– Bonjour, Ganesh, dit le docteur, et en un clin d'œil l'enfant fut réveillé, aussi léger et attentif qu'un écureuil.

– Qu'est-ce qu'on fait aujourd'hui ? demanda-t-il à Farrokh.

– Finie la blague de la fiente d'oiseau, dit le docteur.

Le mendiant signifia qu'il avait enregistré par un petit sourire contraint.

– Oui, mais qu'est-ce qu'on fait ? répéta-t-il.

– On va à mon cabinet, parce qu'il faut qu'on attende le résultat des tests de Madhu pour faire des projets. Et ce matin, tu seras gentil de ne pas exercer ton talent sur les enfants en rééducation post-opératoire, dans la cour de gymnastique.

Les yeux noirs du garçon étaient insaisissables, ils suivaient toujours la circulation. Le docteur voyait le visage de Madhu dans le rétroviseur ; elle n'avait pas réagi, elle n'avait même pas regardé dans le rétroviseur à l'énoncé de son nom.

– Moi ce qui m'inquiète, dans ce projet de cirque... commença Farrokh.

Puis, délibérément, il marqua un temps. Le relief qu'il avait donné au mot « cirque » avait capté l'attention de Ganesh, mais pas celle de Madhu.

– Il n'y a pas meilleur que mes bras – ils sont très forts. Je pourrais monter un poney – on n'a pas besoin de jambes avec des mains aussi fortes que les miennes, suggéra Ganesh. Il y a plein de tours que je pourrais faire – je peux me pendre par les bras à une trompe d'éléphant, peut-être aussi monter un lion.

– Mais ce qui m'inquiète, c'est qu'ils vont pas te laisser faire des tours, pas un seul, répondit le Dr Daruwalla. Ils vont te donner tous les sales boulots, tous les travaux durs. Par exemple déblayer la merde des éléphants, et pas te suspendre à leur trompe.

– Il faudra que je leur fasse voir, dit Ganesh. Mais qu'est-ce qu'on leur fait, aux lions, pour qu'ils montent sur ces petits tabourets ?

– Toi, ton boulot, ça va être de lessiver la pisse des lions sur les tabourets, lui dit Farrokh.

– Et qu'est-ce qu'on fait avec les tigres ?

– Toi ce que tu feras, c'est nettoyer leur cage, vider leur merde, dit le docteur.

– Il faudra que je leur montre, s'entêta le garçon. Il y a peut-être quelque chose à faire avec leur queue ; ça a une longue queue, un tigre.

Le nain s'engagea sur le rond-point que le docteur détestait. Il y avait trop de chauffeurs facilement distraits qui regardaient la mer, et des fidèles qui grouillaient sur les bancs de boue, autour du tombeau d'Hadji Ali. Le rond-point n'était pas loin de Tardeo, l'endroit où le père de Farrokh avait volé en éclats. Et maintenant, en plein milieu du rond-point, les conducteurs louvoyaient pour éviter un fou infirme, un cul-de-jatte dans un de ces fauteuils roulants pliables, actionnés par une manivelle, qui avait pris la chaussée à contre-flot. Le docteur pouvait suivre le regard mobile de Ganesh ; les yeux noirs de l'enfant ignoraient ou évitaient le fou en fauteuil roulant ; le petit mendiant pensait sans doute encore aux tigres.

Le Dr Daruwalla ne savait pas encore exactement comment finirait son scénario ; il n'avait qu'une idée générale de ce qu'il adviendrait à sa Pinky et à son Ganesh. Pris dans la circulation comme il l'était, il comprit que le destin du vrai Ganesh, outre celui de Madhu, échappait à son contrôle. Mais il se sentait du moins responsable du début de leur histoire dans la réalité, tout comme il l'était dans la fiction qu'il inventait.

Dans le rétroviseur, il s'aperçut que Madhu suivait de ses yeux de lion les mouvements du cul-de-jatte fou. Puis le nain dut freiner brusquement ; il pila pour éviter le cinglé en fauteuil qui s'élançait à contresens. Le fauteuil roulant arborait un autocollant hostile aux avertisseurs :

LA PATIENCE EST UNE VERTU QU'IL EST BON DE PRATIQUER

Un camion-citerne déglingué surgit derrière lui ; le chauffeur, furieux, klaxonnait comme un fou. L'énorme citerne cylindrique portait inscrite en grosses lettres de feu

HUILE POUR MOTEUR GOLFE
LA MEILLEURE DU MONDE

Par ailleurs il arborait aussi un autocollant, presque illisible sous les taches de goudron et les insectes collés.

AYEZ TOUJOURS UN EXTINCTEUR DANS VOTRE BOÎTE A GANTS

Le Dr Daruwalla savait que Vinod n'en avait pas.

Comme s'il n'avait pas été assez exaspérant à bloquer la circulation, l'infirme mendiait devant les voitures immobilisées. Le fauteuil maladroit vint heurter la portière arrière de l'Ambassador. Farrokh vit avec fureur Ganesh baisser la glace, et le fou roulant tendre la main aussitôt.

– Ne lui donne rien, à cet abruti, cria le docteur ; mais il avait sous-estimé la promptitude de Fiente d'oiseau.

Le docteur ne vit pas la seringue, il ne vit que le regard de surprise qui se peignait sur la face du maniaque à roulettes – il retira très vite sa main ; sa paume, son poignet, tout son avant-bras dégoulinaient de fiente d'oiseau. Vinod applaudit.

– Je l'ai eu ! dit Ganesh.

Un camion de peinture qui passait leur déroba presque entièrement l'image du fou ; Vinod applaudit aussi le camion de peinture.

FAITES LA FÊTE AVEC LES PEINTURES D'ASIE

Lorsque le camion de peinture eut disparu à son tour, la circulation redémarra, le taxi du nain à sa tête. Le docteur se rappela l'autocollant de l'Ambassador.

EH TOI QUI AS LE MAUVAIS ŒIL
QUE TA FACE NOIRCISSE

– J'ai dit fini les blagues avec la fiente, Ganesh, dit Farrokh.

Dans le rétroviseur, il vit que Madhu le regardait, mais lorsqu'il croisa son regard, elle détourna les yeux. Par la fenêtre ouverte, l'air était chaud et sec, mais le plaisir d'être dans une voiture qui roulait était nouveau pour le garçon, s'il ne l'était peut-être pas pour la petite prostituée. Peut-être que rien n'était nouveau pour elle, se dit le docteur avec inquiétude. Mais pour le mendiant, en tout cas, c'était le début d'une aventure.

– Il est où le cirque ? demanda-t-il. Il est loin ?

Farrokh savait que le Grand Nil bleu pouvait se trouver n'importe où dans le Gujarat. La question qui le tracassait personnellement, ce n'était pas où il se trouvait, mais si les enfants y seraient en sécurité.

En aval, la circulation ralentit de nouveau ; des piétons, sans doute – des marchands venus du *chowk* proche, et qui s'agglutinaient dans la rue. Puis il vit le corps d'un homme, dans le caniveau. Ses jambes dépassaient sur la chaussée. Les voitures ne roulaient plus que sur une seule file, leurs conducteurs ne voulant pas passer sur les pieds ni les chevilles du mort. Un attroupement se formait rapidement ; bientôt ce serait le chaos habituel. Pour l'instant, la seule concession au mort, c'est que personne ne passait sur lui.

– Il est loin le cirque ? demanda de nouveau Ganesh.

– Oui, très loin, dit le Dr Daruwalla. C'est un autre monde.

Un autre monde, voilà ce qu'il espérait pour l'enfant dont les yeux noirs brillants venaient de repérer le cadavre ; Ganesh détourna le regard aussitôt. Le taxi du nain avançait au pas le long du corps ; Vinod avait repris la tête de la file.

– Tu as vu, demanda Farrokh à Ganesh.

– Vu quoi ?

– Il y a homme qui est mort, dit Vinod.

– Ils sont transparents, ces gens, répondit Ganesh. Tu crois que tu les vois, mais eux sont pas là pour de bon.

O mon Dieu, pensa Farrokh, préserve cet enfant de devenir « transparent ». Sa crainte le surprit ; il ne pouvait se résoudre à regarder le visage plein d'espoir de l'infirme. Dans le rétroviseur, les yeux de Madhu fixaient à nouveau le docteur. Son indifférence faisait froid dans le dos. Le docteur n'avait pas prié depuis bien longtemps, mais il se mit à le faire.

L'Inde n'était pas la roulette limousine. Il n'y avait pas de bons et de mauvais rabatteurs pour les cirques ; et pas non plus de cirque aux monstres. Il n'y avait pas d'alternative bonne limousine, mauvaise limousine. Pour ces enfants, le vrai coup de poker c'était ce qu'ils trouveraient au cirque – à condition qu'ils arrivent jusque-là. Une fois au cirque, il n'y aurait pas de Bon Samaritain pour les sauver. Au Grand Nil bleu, ce n'était pas Vitriol, ce méchant de bandes dessinées, qui les menacerait.

Sainte Marie mère de Dieu

Dans la cellule du nouveau missionnaire, l'ultime spirale antimoustique s'était consumée juste avant l'aube ; les moustiques étaient arrivés avec les premières lueurs grises, et repartis aux premières chaleurs du jour, tous – sauf celui que Martin Mills avait écrasé contre le mur blanc, au-dessus de sa couchette. Il l'avait occis avec le *Times of India* roulé en cylindre, alors que l'insecte était gorgé de sang. On ne voyait que la tache sur le mur à quelques centimètres au-dessous du crucifix : Martin avait l'impression macabre qu'une grosse goutte de sang du Christ avait maculé le mur.

Dans son inexpérience, il avait allumé la dernière spirale trop près de son lit. Lorsque ses mains avaient traîné sur le sol, ses doigts avaient dû fourrager dans les cendres. Puis, au cours de son sommeil éphémère et troublé, il avait dû se toucher le visage. C'était la seule explication de l'image surprenante que lui renvoyait le miroir piqué au-dessus du lavabo ; il avait la face tachetée de marques de doigts trempés dans la cendre, comme s'il avait voulu se moquer du mercredi des Cendres, ou comme si un fantôme traversant sa cellule l'avait touché du bout des doigts au passage. Ces marques lui faisaient l'effet d'une parodie de bénédiction ; elles lui donnaient une allure de faux dévot.

Lorsqu'il eut rempli le lavabo et qu'il se fut mouillé le visage pour se raser, il prit le rasoir dans la main droite, et tendit la gauche pour attraper le petit éclat de savon ; il avait une forme irrégulière, et il était d'un bleu-vert si iridescent qu'il se reflétait dans le porte-savon en argent... C'était un lézard, qui sauta dans ses cheveux avant qu'il ait pu le toucher. Le missionnaire sentit avec effroi le reptile lui passer sur le cuir chevelu. Le lézard plongea du haut de sa tête sur le crucifix accroché au mur, puis il sauta de la face du Christ vers les fentes entrouvertes des persiennes, qui laissaient passer des rais de lumière rasante sur le sol de la cellule.

Martin Mills avait sursauté ; dans le geste qu'il avait fait pour chasser le lézard de ses cheveux, il s'était entaillé le nez avec son rasoir. Une brise impalpable éparpilla les cendres de la spirale antimoustiques, et le missionnaire se regarda saigner dans l'eau du lavabo ; il avait depuis longtemps abandonné l'usage de la mousse à raser ; le savon ordinaire était assez bon pour lui. En l'absence de savon, il se rasa donc à l'eau froide – et sanglante.

Il n'était que six heures du matin. Il restait une heure à tenir avant la première messe. Il pensa que ce serait une bonne idée de se rendre à l'église en avance ; si la chapelle n'était pas fermée, il pourrait s'asseoir tranquillement sur un banc – d'ordinaire, cela lui faisait du bien. Mais cet idiot de nez n'arrêtait pas de saigner, et Martin ne voulait pas saigner dans toute l'église. Il n'avait pas pensé à emporter des mouchoirs – il faudrait qu'il en achète –, si bien que pour l'instant, il choisit une paire de socquettes noires. Elles étaient d'un textile fin et peu absorbant, mais au moins, les taches de sang ne se verraient pas dessus. Il les rinça à l'eau froide, dans le lavabo, puis les tordit jusqu'à ce qu'elles soient seulement humides. Il en roula une en boule dans chaque main ; puis tantôt avec l'une, tantôt avec l'autre, il se mit à tamponner la blessure de son nez.

Quelqu'un qui l'aurait vu s'habiller aurait pu le soupçonner d'être dans une transe profonde ; un observateur moins indulgent se serait peut-être dit que le zélote était un débile léger : comme il se refusait à poser les socquettes et se contentait de les coincer par instants dans sa bouche pour remonter son pantalon, attacher ses lacets, et boutonner sa chemisette, ces gestes simples en temps normal devenaient difficiles voire acrobatiques – autant d'exploits maladroits ponctués de force tamponnements de nez. A la deuxième boutonnière de sa chemise, Martin Mills glissa un crucifix d'argent, comme on fixe une épingle à son revers, et il agrémenta ce colifichet d'une empreinte digitale sanglante sur sa chemise, car les socquettes lui avaient déjà taché les mains.

L'église Saint-Ignace était ouverte. Le père supérieur venait en ouvrir les portes à six heures tous les matins. Martin Mills eut donc un endroit tranquille pour s'installer en attendant la messe. Pendant un moment, il regarda les enfants de chœur placer les cierges. Il s'était assis sur un banc au milieu d'un bas-côté, priant, et se tamponnant le nez tour à tour. Il vit que le prie-Dieu était fixé par des gonds. Il n'aimait pas les prie-Dieu abattants, parce qu'ils lui rappelaient l'école protestante où Danny et Vera l'avaient envoyé après Fessenden.

L'école s'appelait Saint-Luc ; et elle était de confession épiscopalienne, ce qui, aux yeux de Martin, en faisait tout juste une école religieuse. Le service du matin se réduisait à un cantique et une prière, avec une pensée vertueuse pour la journée, suivie d'une bénédiction curieusement profane, quelque sage engagement à travailler sans relâche et ne jamais copier sur son voisin. L'office dominical était obligatoire mais, à la chapelle, le rituel épiscopalien était si « coulant » que personne ne s'agenouillait pour les prières. Au lieu de cela, les élèves s'affalaient sur leurs bancs ; sans doute n'étaient-ils pas des épiscopaliens sincères. Et chaque fois que Martin tentait s'abaisser le prie-Dieu, pour pouvoir s'agenouiller comme il convient, ses camarades de banc le tenaient fermement dans sa position verticale : ils s'obstinaient à s'en servir comme d'un repose-pieds. Lorsque Martin alla se plaindre au proviseur, le révérend Rick Utley, ce dernier apprit à l'élève de seconde que seuls les terminales de confession catholique ou juive avaient le droit de fréquenter l'église ou la synagogue de leur choix. Martin n'était pas encore en terminale ; il faudrait qu'il se contente de la chapelle de Saint-Luc – en d'autres termes de prier sans s'agenouiller.

Dans l'église Saint-Ignace, Martin put abaisser le prie-Dieu et prier à genoux. La travée comportait un lutrin où étaient posés des recueils de cantiques et des livres de prière ; chaque fois qu'il saignait sur le recueil le plus proche, il se tamponnait le nez avec une chaussette, et essuyait la couverture du livre avec l'autre. Dans ses prières, il demandait la force d'aimer son père, car éprouver de la pitié pour lui semblait insuffisant. Et s'il savait que le devoir d'aimer sa mère était irréalisable, il demandait la charité de lui pardonner. Il priait aussi pour l'âme d'Arif Korma. Martin avait pardonné à Arif depuis longtemps mais, tous les matins, il priait pour que la Sainte Vierge lui pardonne, elle aussi. Il commençait toujours ses prières de la même façon.

« Sainte Marie mère de Dieu, c'était ma faute ! » D'une certaine façon, l'histoire du nouveau missionnaire avait, elle aussi, la Vierge Marie pour origine, en ce sens qu'il la tenait en plus haute estime que sa propre mère. Si Vera avait été tuée par la chute de la bonne vierge – et surtout si le zélote avait eu la chance d'être débarrassé d'elle à un âge tendre et ignorant –, il ne se serait peut-être jamais fait jésuite.

Son nez saignait toujours. Une goutte de sang tomba sur le recueil de cantiques ; une fois de plus, le missionnaire tamponna son entaille. Il décida arbitrairement de ne pas essuyer le recueil ; peut-être pensait-il que les taches de sang lui donneraient du caractère. Après tout, la religion catholique baignait dans le sang ; celui du Christ, celui des saints et des martyrs. Qu'il serait glorieux de connaître le martyre ! pensait Martin. Il regarda sa montre. S'il tenait encore une demi-heure, il serait sauvé par la messe.

Et ce serait dans les gènes, ce truc-là ?

Dans ses efforts désespérés pour arracher Madhu aux griffes de Garg, Farrokh passa un coup de fil à Tata Deux. Mais le secrétaire du gynécologue-obstétricien lui apprit que le Dr Tata était déjà en train d'opérer. La malheureuse, pensa Farrokh, qui qu'elle soit ! Il n'aurait pas voulu qu'une femme de sa connaissance soit soumise au scalpel incertain du second Tata, car, à tort ou à raison, il tenait pour acquis que ses pratiques chirurgicales étaient de second ordre. Il ne lui fallut pas longtemps pour découvrir que son secrétaire ne faisait pas non plus mentir la réputation de médiocrité de la famille. Lorsque Farrokh lui demanda de communiquer au plus tôt les résultats de Madhu, cette simple requête fut accueillie avec suspicion et condescendance par l'homme qui s'était présenté comme Mr Subhash, avec une certaine arrogance.

– Vous voulez les résultats en express ? Vous vous rendez bien compte que vous allez payer plus cher ?

– Bien sûr, dit Farrokh.

– Le prix normal est de quatre cents roupies ; en express ça vous fera mille roupies. Ou bien c'est le patient qui paie, peut-être ?

– Non, c'est moi qui paie. Je voudrais les résultats le plus vite possible.

– Normalement, il faut dix à quinze jours. Il est beaucoup plus commode d'opérer par série. Normalement on attend qu'il y ait quarante sujets.

– Mais là je ne veux pas que vous attendiez, répondit le Dr Daruwalla. C'est pourquoi je vous appelle ; je connais très bien la procédure normale.

– Si l'ELISA est positif, on confirme les résultats par le Western Blot, en principe. Parce que, vous comprenez, on a beaucoup de faux positifs, par l'ELISA.

– Je sais. Si l'ELISA est positif, faites faire le Western Blot, s'il vous plaît.

– Ça retardera les résultats.

– Oui, je sais.

442

– Si le test est négatif, vous avez les résultats en deux jours ; naturellement, s'il est positif...

– Ça prendra plus longtemps, je sais ! explosa le Dr Daruwalla. Alors s'il vous plaît, faites-le partir immédiatement. C'est pour ça que je vous appelle.

– Il n'y a que le Dr Tata qui puisse demander les tests. Mais bien sûr, je lui dis que vous en avez besoin.

– Je vous remercie ! dit le Dr Daruwalla.

– C'était tout ce que vous vouliez ? demanda Mr Subhash.

Farrokh voulait demander autre chose au Dr Tata, mais il avait oublié quoi. Ça lui reviendrait sûrement.

– S'il vous plaît, demandez seulement au Dr Tata de me rappeler.

– C'est à quel sujet ? demanda Mr Subhash.

– Un sujet qui ne regarde que les médecins, répliqua Farrokh.

– Je vais le lui dire, dit Mr Subhash, piqué.

Le docteur résolut de ne plus jamais se plaindre de la niaiserie de Ranjit, avec ses annonces matrimoniales. Ranjit était compétent – et poli. En outre, il avait apporté un soutien sans faille à ses projets sur le sang des nains. Personne d'autre ne l'avait jamais encouragé dans cette recherche, et les nains eux-mêmes auraient bien été les derniers. Le docteur était forcé de reconnaître que son propre enthousiasme en la matière n'était plus ce qu'il avait été.

Le test ELISA était simple, en comparaison de ses études génétiques, car ces dernières se faisaient sur cellules, et pas sur sérum. Le sang devait être acheminé tel quel, non coagulé, à température ambiante. Il était possible de lui faire passer les frontières, mais au prix d'une paperasserie redoutable. En principe, on expédiait les échantillons sur de la glace sèche, pour préserver les protéines. Mais pour une étude génétique, il était risqué d'envoyer le sang des nains de Bombay à Toronto ; les cellules avaient toutes les chances d'être mortes avant d'arriver au Canada.

Le Dr Daruwalla résolut ce problème avec l'aide d'une faculté de médecine indienne à Bombay ; il laissait leur laboratoire de recherche faire les analyses et préparer les diapositives des chromosomes. Le laboratoire les lui donnait tirées, et il les rapportait ainsi sans difficulté à Toronto. Mais c'était là-bas que le projet avait tourné court. Par un confrère et ami proche, un autre orthopédiste de l'hôpital des Enfants malades de Toronto, Farrokh avait été présenté à un généticien de l'université. Mais ce contact s'était révélé infructueux, car le généticien affirmait qu'il n'y avait pas de marqueur génétique identifiable pour ce type de nanisme.

Il le lui avait soutenu avec beaucoup de conviction : l'idée qu'il allait trouver un marqueur génétique pour ce trait dominant autosomal ne tenait pas debout ; l'achondroplasie est transmise par un seul gène dominant autosomal ; c'est un type de nanisme qui résulte d'une mutation spontanée. En cas de mutation spontanée, les parents normaux d'un nain n'ont pas de risque d'avoir un autre enfant qui le soit aussi ; de même, les frères et sœurs d'un nain achondroplase sont à l'abri de cet inconvénient : ils n'auront pas nécessairement d'enfants nains. Au contraire, les nains eux-mêmes risquent fort de transmettre ce trait à leurs enfants ; ils n'ont qu'une chance sur deux d'avoir un rejeton normal. Quant au marqueur génétique de ce caractère dominant, on n'a jamais pu le trouver.

Le Dr Daruwalla ne croyait pas être assez calé en génétique pour tenir tête à un généticien. Il se contenta de continuer à prélever des échantillons de sang de nains et de rapporter périodiquement des clichés de chromosomes à Toronto. Le généticien de l'université s'était montré décourageant mais cordial, à défaut de partager son intérêt. Il était par ailleurs le petit ami du confrère de Farrokh à l'hôpital des Enfants malades – les Mômes malades, comme on dit à Toronto. L'ami de Farrokh et le généticien étaient pédés.

Le Dr Gordon MacFarlane, qui était du même âge que Farrokh, était arrivé dans le groupe d'orthopédistes de l'hôpital la même année que lui, et leurs bureaux étaient voisins. Farrokh, qui avait horreur de conduire, faisait souvent les trajets avec MacFarlane, qui habitait Forest Hill, lui aussi. Au début qu'ils se connaissaient, il y avait eu quelques occasions cocasses où Julia et lui avaient essayé d'intéresser Macfarlane à diverses célibataires et divorcées. Mais les préférences sexuelles de MacFarlane avaient fini par se faire jour et, très vite, il était venu dîner avec son ami.

Le Dr Duncan Frasier, généticien homosexuel, était connu pour ses recherches sur le prétendu « chromosome gai », qui est si difficile à isoler. C'était un chapitre sur lequel il avait l'habitude qu'on le taquine. Les études biologiques sur l'homosexualité ont tendance à agacer tout le monde. La question de savoir si l'homosexualité est innée ou acquise s'envenime toujours de considérations politiques.

Les conservateurs rejetant les indices scientifiques qui montreraient que les préférences sexuelles ont une origine biologique ; les progressistes s'inquiètent des abus éventuels auxquels pourrait mener l'identification d'un marqueur génétique de l'homosexualité – à supposer qu'on en découvre un. Mais les recherches du Dr Frasier l'avaient conduit à une conclusion circonspecte et modérée : il n'y a que deux orientations sexuelles chez les humains ; l'une majoritaire, l'autre minoritaire ; dans ses études sur l'homosexualité, dans son expérience ou ses sentiments, il n'y avait jamais rien eu qui le persuade que l'homosexualité, ou d'ailleurs l'hétérosexualité était une affaire de choix. Les préférences sexuelles n'avaient rien d'un mode de vie.

– Nous naissons avec nos désirs, se plaisait-il à répéter, quels qu'ils soient.

Farrokh trouvait le sujet intéressant. Mais si la quête du gène « gai » passionnait tant le Dr Frasier, le Dr Daruwalla constatait avec découragement qu'il n'espérait en aucun cas découvrir un marqueur génétique au nanisme de Vinod. Parfois, le Dr Daruwalla entretenait le soupçon coupable que Frasier ne s'intéressait pas aux nains à titre personnel, tandis que les homosexuels monopolisaient son attention. L'amitié entre les deux hommes n'en était pas moins indéfectible. Bientôt, Farrokh avoua à son ami gai qu'il n'aimait pas cet adjectif dans le sens actuel d'homosexuel. A la surprise de Farrokh, MacFarlane était tombé d'accord ; il regrettait, disait-il, que son homosexualité, qui comptait tant pour lui, n'ait pas de mot bien à elle pour la désigner.

– Le mot « gai » est si léger, avait-il conclu.

Si le Dr Daruwalla n'aimait pas l'usage récent de l'adjectif, c'était plutôt un fait de génération qu'une affaire de préjugé – du moins selon lui. C'était un mot que sa mère aimait beaucoup, et dont elle abusait. « Nous avons passé un moment très gai, disait Meher. Quelle soirée gaie ! Même ton père était gai ! »

Le docteur était chagriné de constater que ce synonyme de « joyeux, jovial, folâtre » ou même « heureux » prenait désormais un sens si grave.

– A bien y réfléchir, hétéro n'est pas très reluisant non plus, avait-il dit à MacFarlane.

Son vieil ami avait ri, mais non sans une pointe d'amertume.

– Ce que tu es en train de nous dire, Farrokh, c'est que tu acceptes

445

les gais tant qu'ils sont si discrets que c'est presque comme s'ils étaient encore honteux – et tant qu'ils ne se disent pas « gais », parce que ça te choque. Je me trompe ?

Mais ce n'était pas ce que Farrokh avait voulu dire.

– Je ne critique pas tes préférences, avait répondu le Dr Daruwalla, je n'aime pas le mot qui les désigne, c'est tout.

La physionomie du Dr Frasier respirait une certaine désinvolture à l'égard de ce qu'il pouvait bien penser ; cette rebuffade rappela au Dr Daruwalla la désinvolture avec laquelle Frasier avait rejeté l'hypothèse d'un marqueur génétique du nanisme le plus courant.

La dernière fois que Farrokh lui avait apporté des diapositives, il avait été plus catégorique et plus désinvolte que d'habitude.

– Mais dis donc, il va plus leur rester une goutte de sang dans les veines, à tes nains, Farrokh, avait-il dit. Tu peux pas leur ficher la paix, à ces pauvres bougres ?

– Si c'était moi qui avais employé le mot « bougres », avait répondu Farrokh, tu aurais pris la mouche.

Le Dr Daruwalla ne se rendait pas compte... Les gènes, de nain ou de pédé, c'est un sujet délicat.

Tout cela le laissa plein de mépris pour sa propre absence de suivi sur le projet du sang des nains. Il ne savait pas que cette idée de suivi elle-même (ou d'absence de suivi) lui était venue de cet entretien entendu par bribes la veille à la radio – les niaiseries de l'écrivain en colère. Mais il finit tout de même par penser à autre chose.

Et il se mit en devoir de donner le second coup de fil de la matinée.

L'acteur énigmatique

Il était de bonne heure pour appeler John D. Mais le Dr Daruwalla ne lui avait pas encore parlé de Rahul ; et puis il voulait insister sur l'importance de sa présence au déjeuner du Duckworth avec le détective Patel et Nancy. A sa surprise, ce fut un inspecteur Dhar frais et dispos qui décrocha le téléphone, dans sa suite du Taj.

– Tu m'as l'air bien réveillé, dit le docteur. Qu'est-ce que tu es en train de faire ?

– Je lis une pièce, deux même, à vrai dire, répondit John D. Et toi, qu'est-ce que tu fais ? Pas encore en train d'ouvrir un genou ?

C'était Dhar le distant, celui que le public connaissait. Farrokh avait le sentiment d'avoir créé ce personnage froid et caustique. Il se lança aussitôt dans le compte rendu des dernières découvertes sur Rahul – révélant qu'il était désormais connu sous une identité féminine, que le changement de sexe complet avait selon toute vraisemblance eu lieu. Mais John D. ne manifestait guère d'intérêt. Quant à venir déjeuner avec eux, la perspective de participer à la capture d'un tueur ou d'une tueuse en série ne suffisait pas à déchaîner son enthousiasme.

– J'ai beaucoup de choses à lire, dit-il.

– Mais tu ne vas quand même pas lire toute la journée ? Et puis qu'est-ce que tu lis, d'abord ?

– Je viens de te le dire, deux pièces, dit l'inspecteur Dhar.

– Ah, du boulot, quoi, répondit Farrokh.

Il se dit que John D. devait apprendre ses textes pour la prochaine saison au Schauspielhaus de Zurich. L'acteur pensait à la Suisse, à sa carrière avouable. Il pensait à rentrer « chez lui ». Après tout, se dit le docteur, qu'est-ce qui le retient ici ? S'il rendait sa carte du club, sous la menace, que ferait-il de ses journées ? Rester cloîtré dans sa suite au Taj ou à l'Oberoi ? Tout comme Farrokh, l'acteur passait sa vie au Duckworth.

– Mais maintenant qu'on sait qui est l'assassin, il n'y a pas de raison de quitter le club, s'écria le Dr Daruwalla. Ils vont l'attraper d'un jour à l'autre à présent, cet homme.

– Cette femme, rectifia l'inspecteur Dhar.

– Homme, femme, peu importe, dit Farrokh avec impatience. Ce qui compte, c'est que la police sait qui chercher. C'est fini, les meurtres.

– C'est vrai que soixante-dix, on pourrait penser que ça suffit, dit John D.

Il était d'humeur exaspérante, pensa Farrokh.

– Et c'est quoi, ces pièces ? demanda-t-il, excédé.

– Je n'ai que deux premiers rôles, cette année, répondit John D. Au printemps je joue Billy Rice dans *The Entertainer*, d'Osborne, et à l'automne Friedrich Hofreiter, dans *Das weite Land,* de Schnitzler.

– Je vois, dit Farrokh ; mais ces noms ne lui disaient pas grand-chose.

Il savait seulement que John D. était un acteur respecté, et que le Schauspielhaus de Zurich était un théâtre intellectuel, passant pour avoir un répertoire classique et moderne. Farrokh pensait que la farce devait y être assez peu jouée ; il se demandait si l'on en jouait plutôt au Bernhard ou au Theater am Hechtplatz ; il ne connaissait pas bien Zurich.

Tout ce qu'il savait, il le tenait de son frère Jamshed, qui n'avait rien d'un amateur de théâtre et n'y allait que pour voir John D. Outre que Jamshed avait peut-être des goûts de béotien, Farrokh ne parvenait pas à tirer grand-chose de Dhar, qui était toujours sur ses gardes. Ainsi il ne savait pas si deux premiers rôles par an suffisaient, ou si John D. n'en avait choisi que deux. L'acteur poursuivit en disant qu'il avait aussi de plus petits rôles, dans une pièce de Dürrenmatt, et dans une autre de Brecht. L'année précédente, il avait fait ses débuts en tant que metteur en scène – dans une pièce de Max Frisch – et il avait joué Volpone dans la pièce de Ben Jonson. L'année prochaine, dit-il, il espérait monter *Wassa Schelenowa* de Gorki.

Dommage que tout ça soit en allemand, pensa le docteur.

A l'exception de son immense succès dans l'inspecteur Dhar, John D. n'avait jamais fait de cinéma ; pas même un bout d'essai. Manquait-il d'ambition ? Ne pas tirer parti de son anglais parfait semblait une erreur. Pourtant John D. détestait l'Angleterre, et il n'avait jamais voulu mettre les pieds aux États-Unis ; il s'aventurait jusqu'à Toronto uniquement pour rendre visite à Farrokh et Julia. Il ne serait même pas allé faire un tour en Allemagne pour auditionner.

Parmi les acteurs qu'invitait le Schauspielhaus de Zurich, il y avait beaucoup d'Allemands – Katharina Thalbach, par exemple. Jamshed avait un jour dit à Farrokh qu'il y avait eu une idylle entre elle et Dhar, mais John D. avait démenti. On ne l'avait jamais vu sur une scène allemande et, à la connaissance de Farrokh, il n'avait jamais eu d'idylle avec qui que ce soit au Schauspielhaus. Il était ami avec la célèbre Maria Becker – ami, simplement. D'ailleurs, d'après Farrokh, elle était un peu trop âgée pour lui. Jamshed avait également raconté à son frère qu'il avait vu l'acteur dîner au Kronenhalle avec Christiane Horbiger, qui était célèbre, elle aussi, et plus assortie sur le plan de l'âge, se disait le docteur. Mais enfin, il soupçonnait que le fait de les avoir vus ensemble n'était pas plus significatif que lorsqu'on le voyait avec n'importe lequel des autres acteurs jouant régulièrement avec lui. Il était également ami avec Fritz Schediwy, Peter Ehrlich et Peter Arena. On l'avait vu dîner en plus d'une occasion avec la jolie Eva

Rieck. Jamshed disait aussi l'avoir souvent croisé avec le metteur en scène Gerd Heinz – et non moins souvent avec la terreur locale avant-gardiste – Matthias Frei.

John D., en tant qu'acteur, évitait l'avant-garde ; pourtant, il était apparemment en excellents termes avec l'un de ses dignitaires à Zurich. Matthias Frei était metteur en scène, dramaturge à ses heures ; un individu délibérément *underground* et inabordable – c'est du moins ce que le docteur pensait. Frei était à peu près du même âge que lui ; mais il paraissait plus vieux, plus fripé ; et il était certainement plus excentrique ; Jamshed avait dit à Farrokh que John D. partageait même un chalet ou un appartement dans les montagnes avec lui ; une année, ils louaient quelque chose dans les Grisons, la suivante ils essayaient l'Oberland de la région de Berne ; il fallait croire qu'ils aimaient bien partager une maison, parce que John D. préférait les montagnes à la saison du ski, alors que Matthias Frei aimait faire des randonnées l'été ; par ailleurs, présumait le Dr Daruwalla, les amis de Frei ne devaient pas être de la même génération que ceux de John D.

Mais, encore une fois, l'idée que Farrokh se faisait de la culture dans laquelle vivait John D. n'était qu'approximative. Et pour ce qui touchait à sa vie sentimentale, l'acteur était d'une réserve inexplicable. Il semblait avoir eu une longue liaison avec une publiciste, qui travaillait dans l'édition ; une femme plus jeune que lui, séduisante, intelligente. Il leur était arrivé de faire des voyages ensemble, mais jamais en Inde ; Dhar ne s'y rendait que pour affaires. Ils n'avaient jamais vécu ensemble, et Farrokh venait d'apprendre qu'ils n'étaient plus aujourd'hui que « bons amis ».

La théorie de Julia, c'est que Dhar ne voulait pas d'enfants, et que cela finissait par éloigner la plupart des jeunes femmes. Mais maintenant, à trente-neuf ans, il rencontrerait peut-être une femme de son âge, voire un peu plus âgée, et qui accepterait de renoncer à la maternité. Ou encore une charmante divorcée, qui aurait déjà de grands enfants. Ce serait l'idéal pour lui, avait décidé Julia.

Le Dr Daruwalla n'en croyait rien. L'inspecteur Dhar n'avait jamais fait montre d'un désir de se caser. Les locations à la montagne, qui changeaient tous les ans, lui convenaient parfaitement. Même à Zurich, il mettait un point d'honneur à ne posséder que très peu de choses. Son appartement, d'où il pouvait aller à pied au théâtre, au lac, au Limmat et au Kronenhalle, il le louait. Il n'avait pas de voiture.

Il semblait fier de ses programmes de théâtre, qu'il encadrait au mur, ainsi qu'une ou deux affiches des *Inspecteur Dhar*. A Zurich, imaginait le Dr Daruwalla, ces réclames pour le cinéma hindi devaient amuser ses amis. Ils étaient loin de se douter que cette folie se manifestait à travers un public en délire, comme ils n'auraient jamais pu en rêver au Schauspielhaus.

A Zurich, Jamshed l'avait observé, John D. n'était que rarement reconnu ; il n'était pas, à beaucoup près, l'acteur le plus célèbre de la troupe ; sans être un second couteau, ce n'était pas une vedette. Dans les restaurants, les amateurs de théâtre pouvaient le reconnaître sans nécessairement se rappeler son nom. Seuls les écoliers, après une comédie, lui demandaient son autographe ; ils avaient l'habitude de tendre le programme à tous les acteurs de la troupe.

Jamshed disait que Zurich n'avait pas d'argent pour subventionner les arts. Un scandale avait récemment éclaté parce que la ville voulait fermer le Schauspielhaus Keller ; c'était le plus à l'avant-garde, le théâtre des jeunes. Matthias Frei, l'ami de John D., avait alerté l'opinion. A la connaissance de Jamshed, le théâtre était toujours à court d'argent. Le personnel technique n'avait pas reçu d'augmentation cette année ; si les machinistes partaient, ils n'étaient pas remplacés. Farrokh et Jamshed en déduisaient que le salaire de John D. ne devait pas être mirobolant. Mais, bien entendu, lui n'avait pas besoin d'argent : l'inspecteur Dhar était riche. Quelle importance pour lui, si son théâtre ne recevait pas les subventions qu'il était en droit d'attendre de la ville, des banques et des donations privées ?

De son côté, Julia laissait entendre que le théâtre se reposait un peu sur son passé glorieux : dans les années trente et quarante, il avait donné asile à ceux qui fuyaient l'Allemagne, qu'ils soient juifs, sociaux-démocrates ou communistes – ou simplement qu'ayant pris la parole contre les nazis ils aient perdu le droit de travailler, et soient en danger. Il fut un temps où monter *Guillaume Tell* était un défi, un acte de rébellion, un coup symbolique porté aux nazis. Bien des Suisses avaient eu peur de s'impliquer dans la guerre, et pourtant le Schauspielhaus Zurich avait été courageux à une époque où chaque fois qu'on jouait le *Faust* de Goethe pouvait bien être la dernière. Ils avaient aussi joué des pièces de Sartre, de Von Hofmansthal, et du jeune Max Frisch. Le réfugié juif Kurt Hirschfeld y avait trouvé asile. Mais à présent, pensait Julia, bien des jeunes intellectuels trouvaient sans doute le théâtre un peu trop sage. Le docteur soupçonnait que cette « sagesse » convenait tout à fait à John D. Ce qui lui importait, c'était qu'à Zurich il n'était pas l'inspecteur Dhar.

Lorsqu'on demandait à la vedette du cinéma hindi où il vivait – car il était clair qu'il ne restait jamais longtemps à Bombay –, il répondait, avec le vague qui le caractérisait, qu'il vivait dans l'Himalaya, « au royaume des neiges ». Mais son royaume des neiges se trouvait dans les Alpes, et dans la ville au bord du lac. Le docteur pensait que Dhar devait être un nom du Cachemire. Ni lui ni l'acteur n'étaient jamais allés dans l'Himalaya.

Et tout à coup, sous l'impulsion du moment, le docteur décida de faire part à John D. de sa décision.

– J'arrête d'écrire des *Inspecteur Dhar*. Je vais réunir une conférence de presse, et je vais faire savoir aux journalistes que c'est moi le créateur du personnage. Je veux y mettre un terme, pour que tu n'aies plus ce fil à la patte, si j'ose dire. Et si tu n'y vois pas d'inconvénient, ajouta-t-il, plus très sûr de lui.

– Non, bien sûr, je n'y vois pas d'inconvénient, répondit John D. Mais tu devrais attendre que le vrai policier ait coincé le vrai assassin – il ne faut pas lui compliquer la tâche.

– Naturellement, dit le docteur, sur la défensive. Mais si tu voulais bien venir déjeuner avec nous… je me disais que tu te rappellerais peut-être un détail. Tu es tellement observateur, tu comprends…

– Quel genre de détail, tu veux dire ?

– Bah, tout ce que tu aurais pu retenir de Rahul, ou de ce séjour à Goa… Je ne sais pas, moi. N'importe quoi !

– Je me rappelle la hippie, dit l'inspecteur Dhar.

Il commença par le souvenir qu'il avait de son poids ; il faut dire qu'il l'avait portée dans ses bras jusqu'en bas de l'escalier du Bardez, jusqu'au hall. Ce n'était pas une petite chose. Elle l'avait regardé dans les yeux tout le temps – et il y avait son parfum, il savait qu'elle venait de prendre un bain.

Et puis, dans le hall de l'hôtel, elle lui avait dit : « Si je n'abuse pas de votre bonne volonté, vous pourriez me rendre un grand service. » Elle lui avait montré le godemiché sans le retirer de son sac ; Dhar se rappelait son format impressionnant, et son extrémité pointée vers lui. « Le bout se dévisse, avait dit Nancy, sans le quitter du regard, mais je n'ai pas assez de force. » L'engin était vissé tellement serré qu'il lui avait fallu le prendre à deux mains. Et puis elle l'avait arrêté en lui disant d'une voix suave : « Je ne voudrais pas vous offenser la vue, il ne faut pas que vous voyiez ce qu'il y a dedans. »

Ça avait été un véritable défi, d'affronter son regard, de lui faire baisser les yeux. Il s'était concentré sur l'idée de cet énorme godemiché en train de la pénétrer ; il pensait qu'elle avait dû lire cette image dans ses yeux. Lui, ce qu'il avait cru lire dans les yeux de Nancy, c'est qu'elle avait recherché le danger autrefois, que ça l'avait peut-être même excitée, mais qu'elle n'était plus si sûre de l'aimer. Puis elle avait détourné le regard.

– Je me demande bien quel genre de femme elle est devenue, cette hippie, balbutia tout à coup le Dr Daruwalla. Tu te rends compte, une femme comme ça avec le commissaire Patel !

– Il est tentant, ton déjeuner, pour finir, ne serait-ce que pour voir à quoi elle ressemble... avec vingt ans de plus, dit l'inspecteur Dhar.

Il joue la comédie, pensa le Dr Daruwalla. Il se fiche bien de ce à quoi Nancy ressemble ; il doit avoir une autre idée.

– Tu vas venir, si je comprends bien ? lui demanda-t-il.

– Bien sûr, pourquoi pas ? répondit l'acteur.

Mais le docteur comprit que son détachement était étudié.

Quant à l'inspecteur Dhar, il n'avait jamais eu l'intention de rater ce déjeuner au Duckworth, et il aurait préféré se faire assassiner par Rahul plutôt que de rendre sa carte sous une menace tellement primaire qu'il avait fallu la placer dans la bouche d'un mort. Ce n'était pas la tête de Nancy qui l'intéressait ; non, lui, il était acteur – professionnel – et vingt ans plus tôt, il avait déjà compris que Nancy jouait la comédie. Elle n'était pas le personnage qu'elle se composait. Vingt ans auparavant, le jeune John D. lui-même voyait qu'elle était terrorisée, et qu'elle bluffait.

Maintenant, il était curieux de voir si elle bluffait toujours, si elle faisait toujours semblant. Peut-être que maintenant, après vingt ans, elle laissait transparaître sa terreur.

Quelque chose qui sorte de l'ordinaire

Il était six heures quarante-cinq lorsque Nancy s'éveilla dans les bras de son mari ; Vijay la tenait comme elle aimait ; c'était la meilleure manière de se réveiller pour elle, et elle fut stupéfaite d'avoir si bien dormi. Elle sentait la poitrine de Vijay contre son dos ; les mains délicates de son mari lui tenaient les seins, tandis que son souffle lui ébouriffait à peine la nuque. Le pénis du détective Patel était bien raide, et Nancy le sentait battre légèrement mais avec insistance contre le bas de ses reins. Elle savait qu'elle avait de la chance d'avoir un mari aussi bon et aussi gentil. Elle regrettait d'être tellement difficile à vivre. Vijay se donnait tant de mal pour la protéger. Elle commença à bouger les hanches contre lui ; c'était une des façons dont il aimait lui faire l'amour, sur le côté, en la prenant par-derrière. Mais le commissaire ne répondit pas au roulement de hanches de sa femme, quoiqu'il adorât sincèrement sa nudité, sa blancheur, sa blondeur, sa volupté. Il lâcha ses seins et c'est au moment où il s'éloignait d'elle qu'elle s'aperçut que la porte de la salle de bains était ouverte ; ils ne s'endormaient jamais sans la fermer. La chambre sentait une odeur de frais, de savon ; son mari avait déjà pris sa douche du matin. Elle se retourna pour lui faire face, et toucha ses cheveux mouillés. Il ne put croiser son regard.

– Il est presque sept heures, lui dit-il.

En temps normal, il se levait à six heures ; il partait avant sept heures pour le QG de la Crime. Mais ce matin, il l'avait laissée dormir ; il avait pris sa douche, et puis il s'était recouché auprès d'elle. Il attendait simplement qu'elle se réveille, se dit-elle ; mais pas pour faire l'amour.

– Qu'est-ce que tu vas me dire ? lui demanda-t-elle. Qu'est-ce que tu ne m'as pas dit, hier, Vijay ?

– Trois fois rien, une histoire de déjeuner.

– Qui va déjeuner ?

– Nous, au Duckworth.

– Avec le docteur, tu veux dire ?

– Avec l'acteur, aussi, j'imagine.

– Oh, non ! Vijay... pas Dhar !

– Je pense qu'il y sera, lui expliqua Vijay. Ils connaissent Rahul tous les deux.

Tout à coup sa formule de la veille (« ils pourront comparer leurs impressions ») lui parut brutale ; il dit donc :

– Ça pourrait m'être précieux, le seul fait d'entendre vos souvenirs à tous. Il pourrait y avoir un détail qui m'aide...

Sa voix se perdit. Il détestait voir sa femme se recroqueviller sur elle-même ; tout à coup, elle fondit en larmes.

– Mais on n'est pas membres du club, hoquetait-elle.

– On nous invite, nous sommes les hôtes du docteur.

– Mais ils vont me voir ! Ils vont me trouver horrible, gémit-elle.

– Ils savent que tu es ma femme. Ils veulent seulement se rendre utiles, répondit le commissaire.

– Et si Rahul me voit ? lui demanda Nancy.

Elle soulevait toujours le problème.

– Est-ce que tu le reconnaîtrais ? demanda Patel.

Le détective jugeait très improbable qu'aucun d'entre eux soit capable de l'identifier ; mais la question était spécieuse. Nancy n'était pas déguisée, elle.

Le commissaire s'habilla et quitta sa femme encore nue dans la salle de bains ; elle passait en revue sa garde-robe, sans succès. La question épineuse de la tenue qu'elle porterait au Duckworth l'accablait de plus en plus. Vijay lui dit qu'il passerait la prendre en quittant la Crime ; elle n'aurait pas à se rendre là-bas toute seule. Mais il n'était pas sûr qu'elle l'eût entendu. Il serait bien avisé d'arriver en avance : il risquait de la trouver encore toute nue dans la salle de bains en train d'essayer une énième tenue.

Parfois, dans ses « bons » jours, Nancy allait dans la cuisine, qui était la seule pièce de l'appartement où entrait le soleil, et elle s'étendait sur le plan de travail, dans une longue bande de lumière ; le soleil ne pénétrait par la fenêtre ouverte que deux heures par jour, le matin, mais cela suffisait pour lui donner des coups de soleil si elle ne se protégeait pas la peau. Une fois, elle s'était allongée toute nue sur le plan de travail, et une voisine avait téléphoné à la police, en disant qu'il y avait une femme « obscène ». Depuis, Nancy mettait toujours quelque chose, ne serait-ce qu'une des chemises de Vijay. Parfois elle mettait des lunettes de soleil, mais elle aimait avoir un beau bronzage, et disait que cela lui faisait un masque de raton laveur.

Elle ne s'occupait jamais des commissions, parce que, disait-elle, elle se faisait assaillir par les mendiants. Elle était assez bonne cuisinière, mais c'était Vijay qui se chargeait des courses. Ils pratiquaient la cuisine de marché : il rapportait quelque chose qui l'avait tenté, et elle trouvait une façon de l'accommoder. Une ou deux fois par mois, elle sortait acheter des livres. Elle préférait les stands de trottoir, le long de Churchgate, et au carrefour de Mahatma Gandhi Road et Hornby Road. Sa préférence allait aux livres d'occasion, avec un faible pour les Mémoires. Ses Mémoires préférés s'intitulaient *A Combat Widow of the Raj*, et se terminaient par une dernière lettre avant le suicide du personnage. Elle achetait aussi beaucoup de fonds de tiroir américains, des romans ; elle les payait parfois cinq roupies pièce, rarement plus de quinze. Elle disait que les mendiants n'importunaient pas les gens qui achetaient des livres.

Une ou deux fois par semaine, Vijay l'emmenait dîner en ville. Ils n'avaient pas encore dépensé tout l'argent du godemiché, mais ils pensaient que les restaurants des hôtels n'étaient pas dans leurs moyens ; or c'étaient les seuls endroits où Nancy se sentait anonyme, parmi les étrangers. Ils s'étaient disputés à ce sujet. Il lui avait fait grief de préférer ce type de restaurants parce qu'elle pouvait s'y croire touriste, seulement de passage. Il l'accusa de ne pas se plaire en Inde, et de vouloir retourner aux États-Unis. Elle lui avait fait voir. La fois suivante, lorsqu'ils étaient allés au restaurant où ils avaient leurs habitudes, un Chinois qui s'appelait Kamling, dans Churchgate, elle avait appelé le propriétaire. Elle lui avait demandé s'il savait que son mari était commissaire ; bien sûr, le Chinois le savait – le QG de la Crime était tout près, en face de Crawford Market.

– Eh bien alors, avait demandé Nancy, comment se fait-il que vous ne nous offriez jamais le dîner ?

Après cette soirée, ils furent toujours invités, et même royalement traités. Nancy disait qu'avec l'argent économisé ils avaient les moyens d'aller dans l'un des restaurants d'hôtels, ou du moins l'un des bars ; mais ils ne le faisaient presque jamais. Et les rares fois où ils s'y rendaient, Nancy critiquait impitoyablement la cuisine ; et elle s'acharnait sur les Américains présents, avec toutes sortes de commentaires vengeurs.

– Répète un peu que je veux retourner aux États-Unis, si tu l'oses, Vijay ! avait-elle dit.

Elle n'avait pas eu besoin de le dire deux fois. Le commissaire ne l'insinua plus jamais, et Nancy vit qu'il était content. Tout cela, il suffisait de le dire. C'est ainsi qu'ils vivaient, avec une passion délicate, et une sorte de retenue, la plupart du temps. Ils étaient tellement attentifs. Nancy trouvait injuste que ce déjeuner au Duckworth la démonte à ce point.

Elle enfila une robe dont elle savait pertinemment qu'elle n'allait pas la mettre pour sortir et ne s'embarrassa pas de sous-vêtements, puisqu'elle en changerait sans doute plusieurs fois aussi, puis elle passa à la cuisine se faire du thé. Elle trouva ses lunettes de soleil et s'étendit sur le dos dans la longue bande de soleil, sur le plan de travail. Elle avait oublié de se mettre de l'écran solaire sur le visage – ce n'était pas une denrée courante à Bombay –, mais elle se dit qu'elle ne resterait qu'une heure au soleil ; dans une demi-heure, elle retirerait ses lunettes. Elle ne voulait pas avoir de « raton laveur », mais elle tenait à ce que le Dr Daruwalla et l'inspecteur Dhar voient qu'elle était en bonne santé et prenait soin d'elle.

Elle regrettait que l'appartement n'ait pas de vue ; elle aurait bien aimé voir un lever ou un coucher de soleil. (Car enfin, à quoi bon économiser l'argent du godemiché ?) Elle qui venait de l'Iowa aurait particulièrement apprécié la vue sur la mer d'Oman, c'est-à-dire sur l'ouest. Mais de son appartement, lorsqu'elle regardait par la fenêtre, elle voyait d'autres femmes par les fenêtres d'autres appartements, des femmes trop affairées pour la remarquer. Elle espérait qu'un jour elle repérerait celle qui avait appelé la police pour dire qu'elle était obscène, mais elle ne voyait pas à quoi elle aurait reconnu cette délatrice anonyme.

Par association d'idées, elle se demanda si elle reconnaîtrait Rahul ; ce qui la préoccupait davantage, c'est si lui la reconnaîtrait. Et si, un jour qu'elle serait toute seule, en train d'acheter des livres, il la voyait et l'identifiait ?

Elle resta allongée sur le plan de travail, à regarder le soleil, jusqu'à ce qu'il disparaisse derrière un immeuble adjacent. Et voilà, je vais avoir le masque ! se dit-elle. Mais une autre pensée l'obsédait : un jour, peut-être, elle serait là, à côté de Rahul, et elle ne le reconnaîtrait pas, alors que lui saurait parfaitement qui elle était. C'était sa hantise.

Elle retira ses lunettes de soleil mais resta étendue immobile sur le plan de travail. Elle pensait à la façon dont la lèvre de Dhar se retroussait. Il avait une bouche presque parfaite, et tout d'abord l'arc de sa bouche lui avait semblé sympathique et même engageant ; puis elle s'était rendu compte que ce sourire était un sourire de dédain.

Nancy savait qu'elle plaisait aux hommes. En vingt ans, elle avait pris sept kilos, mais il fallait être une femme pour s'inquiéter de la façon dont ils s'étaient placés. Car ils s'étaient répartis généreusement, sans lui empâter le visage ou la cuisse. Le visage, elle l'avait toujours eu rond, mais il ne manquait pas de tenue ; ses seins avaient toujours été beaux, et maintenant, pour la plupart des hommes, ils l'étaient encore plus ; en tout cas, ils étaient plus gros. Ses hanches étaient un peu plus pleines, sa taille un peu moins fine ; les courbes accentuées de sa silhouette lui donnaient une allure voluptueuse. Sa taille, même moins fine, était encore marquée ; ses seins et ses hanches ressortaient toujours. Elle avait à peu près le même âge que Dhar, pas tout à fait quarante ans, mais ce n'était pas seulement sa blondeur ou la blancheur de sa peau qui la faisaient paraître plus jeune ; c'était sa nervosité. Elle avait la gaucherie d'une adolescente qui se figure que partout où elle passe les regards sont braqués sur elle ; mais elle, c'était parce qu'elle croyait que Rahul la guettait en tout lieu.

Malheureusement, dans une foule, dans un lieu nouveau où les gens la regardaient – or en effet elle attirait les regards, masculins et féminins –, elle se sentait intimidée au point de ne plus pouvoir dire un mot. Elle croyait qu'on la regardait parce qu'elle était grotesque – au mieux, dans ses bons jours, elle se trouvait grosse. Et chaque fois qu'elle était parmi les inconnus, elle se rappelait Dhar et son sourire dédaigneux. Elle était jolie fille, à l'époque, mais il ne s'en était pas aperçu ; elle lui avait fait voir l'énorme godemiché, en lui demandant de manière tout à fait suggestive de le lui dévisser. Elle avait ajouté que, pour épargner son innocence, elle ne voulait pas lui faire voir ce qu'il y avait dedans. Et pourtant, dans son sourire, elle n'avait pas lu le moindre soupçon d'attirance ; elle avait dû le dégoûter.

Elle retourna dans la chambre, où elle retira la robe qu'elle ne mettrait pas ; elle était nue de nouveau. Elle s'étonnait de vouloir paraître à son avantage pour l'inspecteur Dhar : elle pensait le détester. Mais ce qui l'obligeait à s'habiller en pensant à lui, c'était cette conviction des plus irrationnelles : elle avait beau savoir que ce n'était pas un vrai inspecteur, elle lui prêtait des pouvoirs. Elle croyait que ce ne serait pas Vijay Patel, son mari adoré, qui mettrait la main au collet de l'assassin ; et le héros de l'affaire ne serait pas non plus le drôle de médecin. Non, ce serait l'inspecteur Dhar qui perdrait Rahul.

Et lui, Dhar, quels étaient ses goûts ? Ils doivent sortir de l'ordinaire, décida-t-elle. Une crête de duvet blond pâle montait de son pubis à son nombril, qu'elle avait exceptionnellement long et enfoncé.

Lorsqu'elle s'enduisait le ventre d'huile de coco, cette ligne de four-rure blonde fonçait légèrement et devenait visible. Si elle mettait un sari, elle laisserait son nombril nu. Peut-être qu'il plairait à Dhar, son nombril fourré. Elle savait qu'il plaisait à Vijay.

19

Notre-Dame-des-Victoires

Un autre auteur en quête de dénouement

La seconde Mrs Dogar soupçonnait elle aussi l'inspecteur Dhar d'avoir des préférences sexuelles qui sortaient de l'ordinaire ; elle enrageait qu'il ne lui ait pas rendu ses marques d'intérêt. Et même si le sourcilleux Mr Sethna et le Dr Daruwalla avaient remarqué le flirt à sens unique de Mrs Dogar, ils n'avaient pas apprécié à sa juste valeur le sérieux de ses intentions. Car l'ex-Rahul n'était pas femme à s'accommoder volontiers du dédain.

Tandis que Farrokh se débattait avec les débuts de son premier scénario artistique, son premier film d'auteur, la seconde Mrs Dogar s'était lancée dans le premier jet d'une histoire à écrire ; et elle avait accouché d'une intrigue. Le soir précédent, au Duckworth, elle avait accusé haut et fort son mari d'avoir trop bu. Mr Dogar avait bu ce qu'il buvait toujours : un whisky et deux bières ; les allégations de sa femme le surprirent.

– Ce soir, c'est ton tour de conduire, et mon tour de boire ! avait-elle dit.

Elle avait parlé exprès à haute et intelligible voix, en présence de Mr Sethna, la réprobation faite homme ; un serveur et un chasseur l'avaient entendue eux aussi, et elle avait choisi un blanc dans la conversation du jardin des Dames, où les Bannerjee, seuls dîneurs à cette heure tardive, étaient venus traîner leur chagrin.

Ils avaient dîné légèrement ; Mrs Bannerjee était trop bouleversée par le meurtre de Mr Lal pour faire la cuisine, et la conversation décousue qu'elle entretenait avec son mari roulait sur les efforts qu'ils pourraient faire pour consoler la veuve de Mr Lal. Les Bannerjee étaient loin de se douter que la sortie brutale de la seconde Mrs Dogar était tout aussi préméditée que son intention de partager au plus tôt le statut de veuve de Mrs Lal. Rahul avait épousé Mr Dogar par impatience de devenir sa veuve.

C'était aussi de propos délibéré que Mrs Dogar s'était tournée vers Mr Sethna en lui disant :

– Mon bon Mr Sethna, auriez-vous l'obligeance de nous appeler un taxi ? Mon mari n'est pas en état de nous ramener à la maison.

– Promila, je t'en prie... avait commencé Mr Dogar.

– Donne-moi tes clefs, lui ordonna Mrs Dogar. Soit tu prends un taxi avec moi, soit tu en appelles un autre pour toi, mais il n'est pas question que tu prennes le volant.

Mr Dogar lui tendit un trousseau de clefs, d'un air penaud.

– Et ne bouge pas – ne va pas te lever et te balader partout ! Attends-moi, ordonna-t-elle en se levant au chauffeur récusé.

Lorsque Mr Dogar fut tout seul, il lança un regard aux Bannerjee, qui détournèrent les yeux ; le serveur lui-même refusait de se tourner vers l'ivrogne vilipendé, et le chasseur s'était éclipsé dans l'allée circulaire pour fumer une cigarette.

Rahul chronométrait ses faits et gestes. Il, ou plutôt elle si le sexe est affaire d'anatomie, entra dans les toilettes pour hommes par la porte du hall. Elle savait qu'elle y serait toute seule, car le seul membre du personnel à y être admis était Mr Sethna : l'idée de faire pipi avec le personnel stipendié lui répugnait si fort qu'il avait l'autorisation d'utiliser les commodités réservées aux membres ; après tout le Duckworth reposait davantage sur les épaules du vieux maître d'hôtel que sur celles de n'importe quel membre. Mais Mrs Dogar savait qu'il était occupé à appeler un taxi.

Depuis qu'elle était femme, Mrs Dogar ne regrettait pas les toilettes des hommes, au club ; leur décor lui plaisait moins que celui des toilettes pour femmes. Elle y détestait le papier peint, trouvant ces scènes de chasse au tigre brutales et stupides.

Elle longea les urinoirs, les toilettes fermées, et les lavabos pour se raser ; elle passa dans les vestiaires obscurs qui allaient jusqu'au club-house et à son bar ; l'un comme l'autre ne servaient pas la nuit, et elle voulait s'assurer qu'elle pouvait s'y repérer sans lumière. Les grandes fenêtres de verre dépoli laissaient passer un clair de lune qui se réverbérait sur les courts de tennis et la piscine ; cette dernière, en réparation pour lors, n'était qu'une fosse de ciment, avec quelques gravats dans le grand bain ; les membres pariaient déjà qu'elle ne serait jamais prête dans quelques mois, quand il ferait chaud.

Avec la lune, Mrs Dogar y vit assez clair pour déverrouiller la porte de service du club-house ; elle trouva la bonne clef en moins d'une minute, puis referma la porte. Ce n'était qu'un test. Elle trouva également le casier de Mr Dogar et l'ouvrit ; c'était la clef la plus petite du trousseau, elle constata qu'elle se repérait facilement au toucher. Elle ouvrit et ferma le casier au toucher, quoique tout fût visible au clair de lune, car elle se dit qu'elle n'aurait pas la lune avec elle tous les soirs.

Rahul voyait distinctement le reliquaire des vieux clubs de golf accrochés au mur. C'étaient les clubs des grands golfeurs du passé, ainsi que de certains duckworthiens encore vivants et moins célèbres, qui s'étaient retirés de la compétition ; Mrs Dogar voulait s'assurer que ces clubs se décrochaient facilement ; après tout, cela faisait assez longtemps qu'elle n'était pas venue dans le vestiaire des hommes : depuis qu'elle était petit garçon. Lorsqu'elle eut manipulé quelques clubs de façon satisfaisante, elle retourna dans les toilettes, après s'être assurée que ni Mr Bannerjee ni Mr Sethna ne s'y trouvaient. Quant à son mari, elle savait qu'il ne quitterait pas la table du jardin des Dames : il faisait ce qu'on lui disait de faire.

Lorsqu'elle vit depuis les toilettes qu'il n'y avait personne au foyer, elle retourna au jardin des Dames. Elle alla tout droit à la table des Bannerjee – qui ne comptaient pas parmi leurs amis – et leur chuchota :

– Je suis désolée de mon manque de retenue, mais quand il est comme ça, il est comme un bébé – il est complètement gâteux, on ne peut pas lui faire confiance. Et pas seulement au volant. Un soir, après dîner, je l'ai empêché de justesse de plonger tout habillé dans la piscine du club.

– Mais elle est vide ! s'exclama Mr Bannerjee.

– Je suis ravie de voir que vous comprenez la situation, répondit Mrs Dogar. C'est bien ça, si je ne le traite pas comme un enfant, il va se faire mal.

Puis elle rejoignit son mari, en laissant les Bannerjee sur l'impression que Mr Dogar, gaga, était dangereux pour lui-même : qu'on le retrouve mort dans le grand bain de la piscine vide faisait partie des dénouements possibles du premier jet de la seconde Mrs Dogar –

premier jet sur lequel elle travaillait d'arrache-pied. Elle ne faisait que poser des jalons, comme tout bon conteur. Elle savait aussi qu'il lui fallait trouver des versions de rechange dont elle avait déjà les dénouements en tête.

– Je déteste te traiter de cette façon, mon chéri, dit-elle à son mari, mais reste là bien sagement pendant que je m'occupe de nous trouver un taxi.

Il était ahuri. Si sa seconde femme avait la cinquantaine, c'était jeune encore, par rapport à ce qu'il avait connu ; septuagénaire, il était veuf depuis dix ans. Il se disait que ces sautes d'humeur devaient caractériser les femmes plus jeunes que lui. Il en arrivait à se demander s'il avait effectivement trop bu. Il se rappelait en tout cas que sa nouvelle femme avait perdu un frère dans un accident de voiture, en Italie ; mais il ne se souvenait pas si l'ivresse était la cause du drame.

Rahul s'en alla parler tout bas à Mr Sethna, qui réprouvait les apartés entre hommes et femmes, quelles qu'en soient les raisons.

– Mon bon Mr Sethna, lui dit la seconde Mrs Dogar, j'espère que vous voudrez bien excuser mon attitude agressive, mais il n'est absolument pas en état de se promener dans le club – et encore moins de conduire. Je suis sûre que c'est lui qui fait mourir les fleurs.

Cette allégation choqua Mr Sethna, mais d'un autre côté, il eut très envie de la croire. Car enfin, ces fleurs, il y avait bien quelque chose ou quelqu'un qui les faisait crever. Une maladie inconnue avait ravagé les parterres de bougainvillées, le chef mali était désorienté. On avait enfin une réponse : c'était Mr Dogar qui pissait sur les fleurs !

– Il est... incontinent ? s'enquit Mr Sethna.

– Pas du tout ! dit Mrs Dogar. Il le fait exprès.

– Il veut faire périr les fleurs ?

– Je suis ravie de voir que vous comprenez la situation, répondit Mrs Dogar. Le pauvre homme, ajouta-t-elle avec un geste de la main qui désignait le parcours de golf, alentour. Naturellement, il ne s'y promène qu'à la nuit tombée. Il retourne toujours aux mêmes endroits, comme un chien !

– Il marque son territoire, je suppose...

– Je suis ravie que vous compreniez la situation, dit Mrs Dogar. Et maintenant, où est notre taxi ?

Dans le taxi, le vieux Mr Dogar semblait hésiter entre les excuses et les récriminations. Mais avant qu'il ait pu se décider, sa jeune femme le surprit une fois de plus.

– Oh, chéri, il ne faut plus jamais me laisser te traiter comme je viens de le faire, en public, du moins. J'ai tellement honte, s'écria-t-elle. On va croire que je te malmène. Il ne faut pas me laisser faire. Si jamais je te dis que tu n'es pas en état de conduire, voilà ce qu'il faut faire... tu m'écoutes ou tu as trop bu ?

– Non... enfin, si je t'écoute ; non, je n'ai pas trop bu, lui assura le vieillard.

– Il faut jeter les clefs par terre et m'obliger à les ramasser, comme si j'étais ta domestique, lui dit Mrs Dogar.

– Comment ?

– Et puis tu me diras que tu as toujours les doubles sur toi, et que tu pourras rentrer à la maison en voiture si ça te chante. Et puis tu me diras de m'en aller, et que tu ne voudrais pas me raccompagner même si je te suppliais, s'écria-t-elle.

– Mais voyons, Promila, je ne pourrais jamais... commença Mr Dogar, mais sa femme l'interrompit :

– Promets-moi une chose, lui demanda-t-elle, ne me cède jamais.

Puis elle lui saisit le visage à deux mains et l'embrassa sur la bouche.

– D'abord il faut me dire de prendre un taxi ; et puis ne bouge pas de la table, fais comme si tu avais du mal à contenir ta fureur. Ensuite va dans les toilettes des hommes, et lave-toi la figure.

– Que je me lave la figure ?

– Je ne supporte pas l'odeur de la nourriture sur ton visage, mon chéri, dit Mrs Dogar à son mari. Lave-toi la figure, à l'eau chaude et au savon. Et puis reviens me rejoindre à la maison. Je serai là à t'attendre. C'est comme ça que je veux que tu me traites. Seulement il faut te laver la figure d'abord. Promets-le moi.

Cela faisait des années que Mr Dogar n'avait pas été aussi excité ; et il n'avait jamais été aussi perplexe. Ces jeunes femmes étaient difficiles à comprendre, décida-t-il, mais elles en valaient largement la peine.

Pas mal, cette trame-là, jugeait Rahul. La prochaine fois, Mr Dogar ferait ce qu'elle lui avait dit. Il lui parlerait brutalement, et lui dirait de fiche le camp. Elle prendrait un taxi, mais elle n'irait pas plus loin que la rampe d'accès au club, ou les trois quarts de l'allée circulaire –

il suffisait d'être hors du rayon des lampadaires. Elle dirait au chauffeur de s'arrêter parce qu'elle avait oublié son porte-monnaie. Elle traverserait à pied le premier green du parcours et entrerait dans le club-house par la porte de derrière, qu'elle aurait pris soin de déverrouiller au préalable. Elle retirerait ses chaussures et traverserait le vestiaire plongé dans le noir, où elle attendrait d'entendre son mari se laver le visage. Soit elle le tuerait d'un coup de club de golf – un de ces clubs accrochés dans le vestiaire et qui reprendrait du service pour la circonstance –, soit, si la chose était possible, elle le soulèverait par les cheveux et lui fracasserait le crâne contre le lavabo. Elle avait une préférence pour cette dernière méthode, parce que le dénouement dans la piscine lui semblait meilleur. Elle prendrait la précaution de rincer le lavabo, puis elle traînerait le corps de son mari par la porte de derrière, et le balancerait dans le grand bain vide. Elle ne ferait pas attendre son taxi longtemps, dix minutes tout au plus.

Mais elle aurait sûrement moins de mal à le tuer d'un coup de club. Après l'avoir estourbi, elle lui collerait un billet de deux roupies dans la bouche, et fourrerait son corps dans son casier de vestiaire. Le billet, que Mrs Dogar avait déjà tout prêt dans son portefeuille, portait un message dactylographié sur la face de son numéro de série :

... PARCE QUE DHAR EST TOUJOURS MEMBRE.

C'était une décision palpitante, ce dénouement. Car si Rahul aimait l'idée du crime maquillé en accident, dans le grand bain, le côté spectaculaire du meurtre d'un nouveau membre aurait son charme aussi ; surtout si l'inspecteur Dhar ne rendait pas sa carte. Or la seconde Mrs Dogar était convaincue qu'il lui en faudrait plus, au moins un tout petit meurtre de plus, pour le persuader en douceur de le faire...

Les derniers moments de Mr Lal

Le lendemain matin, avant sept heures, on vit arriver au Duckworth un Mr Dogar gêné, les traits tirés, avec tous les dehors de la gueule de bois. Pourtant ce n'était pas l'alcool qui l'avait mis dans cet état. La veille au soir, Mrs Dogar lui avait fait l'amour avec violence. Elle avait à peine attendu que le taxi ait quitté leur allée ou que son mari ait ouvert la porte – avec les clefs qu'elle lui avait rendues. Ils avaient eu de la chance que les domestiques ne les prennent pas pour des cambrioleurs, car Mrs Dogar s'était jetée sur son mari dans l'entrée, et elle s'était mise à déchirer leurs vêtements respectifs dès le premier étage. Ensuite, elle avait obligé le vieillard à lui courir après dans l'escalier, et elle l'avait enfourché à même le sol de leur chambre, sans le laisser ramper un mètre de plus jusqu'au lit – de surcroît, elle n'avait pas proposé une seule fois de lui laisser le dessus.

Oui, bien sûr, c'était aussi un cas de figure envisageable : le vieux Mr Dogar pouvait faire une crise cardiaque tandis que Rahul l'excitait délibérément au-delà de toute mesure. Mais la seconde Mrs Dogar avait décidé qu'elle n'aurait pas la patience d'attendre un an cette mort « naturelle ». Elle s'ennuierait trop. Si la chose se produisait à brève échéance, très bien. Autrement, restait toujours le club de golf et la fin dans le vestiaire ; ce qu'il y avait d'amusant, dans cette version, c'était d'imaginer comment le corps serait finalement découvert.

Elle signalerait à la police que son mari n'était pas rentré de la nuit. On découvrirait sa voiture au parking du Duckworth. Le personnel raconterait ce qu'il avait cru comprendre après le dîner des Dogar ; Mr Sethna donnerait sans doute des détails plus intimes. Il était fort possible que personne ne pense à regarder dans le casier avant que le cadavre ne commence à puer.

Mais le scénario-piscine était captivant, lui aussi. Les Bannerjee confieraient aux autorités que le vieux fou était coutumier de tenter ces plongeons à sec. Mrs Dogar pourrait toujours conclure : « Je vous l'avais bien dit. » Sa seule difficulté serait de lutter contre le fou rire. Quant à la rumeur que le vieux Mr Dogar pissait sur les bougainvillées, elle circulait déjà.

Lorsque le vieillard confus parut au club pour récupérer sa voiture, le lendemain, il alla parler sur un ton d'excuse au sourcilleux Mr Sethna, qui trouvait répugnante l'idée même d'uriner en plein air.

– Je vous ai paru particulièrement ivre, Mr Sethna ? s'enquit Mr Dogar auprès du vénérable maître d'hôtel. Je suis navré si j'ai… commis des impairs.

– Il n'y a pas eu d'incident, à vrai dire, répliqua Mr Sethna froidement.

Il avait déjà parlé des bougainvillées au chef mali. Le crétin confirmait que la « maladie » ne frappait que des plants isolés. Les bougainvillées qui avaient péri bordaient le green au cinquième et au neuvième trou ; ces deux trous n'étaient pas visibles depuis la salle à manger du Duckworth, ni depuis le club-house ; ils ne l'étaient pas non plus du jardin des Dames. Et les bougainvillées autour du jardin des Dames, justement, n'étaient abîmés que sur un seul plant, invisible depuis les installations du club. Cela semblait accréditer la théorie urinaire de Mrs Dogar, songeait Mr Sethna : le pauvre vieux pissait bel et bien sur les fleurs !

Le vieux majordome n'aurait jamais imaginé que ce fût une femme – même un spécimen de la gent féminine aussi vulgaire que Mrs Dogar – qui se rendît coupable de ce forfait. Mais la tueuse savait poser ses jalons en professionnelle. Depuis des mois, elle assassinait systématiquement les bougainvillées. L'un des nombreux avantages de porter des robes, selon la nouvelle Mrs Dogar, c'est qu'on pouvait se dispenser de porter des sous-vêtements sans nuire à son confort. La seule raison pour laquelle son pénis lui manquait, c'est qu'il avait été bien pratique pour faire pipi en plein air. Cela dit, elle ne cédait pas de façon aléatoire à son penchant pour arroser les bouquets écartés des bougainvillées. Tout en sacrifiant à sa singulière habitude, elle ne perdait pas de vue le devenir de son œuvre au sens large ; avant même que le malheureux Mr Lal ait surgi sur elle à l'improviste au moment où elle était accroupie dans les bougainvillées du fatal neuvième trou (depuis longtemps la némésis de Mr Lal), Rahul avait déjà son plan.

Depuis des semaines, elle transportait dans son sac le billet de deux roupies, avec son premier message dactylographié aux duckworthiens : D'AUTRES MEMBRES VONT MOURIR SI DHAR N'EST PAS RADIÉ. Elle s'était toujours dit que le duckworthien le plus facile à assassiner serait le premier qui tomberait sur elle dans un de ces coins écartés où elle allait pisser. Elle pensait que la chose se produirait de nuit, dans le noir. Elle imaginait que ce serait un membre plus jeune que Mr Lal, sans doute quelqu'un qui aurait bu trop de bière et se serait aventuré sur le parcours de golf baigné de nuit, poussé par le besoin qui l'y poussait elle-même. Elle se représentait un bref flirt – ce sont les meilleurs.

« Tiens, vous aussi vous aviez envie de faire pipi ? Si vous me dites

pourquoi vous aimez faire en plein air, je vous dirai mes raisons. »
Ou peut-être : « Et il n'y a que ça que vous aimez faire en plein air ? »

Mrs Dogar s'imaginait aussi qu'elle pourrait se faire le plaisir d'un
baiser, et de quelques caresses ; elle aimait bien les caresses. Et puis
elle le tuerait, qui qu'il soit, et elle lui fourrait le billet de deux roupies
dans la bouche. Elle n'avait jamais étranglé un homme ; avec la force
qu'elle avait dans les mains, elle ne doutait pas d'en être capable.
Étrangler des femmes ne l'avait jamais beaucoup amusée – pas autant
que la force pure avec laquelle on assène un coup d'instrument contondant –, mais étrangler un homme promettait d'être plus excitant, si
ce que l'on racontait était vrai... que les hommes bandent et éjaculent
au bord de l'asphyxie par strangulation.

Hélas, le vieux Mr Lal ne lui avait procuré ni l'occasion d'un flirt
ni la nouveauté de la strangulation masculine. Rahul était si pares-
seuse qu'elle se faisait rarement à déjeuner, le matin. Quoique officiellement retiré des affaires, Mr Dogar partait pour son bureau de
bonne heure, de sorte que Mrs Dogar s'offrait souvent le plaisir d'une
pisse matinale sur le parcours de golf, avant même que les golfeurs
les plus acharnés n'aient pris le chemin des fairways. Ensuite elle
prenait un thé et des fruits dans le jardin des Dames, et se dirigeait
vers son club de mise en forme, pour soulever des poids et sauter à
la corde. Elle avait été surprise par l'assaut matinal que livrait Mr Lal
au neuvième trou.

Rahul avait tout juste fini de pisser ; elle était en train de se lever
au milieu des fleurs, et voilà que ce vieux gaga arrivait du green avec
ses gros sabots, pour piétiner les plantes. Il cherchait un coin difficile
où placer sa balle au milieu de cette jungle. Lorsqu'il leva les yeux,
il vit Mrs Dogar se dresser devant lui. Il fut tellement saisi qu'un
instant elle pensa qu'elle n'aurait même pas besoin de le tuer. Il reculait en titubant, une main serrant sa poitrine.

– Mrs Dogar ! s'écria-t-il. Qu'est-ce qui vous arrive ? Quelqu'un
vous a... molestée ?

C'était lui qui lui avait soufflé l'idée ; il faut dire que sa jupe était
retroussée jusqu'à ses hanches. Affichant un certain égarement, elle
la baissa en se tortillant (elle mettrait un sari pour déjeuner).

– Oh, Mr Lal ! C'est vous, Dieu merci ! cria-t-elle. J'ai été... on
vient d'abuser de moi !

– Dans quel monde vivons-nous, Mrs Dogar ! Mais comment puis-je vous aider ? Au secours ! se mit à crier le vieillard.

– Oh non, je vous en prie ! Je ne supporterais pas de voir quelqu'un d'autre, j'ai tellement honte, lui confia-t-elle.

– Mais comment puis-je vous aider, Mrs Dogar ?

– J'ai mal quand je marche, avoua-t-elle. Ils m'ont... fait mal.

– Ils étaient plusieurs ! s'écria le vieillard.

– Si vous vouliez bien me prêter l'un de vos clubs... je pourrais peut-être m'en servir comme d'une canne, suggéra Mrs Dogar.

Mr Lal était sur le point de lui proposer son fer neuf mais il se ravisa.

– C'est le putter qui conviendra le mieux, déclara-t-il.

Après avoir trotté jusqu'à son sac et être revenu en trébuchant parmi les lianes et les fleurs anéanties, le pauvre vieux était hors d'haleine. Il était beaucoup plus petit que Mrs Dogar ; elle mit sans difficulté l'une de ses grandes mains sur son épaule, et prit le putter de l'autre. Ainsi elle pouvait voir par-dessus sa tête le green et le fairway, tous deux déserts.

– Vous pourriez vous reposer sur le green pendant que je vais vous chercher un chariot, proposa-t-il.

– Oui, merci beaucoup, allez-y, lui dit-elle.

Il fit un pas décidé en avant, mais elle était sur lui ; avant qu'il ait atteint le green, elle lui porta un coup qui lui fit perdre connaissance, juste derrière l'oreille. Quand il fut par terre, elle le frappa en plein sur la tempe visible, mais il avait déjà les yeux fixes lorsqu'elle lui porta le second coup. Il avait dû être tué net par le premier, se dit-elle.

Dans son sac, elle n'eut pas de mal à trouver le billet de deux roupies. Depuis vingt ans, elle agrafait ses petites coupures avec le capuchon du stylo-bille qu'elle avait volé dans le bungalow de Goa. Elle astiquait même ce souvenir ridicule. La pince – ta pince de poche, comme disait tante Promila – serrait toujours parfaitement la plus mince liasse de billets, et l'éclat de l'argent la rendait facile à repérer ; elle avait horreur de ne pas arriver à retrouver les petits objets au fond d'un sac.

Elle avait enfoncé le billet de deux roupies dans la bouche ouverte de Mr Lal ; à sa surprise, lorsqu'elle l'avait refermée, elle s'était ouverte à nouveau. C'était la première fois qu'elle tentait de fermer la bouche d'un mort. Elle se figurait que les différentes parties d'un cadavre étaient assez faciles à manipuler ; c'était ce qu'elle avait toujours constaté lorsqu'il s'était agi de bouger un membre – parfois un coude ou un genou qui la gênaient pour dessiner sur le ventre de ses victimes : elle avait toujours opéré sans problème.

Déconcertée par ce détail, elle en oublia la circonspection. Elle remit les billets qui restaient dans son sac, mais pas avec le capuchon de stylo bourlingueur ; il avait dû tomber dans les bougainvillées. Elle n'avait pas pu le retrouver par la suite, et c'était là qu'elle se rappelait l'avoir eu en main pour la dernière fois. Elle se dit que les policiers devaient être en train de se casser la tête sur cet indice ; avec l'aide de la veuve, ils avaient dû en arriver à la conclusion que le capuchon de stylo n'appartenait pas à Mr Lal. Ils concluaient peut-être même qu'aucun membre du club n'aurait pu être retrouvé mort avec un stylo de ce genre ; il était en argent, certes, mais la mot INDIA gravé dessus lui donnait un aspect tellement camelote ! Les objets qui faisaient camelote amusaient Rahul. Tout comme l'amusait l'idée que la police s'évertuait en vain à la débusquer ; car, croyait-elle, la moitié de stylo serait un maillon parmi d'autres dans une chaîne d'indices dénués de sens.

Une tragédie mineure

Après que Mr Dogar s'était excusé auprès de lui, et qu'il avait récupéré sa voiture au parking du Duckworth, le vieux majordome avait reçu un appel de Mrs Dogar :

– Est-ce que mon mari est encore là ? Non, je suppose… Je voulais lui rappeler un problème dont il doit s'occuper. Il oublie tout !

– Il est passé, mais il est déjà parti, l'informa Mr Sethna.

– Il a pensé à annuler nos réservations pour déjeuner ? Non, sans doute… Bon, en tout cas je vous les décommande, dit Rahul au maître d'hôtel.

Mr Sethna se flattait d'avoir en mémoire toutes les réservations du jour, midi et soir. Il savait qu'il n'y en avait pas au nom des Dogar. Mais lorsqu'il en informa Mrs Dogar, elle l'étonna :

– Oh, le pauvre homme ! Il a oublié d'annuler la réservation, mais hier soir il était tellement ivre qu'il n'a même pas pensé à la faire. Ce serait comique, si ça n'était pas aussi tragique, sans doute…

– Sans doute... répondit Mr Sethna.

Mais Rahul vit qu'elle avait atteint son but. Un jour, Mr Sethna serait un témoin important de la fragilité de Mr Dogar. Poser les jalons était nécessaire. Rahul savait que Mr Sethna ne serait pas surpris lorsque son mari serait victime d'un meurtre dans les vestiaires, ou d'un accident dans la piscine.

A certains égards, c'était la partie la plus distrayante d'un meurtre, se disait Rahul. Dans une trame, on avait tant de possibilités – beaucoup plus que dans le dernier acte du drame. Seule la phase d'élaboration donnait toute cette latitude, toute cette ouverture quant au dénouement. A la fin, les choses se terminaient toujours trop vite ; parce que, si l'on voulait éviter les bavures, il ne fallait pas laisser les choses traîner.

– Le pauvre homme, répéta Mrs Dogar à Mr Sethna.

Le pauvre homme, oui, vraiment, pensa Mr Sethna : avec une femme comme la sienne c'était peut-être un réconfort d'avoir déjà un pied dans la tombe, pour ainsi dire.

Le vieux maître d'hôtel venait de raccrocher lorsque le Dr Daruwalla appela le Duckworth pour réserver une table – quatre couverts pour le déjeuner. Il espérait, dit-il à Mr Sethna, que sa table préférée dans le jardin des Dames n'était pas déjà prise. Il restait encore beaucoup de place, mais Mr Sethna désapprouvait qu'on réserve le matin pour midi ; les gens avaient tort de s'engager dans des projets sur des coups de tête.

– Vous avez de la chance, dit-il au docteur, je viens d'avoir une annulation.

– Je peux l'avoir pour midi ? demanda le docteur.

– Pour une heure, ce serait mieux, lui révéla Mr Sethna, car il réprouvait également ce goût qu'avait le docteur de déjeuner tôt.

La théorie de Mr Sethna, c'était que cette avance contribuait à lui faire prendre du poids. Et il trouvait extrêmement disgracieux les kilos superflus chez un homme petit.

Le docteur venait de raccrocher lorsque le Dr Tata le rappela. Il se souvint aussitôt de ce qu'il voulait lui demander.

– Est-ce que vous vous rappelez Rahul Rai et sa tante Promila ?

– Qui les a oubliés ? répondit Tata Deux.

– Mais sur le plan professionnel, je veux dire. Je crois que votre père a examiné Rahul lorsqu'il avait douze ou treize ans. Ce devait être en 1949. Mon père l'a examiné lorsqu'il avait seulement huit ou dix ans. C'était à la demande de sa tante Promila – elle s'inquiétait de son absence de poils. Mon père n'a pas pris ça au sérieux, mais je crois que Promila a emmené Rahul consulter votre père. Et j'aimerais bien savoir si cette prétendue absence de poils était toujours la question.

– Mais pourquoi voulez-vous qu'on ait consulté mon père ou le vôtre sur ce problème ?

– C'est une bonne question, répondit Farrokh. Je crois que le vrai problème concernait l'identité sexuelle de Rahul. Il est possible qu'un changement de sexe ait été réclamé.

– Mais mon père ne faisait pas ces opérations-là ! Il était gynéco-logue-obstétricien...

– Je le sais très bien, dit le Dr Daruwalla, mais on aurait pu lui demander d'établir un diagnostic... sur les organes génitaux de Rahul, je veux dire, s'ils avaient quelque chose de particulier qui permette de justifier l'opération, du moins dans son esprit à lui, ou dans celui de sa tante. Si vous avez gardé les dossiers de votre père... moi j'ai ceux du mien.

– Bien sûr que je les ai gardés ! s'écria le Dr Tata. Mr Subhash peut les mettre sur mon bureau dans deux minutes, et moi je vous rappelle dans cinq.

Ainsi le médecin lui-même appelait son secrétaire « monsieur ». Peut-être était-ce, comme Ranjit, un secrétaire qui était resté avec la famille. En effet, au téléphone, Mr Subhash lui avait semblé avoir une voix d'octogénaire.

Dix minutes plus tard, le Dr Tata n'avait toujours pas rappelé. Far-rokh se prit à imaginer le capharnaüm des archives de Tata Deux ; apparemment, Mr Subhash n'avait pas exactement le dossier sous la main. A moins que le diagnostic n'ait fait réfléchir le médecin ? Quoi qu'il en fût, le Dr Daruwalla dit à Ranjit qu'il ne prendrait aucun appel téléphonique, à l'exception de celui du gynécologue.

Il avait un seul rendez-vous à son bureau avant ce déjeuner tant attendu au club, et il dit à Ranjit de l'annuler. Le Dr Desai, de Lon-dres, était de passage à Bombay ; lorsqu'il avait des loisirs, entre ses opérations, le docteur Desai dessinait des prothèses pour les articu-lations. Les prothèses le polarisaient totalement ; c'était son unique sujet de conversation. Julia trouvant la chose pénible chaque fois que

Farrokh essayait de discuter avec lui au club, il s'arrangeait pour le voir à son bureau. « Est-ce qu'il faut fixer l'implant sur le squelette avec du ciment, ou est-ce que la fixation biologique est une meilleure méthode ? », telle était l'entrée en matière type du Dr Desai, ce qu'il disait au lieu de : « Comment vont votre femme et vos enfants ? » Annuler un rendez-vous à son bureau avec le Dr Desai équivalait presque à avouer son manque d'intérêt pour la branche qui était la sienne, l'orthopédie. Mais il avait l'esprit fixé sur son nouveau scénario, il voulait écrire.

Dans cette intention, il se mit à son bureau du côté opposé à celui qu'il occupait d'habitude, pour ne pas être distrait par la vue sur la cour de gymnastique de l'hôpital des Enfants infirmes – il lui aurait été difficile d'ignorer la rééducation des patients postopératoires. Il trouvait beaucoup plus de charme au monde de l'illusion qu'au réel à affronter.

Dans l'ensemble, le créateur de l'inspecteur Dhar était inconscient des vrais drames qui abondaient autour de lui : la pauvre Nancy, avec son masque de raton laveur, se faisait belle pour Dhar ; le célèbre acteur en question, même loin des scènes et des caméras, était toujours en représentation ; Mr Sethna, qui réprouvait ses semblables à longueur de journée, venait de découvrir avec horreur que c'était de l'urine humaine qui faisait crever les bougainvillées. Et ce n'était pas le seul meurtre en cours au Duckworth Club, où Rahul se voyait déjà en veuve Dogar. Mais ces réalités ne touchaient pas le Dr Daruwalla. Lui, il cherchait l'inspiration dans la photo de cirque posée sur son bureau.

Il y voyait la belle Suman, Suman l'équilibriste qui marchait dans les airs. La dernière fois qu'il l'avait vue, elle était toujours célibataire ; c'était une acrobate-étoile de vingt-neuf ans, l'idole de toutes les petites acrobates débutantes. Oui, elle devait avoir dans les vingt-neuf ans, pensait le scénariste ; il était grand temps qu'elle se marie. Il fallait qu'elle se consacre à des activités plus constructives que de traverser le grand chapiteau à l'envers, à trente mètres du sol, et sans filet ! Une femme aussi extraordinaire qu'elle devait absolument se marier. Suman était acrobate, pas actrice. Mais il n'avait pas l'intention de donner des numéros d'acteur à ses personnages de cirque. Ganesh, le garçon, serait un acteur accompli, mais sa sœur, Pinky, serait la vraie Pinky – celle du Grand Royal. Elle ferait ses numéros ;

il ne serait pas nécessaire qu'elle parle. (D'ailleurs il fallait réduire les dialogues au minimum, décida le scénariste.)

Farrokh s'emballait ; il voyait déjà la distribution. Dans son scénario, il lui fallait encore trouver moyen d'amener les enfants au cirque. C'est alors qu'il songea au nouveau missionnaire ; dans le film, il ne l'appellerait pas Martin Mills, Mills était un nom trop banal. Il l'appellerait seulement Mr Martin. La mission jésuite prendrait en charge ces enfants parce que leur mère avait été tuée par une dangereuse statue de la Vierge Marie ; Saint-Ignace assumerait bien une partie des responsabilités. Et puis les enfants se débrouilleraient pour être ramassés par la bonne limousine, celle de Vinod. Celui qu'on appelait le Bon Samarinain devrait encore obtenir des jésuites l'autorisation d'emmener les enfants au cirque. Ça, c'est génial ! pensa le Dr Daruwalla. C'était comme ça que Suman et Martin se rencontreraient. Le missionnaire qui se mêlait de tout avec les meilleures intentions conduisait les enfants au cirque, et l'imbécile tombait amoureux de l'équilibriste !

Pourquoi pas ? Le jésuite ne tarderait pas à trouver Suman préférable à l'abstinence. Il faudrait que Mr Martin soit joué par un acteur chevronné ; il en ferait une personnalité beaucoup plus attachante que celle de Martin Mills. Dans le scénario, la séduction de Mr Martin serait une histoire de déconversion. Quant à l'idée suivante du scénariste, elle ne manquait pas de malice : John D. ferait un parfait Mr Martin ! Comme il serait heureux de jouer, et pour une fois de ne pas jouer l'inspecteur Dhar !

Ce serait un scénario fabuleux, tellement plus beau que la réalité ! C'est alors que le docteur se rendit compte que rien ne l'empêchait de se mettre lui-même dans le film. Il n'aurait pas l'outrecuidance de se réserver un rôle de héros, mais peut-être serait-il seulement un personnage secondaire, pétri de bonnes intentions. Mais comment se décrirait-il ? Il ne croyait pas savoir qu'il était beau, et dire de lui qu'il était « d'une intelligence remarquable » sentait l'apologie ; d'ailleurs, dans les films, on ne pouvait décrire que l'effet produit.

Il n'y avait pas de miroir dans le bureau du docteur, si bien qu'il se représenta l'image que lui renvoyait souvent le miroir en pied, au foyer du club, et qui lui donnait sans nul doute le sentiment tout duckworthien d'être un monsieur élégant. Un médecin aussi distingué pouvait jouer un rôle discret mais essentiel dans le film ; car le personnage du missionnaire au grand cœur serait naturellement obsédé par l'idée que la claudication de Ganesh était opérable. Pour bien faire, le personnage de Mr Martin amènerait l'enfant consulter un médecin, qui ne serait autre que… le Dr Daruwalla. Le docteur annoncerait la dure vérité : il y avait des exercices que Ganesh pouvait faire, et ils fortifieraient ses jambes, même la mauvaise, mais il boiterait toute sa vie. (Quelques scènes où l'on verrait l'infirme s'appliquer vaillamment à exécuter ces exercices seraient du plus bel effet pour gagner la sympathie du public.)

Tout comme Rahul, le scénariste aimait cette étape de l'élaboration de l'histoire qu'est l'intrigue. Qu'il est donc palpitant de faire le tour de ses possibilités ! Au début, il y en a tellement !

Mais, dans l'écriture comme dans l'assassinat, l'euphorie est de courte durée. Farrokh découvrait avec inquiétude que son chef-d'œuvre était en passe de se réduire à une comédie dramatique. Les deux enfants réussissaient à s'enfuir dans la limousine du bien ; le cirque était leur salut ; Suman abandonnait la marche dans les airs pour épouser un missionnaire qui renonçait à sa mission… le créateur de l'inspecteur Dhar lui-même soupçonnait que cette fin était trop optimiste. Assurément, il fallait bien qu'un coup du sort survienne, pensait-il.

C'est ce qu'il méditait dans son bureau à l'hôpital des Enfants infirmes, dos tourné à la cour de gymnastique. Dans ce décor, on imagine sans peine qu'il devait se sentir coupable d'aller imaginer une tragédie mineure.

Non à la comédie dramatique

Contrairement à ce que croyait Rahul, la police n'avait pas retrouvé le capuchon d'argent qui portait l'inscription INDIA. La pince à billets n'était déjà plus dans les bougainvillées lorsque le commissaire adjoint avait examiné le corps de Mr Lal. L'argent brillait d'un tel éclat, dans le soleil du matin, qu'il avait attiré l'œil perçant d'un corbeau ; et c'était le capuchon qui avait permis au corbeau de découvrir le corps. L'oiseau avait commencé par piquer l'œil du mort, et il s'affairait sur la plaie derrière l'oreille, ainsi que sur la blessure de la tempe lorsque le premier vautour avait atterri sur le green du neuvième trou. Le corbeau avait défendu son territoire tant qu'il n'en était pas venu d'autres. Après tout, il avait vu le corps le premier. Et avant de prendre son vol, il avait volé le capuchon en argent. Les corbeaux passent leur temps à faucher les objets qui brillent. Et si celui-ci avait promptement perdu son butin dans les pales du ventilateur, au-dessus de la salle à manger du Duckworth, cela ne prouvait rien quant à son intelligence en général : à cette heure du matin, le ventilateur tournait entre ombre et soleil, et il avait, lui aussi, attiré l'œil perçant du corbeau. Ce n'était guère un perchoir convenable, et un serveur avait fait déguerpir sans ménagement le volatile chieur.

Quant à l'objet brillant que le corbeau tenait dans son bec, il était resté sur le ventilateur, causant quelques irrégularités dans son mécanisme. Le docteur avait remarqué l'une de ces irrégularités ; tout comme il avait remarqué l'atterrissage du corbeau chieur sur le ventilateur. Si bien que le capuchon de stylo n'existait plus que dans la mémoire encombrée du docteur, qui avait déjà oublié que la seconde Mrs Dogar lui rappelait quelqu'un d'autre – une actrice d'autrefois. Farrokh avait oublié de même la douleur causée par sa collision avec Mrs Dogar dans le hall du Duckworth. Ce petit objet brillant, perdu par Nancy, par Rahul, puis par le corbeau, était peut-être désormais perdu pour toujours, car sa découverte était liée aux capacités limitées du Dr Daruwalla – et, franchement, la mémoire et les facultés d'observation d'un scénariste honteux ne sont pas les meilleures. Autant compter que le mécanisme du ventilateur recrache spontanément le capuchon, et en fasse cadeau comme par miracle au détective Patel ou à Nancy.

Et c'est bien une coïncidence aussi invraisemblable et miraculeuse qu'il aurait fallu pour sauver Martin Mills ; car la messe avait été célébrée trop tard pour lui épargner ses pires souvenirs. Il y avait des moments où toute église lui rappelait Notre-Dame-des-Victoires. Lorsque sa mère était à Boston, il allait toujours à la messe à Notre-Dame-des-Victoires, dans Isabella Street, qui n'était qu'à huit minutes à pied du Ritz. Le dimanche matin de ce long week-end de Thanksgiving, l'année de troisième, le jeune Martin avait quitté la chambre sur la pointe des pieds sans réveiller Arif Korma. Dans le salon de la suite, il vit que la porte donnant sur la chambre de sa mère était entrebâillée : c'était bien la négligence de Vera ! Il était sur le point de la fermer avant de quitter l'appartement pour partir à la messe, lorsque sa mère l'appela :

– C'est toi, Martin ? Viens me dire bonjour !

Consciencieusement, quoiqu'il détestât voir sa mère dans le désordre musqué de son boudoir, Martin alla jusqu'à elle. A sa surprise, ni le lit ni sa mère ne semblaient défaits ; il eut l'impression qu'elle avait déjà pris son bain, qu'elle s'était déjà lavé les dents et coiffée. La literie ne présentait pas comme à l'accoutumée un nœud de mauvais rêves. Et puis Vera portait une jolie chemise de nuit, qui faisait presque jeune fille ; elle révélait sa poitrine spectaculaire, mais sans rien de racoleur, pour une fois. Martin embrassa prudemment sa mère sur la joue.

– Tu es en route pour l'église ?

– Oui, je vais à la messe.

– Arif dort encore ?

– Je crois, oui, répondit Martin.

Le nom de son camarade dans la bouche de sa mère lui rappelait le moment de gêne pénible éprouvé la veille.

– Je trouve que tu ne devrais pas poser à Arif des questions aussi… personnelles, dit-il soudain.

– Comment ça, personnelles ? Sexuelles, tu veux dire ? Mais enfin, Martin, honnêtement, ce pauvre garçon mourait sûrement d'envie de parler à quelqu'un de cette terrible circoncision. Ne sois pas si puritain !

– Je pense qu'Arif est un garçon très secret, dit Martin à sa mère. Et puis, ajouta-t-il, têtu, je pense qu'il est peut-être un peu… perturbé.

Vera s'assit sur son lit avec un regain d'intérêt.

– Sexuellement perturbé ? demanda-t-elle à son fils. Qu'est-ce qui te fait dire ça ?

Martin ne crut pas trahir son ami, sur le moment ; il croyait même le protéger en parlant à sa mère de cette façon.

– Il se masturbe, dit-il à mi-voix.

– Ah mon Dieu ! J'espère bien ! s'exclama Vera. Et j'espère bien que tu en fais autant !

Refusant de mordre à l'hameçon, Martin précisa :

– Oui, mais beaucoup… presque tous les soirs.

– Le pauvre garçon, déclara Vera. Mais comme tu as l'air réprobateur, Martin !

– Je trouve que c'est... excessif, lui dit son fils.

– Eh bien moi je trouve que la masturbation est tout à fait saine pour des garçons de votre âge. Tu en as discuté, de la masturbation, avec ton père ?

Discuté n'était pas le mot. Martin avait écouté Danny faire de grands discours d'une voix rassurante sur tous les désirs qu'il prêtait à son fils, désirs parfaitement naturels, selon lui... c'était le leitmotiv de Danny.

– Oui, dit Martin à sa mère, Papa trouve la masturbation... normale.

– Bon ! Tu vois bien, dit Vera d'un ton sarcastique. Si ton saint homme de père dit que c'est normal, on devrait sûrement tous s'y mettre !

– Je vais être en retard pour la messe, dit Martin.

– Va-t'en vite, alors, conclut sa mère.

Il était sur le point de refermer la porte de la chambre derrière lui lorsqu'elle lui décocha la flèche du Parthe :

– Personnellement, mon chéri, je pense que la masturbation te ferait plus de bien que la messe. Et puis, s'il te plaît, laisse la porte ouverte, je préfère.

Martin pensa à prendre la clef de la chambre, pour le cas où Arif dormirait encore à son retour, ou pour le cas où Vera serait à la salle de bains ou au téléphone.

A la sortie de la messe, il s'arrêta un instant devant chez Brooks Brothers ; la vitrine présentait des mannequins en costume de ville avec des cravates à motifs de sapin de Noël ; Martin fut frappé par la peau soyeuse de ces mannequins ; elle lui rappela le grain de peau de son camarade. Cette courte pause exceptée, il rentra tout droit au Ritz. Lorsqu'il ouvrit la porte, il se félicita d'avoir pris la clef, parce qu'il crut que sa mère était au téléphone ; c'était une conversation à une seule voix, celle de Vera. Mais bientôt il distingua les mots abominables.

– Je vais te faire gicler encore, disait sa mère. Je suis sûre que tu peux gicler encore, je te sens. Tu vas gicler encore dans pas longtemps, dis ? Dis-le, répéta sa mère.

La porte de la chambre était restée ouverte, un peu plus grand qu'elle n'aimait la laisser, et Martin voyait son dos nu, ses hanches nues, et la fente de ses jolies fesses. Elle chevauchait Arif Korma, allongé muet sous elle ; Martin remerciait le ciel de ne pas voir le visage de son voisin de chambre.

Il se glissa sans bruit dehors, tandis que sa mère continuait d'engager Arif à « gicler ». Sur la courte distance qui le séparait d'Isabella Street, Martin se demanda si c'était parce qu'il lui avait révélé le penchant d'Arif pour la masturbation qu'elle avait eu cette idée ; elle avait sans doute déjà pensé à séduire le garçon, mais le détail devait lui en avoir donné encore plus envie.

Martin Mills était resté hébété à Notre-Dame-des-Victoires, et c'était hébété qu'il avait attendu la messe à Saint-Ignace. Il inquiétait le frère Gabriel. D'abord cette prière nocturne : « Je vais prendre la dinde, je vais prendre la dinde », et puis, à la fin de la messe, le missionnaire était resté à genoux sur le prie-Dieu comme s'il attendait l'office suivant ! C'était précisément ce qu'il avait fait à Notre-Dame-des-Victoires, dans Isabella ; il avait attendu la messe suivante, comme si la première n'avait pas suffi.

Ce qui troublait le frère Gabriel, c'était aussi les taches de sang sur les poings fermés du missionnaire. Le frère ne pouvait pas savoir ce qui était arrivé au nez de Martin, car la blessure avait fini par arrêter de saigner, et elle était presque entièrement cachée par une petite croûte sur une narine ; mais les chaussettes sanglantes que Martin Mills serrait dans ses poings l'intriguaient. Le sang avait séché entre les jointures du missionnaire et sous ses ongles, et le frère Gabriel craignait que l'homme ne saignât des paumes. C'est tout ce qui nous manque pour faire un triomphe de notre jubilé, songeait-il, une éruption de stigmates !

Mais par la suite, lorsque Martin assista aux cours du matin, il sembla être à nouveau dans son assiette, si l'on peut dire ; il se montra animé avec les élèves, et humble avec ses collègues de Saint-Ignace – lui qui avait plus d'expérience dans l'enseignement que nombre d'entre eux. Le voyant ainsi s'intégrer, le père supérieur fit taire ses craintes que l'Américain soit un zélote dérangé. Et le père Cecil le trouva en tout point aussi charmant et dévoué qu'il l'avait espéré.

Le frère Gabriel passa sous silence les dindes de la prière et les socquettes ensanglantées. Mais il remarqua le sourire lointain et fantomatique qui passait parfois sur le visage du scolastique, tranchant sur la gamme de ses expressions plus sérieuses. Martin semblait frappé par un souvenir, peut-être évoqué par le visage d'un des collégiens, comme si la peau sombre et lisse d'un de ces garçons de quinze ans lui avait rappelé quelqu'un... c'est du moins ce que conjecturait le frère Gabriel. Un sourire innocent et amical, oui, presque trop amical, se disait-il.

Martin continuait de se souvenir. De retour à l'école de Fessenden, après le long week-end de Thanksgiving, il avait attendu l'extinction des feux pour dire ce qu'il avait à dire.

– Niqueur, avait-il dit tout bas.

– Qu'est-ce que c'est ?

– J'ai dit Niqueur, comme dans « Nique-ta-mère ».

– C'est un jeu ou quoi, avait demandé Arif après un silence trop long.

– Tu sais très bien ce que je veux dire ! T'as niqué la mienne !

Il y eut un autre long silence et Arif dit :

– Elle m'a presque... forcé.

– Je suis sûr que tu vas attraper une maladie, lança Martin à son camarade de chambre.

Il ne le pensait pas vraiment, et il ne l'aurait jamais dit s'il avait pu se douter qu'Arif était tombé amoureux de Vera. Il fut surpris lorsque le garçon se jeta sur lui dans le noir et se mit à lui frapper le visage.

– Ne dis jamais ça... de ta mère ! cria le Turc. Pas ta mère ! Elle est belle !

Mr Weems, le maître d'internat, sépara les adversaires ; aucun n'était blessé puisque aucun ne savait se battre. Mr Weems était gentil ; avec les garçons plus durs, il n'avait aucune autorité. Il était professeur de musique, et – rétrospectivement, c'est facile à dire – très probablement homosexuel. Mais personne ne le soupçonnait de l'être (sinon quelques femmes de professeurs endurcies, du genre qui croit que tout célibataire de plus de trente ans est pédé). Les élèves aimaient bien Mr Weems, même s'il était étranger aux activités sportives qui sévissaient à Fessenden. Dans son rapport au conseil de discipline, il minimisa l'altercation entre Arif et Martin, simple « fâcherie » selon lui. Ce mot malheureux fut lourd de conséquence.

Plus tard, lorsque le médecin de l'école diagnostiqua une gonorrhée chez Arif, et que celui-ci refusa de lui dire où il pensait l'avoir attrapée, les soupçons se portèrent sur Martin Mills. Le mot « fâcherie » sentait la querelle d'amoureux – du moins pour les éléments les plus virils du conseil de discipline. Mr Weems fut chargé de demander aux garçons s'ils étaient homosexuels, s'ils couchaient ensemble. Le maître d'internat était enclin à plus d'indulgence en la matière que ses collègues phallos.

– Si vous êtes amants, il faut que tu ailles voir le médecin toi aussi, Martin, leur expliqua-t-il.

– Dis-lui, Arif, demanda Martin.

– On n'est pas amants, dit Arif.

– Exact. On n'est pas amants, répéta Martin. Mais vas-y, continue. Ose un peu, pour voir, dit Martin à Arif.

– Me dire quoi ? demanda le maître d'internat.

– Il déteste sa mère, expliqua Arif à Mr Weems. Mr Weems avait rencontré Vera, il comprenait.

– Il va vous dire que c'est elle qui m'a passé ça. Vous voyez à quel point il la déteste !

– Il a baisé ma mère, ou plutôt, c'est elle qui l'a baisé, dit Martin à Mr Weems.

– Qu'est-ce que je vous disais ? dit Arif Korma.

Dans la plupart des écoles privées, le personnel enseignant se compose de saints laïques et d'ogres incompétents. Martin et Arif avaient la chance que leur maître d'internat appartienne à la première catégorie ; mais Mr Weems était si bien intentionné qu'il en était peut-être plus aveugle à la dépravation qu'un homme normal.

– Je t'en prie, Martin, dit le maître d'internat, une maladie sexuellement transmissible, surtout dans un pensionnat de garçons, ce n'est pas un sujet sur lequel on puisse mentir. Quels que soient tes sentiments pour ta mère, ce que nous espérons apprendre, c'est la vérité – pas pour punir qui que ce soit, mais pour pouvoir vous conseiller. Comment voulez-vous que nous vous guidions, que nous vous disions que faire si vous refusez de nous dire la vérité ?

– Ma mère l'a baisé pendant qu'elle me croyait à la messe, dit Martin à Mr Weems.

Mr Weems ferma les yeux et sourit ; il faisait cela lorsqu'il comptait ; et il comptait pour garder son calme.

– J'ai essayé de te protéger, Martin, mais je vois que ça sert à rien, dit Arif Korma.

– Les garçons, s'il vous plaît, il y en a un de vous deux qui ment, dit le maître d'internat.

– Ça va, on lui dit, dit Arif à Martin, d'accord ?

– D'accord, dit Martin.

Il savait qu'il aimait bien Arif ; c'était son seul ami depuis trois ans. Si Arif voulait dire qu'ils étaient amants, pourquoi ne pas le soutenir ? Il n'y avait personne à qui il aurait autant voulu faire plaisir.

– D'accord, répéta-t-il.

– D'accord quoi ? demanda Mr Weems.

– D'accord, on couche ensemble, dit Martin Mills.

– Je ne sais pas pourquoi il n'a rien attrapé, lui, dit Arif. Il devrait. Peut-être qu'il est immunisé.

– On va être renvoyés ? demanda Martin au maître d'internat.

Il l'espérait. Ce serait bien fait pour sa mère, ça lui apprendrait ; à quinze ans, il pensait que Vera était encore récupérable.

– On a juste essayé, dit Arif, on n'a pas aimé ça.

– On le fait plus, ajouta Martin.

Ce fut la première et la dernière fois qu'il mentit ; il en eut le vertige ; presque comme s'il était ivre.

– Mais l'un de vous a dû attraper cette maladie ailleurs, raisonna Mr Weems. Elle ne peut pas être venue toute seule entre vous, si vous n'avez pas d'autre contact sexuel à l'extérieur.

Martin Mills savait qu'Arif avait plusieurs fois téléphoné à Vera, et qu'elle avait refusé de lui parler ; il savait aussi qu'il lui avait écrit, mais qu'elle ne lui avait pas répondu. Mais c'est seulement à cet instant qu'il comprit jusqu'où son ami était prêt à aller pour protéger Vera. Il devait en être complètement toqué.

– J'ai payé une prostituée, dit-il à Mr Weems. Cette maladie, je l'ai attrapée avec une pute.

– Mais où est-ce que tu as pu en rencontrer une, Arif ? demanda le maître d'internat.

– Vous ne connaissez pas Boston ? J'étais descendu au Ritz avec Martin et sa mère, et quand ils ont été endormis, j'ai quitté l'hôtel. J'ai demandé au portier de m'appeler un taxi. J'ai demandé au taxi de me trouver une tapineuse. C'est comme ça qu'on fait à New York aussi, expliqua le jeune homme. En tout cas, moi, c'est la seule manière de faire que je connaisse.

C'est ainsi qu'Arif Korma se fit virer de Fessenden, pour avoir attrapé une maladie vénérienne avec une pute. Il y avait un chapitre dans le règlement de l'école où il était dit qu'une conduite moralement répréhensible avec les femmes ou les jeunes filles était passible de renvoi ; fort de cet article, le conseil de discipline mit Arif à la porte malgré les protestations de Mr Weems.. On jugea que coucher avec une prostituée était un exemple flagrant de « conduite moralement répréhensible avec des femmes ou des jeunes filles ».

Quant à Martin, Mr Weems intercéda aussi en sa faveur. Son aventure homosexuelle était un épisode sans lendemain dans ses expériences sexuelles ; il fallait clore l'incident. Mais le conseil de discipline tint tout de même à en informer ses parents. La première réaction de Vera fut de répéter que la masturbation valait mieux pour les garçons de cet âge. Martin se borna à lui lancer, hors de la présence de Danny, bien entendu :

– Arif Korma a une gonorrhée, et toi aussi.

Il n'eut presque pas le temps de parler à Arif avant son renvoi. La dernière chose qu'il lui dit fut :

– Ne va pas te faire de tort pour protéger ma mère !

– Mais j'aime bien ton père, aussi, expliqua Arif.

Une fois de plus, Vera évitait la corde parce que personne ne voulait faire de peine à Danny.

Le suicide d'Arif fut un choc autrement plus grave. Martin trouva la lettre dans sa boîte, à l'école, seulement deux jours plus tard. Arif s'était jeté du dixième étage, par la fenêtre de l'appartement de ses parents, sur Park Avenue. « J'ai déshonoré ma famille » ; tel était le seul message. Martin se souvint que c'était pour ne pas déshonorer ses parents et déconsidérer sa famille qu'il n'avait pas versé une larme à sa propre circoncision.

On ne pouvait pas en imputer la faute à Vera. La première fois qu'elle se retrouva seule avec Martin, elle déclara :

– Ne viens pas me dire que c'est ma faute, mon chéri. Tu m'avais dit qu'il était perturbé – sexuellement perturbé. Tu me l'as dit toi-même Et puis tu ne voudrais pas faire de la peine à ton père, si ?

Au vrai, Danny fut passablement chagriné d'apprendre que son fils s'était essayé à une expérience homosexuelle, même sans lendemain. Martin lui assura qu'il n'avait fait qu'essayer, et que la chose ne lui avait pas plu. Tout de même, il sentit bien par la suite que la seule image que son père allait avoir de sa sexualité, c'était qu'il avait baisé son voisin de chambre lorsqu'ils avaient quinze ans. Martin ne se doutait pas que la vérité sur la sexualité de son fils – qui à trente-neuf ans était toujours vierge et ne s'était jamais masturbé – l'aurait navré encore bien davantage ! Il ne se douta jamais non plus qu'il était peut-être amoureux d'Arif Korma ; c'était pourtant plus vraisemblable, pour ne pas dire plus justifiable, que le fait qu'Arif était tombé amoureux de Vera.

Pendant ce temps, le Dr Daruwalla était en train d'inventer un missionnaire qui s'appelait Mr Martin. Il savait qu'il lui fallait trouver les raisons qui avaient poussé l'homme à se faire prêtre ; même dans un film, il lui semblait qu'un vœu de chasteté mérite quelques explications. Et comme il avait rencontré Vera, il aurait dû deviner que les vraies raisons du missionnaire ne relevaient pas de ces éléments que l'on trouve dans la comédie dramatique.

Une mort de cinéma ; les vrais enfants

Le scénariste avait assez de bon sens pour se rendre compte qu'il calait. Qui faire mourir ? Tel était le problème. Dans la réalité, il espérait que Madhu et Ganesh allaient être sauvés par le cirque. Mais, dans le scénario, il n'aurait pas été réaliste qu'ils se marient et qu'ils aient beaucoup d'enfants. La vraisemblance exigeait qu'un seul d'entre eux survive. C'était Pinky l'acrobate, l'étoile. Ganesh l'infirme ne pouvait espérer de rôle plus important que celui d'aide-cuisinier, de larbin de cirque, de balayeur. Le cirque l'embaucherait sûrement pour les basses besognes : au début, il ramasserait la merde des éléphants, et il rincerait la pisse des lions sur leurs tabourets. Après ces débuts pisseux-merdiques, il aurait de la chance s'il était promu sous la tente du cuisinier ; faire la cuisine ou servir serait une prise de galon ; cela risquait même d'être son bâton de maréchal. Cela, c'était vrai pour le Ganesh du film et pour celui de la réalité. Cela, c'était du réalisme, croyait le Dr Daruwalla.

Il faut que ce soit Pinky qui meure, décida-t-il. La seule raison pour laquelle le cirque acceptait de prendre le frère infirme, c'était qu'il voulait la petite prodige ; le frère faisait partie du lot. C'était le point de départ de l'histoire. Mais si Pinky mourait, pourquoi le cirque ne se débarrasserait-il pas de Ganesh ? Quel intérêt d'avoir un infirme pour domestique ? Voilà, pensa Farrokh, l'histoire est meilleure, comme ça. C'est désormais l'infirme qui porte le fardeau de la performance ; il faut qu'il trouve un tour de force pour que le cirque juge qu'il vaut la peine d'être gardé. Un garçon avec ses deux jambes valides ramasse la merde d'éléphant plus vite.

Mais le fléau du scénariste, c'est qu'il se laissait toujours emporter par son imagination. Avant de trouver ce que Ganesh pourrait bien faire au cirque, ne fallait-il pas mettre au point la mort de Pinky ? Bon, c'était une acrobate, décréta-t-il à la hâte, elle pouvait toujours tomber : voilà, elle apprend la marche dans les airs, le numéro de Suman, et puis elle fait une chute. Mais si l'on voulait s'en tenir au réalisme, elle n'apprendrait pas ce numéro dans le grand chapiteau. Au Grand Royal, Pratap Singh l'enseignait toujours dans la tente familiale ; les barreaux de corde de l'échelle ne se trouvaient pas à trente mètres au-dessus du sol ; la marcheuse à l'envers n'en était qu'à trente ou cinquante centimètres. Si Farrokh voulait représenter le Grand Royal, et il y tenait, s'il voulait mettre en scène ses artistes préférés (Pinky, Suman et Pratap, surtout), alors il ne pouvait pas leur faire porter le fardeau d'un homicide par imprudence, ou par négligence. Il n'avait que des louanges à faire du Grand Royal, et de la vie au cirque. Non, la mort de Pinky ne pouvait pas être la faute du cirque – cette histoire-là ne convenait pas.

C'est alors que le Dr Daruwalla pensa à Mr Garg, le Vitriolé en vrai. Aussi bien, il l'avait déjà bien établi comme le méchant de l'affaire ; pourquoi ne pas s'en servir ? (La menace de poursuites lui semblait lointaine en ces moments où il était foudroyé par un éclair de génie.) Vitriol était si fasciné par Pinky, par sa joliesse, son talent, qu'il trouvait insupportable de voir son étoile monter, ou qu'elle ait échappé au petit traitement défigurant dont il avait le secret. Puisque le démon l'avait perdue au profit du Grand Royal, il se mettait à y commettre des actes de sabotage. L'un des lionceaux était brûlé à l'acide, à moins que ce ne soit l'un des clowns nains. La pauvre Pinky était massacrée par un lion échappé de sa cage, dont Vitriol avait fait sauter le verrou à l'acide.

Très, très bon, tout ça ! pensait le scénariste, sans percevoir l'ironie de la situation : il était là à ourdir la mort de Pinky, son héroïne, tout en attendant les résultats de Madhu dans la réalité. Mais il s'était une fois de plus laissé emporter ; il essayait de se représenter ce que Ganesh pouvait bien faire pour se rendre indispensable au cirque, lui l'infirme minable, le mendigot ; il était embarrassé de son corps, il allait boiter toute sa vie – le seul tour de force qu'il connaissait, c'était l'arnaque à la fiente d'oiseau. (Le scénariste griffonna une note pour se rappeler d'introduire ce détail dans le film ; maintenant que Pinky allait se faire tuer par un lion, il faudrait davantage de moments de détente.)

A ce moment-là, Ranjit lui passa l'appel du Dr Tata. Farrokh fut brisé net dans son élan, le cours de ses réflexions interrompu. La nature même des informations que lui apportait son confrère l'agaça encore davantage.

– Oh là là, mon brave homme de père, cette fois-là, j'ai bien peur qu'il ait fait une bourde ! commença Tata Deux.

Le Dr Daruwalla n'aurait pas été autrement surpris que Tata senior ait fait plus d'une bourde dans ses diagnostics. D'ailleurs, n'avait-il pas été incapable de voir avant l'accouchement que Vera allait avoir des jumeaux ? Et là, qu'est-ce qu'il avait encore fait ? fut tenté de demander Farrokh. Mais il s'enquit plus poliment :

– Alors il a bien vu Rahul ?

– Et comment, s'exclama le Dr Tata. Ça a dû être une consultation palpitante – Promila prétendait que le garçon s'était montré impuissant lors d'un épisode unique avec une prostituée ! Mais quant au diagnostic, je soupçonne qu'il était prématuré.

– Et c'était quoi, le diagnostic ?

– Eunuchoïdisme, s'écria Tata Deux. De nos jours on emploierait le terme « hypogonadisme ». Mais enfin, quel que soit le nom qu'on lui donne, ce n'est qu'un symptôme, ou un syndrome, dont les causes sont diverses, comme celles de la migraine ou du vertige…

– Oui, oui, dit le Dr Daruwalla avec impatience.

Il voyait que Tata Deux avait fait quelques recherches, ou qu'il était allé s'informer auprès d'un gynécologue-obstétricien meilleur que lui ; la plupart d'entre eux en savent généralement plus long sur ces questions-là que leurs confrères des autres spécialités, parce qu'ils s'y connaissent en hormones, pensait Farrokh.

– Et quels signes vous porteraient à soupçonner de l'hypogonadisme ? demanda-t-il à Tata Deux.

– Si je voyais un garçon avec des membres allongés, et une envergure – bras écartés – supérieure de cinq centimètres à sa stature. Et aussi si la hauteur de l'entrejambe au pied était supérieure à celle de l'entrejambe au crâne, répondit le Dr Tata. (Il doit être en train de le lire dans un bouquin, pensa Farrokh.) Et si l'homme ou l'enfant présentait une absence de caractères sexuels secondaires, poursuivit Tata Deux, vous savez, la voix, le développement musculaire, le développement phallique, le croissance de poils pubiens en losange...

– Mais comment pourriez-vous évaluer ces caractères sexuels secondaires avant que le sujet n'ait atteint l'âge de quinze ans, à peu près ?

– Eh bien, voilà, c'est tout le problème ; ce ne serait guère possible, dit Tata Deux.

– Rahul n'avait que douze ou treize ans en 1949, s'écria Farrokh. C'était aberrant de la part de Promila de le déclarer impuissant parce qu'il n'avait pas pu bander ou qu'il avait débandé tout de suite avec une prostituée ; et c'était encore plus aberrant de la part du vieux Dr Tata de la croire.

– Eh bien c'est ce que j'entendais par diagnostic un peu prématuré, convint Tata Deux. Le processus de maturation commence vers onze-douze ans... les signes avant-coureurs en sont le durcissement des bourses, et il s'achève en général cinq ans plus tard, bien que certaines caractéristiques, comme les poils sur la poitrine, puissent ne pas venir avant dix ans.

En entendant le mot « signes avant-coureurs », Farrokh fut certain que le docteur était en train de lire un livre.

– Bref, vous voulez dire que chez Rahul le processus de la puberté était peut-être simplement en retard. Il était beaucoup trop tôt pour le traiter d'espèce d'eunuque !

– Non, attendez, parler d'eunuchoïdisme ne revient pas à traiter quelqu'un d'espèce d'eunuque, expliqua le Dr Tata.

– Pour un garçon de douze ou treize ans, ce diagnostic arrivait à un âge où l'on est impressionnable, vous ne pensez pas ? demanda le Dr Daruwalla.

– C'est vrai, convint son confrère ; ce serait un diagnostic plus approprié chez un garçon de dix-huit ans microgénitomorphe.

– Seigneur Dieu ! s'écria le Dr Daruwalla.

– Bon, mais n'oublions pas que les Rai étaient des gens plutôt étranges, les uns comme les autres.

– Exactement le genre de famille où une erreur de diagnostic pouvait être la plus lourde de conséquences...

– Je ne dirais pas « erreur de diagnostic » – c'était seulement un peu trop tôt pour avoir des certitudes, dit Tata Deux, comme pour sauver l'honneur.

Il était compréhensible qu'il ait envie de changer de sujet.

– Ah, j'ai la réponse, pour les résultats de votre patiente, annonça-t-il. Mr Subhash m'a dit que vous vouliez les avoir en express.

En réalité Mr Subhash avait dit à Farrokh qu'il faudrait attendre au moins deux jours, et plus si la première phase était positive.

– Enfin, elle n'a rien. Le test était négatif, dit le Dr Tata.

– Vous avez fait vite ! répondit le Dr Daruwalla. Il s'agit bien de la petite qui s'appelle Madhu ? C'est bien Madhu ?

– Oui, oui, dit le Dr Tata, impatient à son tour. J'ai les résultats sous les yeux. Il s'agit bien de Madhu. Mr Subhash vient de poser le dossier sur mon bureau.

Et il a quel âge, Mr Subhash ? – telle était la question qui brûlait les lèvres de Farrokh ; mais la conversation l'avait déjà largement assez agacé ; il pourrait du moins faire quitter Bombay à la petite. Il remercia Tata Deux, puis raccrocha. Il voulait retourner à son scénario, mais il fit d'abord venir Ranjit, pour lui demander de notifier à Mr Garg que Madhu n'était pas séropositive ; c'était un plaisir qu'il se refusait à lui faire lui-même.

– Ils ont fait vite ! commenta Ranjit.

Mais le scénario continuait d'occuper l'essentiel des pensées du docteur. Pour l'instant, il s'intéressait davantage aux enfants de son imagination qu'à ceux qu'il avait sous sa protection. Il pensa tout de même à dire à Ranjit de prendre contact avec la femme du nain ; il fallait qu'elle sache que Madhu et Ganesh arrivaient au cirque ; et puis il faudrait savoir à quel endroit du Gujarat le cirque se trouvait au juste en ce moment. Farrokh aurait également dû appeler le nouveau missionnaire, pour le prévenir qu'ils allaient profiter du week-end pour conduire les enfants là-bas. Mais son scénario lui tendait les bras ; et le Mr Martin de son imagination avait à ses yeux plus de charme que le vrai Martin Mills.

Malheureusement, plus le scénariste se rappelait les numéros du Grand Royal avec précision, plus il redoutait la déception qu'il éprouverait fatalement lorsqu'il remettrait Madhu et Ganesh au Grand Nil bleu, avec Martin Mills.

20

Le bakchich

L'heure de s'en aller sur la pointe des pieds

Lorsque Farrokh se prenait à penser aux mérites comparés de Martin Mills et de Mr Martin, il éprouvait comme l'ombre d'un remords. Il se soupçonnait d'avoir fait d'un fou furieux un doux dingue, mais c'était une impression des plus floues. Ainsi, dans le scénario, la première fois que le missionnaire allait voir les enfants au cirque, il glissait et s'étalait dans la merde d'éléphant. Mais Farrokh ne se doutait guère que, dans la réalité, le jésuite avait peut-être mis les pieds dans un merdier encore bien pire.

Et puis *Merde d'éléphant* faisait un mauvais titre. Farrokh l'avait écrit en marge, à la hauteur où l'expression apparaissait pour la première fois dans l'histoire, mais il était en train de le rayer. Avec un titre pareil, en Inde, le film se ferait interdire. Par-dessus le marché, personne n'aurait envie de voir un film qui s'appelle *Merde d'éléphant*. Les gens n'y emmèneraient pas leurs enfants ; or précisément, espérait le docteur, c'était un film pour les enfants – à supposer qu'il fût pour qui que ce soit, rectifia-t-il sombrement. Car le doute de soi-même, ce vieil ennemi, était en train de s'emparer du créateur, qui semblait l'accueillir comme un ami.

Le scénariste s'aiguillonna avec une série de mauvais titres. *La Roulette limousine* serait un choix astucieux, par exemple. Il avait peur que les nains du monde entier ne s'offusquent du film, quel que soit son titre, d'ailleurs. Au cours de sa carrière de scénariste honteux, il avait réussi à se mettre à dos presque tout le monde, à part eux. Plutôt que de s'inquiéter de leur réaction, il envisagea une question plus futile encore : quel serait le magazine de cinéma qui, le premier, méconnaissant sa tentative, la tournerait en dérision ? Les deux qu'il détestait le plus s'appelaient *Stardust* et *Ciné Blitz* ; au sein de cette presse à ragots, c'étaient les plus scandaleux, les plus diffamatoires.

La seule pensée de ces demeurés des médias, de cette lie du journalisme lui inspira une nouvelle inquiétude : la conférence de presse où il voulait annoncer la fin des *Inspecteur Dhar*. Si c'était lui qui la convoquait, personne n'y viendrait. Non, il faudrait demander à Dhar de la réunir. Et il faudrait qu'il y assiste, sinon ça sentirait le canular. Pire encore, il faudrait que ce soit Dhar qui parle ; car enfin, c'était lui la star. Ce qui intéresserait les gratte-papier de bas étage, ce n'était pas tellement les raisons qui avaient poussé le docteur à monter cette supercherie, c'était plutôt celles qui avaient poussé Dhar à s'en faire le complice. Pourquoi l'acteur avait-il accrédité l'idée qu'il était son propre créateur ? En cette conférence de presse que Farrokh imaginait fracassante, Dhar dirait, comme à l'accoutumée, le texte qu'il lui aurait écrit.

La vérité ne serait qu'un nouveau rôle de composition ; en outre, la vérité la plus importante – à savoir que le Dr Daruwalla avait créé le personnage de l'inspecteur Dhar par amour pour John D. – les médias ne la connaîtraient jamais. La fange des médias ne la méritait pas. Farrokh savait qu'il ne voulait pas lire comment cet amour serait tourné en dérision, surtout dans *Stardust* et *Ciné Blitz*.

La dernière conférence de presse que Dhar avait donnée, il l'avait fait tourner à la farce de propos délibéré. Il avait choisi qu'elle se déroule à la piscine du Taj « pour le plaisir de voir les étrangers ahuris écarquiller les yeux », selon ses propres paroles. Les journalistes avaient été agacés d'emblée ; ils s'attendaient à un décor plus intime. « Est-ce que vous essayez de nous dire que c'est vous l'étranger, que vous n'êtes pas indien, en fait ? » Telle avait été la première question. Pour toute réponse, Dhar avait plongé dans la piscine, en éclaboussant les photographes exprès, pas du tout par mégarde. Il n'avait répondu qu'aux questions qui lui convenaient, en ignorant superbement les autres. L'interview avait été ponctuée par ses plongeons dans la piscine. Pendant qu'il était sous l'eau, les journalistes tenaient des propos insultants sur son compte.

Farrokh présumait que John D. ne serait pas fâché de se débarrasser du rôle de l'inspecteur Dhar ; il avait assez d'argent, et il était clair qu'il préférait sa vie en Suisse. Pourtant, le Dr Daruwalla soupçonnait qu'au fond de lui il chérissait la haine qu'il inspirait au limon des médias ; gagner l'aversion de la presse à ragots avait peut-être été son plus beau rôle. Fort de cette certitude, il comprit ce que John D. préférerait : pas de conférence de presse ; pas de déclarations. « Qu'ils se cassent la tête ! » dirait Dhar – comme il l'avait souvent dit.

Le scénariste avait une autre réplique en mémoire ; car il ne l'avait pas seulement écrite ; il la reprenait dans chaque nouvel inspecteur Dhar, vers la fin de l'histoire. Dhar était toujours tenté de se lancer dans une nouvelle entreprise, tomber une femme ou revolvériser un méchant, mais il savait aussi quand il fallait s'arrêter. Il savait voir que l'action était finie. Et alors il disait, parfois à un barman intrigant, parfois à un collègue désenchanté, parfois à une jolie femme qui attendait avec impatience de faire l'amour avec lui : « Il est temps de se retirer sur la pointe des pieds. » Et il joignait le geste à la parole.

En l'occurrence, voyant que Farrokh voulait mettre un terme aux *Inspecteur Dhar*, et qu'il voulait quitter Bombay, John D. lui donnerait le conseil attendu : « Il est l'heure de s'en aller sur la pointe des pieds », dirait-il.

Punaises en perspective

Dans le temps, avant que les bureaux des médecins et les salles de consultation ne soient climatisés, à l'hôpital des Enfants infirmes, il y avait un ventilateur au-dessus du bureau où Farrokh était assis ; et la fenêtre donnant sur la cour de gymnastique était toujours ouverte. Aujourd'hui, cette fenêtre close, le ronronnement rassurant de l'air conditionné en bruit de fond, Farrokh était isolé des pleurs des enfants dans la cour. Lorsqu'il la traversait, ou qu'on l'appelait pour lui montrer les progrès d'un patient en rééducation post-opératoire, les enfants qui pleuraient ne le chamboulaient pas outre mesure. Il associait la douleur, à condition qu'elle ne soit pas excessive, à la guérison ; après l'intervention, et même surtout après, une articulation ne bougeait pas toute seule. Mais en plus de ces cris de douleur, il y avait les gémissements des enfants qui anticipaient la douleur ; et leurs vagissements piteux affectaient beaucoup le médecin.

Il se retourna pour regarder la cour de gymnastique ; rien qu'à l'expression muette des enfants, il distinguait ceux qui avaient mal de ceux qui avaient peur d'avoir mal, et qui lui faisaient pitié. Sans

qu'il pût les entendre, il savait que les infirmiers chargés de la rééducation déployaient des trésors de persuasion pour faire bouger les
enfants ; on disait à la prothèse de la hanche de se mettre debout ; on
disait à celle du genou de faire un pas ; on demandait au coude appa-
reillé de tourner. Le décor offert par cette cour était immémorial pour
le docteur, qui se dit que sa faculté de lire les mots qu'il n'entendait
pas était la seule mesure certaine qu'il avait de son humanité. Même
avec la fenêtre fermée, et la climatisation en route, il entendait les
piaulements. Il est l'heure de se retirer sur la pointe des pieds, se
dit-il.

Il ouvrit la fenêtre et se pencha au-dessus de la cour. La chaleur
de midi était oppressante, dans la poussière qui se soulevait, même
s'il faisait encore relativement frais et sec – pour Bombay. Les cris
des enfants se mêlaient aux coups de klaxon, et au grincement de scie
électrique des mobylettes. Le Dr Daruwalla inhala ce mélange. Il
plissait les yeux dans l'éblouissement poussiéreux. Il jeta sur la cour
de gymnastique un regard d'approbation presque détachée ; un regard
qui prenait congé. Puis il appela Ranjit pour s'enquérir des messages.

Le docteur ne fut pas surpris d'apprendre que Deepa avait déjà
négocié avec le Grand Nil bleu, et il ne s'était pas attendu qu'elle
décroche un meilleur arrangement : le cirque était d'accord pour
entraîner la « sœur » talentueuse, et s'engageait à le faire pendant
trois mois au cours desquels elle serait logée, nourrie et blanchie,
tandis qu'on s'occuperait de son « frère » infirme. Si l'entraînement
était probant, le Grand Nil bleu garderait les enfants, sinon, il les
congédierait tous deux.

Dans le scénario de Farrokh, le Grand Royal payait Pinky trois
roupies par jour pendant l'entraînement ; le Ganesh du film travaillait
sans salaire, contre le gîte et le couvert, simplement. Au Grand Nil
bleu, on considérait que c'était un privilège pour Madhu de recevoir
cet entraînement ; elle ne serait donc pas payée ; quant au gamin à la
jambe écrasée, c'était un privilège assez grand pour lui d'être nourri
et logé ; il travaillerait donc, lui aussi. Les enfants seraient conduits
aux frais de leurs parents, ou, puisqu'ils étaient orphelins, aux frais
de leurs « parrains » à l'endroit où le cirque se produisait. Il se produisait pour l'heure dans une petite ville du Gujarat qui comptait une
centaine de milliers d'habitants, et qui s'appelait Junagadh.

Junagadh ! Il faudrait la journée pour s'y rendre et autant pour en revenir. On prendrait l'avion jusqu'à Rajkot, et de là on devrait supporter deux ou trois heures de voiture éprouvantes ; le cirque enverrait un chauffeur à l'aéroport, et on pouvait compter que ce serait un machiniste qui conduirait comme un fou. De toute façon par train ce serait pire. Farrokh savait que Julia n'aimait pas qu'il passe la nuit hors de Bombay, et à Junagadh il n'y aurait sans doute pas d'autre hôtel que la Maison des circuits gouvernementaux ; il fallait s'attendre à y trouver quelques poux, et plus sûrement des punaises. Il faudrait affronter quarante-huit heures de conversation avec Martin Mills, et il n'y aurait pas un moment de répit pour continuer le scénario. Farrokh se dit également que, dans la réalité, il était pris dans une histoire parallèle, qui avait ses propres péripéties.

Fureur hormonale

Lorsque le Dr Daruwalla téléphona à Saint-Ignace pour prévenir le nouveau missionnaire du voyage qui s'annonçait, il se demanda si son scénario n'était pas prophétique. Il y avait déjà décrit son Mr Martin comme le professeur le plus aimé de l'école, et voilà que le père Cecil lui racontait que Martin Mills, à en juger par sa première matinée dans les classes, avait su d'emblée se « faire apprécier ». Le jeune Martin, comme le père Cecil continuait de l'appeler, avait même persuadé le supérieur de le laisser faire un cours sur Graham Greene aux élèves du second cycle ; l'auteur, quoique controversé, comptait en effet parmi ses héros catholiques. Et après tout, commentait le père Cecil, c'était un romancier qui avait fait connaître les problèmes des catholiques.

Farrokh, qui se considérait comme un vieil admirateur de Graham Greene, demanda, soupçonneux :

– Les problèmes des catholiques ?

– Le suicide est un péché mortel, par exemple, répondit le père Cecil. (Apparemment, le père Julian autorisait Martin Mills à étudier en classe *Le Cœur du sujet* avec les élèves de terminale.)

Le docteur éprouva un instant d'enthousiasme ; au cours de ce long voyage jusqu'à Junagadh, il parviendrait peut-être à mettre la conversation du missionnaire sur Graham Greene. Et qui donc étaient les autres héros du zélote ?

492

Cela faisait longtemps qu'il n'avait eu une bonne discussion sur Graham Greene. Julia et ses amis qui s'intéressaient à la littérature avaient plus de plaisir à parler d'auteurs contemporains ; ils trouvaient Farrokh vieux jeu de s'obstiner à relire ces livres qu'il tenait pour des classiques. Le Dr Daruwalla était intimidé par la culture de Martin Mills, mais ils pourraient peut-être se découvrir un terrain d'entente dans les romans de Graham Greene.

Il ne pouvait pas deviner que le thème du suicide intéressait Martin Mills bien davantage que les qualités d'écrivain de Graham Greene. Pour un catholique, le suicide était une violation de l'empire divin sur la vie humaine. Dans le cas d'Arif Korma, raisonnait Martin, le musulman n'était pas en possession de toutes ses facultés ; tomber amoureux de Vera le prouvait amplement. Ou alors ses facultés étaient d'une autre nature.

L'interdiction d'être enterré en terre consacrée faisait horreur à Martin Mills ; cependant, l'Église excusait le suicide de ceux qui avaient perdu le sens commun, ou qui s'étaient donné la mort sans le savoir. Le missionnaire espérait que Dieu mettrait le suicide du Turc sur le compte de l'irresponsabilité – Vera lui avait tourné la tête en couchant avec lui. Comment aurait-il pu prendre une décision sensée après ça ?

Mais si le Dr Daruwalla ne s'attendait pas à l'interprétation catholique que faisait Martin Mills de l'auteur qu'il aimait tant, il ignorait également tout de l'incident regrettable qui avait ébranlé Saint-Ignace en fin de matinée. Le père Cecil y faisait des allusions décousues. La mission avait été mise sens dessus dessous par un énergumène ; la police avait été obligée de maîtriser le forcené, dont le père Cecil attribuait la violence à une fureur hormonale.

La formule plut tellement à Farrokh qu'il l'écrivit.

– C'était un travesti prostitué, figurez-vous, chuchota le père Cecil dans l'appareil.

– Pourquoi est-ce que vous parlez tout bas ? demanda le Dr Daruwalla.

– Le père supérieur en est encore tout retourné, lui confia le père Cecil. Vous vous rendez compte : un hijra, ici, et pendant les heures de classe, encore !

L'idée qu'il se faisait du spectacle mettait le docteur en joie.

– Peut-être qu'il ou elle voulait enrichir son bagage, suggéra-t-il.

493

– Ça prétendait avoir été invité, répondit le père Cecil.

– Ça ? cria le docteur.

– Bon, lui ou elle, n'importe, c'était un fort gabarit ! Une prostituée en chasse, un travesti dérangé ! chuchota le père. Ils prennent des hormones, ces gens-là, non ?

– Pas les hijras, non, répondit le docteur. Ils ne prennent pas d'œstrogènes. Ils se font couper les couilles et le pénis, d'un seul coup. Ensuite on cautérise la plaie à l'huile chaude. Elle ressemble à un vagin.

– Seigneur ! Ne m'en dites pas davantage ! s'exclama le père Cecil.

– Parfois, mais c'est rare, ils se font mettre des prothèses mammaires, lui apprit le Dr Daruwalla.

– Celui-là, il s'est fait mettre des prothèses en fer, s'écria le père Cecil avec enthousiasme. Et le jeune Martin était en train de faire cours. Le père supérieur et moi-même, avec le pauvre frère Gabriel, nous avons dû faire face à cette créature tout seuls, jusqu'à l'arrivée de la police.

– Ça m'a l'air plutôt drôle, dit Farrokh.

– Heureusement, aucun des enfants ne l'a vu !

– Pourquoi ? dit Farrokh qui n'aurait jamais raté une occasion de taquiner un prêtre, les prostitués travestis n'ont pas le droit de se convertir ?

– De la fureur hormonale, répéta le père Cecil ! Il avait dû en absorber une dose massive.

– Mais je vous dis qu'ils ne prennent pas d'œstrogènes, en principe.

– Celui-là, il prenait quelque chose, insista le père Cecil.

– Pourrais-je parler à Martin, à présent, ou bien est-ce qu'il est encore en train de faire cours ?

– Il est en train de déjeuner avec les poussins, ou peut-être les minimes, aujourd'hui.

Il était presque l'heure que le Dr Daruwalla parte lui-même déjeuner au Duckworth. Il laissa donc un message pour Martin Mills, mais le père Cecil eut tant de mal à le prendre qu'il comprit qu'il lui faudrait rappeler plus tard, si bien qu'il finit par dire :

– Dites-lui simplement que je vais l'appeler ; et que pour le cirque, c'est sûr ; on y va.

– Ah ! Vous allez bien vous amuser, alors ! conclut le père Cecil.

La chemise hawaïenne

Le détective Patel aurait voulu partir parfaitement calme pour son déjeuner, mais il avait été interrompu par l'incident de Saint-Ignace. Il ne s'agissait que d'un délit mineur, mais l'affaire avait été portée à son attention parce qu'elle faisait partie de ces crimes et délits reliés à Dhar. Le fauteur de trouble était un des prostitués travestis blessés par le chauffeur de Dhar lors de l'échauffourée de Falkland Road ; c'était le hijra qui avait eu le poignet fracturé par le manche de raquette de Vinod. L'eunuque-travesti avait fait irruption à Saint-Ignace, où il avait cogné les vieux prêtres à coup de plâtre ; s'il fallait l'en croire, l'inspecteur Dhar aurait dit à tous les travestis-prostitués qu'ils seraient les bienvenus à la mission, et qu'ils pourraient toujours l'y trouver lui-même.

– Mais c'était pas Dhar, dit le hijra au détective Patel, en hindi. C'était un imposteur qui se faisait passer pour lui.

Si le détective avait été d'humeur à rire, il aurait trouvé comique qu'un travesti accuse qui que ce soit d'imposture ; mais, en l'occurrence, il regarda le hijra avec mépris et agacement. C'était un grand tapineur costaud, le visage osseux ; on voyait ses petits seins parce qu'il avait laissés ouverts les deux derniers boutons de sa chemise hawaïenne, trop vague pour lui. Cette chemise vague formait une association saugrenue avec une minijupe moulante, rouge vif – les prostitués hijras portent en général le sari ; en outre, ils s'efforcent la plupart du temps d'être plus féminins que celui-ci : ses seins, pour ce que le commissaire en voyait, étaient jolis, et même très bien formés, mais il avait du poil au menton, et une ombre de moustache bien visible sur la lèvre supérieure. Peut-être avait-il trouvé que les couleurs de la chemise hawaïenne – sans parler des perroquets et des fleurs – avaient quelque chose de féminin ; mais le vêtement n'avantageait pas sa silhouette.

Le commissaire poursuivit son interrogatoire en hindi.

– Où vous êtes-vous procuré cette chemise ?

– C'est Dhar qui la portait.

– Ça m'étonnerait.

– Je vous dis que c'était un imposteur.

– Mais quel idiot irait se faire passer pour Dhar et s'exhiber dans Falkland Road ?

– On aurait dit qu'il savait pas qu'il était Dhar, répondit le hijra.

– Ah, tout s'explique ! persifla le détective Patel. C'était un imposteur, mais il ne savait pas qu'il se faisait passer pour Dhar !

Le hijra gratta son nez busqué avec son plâtre. L'interrogatoire ennuyait Patel à périr ; s'il retenait le hijra, c'était seulement parce que sa dégaine saugrenue l'aidait à se concentrer sur Rahul. Mais, bien entendu, Rahul devait avoir cinquante-trois ou quatre ans, et elle n'avait sûrement rien d'un type qui fait des efforts mollassons pour avoir l'air d'une femme.

Le commissaire s'était déjà dit que c'était peut-être de cette façon que Rahul avait réussi à commettre tant de meurtres à Bombay. Elle pouvait entrer dans un bordel habillée en homme, et ressortir sous l'apparence d'une vieille femme ; ou encore sous celle d'une quadragénaire séduisante. Avant la perte de temps occasionnée par le hijra, Patel avait d'ailleurs mis la matinée à profit pour faire du bon travail, et ses recherches sur Rahul avaient avancé plutôt rondement. La liste des nouveaux membres du Duckworth l'avait bien aidé.

– Avez-vous déjà entendu parler d'un zénana nommé Rahul ? demanda Patel au hijra.

– Tiens ! Y avait longtemps ! dit le travesti.

– Sauf que c'est une vraie femme, à présent, elle a subi l'opération complète, précisa le détective.

Il savait qu'il y avait des hijras pour envier l'idée d'être un transsexuel complet, mais que ce n'était pas la majorité ; la majorité d'entre eux se contentaient parfaitement de ce qu'ils avaient – un vagin complètement formé ne leur aurait servi à rien.

– Si j'apprenais qu'il y en ait une comme ça, je la tuerais sûrement, dit le hijra avec bonhomie. Pour avoir ses parties ! ajouta-t-il avec un sourire ; il plaisantait, bien sûr.

Le détective en savait plus long sur Rahul que ce hijra ; au cours des dernières vingt-quatre heures, il en avait appris plus long qu'en vingt ans.

– Vous pouvez rentrer chez vous, dit-il. Mais vous laissez la chemise. Vous avez reconnu vous-même l'avoir volée.

– Mais j'ai rien d'autre à me mettre, protesta le hijra.

– On va vous trouver quelque chose, dit le policier. Simplement, je ne vous garantis pas que ça ira avec votre minijupe.

Lorsque le détective Patel quitta le QG de la Crime pour se rendre déjeuner au Duckworth, il emporta un sachet en papier ; c'était la chemise hawaïenne qui appartenait à l'« imposteur ». Le commissaire savait que l'on ne pourrait, ni ne voudrait sans doute répondre à toutes les questions, au cours d'un seul déjeuner ; mais la question posée par la chemise hawaïenne appelait une réponse relativement simple.

L'acteur devine juste

– Non, dit l'inspecteur Dhar, je ne porterais jamais ce genre de chemise.

Il avait jeté un bref coup d'œil indifférent dans le sachet, sans prendre la peine d'en retirer la chemise, sans même en toucher le tissu.

– L'étiquette indique « Californie », dit le détective à l'acteur.

– Je ne suis jamais allé en Californie, répondit Dhar.

Le commissaire mit le sachet sous son siège ; il avait l'air déçu que la chemise hawaïenne n'ait pas servi à rompre la glace entre eux : la conversation était de nouveau au point mort. La pauvre Nancy n'avait pas ouvert la bouche. Pire encore, elle avait choisi de mettre un sari, drapé de façon à révéler le nombril ; les poils dorés qui remontaient en une ligne nette jusqu'à son nombril perturbaient Mr Sethna tout autant que ce sachet peu décoratif que le policier avait fourré sous son siège, et qui était exactement le genre de sac où l'on mettrait une bombe, selon le vieux maître d'hôtel. Et comme il réprouvait le vêtement indien, chez les Occidentales ! En outre, le ventre blanc de celle-ci contrastait avec son visage bronzé. Elle devait s'être dorée au soleil avec des soucoupes sur les yeux ! Tout ce qui pouvait évoquer une femme couchée sur le dos dérangeait Mr Sethna.

Quant au Dr Daruwalla, voyeur impénitent, ses yeux revenaient toujours au nombril fourré de Nancy ; or elle avait, pour être plus à l'aise, rapproché sa chaise de leur table, dans le jardin des Dames. Cette merveille était donc dérobée au docteur, qui était réduit à jeter des regards obliques à son masque de raton laveur ; il ne tenait plus en place. Il rendait Nancy si nerveuse qu'elle tira ses lunettes de son sac et les mit. Elle avait l'air d'une femme qui essaie de rassembler son énergie avant d'entrer en scène.

L'inspecteur Dhar savait comment déjouer le coup des lunettes. Il se contenta d'y plonger le regard avec une expression satisfaite, pour signifier à Nancy qu'elles ne l'empêchaient nullement de voir ses yeux, qu'elles ne représentaient pas le moindre obstacle. Il savait que cela les lui ferait bientôt retirer.

Formidable ! pensa le docteur. Ils sont en représentation tous deux.

Mr Sethna était écœuré par l'attitude du quatuor. Ils n'avaient pas plus de manières que des adolescents. Aucun d'entre eux n'avait seulement jeté un coup d'œil au menu ; aucun d'entre eux n'avait seulement haussé un sourcil vers le serveur pour laisser entendre qu'un apéritif serait le bienvenu ; et par-dessus le marché, ils ne se parlaient même pas ! En plus, la raison pour laquelle le détective parlait si bien anglais, il l'avait là, sous ses yeux, et elle le remplissait d'indignation : le policier avait épousé une traînée américaine ! Est-il besoin de préciser que Mr Sethna considérait ce mariage comme des plus « mixtes », et donc répréhensible. Le vieux maître d'hôtel était non moins outré que Dhar ait eu le front de se présenter au Duckworth si tôt après l'avertissement trouvé dans la bouche de feu Mr Lal ; il mettait la vie des autres membres en péril sans le moindre scrupule. Ce n'était pas parce que Mr Sethna tenait cette information par sa pratique sans relâche de l'indiscrétion qu'il aurait pensé ne pas tout savoir de l'affaire. Pour qui est aussi prompt à désapprouver, l'ombre d'une information suffit à se faire une solide opinion.

Mais, naturellement, Mr Sethna avait d'autres raisons de fulminer contre l'inspecteur Dhar. En tant que parsi, et zoroastrien pratiquant, le vieux maître d'hôtel avait réagi comme on pouvait s'y attendre aux affiches de la dernière absurdité de l'inspecteur Dhar. Depuis le temps du Ripon Club, et de sa décision de verser une théière bouillante sur l'homme à la perruque, il n'avait jamais éprouvé un courroux aussi légitime. Il avait vu l'œuvre des colleurs d'affiches en rentrant chez lui, et il tenait *L'Inspecteur Dhar et les Tours du Silence* pour responsable des affreux cauchemars qu'il avait faits, lui qui n'en était pas coutumier.

Il avait été en proie à une vision, une statue blanche comme un spectre de la reine Victoria, qui ressemblait à celle qu'on avait retirée de Victoria Terminus ; mais dans son rêve la statue lévitait. La reine

Victoria flottait à trente centimètres du sol, dans le temple vénéré de Mr Sethna, le temple du feu, et tous les fidèles parsis se ruaient vers les portes. Sans cette affiche de film blasphématoire, il était sûr qu'il n'aurait jamais fait un rêve aussi impie. Il s'était promptement réveillé, et il avait coiffé sa calotte de prière, mais elle avait glissé au moment où il tombait en proie au second rêve. Il était dans le corbillard Panchayat des parsis, qui le conduisait aux Tours du Silence ; quoique mort, il avait gardé la faculté de sentir les rites funéraires accompagnant sa propre mort, le parfum du bois de santal qui brûlait. Soudain la puanteur de la putréfaction, qui s'accrochait aux becs des vautours et à leurs serres, l'avait suffoqué, et il s'était réveillé de nouveau. Sa calotte de prière était sur le sol, et, la prenant pour un corbeau voûté à l'affût, il avait jeté un cri pathétique pour la faire s'envoler.

Le Dr Daruwalla n'eut qu'un seul regard pour Mr Sethna et, à voir la lueur incendiaire qui brillait dans ses yeux, il se demanda s'il n'y avait pas une théière bouillante sur le feu. Mr Sethna interpréta le coup d'œil du Dr Daruwalla comme un appel.

– Un apéritif, avant le déjeuner, peut-être ? demanda-t-il au quatuor embarrassé.

« Apéritif [1] » était un mot peu usité dans l'Iowa ; par ailleurs, Nancy n'avait jamais entendu Dieter l'employer, et il n'avait pas cours non plus entre elle et Vijay Patel ; elle ne répondit donc pas à Mr Sethna, qui s'était tourné vers elle. (Si jamais elle était tombée sur le mot, c'était bien dans un de ces fonds de tiroir américains qu'elle avait lus, mais elle n'aurait pas su le prononcer, elle l'aurait tenu pour accessoire dans la compréhension de l'intrigue.)

– Madame aimerait-elle boire quelque chose, avant le déjeuner ? lui demanda Mr Sethna sans cesser de la regarder.

Les trois autres ne saisirent pas un mot de sa réponse, mais le vieux maître d'hôtel comprit qu'elle avait chuchoté :

– Un Thums Up Cola.

Le commissaire commanda un soda orange Gold Spot, le Dr Daruwalla une London Diet, et Dhar une Kingfisher.

– Eh bien, voilà qui promet de l'animation, plaisanta le Dr Daruwalla : deux abstinents et deux buveurs de bière !

1. En français dans le texte *(NdT).*

Cet effort pour relancer la conversation tombant à plat, le docteur se mit à faire l'historique du menu en long et en large.

C'était le jour chinois, au club, le nadir gastronomique de la semaine. Jadis, parmi les cuisiniers, il y avait eu un chef chinois, et le jour chinois avait fait les délices des épicuriens. Mais ce chef avait quitté le club pour ouvrir son propre restaurant, et les cuisiniers actuels ne savaient pas cuisiner chinois ; ce qui ne les empêchait pas de s'y efforcer un jour par semaine.

– Il est sans doute plus sûr de s'en tenir à des plats végétariens, recommanda Farrokh.

– Au moment où vous avez vu les corps, commença soudain Nancy, je suppose qu'ils étaient déjà en triste état ?

– Oui, hélas, dit Farrokh, les crabes les avaient trouvés avant nous, répondit le docteur.

– Mais j'imagine que le dessin était encore bien visible, sinon vous n'auriez pas pu vous le rappeler ?

– Oui, il était fait à l'encre indélébile, j'en suis sûr, répondit Farrokh.

– C'était un stylo à marquer le linge, celui de la blanchisserie, lui dit Nancy, tout en ayant l'air de s'adresser à Dhar : avec ses lunettes de soleil, on ne savait pas qui elle regardait. C'est moi qui les ai enterrés, vous savez, poursuivit-elle. Je ne les ai pas vus mourir, mais je les ai entendus.

Et elle ajouta :

– Le bruit de la pelle...

Dhar continuait de la dévisager, ses lèvres à la limite du dédain. Nancy retira ses lunettes et les remit dans son sac. Elle y vit quelque chose qui l'arrêta ; elle se mordit la lèvre, trois ou quatre secondes. Puis elle plongea la main dans son sac et en retira le corps du stylo-bille en argent, qu'elle emportait partout avec elle, depuis vingt ans.

– Il ou elle a volé l'autre moitié, dit-elle.

Elle tendit le corps du stylo à Dhar, qui lut l'inscription incomplète.

– Made in où ?

– India, dit Nancy ; ce doit être Rahul qui a volé le capuchon.

– Mais qui voudrait d'un capuchon de stylo ? demanda Farrokh au détective Patel.

– Pas un écrivain, en tout cas, répondit Dhar, qui lui fit passer l'objet.

– Il a besoin d'être astiqué, dit Nancy.

Le commissaire détourna le regard ; il savait que sa femme avait fait briller le stylo pas plus tard que la semaine précédente. Le Dr Daruwalla ne voyait pas trace de ternissure ou de noircissure ; tout étincelait, même l'inscription. Lorsqu'il tendit le stylo à Nancy, elle ne le remit pas dans son sac, mais le posa sur la table, le long de son couteau et de sa cuillère – il brillait davantage que les couverts !

– Pour astiquer les lettres, je me sers d'une vieille brosse à dents, dit-elle.

Dhar lui-même cessa de la regarder ; qu'il ne puisse plus croiser son regard lui redonna confiance en elle.

– Et dans la vie, lui demanda-t-elle, vous avez déjà accepté un bakchich ?

Elle vit le sourire dédaigneux qu'elle cherchait ; elle l'attendait.

– Non, jamais, répondit Dhar.

Ce fut elle qui dut détourner le regard ; elle regarda le Dr Daruwalla en face.

– Pourquoi donc tenez-vous secret le fait que vous êtes l'auteur de tous ses films ?

– Ma carrière est ailleurs, répondit le Dr Daruwalla. J'ai eu envie de lui en créer une à lui.

– Pour ça, vous avez réussi ! lui dit Nancy.

Le détective Patel tenta de lui prendre la main gauche, qui reposait sur la table, le long de sa fourchette, mais Nancy la mit sur ses genoux. Puis elle se tourna vers Dhar.

– Et elle vous plaît, à vous, cette… carrière ? demanda-t-elle à l'acteur.

Il répondit par son haussement d'épaules sur mesure, qui soulignait son sourire ironique. Une expression de joie cruelle passa dans ses yeux.

– J'ai un métier avouable, par ailleurs… une autre vie, déclara-t-il.

– Tant mieux pour vous ! s'exclama Nancy.

– Chérie… dit le commissaire.

Il tendit la main vers celle que sa femme avait mise sur ses genoux et la prit. Nancy sembla s'affaisser un peu dans la chaise en rotin. Mr Sethna lui-même l'entendit soupirer ; d'ailleurs, le vieux maître d'hôtel avait entendu presque tout le reste de la conversation, et ce qu'il n'avait pas entendu, il le reconstituait aisément en lisant sur les lèvres. Il était doué pour cet exercice et, à son âge avancé, il avait conservé assez d'agilité pour passer d'un interlocuteur à l'autre ; une table de quatre couverts lui posait peu de problèmes. Il était plus facile de suivre une conversation dans le jardin des Dames que dans la grande salle à manger, parce qu'il n'y avait que la voûte des feuilles au-dessus de leurs têtes, et pas de ventilateurs.

Du point de vue de Mr Sethna, le déjeuner était déjà beaucoup plus intéressant que prévu. Des cadavres ! Un capuchon de stylo volé ! Et la révélation la plus fracassante : le Dr Daruwalla était le véritable auteur de ces ordures qui avaient promu l'inspecteur Dhar au rang d'étoile ! Mr Sethna se disait qu'il l'avait toujours su, d'une certaine façon. Il avait toujours senti que Farrokh n'était pas l'homme qu'était son père.

Mr Sethna apporta bières et sodas avec une légèreté immatérielle, et s'éloigna de même. Les sentiments venimeux qu'il avait nourris pour Dhar, il les nourrissait à présent pour le Dr Daruwalla : un parsi, écrire pour le cinéma hindi ! Un parsi, tourner ses coreligionnaires en dérision ! Comment osait-il ? Mr Sethna avait du mal à se contenir. Il entendait déjà le bruit que ferait son plateau d'argent sur le crâne du docteur : un bruit de gong ! Déjà, il lui avait fallu rassembler toute son énergie pour résister à l'envie de couvrir le nombril velu de cette effroyable bonne femme avec sa serviette, qu'elle avait négligemment roulée en boule sur ses genoux. Un nombril pareil, ce devrait être caché, sinon interdit ! Mais Mr Sethna se calma bien vite : il ne voulait rien perdre de ce que le vrai policier était en train de dire.

– J'aimerais vous entendre tous les trois décrire ce à quoi Rahul pourrait ressembler aujourd'hui, en considérant qu'il est maintenant une femme, demanda le commissaire. Commençons par vous, dit-il à Dhar.

– La vanité, avec un sentiment général de supériorité physique le fait sans doute paraître plus jeune que son âge, commença Dhar.

– Mais ça lui fait tout de même dans les cinquante-trois ou quatre ans, coupa le Dr Daruwalla.

– Vous parlerez à votre tour, dit le détective Patel. Laissez-le finir, je vous prie.

– Elle ne paraît sûrement pas cinquante-trois ou quatre ans, poursuivit Dhar, sauf peut-être le matin, de très bonne heure. Et elle doit être en pleine forme. Elle a une aura de prédatrice. Elle est chasseur, pas gibier… sexuellement, je veux dire.

– Je crois qu'elle était mordue pour lui, quand il était jeune homme, remarqua le Dr Daruwalla.

– Qui ne l'était pas ? demanda Nancy avec amertume.

Seul son mari la regarda.

– Laisse-le finir, s'il te plaît, lui dit-il avec patience.

– C'est aussi le genre de femme qui vous allume à plaisir, même si elle a l'intention de vous repousser, dit Dhar. (Il mit un point d'honneur à fixer Nancy.) Et j'imagine que, comme feue sa tante, elle est sarcastique. Elle doit passer son temps à essayer de tourner quelqu'un ou quelque chose en ridicule.

– Oui, oui, interrompit le Dr Daruwalla avec impatience, mais n'oublions pas que c'est quelqu'un qui fixe.

– Pardon, dit le détective Patel, qui fixe ?…

– C'est un trait de famille, dit le docteur. Elle regarde tout le monde fixement ; c'est plus fort qu'elle. Elle le fait parce qu'elle est délibérément indélicate, mais aussi parce que c'est une curieuse sans complexes. C'est sa tante tout craché. Elle a été élevée comme ça. Pas la moindre vergogne. Alors maintenant, je veux bien croire qu'elle est très féminine, mais pas dans sa manière de regarder. Son regard est celui d'un homme ; elle vous toise, elle vous fait baisser les yeux.

– Vous aviez fini ? demanda le commissaire à Dhar.

– Je crois, oui, répondit l'acteur.

– Je ne l'ai jamais bien vue, dit soudain Nancy. Il n'y avait pas de lumière, ou alors très faible, une lampe à huile. Je n'ai pu la regarder que du coin de l'œil, et puis j'étais malade, j'avais la fièvre.

Elle jouait avec le corps du stylo-bille sur la table ; le plaçant tantôt perpendiculaire et tantôt parallèle à ses couverts.

– Elle sentait bon, elle avait la peau soyeuse, mais elle avait de la force, ajouta-t-elle.

– Mais maintenant, pas à l'époque, comment tu la vois, aujourd'hui ?

– Je crois que le problème, c'est qu'il y a en elle quelque chose qui échappe à son contrôle ; il faut qu'elle agisse. Elle ne peut pas s'en empêcher. Ses désirs sont trop forts.

– Quels désirs ? demanda le détective.

– Tu sais bien, on en a déjà parlé.

503

– Dis-le-leur, à eux, lui demanda son mari.

– Elle est en rut. Je crois qu'elle est tout le temps en rut.

– C'est plutôt rare, à cinquante-trois ou quatre ans, observa le Dr Daruwalla.

– C'est l'impression qu'elle donne, croyez-moi, dit Nancy. Très portée sur la chose.

– Cela ne vous rappelle personne que vous connaissiez ? demanda le détective à l'inspecteur Dhar, mais Dhar gardait les yeux fixés sur Nancy ; il ne haussa pas les épaules. Ou bien à vous, docteur, cela ne vous rappelle personne ? répéta le commissaire.

– Vous parlez de quelqu'un que nous avons réellement rencontré – en femme ? demanda le Dr Daruwalla au commissaire.

– Exactement, répondit celui-ci.

Dhar regardait encore Nancy lorsqu'il prit la parole.

– Mrs Dogar, dit-il.

Farrokh porta ses deux mains à sa poitrine, à l'endroit précis où la douleur intercostale, si familière, s'était brutalement réveillée au point de lui couper le souffle.

– Bravo, très fort ! dit le commissaire à Dhar, en tendant la main pour tapoter le dos de la sienne. Vous n'auriez pas fait un mauvais policier, même si vous n'acceptez pas les bakchichs.

– Mrs Dogar, répéta Farrokh d'une voix étranglée par la stupeur. Je savais bien qu'elle me rappelait quelqu'un !

– Mais il y a quelque chose qui cloche, quand même ? demanda Dhar au commissaire. Parce qu'enfin vous ne l'avez pas arrêtée, si ?

– Il y a quelque chose qui cloche, tout à fait, confirma le détective.

– Je te l'avais dit qu'il devinerait, dit Nancy à son mari.

– Oui, ma chérie. Mais Rahul a parfaitement le droit d'être Mrs Dogar, ce n'est pas un crime.

– Comment avez-vous trouvé ? demanda Farrokh au commissaire. Ah oui, bien sûr, par la liste des nouveaux membres.

– C'était un bon point de départ. Les biens de Promila Rai sont allés à sa nièce, pas à son neveu.

– Mais je ne savais même pas qu'elle avait une nièce ! s'exclama Farrokh.

– Elle n'en avait pas. Rahul, son neveu, s'est rendu à Londres. Il est rentré sous l'identité de sa nièce. Il a même pris son nom, Promila.

En Angleterre, il est parfaitement légal de changer de sexe. Et même en Inde, il est parfaitement légal de changer de nom.

– Rahul Rai a épousé Mr Dogar ?

– Cela aussi, c'était parfaitement légal, répondit le détective. Comprenez bien, docteur, le fait que Dhar et vous puissiez attester que Rahul était descendu au Bardez, à Goa, ne prouve en rien qu'il était sur les lieux du crime. Et Nancy serait dans l'impossibilité d'identifier Mrs Dogar comme étant le Rahul d'il y a vingt ans. Elle vous l'a dit, elle l'a à peine vu.

– Et puis, ajouta Nancy, il avait un pénis, à l'époque.

– Mais, dans tous ces crimes, on n'a pas d'empreintes digitales ? demanda Farrokh.

– On en a même des centaines, dans le cas des prostituées ! répondit le commissaire.

– Et le putter qui a tué Mr Lal ? demanda l'acteur.

– Bravo ! dit le commissaire. Mais le putter avait été essuyé avec soin.

– Il y a les dessins, dit le docteur. Rahul s'est toujours pris pour un artiste. Il doit bien y avoir des dessins qui traînent chez Mrs Dogar.

– Ça nous arrangerait bien, répliqua Patel. Seulement voilà, j'ai envoyé quelqu'un chez les Dogar ce matin même, pour soudoyer les domestiques – le détective marqua un temps et lança un regard direct à Dhar. Il n'y avait pas de dessins. Pas même de machine à écrire.

– Il doit y en avoir dix, ici, au club, dit Dhar. Les messages dactylographiés sur les billets, est-ce qu'ils ont été tapés sur la même machine ?

– Excellente question ! Jusqu'ici, trois messages, deux machines. Toutes les deux appartenant au club.

– Mrs Dogar ! répéta Farrokh une fois de plus.

– Soyez discret, je vous prie, dit le commissaire.

Il montra subitement du doigt Mr Sethna. Le vieux maître d'hôtel tenta de se cacher le visage derrière son plateau, mais le détective fut plus rapide que lui.

– Comment s'appelle ce vieux fouinard ? demanda-t-il au Dr Daruwalla.

– C'est Mr Sethna, dit Farrokh.

– Approchez, je vous prie, Mr Sethna, dit le détective sans élever la voix ni regarder dans sa direction.

505

Et comme le maître d'hôtel faisait semblant de ne pas l'avoir entendu, il reprit :

– Vous m'avez parfaitement entendu.

Mr Sethna obtempéra.

– Puisque vous nous écoutez – mercredi vous écoutiez déjà ma conversation téléphonique avec ma femme –, vous allez me faire le plaisir de me prêter votre concours.

– Oui, monsieur.

– Chaque fois que Mrs Dogar sera au club, vous m'appellerez. Chaque fois qu'elle réservera une table pour déjeuner ou pour dîner, vous me tiendrez au courant. Tous les détails que vous connaissez sur elle, je veux les connaître aussi. Je me suis bien fait comprendre ?

– Parfaitement, monsieur, dit Mr Sethna, qui ajouta, soudain volubile : Elle dit que son mari fait pipi sur les bougainvillées, et qu'un de ces soirs il va plonger dans la piscine vide. Elle dit qu'il est gâteux, et que c'est un ivrogne.

– Vous me raconterez tout ça plus tard, coupa le détective Patel. Pour l'instant, j'ai trois questions, pas quatre. Et ensuite je veux que vous vous éloigniez assez de cette table pour ne plus entendre un mot.

– Oui, monsieur, dit Mr Sethna.

– Le matin de la mort de Mr Lal… je ne vous parle pas du déjeuner, parce que je sais déjà qu'elle a déjeuné ici, mais le matin, bien avant l'heure du déjeuner, est-ce que vous avez vu Mrs Dogar au club ? C'est ma première question.

– Oui, elle est venue grignoter un petit déjeuner, très tôt. Elle aime bien se promener sur le parcours de golf avant que les joueurs n'arrivent. Et puis elle a grignoté quelques fruits, et elle est partie à la mise en forme.

– Deuxième question : entre le petit déjeuner et le déjeuner, est-ce qu'elle s'est changée ?

– Oui, monsieur. Elle portait une robe, assez froissée, au petit déjeuner ; et au déjeuner, un sari.

– Troisième question, dit le commissaire en tendant au vieux maître d'hôtel sa carte avec son numéro de téléphone au QG de la Crime, et aussi son numéro personnel. Est-ce que ses chaussures étaient mouillées ?

– Je n'ai pas fait attention, avoua Mr Sethna.

– Il faudra voir à aiguiser votre attention, lui dit le détective. Et maintenant éloignez-vous de cette table, je ne le dirai pas deux fois.

– Bien monsieur, dit Mr Sethna, qui était déjà en train de faire ce qu'il savait si bien faire : s'éloigner avec une légèreté immatérielle.

De fait, le vieil indiscret ne s'approcha plus du quatuor attablé au jardin des Dames tout le temps que dura ce déjeuner solennel. Mais même d'aussi loin, il put observer que la femme au nombril hirsute n'avait presque rien mangé, et que son rustre de mari avait descendu ce qu'elle laissait, outre sa portion à lui. Dans un club comme il faut, pensait Mr Sethna, les gens n'auraient pas le droit de manger dans l'assiette les uns des autres. Il se rendit dans les toilettes, où le miroir en pied lui renvoya l'image d'un homme tremblant. Il souleva son plateau de service dans une main, et le choqua contre le gras de l'autre ; mais le bruit ne le satisfit guère : un « bam » étouffé. Le vieux maître d'hôtel décida qu'il détestait les policiers.

Farrokh se rappelle le corbeau

Au jardin des Dames, le soleil du début d'après-midi n'était plus à l'aplomb de la tonnelle ; ses rayons ne touchaient plus la tête des convives, et ils ne pénétraient plus la muraille de fleurs que par trouées. La nappe était tachetée par cette lumière intermittente, et le Dr Daruwalla regardait un minuscule diamant de soleil qui se reflétait sur le corps du stylo-bille. Ce point de lumière éblouissant brillait dans l'œil du docteur qui chipotait son sauté jardinier noyé dans la sauce, et dont les légumes ternes et ramollis lui faisaient penser à la mousson.

Pendant la mousson, le jardin des Dames serait jonché de pétales de bougainvillées arrachés, tandis que leurs branches squelettiques iraient encore s'accrocher à la tonnelle, qui laisserait voir des pans de ciel brun, et passer des rideaux de pluie. Tout le mobilier d'osier et de rotin irait s'empiler dans la salle de bal, car il n'y avait pas de soirées dansantes pendant la mousson. Les golfeurs iraient boire au bar du club-house, fixant d'un œil mélancolique, par les fenêtres striées de pluie, les fairways détrempés. Le vent rabattrait sur les greens des touffes de fleurs, arrachées au jardin mort.

La cuisine des jours chinois déprimait toujours Farrokh, mais il y avait quelque chose dans ces clignotements de soleil, qui se reflétaient dans le corps du stylo-bille en argent ; quelque chose qui attira et retint son attention ; un objet traversa sa mémoire comme une étoile filante. Qu'est-ce que c'était, cet éclat de lumière, ce petit quelque chose qui étincelait ?... C'était une présence aussi minuscule et isolée, mais aussi absolue que celle d'un autre avion, lorsqu'on traverse les kilomètres de nuit, au-dessus de la mer d'Oman.

Farrokh fixait la salle à manger, et la véranda que le corbeau chieur avait traversées. Il regardait le ventilateur de plafond où le corbeau avait atterri ; il ne cessait de le regarder, comme s'il s'attendait à voir des ratés dans son mécanisme, ou quelque chose qui coincerait – quelque chose comme ce petit objet brillant que le corbeau chieur tenait dans son bec. Quel qu'il fût, l'objet était trop gros pour que le corbeau l'avale, pensa le docteur. Une hypothèse folle lui vint.

– Je sais ce que c'était, dit-il à haute voix.

Personne n'était en train de parler. Ils le regardèrent quitter la table et entrer dans la salle à manger, où il alla se planter juste sous le ventilateur. Puis il tira une chaise inoccupée à la table voisine. Mais même debout sur cette chaise, il était encore trop petit pour atteindre les pales de l'appareil.

– Arrêtez le ventilateur, cria-t-il à Mr Sethna.

Le vieux maître d'hôtel ne s'en émut pas : il le savait sujet à des accès d'excentricité, comme son père avant lui ; il éteignit le ventilateur. Dans la salle de restaurant, presque tout le monde avait cessé de manger.

Dhar et le détective se levèrent de leur table et s'approchèrent de Farrokh, mais il leur fit signe de s'éloigner.

– Vous n'êtes pas assez grands ni l'un ni l'autre. Il n'y a qu'elle qui soit assez grande, dit-il en désignant Nancy.

Il était en train de mettre à profit le conseil du commissaire à Mr Sethna ; il aiguisait son attention.

Le ventilateur ralentit. Le temps que les trois hommes aident Nancy à monter sur la chaise, les pales s'étaient arrêtées.

– Passez simplement la main sur le dessus du ventilateur, lui expliqua le docteur. Vous sentez un sillon ?

Sa silhouette aux formes pleines se dressait au-dessus d'eux, spectaculaire, tandis qu'elle tendait la main vers le corps du ventilateur.

– Je sens quelque chose, dit-elle.

– Passez les doigts autour du sillon, dit le Dr Daruwalla.

– Qu'est-ce que je suis censée trouver ?

– Vous allez le sentir, lui dit-il. Je crois que c'est le capuchon de votre stylo.

Ils durent la soutenir, sinon elle serait tombée, car ses doigts le rencontrèrent presque aussitôt que le docteur lui eut annoncé ce que c'était.

– Essaie de ne pas trop le toucher, dit le commissaire à sa femme. Tiens-le du bout des doigts.

Elle laissa tomber l'objet sur les dalles du sol, et le détective le récupéra dans une serviette, en le tenant par la pince de côté.

– *INDIA*, annonça-t-il à haute voix, en lisant l'inscription séparée de *MADE IN* depuis vingt ans.

Ce fut Dhar qui releva Nancy, affalée sur la chaise. Elle lui parut plus lourde que vingt ans auparavant. Elle dit qu'elle voulait rester seule un instant avec son mari. Ils se parlèrent à voix basse dans le jardin des Dames, sans se rasseoir, tandis que Farrokh et John D. regardaient le ventilateur repartir. Puis ils allèrent rejoindre le détective et sa femme, qui avaient regagné la table.

– Maintenant, au moins, vous avez les empreintes digitales de Rahul, dit le docteur au commissaire.

– Sans doute, répondit celui-ci. La prochaine fois que Mrs Dogar viendra prendre son repas ici, nous nous ferons mettre ses couverts de côté par le maître d'hôtel, pour comparer. Mais ses empreintes sur le capuchon de stylo ne la placent pas sur le lieu du crime.

Le Dr Daruwalla leur parla du corbeau. Il était clair qu'il avait pris ce capuchon de stylo dans les bougainvillées du neuvième green. Les corbeaux sont des charognards.

– Mais qu'est-ce que Rahul aurait fait du stylo, pendant le meurtre de Mr Lal, je veux dire ? demanda le détective Patel.

Farrokh, frustré, bredouilla :

– A vous entendre, on croirait qu'il vous faut un meurtre de plus, ou que vous attendez que Mrs Dogar vous offre des aveux complets !

– Il faut seulement que Mrs Dogar se figure que nous en savons plus long, répondit le commissaire.

– C'est facile, dit soudain Dhar. Vous dites à l'assassin ce que l'assassin avouerait s'il avouait. L'astuce, c'est de lui faire croire que vous savez qui est l'assassin.

– Exactement, dit Patel.

509

– C'était pas dans *L'Inspecteur Dhar et le Mali pendu*, ça ? demanda Nancy à l'acteur, voulant dire que c'était une réplique écrite par le Dr Daruwalla.

– Bravo ! lui dit le docteur.

Cette fois, le détective Patel ne tapota pas la main de l'acteur. Il lui donna une tape sur une phalange, une seule, mais énergique, avec sa cuillère à dessert.

– Soyons sérieux, dit-il. Je vais vous offrir une sorte de bakchich. Quelque chose dont vous avez toujours eu envie.

– Il n'y a rien qui me fasse envie, répondit Dhar.

– Moi je crois que si, lui dit le détective. Je crois que vous aimeriez bien jouer un vrai policier, faire une vraie arrestation.

Dhar ne répondit rien, et il n'esquissa même pas un sourire ironique.

– Vous pensez que vous plaisez toujours à Mrs Dogar ? lui demanda le détective.

– Ça, ça ne fait pas de doute. Si vous voyiez les œillades qu'elle lui jette ! s'écria le Dr Daruwalla.

– C'est à lui que je m'adresse, dit le détective Patel.

– Oui, je crois qu'elle a envie de moi, confirma l'acteur.

– Évidemment ! lança Nancy avec colère.

– Et si je vous demandais de l'aborder, vous croyez que vous pourriez le faire – mais en suivant mes directives à la lettre, hein ? demanda le détective.

– Lui ? interrompit le docteur. Donnez-lui n'importe quelle réplique, il saura vous la dire.

– C'est à vous que je m'adresse, répéta le policier à l'acteur.

Cette fois, la cuillère lui frappa la phalange avec une telle force qu'il retira sa main de la table.

– Vous voulez lui tendre un piège ? demanda-t-il au commissaire.

– Exactement.

– Et je me contenterai de suivre vos instructions ?

– Tout juste ! A la lettre.

– Tu en es capable ! déclara le Dr Daruwalla.

– Là n'est pas la question, dit Nancy.

– La question, précisa le détective, c'est de savoir si vous voulez le faire. Moi je crois que vous en avez bien envie.

– D'accord, répondit Dhar. OK, oui, j'en ai envie.

Pour la première fois de ce long déjeuner, Patel sourit.

– Je me sens mieux, maintenant que je vous ai acheté, dit-il. Vous voyez, c'est ça, se faire acheter, on vous propose quelque chose qui vous fasse envie, contre un service. Ce n'est pas bien difficile, non ?

– Nous verrons, dit Dhar.

Lorsqu'il regarda Nancy, elle était en train de le regarder.

– Vous avez oublié votre sourire de dédain, dit-elle.

Le détective Patel la rappela à l'ordre d'un « Chérie ! » en lui prenant la main.

– Il faut que j'aille aux toilettes, dit-elle à Dhar. Montrez-moi où elles sont.

Mais avant que sa femme ou l'acteur n'aient eu le temps de se lever, le commissaire les arrêta.

– Une petite question de rien du tout avant que vous ne vous leviez, dit-il à Dhar. Qu'est-ce que c'est que cette histoire absurde : on raconte que votre nain et vous vous allez faire le coup de poing avec les prostituées de Falkland Road ? Qu'est-ce que ça veut dire ?

– Ce n'était pas lui, répondit promptement le docteur.

– Alors il y a du vrai dans cette rumeur, vous avez un imposteur ?

– Pas un imposteur, un frère jumeau, repartit Dhar.

– Vous avez un frère jumeau ? demanda Nancy.

– Un vrai jumeau, oui.

– C'est difficile à croire, dit-elle.

– Ils ne se ressemblent pas du tout, mais ce sont des vrais jumeaux, expliqua le Dr Daruwalla.

– Vous avez mal choisi votre moment pour avoir un jumeau à Bombay, dit le détective Patel à l'acteur.

– Ne vous inquiétez pas, déclara Farrokh. Ce jumeau est totalement hors du coup. Il est missionnaire.

– Dieu nous aide ! s'exclama Nancy.

– De toute façon, je l'emmène hors de Bombay pour deux jours – on passera au moins une nuit à l'extérieur, leur dit le docteur.

Il se mit en devoir de leur expliquer le sauvetage des enfants et le cirque, mais ça n'intéressait personne.

– Les toilettes, rappela Nancy à Dhar. Où sont-elles ?

Il allait lui prendre le bras, mais elle passa devant lui sans le laisser la toucher, et il la suivit vers le hall d'entrée. Presque tous les gens assis aux tables la regardaient passer, cette femme qui était montée sur une chaise.

– Ça va être agréable, pour vous, de quitter Bombay un ou deux jours, dit le commissaire à Farrokh.

Il est l'heure de s'en aller sur la pointe des pieds, pensa Farrokh ; puis il comprit que même cet aparté entre Nancy et Dhar avait été programmé.

– Il y avait quelque chose que vous vouliez qu'elle lui dise ? Quelque chose qu'elle était seule à pouvoir lui dire, et en tête à tête ? demanda-t-il au détective.

– C'est une excellente question, répliqua Patel. Vous faites des progrès, docteur. Je suis sûr que vous écririez un meilleur scénario, à présent.

Comme un phoque ?

Une fois au foyer, Nancy dit à Dhar :

– J'ai pensé à vous presque autant qu'à Rahul. Parfois, vous me perturbez encore plus.

– Je n'ai jamais cherché à vous perturber, répondit Dhar.

– Et qu'est-ce que vous avez cherché ? Qu'est-ce que vous voulez ?

Voyant qu'il ne répondait pas, elle lui demanda :

– Ça vous a plu de me soulever ? Vous passez votre temps à me porter. Je vous parais plus lourde aujourd'hui ?

– Je pense que nous avons pris un peu de poids tous les deux, répondit-il sans se compromettre.

– Je pèse une tonne, et vous le savez bien, lui dit-elle. Mais je ne suis pas une traînée, et je ne l'ai jamais été.

– Mais je ne vous ai jamais prise pour une traînée, dit Dhar.

– Vous ne devriez jamais regarder les gens comme vous me regardez, dit Nancy.

Or c'est précisément ce qu'il fit ; il eut son sourire de dédain.

– C'est de ça que je vous parle, lui dit-elle. Je vous déteste à cause de ça. Pour l'effet que vous me faites. Après, quand vous êtes parti, je continue à penser à vous sans arrêt. Je pense à vous depuis vingt ans.

Elle dépassait l'acteur de sept ou huit centimètres. Lorsqu'elle tendit la main pour la lui mettre sur la bouche, brusquement, il cessa de sourire.

– C'est déjà mieux, approuva-t-elle. Maintenant, dites-moi quelque chose.

Mais Dhar pensait au godemiché ; il se demandait si elle l'avait toujours. Il ne trouva rien à dire.

– Vous savez, vous devriez assumer un peu l'effet que vous faites aux gens. Ça vous arrive d'y penser ?

– J'y pense tout le temps. Je suis censé leur faire un effet ou un autre, je suis comédien, lui dit-il enfin.

– Pour ça, oui, dit Nancy.

Elle le vit se retenir de hausser les épaules ; lorsqu'il ne souriait pas, elle aimait sa bouche au-delà de ce qu'elle aurait cru possible.

– Est-ce que vous avez envie de moi ? Est-ce que vous y pensez jamais à ça ? lui demanda-t-elle.

Elle vit qu'il cherchait quoi répondre, et n'attendit pas.

– Vous êtes incapable de déchiffrer mes désirs sur mon visage, n'est-ce pas ? lui demanda-t-elle. Il va falloir faire mieux avec Rahul. Vous ne pouvez pas me dire ce que je veux entendre parce que vous ne savez pas vraiment si j'ai envie de vous, n'est-ce pas ? Il faudra deviner Rahul mieux que ça.

– Je vous devine, lui dit Dhar. J'essaie d'être poli, c'est tout.

– Je ne vous crois pas. Vous n'êtes pas convaincant. Vous jouez mal la comédie, conclut-elle ; mais elle le crut.

Dans les toilettes, lorsqu'elle se lava les mains dans le lavabo, elle vit le robinet saugrenu, l'eau qui coulait du mélangeur en trompe d'éléphant. Elle régla la température de l'eau, avec une défense, puis avec l'autre. Vingt ans auparavant, à l'hôtel Bardez, quatre bains n'avaient pas suffi à la faire se sentir propre ; et maintenant, elle se sentait sale de nouveau. Elle constata du moins avec soulagement que l'éléphant ne clignait pas de l'œil : ça, c'était la part d'imagination, chez Rahul, avec l'aide des nombrils des nombreuses victimes.

Elle avait aussi remarqué la tablette escamotable, à l'intérieur de la cabine ; la poignée qui permettait de l'abaisser était un anneau qui passait dans la trompe de l'éléphant. Nancy réfléchissait à la psychologie qui avait poussé Rahul à choisir un éléphant et rejeter l'autre.

Lorsqu'elle retourna dans le jardin des Dames, elle raconta sa découverte en termes sobres. Le commissaire et le docteur se précipitèrent aux toilettes pour voir de leurs yeux le robinet victorien, cet éléphant révélateur ; mais ils durent attendre que la dernière usagère ait quitté les lieux. Même de l'autre bout de la salle à manger, très loin, Mr Sethna put observer que l'inspecteur Dhar et la femme au nombril obscène n'avaient rien à se dire, quoiqu'on les ait laissés tout seuls dans le jardin des Dames pendant une période de temps embarrassante.

Plus tard, dans la voiture, le détective Patel parla à Nancy ; avant même d'avoir quitté l'allée du Duckworth, il lui dit :

– Il faut que je retourne au QG, mais je te dépose d'abord.

– Il y a des choses que tu ne devrais pas me demander de faire, Vijay, dit Nancy.

– Je suis désolée, chérie, mais je voulais avoir ton opinion. Est-ce que je peux lui faire confiance ?

Le commissaire vit que sa femme allait se remettre à pleurer.

– Tu peux me faire confiance, à moi, cria-t-elle.

– Je le sais bien, que je peux te faire confiance, chérie. Mais lui ? Tu crois qu'il va y arriver ?

– Il fera tout ce que tu lui demanderas, s'il comprend ce que tu veux, répondit Nancy.

– Et tu crois qu'il plaira à Rahul ?

– Oh que oui ! dit-elle avec amertume.

– C'est un petit malin, ce Dhar, dit le détective, admiratif.

– Malin comme un singe, pédé comme un phoque...

– Comment ça, tu veux dire qu'il est homosexuel ?

– Ça ne fait pas de doute. Tu peux me faire confiance.

Ils étaient presque chez eux lorsqu'elle reprit la parole, pour ajouter :

– Il est très très malin.

– Je suis désolé, chérie, dit le commissaire, car il voyait que sa femme ne pouvait plus s'arrêter de pleurer.

– Je t'aime, tu sais, Vijay, parvint-elle à articuler.

– Moi aussi, tu sais, je t'aime, lui dit-il.

Le fameux mélange attirance-dégoût

Dans le jardin des Dames, le soleil passait maintenant à l'oblique à travers le treillage de la tonnelle ; la même nuance rose des bougainvillées tachetait la nappe, que Mr Sethna avait débarrassée de ses miettes d'un coup de brosse. Le vieux maître d'hôtel avait l'impression que Dhar et le Dr Daruwalla ne quitteraient jamais leur table. Ils avaient cessé depuis longtemps de parler de Rahul – ou plutôt de Mrs Dogar. Pour l'instant, ils s'intéressaient tous deux à Nancy.

– D'après toi, qu'est-ce qu'elle a qui ne va pas, au juste ? demanda Farrokh à John D.

– Il semble que les événements de ces vingt dernières années l'ont beaucoup affectée, répondit Dhar.

– Mais tu as fini de me raconter des conneries énormes ? Tu pourrais pas, une fois dans ta vie, me dire ce que tu ressens, toi, personnellement ?

– Bon, bon. Il semble qu'elle et son mari fassent un vrai couple... très amoureux, tout ça.

– Oui, c'est ce qui frappe le plus chez eux, c'est vrai, convint Farrokh, mais en même temps il se rendit compte que cette observation ne l'intéressait pas beaucoup ; en effet, il était lui-même encore très amoureux de Julia, et il était marié depuis plus longtemps que le détective Patel. Et entre vous, qu'est-ce qui s'est passé ? Entre elle et toi ?

– Bah, tu sais, le fameux mélange attirance-dégoût, quoi, dit l'acteur, évasif.

– Toi, tout à l'heure, tu vas me dire que la terre est ronde, soupira Farrokh.

Mais Dhar se borna à hausser les épaules. Soudain, le Dr Daruwalla n'eut plus peur de Rahul-Mrs Dogar ; il eut peur de Dhar, et cela parce qu'il avait le sentiment de le connaître si peu, après toutes ces années. Comme auparavant, mais aussi parce que quelque chose de désagréable se préparait, Farrokh pensa au cirque ; pourtant lorsqu'il parla de son voyage imminent à Junagadh, il vit qu'il ne captait pas davantage l'attention de John D.

– Tu penses sans doute que c'est voué à l'échec, que c'est un projet de sauvetage de gosses parmi tant d'autres, dit le Dr Daruwalla, comme des pièces dans une fontaine aux souhaits, des galets dans la mer.

– C'est plutôt toi qui as l'air de croire que c'est voué à l'échec, lui dit Dhar.

Il était vraiment temps de se retirer sur la pointe des pieds, se dit le docteur. Puis il avisa la chemise hawaïenne, dans son sachet ; le

515

détective l'avait laissée sous son siège. Les deux hommes s'étaient déjà levés pour partir lorsque le docteur tira la chemise voyante du sac.

– Allons bon, regarde ! Le commissaire a oublié quelque chose. Ça ne lui ressemble pas ! s'exclama l'acteur.

– Je doute qu'il l'ait oubliée, cette chemise ; je crois plutôt qu'il voulait que tu la récupères, dit le Dr Daruwalla.

D'un mouvement impulsif, il tendit à bout de bras cet étalage tapageur de perroquets dans des palmiers ; il y avait aussi quelques fleurs, rouge et orange sur fond de jungle – d'un vert impossible. Il plaça la chemise épaules contre les épaules de Dhar.

– C'est tout à fait ta taille, observa-t-il. Tu es sûr que tu n'en veux pas ?

– J'ai tout ce qu'il me faut en matière de chemises, lui dit l'acteur. Tu n'as qu'à la donner à mon putain de frère.

21

Fuir le Maharashtra

Mesures antirabiques

Cette fois, lorsque Julia le découvrit, au matin, son visage coinçait un crayon contre le verre de la table, dans la salle à manger. A en juger par les derniers griffonnages, il était en train de phosphorer sur un titre. Il y avait *Pisse de lion* (barré, Dieu merci !), et *Fureur hormonale* (barré de même, elle fut heureuse de le constater) ; mais celui que le scénariste avait choisi avant de s'endormir se trouvait entouré. Julia n'était pas sûre que cela ferait un bon titre de film... *La Roulette limousine*... cela lui faisait penser à un de ces films français qui défient le bon sens – même lorsqu'on parvient à lire chaque mot des sous-titres.

Mais la matinée était trop chargée pour que Julia se permette de lire les nouvelles pages. Elle réveilla Farrokh en lui soufflant dans l'oreille, et pendant qu'il était dans la baignoire, elle lui fit du thé. Elle lui avait déjà préparé un sac avec ses affaires de toilette et des vêtements de rechange, et elle l'avait taquiné sur son habitude d'emporter une trousse de première urgence au caractère résolument paranoïaque ; tout de même, il ne partait que deux jours !

Mais en Inde, le Dr Daruwalla ne se déplaçait jamais sans prendre la précaution d'emporter certains articles : de l'érythromycine, l'antibiotique préféré contre la bronchite ; du Lomotil contre la diarrhée. Il prenait même un nécessaire chirurgical comprenant des sutures et de la gaze – ainsi qu'une poudre et une pommade antibiotiques. Lorsqu'il faisait un temps de saison, la moindre blessure s'infectait facilement. Et le docteur n'aurait jamais voyagé sans un assortiment complet de préservatifs, qu'il distribuait généreusement avant même qu'on les lui demande. Il est bien connu que les Indiens répugnent à en utiliser. Il

517

suffisait qu'un homme risque une plaisanterie sur les prostituées ; pour le docteur, cela valait un aveu. « Tenez, la prochaine fois, lui disait-il, essayez-en un. »

Il charriait aussi une demi-douzaine d'aiguilles et de seringues stériles jetables – on ne savait jamais : quelqu'un pourrait avoir besoin d'une piqûre. Au cirque, les gens se faisaient tout le temps mordre par des chiens et des chimpanzés. On lui avait dit que la rage était endémique chez les chimpanzés. Pour ce voyage-là, il emportait donc des vaccins contre la rage, trois doses d'attaque, ainsi que des flacons de 10 ml d'immunoglobuline contre la rage chez les humains. Le vaccin et l'immunoglobuline devaient être tenus au frais, mais pour un voyage de moins de quarante-huit heures, une Thermos avec de la glace suffirait.

– Tu risques de te faire mordre par une bestiole ? s'enquit Julia.

– Je pensais au nouveau missionnaire, répondit Farrokh.

Il se disait en effet que si lui était un chimpanzé enragé au Grand Nil bleu, il serait certainement porté à mordre Martin Mills. Pourtant, Julia savait qu'il avait emporté assez de médicaments pour se soigner ainsi que le missionnaire et les deux enfants – pour le cas où un chimpanzé enragé les aurait attaqués tous les quatre !

Jour de chance

Ce matin-là, le docteur était impatient de relire et corriger les nouvelles pages de son scénario, mais il y avait trop à faire. Elephant Boy avait revendu tous les vêtements que Martin Mills lui avait achetés dans Fashion. Julia s'y attendait, et elle en avait acheté d'autres au misérable petit ingrat. Il avait fallu se battre pour lui faire prendre un bain ; au début parce qu'il voulait passer son temps à faire des navettes en ascenseur, et après parce que c'était la première fois qu'il se trouvait dans un immeuble avec un balcon dominant Marine Drive, et qu'il ne voulait rien faire d'autre que regarder la vue. Il refusa aussi de porter une sandale à son bon pied ; d'ailleurs Julia elle-même n'était pas convaincue qu'il faille cacher le pied mutilé dans une chaussette blanche propre, car elle ne le resterait pas longtemps. Quant à la sandale dépareillée, Ganesh prétendait que la bride lui faisait tellement mal, sur le dessus du pied, qu'il pouvait à peine marcher.

Lorsque le docteur eut embrassé Julia pour lui dire au revoir, il dirigea le gamin mécontent vers le taxi de Vinod qui les attendait ; là, sur le siège avant, près du nain, se trouvait une Madhu maussade. Les difficultés que le docteur avait à comprendre les langues qu'elle parlait l'agacèrent. Il lui fallut essayer le maharati et l'hindi avant qu'il comprenne qu'elle n'aimait pas la façon dont Vinod l'avait habillée – suivant les consignes de Deepa.

– Je suis pas une enfant, dit l'ancienne prostituée ; or, précisément, il était clair que Deepa avait voulu que la petite putain ait l'air d'une enfant

– Le cirque veut que tu aies l'air d'une enfant, lui dit le Dr Daruwalla.

Mais elle fit la moue.

Avec Ganesh elle ne fut pas plus aimable ; son attitude n'était guère celle d'une sœur. Elle lança un bref regard dégoûté aux yeux visqueux du gamin ; on venait de lui appliquer une pommade à la tétracycline qui, déposant une pellicule, leur donnait un aspect vaguement vitreux. Il faudrait encore au moins une semaine de traitement pour que ses yeux retrouvent un aspect normal.

– Je croyais qu'on te soignait les yeux, lui dit-elle avec cruauté, en hindi.

Farrokh avait eu l'impression, lorsqu'il était seul avec Madhu, ou seul avec Ganesh, que les enfants faisaient des efforts pour parler anglais ; mais maintenant qu'ils étaient tous les deux, ils se laissaient aller à parler hindi et maharati. L'hindi du docteur était, au mieux, hésitant ; quant au maharati, il ne le parlait pas du tout.

– Il est important que vous vous conduisiez comme frère et sœur, leur rappela-t-il ; mais l'infirme était d'aussi méchante humeur que Madhu.

– Si elle était ma sœur, dit-il, je lui donnerais des coups !

– Avec ta patte folle, tu aurais du mal ! rétorqua-t-elle.

– Allons, allons, dit le Dr Daruwalla.

Il avait décidé de parler anglais, parce qu'il avait l'impression qu'ils le comprenaient l'un comme l'autre, et puis il présumait qu'il aurait plus d'autorité en anglais.

– C'est votre jour de chance, leur dit-il.

– C'est quoi, un jour de chance ? lui demanda Madhu.

– Ça veut rien dire, répondit Ganesh.

– C'est une façon de parler, reconnut le Dr Daruwalla, mais ça veut tout de même dire quelque chose. Ça veut dire qu'aujourd'hui, vous avez la chance de quitter Bombay, d'aller au cirque.

– Il est trop tôt pour dire qu'on a de la chance, dit la petite prostituée.

C'est sur cette note qu'ils arrivèrent à Saint-Ignace, où le missionnaire opiniâtre les attendait. Il grimpa sur le siège arrière de l'Ambassador, dans un nimbe d'enthousiasme débridé.

– C'est votre jour de chance ! annonça-t-il aux enfants.

– On en déjà parlé, dit le Dr Daruwalla.

Il n'était que sept heures et demie du matin.

Trio d'indésirables au Taj

Il était huit heures et demie lorsqu'ils arrivèrent au terminal pour les vols intérieurs, à Santa Cruz, et qu'on leur expliqua que leur vol pour Rajkot était reporté à la fin de la journée.

– Ah, Indian Airlines ! s'exclama Farrokh.

– Au moins, ils le reconnaissent, dit Vinod.

Il y avait des endroits plus confortables pour attendre que le terminal de Santa Cruz, décida le Dr Daruwalla. Mais avant qu'il les ait fait remonter dans le taxi du nain, Martin Mills s'éloigna pour acheter le journal du matin ; sur le chemin du retour à Bombay, en pleine heure de pointe, il les gratifia d'extraits du *Times of India*. Il leur faudrait bien deux heures pour arriver au Taj – puisque le docteur avait pris la décision extravagante de les y emmener attendre leur vol, dans le hall.

– Écoutez ça, commença Martin Mills. « Deux frères poignardés… la police a arrêté l'un des agresseurs tandis que deux autres accusés s'éclipsent en scooter, avec une audace éhontée. » Voilà un usage insolite du présent, commenta le professeur d'anglais ; sans parler du mot « éhonté », et d'ailleurs de « s'éclipser ».

– S'éclipser est un verbe qui a beaucoup de succès, ici, expliqua Farrokh.

– Quelquefois, c'est la police qui s'éclipse, dit Ganesh.

– Qu'est-ce qu'il dit ? demanda le missionnaire.

– Lorsqu'un crime se produit, souvent, la police s'éclipse, répondit

Farrokh. Les policiers sont gênés de ne pas avoir pu empêcher le crime, ou de ne pas avoir pu attraper le criminel, alors ils s'enfuient. Mais il réfléchit que le commissaire ne fonctionnait pas selon ce schéma-là. Selon John D., le détective Patel avait l'intention de passer la journée dans la suite de l'acteur à l'Oberoi, pour mettre au point les travaux d'approche de Rahul. Farrokh était blessé de ne pas avoir été invité à donner son avis, et qu'on n'ait pas retardé cette « répétition » pour lui permettre d'y assister à son retour ; après tout, il y aurait des dialogues à imaginer et à composer, et si cela ne faisait pas partie de ses attributions officielles, c'était du moins son autre occupation.

– Attendez, je ne suis pas sûr d'avoir bien compris, là... dit Martin Mills. Parfois, lorsqu'il y a un crime, les criminels *et* la police s'éclipsent ?

– Tout à fait, répondit le Dr Daruwalla.

Il n'avait pas conscience d'avoir emprunté cette expression au détective Patel. Tout à sa fierté de scénariste, il se félicitait de son intuition, car il avait déjà fait un usage irrévérencieux du *Times of India* dans son scénario ; son Mr Martin en lisait toujours des extraits ineptes à haute voix aux enfants.

La vie imite l'art, songeait-il, lorsque Martin Mills annonça :

– Voici une opinion d'une franchise rafraîchissante.

A la rubrique du courrier des lecteurs, il avait retenu une lettre :

– Écoutez ça : « Notre culture doit changer. Il faut que le changement commence à l'école primaire, en apprenant aux garçons à ne pas uriner en plein air. »

– Il faut les prendre jeunes, en d'autres termes, dit le Dr Daruwalla.

Puis Ganesh dit quelque chose qui fit rire Madhu.

– Qu'est-ce qu'il a dit ? demanda Martin à Farrokh.

– Il dit que c'est le seul endroit où faire pipi, pourtant, traduisit le Dr Daruwalla.

Puis Madhu dit quelque chose que Ganesh approuva de bon cœur.

– Et elle, qu'est-ce qu'elle dit ? demanda le missionnaire.

– Elle dit qu'elle préfère faire pipi dans les voitures garées, surtout la nuit, dit le docteur.

Lorsqu'ils arrivèrent au Taj, Madhu avait la bouche pleine de jus de bétel ; une salive rouge sang lui coulait aux coins de la bouche.

– On ne mâche pas de bétel au Taj, lui dit le docteur.

La petite cracha un glaviot immonde sur la roue avant du taxi de Vinod ; le nain et le portier sikh observèrent tous deux avec dégoût la tache qui s'étendait sur l'allée circulaire.

– Tu n'auras pas droit au paan, quand tu seras au cirque, l'avertit Farrokh.

– On n'y est pas encore, répliqua la petite putain maussade.

L'allée circulaire était encombrée de taxis, et d'une file de voitures luxueuses. Le gamin au pied d'éléphant dit quelque chose à Madhu, qui s'en amusa.

– Qu'est-ce qu'il a dit ? demanda Martin Mills au Dr Daruwalla.

– Il dit qu'il y en a des voitures, pour faire pipi dedans, répondit le docteur.

Puis il entendit la petite raconter à Ganesh qu'elle était déjà montée dans une voiture aussi belle ; cela ne semblait pas une vantardise gratuite, mais il résista à la tentation de traduire cette information au jésuite. Il avait beau adorer choquer Martin Mills, il était bien scabreux de spéculer sur ce qu'une petite prostituée pouvait faire dans ce genre de voiture.

– Que dit Madhu ? demanda Martin à Farrokh.

– Elle dit qu'elle irait plutôt dans les toilettes pour dames, mentit le Dr Daruwalla.

– Tu fais très bien, dit Martin à la petite.

Lorsqu'elle ouvrit les lèvres pour lui sourire, ses dents étaient tachées de rouge éclatant, à cause du paan ; on aurait dit qu'elle saignait des gencives. Le docteur espéra que son imagination lui jouait des tours, mais il avait cru voir une expression lascive passer dans le sourire de Madhu. Lorsqu'ils entrèrent dans le hall, la façon dont le portier la suivit des yeux déplut au docteur ; le Sikh avait l'air de savoir qu'elle n'était pas le genre de petite fille qu'on acceptait au Taj ; malgré toutes les recommandations vestimentaires de Deepa à Vinod, Madhu n'avait pas l'air d'une enfant.

Ganesh frissonnait déjà à cause de la climatisation ; il semblait anxieux, comme s'il s'était attendu que le Sikh le jette dehors. Le Taj n'était pas un endroit pour un mendiant et une petite putain, se disait le Dr Daruwalla ; il avait été mal inspiré de les y amener.

– On va juste prendre une tasse de thé, assura-t-il aux enfants ; on garde un œil sur le départ de l'avion, ajouta-t-il à l'intention du missionnaire.

Comme Madhu et Ganesh, ce dernier semblait trouver écrasante la magnificence du hall. Et si le docteur avait pris quelques minutes pour négocier un traitement particulier avec le directeur adjoint, il n'en avait pas fallu plus pour qu'un membre du personnel moins haut dans la hiérarchie n'ait prié le jésuite et les enfants de sortir. Ce malentendu dissipé, Vinod parut dans le hall avec le sachet contenant la chemise hawaïenne. Le nain respectait consciencieusement et sans commentaire ce qu'il tenait pour une lubie de l'inspecteur Dhar – à savoir que le célèbre acteur se prenait pour un missionnaire jésuite, se préparant à devenir prêtre. Le docteur voulait donner la chemise à Martin Mills, mais il avait oublié le sachet dans le taxi du nain. (Les chauffeurs de taxi n'étaient pas, en règle générale, admis dans le hall du Taj, mais on savait que Vinod était le chauffeur de l'inspecteur Dhar.)

Lorsque Farrokh offrit la chemise hawaïenne au missionnaire, celui-ci en fut tout excité.

– Formidable ! s'écria-t-il. J'en avais une exactement comme ça !

– Mais c'est précisément la vôtre, reconnut Farrokh.

– Non, non, chuchota Martin, celle que j'avais, on me l'a volée. Une de ces prostituées me l'a prise.

– Et l'a rendue, chuchota le docteur à son tour.

– Ah bon, elle l'a rendue ! Ça c'est extraordinaire, s'exclama Martin Mills. Elle a eu des remords ?

– Il, pas elle ; non, il n'avait pas le moindre remords, je crois.

– Comment ça, il ?...

– Je veux dire que c'était un prostitué, un homme, expliqua le docteur à Martin Mills. C'était un eunuque-travesti ; ce sont tous des hommes, enfin, si l'on peut dire...

– Mais comment ça, si l'on peut dire ?

– On les appelle des hijras, ils ont été émasculés, chuchota le docteur.

En chirurgien qu'il était, il se délecta à décrire le processus par le menu, y compris la cautérisation par l'huile bouillante, sans oublier la partie de l'anatomie féminine que la cicatrice froncée rappelle quand la plaie est guérie.

Lorsque Martin Mills revint des toilettes, il portait la chemise hawaïenne, dont les couleurs éclatantes contrastaient avec sa pâleur. Farrokh en déduisit que le sachet en papier contenait désormais la chemise que le missionnaire portait précédemment, et sur laquelle le malheureux venait de vomir.

– C'est une très bonne chose que nous fassions quitter la ville à ces enfants, dit gravement le zélote au docteur, qui se réjouit de constater qu'une fois de plus la vie imitait l'art.

Et maintenant si cet imbécile avait l'obligeance de se taire, il allait relire ses nouveaux feuillets…

Le Dr Daruwalla savait qu'ils ne pourraient pas passer toute la journée au Taj ; les enfants ne tenaient déjà plus en place. Madhu risquait de faire des propositions à des clients égarés ; Elephant Boy allait sûrement voler quelque chose – des babioles en argent à la boutique de souvenirs, sans doute. Il n'osait pas les laisser seuls avec Martin Mills pendant qu'il téléphonait à Ranjit pour se faire lire ses messages ; non pas qu'il attendait des messages, d'ailleurs ; le samedi, il n'y avait que les urgences, et le docteur n'était pas de garde ce week-end.

La façon dont la petite se tenait perturbait encore davantage Farrokh. Elle était plus qu'affalée sur le fauteuil mou ; elle s'y prélassait. Sa jupe était remontée presque jusqu'aux hanches, et elle regardait tous les hommes qui passaient dans les yeux. Tout cela ne lui donnait pas l'air d'une enfant. Pire encore, elle lui semblait avoir mis du parfum ; elle avait un peu la même odeur que Deepa. (Vinod avait dû lui donner la permission de se servir raisonnablement dans les affaires de Deepa, et la petite avait aimé le parfum que celle-ci portait.) Et puis, le docteur trouvait la climatisation trop confortable au Taj – à vrai dire il y faisait trop frais. Dans la Maison du circuit gouvernemental, où il avait pris ses dispositions pour qu'ils passent la nuit, il n'y aurait pas l'air conditionné, mais des ventilateurs de plafond ; et au cirque, où les enfants passeraient la nuit du lendemain, et toutes les suivantes, il n'y aurait que des tentes. Pas de ventilateurs de plafond… sans compter que les moustiquaires seraient sans doute hors d'usage. Chaque seconde qu'il leur faisait passer au Taj, se disait le docteur, leur rendrait plus difficile de s'adapter au Grand Nil bleu.

C'est alors que se produisit un incident tout à fait irritant. Un chasseur était en train d'appeler l'inspecteur Dhar. La façon dont on appelait quelqu'un était rudimentaire, au Taj ; d'aucuns la trouvaient peu élégante. Le chasseur arpentait le hall avec une ardoise où pendaient des clochettes de laiton, et il abreuvait toutes les personnes présentes de leur carillon insistant. Le chasseur, pensant avoir reconnu l'inspecteur Dhar, s'arrêta devant Martin Mills et agita l'ardoise aux grelots incessants qui portait à la craie l'inscription « Mr Dhar ».

– Erreur sur la personne, dit le Dr Daruwalla au chasseur ; mais le garçon continuait d'agiter les grelots. C'est pas lui, crétin ! cria le docteur.

Mais le garçon n'était pas un crétin ; il refusait de s'en aller sans pourboire ; lorsqu'il l'eut reçu, il s'en alla d'un pas dégagé en continuant de secouer ses clochettes. Farrokh était furieux.

– On s'en va, maintenant, dit-il brusquement.

– On s'en va où ? demanda Madhu.

– Au cirque ? s'enquit Ganesh.

– Non, pas tout de suite – on bouge, c'est tout, leur expliqua-t-il.

– Vous ne trouvez pas qu'on est bien, ici ? dit le missionnaire.

– Trop bien, répondit le Dr Daruwalla.

– A vrai dire, avoua le scolastique, moi j'aimerais assez visiter la ville. Parce que vous tous, bien sûr, vous la connaissez, mais il y a peut-être des endroits que vous voudriez bien me faire voir. Des jardins publics, par exemple. J'aime aussi beaucoup les marchés.

Traîner Dhar dans des lieux publics ?... Ce n'était pas une idée de génie, se dit Farrokh. Il pourrait peut-être les emmener tous déjeuner au Duckworth. Il était certain qu'ils ne rencontreraient pas Dhar au Taj, puisqu'il répétait à l'Oberoi avec le détective Patel ; et, pour la même raison, il était peu probable qu'ils tombent sur lui au Duckworth. Quant au risque annexe qu'ils y rencontrent Rahul, le Dr Daruwalla n'en serait pas fâché : il irait volontiers regarder de plus près la seconde Mrs Dogar, sans faire quoi que ce soit pour éveiller ses soupçons, bien sûr. Mais il était trop tôt pour déjeuner au Duckworth ; et il fallait téléphoner pour réserver, faute de quoi Mr Sethna les accueillerait sans amabilité.

Chut ! Nous sommes dans une bibliothèque

De retour dans l'Ambassador, le docteur dit à Vinod de les déposer à l'Asiatic Society Library, en face de Horniman Circle ; la bibliothèque était l'une des oasis de la cité grouillante – elle avait des points communs avec le Duckworth et Saint-Ignace – où le docteur espérait que le jumeau de Dhar serait en sécurité. Il y avait sa carte de lecteur, et il avait souvent sommeillé sous les hauts plafonds, dans la fraîcheur des salles de lecture. Les statues monumentales des écrivains géniaux avaient tout juste aperçu le scénariste lorsqu'il montait ou descendait les escaliers magnifiques sans bruit.

– Je vous emmène dans la plus grande bibliothèque de Bombay, dit le Dr Daruwalla à Martin Mills. Presque un million de volumes, et presque autant de bibliophiles !

Vinod reçut pour consigne de « faire rouler » les enfants pendant ce temps-là, et surtout, de ne jamais les laisser descendre de voiture. D'ailleurs, ils aimaient bien se balader dans l'Ambassador, sillonner la ville dans l'anonymat, fixer en secret le monde qui passait le long des portières. Madhu et Ganesh n'avaient pas l'habitude de prendre des taxis ; ils dévisageaient tout le monde comme s'ils étaient eux-mêmes invisibles, comme si l'Ambassador rudimentaire du nain était équipée de vitres sans tain. Le docteur se demandait si c'était parce qu'ils se sentaient en sécurité avec Vinod, eux qui ne l'avaient jamais été de leur vie.

Il ne fit qu'entrevoir leurs visages au moment où ils partaient. En cet instant, il y lut de la peur – peur de quoi ? Sûrement pas d'être abandonnés avec un nain. Non, il se lisait une anxiété plus grave dans leurs yeux : celle que le cirque où l'on était censé les remettre ne soit qu'un rêve, qu'ils n'arrivent jamais à sortir de Bombay.

Fuir le Maharashtra ; soudain, cela lui parut un titre meilleur que *La Roulette limousine.* Quoique, finalement…

– J'aime beaucoup les bibliophiles, lui confia Martin comme ils montaient les escaliers.

Pour la première fois, le Dr Daruwalla se rendit compte que le scolastique tonitruait ; il parlait beaucoup trop fort pour une bibliothèque.

– Il y a plus de huit cent mille volumes, ici, chuchota Farrokh, dont dix mille manuscrits.

– Je suis content que nous soyons seuls un moment, dit le missionnaire d'une voix qui fit vibrer les balcons de fer forgé de la mezzanine.

– Chut ! souffla le docteur.

Les statues de marbre leur jetaient des regards réprobateurs ; quatre-vingts ou quatre-vingt-dix des bibliothécaires avaient depuis longtemps adopté leur physionomie sourcilleuse, et Farrokh voyait le moment où le zélote à la voix de stentor se ferait rappeler à l'ordre par l'un des employés qui promenaient leurs savates et leurs remontrances dans tous les recoins de l'Asiatic Society Library. Pour éviter un esclandre, le docteur le dirigea vers une salle de lecture où il n'y avait personne.

Le ventilateur de plafond avait coincé dans ses pales le cordon qui permettait de le mettre en route et de l'arrêter ; le tout petit bruit qu'il faisait était le seul à troubler le silence de l'air moisi. Les livres poussiéreux croulaient sur les étagères de teck sculptées ; des cartons de manuscrits numérotés étaient empilés contre elles ; des fauteuils de cuir capitonné, à l'assise vaste, entouraient la table ovale jonchée de crayons et de blocs de papier. Un seul des fauteuils était pourvu de roulettes ; il était bancal, car pour quatre pieds, il n'avait que trois roulettes, la quatrième se trouvant posée sur un bloc, en guise de presse-papiers.

Le zélote, comme poussé par cette horripilante manie de la débrouillardise qu'ont les Américains, entreprit aussitôt de réparer le fauteuil cassé. Il y en avait une demi-douzaine d'autres sur lesquels ils auraient parfaitement pu s'asseoir, et le fauteuil à la roulette détachée avait probablement survécu en l'état depuis dix ou vingt ans ; peut-être avait-il été partiellement détruit lorsqu'on avait célébré l'Indépendance – plus de quarante ans auparavant. Et voilà que cet imbécile se mettait en tête de l'arranger. L'abruti ! se disait Farrokh. Où est-ce que je pourrais bien l'emmener pour être tranquille ! Avant qu'il ait pu l'arrêter, Martin Mills avait mis le fauteuil à l'envers sur la table ovale, où il fit un grand bruit sourd.

– Allez, dit le missionnaire, il faut absolument que vous me racontiez votre conversion, j'en meurs d'envie. Vous vous doutez bien que le père supérieur m'en a parlé.

Je m'en doute, pensa le Dr Daruwalla ; il l'avait certainement fait passer pour un faux converti en proie à l'illusion. Là-dessus, à sa grande surprise, le missionnaire sortit un couteau de sa poche. C'était un de ces couteaux suisses que Dhar aimait tant – une sorte de trousse à outils à lui tout seul. Avec quelque chose qui ressemblait à un emporte-pièce, le jésuite perça un trou dans le pied du fauteuil. Le bois pourri tomba sur la table.

– Il faudrait juste une cheville neuve, s'exclama-t-il. Je n'arrive pas à croire que personne n'ait su réparer ça.

– J'imagine que les gens se sont contentés de s'asseoir sur les autres sièges, suggéra le Dr Daruwalla.

Tandis que le scolastique était aux prises avec le pied du fauteuil, le méchant petit accessoire du couteau se referma brusquement sur lui, lui tranchant net un bout d'index. Le jésuite se mit à saigner abondamment sur un bloc de papier.

– Voilà, ça y est, vous vous êtes coupé... commença le Dr Daruwalla.

– Ce n'est rien du tout, répondit l'homme de Dieu, mais il était clair que le fauteuil commençait à lui taper sur le système. Je voudrais entendre votre histoire. Allez, quoi. Je sais comment ça commence. Vous êtes à Goa, c'est ça ? Vous venez de visiter les saintes reliques de notre François-Xavier... ce qu'il en reste. Et vous vous endormez en pensant à cette fidèle en pèlerinage qui lui a mordu l'orteil.

– Je me suis endormi sans penser à rien, protesta Farrokh, en élevant la voix.

– Chut ! Nous sommes dans une bibliothèque, lui rappela le missionnaire.

– Je le sais bien ! s'écria le docteur – trop fort, car ils n'étaient pas seuls.

Ils ne l'avaient pas vu tout d'abord, mais voilà qu'émergeait d'une pile de manuscrits un vieillard qui s'était endormi dans le fauteuil d'angle ; il faut croire que ce fauteuil-là était lui aussi muni de roulettes, car ils le virent se diriger vers eux ; son occupant mal gracieux, tiré d'on ne sait quelle stupeur où l'avait plongé sa lecture, arborait une veste à la Nehru qui, comme ses mains, était maculée de journal.

– Chut ! leur intima le vieux lecteur ; après quoi il réintégra sa place sur ses roulettes.

– Peut-être que nous devrions trouver un autre endroit pour discuter de ma conversion, chuchota Farrokh à Martin Mills.

– Je vais réparer ce fauteuil, répondit le jésuite.

Tout en saignant maintenant sur le fauteuil, la table et le bloc-notes, il fourra la roulette rebelle dans le pied de fauteuil renversé. Puis, à l'aide d'un autre outil patibulaire, un tournevis à manche court, il fixa la roulette à grand-peine.

– Alors… vous vous êtes endormi l'esprit absolument vide, ou c'est ce que vous me dites. Et puis après ?

– J'ai rêvé que j'étais le cadavre de saint François, commença le Dr Daruwalla.

– Les rêves qui portent sur le corps, c'est très courant, chuchota le zélote.

– Chut ! lança le vieillard en veste à la Nehru depuis son coin.

– J'ai rêvé que cette fanatique m'arrachait l'orteil d'un coup de dents, siffla Farrokh.

– Vous l'avez senti ?

– Mais naturellement, je l'ai senti.

– Mais les cadavres ne sentent rien, n'est-ce pas ?… Enfin, passons… alors vous avez senti la morsure, et après ?

– Quand je me suis réveillé, mon orteil m'élançait. Je ne pouvais pas m'appuyer sur ce pied-là, moins encore marcher ! Et puis il y avait des marques de morsure – pas d'écorchure, attention, mais des vraies marques de dents. Elles étaient bien réelles ! C'était une morsure réelle !

– Évidemment, qu'elle était réelle. Quelque chose vous a mordu. Et quoi donc ?

– J'étais sur un balcon, j'étais dans les airs ! chuchota Farrokh d'une voix enrouée.

– Moins fort, dit tout bas le jésuite. Est-ce que vous êtes en train de me dire que le balcon était absolument inaccessible ?

– Les portes étaient fermées à clef… ma femme et mes filles dormaient dans les chambres… commença Farrokh.

– Ah ! vos filles ! s'exclama Martin Mills. Quel âge avaient-elles ?

– Mais je n'ai pas été mordu par mes propres filles ! siffla le Dr Daruwalla.

– Ça mord, les enfants, de temps en temps, ou par caprice, répondit le missionnaire. J'ai entendu dire qu'il y a même des âges où ils mordent, où ils ont une propension particulière à mordre.

– Oui, et puis ma femme avait peut-être un petit creux, aussi ? dit Farrokh avec dérision.

– Il n'y avait pas d'arbres à proximité du balcon ? demanda Martin Mills ; il suait et saignait dans sa lutte contre la chaise opiniâtre.

– Je vous vois venir, dit le Dr Daruwalla. Vous allez me ressortir la théorie du père Julian : c'était un singe, il y avait des singes en train de se balader dans les plantes grimpantes, des singes qui mordaient. C'est ce que vous croyez ?

– Le fait est que vous avez bel et bien été mordu, n'est-ce pas ? dit le jésuite. Les gens se trompent tellement dès qu'il s'agit de miracles. Le miracle ce n'est pas que quelque chose vous ait mordu, le miracle c'est que vous êtes croyant. C'est votre foi, le miracle. Peu importe que ce soit quelque chose de... courant qui l'ait révélée.

– Ce qui est arrivé à mon orteil n'a rien de courant ! s'écria le docteur.

Le vieux lecteur en veste à la Nehru jaillit de son coin de salle sur son fauteuil à roulettes.

– Chut ! siffla-t-il.

– Vous essayez de lire, ou vous essayez de dormir, vous ? brailla Farrokh.

– Allons, vous le dérangez. Il était là avant nous, dit Martin Mills au Dr Daruwalla.

Puis, s'adressant au vieillard courroucé comme s'il parlait à un enfant :

– Tenez ! Vous voyez ce fauteuil, je l'ai arrangé. Vous voulez l'essayer ?

Il remit le fauteuil sur pied et fit rouler d'avant en arrière ses quatre roulettes. Le vieux monsieur le regardait d'un œil méfiant.

– Il a déjà son fauteuil, pour l'amour du ciel ! dit Farrokh.

– Allez, venez, il faut l'essayer, pressait le missionnaire.

– Il faut que je trouve un téléphone, dit Farrokh d'un ton suppliant. Il faut que je réserve pour le déjeuner, et il faut que nous allions retrouver les enfants – ils vont s'ennuyer.

Mais à son grand désarroi, il s'aperçut que le missionnaire était en train de regarder le ventilateur de plafond ; la ficelle coincée avait attiré l'œil du maître.

– C'est agaçant, ce cordon, quand on essaie de lire, décréta-t-il.

Il grimpa sur la table ovale, qui accepta son poids avec réticence.

– Vous allez la faire s'effondrer, l'avertit le docteur.

– Pensez-vous ! Je vais tâcher de réparer le ventilateur.

Il se dressa lentement sur la table, avec des contorsions gauches.

– Je le vois bien, ce que vous tâchez de faire ! Vous êtes fou !

– Allons, allons, vous êtes fâché à cause de votre miracle. Je ne suis pas en train de vous le retirer, votre miracle ; au contraire, j'essaie de vous faire voir où est le vrai miracle. C'est tout simplement que vous soyez croyant – ce n'est pas cette bêtise qui vous a fait croire. La morsure n'était qu'un véhicule.

– Le miracle, c'était la morsure !

– Non, non ; c'est là que vous vous trompez, parvint à dire Martin Mills avant que la table ne s'effondre sous son poids.

Dans sa chute, il tenta (heureusement en vain) de se raccrocher au ventilateur. Le monsieur en veste à la Nehru fut bien le plus étonné : lorsque Martin Mills tomba, il était en train d'essayer avec circonspection le fauteuil fraîchement réparé. L'effondrement de la table et le cri d'alarme du missionnaire le jetèrent à bas du siège, dont le pied recracha la roulette. Tandis que le vieux lecteur et le jésuite se trouvaient les quatre fers en l'air, il incomba au docteur d'apaiser le bibliothécaire outré qui venait d'arriver sur les lieux en traînant la savate.

– On partait, lui dit le docteur. Il y a trop de bruit pour se concentrer, ici.

Suant et soufflant, saignant et boitant, le missionnaire suivit Farrokh dans le grand escalier, sous l'œil réprobateur des statues. Pour se calmer, le Dr Daruwalla psalmodiait : « La vie imite l'art. La vie imite l'art. »

– Qu'est-ce que vous racontez ? demanda Martin Mills.

– Chut ! lui dit le docteur. Nous sommes dans une bibliothèque.

– Ne soyez pas fâché, pour votre miracle.

– C'était il y a longtemps. Je pense que je ne crois plus à rien, à présent.

– Ah non ! Ne dites pas ça !

– Chut ! lui dit Farrokh tout bas.

– Je sais, je sais. Nous sommes dans une bibliothèque.

Il était presque midi. Dehors, dans le soleil éblouissant, ils scrutèrent la rue sans voir le taxi garé le long du trottoir. Vinod dut aller jusqu'à eux, et les conduire à la voiture comme deux aveugles. A l'intérieur de l'Ambassador, les enfants pleuraient. Ils étaient sûrs que le cirque était un mythe, ou un canular.

– Non, non, c'est vrai, leur assura le Dr Daruwalla. On y va, on y va pour de bon ; l'avion est retardé, c'est tout.

Mais qu'est-ce que ça pouvait bien leur dire, à Madhu et Ganesh ? Ils n'avaient sûrement jamais pris l'avion ; nouvelle terreur en perspective... Et lorsque les enfants virent que Martin saignait, ils eurent peur qu'il y ait eu de la bagarre. « Avec un fauteuil, c'est tout », dit Farrokh. Il était furieux contre lui-même car, dans la confusion, il avait oublié de réserver sa table préférée dans le jardin des Dames. Il savait que Mr Sethna trouverait moyen de lui faire payer cet impair.

L'urinoir du malentendu

Pour punir le docteur, Mr Sethna avait en effet donné sa table à Mr et Mrs Kohinoor, accompagnés la sœur de celle-ci, vieille fille au verbe haut. Elle avait même une voix si stridente que la tonnelle de fleurs du jardin des Dames ne suffisait pas à étouffer ses glapissements et ses hennissements. A dessein sans doute, Mr Sethna avait attribué au docteur et ses invités une table à l'écart, dans un coin du jardin où les serveurs les ignoraient ou ne pouvaient pas les voir, de leur poste dans la salle à manger. Un rameau de bougainvillée détaché de la tonnelle pendait et griffait la nuque du docteur comme une serre. La seule bonne nouvelle, c'est qu'ils avaient échappé au jour chinois. Madhu et Ganesh commandèrent des kebabs végétariens, composés de légumes au four ou grillés, sur des brochettes. C'était un plat que les enfants mangeaient parfois avec les doigts : le docteur espérait qu'on ne remarquerait pas qu'ils n'avaient pas l'habitude de se servir de couverts. Mr Sethna, quant à lui, spéculait sur leur filiation.

Le vieux maître d'hôtel remarqua que l'infirme avait balancé son unique sandale d'un coup de pied ; le cal, sous le pied intact, était aussi épais que chez un mendiant. La chaussette cachait toujours le pied sur lequel l'éléphant était passé, mais elle était déjà d'un marron grisâtre ; et Mr Sethna ne fut pas dupe : le pied caché était bizarrement aplati ; le gamin s'était appuyé sur son talon. Au bout du pied infirme, la chaussette était encore à peu près blanche.

Quant à la fillette, le maître d'hôtel détectait quelque chose de lascif dans son sourire ; en outre, elle n'était sûrement jamais allée au restaurant : elle fixait trop ouvertement les serveurs. Les petits-enfants du Dr Daruwalla se seraient mieux tenu. D'un autre côté, l'inspecteur Dhar avait beau claironner à la presse qu'il ne ferait que des bébés indiens, ces enfants-là n'offraient aucune ressemblance avec lui.

Le célèbre acteur avait une mine épouvantable, pensait Mr Sethna. Peut-être avait-il oublié son fond de teint. Il était tout pâle, les traits

tirés ; il portait une chemise outrageusement voyante, il avait du sang
sur son pantalon et du jour au lendemain son physique s'était délabré
– il devait souffrir de diarrhée aiguë, conclut le maître d'hôtel : autrement comment expliquer qu'il ait perdu huit ou dix kilos en un jour ?
Et puis, est-ce qu'il s'était fait raser la tête au cours d'une agression,
ou est-ce qu'il perdait ses cheveux ? A la réflexion, Mr Sethna soup-
çonna qu'il était atteint d'une maladie sexuellement transmissible.
Quand le malaise dans la civilisation est tel qu'on idolâtre les acteurs
comme des demi-dieux, il ne faut pas s'étonner de la pathologie qui
s'ensuit. Voilà qui allait le faire redescendre sur terre, ce salaud ! peut-
être que l'inspecteur Dhar avait le sida ! Le vieux maître d'hôtel était
bigrement tenté de passer un coup de fil anonyme à *Stardust* ou *Ciné
Blitz*. Assurément, la rumeur titillerait ces colporteurs de potins cinématographiques.

– Je ne l'épouserais pas, même s'il possédait le Collier de la reine
et qu'il m'en offre la moitié ! criait la sœur de Mrs Kohinoor. Je ne
l'épouserais pas s'il m'offrait tout Londres !

Si tu étais à Londres, pensait le docteur, je t'entendrais d'ici. Il mangeait son *pomfret* du bout des lèvres ; le poisson était toujours trop
cuit, au Duckworth. Il enviait Martin Mills, qui attaquait ses kebabs
à la viande de bon cœur : la viande sortait de la galette, parce qu'il
l'avait retirée de la brochette pour essayer de la mettre en sandwich ;
ses doigts étaient couverts d'oignons hachés. Il avait un triangle vert
foncé collé entre les incisives supérieures : une feuille de menthe. Pour
lui suggérer avec tact de se regarder dans une glace, Farrokh lui dit :

– Vous voudrez peut-être passer aux toilettes, Martin. Elles sont
plus confortables ici qu'à l'aéroport.

Tout le déjeuner, le docteur ne put s'empêcher de jeter des coups
d'œil à sa montre, quoique Vinod ait appelé Indian Airlines à plusieurs reprises – il annonçait un départ en fin d'après-midi au plus tôt.
Ils n'étaient donc pas pressés. Le docteur avait appelé son bureau, pour
apprendre qu'il n'y avait pas de messages importants ; il n'avait reçu
qu'un seul appel, que Ranjit avait traité avec compétence. C'était Mr
Garg qui voulait connaître l'adresse postale du Grand Nil bleu à Junadagh ; il avait dit à Ranjit qu'il voulait écrire à Madhu. Il était bizarre
qu'il n'ait pas demandé l'adresse à Vinod ou Deepa, puisque le docteur la tenait lui-même de la femme du nain. Il était encore plus
curieux qu'il se figure que Madhu puisse déchiffrer une lettre, ou

même une carte postale : elle ne savait pas lire. Mais, se dit le docteur, c'était l'euphorie d'apprendre qu'elle n'était pas séropositive ; peut-être ce sale type avait-il l'intention d'envoyer un mot de remerciement à la pauvre gosse, ou simplement ses vœux de réussite.

Maintenant, sauf à lui dire qu'il avait une feuille de menthe coincée entre les incisives, il ne semblait plus y avoir de moyen d'obliger Martin Mills à faire un tour aux toilettes. Le scolastique emmena les enfants dans la salle de bridge, où il essaya en vain de leur apprendre le huit américain. Bientôt, les cartes furent mouchetées de sang, son index saignant encore. Plutôt que d'exhumer ses ressources médicales de sa valise, laquelle était dans l'Ambassador – et d'ailleurs il n'avait rien emporté d'aussi simple que des pansements –, Farrokh demanda un petit bandage à Mr Sethna. Le vieux maître d'hôtel apporta le pansement dans la salle de jeux avec le mépris et la cérémonie qui le caractérisaient ; il le présenta à Martin Mills sur le plateau d'argent, qu'il tenait à bout de bras. Le Dr Daruwalla profita de l'occasion pour dire au jésuite : « Vous devriez sans doute laver cette blessure aux toilettes avant de vous faire le pansement. »

Mais Martin Mills lava son doigt et le banda sans se regarder une seule fois dans le miroir du lavabo, ni dans le miroir en pied – sauf de loin, et pour juger du bel effet de sa chemise hawaïenne, perdue et retrouvée. Il ne repéra pas la feuille de menthe coincée entre ses dents. En revanche, il aperçut un distributeur de papier près de la chasse de l'urinoir ; il nota par ailleurs que chaque poignée avait son distributeur. Ces mouchoirs de papier, cependant, ne se jetaient pas sans soin dans l'urinoir après usage : au contraire, il y avait un seau en argent au bout de la rangée d'urinoirs, comme un seau à glace mais sans glace, et l'on y déposait soigneusement les mouchoirs souillés.

Le système parut d'une méticulosité maniaque et d'une hygiène excessive à Martin Mills, qui ne se souvenait pas de s'être jamais essuyé le pénis avec un mouchoir. Uriner devenait une opération importante et certainement plus solennelle si l'on se proposait de s'essuyer le pénis après. Car c'est l'usage que Martin supposait à ces mouchoirs, dans les distributeurs. Il était ennuyé de ne pas voir de duckworthiens en train de se livrer à la même activité autour de lui, ce qui lui aurait permis de confirmer son interprétation. Il était sur le point de finir d'uriner comme à l'accoutumée, c'est-à-dire sans s'essuyer, lorsque le vieux maître d'hôtel peu amène qui lui avait présenté les pansements fit son entrée dans les toilettes. Il avait coincé son plateau d'argent sous l'aisselle et le maintenait avec l'avant-bras, comme un fusil.

Comme quelqu'un le regardait, Martin Mills se dit qu'il devait prendre un mouchoir. Il tenta de s'essuyer comme si c'était toujours la dernière étape de ses mictions consciencieuses ; mais il avait si peu l'habitude de procéder de la sorte que le mouchoir s'accrocha un instant au bout de son pénis et tomba dans l'urinoir. Quel était le protocole en cas de ratage semblable ? se demanda Martin, qui sentait les petits yeux du maître d'hôtel rivés sur lui. Comme sous l'effet de l'inspiration, il saisit plusieurs mouchoirs propres, et en les tenant entre son pouce et son index emmailloté, il récupéra le mouchoir perdu dans l'urinoir. Puis, d'un geste large, il les déposa tous dans le seau d'argent, qui pencha tout à coup et faillit se renverser, de sorte qu'il dut le retenir à deux mains. Martin Mills essaya de faire un sourire rassurant à Mr Sethna, mais il s'aperçut que comme il avait pris le seau à deux mains, il avait omis de remettre son pénis dans son slip. Peut-être était-ce pour cela que le vieux maître d'hôtel détournait les yeux.

Lorsque Martin Mills fut sorti des toilettes, Mr Sethna passa au large de son urinoir ; il fit pipi le plus loin possible de l'endroit où l'acteur malade s'était installé. Plus de doute : il s'agissait d'une maladie sexuellement transmissible. Il n'avait jamais vu personne uriner avec des précautions aussi grotesques. Il ne voyait pas la nécessité médicale de s'essuyer le pénis chaque fois qu'on faisait pipi. Il n'était pas certain que d'autres duckworthiens faisaient le même usage des distributeurs de mouchoirs. Pour sa part, il supposait depuis des années que ces mouchoirs étaient faits pour s'essuyer les doigts. Après s'être essuyé les doigts, Mr Sethna déposa comme il convenait le mouchoir dans le seau d'argent, et médita sur le destin de l'inspecteur Dhar, hier demi-dieu, aujourd'hui malade en phase terminale. Pour la première fois depuis qu'il avait versé du thé bouillant sur la tête de ce snobinard emperruqué, le monde lui sembla juste et équitable.

Dans la salle de jeux, tandis que Martin Mills se livrait à ses expériences d'urinoir, le Dr Daruwalla comprenait pourquoi les enfants avaient du mal à saisir le principe du huit américain, ou de tout autre jeu de cartes. Personne ne leur avait appris les chiffres ; non seulement ils ne savaient pas lire, mais ils ne savaient pas compter. Le docteur montrait un nombre de doigts correspondant à la hauteur de la carte – trois doigts avec le trois de cœur – lorsque Martin rentra des toilettes, arborant toujours sa feuille de menthe entre les dents.

Ne crains pas le mal

Leur avion pour Rajkot décolla à cinq heures dix de l'après-midi, soit un peu moins de huit heures après l'horaire initialement prévu. C'était un 747 qui avait connu des jours meilleurs. Sur le fuselage on pouvait encore lire cette inscription pâlie

QUARANTE ANS DE LIBERTÉ

Le Dr Daruwalla calcula rapidement que l'avion avait été mis en service en Inde l'année 1987. Où avait-il volé auparavant, mystère !

Leur départ fut encore retardé par un sous-fifre de la sécurité, qui avait éprouvé le besoin de confisquer le couteau suisse de Martin Mills – outil terroriste potentiel. Le pilote allait garder l'« arme » dans sa poche, et la restituerait à son propriétaire après l'atterrissage.

– Bon, je suppose que je ne le reverrai jamais, ce couteau, dit le missionnaire ; et il ne le dit pas en stoïque, mais plutôt en martyr.

Farrokh s'empressa de le mettre en boîte :

– Quelle importance, pour vous, lui dit-il, vous avez fait vœu de pauvreté, non ?

– Je sais ce que vous pensez de mes vœux, répondit Martin. Vous pensez que puisque j'ai accepté la pauvreté, je ne dois pas m'attacher aux objets matériels. Cette chemise, par exemple, mon couteau, mes livres. Et vous pensez que puisque j'ai accepté la chasteté, je ne dois pas connaître le désir sexuel. Eh bien, je vais vous dire : j'ai résisté à la vocation du sacerdoce pas seulement parce que je tenais tant aux quelques objets que je possédais, mais aussi parce que je me croyais amoureux. Pendant dix ans j'ai été terrassé. Non seulement je souffrais du désir sexuel, mais c'était devenu une obsession. Je ne parvenais pas à chasser cette personne de mon esprit. Ça vous étonne ?

– Oui, ça m'étonne, convint Farrokh humblement.

Il craignait aussi ce que le fou pourrait confesser devant les enfants, mais Ganesh et Madhu étaient bien trop envoûtés par les préparatifs de décollage pour prêter une quelconque attention aux aveux du jésuite.

– J'ai continué d'enseigner dans cette maudite école, où les élèves étaient des délinquants, pas des écoliers, tout cela pour me mettre à l'épreuve. L'objet de mon désir s'y trouvait. Si j'étais parti, si je m'étais enfui, je n'aurais jamais su si j'avais la force de résister à une pareille tentation ; alors je suis resté. Je me suis forcé à rester le plus près possible de cette personne, rien que pour voir si j'avais le courage de résister à une pareille attirance. Mais je sais ce que vous pensez de l'abnégation du prêtre. Vous pensez que les prêtres sont étrangers à ces désirs ordinaires, ou qu'ils les éprouvent moins fortement que vous.

– Je ne vous juge pas ! s'exclama le Dr Daruwalla.

– Oh que si ! Vous pensez tout savoir de moi.

– Cette personne dont vous étiez amoureux...

– C'était un professeur de l'école. J'étais paralysé de désir. Mais j'ai gardé l'objet de mon désir à ça de moi (le zélote mit sa main devant son visage), et à la fin l'attirance a diminué.

– Diminué ?

– Ou bien l'attirance s'est émoussée, ou bien j'en ai triomphé. A la fin j'ai gagné.

– Gagné quoi ?

– Je ne me suis pas affranchi du désir, déclara le futur prêtre, mais plutôt de la peur du désir. Maintenant, je sais que je peux y résister.

– Et elle ?

– Elle ?

– Elle, quels étaient ses sentiments pour vous, je veux dire ? Est-ce qu'elle savait seulement ce que vous éprouviez pour elle ?

– Pour lui, répondit le missionnaire. C'était un homme, pas une femme. Ça vous étonne ?

– Oui, ça m'étonne, mentit le docteur.

Ce qui l'étonnait, au contraire, c'était de n'être pas du tout surpris par l'aveu du jésuite. En revanche il éprouvait un malaise dont il ne comprenait pas l'origine, un trouble considérable – sans savoir pourquoi.

L'avion roulait au ralenti sur la piste, et son mouvement laborieux suffisait à affoler Madhu ; elle avait pris place de l'autre côté de l'allée par rapport au Dr Daruwalla et au missionnaire, et maintenant elle voulait changer de siège et s'asseoir avec le docteur. Ganesh, tout joyeux, était blotti sur le siège près du hublot. Martin Mills changea gauchement de place avec Madhu ; il alla s'asseoir auprès du gamin émerveillé tandis que la petite prostituée se glissait dans le fauteuil côté couloir, près de Farrokh.

– N'aie pas peur, lui dit le docteur.

– Je veux pas aller au cirque, dit la petite.

Elle gardait les yeux rivés à l'allée centrale et refusait de regarder par le hublot. Son inexpérience n'était pas un cas unique ; la moitié des passagers semblaient prendre leur baptême de l'air. Une main se tendait pour modifier l'arrivée d'air ; aussitôt trente-cinq autres en faisaient autant. Et quoiqu'on ait annoncé à plusieurs reprises que les bagages à main devaient être placés sous les sièges, les passagers s'obstinaient à empiler leurs gros sacs sur ce que l'équipage appelait les casiers à chapeaux, bien qu'il y eût peu de chapeaux à bord. Peut-être à cause de ce long retard, il y avait en revanche beaucoup de mouches ; les passagers, excités par ailleurs, les traitaient avec une totale indifférence. Quelqu'un était déjà en train de vomir, et l'on n'avait pas encore décollé ! On décolla enfin.

Elephant Boy avait l'impression que c'était lui qui volait. On aurait dit que c'était son élan qui soulevait l'avion. Le petit mendiant montera sur un lion si ils le lui demandent, pensa le Dr Daruwalla, il se battra contre un tigre ! Soudain il eut peur pour l'infirme : il allait grimper tout en haut du chapiteau, à trente mètres du sol. Sans doute pour compenser sa mauvaise jambe, il avait des bras et des mains d'une force peu commune. Quels instincts le protégeraient ? se demanda le docteur tout en sentant Madhu trembler dans ses bras ; elle gémissait ; dans sa poitrine menue, son cœur battait contre le torse de Farrokh.

– Si on s'écrase, on brûle ou on vole en miettes ? lui demandat-elle, la bouche contre sa gorge.

– On ne va pas s'écraser, Madhu, lui dit-il.

– Vous en savez rien, répondit-elle. Au cirque, je me ferai peut-être manger par un animal sauvage ; ou bien alors je tomberai. Et s'ils arrivent pas à m'entraîner ? Et s'ils me battent ?

– Écoute-moi, dit le Dr Daruwalla.

Il était redevenu un père. Il se rappelait ses filles, leurs cauchemars, leurs écorchures, leurs bleus, leurs mauvais jours à l'école ; leurs premiers flirts, des garçons impossibles, au-dessous de tout. Mais pour la petite qui pleurait dans ses bras, les conséquences étaient plus graves.

– Il faut que tu essaies de voir les choses comme ça : tu es en train de t'en sortir.

Il fut incapable d'en dire plus ; il savait uniquement de quoi elle se sortait, pas vers quoi elle fuyait. Elle échappait peut-être à une mort pour se faire happer par une autre... il espérait bien que non, en tout cas.

– Il va m'arriver un malheur, répondit Madhu.

En sentant son souffle court et brûlant dans son cou, Farrokh comprit instantanément pourquoi l'aveu que Martin Mills lui avait fait de son penchant homosexuel l'avait plongé dans une telle détresse. Si le jumeau de Dhar combattait sa tendance, que faisait John D. lui-même ?

Le Dr Duncan Frasier avait convaincu son confrère que l'homosexualité était plus une affaire de biologie que de conditionnement. Il lui avait dit un jour qu'il y avait cinquante-deux chances sur cent que le jumeau d'un homosexuel le soit aussi. En outre, Macfarlane, son confrère et ami, l'avait convaincu que l'homosexualité est immuable. (« Si l'homosexualité était acquise, pourquoi ne pourrait-on pas la désapprendre ? » avait dit Mac.)

Mais ce qui perturbait le docteur, ce n'était pas la conviction soudaine que John D. devait être homosexuel lui aussi ; c'était plutôt la distance qu'il avait mise entre eux, toutes ces années, distance affective et géographique. Au bout du compte, ce devait être Neville et non Danny le père des jumeaux ! Et qu'est-ce que cela prouve sur moi, que John D. ne veuille pas m'en parler ? se demandait le docteur.

Instinctivement, comme si elle était son cher John D., il serra la petite contre lui. Par la suite, il se dit qu'elle n'avait fait que ce qu'on lui avait appris ; toujours est-il qu'elle lui rendit son étreinte, seulement en se tortillant de façon inconvenante. Il en fut choqué et la repoussa lorsqu'elle se mit à l'embrasser dans le cou.

– Non, s'il te plaît... commença-t-il.

Alors le missionnaire lui parla. Il était clair que le plaisir que prenait Elephant Boy à voler dilatait Martin Mills.

– Regardez-le ! Je suis sûr qu'il irait marcher sur l'aile si on lui disait que ça ne risque rien !

– C'est sûr, oui, dit le docteur sans quitter Madhu des yeux.

La peur et la perplexité qui se lisaient sur le visage de la petite prostituée reflétaient fidèlement les sentiments même de Farrokh.

– Qu'est-ce que tu veux ? lui chuchota la petite.

– Non, ce n'est pas ce que tu crois. Je veux que tu t'en sortes, lui dit le docteur.

La chose ne lui disait rien ; elle ne réagit pas. Elle continuait de la dévisager, avec dans ses yeux un mélange de confiance et de perplexité. Au coin rouge sang de ses lèvres, le flot d'un écarlate peu naturel monta de nouveau ; elle s'était remise à mâcher du paan. Là où elle avait embrassé Farrokh, sa gorge était maculée de rouge macabre comme s'il avait été mordu par un vampire. Il toucha la marque, et ses doigts devinrent rouges, eux aussi. Le jésuite le vit regarder sa main.

– Vous vous êtes coupé ? demanda-t-il.

– Non non, tout va très bien, répondit le Dr Daruwalla ; mais ce n'était pas vrai. Il dut s'avouer qu'il en savait encore moins long sur le désir que le futur prêtre.

Madhu, qui sentait probablement sa perplexité, se pressa de nouveau contre sa poitrine. Une fois de plus, elle lui demanda dans un murmure :

– Qu'est-ce que tu veux ?

Il comprit avec horreur les sous-entendus sexuels de sa question.

– Je veux que tu te conduises comme une enfant parce que tu es une enfant, lui dit-il. Tu ne veux pas faire un petit effort ? S'il te plaît.

Madhu sourit avec un tel enthousiasme que, pendant un instant, le docteur crut qu'elle l'avait compris. Tout à fait comme une enfant, elle passa ses doigts sur la cuisse de Farrokh ; puis, pas du tout comme une enfant, elle appuya fermement sa petite paume contre son pénis. Elle n'avait pas tâtonné, elle était allée droit au but. A travers le tissu léger de son pantalon d'été, il sentit la chaleur de sa main.

– Je ferai ce que tu me diras, tout ce que tu me diras, lui dit la petite prostituée.

Il repoussa aussitôt sa main.

– Arrête, hein ! lui cria-t-il.

– Je veux retourner m'asseoir avec Ganesh, lui dit-elle.

Il la laissa troquer son siège contre celui de Martin Mills.

– Il y a une question qui m'a fait réfléchir, chuchota le missionnaire au docteur. Vous disiez que nous avons deux chambres pour la nuit. Deux seulement ?

– J'imagine que nous pourrions en demander une ou deux de plus... commença le docteur.

Ses jambes tremblaient.

– Non, non, ce n'est pas là que je voulais en venir. Je voulais dire... vous pensiez que les enfants partageraient une chambre et nous l'autre ?

– Oui, dit le Dr Daruwalla.

Il ne parvenait pas à empêcher ses jambes de trembler.

– Écoutez, euh... je sais que vous allez trouver ça un peu bête, mais je me demandais s'il ne serait pas plus prudent de ne pas les laisser coucher ensemble, dans la même chambre, je veux dire. Parce qu'enfin, avec ce que nous pouvons deviner de la carrière de la petite.

– Sa quoi ? demanda le docteur.

Il était parvenu à arrêter le tremblement dans une de ses jambes, mais pas dans l'autre.

– Je veux dire, son expérience sexuelle. Il nous faut supposer qu'elle a eu des... contacts sexuels. Là où je voulais en venir, c'est que si jamais Madhu est encline à séduire Ganesh... vous voyez ?

Le Dr Daruwalla ne voyait que trop.

– Vous avez raison, se borna-t-il à lui répondre.

– Bon, eh bien, disons que je pourrais prendre une chambre avec le petit, et vous l'autre avec Madhu ? Parce que vous comprenez, je ne crois pas que le père supérieur verrait d'un bon œil qu'un homme dans ma position partage la chambre de la petite, expliqua Martin. Ça pourrait paraître contraire à mes vœux.

– Oui... vos vœux, répondit Farrokh.

Son autre jambe s'arrêta enfin de trembler.

– Vous pensez que je suis complètement idiot, peut-être, demanda le jésuite au docteur. Vous devez trouver stupide de soupçonner la pauvre petite d'être encline à faire ça simplement parce qu'elle a été... ce qu'elle a été.

Mais Farrokh sentait qu'il bandait toujours alors que Madhu ne l'avait touché que furtivement.

– Non pas ; je pense que vous faites sagement de vous préoccuper de son... inclination, répondit le docteur.

Il parlait lentement parce qu'il essayait de se rappeler le psaume bien connu.

– Qu'est-ce que ça dit au juste, le psaume vingt-trois, demanda-t-il au scolastique : « Oui, bien que je marche dans la vallée de l'ombre de la mort... »

– « Je ne craindrai pas le mal... » dit Martin Mills.

– Oui, c'est ça, « je ne craindrai pas le mal », répéta Farrokh.

Il se dit que l'avion avait quitté le Maharashtra ; sans doute survolaient-ils à présent le Gujarat. Au-dessous d'eux, la terre était plate et sèche dans la brume de chaleur du soir. Le ciel était du même brun que la terre. *La Roulette limousine,* ou *Fuir le Maharashtra* – il ne pouvait se décider entre ces deux titres ; tout dépendait de ce qui se produirait. Tout dépendait de la fin de l'histoire.

22

La tentation du Dr Daruwalla

Sur la route de Junagadh

A l'aéroport de Rajkot, on testait le système de haut-parleurs. C'était une expérimentation sans fébrilité ; on aurait dit que la chose était dénuée d'importance, que personne ne pensait qu'il pourrait y avoir urgence.

« Un deux trois quatre cinq », disait une voix. « Cinq quatre trois deux un. » Puis le message était répété. Qui sait s'ils sont en train de vérifier les haut-parleurs, se dit le Dr Daruwalla. Peut-être qu'ils sont en train de vérifier qu'ils savent compter.

Tandis que Martin Mills et le docteur rassemblaient les bagages, le pilote parut et tendit le couteau suisse au missionnaire. D'abord, ce dernier fut embarrassé : il avait oublié qu'il avait été obligé de donner l'arme à Bombay ; ensuite il eut honte d'avoir pris le pilote pour un voleur. Les enfants profitèrent de ce moment de gêne pour commander et boire deux verres de thé ; le docteur dut se débrouiller avec le vendeur de *chai*.

– Il va falloir qu'on fasse des arrêts-pipi toutes les cinq minutes sur la route de Junagadh, leur dit-il.

Ensuite, il leur fallut attendre près d'une heure à Rajkot l'arrivée de leur chauffeur. Pendant tout ce temps, le haut-parleur ne cessa de compter jusqu'à cinq et à l'envers. On s'ennuyait dans cet aéroport fastidieux, mais au moins, Madhu et Ganesh eurent largement le temps de faire pipi.

Leur chauffeur était un machiniste qui s'appelait Ramu. Il s'était fait embaucher par le Grand Nil bleu dans le Maharashtra, et c'était la deuxième fois de la journée qu'il faisait la navette avec Junagadh. Il était arrivé à l'heure le matin ; et lorsqu'il avait appris que l'avion était retardé, il était rentré au cirque simplement parce qu'il aimait conduire. Le voyage prenait presque trois heures, mais Ramu leur annonça fièrement qu'il couvrait d'ordinaire la distance en moins de deux heures. Ils virent bientôt pourquoi.

Ramu conduisait une Land Rover déglinguée, maculée de boue (ou peut-être du sang séché des animaux et des piétons malchanceux). C'était un jeune homme frêle, qui pouvait avoir dix-huit ou vingt ans. Il portait un short vague et un T-shirt crasseux ; et, chose plus singulière, il conduisait pieds nus. L'embrayage et les freins n'avaient plus de revêtement – leur surface métallique et lisse semblait glissante ; quant à la pédale de l'accélérateur, qui avait manifestement trop servi, elle avait été remplacée par un morceau de bois, qui ne paraissait pas plus solide qu'une planchette légère. Mais il faut dire que Ramu n'en décollait jamais le pied droit. Il préférait appuyer sur l'embrayage et le frein du pied gauche ; d'ailleurs il faisait un usage parcimonieux de ce dernier.

Ils traversèrent Rajkot au crépuscule, comme des bolides. Ils dépassèrent un château d'eau, un hôpital pour femmes, une gare routière, une banque, un marché aux fruits, une statue de Gandhi, un bureau des télégraphes, une bibliothèque, un cimetière, le restaurant Havmore et l'hôtel Intimate. Lorsqu'ils filèrent à travers le quartier du bazar, le Dr Daruwalla fut incapable de regarder plus longtemps. Il y avait trop d'enfants, sans compter les vieillards, moins prompts à dégager le passage que les enfants ; trop de chars à bœufs et de charrettes tirées par des chameaux ; trop de mobylettes et de bicyclettes ; trop de pousse-pousse tirés par des vélos et des tricycles – sans exclure les voitures, les camions et les bus. Aux confins de la ville, sur le bord de la route, Farrokh fut certain d'avoir vu un mort, un « transparent », comme aurait dit Ganesh – mais à la vitesse où ils allaient, il n'eut pas le temps de demander à Martin Mills de vérifier que la mort était bien sur le visage figé qu'il avait vu.

Dès qu'ils eurent quitté la ville, Ramu se mit à rouler plus vite. C'était un de ces conducteurs qui pensent que la route leur appartient et ignorent les règles de priorité ; dans la file d'en face, il ne cédait le passage à personne, sinon aux véhicules plus gros que le sien. Or, dans son esprit, la Land Rover était plus grosse que tout ce qui roulait sur la route, à l'exception des cars, et d'un nombre très restreint de poids lourds. Le Dr Daruwalla s'estimait heureux que Ganesh se soit installé sur le siège du passager ; les enfants l'avaient réclamé tous les deux, mais le docteur avait eu peur que Madhu ne distraie le chauffeur – une drague à la vitesse grand V. Si bien que la petite boudait à l'arrière, avec le docteur et le missionnaire, tandis que Ganesh bavardait comme un moulin à paroles avec Ramu.

L'enfant s'attendait sans doute que le chauffeur ne parle que gujarati ; découvrir que c'était un compatriote du Maharashtra, qui parlait maharati et hindi, inspirait le mendiant. Même si Farrokh avait du mal à suivre leur conversation, il apparaissait que Ganesh voulait passer en revue tout ce qu'un infirme avec un seul pied valide pouvait faire dans un cirque. Ramu ne se montrait guère encourageant. Il préférait parler de conduite automobile et, geste à l'appui, démontrer sa technique « nerveuse » – il accélérait et rétrogradait au lieu de se servir du frein. Pour atteindre une pareille maestria, assurait-il à Ganesh, il fallait un pied droit qui fonctionne.

Disons à sa décharge qu'il ne regardait pas Ganesh en parlant ; fort heureusement, il était médusé par la panique qui régnait sur la route. Bientôt, il ferait nuit ; peut-être qu'alors le docteur pourrait se détendre un peu, car mieux valait ne pas voir la mort venir. Un coup de klaxon soudain proche déchirerait la nuit, des phares les aveugleraient ; il imaginait l'imbroglio des corps dans la Land Rover qui ferait un tonneau : un pied ici, une main là, une nuque, un coude battant l'air ; on ne saurait plus qui était qui, ni où était le sol, ou le ciel noir – car les phares auraient sûrement volé en éclats, et on en aurait des fragments infimes comme des grains de sable dans les cheveux. Ils sentiraient l'odeur de l'essence ; elle imbiberait leurs vêtements. A la fin, ils verraient la boule de feu.

– Distrayez-moi, demanda le Dr Daruwalla à Martin Mills. Parlez-moi un peu. Racontez-moi quelque chose, n'importe quoi.

Le jésuite qui avait passé son enfance sur les autoroutes de Los Angeles semblait à l'aise dans la Land Rover en folie. Les épaves calcinées du bord de la route n'offraient aucun intérêt pour lui, ni même, ici ou là, une voiture renversée encore en feu ; et le massacre d'animaux qui jonchaient la chaussée ne l'intéressait que lorsqu'il n'identifiait pas leurs restes.

– Qu'est-ce que c'était ça ? Vous avez vu ? dit le missionnaire, en se retournant à la vitesse d'une toupie.

– Un bœuf mort, dit le Dr Daruwalla. Parlez-moi, Martin, s'il vous plaît.

– J'ai bien vu qu'il était mort. Tiens ! En voilà un autre, dit-il en tournant de nouveau la tête.

– Non, ça c'est une vache.

– J'ai vu un chameau, tout à l'heure. Vous l'avez vu ?

– Oui, je l'ai vu. Maintenant, racontez-moi une histoire. Il va bientôt faire nuit.

– Dommage ! Il y a tellement de choses à voir !

– Distrayez-moi, pour l'amour du ciel, s'écria le Dr Daruwalla. Je sais que vous aimez parler – racontez-moi quelque chose, n'importe quoi !

– Mais... qu'est-ce que vous voulez que je vous raconte ? demanda le missionnaire.

Farrokh l'aurait tué.

La petite s'était endormie. Ils l'avaient assise entre eux parce qu'ils avaient peur qu'elle s'appuie à la portière ; de cette façon, elle ne pouvait s'appuyer que contre eux. Endormie, elle semblait aussi frêle qu'une poupée de chiffon ; ils devaient se serrer contre elle et la tenir par les épaules pour l'empêcher de ballotter dans tous les sens.

Sa chevelure parfumée frottait contre la gorge du Dr Daruwalla, au niveau de son col de chemise ouvert ; ses cheveux sentaient le clou de girofle. Lorsque le chauffeur donnait un coup de volant Madhu glissait contre le jésuite, qui ne faisait pas attention à elle. Mais Farrokh sentait sa hanche contre la sienne. Tandis que la Land Rover déboîtait pour doubler, l'épaule de Madhu s'enfonçait dans les côtes de Farrokh ; sa main, toute molle, glissait le long de sa cuisse. Parfois, il sentait son haleine, et retenait son souffle. Il n'était pas pressé de voir arriver le moment embarrassant où il lui faudrait partager la chambre de la petite. Il n'y avait pas que la conduite de chauffard de Ramu qu'il cherchait à oublier.

– Parlez-moi de votre mère, dit le Dr Daruwalla à Martin Mills. Comment va-t-elle ?

Dans la faible clarté qui s'attardait encore, il vit le cou du missionnaire se contracter ; ses prunelles se rétrécirent.

– Et votre père ? Il va bien, Danny ? ajouta-t-il, mais le mal était fait.

Il vit que Martin n'avait pas entendu sa deuxième question ; il fouillait son passé. Le paysage-carnage fuyait dans les vitres, mais le zélote n'y faisait plus attention.

– Très bien, puisque c'est ce que vous voulez, je m'en vais vous raconter une petite histoire, à propos de ma mère, dit Martin Mills.

Le docteur pressentait que ce ne serait pas une « petite » histoire ; le missionnaire n'était pas minimaliste ; il se complaisait dans les descriptions.

De fait, il ne lui épargna aucun détail ; il lui dit tout ce qu'il se rappelait : la délicatesse du teint d'Arif Korma, les différentes odeurs de masturbation, pas seulement celle d'Arif, mais aussi celle qui persistait sur les doigts de la baby-sitter d'UCLA.

Ils fonçaient dans la campagne enténébrée, à travers des villes à l'éclairage parcimonieux, où la puanteur de la cuisine et des excréments les assaillait – ainsi que le caquètement des poulets, l'aboiement des chiens, et les imprécations féroces des piétons qu'ils manquaient d'écraser. Ramu s'excusa : il n'y avait plus de vitre à sa portière ; l'air de la nuit qui s'engouffrait fraîchissait, et à l'arrière les passagers étaient heurtés par des insectes en plein vol. Un moment donné, une bestiole de la taille d'un colibri percuta le front de Martin ; elle le piqua sans doute, et pendant cinq bonnes minutes on la vit bourdonner et vibrer sur le sol, après quoi elle mourut non identifiée. Mais le missionnaire était intarissable ; rien n'aurait pu endiguer son histoire.

Ils arrivaient dans Junagadh lorsqu'il acheva. Comme ils pénétraient dans la ville généreusement éclairée, les rues étaient grouillantes ; deux flots humains se précipitaient l'un vers l'autre. Sur un camion à l'arrêt, un haut-parleur diffusait de la musique de cirque. Un flot de personnes sortait de la séance du début de soirée ; l'autre se pressait pour faire la queue pour la séance qui allait commencer.

Je devrais tout lui raconter, à ce pauvre bougre, se disait Farrokh. Qu'il a un frère jumeau ; que sa mère a toujours été une traînée, que c'est sans doute Neville Eden son vrai père. Danny était trop cloche. John D. et Martin sont malins tous les deux. Neville, même si le docteur ne l'avait jamais aimé, était malin, lui aussi. Mais l'histoire de Martin l'avait laissé sans voix. En outre, il jugeait que c'était à John D. de décider s'il voulait faire ces révélations. Et si le Dr Daruwalla voulait punir Vera de toutes les façons possibles, la seule chose que Martin avait dite de Danny contribuait à lui clore les lèvres. Car Martin avait dit :

– J'aime mon père. Je regrette seulement d'avoir autant pitié de lui.

Le reste de l'histoire ne roulait que sur Vera ; Martin n'avait plus soufflé mot de Danny. Le docteur décida que le moment était mal choisi pour lui apprendre que son père était sans doute un enfoiré de bisexuel qui broutait à tous les râteliers et qui s'appelait Neville Eden. Ce n'était pas ça qui diminuerait sa pitié pour Danny Mills.

En outre, ils étaient presque arrivés au cirque. Elephant Boy était tellement surexcité qu'il s'était agenouillé à l'avant de la voiture et qu'il faisait de grands saluts de la main à la foule. La musique de cirque, qui leur braillait aux oreilles dans le haut-parleur, avait réussi à réveiller Madhu.

– Voilà ta nouvelle vie, dit le Dr Daruwalla à la petite prostituée. Réveille-toi, regarde !

Un chimpanzé raciste

Ramu avait beau klaxonner en permanence, la Land Rover se frayait le passage à la vitesse d'une tortue. Plusieurs gamins s'accrochaient aux poignées des portières et au garde-boue pour se faire traîner. Tout le monde avait les yeux fixés sur le siège arrière ; mais Madhu avait tort d'être anxieuse : ce n'était pas elle que les gens regardaient, c'était Martin Mills ; ils n'avaient pas l'habitude de voir des Blancs, Junagadh n'étant pas une ville touristique. Or, dans la clarté blême des réverbères, la peau du scolastique était blanche comme de la pâte à pétrir. Comme ils roulaient au pas, on commençait à étouffer dans la voiture. Lorsque Martin Mills abaissa la glace arrière, les gens tendirent la main pour le toucher.

Loin devant, un clown nain juché sur des échasses menait la foule. Elle était encore plus dense au cirque, parce qu'il était trop tôt pour laisser entrer la foule ; la Land Rover dut avancer centimètre par centimètre entre les portes dûment gardées. Une fois à l'intérieur de l'enceinte, le Dr Daruwalla reconnut avec plaisir une sensation familière : le cirque était un cloître, un lieu protégé ; il était exempt du charivari de Junadagh, comme Saint-Ignace, semblable à un fort, du chaos de Bombay. Les enfants y seraient en sécurité, s'ils voulaient bien jouer le jeu, et si le cirque jouait franc-jeu avec eux.

Mais le premier présage ne fut pas des meilleurs : Deepa n'était pas venue les attendre ; la femme du nain et son fils étaient malades, ils devaient garder la tente. Et, presque aussitôt, Farrokh sentit combien la comparaison entre le Grand Royal et le Grand Nil bleu était à la défaveur du second. Ici, il n'y avait pas de propriétaire qui ait le charme et la dignité de Pratap Walawalkar ; d'ailleurs le propriétaire du Grand Nil bleu était absent ; il n'y avait pas de dîner qui les attendait dans sa tente, qu'ils ne virent pas. Le Monsieur Loyal était un Bengali nommé Das. Il n'y avait rien à manger dans sa tente ; les lits de camp s'y alignaient comme dans une caserne spartiate ; aux murs s'étalait une décoration minimale. Le sol de terre battue était entièrement recouvert de tapis ; des rouleaux de tissu aux couleurs vives, pour faire des costumes, étaient pendus tout en haut de la tente, là où personne ne pouvait se cogner, et des ornements de temple attiraient l'attention, à côté de la télévision et du magnétoscope.

On désigna un lit semblable aux autres à Madhu. Mr Das la mettrait entre deux autres filles plus âgées qui la surveilleraient. Il leur assura que sa femme la surveillerait aussi. Quant à cette dernière, elle ne se leva pas pour les accueillir. Elle était assise à coudre des paillettes sur un costume, et n'adressa la parole à Madhu que lorsqu'ils furent sur le point de quitter la tente.

– Je te retrouve demain, lui dit-elle.

– A quelle heure faut-il venir, demain matin ? demanda Farrokh.

Mais Mrs Das – qui avait la mine sévère d'une victime, d'une tante inopinément divorcée – ne lui répondit pas. Elle garda la tête baissée, les yeux sur son ouvrage.

– Ne venez pas trop tôt, on sera en train de regarder la télé, dit Mr Das au docteur.

Oui, je m'en doute... pensa ce dernier.

On mettrait le lit de Ganesh dans la tente du cuisinier, où Mr Das les escorta, et les laissa. Il fallait qu'il se prépare pour la séance de neuf heures et demie, dit-il. Le cuisinier, qui s'appelait Chandra, considéra qu'on lui envoyait Ganesh pour l'aider ; il se mit à lui faire voir les ustensiles en les lui nommant ; l'infirme écoutait d'une oreille distraite ; le Dr Daruwalla devinait qu'il voulait voir les lions.

Kadhai, un wok. *Jhara*, une cuillère à fentes. *Kisni*, une râpe à coco. A l'extérieur, dans l'obscurité, ils entendait aussi la toux régulière des lions. La foule n'avait pas encore été admise dans le grand chapiteau, mais on sentait sa présence dans l'obscurité, comme celle des lions, en bruit de fond.

Le Dr Daruwalla n'avait pas remarqué les moustiques avant de commencer à manger. Ils mangeaient debout, dans des assiettes en acier astiqué, un curry d'aubergines et de pommes de terre où il y avait trop de cumin. On leur offrit ensuite une assiette de crudités, des carottes et des radis, des oignons et des tomates, qu'ils firent descendre avec du soda à l'orange tiède. Un bon vieux Gold Spot. Le Gujarat était un État sans alcool parce que Gandhi y était né. Quel rabat-joie, ce buveur d'eau, se dit Farrokh ! A cause de lui, il allait probablement passer une nuit blanche. Il avait compté sur la bière pour l'empêcher de penser à son scénario et l'aider à dormir. Puis il se souvint qu'il allait partager une chambre avec Madhu ; finalement, le mieux était de ne pas fermer l'œil de la nuit – de ne pas boire une goutte de bière.

Pendant tout ce repas bousculé et peu délectable, Chandra nomma les légumes à Ganesh, comme s'il croyait que l'infirme avait perdu la faculté du langage lors de l'accident où son pied avait été mutilé (*aloo*, pomme de terre ; *chawli*, pois ; *baingan*, aubergine). Quant à Madhu, il semblait que personne ne s'occupât d'elle, et elle frissonnait. Elle avait certainement un châle ou un pull dans son petit sac, mais leurs sacs étaient encore dans la Land Rover, garée dieu sait où par leur chauffeur qui se trouvait dieu sait où lui-même. Et puis, c'était presque l'heure de la dernière séance.

Lorsqu'ils sortirent entre les deux rangées de tentes, ils virent que les artistes étaient déjà en costumes ; on faisait déjà prendre l'allée centrale aux éléphants. Dans les coulisses du grand chapiteau, les chevaux étaient en ligne. Un machiniste avait déjà sellé le premier. Puis, un entraîneur donna une bourrade avec son bâton à un grand chimpanzé, et l'animal fit un saut en hauteur d'au moins un mètre cinquante. Le cheval s'avançait, nerveux ; il avait fait un pas ou deux lorsque le chimpanzé atterrit sur la selle. Il s'y mit à quatre pattes ; et lorsque l'entraîneur toucha la selle de son bâton, il fit un saut périlleux avant sur le dos du cheval ; puis un second.

L'orchestre était déjà sur sa plate-forme, au-dessus de l'arène, qui se remplissait encore. Les visiteurs allaient gêner le passage s'ils restaient en coulisses, mais Mr Das, le présentateur, n'avait pas paru, et il n'y avait personne pour leur indiquer leurs sièges. Martin Mills suggéra qu'ils en prennent tout seuls, avant que le chapiteau ne soit plein. Le Dr Daruwalla n'appréciait pas cette désinvolture. Tandis qu'ils se disputaient sur la conduite à tenir, le chimpanzé qui faisait les sauts périlleux à cheval fut distrait. Il fut distrait par Martin Mills.

Ce chimpanzé était un vieux mâle, nommé Gautam, parce que tout bébé, il offrait déjà une ressemblance frappante avec Bouddha : il pouvait rester dans la même position et fixer le même objet pendant des heures. Avec l'âge, ses capacités de méditation s'étaient développées, et il pouvait pratiquer certains exercices répétitifs ; les sauts périlleux à cheval n'en étaient qu'un exemple. Gautam pouvait répéter le mouvement indéfiniment ; que le cheval galope ou reste immobile, il atterrissait toujours sur la selle. Depuis quelque temps, toutefois, il ne manifestait plus le même enthousiasme dans ses sauts périlleux ni dans ses autres activités ; Kunal, son entraîneur, mettait cette baisse de régime sur le compte de la passion du gros singe pour une jeune femelle nommée Mira. Mira venait d'arriver au Grand Nil bleu, et l'on voyait Gautam soupirer pour elle, souvent dans des moments peu propices.

S'il apercevait Mira lorsqu'il faisait ses sauts périlleux, il ratait la selle, et même le cheval. C'est pourquoi Mira montait un cheval très en avant dans le cortège d'animaux qui défilaient sous le grand chapiteau lors de la parade de présentation. C'est seulement lorsque le vieux chimpanzé faisait ses échauffements en coulisse qu'il pouvait apercevoir Mira ; on la tenait près des éléphants parce qu'il avait peur d'eux. Apercevoir Mira comme lors d'une transe suffisait au grand chimpanzé pendant qu'il attendait que le rideau s'ouvre et que l'orchestre joue la musique de la parade. Il faisait ses sauts périlleux sans arrêt, machinalement, presque comme s'ils étaient déclenchés par une petite décharge électrique, toutes les cinq secondes environ. Du coin de l'œil, il percevait sa présence lointaine, mais assez matérielle pour l'apaiser.

Si un obstacle lui dérobait Mira, Gautam devenait très malheureux. Seul Kunal avait le droit de s'interposer entre lui et l'image de Mira – et encore Kunal ne passait-il jamais à proximité de l'animal sans avoir un bâton à la main. Gautam était grand pour un chimpanzé : près d'un mètre cinquante et soixante kilos !

Pour dire les choses simplement, Martin Mills s'était trouvé là où il ne fallait pas quand il ne fallait pas. Après l'attaque, Kunal supposa que Gautam avait peut-être pris le missionnaire pour un congénère ; non seulement il lui obstruait la vue, mais qui sait s'il n'essayait pas d'obtenir le cœur de sa bien-aimée. Or Mira était une femelle au grand cœur, et sa démonstrativité – à l'égard des chimpanzés – était un trait de caractère qui rendait Gautam fou à longueur de temps. Quant à savoir pourquoi Gautam aurait pris Martin Mills pour un singe, Kunal pensait que la pâleur de sa peau avait dû lui paraître anormale. Si le teint de Martin Mills était du jamais vu pour les habitants de Junagadh – qui, après tout, ne s'étaient pas privés d'ouvrir des yeux ronds et même de le tripoter sur le passage de la Land Rover –, il était à peine moins insolite pour Gautam. Et puisqu'il ne lui semblait pas humain, il avait dû en déduire que c'était un chimpanzé mâle.

C'est sans doute dans cette logique que le chimpanzé interrompit ses sauts périlleux sur le dos du cheval. Il poussa un cri, et découvrit ses crocs ; puis il sauta des reins du cheval, passa sur le dos d'un autre et atterrit sur les épaules de Martin Mills et sa poitrine, pour le faire tomber par terre. Là-dessus, il enfonça ses dents dans le cou du jésuite pris de court – heureusement pour lui, ce dernier avait eu la présence d'esprit de se protéger la gorge avec sa main, mais la conséquence fut qu'il eut la main mordue. L'attaque laissa une profonde marque de croc dans le cou de Martin, une écorchure depuis le gras de sa main jusqu'au bout de son pouce ; et il avait perdu un bout de lobe. Gautam était trop fort pour qu'il le repousse ; Kunal réussit à faire lâcher prise à l'animal en le rouant de coups de bâton. Pendant ce temps, Mira poussait des cris perçants – sollicitude amoureuse ou réprobation ?

La question de savoir si le chimpanzé avait été mû par la haine raciale ou la jalousie sexuelle, ou les deux, fut débattue pendant tout le spectacle. Martin Mills refusait que le docteur s'occupe de ses blessures avant la fin de la séance ; il soutenait que les enfants verraient une belle leçon dans son stoïcisme – que le docteur considérait comme un stoïcisme imbécile, du type « que le spectacle continue ! ». Madhu et Ganesh furent distraits tous deux par le lobe manquant, et les morsures sauvages qui saignaient encore. Madhu regardait tout juste le spectacle. Farrokh, au contraire, était tout yeux et tout oreilles. Il n'était pas fâché de laisser saigner le missionnaire ; pour rien au monde il n'aurait voulu rater le spectacle.

Une fin parfaite

Les meilleurs numéros avaient été empruntés au Grand Royal. Ainsi celui qui s'intitulait la Valse des Vélos, et que l'orchestre accompagnait en jouant *The Yellow Rose of Texas*. De même qu'une Marche dans les airs exécutée ici par une femme maigre et musclée, toute en force nerveuse, à une allure rapide et mécanique. Le public n'avait pas peur pour elle ; même sans filet, il n'y avait pas d'inquiétude tangible qu'elle tombe. Alors que Suman était belle et vulnérable – comme on s'y attendrait chez une jeune femme suspendue à l'envers trente mètres au-dessus de la piste –, l'acrobate du Grand Nil bleu avait l'air d'un robot quadragénaire. Elle s'appelait Mrs Bhagwan, et Farrokh la reconnut pour la partenaire du lanceur de couteau à la scène ; elle était aussi sa femme dans la vie.

Pour le numéro de son mari, Mrs Bhagwan était étendue, membres écartés sur une roue de bois ; la roue était peinte comme une cible, et le ventre de Mrs Bhagwan en couvrait le mille. Pendant toute la durée du numéro, la roue tournait de plus en plus vite, et Mr Bhagwan lançait des couteaux sur sa femme. Lorsque la roue s'arrêtait, il y avait des couteaux dans tous les sens, sans qu'on puisse discerner le moindre dessin – à ceci près qu'il n'y en avait pas un seul planté dans le corps écartelé de Mrs Bhagwan.

L'autre spécialité de Mr Bhagwan était un numéro appelé l'Éléphant qui passe, qu'on retrouve dans presque tous les cirques, en Inde. Mr Bhagwan était couché sur la piste, entre deux matelas surmontés d'une planche ; un éléphant marchait sur cette planche, passant sur la poitrine de Mr Bhagwan. Farrokh remarqua que c'était le seul numéro qui n'ait pas poussé Ganesh à dire qu'il pourrait l'apprendre, même si le fait d'être infirme n'était pas une contre-indication pour qu'un éléphant vous passe sur le corps.

Un jour que Mr Bhagwan avait une diarrhée aiguë, sa femme l'avait remplacé pour ce numéro. Mais elle était trop mince pour l'Éléphant qui passe. On racontait qu'elle avait eu une hémorragie interne pendant des jours et qu'après sa guérison elle n'avait jamais plus été la même ; l'éléphant lui avait déglingué le métabolisme et le tempérament.

Farrokh comprit que sa façon de marcher dans les airs et sa passivité pendant le lancer des couteaux étaient du même ressort ; ce n'était pas tant un savoir-faire acquis, ni même un drame à jouer, qu'une soumission mécanique au destin. Le couteau baladeur de son mari, une chute de trente mètres, c'était tout un. Mrs Bhagwan était bel et bien un robot, pensa le Dr Daruwalla. Peut-être depuis le passage de l'éléphant...

Mr Das confia cette impression à Farrokh lorsqu'il vint les rejoindre brièvement pendant le spectacle, pour s'excuser de l'agression violente du chimpanzé, et ajouter sa propre théorie aux spéculations du médecin et du missionnaire sur les mobiles de l'animal. Mr Das attribua en effet la performance terne de Mrs Bhagwan au passage de l'éléphant.

– Remarquez que, d'un autre côté, ça va mieux depuis qu'elle est mariée, avoua-t-il.

Avant son mariage, en effet, elle se plaignait amèrement de ses règles ; elle disait à quel point être suspendue à l'envers lorsqu'elle saignait lui paraissait inconfortable.

– Et avant, son mariage, bien sûr, commentait Mr Das, il n'aurait pas été convenable qu'elle porte des tampons.

– Non, non, bien sûr, dit le Dr Daruwalla, atterré.

Pendant les temps morts entre deux numéros, et il y en avait souvent, ou lorsque l'orchestre se reposait entre deux airs, on entendait battre le chimpanzé. Kunal « disciplinait » Gautam, expliqua Mr Das. Dans certaines des autres villes de la tournée, il pourrait y avoir d'autres blancs mâles parmi le public ; on ne pouvait pas laisser Gautam se figurer qu'il avait le droit de leur sauter à la gorge.

– Non, non, bien sûr, dit le Dr Daruwalla.

Les hurlements du grand singe et les coups de bâton de Kunal leur parvenaient dans l'air calme de la nuit. Lorsque l'orchestre jouait, même archifaux, le docteur, le missionnaire et les enfants lui étaient reconnaissants.

Si Gautam était enragé, il mourrait ; mieux valait le frapper pour le cas où il ne le serait pas et où il aurait la vie sauve ; telle était la philosophie de Kunal. Par ailleurs, pour soigner Martin Mills, le docteur savait qu'il fallait faire comme si le chimpanzé était enragé. Mais pour l'instant les enfants riaient.

Lorsqu'un des lions pissa violemment sur son tabouret, et marcha dans la flaque, Madhu et Ganesh éclatèrent de rire tous deux. Mais Farrokh se sentit obligé de rappeler à Elephant Boy que lessiver le tabouret risquait fort d'être sa première tâche.

Il y eut une Danse du Paon, bien sûr ; deux petites filles jouaient les paons, comme toujours, et le scénariste se dit qu'il faudrait que sa Pinky soit en costume de paon lorsque le lion échappé la tuerait. Le mieux serait que le lion la tue parce qu'il la prenait pour un paon. Ce serait plus poignant ainsi, et la sympathie envers le lion y gagnerait. C'est ainsi que le scénariste allait réaliser son vieux pressentiment – les lions prisonniers dans le tunnel étaient nerveux parce que leur numéro allait passer, et que les petites déguisées en paons étaient tentantes, sous leur nez. Lorsque Vitriol jetait de l'acide sur la cage fermée, le lion qui s'échappait était d'humeur agitée, et paonophobe. Pauvre Pinky !

Le numéro de l'acrobate fut bissé. Mrs Bhagwan remonta tout en haut du grand chapiteau, mais pas pour exécuter une deuxième fois la Marche dans les airs, qui n'avait pas fait une forte impression sur le public ; elle ne monta tout en haut du grand chapiteau que pour répéter sa descente sur le trapèze dentaire. Car c'était ce qui avait plu au public ; surtout, ce que les spectateurs avaient aimé, c'était le cou de Mrs Bhagwan. Elle avait un cou très musclé, développé par tous ses exercices au trapèze dentaire ; et lorsqu'elle descendait en vrillant du haut du chapiteau, le trapèze serré entre les dents, les muscles de son cou saillaient tandis que les projecteurs passaient du vert au doré.

– Ça, je pourrais le faire, chuchota Ganesh au Dr Daruwalla. Il est fort, mon cou ; et mes dents aussi.

– C'est ça, tiens ! Et puis tu pourrais aussi rester suspendu et marcher la tête en bas ! répondit le docteur. Il suffit de tenir les deux pieds rigides, à angle droit – ce sont les chevilles qui portent tout le poids du corps.

Farrokh n'avait pas plutôt fini sa phrase qu'il réalisa son erreur. Chez Ganesh, le pied mutilé et la cheville étaient soudés – à quatre-vingt-dix degrés exactement. Il ne lui serait donc pas difficile de tenir la position adéquate.

Sur la piste, un finale imbécile était en train de se dérouler : des chimpanzés et des clowns nains sur des mobylettes. Le chimpanzé meneur de revue était habillé en laitier du Gujarat, et la foule adorait ce clin d'œil au pays.

L'enfant au pied d'éléphant souriait, serein, dans la pénombre.

– Donc c'est mon bon pied qu'il me faudrait fortifier – c'est ça que vous êtes en train de me dire ? demanda-t-il.

– Ce que je suis en train de te dire, Ganesh, c'est que ton boulot va consister à lessiver la pisse de lion et ramasser la merde d'éléphant ; avec un peu de chance, tu peux espérer qu'on te mette aux cuisines.

Maintenant, les poneys et les éléphants rentraient en piste, comme au début, et l'orchestre jouait fort ; on ne pouvait plus entendre Gautam se faire battre. Pas une seule fois, pour un seul numéro, Madhu n'avait dit : « Ça je pourrais le faire » ; et voilà que ce gosse au pied d'éléphant se figurait déjà qu'il pouvait marcher dans les airs.

– Là haut, dit-il au Dr Daruwalla en lui désignant le sommet du grand chapiteau, là haut je marcherais sans boiter.

– Il ne faut même pas y penser, répondit le docteur.

Mais il ne pouvait s'empêcher d'y penser lui-même. Cela ferait une fin idéale pour son scénario. Après que le lion avait tué Pinky, et que Vitriol était bien puni (peut-être que, par accident, il recevrait de l'acide sur les parties), Ganesh comprenait que le cirque ne le garderait pas s'il ne savait pas faire de numéro. Suman refusait de donner des leçons à l'infirme, et Pratap de le laisser s'entraîner sur l'échelle du petit chapiteau de la troupe. Il n'avait nulle part où apprendre la Marche dans les airs sinon sous le grand chapiteau ; s'il voulait tenter sa chance, il lui fallait monter dans les agrès tout là-haut, et faire le numéro pour de bon, à trente mètres du sol et sans filet.

Quelle scène de bravoure ! pensait le scénariste. L'enfant sort furtivement de la tente du cuisinier aux premières lueurs de l'aube. Il n'y a personne sous le grand chapiteau pour le voir grimper la corde jusqu'en haut. « Si je tombe, dit-il en voix off, c'est la mort. Si personne ne vous voit mourir, personne ne dit de prières pour vous. » Excellente phrase, pensa le Dr Daruwalla ; il se demandait si c'était vrai.

La caméra se trouve trente mètres au-dessous du garçon suspendu tête en bas à l'échelle ; il tient les montants des deux mains, et il engage son pied valide, puis son pied mutilé dans les deux premières boucles. Il y a dix-huit boucles de corde sur la longueur de l'échelle ; la Marche dans les airs comporte seize pas. « Il y a un moment où il faut lâcher les mains, dit Ganesh en voix off, je ne sais pas dans quelle main je serai, alors. »

Le gamin lâche les deux mains ; il reste suspendu par les pieds. (Le truc, c'est qu'on se balance pour prendre de l'élan, ce qui permet d'avancer – un pied à la fois ; on quitte la première boucle pour entrer dans la deuxième, sans cesser son balancement. Il ne faut jamais briser l'élan... il faut garder constante l'impulsion vers l'avant.) « Moi je crois qu'il y a un moment où il faut décider où on veut être », dit l'enfant en voix off. La caméra couvre les trente mètres qui les séparent et cadre ses pieds en gros plan. « Et quand on en est là, on n'est plus dans la main de personne, poursuit la voix off, quand on est là, on marche tous dans les airs. »

Une autre prise de vues montre que le cuisinier a découvert ce que Ganesh est en train de faire ; il est planté, immobile, les yeux fixés là-haut ; il compte. D'autres artistes sont arrivés sous le chapiteau – Pratap Singh, Suman, les clowns nains (il y en a un qui est encore en train de se laver les dents). Ils suivent des yeux la progression de l'infirme, et ils comptent, tous ; car ils savent tous combien il y a de pas dans la Marche.

« Qu'ils comptent, eux, dit Ganesh en voix off. Voilà ce que je me dis, moi. Je me dis que je marche, pas que je marche dans les airs, mais que je marche, simplement. C'est mon petit secret. L'idée de marcher, ça n'impressionnerait personne d'autre. Personne n'arriverait à se concentrer tellement là-dessus. Mais pour moi, la simple idée de marcher n'est pas si banale. Ce que je me dis, c'est que je marche sans boiter. »

Pas mal, pensa le Dr Daruwalla. Et puis il faudrait qu'il y ait une scène, plus tard, où l'on verrait le gamin en grand costume ; un justaucorps brodé de paillettes bleu-vert. Il descendrait le trapèze dentaire, vrillant sous les projecteurs, les paillettes renvoyant la lumière. Il ne toucherait jamais tout à fait le sol. Au bout du filin, Pratap le réceptionnerait dans ses bras. Il le soulèverait pour le faire voir à la foule qui l'acclamerait. Puis il quitterait la piste en courant, Ganesh toujours dans ses bras – parce qu'après qu'un infirme a marché dans les airs, il ne faut pas qu'on le voie boiter.

Ça peut fonctionner, pensa le scénariste.

Le spectacle fini, ils parvinrent à retrouver la Land Rover, mais pas Ramu. Il leur fallut deux pousse-pousse pour se rendre à la Maison du circuit gouvernemental ; Madhu et Farrokh suivaient le pousse-pousse de Ganesh et Martin Mills. C'étaient des tricycles, que le Dr Daruwalla détestait ; le vieux Lowji avait déclaré un jour qu'un triporteur, c'était bête comme une mobylette qui traînerait un transat. Mais Madhu et Ganesh adoraient la balade. Tandis que le triporteur avançait en cahotant, Madhu agrippa solidement le genou de Farrokh. C'est un geste d'enfant qui perd l'équilibre, elle ne me pelote pas, se dit Farrokh pour se rassurer. De sa main libre, Madhu faisait signe à Ganesh. En la regardant, Farrokh se disait : peut-être que ça va aller pour elle ; peut-être qu'elle va s'en sortir.

Sur les garde-boue du triporteur qui les précédait, Farrokh voyait le visage d'un acteur de cinéma ; il se dit que ce devait être un mauvais dessin de Madhuri Dixit ou de Jaya Prada ; en tout cas, ce n'était pas l'inspecteur Dhar. Dans la vitre en plastique à bon marché du pousse-pousse, il voyait s'encadrer le visage de Ganesh ; le vrai Ganesh, cette fois. Cette fin était tellement parfaite – d'autant plus remarquable que c'était l'infirme de la réalité qui la lui avait soufflée.

Derrière le plastique du pousse-pousse cahotant, les yeux sombres de l'enfant brillaient. Le phare du pousse-pousse qui le suivait passait et repassait sur son visage souriant. Avec la distance entre les deux véhicules, et la pénombre, le docteur observa que ses yeux paraissaient sains ; on ne pouvait pas voir les dépôts et la pellicule dus à la tétracycline. Et sous un angle aussi restreint, on ne voyait pas non plus que Ganesh était infirme ; il avait l'air d'un enfant normal, et heureux.

Si seulement cela pouvait être vrai !

La nuit des dix mille marches

A défaut de remettre le lobe d'oreille arraché, le Dr Daruwalla administra à Martin Mills deux fioles de 10 ml d'immunoglobuline contre la rage dans trois des zones lésées, le lobe, le cou, la main ; et le demi-flacon qui restait en intramusculaire dans la fesse.

C'était la main qui était dans le plus triste état – une déchirure, que le docteur pansa de gaze. Comme il faut qu'une morsure suppure, et cicatrise de l'intérieur, il ne voulut pas faire de points de suture. Et il ne proposa pas d'analgésique à Martin, car il s'était aperçu qu'il jouissait de sa douleur. Cependant, lorsqu'il lui susurra qu'il semblait souffrir des stigmates du chimpanzé, le scolastique, faute d'humour, n'apprécia guère la plaisanterie. Ce qui n'empêcha pas le docteur de lui faire remarquer en outre qu'à en juger par ses blessures, ce qui l'avait mordu – et converti – lui-même à Goa ne risquait pas d'être un chimpanzé : tout l'orteil y serait passé, si ce n'était pas la moitié du pied.

– Ah, je vois que vous êtes toujours vexé, pour votre miracle, répondit Martin Mills.

C'est sur cet échange aigre-doux que les deux hommes se dirent au revoir. Farrokh n'enviait pas le jésuite . calmer Ganesh ne serait pas une petite affaire ; Elephant Boy n'était pas d'humeur à dormir, il était impatient de commencer sa première journée complète au cirque. Madhu, au contraire, semblait maussade et absente, si elle n'avait pas précisément sommeil.

A la Maison du circuit gouvernemental, leurs chambres étaient contiguës. Dans celle de Farrokh et Madhu, deux portes vitrées donnaient sur un petit balcon couvert de déjections d'oiseaux. Ils avaient une salle de bains à eux, avec lavabo et toilettes, mais sans porte – il n'y avait qu'une tenture suspendue à une tringle, et elle ne touchait pas tout à fait le sol. En guise de chasse d'eau, il y avait un seau, opportunément placé sous un robinet qui gouttait. Il y avait aussi une douche, ou ce qui en tenait lieu : un tuyau ouvert, sans pomme de douche, sortait du mur de la salle de bains. Il n'y avait pas de rideau de douche, mais un sol en pente, qui menait à une rigole dans laquelle, à y mieux regarder, un rat avait temporairement élu domicile. Farrokh avait vu sa queue disparaître par le trou. Tout près de la vidange, il trouva un bout de savon entamé, dont les bords avaient été grignotés.

Dans la chambre, les deux lits étaient trop proches l'un de l'autre, et sans aucun doute infestés de bestioles. Les deux moustiquaires étaient jaunies et raides ; l'une des deux déchirée. La seule fenêtre qui s'ouvrait n'avait pas de moustiquaire, et elle ne laissait pas passer beaucoup d'air. Le Dr Daruwalla pensa qu'ils feraient aussi bien d'ouvrir les portes-fenêtres donnant sur le balcon, mais Madhu lui dit qu'elle avait peur qu'un singe n'entre.

Le ventilateur de plafond n'avait que deux vitesses : la première si lente qu'elle n'avait pas le moindre effet, la seconde si rapide qu'elle faisait voler les moustiquaires. Même sous le grand chapiteau, au cirque, l'air de la nuit leur avait paru frais ; mais là, au troisième étage de la Maison du circuit gouvernemental, il faisait chaud, et il n'y avait pas d'air. Madhu résolut le problème en passant à la salle de bains la première. Elle mouilla une serviette et la tordit, puis elle s'enroula nue dedans pour se coucher – dans le meilleur lit, celui dont la moustiquaire n'était pas déchirée. Madhu était petite, mais la serviette aussi ; elle couvrait tout juste ses seins, et laissait nues ses cuisses. Elle sait ce qu'elle veut, cette enfant, pensa Farrokh.

Une fois couchée, elle lui lança :

– J'ai encore faim. On n'a rien eu de sucré.

– Tu veux un dessert ? lui demanda le Dr Daruwalla.

– S'il est sucré, dit-elle.

Il emporta la Thermos avec le reste des vaccins antirabiques et l'immunoglobuline dans le hall ; il espérait y trouver un réfrigérateur, car la Thermos était déjà tiède. Et si Gautam mordait quelqu'un d'autre le lendemain ? Kunal lui avait annoncé que le chimpanzé était « presque certainement » enragé. Enragé ou pas, pensait le docteur, on n'aurait pas dû le frapper ; seul un cirque de second ordre frappait ses animaux.

Dans le hall, à la réception, un jeune musulman écoutait le quawwali à la radio ; tout en écoutant les versets, il mangeait quelque chose qui ressemblait à de la glace ; à chaque bouchée il dodelinait de la tête, la cuillère dirigeant la musique entre le pot et sa bouche. Ce n'était pas de la glace, dit le jeune homme au docteur ; et il lui tendit sa cuillère en lui proposant de goûter. La consistance était différente en effet ; il s'agissait d'un yogourt jaune safran, parfumé à la cardamome et sucré. Il y en avait un plein réfrigérateur ; Farrokh prit un pot et une cuillère pour Madhu. Il laissa le vaccin et l'immunoglobuline dans le réfrigérateur après s'être assuré que le jeune homme ne commettrait pas l'idiotie de les manger.

Lorsqu'il rentra dans la chambre, Madhu s'était débarrassée de la serviette. Il essaya de lui donner le dessert gujarati sans la regarder mais, sans doute de propos délibéré, elle lui compliqua la tâche en affectant de ne pas savoir où s'ouvrait la moustiquaire. Elle mangea son yogourt sucré assise toute nue dans son lit, en le regardant disposer ce qu'il lui fallait pour écrire.

Il y avait une table bancale, une grosse bougie fixée dans un cendrier sale par sa cire, un paquet d'allumettes auprès d'une spirale antimoustiques. Lorsque Farrokh eut étalé ses feuillets, et lissé du plat de la main le bloc neuf, il alluma la bougie et la spirale, et éteignit le plafonnier. A la vitesse maximale, le ventilateur l'aurait dérangé dans son travail, et aurait arraché la moustiquaire de Madhu ; il mit donc sur la vitesse minimale ; même si c'était inefficace, il espérait du moins que le mouvement des pales endormirait Madhu.

– Qu'est-ce que tu fais ? lui demanda la petite prostituée.

– J'écris.

– Lis-moi.

– Tu ne comprendrais pas.

– Tu vas dormir ?

– Tout à l'heure, peut-être.

Il tenta de la chasser de son esprit, mais c'était difficile. Elle ne cessait de le regarder ; le bruit de sa cuillère dans le pot était aussi régulier que le bourdonnement du ventilateur. Sa nudité pleine d'arrière-pensées l'oppressait, mais pas parce qu'elle le tentait réellement ; ce qui l'obsédait soudain, c'était plutôt le vice à l'état pur qu'il faudrait pour coucher avec elle, et même pour y penser. Il n'avait pas envie de coucher avec elle ; il n'éprouvait pour elle qu'un désir fugace ; mais l'évidence qu'elle lui était accessible engourdissait ses autres sens. Coucher avec elle, c'était mal, sans équivoque, cela relevait du vice le plus pur, et ce qui le frappait, c'était qu'une mauvaise action de ce genre se présentait rarement avec aussi peu de conséquences ; il était horrifié à l'idée que s'ils couchaient ensemble, il n'y aurait pas de suites néfastes. S'il la laissait le séduire, il ne se passerait rien – simplement il s'en souviendrait toute sa vie, et se sentirait coupable.

La petite avait de la chance : elle n'était pas séropositive ; d'ailleurs, il était en déplacement en Inde : il avait des préservatifs sur lui. Et Madhu n'était pas le genre de fille à raconter la chose à qui que ce soit ; elle n'était pas bavarde. Dans la situation où elle se trouvait, elle n'aurait peut-être jamais l'occasion d'en parler à personne. Ce n'était pas seulement l'innocence ternie de l'enfant qui le convainquait de voir là du vice à l'état pur, comme il n'en avait presque jamais imaginé ; c'était aussi son amoralité flagrante – qu'elle lui ait été inculquée au bordel, ou, comble de l'horreur, par Mr Garg lui-même. Quoi qu'un homme lui fasse, il ne le paierait jamais – ou en tout cas pas dans cette vie, ou seulement par les tourments de son âme. C'était la première fois que le docteur nourrissait des pensées aussi noires ; pourtant, il réussit à s'en libérer ; bientôt, il s'était mis à écrire.

Au mouvement de son stylo, Madhu, qui ne l'avait pas quitté des yeux, sembla comprendre qu'elle l'avait perdu. Et puis, son dessert était fini. Elle sortit du lit et alla jusqu'à lui, toute nue ; elle regarda par-dessus son épaule, comme si elle avait su lire ce qu'il écrivait. Le scénariste sentait ses cheveux contre sa joue et contre son cou.

– Lis-moi ce que tu écris, juste cette partie, lui dit-elle.

Elle s'appuya contre lui avec plus d'insistance et, tendant la main, elle toucha le papier ; elle toucha la dernière phrase. Son haleine sentait le yogourt à la cardamome, avec un vague relent de fleurs fanées – peut-être le safran.

Le scénariste lui lut à haute voix :

– Deux brancardiers en dhotis blancs courent avec le corps de Vitriol qui est recroquevillé en position fœtale sur la civière – le visage pétrifié par la douleur, de la fumée s'échappant encore de son entre-jambe.

Madhu lui fit relire la phrase, puis elle demanda :

– En position quoi ?

– Fœtale, répondit Farrokh, comme un bébé dans le ventre de sa mère.

– Qui c'est Vitriol ? lui demanda la petite prostituée.

– Un homme qui a été brûlé au vitriol, comme Mr Garg, lui dit Farrokh.

Lorsqu'il prononça le nom de Garg, il ne vit pas le moindre signe de reconnaissance sur le visage de la petite. Il refusait de regarder sa nudité, bien qu'elle s'accrochât à son épaule ; là où elle se pressait contre lui, il se sentit commencer à transpirer.

– D'où elle vient, la fumée ?

– De son entrejambe.

– Où c'est ?

– Tu sais très bien où c'est, Madhu, retourne te coucher.

Elle leva un bras pour lui faire voir son aisselle.

– Les poils repoussent, lui dit-elle, tu peux toucher.

– Je le vois bien, qu'ils repoussent ; j'ai pas besoin de toucher.

– Ils repoussent partout, dit Madhu.

– Retourne te coucher, dit le docteur.

Au changement de rythme de sa respiration, il sut à quel moment précis elle avait fini par s'endormir. Alors il se dit qu'il pourrait aller s'allonger dans l'autre lit en toute sécurité. Il avait beau être épuisé, il n'avait pas encore réussi à s'endormir lorsqu'il sentit les premières puces ou les premières punaises. Ça n'avait pas l'air de sauter comme des puces, et c'était invisible : ce devaient être des punaises. Évidemment, Madhu en avait l'habitude, elle n'y avait pas fait attention.

Farrokh décida qu'il aimait autant dormir au milieu de la fiente d'oiseau, sur le balcon ; il y faisait peut-être assez frais pour qu'il n'y ait pas de moustiques. Mais lorsqu'il sortit, là, sur le balcon d'à côté, il vit Martin Mills, les yeux grands ouverts.

– Il y a des milliers de bestioles dans mon lit, lui dit tout bas la missionnaire.

– Dans le mien aussi, répondit Farrokh.

– Je ne sais pas comment il fait, le gamin, pour arriver à dormir au milieu de toutes ces choses qui grouillent et qui piquent.

– Il y en a sans aucun doute infiniment moins ici que ce à quoi il est habitué à Bombay, conclut le docteur.

La nuit cédait aux lueurs de l'aube ; bientôt le ciel prendrait la couleur thé au lait de la terre. Contre ces teintes ocrées, le blanc des pansements du missionnaire ressortait – sa main dans une mitaine de gaze, son cou emmailloté, son oreille rapiécée.

– Vous valez le coup d'œil ! lui dit le docteur.

– Vous ne vous êtes pas regardé ! rétorqua Martin Mills. Vous avez réussi à dormir un peu ?

Puisque les enfants dormaient si profondément, et qu'ils étaient dans leur premier sommeil, les deux hommes décidèrent d'aller visiter la ville. Aussi bien, Mr Das les avait prévenus de ne pas arriver trop tôt, car ils risquaient d'interrompre un programme de télévision. Comme on était dimanche, le docteur présumait que tous les postes seraient branchés sur le Mahabharata ; cette populaire épopée hindoue était diffusée tous les dimanches matin depuis plus d'un an – il y en avait quatre-vingt-treize épisodes en tout, d'une heure chacun, et le grand voyage jusqu'aux portes du ciel, qui achevait l'épopée, ne prendrait pas fin avant l'été. C'était le soap opera le plus réussi du monde, qui représentait la religion comme une chanson de geste ; c'était une légende agrémentée d'homélies sans nombre, la cécité y jouait son rôle, on y trouvait des naissances illégitimes, des batailles et des rapts de femmes. Il s'était produit un nombre record de cambriolages pendant la diffusion des épisodes parce que les cambrioleurs savaient que presque tout le monde serait collé devant son poste. Le missionnaire allait être dévoré d'une envie toute chrétienne, pensa le Dr Daruwalla.

Dans le hall, le jeune musulman avait cessé de manger son yogourt au son du quawwali ; les versets l'avaient endormi. Il n'était pas nécessaire de le réveiller. Dans l'allée de la Maison, une demi-douzaine de pousse-pousse étaient garés pour la nuit, leurs chauffeurs – à l'exception d'un seul – endormis sur le siège du passager. Le seul chauffeur éveillé était en train d'achever ses prières lorsque le docteur et le missionnaire louèrent ses services. Ils traversèrent la ville endormie en pousse-pousse ; un spectacle aussi paisible n'était guère vraisemblable à Bombay.

Près de la gare de Junagadh, ils virent une baraque jaune où quelques lève-tôt louaient des bicyclettes. Ils dépassèrent une plantation de cocotiers. Ils virent un signe indiquant le zoo, avec un léopard dessiné dessus. Ils dépassèrent une mosquée, un hôpital, l'hôtel Repos, un marché aux légumes, un vieux fort ; ils virent deux temples, deux citernes, quelques mangueraies, et un arbre qui était selon le Dr Daruwalla un baobab, et selon Martin Mills autre chose. Leur chauffeur les conduisit dans une forêt de tecks. C'est de là que partait l'ascension de Girnar Hill, leur expliqua-t-il ; à partir de cet endroit, il leur faudrait continuer à pied. La montée faisait six cents mètres, et dix mille marches ; elle leur prendrait environ deux heures.

– Qu'est-ce qui peut bien lui faire croire que nous avons l'intention de grimper dix mille marches pendant deux heures ? demanda Martin à Farrokh.

Cependant, dès que le docteur lui eut expliqué que la colline était sacrée pour les jains, le jésuite voulut l'escalader.

– Mais il n'y a rien d'autre à voir qu'une demi-douzaine de temples ! s'écria le Dr Daruwalla.

L'endroit allait grouiller de sadhus en train de faire du yoga. Il y aurait des buvettes aux rafraîchissements peu engageants ; des singes écumeraient le secteur ; on verrait s'étaler des excréments humains sur tout le trajet. (Ils verraient aussi des aigles dans le ciel, leur avait promis le conducteur du pousse-pousse.)

Il fut impossible de dissuader le jésuite de faire la sainte ascension. Le docteur se demandait si la difficulté de la randonnée ne constituait pas un ersatz de messe. L'ascension leur prit à peine une heure et demie, surtout parce que le missionnaire montait au pas de charge. Il y avait des singes dans les parages, et leur présence lui donnait incontestablement du ressort ; depuis sa mésaventure, il se méfiait des pithèques en tout genre, et même des petits. Ils ne virent qu'un seul aigle. Ils croisèrent plusieurs sadhus, qui montaient la colline sacrée au moment où le médecin et le missionnaire la redescendaient. Il était trop tôt pour que les stands de boissons soient ouverts, à quelques exceptions près ; devant l'un d'entre eux, ils partagèrent un soda à l'orange tiède. Le docteur dut reconnaître que les temples de marbre proches du sommet étaient impressionnants, surtout le plus grand et le plus ancien, un sanctuaire jain du XIIᵉ siècle.

A la descente, ils étaient hors d'haleine tous deux, et le Dr Daruwalla remarqua que ses genoux lui faisaient souffrir le martyre ; aucune religion ne valait qu'on grimpe dix mille marches, dit-il. Les rencontres occasionnelles avec des excréments humains le démoralisaient, et tout le temps qu'avait duré la randonnée, il s'était inquiété à l'idée que leur conducteur les aurait abandonnés là, et qu'ils devraient rentrer en ville à pied. S'il lui avait donné un pourboire trop élevé, il n'aurait plus de raison de les attendre ; s'il lui avait donné trop peu, il se serait senti trop insulté pour les attendre.

– Ce sera un miracle si notre chauffeur ne s'est pas éclipsé, dit Farrokh à Martin.

Mais leur chauffeur les attendait, et même, lorsqu'il s'approchèrent de ce fidèle serviteur, il était en train de nettoyer son pousse-pousse.

– Vous ne devriez pas employer le mot « miracle » à tort et à travers, comme ça, dit le missionnaire ; le bandage de son cou commençait à se défaire parce que la randonnée l'avait fait transpirer.

Il était temps de réveiller les enfants et de les emmener au cirque. Farrokh fut exaspéré de constater que Martin Mills avait attendu jusque-là pour énoncer l'évidence – qu'il ne répéta d'ailleurs jamais :

– Seigneur Dieu ! J'espère que nous faisons bien.

23
Au revoir les enfants

Charlton Heston et le Seigneur Krishna

Des semaines durant, après que le quatuor insolite eut quitté la Maison des circuits gouvernementaux, à Junagadh, le vaccin antirabique et la fiole d'immunoglobuline oubliés par le Dr Daruwalla restèrent dans le réfrigérateur du hall. Un soir, le jeune musulman mangeur de yogourt jaune safran se souvint que le paquet en souffrance contenait des médicaments ; tout le monde avait peur d'y toucher, mais, rassemblant son courage, quelqu'un le jeta. Quant à la chaussette esseulée et à la sandale gauche, qu'Elephant Boy avait délibérément laissées là, on en fit don à l'hôpital de la ville, même s'il était improbable que quelqu'un en ait jamais l'usage. Ganesh savait bien qu'au cirque, ni la chaussette ni la sandale ne lui seraient d'aucune utilité ; un aide-cuisinier ou un acrobate n'en avaient pas besoin.

L'infirme qui entra en boitant chez le présentateur, dans la tente de la troupe, était donc un va-nu-pieds ; c'était dimanche, peu avant dix heures, et Mr et Mrs Das, ainsi qu'au moins un douzaine de jeunes acrobates, étaient assis en tailleur sur les tapis, à regarder le Mahabharata à la télévision. Malgré leur ascension de Gurnar Hill, le médecin et le missionnaire avaient amené les enfants au cirque trop tôt. Personne ne vint les accueillir, ce qui mit Madhu mal à l'aise d'emblée ; elle alla se cogner à une fille plus âgée, qui n'en fit pas plus attention à elle. Mrs Das, sans quitter l'écran des yeux, agita les deux bras, signe difficile à interpréter : voulait-elle leur intimer de sortir, ou de s'asseoir ? Le présentateur éclaircit la chose :

– Asseyez-vous, ordonna-t-il, n'importe où.

Ganesh et Madhu furent aussitôt rivés à la télévision ; le sérieux du Mahabharata leur sautait aux yeux. Les mendiants eux-mêmes connaissaient ce rituel dominical : ils regardaient souvent l'émission dans des vitrines. Parfois, les gens qui n'avaient pas de poste s'assemblaient discrètement devant les fenêtres ouvertes des appartements où la télévision était allumée ; tant pis s'ils ne voyaient pas l'écran tant qu'ils entendaient les batailles et les chants. Les petites prostituées aussi, présumait le docteur, devaient bien connaître le fameux feuilleton. Seul Martin était perplexe devant la révérence manifeste qui régnait sous la tente de la troupe ; il n'avait pas compris que l'attention générale était captée par une épopée religieuse.

– C'est une comédie musicale populaire ? demanda-t-il au Dr Daruwalla.

– C'est le Mahabharata ! Taisez-vous, lui dit Farrokh.

– Le Mahabharata passe à la télévision ? s'écria le missionnaire. Tout entier ? Ça doit faire dix fois la Bible !

– Chut ! répondit le docteur.

Mrs Das agita les deux bras, de nouveau.

Là, sur l'écran, on voyait le Seigneur Krishna, « le noir », l'avatar de Vishnou. Les petits acrobates, pleins de terreur sacrée, étaient bouche bée ; Ganesh et Madhu étaient médusés. Mrs Das se balançait d'avant en arrière ; elle fredonnait tout bas. Même le meneur de la troupe était suspendu aux paroles de Krishna. A l'arrière-plan, on entendait des pleurs ; apparemment le discours du Seigneur Krishna devait être poignant.

– Qui c'est, celui-là ? chuchota Martin.

– Le Seigneur Krishna, dit le docteur sur le même ton.

On vit les deux bras de Mrs Das se lever de nouveau, mais le scolastique était trop excité pour se tenir tranquille ; juste avant la fin de l'émission, il parla encore une fois à l'oreille du docteur ; il éprouvait le besoin de lui dire que le Seigneur Krishna lui rappelait Charlton Heston.

Mais au cirque le dimanche n'était pas un jour comme les autres, même en dehors du Mahabharata. C'était le seul matin de la semaine où les enfants ne répétaient pas leurs numéros, n'en apprenaient pas de nouveaux, et ne faisaient pas même de musculation ou d'assouplissements. En revanche, ils vaquaient à leurs tâches domestiques : ils balayaient et nettoyaient le tour de leur lit, ainsi que la minuscule cuisine du chapiteau de la troupe ; lorsqu'il manquait des paillettes à leurs costumes, ils sortaient les vieilles boîtes à thé qui en étaient pleines – une couleur par boîte – et ils en cousaient d'autres.

Mrs Das ne se montra pas hostile lorsqu'elle expliqua ces tâches à Madhu ; et les autres filles du chapiteau ne lui firent pas mauvais accueil. Une fille plus âgée fouilla dans les malles de costumes et en tira les justaucorps qui lui semblaient à la taille de la petite prostituée. Madhu s'intéressa aux costumes ; elle avait même hâte de les essayer.

Mrs Das confia au Dr Daruwalla qu'elle se réjouissait que la petite ne fût pas de Kérala.

– Les filles de Kérala sont trop exigeantes, dit-elle. Il leur faut des petits plats à tous les repas, et de l'huile de coco dans leurs cheveux.

Mr Das parla au docteur à mi-voix, sur le ton de la confidence. Les filles de Kérala étaient réputées chaudes ; vertu déparée par le fait qu'elles tentaient toujours de syndiquer tout le monde. Le cirque n'était pas le lieu rêvé pour lancer une révolution communiste – le meneur de la troupe était d'accord avec sa femme, c'était une bonne chose que Madhu ne soit pas de Kérala. Mari et femme ne trouvèrent rien de plus rassurant à exprimer que ce préjugé commun contre des gens qui venaient d'ailleurs.

Les jeunes acrobates ne furent pas méchants avec Ganesh ; ils l'ignorèrent purement et simplement. Martin Mills et ses bandages les intéressaient bien plus ; ils avaient tous entendu parler de l'attaque du chimpanzé – beaucoup en avaient été témoins. Les blessures pansées avec art les excitaient, même s'ils étaient déçus que le docteur refuse de défaire le pansement de l'oreille : ils auraient voulu voir combien il en manquait.

– Combien ? Comme ça ? demanda l'un des acrobates au missionnaire.

– En fait, répondit celui-ci, moi, je n'ai pas vu combien il en manquait.

Cette conversation se délita pour faire place à des spéculations annexes : Gautam avait-il avalé le bout de lobe ? Le Dr Daruwalla observa qu'aucun des petits acrobates ne semblait s'apercevoir que le missionnaire ressemblait à l'inspecteur Dhar, alors que les films hindis faisaient partie de leur univers. Tout ce qui les intéressait, c'était le bout de lobe arraché, et si le singe l'avait mangé.

– Les chimpanzés ne sont pas carnassiers, dit l'un des plus âgés. Si Gautam l'a avalé, il est malade ce matin.

Certains d'entre eux, ceux qui avaient fini leurs tâches ménagères, sortirent voir si Gautam était malade. Ils insistèrent pour que le missionnaire vienne avec eux. Le Dr Daruwalla se rendit compte qu'il ne devait pas s'attarder ; cela ne ferait pas de bien à Madhu.

– Je vais te dire au revoir, à présent, dit-il à la petite prostituée. J'espère que ta nouvelle vie sera heureuse. Fais bien attention à toi, s'il te plaît.

Lorsqu'elle lui passa les bras autour du cou, Farrokh se sentit faiblir ; il crut qu'elle allait l'embrasser, mais il se trompait. Tout ce qu'elle voulait, c'était lui chuchoter à l'oreille : « Ramène-moi à la maison. » Mais qu'est-ce qu'elle appelait « à la maison » ? Qu'est-ce qu'elle pouvait bien vouloir dire par là ? Elle le lui précisa avant qu'il ne le lui demande : « Je veux vivre avec Vitriol. » Ce n'était pas plus compliqué que ça, la petite venait d'adopter son surnom pour Mr Garg. Le scénariste ne sut que détacher ses bras de son cou et lui jeter un regard inquiet. Puis la fille plus âgée vint la distraire avec un justaucorps aux paillettes éclatantes, dont le devant était rouge et le dos orange – Farrokh put filer en douce.

Chandra avait ménagé un lit dans un coin de sa tente. Elephant Boy y dormirait entouré de sacs de riz et d'oignons, avec une muraille de boîtes de thé pour tête de lit. Pour que le gamin n'ait pas le mal du pays, le cuisinier lui avait donné un calendrier du Maharashtra ; on y voyait Parvati avec son fils à tête d'éléphant, Ganesh, le Seigneur Ganesha, « Seigneur des hôtes », divinité à une seule défense.

Farrokh avait du mal à prendre congé. Il demanda au cuisinier la permission d'emmener l'enfant au pied d'éléphant faire un tour. Ils allèrent voir les lions et les tigres, mais l'heure du repas était encore loin, et les grands fauves étaient somnolents ou de mauvaise humeur. Puis le médecin et l'infirme se baladèrent entre les tentes. Un clown nain était en train de se laver les cheveux dans un seau ; un autre se rasait. Farrokh constatait avec soulagement qu'aucun d'entre eux n'avait essayé d'imiter la claudication de Ganesh – Vinod avait prévenu l'enfant que cela arriverait à coup sûr. Ils s'arrêtèrent devant la tente de Mr et Mrs Bhagwan ; ils y virent tout un étalage de couteaux – apparemment, c'était le jour où Mr Bhagwan les aiguisait. Et, dans l'entrée, Mrs Bhagwan dénouait ses longs cheveux noirs qui lui arrivaient presque à la taille.

Lorsque l'acrobate vit le boiteux, elle lui fit signe de venir, et le

Dr Daruwalla suivit timidement. Tous ceux qui boitent ont besoin de protection supplémentaire, disait Mrs Bhagwan à Elephant Boy ; c'est pourquoi elle voulait qu'il ait une médaille de Shirdi Sai Baba – Sai Baba, lui expliqua-t-elle, était le saint patron de tous ceux qui avaient peur de tomber. « Maintenant, il n'aura plus peur », dit Mrs Bhagwan au Dr Daruwalla. Elle attacha la breloque autour du cou du gamin ; c'était un médaillon d'argent très léger, au bout d'un lacet de cuir. A la regarder, le docteur s'émerveillait qu'avant son mariage elle ait pu faire la Marche dans les airs pendant ses règles sans que les convenances lui permettent de porter un tampon. Maintenant, elle se soumettait machinalement aux aléas de la Marche, et des couteaux de son mari.

Mrs Bhagwan n'était pas jolie, mais elle avait une magnifique chevelure brillante ; pourtant, Ganesh ne regardait pas sa chevelure ; il avait plongé le regard dans sa tente. Tout en haut de celle-ci étaient tendus des agrès d'entraînement pour la Marche dans les airs ; une sorte d'échelle, parfaitement conforme, avec dix-huit boucles. Mrs Bhagwan elle-même n'aurait pas pu marcher dans les airs sans s'entraîner. Pendu là-haut, il y avait aussi un trapèze dentaire ; il brillait comme les cheveux de Mrs Bhagwan – le docteur s'imagina qu'il devait être encore tout humide de sa bouche.

Mrs Bhagwan vit ce que le gamin regardait.

– Il s'est mis dans la tête de faire la Marche dans les airs, ce jeune fou, expliqua Farrokh.

Mrs Bhagwan regarda Ganesh d'un air sévère :

– Tu es un jeune fou, alors, dit-elle à l'infirme.

Elle prit son cadeau dans sa main noueuse, et tira doucement dessus. Le Dr Daruwalla se rendit compte qu'elle avait des mains aussi grandes et aussi puissantes que celles d'un homme ; elles lui rappelèrent désagréablement celles de la seconde Mrs Dogar – la dernière fois qu'il les avait vues, elles pinçaient nerveusement la nappe ; on aurait dit de grosses pattes.

– Shirdi Sai Baba lui-même ne peut pas empêcher l'acrobate qui fait la Marche dans les airs de tomber, dit Mrs Bhagwan à Ganesh.

– Et vous, qu'est-ce qui vous en empêche, alors ? lui demanda le gamin.

L'acrobate montra ses pieds ; nus sous la longue jupe du sari, ils étaient étonnamment gracieux, et même délicats, par rapport à ses mains. Mais le dessus de ses pieds et de ses chevilles était si cruellement éraflé que la peau était partie ; à sa place on voyait du tissu cicatriciel durci, ridé et craquelé.

– Touche-les, dit Mrs Bhagwan au gamin. Vous aussi, enjoignit-elle au docteur, qui obéit.

Il n'avait jamais touché la peau d'un éléphant ou d'un rhinocéros ; il ne faisait qu'imaginer leur cuir épais et rugueux. Il ne pouvait s'empêcher de réfléchir qu'il existait sûrement une pommade ou une lotion que Mrs Bhagawan aurait pu mettre sur ses pauvres pieds pour aider les fissures à cicatriser sur sa peau durcie ; puis il lui vint à l'esprit que si ses fissures cicatrisaient, la peau serait trop calleuse pour lui permettre de sentir les boucles de corde râper ses pieds. Si ses écorchures lui faisaient mal, la douleur était aussi un guide sûr, qui lui disait que ses pieds étaient accrochés comme il fallait aux boucles. Sans la douleur, il faudrait qu'elle s'en remette à sa seule vue ; et lorsqu'il s'agissait de passer les pieds dans les boucles, deux sens (le toucher et la vue) valaient mieux qu'un, sans doute.

Ganesh ne paraissait pas découragé par l'aspect et le toucher des pieds de Mrs Bhagwan. Ses yeux étaient en train de guérir ; ils se dégageaient de jour en jour ; et sur son visage éveillé, il y avait un éclat qui reflétait sa foi intacte en l'avenir. Il savait qu'il pourrait maîtriser la Marche dans les airs. Un pied était déjà prêt à commencer ; il suffirait que l'autre suive.

Jésus dans le parking

Pendant ce temps, le missionnaire avait mis les cages des chimpanzés en révolution. A sa vue, Gautam était entré en fureur – les bandages étaient encore plus blancs que la peau du scolastique. Au contraire, Mira, cette coquette, tendait ses longs bras entre les barreaux de sa cage, comme pour quémander une étreinte. Gautam réagit en urinant furieusement dans la direction du missionnaire. Martin croyait qu'il ferait bien de disparaître de la vue des chimpanzés au lieu de rester là à encourager leurs singeries ; mais Kunal voulait qu'il reste. Ce serait une précieuse leçon pour Gautam, disait-il : plus violemment il réagissait à la présence du jésuite, plus il le battait. Martin trouvait que cette façon de faire procédait d'une logique spécieuse, mais il obéit aux consignes de l'entraîneur.

Dans la cage de Gautam, il y avait un vieux pneu lisse suspendu à une corde élimée. Dans sa fureur, Gautam envoyait le pneu contre les barreaux de sa cage ; puis il l'attrapait et plantait ses dents dans le caoutchouc. Kunal réagit en passant une perche de bambou entre les barreaux, pour en donner des bourrades au singe. Mira roula sur le dos.

Lorsque le Dr Daruwalla finit par découvrir le missionnaire, il était planté, impuissant, devant ce drame simiesque, la mine aussi coupable et compromise qu'un détenu.

– Pour l'amour du ciel, pourquoi restez-vous planté là ? lui demanda le docteur. Il suffirait que vous partiez pour que tout se calme !

– C'est ce que je pense, répondit le jésuite, mais le dompteur m'a dit de rester.

– C'est le dompteur du singe ou le vôtre ? lança Farrokh.

C'est ainsi que les adieux du missionnaire à Ganesh se déroulèrent sur fond de cris perçants et de hurlements rauques. On avait du mal à imaginer que tout cela apprendrait quelque chose à Gautam. Les deux hommes suivirent Ramu jusqu'à la Land Rover. Les dernières cages qu'ils dépassèrent furent celles des lions somnolents et insatisfaits ; les tigres aussi avaient l'air lointain et l'humeur chagrine. Devant les cages des grands fauves, le chauffard passait les doigts le long des barreaux ; de temps en temps, une patte jaillissait, toutes griffes dehors ; mais Ramu retirait tranquillement sa main à temps.

– Encore une heure avant la bouffe, ça fait long, chantonnait Ramu aux lions et aux tigres.

Et ce fut malheureusement cette note narquoise, pour ne pas dire cruelle, qui marqua leur départ du Grand Nil bleu. Le Dr Daruwalla ne jeta qu'un dernier regard à la silhouette d'Elephant Boy, qui s'éloignait. Il le vit rentrer dans la tente du cuisinier en claudiquant. Dans sa démarche bancale, le talon droit semblait porter le poids de deux ou trois garçons ; comme l'ergot d'un chien ou d'un chat, le bout de son pied droit ainsi que ses orteils ne touchaient jamais le sol. Pas étonnant qu'il ait eu envie de marcher dans les airs.

Quant à Farrokh et Martin, leurs vies étaient de nouveau entre les mains de Ramu. Cette fois-ci ils se rendraient à l'aéroport de Rajkot de jour, le carnage de la route et les cibles ratées de justesse parfaitement visibles. Une fois de plus, le docteur chercha à se faire distraire de la conduite de Ramu ; mais il se retrouva à la place du mort et il n'y avait pas de ceinture de sécurité. Martin s'accrochait au dos du siège avant, tête sur l'épaule de Farrokh, obstruant la vue, pour le cas où Ramu aurait voulu regarder dans le rétroviseur – non pas qu'il ait l'intention de regarder venir quoi que ce soit derrière lui, ou que d'ailleurs il ait pu y avoir un véhicule assez rapide pour venir derrière lui.

Comme Junagadh était le point de départ des excursions en forêt de Gir, dernier habitat du lion d'Asie, Ramu voulut savoir s'ils avaient vu la forêt ; ils ne l'avaient pas vue, et Martin voulut savoir ce que Ramu avait dit. Le voyage allait sembler long, pensa le docteur : Ramu parlant maharati et hindi, lui traduisant tant bien que mal… Le missionnaire regrettait qu'ils n'aient pas vu les lions de Gir. Peut-être que lorsqu'ils reviendraient voir les enfants, ils pourraient voir la forêt. D'ici là, escomptait le docteur, le Grand Nil bleu serait en tournée dans une autre ville. Il y avait quelques lions au zoo du coin, leur dit Ramu ; ils pourraient aller les voir un instant sans rater leur avion à Rajkot. Mais Farrokh opposa un sage veto à ce projet ; il devinait que Ramu profiterait du moindre retard au départ de Junagadh pour rouler d'autant plus vite.

En outre, la discussion sur Graham Greene ne fut pas aussi distrayante que Farrokh l'avait espéré. L'interprétation « catholique » que faisait le jésuite du *Cœur du sujet* n'était pas du tout ce qu'il recherchait ; elle l'exaspérait. Même un roman qui portait aussi profondément sur la foi que *La Puissance et la Gloire* ne pouvait ni ne devait se discuter en termes strictement « catholiques », soutenait le Dr Daruwalla ; il cita de mémoire ce passage qu'il adorait : « Il y a toujours un moment dans l'enfance où la porte s'ouvre pour laisser entrer l'avenir. »

– Vous pourriez peut-être me dire ce qu'il y a de spécifiquement catholique là-dedans, lança-t-il au scolastique comme un défi.

Mais l'autre changea habilement de sujet.

– Prions le ciel que cette porte s'ouvre et laisse entrer l'avenir de nos enfants au cirque, dit-il.

Il avait vraiment l'esprit retors.

Farrokh n'osait plus lui demander de parler de sa mère ; le style de conduite de Ramu lui-même l'effarait moins que la perspective

573

d'entendre une autre histoire sur Vera. Il était plutôt curieux d'en savoir plus sur les penchants homosexuels du frère jumeau de Dhar, car il aurait surtout voulu savoir si John D. avait les mêmes. Seulement, il ne voyait pas très bien comment amener la conversation sur ce terrain ; encore que ce serait toujours plus facile avec Martin qu'avec John D. lui-même.

– Vous disiez que vous aviez été amoureux d'un homme, et que vos sentiments pour lui avaient fini par s'atténuer, commença-t-il.

– C'est exact, dit le scolastique avec raideur.

– Mais est-ce que vous vous rappelez le moment précis ou l'épisode qui ait marqué la fin de cette passion ? Est-ce qu'il s'est passé quelque chose, un incident, qui vous ait convaincu ? Qu'est-ce qui vous a fait décider que vous pouviez résister à cette attirance et vous faire prêtre ?

C'était tourner autour du pot, le docteur le savait, mais il fallait bien commencer d'une façon ou d'une autre.

– J'ai vu combien le Christ était présent pour moi. J'ai vu que Jésus ne m'avait jamais abandonné.

– Vous voulez dire que vous avez eu une vision ?

– Dans un sens, oui, dit le jésuite d'un air mystérieux. J'étais à un creux de ma relation avec Jésus ; et j'étais parvenu à une décision très cynique. Il n'y a pas d'absence de résistance qui soit un renoncement aussi grave que le fatalisme – j'ai honte de le dire, j'étais devenu tout à fait fataliste.

– Mais le Christ, vous l'avez vu, oui ou non ?

– En réalité ce n'était qu'une statue du Christ, reconnut le missionnaire.

– Une vraie statue, vous voulez dire ?

– Tout ce qu'il y a de vrai. Elle se trouvait au bout du parking, à l'école où j'étais professeur. Je la voyais tous les jours, deux fois par jour, à vrai dire. C'était une statue du Christ en pierre blanche, toute simple, dans une pose classique, dit Martin Mills.

Et là, sur le siège arrière de la Land Rover lancée comme un bolide, le zélote tourna les paumes vers le ciel, pour figurer la posture du suppliant, sans doute.

– Le Christ dans un parking, quel mauvais goût !

– Ce n'était pas une œuvre d'art impérissable, convint le jésuite. Parfois, je m'en souviens, elle était vandalisée.

– On se demande bien pourquoi, marmonna Farrokh.

– Quoi qu'il en soit, j'étais resté à l'école très tard un soir – je mettais en scène une pièce pour l'école, la énième comédie musicale, je ne me souviens plus ce que c'était. Et cet homme qui était devenu une telle obsession pour moi... il était resté tard, lui aussi. Mais sa voiture ne voulait pas démarrer – elle était en piteux état ; si bien qu'il m'a demandé de le déposer.

– Ah ah ! dit le Dr Daruwalla.

– Mes sentiments pour lui avaient déjà décliné, je vous l'ai dit, mais son charme ne me laissait tout de même pas insensible. Et voilà que j'avais une occasion, tout à coup ; le fait qu'il était accessible m'apparaissait avec une netteté douloureuse. Vous comprenez ce que je veux dire ?

Le Dr Daruwalla qui n'avait pas oublié sa longue nuit perturbante avec Madhu lui répondit :

– Oui, bien sûr que je comprends. Qu'est-ce qui s'est passé ?

– Voilà ce que j'entendais en vous disant que j'étais devenu cynique : j'étais d'un tel fatalisme que je me disais : « S'il me fait la moindre avance, je réponds ; je ne ferai pas le premier pas, mais je répondrai. »

– Et alors ? Vous avez répondu ? Il a fait le premier pas ?

– Je ne trouvais plus ma voiture – le parking était immense. Mais je me suis souvenu que j'essayais toujours de la garer près du Christ.

– De sa statue, vous voulez dire, coupa Farrokh.

– Oui, de sa statue, naturellement. Je m'étais garé juste devant. Lorsque j'ai fini par trouver ma voiture, il faisait tellement noir que je ne voyais pas la statue, même une fois à l'intérieur de la voiture. Mais je savais exactement où était le Christ. C'était un moment bizarre. J'attendais que cet homme me touche, mais en même temps je regardais dans l'obscurité, à l'endroit précis où se trouvait Jésus.

– Et le type, il vous a touché ?

– J'ai allumé les phares sans lui en laisser le temps, répondit Martin Mills. Et le Christ était là – il ressortait sous les phares. Il était exactement où je savais le trouver.

– Où vouliez-vous qu'il soit ! s'écria le docteur. Ça se balade, les statues, dans votre pays ?

– Vous minimisez l'expérience pour vous polariser sur la statue ! La statue n'était que le véhicule. Ce que j'ai ressenti, c'est la présence de Dieu. Je me suis senti ne faire qu'un avec Jésus – pas avec la statue. Je venais de découvrir ce que croire en Christ signifiait – pour moi. Même dans le noir, même alors que j'attendais qu'il m'arrive quelque chose d'affreux, j'avais la certitude qu'il était là. Il était là pour moi. Il ne m'avait pas abandonné. Je le voyais toujours.

– Il faut croire que ma foi n'est pas assez forte pour faire le saut conceptuel nécessaire, dit le Dr Daruwalla. Pour moi, votre croyance en Jésus est une chose. Mais de là à vous faire prêtre... comment êtes-vous passé de la vision de Jésus dans le parking au désir de vous faire prêtre ?

– Ah, c'est une autre histoire, avoua Martin.

– C'est la partie qui m'échappe, répondit Farrokh.

Puis il cracha le morceau :

– Et ça a été la fin de ces désirs-là ? Je veux dire, votre homosexualité s'est-elle manifestée de nouveau par la suite ? Enfin, manifestée, si l'on peut dire...

– Mon homosexualité ? dit le jésuite. Là n'est pas la question. Je ne suis pas homosexuel, ni hétérosexuel, je n'ai pas de sexualité ; je n'en ai plus.

– Allons donc ! dit le docteur. Si vous deviez être attiré sexuellement par quelqu'un, ce serait par une personne de votre sexe, non ?

– La question n'est pas pertinente. Ce n'est pas que je sois dépourvu d'émoi sexuel, mais j'ai résisté à l'attirance sexuelle. Je n'aurai pas de problème pour continuer à y résister.

– Mais ce à quoi vous résistez se trouve être un penchant homosexuel, non ? Ce que je veux dire, c'est... spéculons un peu – vous êtes capable de spéculer, non ?

– Je ne spécule pas sur le chapitre de mes vœux, dit le jésuite.

– Mais s'il vous plaît, pour me faire plaisir ; supposons qu'il arrive quelque chose, que pour une raison ou pour une autre vous décidiez de ne pas vous faire prêtre, est-ce que vous ne seriez pas homosexuel ?

– Bonté divine ! Vous êtes l'homme le plus têtu qui soit ! s'écria Martin Mills sans acrimonie.

– Moi, têtu ? rugit le docteur.

– Je ne suis ni homosexuel ni hétérosexuel, déclara le jésuite calmement. Ces termes ne s'appliquent pas nécessairement à des penchants, je me trompe ? J'ai eu un penchant passager.

– Il est passé, tout à fait passé ? C'est ce que vous êtes en train de dire ?

– Bonté divine, répéta Martin Mills.

– Vous devenez une personne à la sexualité indéterminée parce que vous avez fait une rencontre fondatrice avec une statue dans un parking, et pourtant vous niez la possibilité que j'aie été mordu par un fantôme ? cria le Dr Daruwalla. Je vous suis bien ?

– Je ne crois pas aux fantômes en soi, dit le jésuite.

– Mais vous pensez avoir connu un sentiment d'unité avec Jésus, et vous avez ressenti la présence de Dieu – dans un parking, brailla Farrokh.

– Je crois que notre conversation – si vous continuez de hausser le ton, en tout cas – distrait le chauffeur. Nous devrions peut-être reprendre ce débat lorsque nous serons arrivés sains et saufs à l'aéroport.

Ils étaient à encore près d'une heure de Rajkot, et Ramu trompait la mort au fil des kilomètres ; il faudrait ensuite attendre à l'aéroport, sans parler du retard probable au décollage ; ensuite de quoi il y aurait le vol lui-même. Un dimanche après-midi ou un dimanche soir, le taxi mettrait entre trois quarts d'heure et une heure pour aller de Santa Cruz à Bombay. Qui plus est, ce n'était pas un dimanche comme les autres ; on était le trente et un décembre 1989 ; mais ni le médecin ni le missionnaire ne savaient que c'était la veille du Jour de l'An – s'ils l'avaient su, ils l'avaient oublié.

A Saint-Ignace, les cérémonies du jubilé étaient prévues pour le 1er janvier ; chose que Martin Mills avait aussi oubliée. Quant à la Saint-Sylvestre, c'était une soirée habillée au Duckworth, où l'on s'amusait beaucoup plus qu'à l'accoutumée ; il y aurait un orchestre, un réveillon somptueux, sans parler du champagne, dont la qualité serait exceptionnelle – solennelle au sens strict. Il n'y avait pas un duckworthien à Bombay qui aurait voulu rater la Saint-Sylvestre.

John D. et le commissaire étaient sûrs que Rahul s'y trouverait : Mr Sethna les en avait déjà informés. Ils avaient passé une bonne partie de la journée à répéter ce que l'inspecteur Dhar dirait lorsqu'il danserait avec Mrs Dogar. Julia avait repassé le smoking de Farrokh, qui avait besoin de prendre l'air un bon moment sur le balcon pour perdre son odeur de naphtaline. Mais le Duckworth et la Saint-Sylvestre étaient bien loin des préoccupations de Farrokh. Il ne pensait qu'au reste de son voyage jusqu'à Rajkot, après quoi il lui faudrait encore arriver à Bombay. S'il ne supportait pas d'entendre les arguties de Martin une minute de plus, il lui fallait mettre la conversation sur un nouveau sujet.

– Nous devrions peut-être parler d'autre chose, suggéra-t-il, et ne pas hausser la voix.

– Comme vous voudrez. Je vous promets de ne pas hausser le ton moi-même, dit le missionnaire avec satisfaction

Farrokh ne voyait pas du tout de quoi ils pourraient parler. Il essaya de trouver une longue histoire personnelle, qui lui permettrait de parler des heures, et qui réduirait le missionnaire au silence, en le privant de toute interruption. Le docteur pourrait commencer par la phrase : « Je connais votre frère jumeau » ; elle amènerait une longue histoire personnelle ; et elle clouerait le bec à Martin Mills ! Mais, comme auparavant, il se dit que ce n'était pas le lieu de faire ses révélations ; et qu'elles revenaient à John D.

– Eh bien moi, j'ai une idée de conversation, déclara le jésuite, qui avait poliment attendu que le docteur commence – poliment mais pas longtemps.

– Fort bien, allez-y.

– Je trouve que vous ne devriez pas traquer les homosexuels. Une pareille chasse aux sorcières, à l'heure qu'il est ! Quand ils se défient à juste titre de toute discrimination contre eux. Et puis d'abord, qu'est ce que vous avez contre les homosexuels ?

– Je n'ai absolument rien contre les homosexuels, ils ne m'inspirent aucune phobie, dit le docteur d'un ton acerbe. Vous appelez ça changer de sujet ?

– Et vous, vous appelez ça baisser le ton ?

Little India

A l'aéroport de Rajkot, le système de haut-parleurs était passé à un nouveau test ; on y faisait montre de plus de maîtrise des chiffres. « Onze, vingt-deux, trente-trois, quarante-quatre, cinquante-cinq » disait la voix inlassable. Qui sait où ces nombres pouvaient mener ; l'énumération tendait vers l'infini. La voix était sans émotion, le décompte si mécanique que le Dr Daruwalla pensa devenir fou. Au lieu d'endurer ces litanies, ou de supporter les provocations jésuites de Martin Mills, il choisit de raconter une histoire. Quoique ce fût une histoire vraie, et même pénible à raconter, comme il allait le découvrir, elle fut desservie par le fait qu'il la disait pour la première fois ; même les histoires vraies gagnent à être révisées. Mais le docteur espérait y réfuter les allégations du missionnaire, car Gordon Macfarlane, son collègue préféré à Toronto, son meilleur ami, était homosexuel.

Malheureusement, le conteur commença son histoire par le mauvais bout. Il aurait dû commencer par la façon dont il avait fait la connaissance de Macfarlane, et dont tous deux avaient déploré l'usage du mot « gai » ; il aurait été intéressant de signaler que tous deux étaient d'accord dans l'ensemble avec les découvertes du petit ami de Mac, le généticien gai, sur les fondements biologiques de l'homosexualité. Si le docteur était parti de là, il n'aurait pas braqué Martin Mills. Mais, à l'aéroport de Rajkot, il commit l'erreur de glisser Macfarlane en flash-back, comme s'il s'agissait d'un personnage secondaire et non d'un ami souvent au premier plan de ses pensées.

S'il s'était trompé de préambule, en racontant comment il avait été enlevé par un chauffeur de taxi fou, c'est que son expérience de scénariste d'action l'avait amené à commencer toute histoire par la séquence la plus violente qu'il pouvait imaginer (ou, en l'occurrence, se rappeler). Mais commencer par une affaire de brimade raciste induisit en erreur le missionnaire, qui en conclut que l'amitié avec Marfarlane passait après l'indignation du docteur, scandalisé d'avoir été molesté en tant qu'Indien à Toronto. C'était un manque total de savoir-conter, mais Farrokh avait seulement voulu montrer que ses déboires d'émigré de couleur au Canada avaient fortifié son amitié avec un homosexuel, qui avait fait l'expérience de la discrimination pour d'autres raisons.

C'était un vendredi de printemps. De nombreux confrères quittaient leur bureau de bonne heure le vendredi après-midi, parce qu'ils avaient des maisons de campagne. Mais les Daruwalla passaient leurs week-ends à Toronto, leur résidence secondaire se trouvant à Bombay. Farrokh avait eu un rendez-vous annulé, si bien qu'il s'était retrouvé libre plus tôt, sinon il aurait demandé à Macfarlane de le déposer, ou bien il aurait appelé un taxi. Mac passait lui aussi ses week-ends à Toronto, et il finissait tard le vendredi.

Comme ce n'était pas encore l'heure de pointe, Farrokh se dit qu'il allait marcher un peu, et qu'il hélerait un taxi en chemin. Il prenait souvent le tramway, mais il évitait le métro depuis quelques années, depuis qu'il y avait été victime d'un incident raciste. Bien sûr, il avait parfois entendu des voitures qui passaient lui crier des choses. Personne ne l'avait jamais traité de parsi ; à Toronto, rares étaient ceux à savoir ce que c'est qu'un parsi. Non, on lui criait « Sale Pakosse ! », « Bougnoule ! », « Bamboula ! » ou « Retourne dans ton pays ! ». Son teint brun clair et ses cheveux noir de jais mettaient ses insulteurs sur de fausses pistes ; il était moins repérable que beaucoup d'Indiens. Parfois on le traitait d'Arabe ; il s'était deux fois entendu traiter de Juif. C'était à cause de ses ancêtres persans : il pouvait passer pour un Levantin. Mais ceux qui lui hurlaient ces insultes savaient du moins une chose – qu'il était étranger, d'une autre race.

Un jour, il s'était même fait traiter de Rital. Sur le moment il s'était demandé quel demeuré pouvait bien le confondre avec un Italien. Maintenant, il comprenait que ce qui gênait ses insulteurs, ce n'était pas tant ce qu'il était que ce qu'il n'était pas : un des leurs. Mais, la plupart du temps, les insultes tournaient autour de ce qu'on pourrait définir approximativement comme sa condition d'émigré de couleur. Au Canada, le préjugé contre la composante « émigrée » était aussi fort que ceux contre la couleur.

Il avait cessé de prendre le métro à la suite d'une mésaventure avec trois adolescents. Au début, ils ne lui avaient pas paru menaçants, mais plutôt farceurs. La seule ombre de menace, c'est qu'ils s'étaient assis tellement près de lui, exprès, alors qu'il y avait beaucoup d'autres places libres. Deux des garçons l'encadraient sur la banquette, l'autre s'était assis en face. Celui qui était à sa gauche lui donna un coup de coude en disant :

– On a fait un pari ; vous êtes quoi ?

Le docteur se rendit compte plus tard que s'ils ne lui avaient pas paru menaçants, c'est qu'ils portaient les blazers et les cravates de leur école. Après l'incident, il aurait pu appeler l'établissement, mais il n'en avait rien fait.

– Vous êtes quoi, je vous demande ? répéta le garçon.

Pour la première fois, Farrokh se sentit menacé.

– Je suis médecin, répondit-il.

Les garçons qui l'encadraient avaient l'air résolument hostiles. C'était celui d'en face qui l'avait sauvé.

– Mon papa aussi, il est médecin, avait-il dit d'un air bête.

– Et tu vas devenir médecin toi aussi ? s'enquit Farrokh.

Les deux autres se levèrent et entraînèrent leur camarade.

– Va te faire foutre ! avait lancé le premier garçon à Farrokh, mais ce dernier avait compris que c'était une bombe inoffensive, déjà désamorcée.

Il n'avait jamais repris le métro. Mais après son expérience la plus noire, l'incident du métro lui sembla anodin. Après son expérience la plus noire, il fut tellement traumatisé qu'il ne se rappela jamais si le taxi s'était arrêté avant ou après le carrefour entre University Drive et Gerrard Road ; en tout cas, il venait de quitter l'hôpital et il rêvassait. Ce qui était bizarre, c'est que le chauffeur avait déjà un passager, et que ce passager était avec lui sur le siège avant. Le chauffeur lui dit :

– Faites pas attention à lui, c'est un copain, il a rien à faire.

– Je suis pas un client, dit le copain du taxi.

Par la suite, Farrokh se souvint seulement que ce n'était pas un taxi de la Metro ou de la Beck, les deux compagnies les plus souvent appelées. C'était sans doute un artisan à son compte – un gitan, comme on disait là-bas.

– Où allez-vous, je vous demande ? dit le chauffeur au Dr Daruwalla.

– Je rentre chez moi, répondit-il.

Il lui sembla inutile d'ajouter qu'il avait pensé marcher un peu. Puisqu'il se trouvait un taxi, pourquoi ne pas le prendre ?

– Et c'est où, chez vous ? demanda l'ami sur le siège avant.

– C'est dans Russell Hill Road, au nord de Saint-Clair Road, un peu au nord de Lonsdale Road, répondit le docteur.

Il avait cessé de marcher, et le taxi s'était arrêté, lui aussi.

– En fait je me préparais à entrer dans la boutique pour acheter de la bière, et à rentrer chez moi après, dit Farrokh.

– Montez, si vous voulez, proposa le taxi.

Le Dr Daruwalla n'avait pas éprouvé d'anxiété avant d'être assis sur le siège arrière et que le taxi ait démarré. L'ami installé sur le siège avant poussa un rot sonore, et le chauffeur se mit à rire. Le pare-soleil, devant le passager, était rabattu contre la vitre avant, et il n'y avait plus de couvercle à la boîte à gants. Farrokh ne se rappelait pas si c'était là qu'on collait la licence du taxi, ou plutôt sur la cloison en Plexiglas entre les deux banquettes (cette cloison elle-même était inhabituelle à Toronto ; la plupart des taxis n'en avaient pas). En tout cas, la licence n'apparaissait nulle part, et le taxi roulait déjà trop vite pour que le docteur descende – à un feu rouge peut-être, se dit-il. Mais il n'y eut pas de feux pendant un moment, et le taxi brûla le premier qu'il croisa ; c'est alors que le copain assis sur le siège avant se tourna vers Farrokh et le regarda.

– Alors, c'est où chez toi, en vrai ?

– Russell Hill Road, répéta le Dr Daruwalla.

– Mais avant ça, connard ? dit le chauffeur.

– Je suis né à Bombay, mais j'ai quitté l'Inde jeune homme. Je suis citoyen canadien.

– Qu'est-ce que je te disais, lança le chauffeur à son copain.

– On va le ramener chez lui, dit celui-ci.

Le chauffeur jeta un coup d'œil dans le rétroviseur, et il fit brusquement demi-tour. Farrokh fut projeté contre la portière.

– On va te faire voir où c'est, chez toi, bamboula, dit le chauffeur.

Le Dr Daruwalla ne put descendre à aucun moment. Lorsqu'ils étaient ralentis par la circulation, ou lorsqu'ils s'arrêtaient à un feu rouge, il avait trop peur pour risquer le coup. Ils roulaient assez vite lorsque le chauffeur écrasa le frein. Le docteur alla cogner la tête contre le Plexiglas, et retomba contre le dossier lorsque le chauffeur accéléra de nouveau. Il sentit sa peau se tendre sur-le-champ, et son front enfler ; lorsqu'il toucha son sourcil boursouflé, du sang lui coulait déjà dans l'œil ; quatre points, peut-être six, lui dirent ses doigts.

Le quartier de Little India n'est pas étendu ; il s'étire le long de Gerrard Road depuis Coxwell jusqu'à Hiawatha – certains diraient Woodfield, mais tout le monde convient que quand on arrive à Greenwood, on a quitté Little India ; et dans le quartier lui-même, la communauté chinoise est dispersée. Le taxi s'arrêta devant l'épicerie Ahmad sur Gerrard Road ; et ce n'était sans doute pas par hasard si cette boutique se trouvait presque en face des Services d'Immigration canadiens. C'est là que le chauffeur et son copain extirpèrent Farrokh du siège arrière.

– T'es chez toi, restes-y, dit le copain au Dr Daruwalla.

– Ou encore mieux, bamboula, tu peux rentrer à Bombay, ajouta le chauffeur.

Tandis que le taxi redémarrait, le docteur ne voyait plus net que d'un œil ; il était tellement soulagé d'être débarrassé de ces tueurs qu'il ne réfléchit pas au signalement de la voiture. Elle était rouge, rouge et blanc, peut-être. S'il avait vu des noms ou des chiffres écrits dessus, il était incapable de s'en souvenir.

Les commerçants de Little India étaient presque tous fermés le vendredi. Apparemment, personne ne vit le docteur tiré sans ménagement du taxi ; personne ne s'approcha de lui, alors qu'il était sonné, en sang, et visiblement désorienté. Petit bonhomme avec une petite bedaine, en costume foncé, sa chemise blanche souillée par le sang qui pissait de son arcade ouverte, il serrait dans sa main sa trousse de médecin. Il se mit à marcher. Sur le trottoir, dansant dans la brise printanière, il y avait des caftans pendus à un portant. Plus tard, il s'efforça de se rappeler le nom des boutiques. Broderies Pindi ? Nirma Modes ? Il y avait une autre épicerie qui vendait des fruits et légumes – s'appelait-elle La Ferme Singh ? A l'église œcuménique, il y avait un panneau disant que l'église servait aussi de temple hindou pour la secte Shri Ram le dimanche soir. A l'angle de Gerrard et Carven Road, un restaurant proclamait « Spécialités indiennes ». Il y avait aussi une publicité familière pour la Lager Kingfisher « pleine de force intérieure ». Un placard promettait une « Nuit des superstars de l'Asie », en montrant les visages habituels : Dimple Kapadia, Sunny Deol, Jaya Prada – avec la musique de Bappi Lahiri.

Le Dr Daruwalla ne venait jamais à Little India. Dans les vitrines, les mannequins en saris semblaient lui faire des reproches. Il voyait peu d'Indiens à Toronto ; il n'en avait pas parmi ses amis intimes. Les parents parsis lui amenaient leurs enfants lorsqu'ils étaient malades – sur la foi de son nom dans l'annuaire, sans doute. Parmi les mannequins, une blonde en sari lui sembla aussi désorientée que lui.

Aux Bijoux Raja, quelqu'un le dévisageait derrière la vitrine, s'étant sans doute rendu compte qu'il saignait. Il y avait un restaurant « exclusivement végétarien » de l'Inde du Sud près d'Ashdale Road et de Gerrard Road ; au restaurant Chat Hut, on offrait « une grande variété de kulfi, faluda et paan ». Au Bombay Bhel, l'enseigne disait « *Gol guppa, tikki aloo*, etc. véritables et authentiques » On y servait de la bière Thunderbolt, de la Lager extra-forte « l'esprit même de la fête ». Il y avait encore des saris dans une vitrine à l'angle de Hiawata Street et Gerrard Road ; et aux épiceries Shree les pyramides de gingembre débordaient jusque sur le trottoir. Le docteur regarda l'India Theater, puis la Caverne aux Soieries.

A la plomberie J. S. Addison, qui faisait l'angle avec Woodfield Street, il vit une fabuleuse baignoire de cuivre avec des robinets ouvragés, en forme de têtes de tigre, gueule ouverte et hurlante – on aurait dit la baignoire dans laquelle il se baignait enfant, sur Ridge Road, dans Malabar Hill. Le Dr Daruwalla se mit à pleurer. Les yeux sur l'étalage de lavabos et de tuyaux de cuivre, ainsi que d'autres éléments de salle de bains victoriens, il eut soudain conscience qu'un homme le regardait d'un air soucieux, depuis l'intérieur de la boutique. L'homme sortit sur le trottoir.

– Vous êtes blessé, je peux faire quelque chose pour vous ? demanda-t-il.

Ce n'était pas un Indien.

– Je suis médecin, dit le Dr Daruwalla. Si vous vouliez bien m'appeler un taxi, simplement. Je sais où aller.

Il se fit ramener à l'hôpital des Enfants malades.

– Vous êtes sûr que c'est l'hôpital des Enfants malades que vous voulez, man ? » lui dit le chauffeur.

C'était un Antillais, un noir, très noir.

– Vous êtes un peu vieux pour un enfant malade.

– Je suis médecin, répondit Farrokh. C'est là que je travaille.

– Qui c'est qui vous a fait ça, man ?

– Deux types qui aiment pas les gens comme moi, ni comme vous.

– Je les connais. Ils sont partout, man, dit le chauffeur.

Le docteur fut soulagé que sa secrétaire et son infirmière soient parties. Il avait toujours de quoi se changer dans son bureau ; lorsqu'il se serait recousu, il jetterait la chemise, et par la suite il demanderait à la secrétaire de donner son costume au nettoyage.

Il examina son arcade éclatée ; à l'aide du miroir, il se rasa autour de l'entaille ; se raser était facile ; il avait l'habitude de le faire dans une glace ; mais lorsqu'il envisagea la piqûre de procaïne et les points de suture, il se dit que ce serait déroutant de les faire dans un miroir, surtout les points. Il appela le bureau de Macfarlane.

– Dites à Mac de s'arrêter chez moi lorsqu'il s'apprêtera à partir, demanda-t-il à la secrétaire.

Il essaya d'abord de lui raconter qu'il s'était cogné la tête dans un taxi parce que le conducteur était un chauffard, et qu'un coup de frein l'avait projeté contre le Plexiglas de la cloison. C'était la vérité, ou un mensonge par omission tout au plus, mais sa voix allait mourant ; sa peur, l'insulte, sa colère – tout passait dans ses yeux.

– Qui est-ce qui t'a fait ça, Farrokh ? demanda Mac.

Le docteur lui raconta toute l'histoire – en commençant par les trois jeunes du métro, et sans oublier les cris d'insulte lancés par la vitre des voitures. Lorsque Macfarlane eut fini de le recoudre – cinq points en tout – Farrokh avait employé l'expression « émigré de couleur » plus de fois qu'il ne l'avait jamais prononcée à haute voix, même devant Julia. Il n'allait d'ailleurs jamais parler de Little India à celle-ci. Mac était au courant, cela suffisait à le réconforter.

Le Dr Macfarlane avait, lui aussi, ses histoires. Il ne s'était jamais fait frapper, mais il avait reçu des menaces, on avait essayé de l'intimider. Il y avait des coups de téléphone, en pleine nuit ; il avait changé trois fois de numéro. Il y avait aussi des appels à son bureau ; deux de ses précédentes secrétaires avaient démissionné, ainsi qu'une de ses premières infirmières. Parfois, on glissait des lettres sous la porte de son bureau ; peut-être venaient-elles des parents de ses anciens malades, ou de ses confrères, ou encore d'autres personnes travaillant aux Enfants malades.

Mac aida Farrokh à mettre au point la version de l'« accident » qu'il donnerait à Julia. Il paraîtrait plus plausible que le chauffeur ne fût pas en cause. Ils décidèrent qu'une idiote avait déboîté du trottoir sans regarder, et que le chauffeur avait été obligé de piler. (C'est ainsi qu'une conductrice irréprochable fut accusée à tort, une fois de plus.) Dès qu'il s'était aperçu qu'il avait l'arcade ouverte et qu'il saignait, Farrokh avait demandé au chauffeur de le ramener à l'hôpital ; par chance Macfarlane était encore là, et il l'avait recousu – cinq points, pas plus. La chemise blanche était complètement fichue ; pour le costume, on verrait quand il rentrerait du nettoyage.

– Pourquoi tu ne lui dis pas la vérité, tout simplement ? demanda Mac.

– Elle sera déçue par mon attitude, parce que je n'ai rien fait.

– J'en doute.

– Je me déçois moi-même, avoua le docteur.

– Ça, on n'y peut rien.

Sur le chemin de Russell Hill Road, Farrokh posa des questions à

Mac sur son travail à l'hospice des malades du sida – il y en avait un bon, à Toronto.

– Je n'y suis qu'un bénévole, expliqua Macfarlane.

– Oui, mais enfin tu es médecin, dit le Dr Daruwalla. Ça doit être intéressant de travailler là-bas. Et qu'est-ce que peut bien y faire un orthopédiste ?

– Rien. Je ne suis pas médecin, là-bas.

– Bien sûr que si, tu es médecin ! Tu es médecin partout ! s'écria Farrokh. Il doit y avoir des malades qui ont des escarres. On sait traiter, ça. Et pour la douleur ?

Le Dr Daruwalla pensait à la morphine, drogue fabuleuse, qui déconnecte les poumons du cerveau. Est-ce que beaucoup de morts du sida n'étaient pas dues à des arrêts respiratoires ? Est-ce que la morphine n'y serait pas particulièrement utile ? La détresse respiratoire reste la même, mais le patient n'en a pas conscience.

– Et puis la perte de masse musculaire due à un alitement prolongé ? ajouta Farrokh. Tu pourrais sûrement montrer aux familles des exercices de musculation passive, ou leur donner des balles de tennis à faire serrer par les malades ?...

Le Dr Macfarlane se mit à rire.

– L'hospice a ses médecins ; ils sont spécialistes du sida. Je ne suis pas du tout là bas en tant que médecin. C'est ce que j'aime, justement, je ne suis qu'un bénévole.

– Et les cathéters ? Ils doivent se boucher, la peau s'enflammer...

Sa voix se perdit ; il se demandait si on pouvait les déboucher en les inondant d'anticoagulant, mais Macfarlane ne le laissa pas suivre son idée.

– Je n'y exerce pas du tout la médecine, lui dit-il.

– Mais alors tu fais quoi ?

– Une nuit j'ai fait la lessive ; une autre j'ai répondu au téléphone.

– Mais ça, n'importe qui peut le faire !

– Oui, n'importe quel bénévole.

– Écoute, suppose qu'il y ait une attaque, quelqu'un fait une attaque à cause d'une infection incontrôlée. Qu'est-ce que tu fais, tu lui donnes du Valium en intraveineuse ?

– J'appelle le médecin.

– Tu me fais marcher ! Et les tubes de prélèvement ? S'ils glissent ?

Qu'est-ce qu'on fait ? Vous avez vos propres radios ou bien il vous faut emmener les malades à l'hôpital ?

– J'appelle le médecin, répéta Macfarlane. C'est un hospice, ils ne sont pas là pour guérir. Une nuit j'ai fait la lecture à quelqu'un qui n'arrivait pas à dormir. Récemment j'ai écrit des lettres pour un homme qui voudrait contacter sa famille et ses amis – il voudrait leur dire au revoir – mais il n'a jamais appris à écrire.

– Incroyable !

– Ils viennent là pour mourir, Farrokh. On essaie de les aider à maîtriser la situation. On ne peut pas les aider comme on aide la plupart des malades ordinaires, expliqua Macfarlane.

– Si je comprends bien, tu t'amènes, tu montres que tu es là, tu pointes, tu dis à quelqu'un que tu es arrivé. Et après ?

– En général une infirmière me dit ce qu'il y a à faire.

– Une infirmière dit au médecin ce qu'il y a à faire ? s'écria Farrokh.

– Tu as tout compris, lui dit Macfarlane.

Il était chez lui, à Russell Hill Road ; c'était loin de Bombay ; loin de Little India aussi.

– Honnêtement, si vous voulez savoir ce que je pense, dit Martin Mills, qui n'avait interrompu l'histoire qu'une demi-douzaine de fois, je pense que vous devez le rendre fou, votre pauvre ami Macfarlane. Certes, vous l'aimez bien, mais sur quelles bases ? Sur les vôtres, celles d'un médecin hétérosexuel.

– Mais c'est ce que je suis ! brailla le Dr Daruwalla. Je suis un médecin hétérosexuel !

Quelques personnes, à l'aéroport de Rajkot, eurent l'air vaguement surpris.

– Trois mille huit cent quatre-vingt-quatorze, dit la voix, dans le haut-parleur.

– Mais est-ce que vous seriez capable de comprendre une folle perdue, voilà ce que je me demande ! s'écria le missionnaire. Quelqu'un qui ne serait pas médecin, qui n'aurait pas la moindre sympathie pour vos propres problèmes, quelqu'un qui se ficherait pas mal du racisme, ou du sort des émigrés de couleur, comme vous dites. Vous croyez que vous n'êtes pas antihomosexuel, mais est-ce que vous pourriez vous attacher à quelqu'un comme ça ?

– Et pourquoi est-ce que je devrais m'attacher à quelqu'un comme ça ? glapit Farrokh.

– C'est bien ce que je voulais dire. Vous comprenez ? Vous êtes un homophobe type.

– Trois mille neuf cent quarante-neuf, bourdonna la voix dans le haut-parleur.

– Vous ne savez même pas écouter une histoire, dit le Dr Daruwalla au jésuite.

– Bonté divine ! s'exclama Martin Mills.

Ils furent retardés au moment d'embarquer parce que les autorités confisquèrent de nouveau le dangereux couteau suisse du scolastique.

– Vous n'auriez pas pu penser à ranger ce fichu couteau dans votre valise ? lui demanda le Dr Daruwalla.

– Étant donné votre humeur présente, je serais bien bête de répondre à ce genre de questions.

Lorsqu'ils furent enfin dans l'avion, Martin dit :

– Écoutez, nous nous faisons tous deux du souci pour les enfants – je le sais. Mais nous avons fait tout notre possible pour eux.

– Sauf à les adopter.

– Ça, nous n'étions pas en position de le faire, non ? Ce que je veux dire, c'est que nous leur avons donné la possibilité de s'en sortir par eux-mêmes, au moins.

– Ne me faites pas vomir !

– Ils sont plus en sécurité au cirque que là où ils étaient, insista le zélote. Il aurait fallu combien de semaines ou combien de mois pour que le petit devienne aveugle ? Combien de temps pour que la petite attrape une maladie épouvantable – la pire, peut-être ? Sans parler de ce qu'il lui aurait fallu endurer entre-temps. Bien sûr que vous êtes inquiet. Moi aussi. Mais nous ne pouvons rien faire de plus.

– Ce ne serait pas un peu du fatalisme, ça ?

– Bonté divine, non ! Ces enfants sont dans la main de Dieu, voilà ce que je veux dire.

– C'est bien ce qui m'inquiète, sans doute.

– C'est pas un singe qui vous a mordu ! brailla Martin Mills.

– Je vous l'avais bien dit.

– Ce doit être un serpent. Un serpent venimeux ! Ou alors le diable en personne.

Après presque deux heures de silence – leur avion avait atterri, et

588

le taxi de Vinod rusait avec les encombrements du dimanche entre Santa Cruz et Bombay –, le jésuite ajouta une idée qui lui était venue. – En plus, j'ai l'impression que vous me cachez quelque chose. On dirait que vous vous censurez toujours – que vous vous mordez la langue pour ne pas parler.

Je ne vous en dis pas la moitié ! faillit hurler le docteur mais, une fois de plus, il se mordit la langue en effet. Dans la lumière oblique de la fin d'après-midi, les affiches de cinéma sinistres exhibaient l'image pleine d'assurance du frère jumeau de Martin Mills dans *Les Tours du Silence*. Nombre d'entre elles étaient déjà défigurées ; pourtant, malgré les lambeaux, malgré les immondices jetées depuis la rue, le sourire dédaigneux de l'inspecteur Dhar semblait les toiser.

Dans la réalité, John D. répétait un rôle tout différent, car séduire la seconde Mrs Dogar n'avait rien à voir avec ses emplois habituels. Rahul n'était pas une de ces starlettes idiotes qu'on voit dans les films. Si le Dr Daruwalla avait su qui l'avait mordu dans son hamac, à l'hôtel Bardez, il serait tombé d'accord avec Martin Mills, car il avait bel et bien été mordu par le diable lui-même – le diable elle-même, aurait dit plus volontiers la seconde Mrs Dogar.

Comme le taxi du nain entrait dans Bombay, il fut momentanément bloqué devant un restaurant iranien – pas tout à fait aussi chic que le Lucky New Moon ou le Light of Asia, pensa le docteur. Il avait faim. Au-dessus du restaurant trônait une affiche de l'inspecteur Dhar presque entièrement lacérée ; la star était déchirée depuis la joue jusqu'à la taille, mais son sourire était intact. A côté de son effigie mutilée se trouvait une affiche du Seigneur Ganesha ; la divinité à tête d'éléphant annonçait peut-être une fête religieuse imminente, mais la circulation redémarra avant que Farrokh n'ait eu le temps de traduire le texte.

Le dieu était petit et gras, mais d'une beauté sans égale pour ses fidèles ; il avait le visage rouge comme une rose de Chine et il arborait le sourire lotus du perpétuel rêveur. Ses quatre bras humains grouillaient d'abeilles – sûrement attirées par le parfum du nectar qui coulait dans ses divines veines – et ses trois yeux qui voyaient tout contemplaient Bombay avec une bienveillance aussi vaste que le dédain de l'inspecteur Dhar. La bedaine du Seigneur Ganesha pendait presque jusqu'à ses pieds humains ; les ongles de ses orteils étaient aussi longs et rouges que ceux d'une femme. Sous l'angle vif de la lumière, son unique défense intacte luisait.

– Il est partout, cet éléphant ! s'exclama le jésuite. Qu'est-ce qui est arrivé à son autre défense ?

Le mythe que Farrokh préférait, enfant, disait que le Seigneur Ganesha avait cassé sa défense lui-même pour la jeter à la Lune, car celle-ci s'était moquée du dieu à tête d'éléphant, qui était si gros et si maladroit. Le vieux Lowji aimait cette histoire ; il la racontait à Farrokh et Jamshed quand ils étaient petits. Pour la première fois, le Dr Daruwalla se demanda si c'était le vrai mythe, ou seulement celui de Lowji. Le vieux était fort capable d'en inventer un de toutes pièces.

Il y avait d'autres mythes, et plus d'une légende autour de la naissance de Ganesh. Dans une version du Sud de l'Inde, Parvati voyait la syllabe sacrée Om, et son seul regard la transformait en éléphants en train de s'accoupler, qui donnaient naissance au Seigneur Ganesha, puis reprenaient leur forme originelle de syllabe sacrée. Mais dans une version plus sombre, qui atteste l'antagonisme sexuel supposé entre Parvati et son mari, le Seigneur Shiva, celui-ci conçoit une vive jalousie à l'égard du fils de Parvati, qui – un peu à l'instar de l'enfant Jésus – n'est jamais décrit comme né de Parvati dans des conditions naturelles.

Dans la version sombre du mythe, c'est le mauvais œil de Shiva qui décapite le bébé, qui n'est pas né avec une tête d'éléphant. La seule façon de sauver l'enfant serait de trouver une autre tête, une tête qui regarderait vers le Nord, et de l'attacher au corps décapité. Ce que l'on trouve, après une grande bataille, c'est un malheureux éléphant ; et au cours de la lutte violente pour le décapiter, une défense est brisée.

Mais comme il l'avait entendu tout enfant, Farrokh préférait le mythe de la Lune.

– Excusez-moi, vous m'avez entendu ? demanda Martin Mills. Qu'est-ce qui est arrivé à l'autre défense de l'éléphant ?

– Il l'a cassée lui-même ; il était vexé, alors il l'a lancée à la Lune.

Dans le rétroviseur, le nain jeta à Farrokh un regard noir, son mauvais œil à lui. En bon hindou, Vinod ne trouvait pas drôle le blasphème du docteur Daruwalla. Assurément le Seigneur Ganesha n'était jamais « vexé », faiblesse strictement humaine.

590

Le missionnaire poussa un soupir censé traduire son infinie patience à l'égard de toutes les foucades du docteur.

– Je vous y reprends, lui dit-il, vous me cachez encore quelque chose.

24
Le diable en personne

Rahul est attendue

Quoique le commissaire l'ait insulté, Mr Sethna se délectait de son nouveau rôle d'informateur, car c'était un homme imbu de son importance au dernier degré ; par ailleurs l'objectif officiel du détective, tendre un piège à la seconde Mrs Dogar, réjouissait fort le sourcilleux maître d'hôtel ; dommage qu'il ne lui ait pas fait confiance jusqu'au bout, au lieu de lui donner des instructions sans lui livrer tous les ressorts du plan... Mais le tour que prendrait cette intrigue contre Rahul dépendait de la façon dont elle répondrait aux avances de John D. En répétant la façon dont il la séduirait, le policier et l'acteur étaient forcés de prendre en compte plusieurs scénarios. C'est pourquoi ils attendaient que Farrokh rentre du cirque : ils voulaient qu'il fournisse du dialogue à Dhar, et aussi des sujets de conversation de rechange pour le cas où il s'entendrait éconduire de prime abord.

C'était beaucoup plus exigeant que ce que le Dr Daruwalla avait l'habitude d'écrire : on ne lui demandait pas seulement d'anticiper les diverses réactions de Rahul, mais aussi de deviner ce qu'aimait Mrs Dogar, ses goûts en matière de sexe. Est-ce qu'elle serait plus attirée par un John D. courtois, ou au contraire cru ? Dans le flirt, préférait-elle les travaux d'approche discrets, ou la manière directe ? Il s'agissait de proposer des canevas à partir desquels improviser ; que Dhar choisisse de la charmer, de l'allumer, de la tenter, de la choquer, sa stratégie relèverait d'une décision spontanée. Il fallait qu'il se fie à son instinct pour sentir ce qui allait marcher. Or, après les conversations révélatrices avec son frère jumeau, le docteur ne pouvait que spéculer sur la nature des instincts en question chez John D.

Il fut surpris de trouver le détective Patel et l'inspecteur Dhar en train de l'attendre dans son appartement de Marine Drive. Pour commencer, il se demanda pourquoi ils étaient tous sur leur trente-et-un ; il ne se rappelait toujours pas que c'était la Saint-Sylvestre ; il lui fallut voir la robe de Julia. Puis il fut ahuri de constater que tout le monde s'était habillé si tôt ; on n'arrivait jamais à la soirée du Duckworth avant huit ou neuf heures.

Mais personne n'avait voulu perdre de temps à s'habiller alors qu'on pouvait répéter ; or ils ne pourraient pas répéter convenablement le dialogue de Dhar avant que le scénariste ne soit rentré du cirque et ne l'ait écrit. Farrokh se sentit flatté, lui qui avait été si cruellement déçu d'être laissé hors du coup. Mais il était également dépassé par la situation ; cela faisait trois nuits qu'il écrivait, il craignait bien d'être pressé comme un citron. Et puis, contrairement à Julia qui aimait bien danser, il détestait la Saint-Sylvestre ; cette soirée-là lui semblait savonner sa pente nostalgique (surtout au Duckworth).

Le docteur dit qu'il regrettait de ne pas avoir le temps de leur raconter ce qui s'était passé au cirque, où des choses intéressantes s'étaient révélées. C'est alors que John D. fit une réflexion dénuée de tact ; se préparer à séduire la seconde Mrs Dogar, ce serait « un autre cirque » ; tels furent les mots qu'il employa – pour dire que le docteur pouvait leur épargner ses niaiseries jusqu'à une heure plus frivole.

Le détective Patel s'embarrassa de moins de circonlocutions encore. Le capuchon de stylo en argent avait révélé les empreintes digitales de Rahul, mais aussi une tache de sang séché sur la pince elle-même, du sang humain, du même groupe que celui de Mr Lal.

– Puis-je vous rappeler, docteur, qu'il nous faut encore déterminer ce que Rahul a pu faire du capuchon... pendant le meurtre de Mr Lal.

– Et il faut encore que Mrs Dogar avoue que le capuchon de stylo lui appartient, coupa John D.

– Oui, merci, reprit Patel, mais le capuchon de stylo n'est pas une preuve accablante – pas en soi, du moins. Ce qu'il nous faut absolument établir, c'est que personne d'autre n'a pu faire ces dessins. Je me suis laissé dire que des dessins comme ça sont aussi identifiables qu'une signature, mais il faut encore obtenir de Mrs Dogar qu'elle dessine.

– Si je pouvais lui suggérer qu'elle me montre comment elle voit...

les choses entre nous, dit Dhar au scénariste. Peut-être que je pourrais lui demander de me donner une petite idée de ses préférences – sexuelles, je veux dire. A moins que je lui demande de m'allumer avec un dessin, un dessin sexuellement explicite.

– Ça va, ça va, je vois le tableau, dit le Dr Daruwalla avec impatience.

– Et puis il y a les billets de deux roupies, dit le vrai policier. Si Rahul a l'intention de tuer quelqu'un d'autre, il existe peut-être des billets porteurs du message approprié, ou des messages déjà dactylographiés dessus.

– Vous les auriez, là, vos preuves accablantes comme vous dites ? demanda Farrokh.

– J'aimerais autant avoir les trois – établir que le capuchon lui appartient, qu'elle est l'auteur des dessins et des messages sur les billets. Alors, oui, ce seraient des preuves suffisantes.

– Est-ce que vous voulez aller vite, et à quel point ? demanda Farrokh. Dans une séduction, il y a d'abord la première vue, en général, le moment où l'étincelle sexuelle s'allume de part et d'autre. Puis il y a le rendez-vous – ou du moins le choix du lieu, sinon l'escapade elle-même.

Le scénariste ne fut guère rassuré lorsque l'inspecteur Dhar glissa d'un air ambigu :

– Je crois que j'aimerais autant éviter l'escapade elle-même, si possible – s'il n'est pas nécessaire que les choses aillent aussi loin entre nous.

– Tu crois ? Tu n'en es pas sûr ? explosa le docteur.

– Le problème, c'est qu'il me faut du dialogue pour toutes les éventualités, dit l'acteur.

– Précisément, confirma le détective Patel.

– Le commissaire m'a montré des clichés de ces dessins, dit John D. (Sa voix se perdit.) Il doit y en avoir d'autres, de plus intimes, qu'elle garde secrets...

Farrokh reconnut soudain la voix de l'enfant qui s'était écrié : « Ils sont en train de noyer les éléphants ! Et maintenant les éléphants vont se fâcher... »

Julia alla aider Nancy à finir de s'habiller. Cette dernière avait apporté une valise de vêtements, ne sachant décider ce qu'elle mettrait pour la Saint-Sylvestre sans l'aide de Julia. Les deux femmes optèrent pour quelque chose d'étonnamment sage : un fourreau gris sans manches, à col officier, sur lequel Nancy portait un simple rang de perles. Farrokh reconnut le collier parce qu'il appartenait à Julia. Lorsqu'il se retira dans la chambre et se fit couler un bain, il emporta avec lui un carton pour s'appuyer et un bloc de papier à lignes, ainsi qu'une bouteille de bière. Il était si fatigué que le bain chaud et la bière fraîche lui donnèrent sommeil tout de suite ; mais, même les yeux fermés, il voyait les différentes possibilités de dialogue entre John D. et la seconde Mrs Dogar – à moins qu'il ne fût en train d'écrire pour Rahul et l'inspecteur Dhar ? C'était une partie du problème. Le scénariste avait le sentiment de ne pas connaître les personnages pour lesquels il écrivait.

Julia dit à Farrokh que Nancy avait eu tellement de mal à choisir sa robe qu'elle s'était mise en nage ; il avait fallu qu'elle prenne un bain dans leur baignoire – idée qui fit vagabonder l'imagination du scénariste. Il flottait un souvenir de parfum dans la salle de bains – sans doute pas des sels ou une huile de bains, mais une fragrance inconnue qui ne venait pas de Julia, et sa présence insolite se mêlait au souvenir qu'avait le docteur de cet après-midi à Goa. Le problème essentiel, pour écrire les premières répliques du dialogue, c'était de décider si John D. révélerait à Mrs Dogar qu'il savait qu'elle était Rahul. Ne devait-il pas lui dire qu'il savait qui elle était ? Qu'il l'avait connue autrefois ? Est-ce que ce ne devrait pas être la première phase de la drague ? (« Vous m'avez toujours plu », une entrée en matière dans ce goût-là.)

Si Nancy avait opté pour une tenue aussi sage – elle avait même relevé ses cheveux en chignon –, c'était parce qu'elle ne voulait pas que Rahul la reconnaisse. Le commissaire lui avait dit et répété qu'elle ne risquait guère que cela arrive, à son avis, mais elle continuait d'en avoir peur ; la seule fois que Rahul l'avait vue, elle était nue et elle avait les cheveux épars. Aujourd'hui elle avait voulu les attacher en chignon, et elle avait dit à Julia que la robe choisie était « le contraire du nu ».

Mais si le fourreau gris était sévère, il n'y avait pas moyen de cacher la rondeur féminine des hanches et des seins de Nancy ; et puis sa lourde chevelure, qu'elle portait d'habitude sur les épaules, était trop épaisse et pas tout à fait assez longue pour être relevée impeccablement sans retomber dans le cou – surtout si elle dansait.

Des mèches folles s'échapperaient du chignon, et sa tenue ne resterait pas aussi stricte bien longtemps. Le scénariste décida qu'il voulait qu'elle danse avec Dhar ; après quoi les scènes possibles coulèrent toutes seules.

Il s'entoura d'une serviette et passa la tête par la porte de la salle à manger, où Julia était en train de servir quelques en-cas ; le réveillon de minuit était encore loin, mais personne n'avait vraiment envie de manger. Le docteur décida d'envoyer Dhar en bas dans la ruelle, où le nain attendait dans son Ambassador : Vinod connaissait beaucoup des danseuses exotiques de La Poule mouillée ; il y en avait peut-être une qui lui devait un service.

– Je veux que tu arrives avec une partenaire, dit-il à John D.

– Une strip-teaseuse ?

– Dis à Vinod que plus elle fera pouffiasse, mieux ça vaudra, lui répondit le scénariste.

Il se doutait que la Saint-Sylvestre serait une soirée importante au Cabaret ; la danseuse exotique serait de toute façon obligée de quitter le Duckworth de bonne heure. Cela arrangeait bien Farrokh : il voulait que la femme fasse une sortie très remarquée avant minuit. Sans savoir encore qui elle serait, il savait d'avance que sa tenue serait tout sauf sage – elle n'aurait pas du tout le style duckworthien. Elle attirerait à coup sûr l'attention générale.

Au pied levé, Vinod n'aurait sans doute pas l'embarras du choix ; des femmes qu'il connaissait au Cabaret, il choisit celle dont le nom de scène était Muriel, car elle lui avait semblé plus sensible que ses consœurs : un spectateur lui avait jeté une orange, et cet irrespect flagrant l'avait bouleversée. Être engagée pour quelques danses au Duckworth – surtout avec l'inspecteur Dhar – représenterait une vraie promotion pour elle. Aussitôt dit, aussitôt fait, Vinod déposa la danseuse exotique à l'appartement des Daruwalla sans perdre de temps.

Lorsque le docteur eut fini de s'habiller, John D. eut tout juste le temps de répéter son texte. Nancy et Muriel avaient toutes deux besoin d'explications, et le détective dut joindre Mr Sethna au téléphone pour lui débiter une longue liste d'instructions, qui lui inspirèrent sans aucun doute une indigestion réprobatrice. Vinod conduirait Dhar et la danseuse exotique au Duckworth, et Farrokh et Julia suivraient avec les Patel.

John D. réussit à prendre le docteur à part, en le poussant vers le balcon. Lorsqu'ils furent seuls, il lui dit :

– J'ai une question sur mon personnage, Farrokh, tu m'as donné des répliques qui sont sexuellement ambiguës – pour ne pas dire plus.

– J'ai seulement essayé de parer à toute éventualité, comme tu dirais toi-même.

– Mais je crois comprendre que je suis censé m'intéresser à Mrs Dogar en tant que femme. Et puis en même temps, j'ai l'air de dire que je m'intéressais autrefois à Rahul en tant qu'homme – c'est-à-dire comme un homme s'intéresse à un autre homme.

– Oui, dit Farrokh prudemment, j'essaye de donner à entendre que tu es curieux, et entreprenant sur le plan sexuel – un peu bisexuel, peut-être...

– Ou même exclusivement homosexuel ; et que je m'intéresse à Mrs Dogar parce que je m'intéressais tant à Rahul, coupa John D. C'est ça ?

– Il y a de ça, oui. C'est vrai, nous croyons que dans le temps tu plaisais à Rahul, et qu'aujourd'hui tu plais toujours à Mrs Dogar. Mais qu'est-ce que nous savons de plus ?

– Mais tu as fait de mon personnage un mystère sexuel vivant, protesta l'acteur. Tu m'as rendu bizarre. On dirait que tu mises sur ma singularité dans ce domaine pour attirer Mrs Dogar. C'est bien ça ?

Les acteurs sont vraiment impossibles, pensa le scénariste. La phrase qui lui brûlait les lèvres, c'était : « Ton frère jumeau a connu des penchants résolument homosexuels. Ça te dit quelque chose ? » Mais il se contenta de dire :

– Je ne sais pas comment choquer un tueur en série. J'essaie seulement de la séduire.

– Et moi je te demande seulement de m'éclairer sur mon personnage. Ça m'aide toujours quand je sais qui je suis censé être.

C'était bien Dhar comme il le connaissait, songea Farrokh – sarcastique jusqu'à la moelle. Il était soulagé de voir que la star avait retrouvé sa confiance en soi.

C'est alors que Nancy sortit sur le balcon.

– Je ne vous interromps pas, j'espère, demanda-t-elle, mais elle alla droit à la rambarde et s'y appuya sans attendre la réponse.

– Non, non, marmonna le Dr Daruwalla.

597

– C'est l'ouest, par là ? demanda-t-elle en désignant le couchant.

– En général le soleil se couche à l'ouest, confirma Dhar.

– Et si on traverse la mer d'Oman vers l'ouest depuis Bombay, où on arrive ? En allant vers l'ouest, légèrement vers le nord, précisa-t-elle.

– Euh... dit le Dr Daruwalla avec précaution, au nord-ouest, on aurait le golfe d'Oman, puis le golfe Persique...

– Puis l'Arabie Saoudite, interrompit Dhar.

– Continuez, lui dit Nancy. Cap ouest, nord-ouest.

– Ça vous mènerait par la Jordanie en Israël, jusqu'à la Méditerranée, dit Farrokh.

– Ou alors vous traversez l'Afrique du Nord, dit l'inspecteur Dhar

– Euh... oui, reprit le Dr Daruwalla. Vous traverseriez l'Égypte, qu'est-ce qu'il y a après l'Égypte ? demanda-t-il à Dhar.

– La Libye, la Tunisie, l'Algérie, le Maroc, répondit l'acteur. Vous pourriez franchir le détroit de Gibraltar, ou toucher la côte d'Espagne, si vous vouliez.

– Oui, c'est là que je veux aller, lui dit Nancy. Je touche la côte d'Espagne. Et après ?

– Vous vous retrouvez dans l'Atlantique nord, dit le Dr Daruwalla.

– Allez vers l'ouest, légèrement vers le nord.

– New York ? hasarda le Dr Daruwalla.

– A partir de là je connais le chemin, dit soudain Nancy. De là, je vais droit vers l'ouest.

Ni Dhar ni le Dr Daruwalla ne savaient où Nancy atterrirait ensuite ; ils ne connaissaient pas bien la géographie des États-Unis.

– Pennsylvanie, Ohio, Indiana, Illinois, leur dit Nancy. Peut-être qu'il me faudrait traverser le New Jersey pour arriver en Pennsylvanie.

– Où allez-vous, comme ça ? lui demanda le Dr Daruwalla.

– Chez moi, répondit Nancy. Chez moi, en Iowa ; l'Iowa vient après l'Illinois.

– Vous voulez rentrer chez vous ? lui demanda John D.

– Jamais, dit Nancy. Jamais je ne voudrai rentrer chez moi.

Le scénariste vit que la fermeture Éclair du fourreau gris descendait le long de son dos ; elle se fermait par une attache en haut du col officier.

– Si ça ne vous ennuie pas, lui dit Farrokh, vous pourriez demander à votre mari qu'il dégrafe la fermeture Éclair de votre robe. Si elle était un tout petit peu défaite, disons jusqu'à vos omoplates – ce serait mieux.

– Est-ce qu'il ne vaudrait pas mieux que ce soit moi qui la lui dégrafe, demanda l'acteur ? En dansant, je veux dire.

– Ah oui, ce serait l'idéal.

Les yeux toujours fixés sur l'ouest et le couchant, Nancy dit :

– Ne me la baissez pas trop ; je ne veux pas savoir ce que dit le script, si vous allez trop loin, je ne me priverai pas de vous le dire.

– Il est l'heure, annonça le détective Patel.

Personne n'aurait pu dire depuis combien de temps il était sur le balcon.

Lorsqu'ils se mirent en route, aucun d'entre eux ne regarda vraiment les autres. Ce n'était pas plus mal : leurs visages exprimaient une certaine terreur de ce qui allait se produire ; on aurait dit des proches en deuil qui se préparent à assister à l'enterrement d'un enfant. Le commissaire fut presque paternel ; il donna une tape affectueuse sur l'épaule du Dr Daruwalla, gratifia l'inspecteur Dhar d'une poignée de main chaleureuse, prit sa femme troublée par la taille – ses doigts familièrement écartés au bas de ses reins, là où il savait qu'elle avait parfois des douleurs. C'était sa façon à lui de dire : j'ai la situation en main, tout ira bien.

Mais dans la voiture du policier l'attente leur parut interminable. Vinod avait pris les devants avec Dhar et Muriel. Comme c'était lui qui conduisait, le commissaire était devant, avec le scénariste, qui voulait que Dhar et Muriel soient déjà en train de danser lorsqu'ils arriveraient, lui et Julia, avec les Patel, leurs invités. Julia était montée sur la banquette arrière avec Nancy. Le détective évitait le regard de sa femme dans le rétroviseur ; il essayait aussi de ne pas s'accrocher au volant : il ne voulait pas qu'on sache combien il était nerveux.

Les phares des voitures qui passaient coulaient comme un fleuve sur Marine Drive, et lorsque le soleil finit par sombrer dans la mer d'Oman, elle passa très vite du rose au pourpre, puis du bordeaux au noir, comme une meurtrissure au fil des jours. Le docteur dit :

– Ils doivent déjà être en train de danser.

Le détective lança la voiture dans le flot de la circulation.

Sur une note d'optimisme douteux, le Dr Daruwalla dit :

– Allons-y, on va se la faire, cette garce, on va l'éliminer.

599

– Pas ce soir, reprit calmement le détective Patel. Nous ne l'attraperons pas ce soir. Espérons qu'elle va mordre à l'hameçon.

– Elle mordra, assura Nancy depuis la banquette arrière.

Il n'y avait rien que le commissaire ait envie de dire. Il sourit. Il espérait qu'il avait l'air confiant. Mais c'était un vrai policier ; il savait qu'on ne pouvait pas vraiment être prêt à affronter Rahul.

Quelques danses

Mr Sethna ne put que s'étonner de ce qui se passait ; or l'étonnement ne faisait pas partie des quelques expressions que le vieux parsi affectionnait. A observer son visage amer et intolérant, on aurait dit qu'il exprimait seulement son mépris de la Saint-Sylvestre : il trouvait superflue la soirée du Duckworth. Pateti, le Nouvel An parsi, tombe à la fin de l'été ou au début de l'automne ; la fête est suivie quinze jours plus tard de l'anniversaire du prophète Zarathoustra. Au moment de la Saint-Sylvestre au Duckworth, Mr Sethna avait déjà célébré son Nouvel An. La version duckworthienne de la fête, il trouvait que c'était une tradition réservée aux anglophiles. Sans compter que s'y mêlait un fond de morbidité : ce jour-là était spécial à double titre pour les nombreux duckworthiens qui y célébraient aussi l'anniversaire – le quatre-vingt-dixième anniversaire, cette année – du suicide de Lord Duckworth.

Le maître d'hôtel jugeait en outre que les réjouissances se déroulaient dans un ordre aberrant. Les duckworthiens dans leur ensemble n'étaient plus de première jeunesse, ce qui n'avait rien de surprenant en soi si l'on se rappelle la liste d'attente de vingt-deux ans. De surcroît, à cette époque de l'année, les jeunes duckworthiens étaient en pension, le plus souvent en Angleterre. Les mois d'été, lorsque la génération étudiante était de retour en Inde, la population du club rajeunissait. Mais maintenant, tous ces gens sur le retour auraient dû dîner à une heure raisonnable ; or ils étaient censés boire et danser jusqu'à ce que le dîner soit servi, c'est-à-dire jusqu'à minuit – l'ordre des choses défiait le bon sens. Qu'on les serve de bonne heure, et puis qu'ils dansent, s'ils en étaient encore capables ! Les excès de champagne à jeun étaient particulièrement délétères chez les gens âgés ; certains couples n'avaient plus l'énergie nécessaire pour tenir jusqu'au dîner. Or n'était-ce pas le but de cette soirée idiote, précisément ? Le seul et unique but ?

A le voir danser, Dhar ne tiendrait pas jusqu'à minuit. Cependant, Mr Sethna ne pouvait se défendre d'être impressionné par la façon dont l'acteur avait repris du poil de la bête, lui qui avait une mine si épouvantable la veille. Le samedi, ce grand malade était pâle comme un mort ; il s'essuyait le pénis au-dessus de l'urinoir – image nauséabonde – et là, dimanche soir, il était bronzé, et il éclatait littéralement de santé ; il dansait comme un fou. Peut-être y avait-il une rémission dans sa maladie sexuellement transmissible, spéculait Mr Sethna tandis que Dhar faisait tourner et virer sa cavalière sur la piste. Et puis, où cette roulure des studios avait-il déniché une femme pareille ?

Autrefois, il y avait une bannière tendue au-dessus de la marquise du Bombay Eros Place, et la femme peinte dessus ressemblait à celle-ci, se rappelait Mr Sethna (de fait, c'était bien Muriel – La Poule mouillée représentait un certain déclassement par rapport au Bombay Eros Palace). Mr Sethna n'avait jamais vu une duckworthienne habillée comme Muriel : l'éclat de ses paillettes turquoise, son décolleté plongeant, sa minijupe à mi-cuisses qui la moulait tellement que Mr Sethna s'attendait à voir quelques paillettes craquer et joncher la piste de danse. Muriel avait gardé le derrière ferme et haut placé des danseuses professionnelles ; et si elle avait sans doute quelques années de plus que l'inspecteur Dhar, elle semblait dans une forme à danser plus longtemps que lui et pouvoir se permettre de transpirer davantage. Leur façon de danser était dénuée de réserve gracieuse ; ils étaient d'une agressivité brutale, ils avaient des gestes incroyablement brusques l'un envers l'autre ; et pour le sourcilleux maître d'hôtel cette démonstration publique reflétait, en édulcoré, la violence avec laquelle ils devaient faire l'amour dans l'intimité.

Mr Sethna remarqua aussi que tout le monde les regardait. Ils faisaient exprès, c'était flagrant, d'occuper la partie de la piste visible depuis la grande salle à manger, pour forcer de nombreux couples à les voir exécuter leurs tourbillons. La table la plus proche de leurs exploits avait été dévolue par Mr Sethna à Mr et Mrs Dogar ; le maître d'hôtel avait suivi les instructions du détective à la lettre ; il s'était assuré que l'on donnât à la seconde Mrs Dogar le fauteuil qui lui offrirait une vue imprenable sur les évolutions de Dhar.

Dans le jardin des Dames, la table des Daruwalla donnait sur la grande salle à manger ; depuis leurs sièges, le médecin et le détective pouvaient observer Mrs Dogar, mais pas la salle de bal. Ce n'était pas Dhar qu'ils voulaient voir. Fort heureusement, observa Mr Sethna, la colossale blonde avait caché son curieux nombril ; elle était habillée comme une directrice d'école, comme une nourrice, ou comme une femme de pasteur ; et pourtant, le vieux maître d'hôtel détectait dans sa physionomie quelque chose de rebelle, une tendance à la foucade, à la lubie. Elle était assise le dos tourné à Mrs Dogar et regardait l'obscurité s'épaissir derrière le treillage ; à cette heure, les bougain-villées avaient le lustre du velours. La nuque dégagée de Nancy, avec ce duvet blond qui avait l'air si doux, rappela son nombril à Mr Sethna.

Le smoking brillant du docteur et sa cravate de soie noire contras-taient avec le costume Nehru du commissaire, qui était tristement fripé ; la plupart des duckworthiens étaient aux antipodes des milieux où l'on sait reconnaître un policier à ses vêtements, se dit Mr Sethna. Le maître d'hôtel pensait grand bien de la robe du soir de Julia, qui était exactement ce qu'elle devait être – la jupe balayant presque le sol, les longues manches volantées aux poignets, le décolleté fort éloigné du col officier étrangleur, mais très au-dessus du moindre soupçon de gorge. Ah, le bon vieux temps ! soupira Mr Sethna ; et comme s'il avait lu dans ses pensées, l'orchestre se mit à jouer une danse moins endiablée.

Dhar et Muriel, le souffle court, se laissèrent aller avec un peu trop de langueur dans les bras l'un de l'autre ; elle était pendue à son cou et il posait une main possessive sur sa hanche couverte de perles dures. Elle semblait lui chuchoter quelque chose ; en réalité, elle chan-tait simplement les paroles de la chanson, car elle connaissait tous les titres que jouait l'orchestre, et bien d'autres encore ; et l'inspecteur Dhar souriait d'un air entendu. C'était ce sourire narquois, presque une grimace, cette expression de dédain, à la fois décadente et blasée. En réalité, l'accent de la strip-teaseuse amusait Dhar ; il trouvait Muriel très marrante. Mais ce que voyait la seconde Mrs Dogar ne l'amusait guère. Elle voyait John D. danser avec une pouffiasse, sans doute de mœurs dissolues, et dans ses âges à elle, encore ! Les femmes comme ça sont si faciles, se disait-elle, Dhar pouvait assurément mieux faire.

Sur la piste, les duckworthiens rassis qui s'étaient risqués à danser – ils l'attendaient, ce slow ! – se tinrent à distance de Dhar et Muriel, qui, de toute évidence, n'était pas une dame de leur monde. En sa qualité d'écouteur aux portes et de lecteur de lèvres émérite, Mr Sethna n'eut aucun mal à saisir ce que Mr Dogar disait à sa femme.

– Mais c'est une vraie prostituée qu'il nous amène, l'acteur, ce soir ! Elle a vraiment l'air d'une putain.

– Ce doit être une strip-teaseuse, dit Mrs Dogar – Rahul avait un œil aiguisé pour ce type de nuances sociologiques.

– C'est peut-être une comédienne, dit Mr Dogar.

– Elle joue la comédie, mais ce n'est pas une comédienne, répondit Mrs Dogar.

D'après ce que Farrokh pouvait voir de Rahul, le transsexuel avait hérité de la vision reptilienne de sa tante Promila ; lorsqu'il vous regardait, on aurait dit qu'il voyait une autre forme de vie, mais sûrement pas un être humain, son semblable.

– D'ici, c'est difficile à dire, commença le Dr Daruwalla ; je ne sais pas s'il lui plaît ou si elle a envie de le tuer.

– Peut-être que chez elle les deux ne font qu'un, dit le commissaire.

– Quelles que soient ses contradictions, il lui plaît, dit Nancy.

Elle n'offrait que son dos au regard de Rahul, si ces regards avaient été tournés vers elle. Mais Rahul n'avait d'yeux que pour John D.

L'orchestre se remit à jouer un morceau rapide et Muriel et Dhar se firent encore plus brusques dans leurs gestes, comme si l'interlude lent les avait revigorés, ou le fait d'être en contact plus étroit. Plusieurs des paillettes clinquantes s'étaient détachées de la robe de Muriel, elles scintillaient sur la piste, réfléchissant l'éclat du lustre de la salle ; lorsque l'un ou l'autre marchait dessus, elles crissaient. Une rigole de sueur coulait en permanence entre les seins de Muriel et Dhar saignait légèrement d'une écorchure au poignet ; le bas de sa manche était tacheté de sang : il tenait Muriel si serrée qu'il s'était éraflé à une paillette. Il ne fit pas grand cas de l'égratignure, mais Muriel lui prit le poignet et y colla ses lèvres. C'est dans cette posture qu'ils achevèrent la danse. Mr Sethna n'avait vu des scènes de ce genre qu'au cinéma ; ce qu'il ne savait pas, c'est qu'il était bien en train de voir une scène de cinéma ; scénario de Farrokh Daruwalla, avec en vedette l'inspecteur Dhar.

Lorsque Muriel quitta le Duckworth, elle fit tout pour se faire remarquer. Elle dansa la dernière danse, un slow, son châle sur les épaules ; elle descendit une coupe de champagne presque pleine dans le hall. Puis elle posa la main sur la tête de Vinod qui la reconduisait à l'Ambassador.

– Une sortie digne d'une catin, dit Mr Dogar. Je suppose qu'elle retourne au bordel.

Mais Rahul ne jeta qu'un coup d'œil à sa montre. La seconde Mrs Dogar était une fine observatrice des bas-fonds de Bombay ; elle savait que l'heure du premier spectacle à l'Éros Palace approchait à grands pas, à moins que la pouffiasse de Dhar ne travaille à La Poule mouillée, où le premier spectacle débuterait quinze minutes plus tard.

Lorsque Dhar invita la fille Sorabjee à danser, on sentit une nouvelle tension parcourir la grande salle à manger et le jardin des Dames. Même dos à la scène, Nancy sut qu'il s'était produit quelque chose qui n'était pas au programme.

– Il a invité une autre femme à danser, non ? dit-elle, le visage et la nuque empourprés.

– Qui est cette jeune fille ? s'enquit le détective Patel. Elle ne fait pas partie de notre plan…

– Faites-lui confiance, dit le scénariste. Il n'a pas son pareil pour improviser. Il comprend toujours qui il est et quel est son rôle. Il sait ce qu'il fait.

Nancy pinçait une perle de son collier ; son pouce et son index étaient tout blancs.

– Et comment, qu'il le sait ! dit-elle.

Julia se retourna, mais elle ne pouvait pas voir la salle de bal – seulement l'expression d'aversion sur le visage de Mrs Dogar.

– C'est la petite Amy Sorabjee ; elle doit être en vacances, dit le docteur à sa femme.

– Mais c'est une gamine ! s'exclama Julia.

– Plus tout à fait, corrigea le vrai policier.

– Très joli coup, dit le scénariste. Mrs Dogar ne sait plus que penser.

– Je la comprends, lui répondit Nancy.

– Tout ira bien, chérie, dit le commissaire à sa femme.

Lorsqu'il lui prit la main, elle la retira.

– C'est mon tour, après ? Il faut faire la queue ?

Dans la grande salle à manger, presque tous les visages étaient tournés vers la piste. On regardait l'infatigable vedette de cinéma en sueur, avec ses vastes épaules et sa bedaine naissante, qui faisait virevolter la petite Amy Sorabjee comme si elle n'était pas plus lourde que ses vêtements.

Les Sorabjee et les Daruwalla étaient de vieux amis, mais le Dr Sorabjee et madame avaient tout de même été surpris de voir Dhar inviter Amy sous le coup d'une impulsion subite, et surpris que la petite accepte. C'était une bécasse d'une vingtaine d'années, qui était allée à la faculté ; mais elle n'était pas en vacances, on lui avait fait arrêter ses études. Il est vrai qu'elle, Dhar ne la bousculait pas. Il se conduisait en gentleman jusqu'au bout des ongles ; charmeur à l'excès, peut-être, mais la jeune personne semblait ravie. Ils dansaient très différemment du couple formé par Muriel et Dhar ; la légèreté de la jeune fille était agréablement mise en valeur par les gestes sûrs et bien enchaînés de l'homme dans la force de l'âge.

– Voilà qu'il détourne les mineures, à présent, annonça Mr Dogar à sa femme. Il va danser avec toutes les femmes, ce soir ; tu vas voir qu'il va t'inviter aussi, Promila.

La contrariété de Mrs Dogar était manifeste. Elle dut se lever pour aller aux toilettes, où la file d'attente lui rappela cet aspect de la condition féminine qui lui déplaisait tant : attendre son tour pour faire pipi. La queue était trop longue, se dit Rahul ; elle se glissa par le hall dans les bureaux fermés et sombres du vieux club. Il y avait assez de lune pour taper une lettre ; elle roula un billet de deux roupies dans la machine la plus proche de la fenêtre. Sur le billet, le message fut aussi spontané que ses sentiments du moment.

IL FUT MEMBRE

Ce message était destiné à la bouche de Dhar. Mrs Dogar le glissa dans son sac pour qu'il tienne compagnie à celui qu'elle avait déjà tapé pour son mari.

PARCE QUE DHAR EST TOUJOURS MEMBRE

Mrs Dogar fut réconfortée de savoir que les deux billets étaient prêts ; elle se sentait toujours mieux lorsqu'elle avait paré à toute éventualité. Elle rentra discrètement par le hall et les toilettes où la file était moins longue. Lorsqu'elle retourna à sa table, dans la grande salle à manger, Dhar dansait avec une nouvelle partenaire.

Mr Sethna, qui avait le plaisir d'enregistrer la conversation entre les Dogar, fut tout émoustillé d'entendre le mari confier à sa virago :

– Voilà qu'il danse avec cette jument anglo-saxonne, qui est arrivée avec les Daruwalla. Je crois qu'elle est la moitié blanche d'un mariage mixte. Son mari m'a l'air d'un malheureux petit fonctionnaire.

Mais Mrs Dogar ne pouvait pas voir les nouveaux danseurs : Dhar avait entraîné Nancy sur la partie de la piste invisible depuis la grande salle à manger. On ne les apercevait que brièvement, par intermittences. Auparavant, Rahul n'avait pas fait tellement attention à la grande blonde. Lorsqu'elle regarda vers la table des Daruwalla, ces derniers étaient en grande conversation avec le « malheureux petit fonctionnaire » qui détonnait ici, comme son mari l'avait défini. Peut-être était-ce un obscur magistrat, se dit Rahul, ou encore un guru de seconde zone dirigeant un ashram où il aurait rencontré son Occidentale.

Puis Dhar et sa lourde partenaire apparurent à la faveur de leurs déplacements sur la piste. Mrs Dogar sentit la force avec laquelle ils s'étreignaient – la large main de la femme arrimée au cou de Dhar, dont le biceps droit était fiché sous son aisselle, comme s'il essayait de la soulever. Elle était plus grande que lui ; à la voir accrochée au cou de l'homme, on ne pouvait pas savoir si elle lui enfonçait le visage dans son cou, ou si, au contraire, elle l'empêchait de s'y blottir. Ce qui était singulier, c'est qu'ils se parlaient tout bas mais avec véhémence, sans s'écouter, fébrilement, et en même temps. Lorsqu'ils disparurent de nouveau, Rahul n'y tint plus. Mrs Dogar demanda à son mari de danser.

– Elle est ferrée ! Je vous l'avais bien dit qu'il y arriverait, s'exclama le Dr Daruwalla.

– Ce n'est qu'un début, répondit le commissaire. La partie dansée.

Bonne et heureuse année

Heureusement pour Mr Dogar, c'était un slow. Sa femme lui fit dépasser plusieurs couples au pas hésitant, déconcertés par les paillettes de Muriel qui crissaient encore sous les pieds. Mrs Dogar avait désormais Dhar et la grande blonde dans son champ visuel.

– C'est dans le script ? chuchotait Nancy à l'acteur. C'est pas dans le script, ça, espèce de salaud !

– On est censés se faire une petite scène, genre querelle d'amoureux, répondit-il tout bas.

– Vous me serrez trop.

– Vous me le rendez bien !

– J'aimerais mieux vous tuer.

– Elle est là, dit doucement Dhar. Elle nous suit.

Rahul eut un pincement au cœur en découvrant que la donzelle s'était abandonnée dans les bras de Dhar – alors qu'elle lui avait résisté, c'était clair. A voir la façon dont cette lourde femme était affalée sur lui, il devait être obligé de la soutenir. Autrement, elle se serait écroulée sur la piste. Elle lui avait jeté les bras autour des épaules, et noué les mains dans le dos ; elle enfouissait son visage dans son cou, ce qui n'était pas commode, car elle était plus grande que lui. Rahul la voyait secouer la tête tandis que Dhar continuait de lui parler à voix basse. La blonde avait cet air de soumission plaisant, comme si elle capitulait déjà ; elle rappelait à Rahul le genre de femmes qui vous laisseraient leur faire l'amour ou les tuer sans un soupir de protestation – comme quelqu'un qui aurait une forte fièvre.

– Elle me reconnaît ? chuchotait Nancy, qui tremblait et trébucha, de sorte que Dhar dut la soutenir de toute sa force.

– Elle ne peut pas vous reconnaître. Non, elle ne vous reconnaît pas ; elle est seulement curieuse de ce qui se passe entre nous.

– Et qu'est-ce qui se passe entre nous ? chuchota Nancy.

A l'endroit où elle avait les doigts croisés, il la sentit enfoncer ses phalanges dans son dos.

– Elle se rapproche, la prévint-il. Elle ne vous reconnaît pas, elle veut juste jeter un coup d'œil. Je vais le faire maintenant.

– Faire quoi ? demanda Nancy.

Elle avait oublié tant elle avait peur de Rahul.

– Baisser votre fermeture Éclair.

– Pas trop.

L'acteur la fit soudain tourner ; il dut se mettre sur la pointe des pieds pour regarder par-dessus son épaule ; mais il voulait s'assurer que Mrs Dogar voyait son visage. Il la regarda bien en face et sourit, lui décochant un clin d'œil de connivence. Puis, sous le regard du tueur en série, il baissa la fermeture Éclair dans le dos de Nancy. Lorsqu'il sentit l'agrafe du soutien-gorge, il s'arrêta ; il étendit la paume entre les omoplates nues – Nancy était en nage, et il la sentit frissonner.

– Elle nous regarde ? chuchota-t-elle.

Puis elle ajouta :

– Je vous déteste.

– Elle est sur nous. Je la prends bille en tête. On va échanger nos partenaires.

– Remontez d'abord ma fermeture Éclair. Remontez-la-moi, pressa Nancy.

De la main droite, John D. remonta la fermeture Éclair, tandis qu'il tendait la main gauche pour saisir le poignet de Mrs Dogar – le bras de celle-ci était frais et sec, noueux comme une corde solide.

– Échangeons nos partenaires pour la danse suivante, dit l'inspecteur Dhar.

Mais l'orchestre en était toujours à son slow. Mr Dogar tituba un instant ; Nancy, soulagée de ne plus être dans les bras de Dhar, attira le vieillard contre sa poitrine avec autorité. Une mèche s'était échappée de son chignon et cachait sa joue. Personne ne voyait ses larmes ; on aurait pu les confondre avec sa sueur.

– Salut, dit Nancy.

Sans laisser à Mr Dogar le temps de réagir, elle prit sa nuque dans sa paume et lui coinça la joue entre son épaule et sa clavicule. Elle l'entraîna résolument loin de Dhar et Rahul, et se demanda combien de temps il lui faudrait attendre pour que l'orchestre enchaîne avec une danse rapide.

La fin du slow faisait l'affaire de Dhar et Rahul. Les yeux de l'acteur se trouvaient au niveau d'une mince veine bleue qui parcourait toute la gorge de Mrs Dogar ; une pierre polie d'un noir profond comme de l'onyx – une pierre unique, sertie d'argent – reposait sur la déclivité parfaite, là où sa gorge rencontrait son sternum. Sa robe vert émeraude était décolletée mais lui entourait les seins harmonieusement ; ses mains étaient lisses et dures ; l'étreinte de ses doigts étonnamment légère. Elle était d'ailleurs légère à conduire aussi ; où qu'il aille, elle se retrouvait épaules face aux siennes, ses yeux rivés aux siens, comme si elle lisait la première page d'un nouveau livre.

– C'était bien cavalier, et bien embarrassant, cet échange, dit la seconde Mrs Dogar.

– Je suis fatigué d'essayer de vous ignorer. Fatigué de faire semblant de ne pas savoir qui vous êtes... qui vous étiez, ajouta Dhar ; mais la légère pression des doigts demeura la même, et le corps de Mrs Dogar suivit docilement le sien.

– Mon Dieu ! Que vous êtes province ! Un homme a bien le droit de devenir femme, si elle en a envie !

– C'est même une idée excitante, dit l'inspecteur Dhar.

– Vous ironisez ?

– Pas du tout, c'est de la nostalgie. Il y a vingt ans, je n'avais pas le front de vous aborder ; je ne savais pas par où commencer.

– Il y a vingt ans, je n'étais pas complète. Si vous m'aviez abordée, qu'est-ce que vous auriez fait ?

– Franchement, j'étais trop jeune pour penser à faire. Je crois que je voulais simplement vous voir.

– Mais aujourd'hui vous ne vous contenteriez pas de voir, j'imagine ? dit Mrs Dogar.

– Sûrement pas ! dit l'inspecteur Dhar, mais il ne trouvait pas le courage de serrer sa main ; elle était en tout point de son corps si sèche, si fraîche et légère à toucher– mais si dure, aussi.

– Il y a vingt ans, j'ai essayé de vous aborder, avoua Rahul.

– Vous avez dû vous y prendre avec trop de subtilité pour moi ; en tout cas, je suis passé à côté.

– Au Bardez, on m'a dit que vous couchiez dans le hamac du balcon. Je suis allée vous trouver. La seule partie de votre corps qui sortait de la moustiquaire, c'était votre pied. J'ai pris votre gros orteil dans ma bouche, et je l'ai sucé ; je l'ai même mordu, à vrai dire. Sauf que ce n'était pas vous. C'était le Dr Daruwalla. Ça m'a tellement dégoûtée que je n'ai jamais recommencé.

Ce n'était pas la conversation qu'avait prévue John D. Dans les canevas qu'il avait reçus ne figurait pas de réponse à cette intéressante histoire ; il restait coi. C'est alors qu'il fut sauvé par l'orchestre, qui entama un morceau rapide. Les gens quittaient la piste de danse par vagues, y compris Nancy et Mr Dogar ; elle reconduisit le vieillard jusqu'à sa table ; il était presque hors d'haleine au moment où elle le fit asseoir.

– Qui êtes-vous, mon petit ? articula-t-il.

– Mrs Patel, répondit Nancy.

– Ah, dit le vieil homme, et votre mari ?

Il voulait dire : « qu'est-ce qu'il fait dans la vie ? », tout en pensant : « c'est quel genre de petit fonctionnaire ? »

– Mon mari, c'est Mr Patel, dit Nancy.

Lorsqu'elle le quitta, elle retourna avec le plus de précautions possibles à la table des Daruwalla.

– Je ne crois pas qu'elle m'ait reconnue, leur dit-elle. Mais je n'ai pas pu la regarder. Elle n'a pas changé, sauf qu'elle a vieilli.

– Ils dansent ? s'enquit le Dr Daruwalla. Et ils parlent, aussi ?

– Oui, ils dansent et ils parlent, c'est tout ce que je sais, lui répondit-elle. J'ai été incapable de la regarder, ajouta-t-elle.

– Tout va bien, chérie, dit le commissaire. Tu n'as rien de plus à faire.

– Je veux être là quand tu l'attraperas, Vijay.

– Tu sais, il se peut qu'on l'attrape dans un endroit où tu ne voudrais pas être, répondit le détective.

– S'il te plaît, j'y tiens. Est-ce que ma fermeture est remontée ? demanda-t-elle soudain en tournant le dos à Julia pour qu'elle vérifie.

– Parfaitement remontée, Nancy, lui répondit celle-ci.

Seul à sa table, Mr Dogar descendait du champagne et reprenait haleine pendant que Mr Sethna lui servait les hors-d'œuvre. Sa femme dansait avec Dhar dans une partie de la salle qu'il ne voyait pas d'où il était.

– Il fut un temps où j'avais envie de vous, disait Rahul à John D. Vous étiez un jeune homme superbe.

– Moi j'ai toujours envie de vous, lui dit Dhar.

– Vous donnez l'impression d'avoir envie de tout le monde. Qui est cette strip-teaseuse ?

Faute de texte sur la question, il répondit :

– Une strip-teaseuse, c'est tout.

– Et la grosse blonde ?

Cette question, le Dr Daruwalla l'avait prévue.

– C'est de l'histoire ancienne, répondit Dhar. Il y a des gens qui ne savent pas tirer un trait.

– Vous avez l'embarras du choix, avec les femmes, et avec des plus jeunes, lui dit Mrs Dogar. Qu'est-ce que vous attendez de moi ?

Cette question induisait une phase du dialogue que l'acteur redoutait ; il fallait faire une confiance presque aveugle au script de Farrokh et, précisément, la réplique suivante ne lui inspirait pas confiance outre mesure.

– J'ai besoin de savoir quelque chose. Est-ce que votre vagin est vraiment fait avec ce qui était votre pénis ?

– Ne parlez pas aussi crûment ! dit Mrs Dogar, puis elle éclata de rire.

– Je regrette qu'il n'y ait pas d'autre moyen de poser la question, reconnut John D.

Comme le fou rire la prenait, elle l'étreignit plus fort ; pour la première fois, il sentit la force de ses mains.

– J'aurais peut-être pu m'y prendre de manière plus détournée, dit-il, encouragé par son rire. J'aurais pu dire : « oui, mais, il est sensible ce vagin qu'on vous a fait ? Est-ce qu'il procure un peu les sensations d'un pénis ? »

L'acteur s'arrêta ; il ne se résolvait pas à poursuivre. Le dialogue du scénariste ne marchait pas. Ses textes avaient souvent ce côté ça passe ou ça casse, d'ailleurs.

En outre, Mrs Dogar avait cessé de rire.

– Alors vous êtes seulement curieux, c'est ça ? C'est l'insolite qui vous attire ?

Le long de la fine veine bleue, sur la gorge de Mrs Dogar, une goutte de sueur nimbée était apparue. John D. n'avait pas l'impression qu'ils aient dansé avec tant d'ardeur. Il espéra que c'était le bon moment. Il la prit par la taille avec une certaine force et elle se laissa guider. Lorsqu'ils traversèrent la partie de la piste d'où son mari – et Mr Sethna – pouvaient les voir, Dhar s'aperçut que le vieux maître d'hôtel avait compris son signal : il quitta promptement la grande salle à manger pour se diriger vers le hall. L'acteur ramena Mrs Dogar loin des regards de son époux.

– Je suis acteur, lui dit-il. Je peux être tous les hommes que vous voudrez. Je peux faire absolument tout ce que vous voulez. Il suffit de me faire un dessin (il tiqua. Il devait à Farrokh cette autre perle).

– Quelle présomption extravagante ! s'écria Mrs Dogar. Vous faire un dessin ? De quoi donc ?

– Donnez-moi seulement une idée de ce qui vous plaît. Et je le ferai.

– Vous avez bien dit : « faites-moi un dessin », je l'ai entendu.

611

– Je voulais dire : « dites-moi ce que vous aimez », sexuellement, quoi, dit l'acteur.

– Je comprends très bien ce que vous voulez dire, mais vous avez dit « dessin », répéta Rahul avec froideur.

– Vous n'étiez pas artiste, autrefois ? Vous n'avez pas fait une école de dessin ? demanda l'acteur. (Mais bon sang, qu'est-ce qu'il fabrique, Sethna, se demandait-il ; il avait peur que Rahul sente qu'il y avait anguille sous roche.)

– Je n'y ai rien appris, dans cette école de dessin, lui dit Mrs Dogar.

Dans le placard à électricité, à côté du hall, Mr Sethna avait découvert qu'il ne pouvait pas lire ce qu'il y avait d'écrit sur les fusibles sans ses lunettes – qu'il tenait dans un tiroir de la cuisine. Il lui fallut un moment avant de décider de les faire tous sauter.

– Il est capable de s'être électrocuté, ce vieux crétin, disait le Dr Daruwalla au détective Patel.

– Tâchons de garder notre calme, répondit celui-ci.

– Si les lampes ne s'éteignent pas, Dhar n'a qu'à improviser, puisqu'il est si fort pour ça, dit Nancy.

– Ce n'est pas comme d'une curiosité que j'ai envie de vous, dit soudain Dhar à Mrs Dogar. Je sais que vous êtes forte, je vous crois affirmée. Je crois que vous avez de l'autorité. (C'était le pire passage du dialogue, pensait l'acteur. De l'acrobatie sans filet.) Je veux que vous me disiez ce que vous aimez. Je veux que vous me disiez que faire.

– Je veux que vous vous soumettiez à moi.

– Vous pouvez m'attacher si vous voulez, proposa Dhar avec bonne grâce.

– J'ai l'intention de faire beaucoup plus, dit Mrs Dogar.

C'est alors que la salle de bal et tout le premier étage du Duckworth furent plongés dans l'obscurité. On entendit tout l'orchestre pousser un petit cri de surprise et tâtonner ; le morceau dura encore le temps de quelques couacs et de quelques battements sourds. Depuis la salle à manger parvint une salve d'applaudissements maladroits. On entendit des bruits de catastrophe aux cuisines. Puis les couteaux et les fourchettes improvisèrent une petite musique contre les verres à eau.

– Ne renversez pas le champagne ! cria Mr Bannerjee.

Le gloussement de rire venait sans doute d'Amy Sorabjee.

Lorsque John D. essaya de l'embrasser dans le noir, Mrs Dogar fut plus rapide que lui ; la bouche de l'acteur avait à peine touché la sienne qu'il la sentit lui coincer la lèvre inférieure entre ses dents. Tandis qu'elle le tenait par là, elle lui soufflait son haleine haletante au visage ; ses mains sèches et fraîches ouvrirent sa braguette pour le caresser jusqu'à ce qu'il bande. Il mit les mains sur ses fesses, qu'elle raidit aussitôt. Elle serrait toujours sa lèvre inférieure entre ses dents, assez fort pour lui faire mal, mais pas assez pour le faire saigner. Comme Mr Sethna en avait reçu l'ordre, il rétablit la lumière brièvement, avant de l'éteindre de nouveau ; Mrs Dogar lâcha John D. des dents et des mains. Lorsqu'il la lâcha lui-même pour remonter sa braguette, il la perdit. Lorsque la lumière revint, Rahul et Dhar avaient repris leurs distances.

– Vous voulez un dessin ? Vous l'avez, dit Rahul d'une voix égale. J'aurais pu vous arracher la lèvre d'un coup de dents.

– J'ai une suite à l'Oberoi, et une autre au Taj, lui dit l'acteur.

– Non, je vous dirai où nous irons, dit Mrs Dogar. Je vous le dirai au déjeuner.

– Au déjeuner ici ?

– Demain. J'aurais pu vous arracher le nez, si j'avais voulu.

– Merci pour cette danse, dit John D.

Comme il se détournait pour la quitter, il se rendit compte non sans malaise à quel point il bandait et à quel point sa lèvre intérieure l'élançait.

– N'allez pas renverser les chaises et les tables, dit Mrs Dogar. Vous bandez comme un éléphant.

Ce fut le mot « éléphant », venant de Rahul, qui affecta le plus la démarche de John D. Il traversa la salle à manger, revoyant toujours la goutte de sueur nimbée tôt disparue sur la gorge de Mrs Dogar, sentant encore son contact frais et sec. Quant à la façon dont elle lui avait soufflé son haleine dans la bouche en lui emprisonnant la lèvre… il se disait qu'il n'était pas près de l'oublier non plus. Il se disait que la fine veine bleue de son cou était si immobile qu'on aurait cru que son pouls ne battait pas, ou qu'elle savait retenir les battements naturels de son cœur.

Lorsqu'il se rassit à table, Nancy fut incapable de le regarder. Le commissaire ne le regardait pas non plus, mais c'était parce qu'il trouvait plus intéressant de regarder Mr et Mrs Dogar. Ils se disputaient. Mrs Dogar refusait de se rasseoir, et lui de se lever – et le détective remarqua quelque chose d'élémentaire mais curieux dans leur couple : ils avaient presque la même coupe de cheveux. Mr Dogar avait la coquetterie de porter sa chevelure incroyablement opulente « à la lionne » ; elle était coupée court dans la nuque, bien dégagée au niveau de l'oreille, mais une mèche étonnamment volumineuse et gonflante lui surmontait le front – ses cheveux étaient argentés, avec des fils blancs. Ceux de Mrs Dogar étaient noirs, avec des fils argentés (teints sans doute), mais sa coiffure était la même que celle de son mari, en plus sophistiqué. Cela lui donnait un air vaguement espagnol. Il vit qu'elle avait persuadé son mari de se lever.

Mr Sethna répercuterait par la suite au commissaire ce qui s'était dit entre eux, mais le policier avait deviné tout seul. Mrs Dogar se plaignait que son mari avait déjà descendu trop de champagne ; elle ne tolérerait pas son ivrognerie une minute de plus – elle allait demander aux domestiques de leur préparer un réveillon chez eux, où, du moins, sa conduite navrante ne l'humilierait pas publiquement.

– Ils s'en vont, observa le docteur. Qu'est-ce qui s'est passé ? Tu l'as agitée, John D. ?

Dhar buvait du champagne, qui lui piquait les lèvres. La sueur lui dégoulinait sur le visage – il avait dansé toute la soirée – et ses mains étaient agitées d'un tremblement visible ; ils le virent passer de son verre de champagne à son verre d'eau. Une gorgée d'eau suffit à lui faire faire la grimace. Nancy dut se forcer à le regarder, après quoi elle ne put plus détacher les yeux de lui.

Le commissaire pensait toujours à la coupe de cheveux des Dogar. Sur le vieux mari elle avait un effet féminisant, mais sur la femme, elle semblait traduire une forme de virilité. Le détective en conclut que Mrs Dogar ressemblait à un matador – mais il faut dire qu'il n'en avait jamais vu.

Farrokh mourait d'envie de savoir à quel dialogue John D. avait eu recours. Il le voyait, en sueur, aux prises avec sa lèvre. Il se rendit compte que celle-ci était enflée ; elle se violaçait comme une contusion. Le docteur héla un serveur et lui commanda un grand verre de glaçons.

– Alors elle vous a embrassé, dit Nancy.

– Ça ressemblait plus à une morsure, répondit l'acteur.

– Mais qu'est-ce que tu as dit ? cria le Dr Daruwalla.

– Vous avez obtenu un rendez-vous ? demanda le détective Patel.

— Demain, au déjeuner.

— Au déjeuner ! dit le scénariste, déçu.

— Eh bien, vous avez marqué un premier point.

— Oui, je crois. C'est déjà quelque chose, même si je ne sais pas quoi au juste.

— Alors, elle a réagi, dit Farrokh.

Il se sentait frustré parce qu'il aurait voulu entendre leur dialogue, mot pour mot.

— Regardez sa lèvre, dit Nancy au docteur. Vous voyez bien qu'elle a réagi !

— Tu lui as demandé de te faire un dessin ? voulut savoir Farrokh.

— Ça me faisait peur, ce passage ; en tout cas ça faisait un peu bizarre, lui répondit Dhar, évasif. Mais je crois qu'elle va me montrer quelque chose.

— Au déjeuner ? demanda le Dr Daruwalla.

John D. haussa les épaules ; toutes ces questions l'exaspéraient manifestement.

— Laisse-le parler, Farrokh. Arrête de lui souffler tout ce qu'il dit, demanda Julia.

— Mais il ne dit rien, justement ! se plaignit le docteur.

— Elle a dit qu'elle voulait que je me soumette à elle, dit Dhar au commissaire.

— Elle veut l'attacher, cria Farrokh.

— Elle a dit qu'elle avait l'intention d'aller plus loin que ça.

— Et c'est quoi, plus loin ? demanda le Dr Daruwalla.

Le serveur apporta la glace, et John D. mit un glaçon contre sa lèvre.

— Mets-le dans la bouche et suce-le, lui dit le docteur, mais John D. continua de suivre sa méthode personnelle.

— Elle m'a pas mordu qu'à l'intérieur, dit-il pour toute réponse.

— Tu lui as placé la réplique sur le changement de sexe ?

— Elle a trouvé ça drôle, ça l'a fait rire.

On voyait maintenant mieux les marques de dents sur la lèvre de John D., même à la lueur des chandelles qui éclairaient le jardin des Dames ; les dents s'étaient enfoncées si profondément que la lèvre décolorée passait du mauve pâle au grenat – comme si elles y avaient fait une tache.

A la surprise de son mari, Nancy se versa une autre coupe de champagne. Il avait déjà été un peu surpris qu'elle en accepte une, et voilà qu'elle levait son verre, comme pour porter un toast à tous les dîneurs du jardin des Dames. « Bonne et heureuse année », dit-elle à la cantonade.

Auld Lang Syne

On finit par servir le dîner. Nancy mangeait du bout des lèvres et son mari finissait ses assiettes. Dhar ne pouvait rien manger d'épicé à cause de sa bouche ; il ne leur raconta pas son érection, ni comment Mrs Dogar s'y était prise, ni qu'elle lui avait dit qu'il bandait comme un éléphant. Il se réservait d'en parler au détective, plus tard, quand ils seraient seuls. Lorsque ce dernier quitta la table en s'excusant, il le suivit aux toilettes et aborda la question.

– Je n'ai pas aimé l'expression de son visage quand elle a quitté le club, dit le détective pour tout commentaire.

Lorsqu'ils revinrent à table, le Dr Daruwalla leur confia qu'il avait un plan pour « introduire » le capuchon du stylo ; il faudrait mettre Mr Sethna dans le coup ; ça avait l'air compliqué. John D. répéta qu'il espérait que Rahul lui fasse un dessin.

– On la tiendrait, là ? demanda Nancy à son mari.

– Ça nous aiderait, concéda le commissaire.

Il avait un pressentiment. Il s'excusa de nouveau, cette fois-ci pour appeler le QG de la Crime. Il ordonna qu'un agent monte la garde toute la nuit devant le domicile des Dogar ; si Mrs Dogar quittait la maison, il faudrait la suivre ; et il voulait être tenu au courant si cela arrivait, quelle que soit l'heure.

Dans les toilettes, Dhar lui avait dit que, selon lui, Rahul n'avait jamais prémédité de lui arracher la lèvre d'un coup de dents ; l'attraper entre ses dents n'était même pas le fruit d'une décision délibérée ; et ce n'était pas non plus un geste qu'elle avait commis dans le seul but de lui faire peur. L'acteur croyait plutôt qu'elle avait été incapable de s'en empêcher ; et tout le temps qu'elle avait serré sa lèvre, elle avait été de même incapable de lâcher prise.

– Ce n'était pas tant qu'elle voulait me mordre, mais elle ne pouvait pas faire autrement.

– Oui, je comprends, avait dit le policier, en résistant à la tentation d'ajouter qu'il n'y a que dans les films que les assassins aient des mobiles clairs.

A présent, comme il raccrochait le combiné, une chanson lugubre lui parvint depuis le hall. L'orchestre jouait *Auld Lang Syne*, « Ce n'est qu'un au revoir » et les duckworthiens avinés en massacraient les paroles. Patel retraversa la salle à manger avec difficulté à cause des nombreux membres à la sensiblerie pleurnicharde qui quittaient leur table et se dirigeaient d'un pas mal assuré vers la salle de bal en chantant. Il y avait là Mr Bannerjee, pris en sandwich entre sa femme et la veuve Lal ; en veine de virilité, il avait manifestement l'intention de danser avec l'une et l'autre. Il y avait aussi le Dr Sorabjee et madame, qui laissaient Amy toute seule à leur table. Lorsque le détective rejoignit les Daruwalla, Nancy était en train de dire à Dhar sur un ton narquois :

– Je suis sûre que la petite meurt d'envie de danser avec vous. Et puis elle est toute seule. Pourquoi vous ne l'invitez pas ? Mettez-vous à sa place. C'est vous qui êtes allé la chercher.

Elle avait bu trois coupes de champagne, calcula son mari ; ce n'était pas beaucoup, mais elle ne buvait jamais, et elle n'avait presque rien mangé. Dhar parvenait à réprimer son sourire dédaigneux ; il tâchait d'ignorer ses piques.

– Et moi, pourquoi est-ce que tu ne m'invites pas ? lui dit Julia. Je crois que Farrokh n'y a pas pensé.

Sans un mot, Dhar conduisit Julia sur la piste. Amy Sorabjee ne les quitta pas des yeux.

– J'aime bien votre idée, pour le capuchon de stylo, dit le détective Patel au Dr Daruwalla.

Cet éloge inattendu déconcerta le scénariste.

– Ah bon ? dit-il. Le problème, c'est qu'il faut que Mrs Dogar croie qu'il était dans son sac, et qu'il n'en a jamais bougé.

– Je suis d'accord sur le principe : si Dhar parvient à détourner son attention, Mr Sethna pourra glisser l'objet dans son sac, dit simplement le policier.

– Ah bon ? répéta Farrokh.

– Ce serait bien, si on trouvait autre chose dans son sac, dit le commissaire qui pensait à haute voix.

– Vous voulez dire les billets, avec les menaces dactylographiées, ou peut-être même un dessin ?

– Précisément.

– Ah, ça, c'est un scénario que j'aimerais bien écrire...

Julia revint inopinément à leur table ; elle venait de perdre son cavalier, qu'Amy Sorabjee lui avait soufflé.

– Ah, l'effrontée ! s'exclama le Dr Daruwalla.

– Viens danser avec moi, *Liebchen*, lui demanda Julia.

Les Patel se retrouvèrent tout seuls autour de la table ; ils étaient même tout seuls dans le jardin des Dames. Dans la grande salle à manger, un homme qu'on ne pouvait identifier était endormi la tête sur une table ; toutes les autres personnes dansaient, ou s'étaient levées pour se mettre sur la piste – apparemment pour le plaisir morbide de chanter *Auld Lang Syne*. Les serveurs commençaient à récupérer les décombres sur les tables abandonnées, mais pas un seul d'entre eux ne dérangea le détective Patel et Nancy, dans le jardin des Dames ; Mr Sethna leur avait donné pour consigne de respecter l'intimité du couple.

Le chignon de Nancy s'était défait, et elle avait du mal à ouvrir le collier de perles ; son mari dut l'aider à détacher le fermoir.

– Elles sont belles, ces perles, hein ? Mais si je ne les rends pas à Mrs Daruwalla tout de suite, je vais les oublier et rentrer à la maison avec. Si jamais je les perds, ou si je me les fais voler...

– Je vais tâcher de t'en trouver un pareil, promit le détective.

– Non, c'est trop cher.

– Tu as fait du bon boulot.

– On va l'attraper, hein, Vijay ?

– Oui, ma chérie, on va l'attraper.

– Elle m'a pas reconnue !

– Je te l'avais bien dit !

– Elle m'a même pas vue ! Elle m'a traversée du regard, comme si j'existais pas. Toutes ces années sont passées, et elle se souvenait même pas de moi, dit Nancy.

Le commissaire lui prit la main, et elle posa sa tête sur son épaule ; elle se sentait si vide qu'elle ne pouvait même pas pleurer.

– Désolée, Vijay, mais je crois pas que je pourrais danser. Non, vraiment, je peux pas.

– Ça ne fait rien, chérie, lui répondit son mari. Tu sais bien que je ne danse pas, moi.

– Il aurait pas dû baisser ma fermeture Éclair. C'était pas la peine.

– Ça cadrait avec l'ensemble.

– C'était pas la peine. Et en plus, j'ai pas aimé sa façon de le faire.

– Justement, tu n'étais pas censée l'aimer.

– Elle a dû essayer de lui arracher la lèvre d'un coup de dents !

– Selon moi, elle s'en est empêchée de justesse, dit le commissaire.

Cette phrase eut pour effet de libérer Nancy de son sentiment de vacuité ; elle fut enfin capable de pleurer sur l'épaule de son mari. On aurait dit que l'orchestre ne finirait jamais ce morceau fastidieux.

– Buvons encore une coupe de bonté, braillait Mr Bannerjee.

Mr Sethna remarqua que Julia et Farrokh étaient le couple le plus digne de la piste. Le Dr Sorabjee et madame dansaient nerveusement ; ils n'osaient pas quitter leur fille des yeux. Ils avaient fait rentrer la pauvre Amy d'Angleterre où elle ne réussissait pas dans ses études. Trop de soirées, sans doute, et puis, ce qui les inquiétait encore davantage, on la disait portée sur les quadragénaires. A l'université, elle était de notoriété publique réfractaire à toute idylle avec ses camarades, mais elle s'était jetée à la tête d'un de ses professeurs, un homme marié. Il n'avait pas profité d'elle, Dieu merci. Et maintenant, la voir danser avec Dhar mettait ses parents au supplice. De Charybde en Scylla ! pensait Mrs Sorabjee. Elle se trouvait dans une situation embarrassante. Elle, une vieille amie des Daruwalla, comment aurait-elle pu dire ce qu'elle pensait de l'inspecteur Dhar ?

– Vous savez qu'on peut vous avoir, en Angleterre... sur vidéocassettes ? disait Amy à l'acteur.

– Ah oui ?

– Un jour, à une soirée taste-vin, on vous a loué. Vous laissez perplexes les gens qui ne sont pas de Bombay. Vos films leur paraissent très bizarres.

– Oui, dit l'inspecteur Dhar, à moi aussi.

Cela la fit rire ; c'était une fille facile, il le voyait bien ; il le regrettait un peu pour ses parents.

– Toute cette musique, avec tous ces meurtres... dit-elle.

– Sans oublier l'intervention divine, remarqua l'acteur.

– Oui, et toutes les femmes – parce que vous les collectionnez.

– C'est vrai, oui.

– Ce n'est qu'un au revoir, mes frères, ce n'est qu'un au revoir ! hennissaient les vieux danseurs ; ils chantaient comme des chevaux.

– Mon préféré, c'est *L'Inspecteur Dhar et le Tueur de canaris* ;

c'est dans celui-là qu'il y a le plus de sexe, dit la petite Amy Sorabjee.

– Moi je n'ai pas de préférence, lui confia l'acteur.

Il lui donnait vingt-deux vingt-trois ans. Il trouvait en elle un dérivatif bien venu, mais elle l'agaçait à garder les yeux rivés sur sa lèvre.

– Qu'est-ce que vous vous êtes fait à la bouche ? finit-elle pas lui demander dans un murmure, d'une voix encore enfantine, mais pleine de sous-entendus, et sur un ton de conspirateur.

– Quand la lumière s'est éteinte je suis allé danser dans un mur.

– Moi je crois que c'est cette affreuse bonne femme qui vous a fait ça, dit Amy Sorabjee avec aplomb. On dirait qu'elle vous a mordu.

John D. continua de danser comme si de rien n'était ; sa lèvre était tellement enflée qu'il aurait eu mal s'il l'avait gratifiée de son sourire dédaigneux.

– Tout le monde trouve que c'est une affreuse bonne femme, vous savez, dit Amy. Le silence de Dhar lui fit perdre un peu de son assurance.

– Et la première avec qui vous étiez, c'était qui ? Celle qui est partie ?

– C'est une strip-teaseuse, dit l'inspecteur Dhar.

– Allez ! Vous me faites marcher.

– Non, c'est vrai.

– Et la dame blonde ? demanda Amy. On aurait dit qu'elle allait se mettre à pleurer.

– C'est une ancienne amie, dit l'acteur, qui en avait assez à présent.

L'idée que se fait une jeune fille de l'intimité, c'est qu'on réponde à toutes ses questions.

John D. était sûr que Vinod attendait déjà dehors ; il était certainement de retour après avoir raccompagné Muriel à La Poule mouillée. L'acteur voulait rentrer se coucher, seul. Il voulait remettre de la glace sur sa lèvre, et il voulait s'excuser auprès de Farrokh. Il avait eu tort de lui dire que se préparer à séduire Mrs Dogar serait « un autre cirque » ; ce n'était pas gentil, il savait bien à quel point le cirque comptait pour le docteur. Il aurait pu être plus charitable, et lui dire qu'attendre Rahul de pied ferme, ce n'était pas « de la tarte ». Et maintenant voilà que l'insatiable Amy Sorabjee faisait tout son possible pour lui attirer, et s'attirer des ennuis superflus. Il est temps de se retirer sur la pointe des pieds, pensa-t-il.

C'est à ce moment-là qu'Amy jeta un coup d'œil rapide par-dessus son épaule ; elle voulait savoir exactement où se trouvaient ses parents. Un trio de vieux tableaux lui en obstruait la vue – Mr Bannerjee se démenait pour danser avec sa femme et la veuve Lal. Amy saisit cet instant d'intimité, car elle savait qu'elle n'échapperait pas longtemps à la vigilance parentale. Elle frotta ses lèvres douces contre la joue de John D. ; puis elle lui chuchota d'une voix excessivement rauque :

– Si je l'embrassais, cette bouche, elle guérirait.

John D. continuait de danser sans marquer d'émotion. Sa froideur décontenança Amy, si bien qu'elle murmura sur un ton plus plaintif – mais du moins de façon explicite, cette fois :

– Je préfère les hommes de quarante ans.

– Ah oui ? répondit la vedette de cinéma à cette bécasse, eh bien, voyez-vous, moi aussi. Moi aussi.

Cette réplique le débarrassa d'elle. Ça marchait à tous les coups. Enfin, l'inspecteur Dhar put se retirer sur la pointe des pieds.

25
Le jubilé

Drôle de singe

Le 1ᵉʳ janvier 1990 tombait un lundi. Et c'était le jour du jubilé à Saint-Ignace-de-Mazagaon ; la mission entrait dans sa cent vingt-sixième année. Tous ceux qui voulaient lui souhaiter leurs vœux étaient invités à un thé dînatoire, qui suivrait une messe exceptionnelle de fin d'après-midi. On profiterait de l'occasion pour présenter officiellement Martin Mills à la communauté catholique de Bombay. Le père Julian et le père Cecil regrettaient donc que le scolastique soit rentré du cirque dans un tel état de délabrement. La veille au soir, il avait fait peur au frère Gabriel, qui avait pris cette silhouette mutilée, dont les bandages ensanglantés se défaisaient, pour le spectre d'un jésuite persécuté ; un pauvre missionnaire torturé et mis à mort.

Un peu plus tôt dans la soirée, le zélote avait obtenu du père Cecil qu'il écoute sa confession, mais le malheureux était si fatigué qu'il s'était endormi avant de lui donner l'absolution. La confession de Martin était bien de lui : elle semblait interminable, et le père Cecil n'avait d'ailleurs pas réussi à en saisir le propos essentiel quand il s'était assoupi. Il avait eu l'impression très nette que Martin Mills ne lui confessait rien de plus grave qu'une éternelle tendance à se plaindre.

Ainsi, il avait commencé par lui faire la longue liste des occasions où il s'était déçu, en commençant par son noviciat à Saint-Aloysius du Massachusetts. Le père Cecil essayait de prêter une oreille attentive, car il y avait une urgence dans la voix du scolastique ; mais en même temps ce dernier avait une telle faculté de se faire des reproches que le pauvre prêtre jugea bientôt sa propre participation superflue. Par exemple, Martin Mills confessa que du temps de son noviciat, un pieux événement d'une importance essentielle l'avait laissé indifférent ; il n'avait pas été impressionné par la visite du très saint bras de saint François-Xavier au noviciat du Massachusetts. (Le père Cecil trouvait qu'il n'y avait pas là de quoi fouetter un chat.)

Le religieux qui portait le bras coupé du saint était le célèbre père Terry Finney, de la Compagnie de Jésus ; il s'était dévoué pour faire parcourir le monde au reliquaire doré. Martin Mills confessa que, pour lui, le très saint bras n'était qu'un membre squelettique sous une vitrine, qu'il ressemblait aux reliefs d'un repas – à des restes, en somme. Il avait attendu tout ce temps pour confesser une pensée aussi blasphématoire. (En ce point de sa confession, le père Cecil dormait profondément.)

Ce n'était pas tout ; Martin était troublé qu'il lui ait fallu tant d'années pour résoudre la question de la grâce divine de manière satisfaisante. Parfois, il avait même le sentiment qu'il faisait un effort conscient pour ne pas y penser. Il était bien dommage que le vieux père Cecil n'entende pas ce passage, car Martin Mills était dangereusement en proie au doute. Sa confession allait finalement le conduire à la raison pour laquelle il s'était déçu tout récemment – son attitude sur le chemin du cirque, et au retour.

Il s'accusa de préférer le petit mendiant à la petite prostituée ; il abhorrait tant la prostitution qu'il était presque résigné au destin de l'enfant. Et puis, le Dr Daruwalla l'avait provoqué sur le chapitre de l'homosexualité ; il regrettait de s'être rendu coupable de terrorisme intellectuel en lui répondant. A ce stade, le père Cecil dormait si profondément qu'il ne se réveilla même pas lorsqu'il s'affala dans son confessionnal et piqua du nez à travers la grille de la porte, où Martin Mills le vit enfin.

Lorsque Martin vit le nez du vieux prêtre, il comprit que le père Cecil était mort au monde. Il ne voulait pas plonger le pauvre homme dans l'embarras ; cependant, il ne fallait pas non plus le laisser dormir dans une position inconfortable. C'est pourquoi le missionnaire était sorti à pas de loup chercher le frère Gabriel – qui l'avait pris pour un chrétien persécuté jadis, avec ses bandelettes en folie. Une fois remis de sa frayeur, le frère Gabriel était allé réveiller le père Cecil, qui n'avait plus fermé l'œil de la nuit : il ne parvenait pas à se rappeler ce que Martin Mills lui avait confessé, ni s'il lui avait donné l'absolution.

Martin, en revanche, dormit comme un bienheureux. Même sans l'absolution, il avait été soulagé de s'accuser tout à loisir ; il serait toujours assez tôt demain pour que quelqu'un entende sa confession jusqu'au bout ; il demanderait peut-être au père Julian, cette fois. S'il était plus intimidant que le père Cecil, le père supérieur était tout de même un peu plus jeune. C'est ainsi que, la conscience tranquille, dans son lit exempt de punaises, Martin allait dormir d'une traite jusqu'au matin. Tantôt miné par le doute, tantôt débordant de conviction, le missionnaire était pétri de contradictions – constant dans l'inconstance.

Nancy dormit d'une traite jusqu'au matin ; pas comme une bienheureuse, certes, mais enfin, elle dormit. Le champagne y était sûrement pour quelque chose. Elle n'entendit pas sonner le téléphone, auquel le détective Patel répondit dans la cuisine. C'était le Jour de l'An, et il était quatre heures du matin. Tout d'abord, le commissaire fut soulagé de découvrir que l'appel ne venait pas du policier de garde censé surveiller le domicile des Dogar, sur Ridge Road, dans Malabar Hill. On lui signalait un homicide dans le quartier réservé de Kamathipura ; une prostituée venait d'être assassinée dans un des bordels réputés les meilleurs. D'habitude, personne n'aurait réveillé le commissaire pour lui transmettre ce rapport ; mais le policier chargé de l'enquête et le médecin légiste étaient convaincus que le crime avait des liens avec l'affaire Dhar. Une fois de plus, un éléphant avait été dessiné sur le ventre de la putain assassinée ; mais il y avait un nouvel élément bizarre et inquiétant dans ce crime, et le correspondant du commissaire ne doutait pas qu'il voudrait le voir.

Quant au policier en planque, l'inspecteur adjoint qui surveillait la maison des Dogar, il aurait aussi bien fait de passer la nuit à dormir lui-même. Il jurait que Mrs Dogar n'avait pas quitté la maison ; seul *Mr* Dogar en était sorti. L'inspecteur adjoint, que le commissaire affecterait par la suite à des tâches sans conséquences, répondre aux lettres de plaintes, par exemple, déclarait avoir reconnu Mr Dogar à la façon caractéristique dont le vieillard traînait les pieds, ainsi qu'à sa silhouette voûtée. Et puis il y avait le détail du costume vague, qui était gris. C'était un costume d'homme d'une coupe exagérément ample – pas celui que Mr Dogar portait pour la Saint-Sylvestre au Duckworth ; il l'avait mis avec une chemise blanche, ouverte au col. Le vieillard était monté dans un taxi à deux heures du matin ; il était rentré chez lui dans un autre taxi, à trois heures quarante-cinq. Le policier de garde – que le commissaire affecterait par la suite à la circulation – avait benoîtement supposé que Mr Dogar allait voir une maîtresse ou une prostituée.

Une prostituée, à tous les coups, pensait le détective Patel. Mais pas de chance ! ce n'était pas *Mr* Dogar.

La tenancière du bordel réputé convenable dit au commissaire que la maison avait pour principe de faire l'extinction des feux entre une heure et deux heures du matin, selon l'affluence ou la rareté des clients. Après l'extinction des feux, elle n'acceptait plus que des clients qui passaient la nuit – ce qui leur coûtait un minimum de cent roupies. Le vieil homme qui était arrivé après deux heures, donc dans le noir, avait offert trois cents roupies à la tenancière pour la plus petite de ses filles.

Le détective Patel crut tout d'abord que la femme voulait dire la plus jeune, mais celle-ci était bien sûre que le monsieur avait demandé la plus petite ; en tout cas, c'est bien ce qu'elle lui avait donné. Asha était une jeune fille minuscule et fluette, qui pouvait avoir quinze ans, déclara la tenancière. Treize, évalua le commissaire.

Comme il faisait noir, et qu'il n'y avait pas d'autres filles dans l'entrée, Asha et la tenancière avaient été les seules à voir le prétendu vieil homme – pas si vieux que ça, d'ailleurs, selon la patronne. Il n'était pas du tout voûté, mais, comme le policier de garde (bientôt sur la touche), elle avait remarqué son costume vague, de couleur grise. « Il » était rasé de près, à l'exception d'une fine moustache (fausse, présumait le détective), et il avait une coupe de cheveux inhabituelle... la patronne porta les mains au-dessus de son front pour en signifier le volume, puis elle ajouta :

– Mais courts dans la nuque, et sur les oreilles.

– Oui, je vois, à la lionne, dit Patel.

Il savait que cette chevelure ne serait pas argentée avec des fils blancs, mais il posa tout de même la question.

– Non, c'était des cheveux noirs, avec des fils argentés.

Et personne n'avait vu le « vieil homme » sortir. La patronne avait été réveillée par la présence d'une religieuse. Elle avait cru entendre quelqu'un essayer d'ouvrir la porte, depuis la rue ; lorsqu'elle s'était levée pour en avoir le cœur net, il y avait une sœur devant la porte ; il devait être trois heures du matin.

– Vous en voyez beaucoup, des religieuses dans ce quartier, à une heure pareille ?

– Bien sûr que non ! s'écria la tenancière.

Elle lui avait demandé ce qu'elle voulait, et la sœur lui avait répondu qu'elle cherchait une jeune chrétienne de Kérala ; la patronne lui avait répondu qu'il n'y en avait pas dans sa maison.

– Et de quelle couleur était la robe de la sœur ? demanda Patel, tout en sachant d'avance que la réponse serait : « grise ». Ce n'était pas une couleur rare pour les robes de nonnes sous les tropiques ; mais le vêtement pouvait aussi avoir été confectionné dans le costume gris que Mrs Dogar avait mis pour entrer au bordel. Le costume trop vague avait probablement caché l'habit, ou alors certains éléments étaient aux deux, ou pour le moins taillés dans le même tissu. La chemise blanche se prêtait à plusieurs usages ; elle pouvait avoir été roulée comme un col roulé, ou encore portée sur la tête, comme une cornette ou une coiffe. Le détective présumait que la soi-disant nonne n'avait pas de moustache. (« Bien sûr que non ! », avait déclaré la tenancière.) Et comme elle avait la tête couverte, la patronne n'avait pas non plus remarqué sa coupe de cheveux.

La raison pour laquelle elle avait découvert si tôt la fille assassinée, c'est qu'elle n'avait pas pu se rendormir ; d'abord, il y avait eu les cris d'un client qui passait la nuit là ; puis, lorsque le calme était revenu, elle avait entendu bouillir de l'eau, alors que ce n'était pas une heure pour se faire du thé. Dans la chambre de la victime, une bouilloire s'était mise à bouillir sur une plaque chauffante ; c'est ainsi que la patronne avait découvert le corps ; autrement, il aurait pu être huit ou neuf heures du matin avant que les autres prostituées remarquent l'absence de la petite Asha.

Le commissaire demanda à la patronne si le bruit de la porte qu'on essayait d'ouvrir depuis la rue, ce bruit qui l'avait réveillée, ne pouvait pas être celui de la porte ouverte puis refermée sur la nonne qui *sortait*. La patronne reconnut que le bruit aurait été le même ; bref, si elle n'avait pas entendu la porte, elle n'aurait jamais vu la nonne. Et au moment où Mrs Dogar était montée dans son taxi pour rentrer chez elle, elle n'avait plus rien d'une religieuse.

Le détective Patel s'entoura de circonlocutions pour poser la question suivante, en soi élémentaire :

– Pourriez-vous envisager l'idée que cet homme, pas si vieux fina-lement, et cette nonne, aient été la même personne ?

La patronne haussa les épaules : elle doutait de pouvoir identifier l'un ou l'autre. Lorsque le commissaire la poussa dans ses retranche-ments, elle ne sut qu'ajouter qu'elle avait sommeil, et qu'ils l'avaient réveillée tous les deux, le pseudo-vieillard et la nonne.

Nancy, elle, n'était toujours pas réveillée lorsque le détective Patel rentra à son appartement ; il avait déjà tapé un rapport incendiaire pour déboulonner le policier en planque et l'affecter au courrier. Il voulait être chez lui lorsque sa femme se réveillerait ; en outre, il ne tenait pas à appeler l'inspecteur Dhar et le Dr Daruwalla depuis le commissariat. Il se dit qu'il allait les laisser dormir encore un peu.

Il établit qu'Asha avait eu la nuque brisée net pour deux raisons ; la première c'est qu'elle était menue, la seconde, c'est qu'elle était parfaitement détendue. Rahul avait dû la persuader en douceur de se mettre sur le ventre, comme pour la préparer à un rapport dans cette position. Mais, bien sûr, il n'y avait pas eu de rapport. Les profondes meurtrissures dans les orbites, les marques de doigts à la gorge, juste au-dessous de la mâchoire, suggéraient que Mrs Dogar avait attrapé le visage d'Asha par-derrière, et qu'elle avait tordu le cou de la petite jusqu'à ce qu'il casse.

Puis Rahul avait roulé Asha sur le dos pour faire le dessin sur son ventre ; quoique de la même veine que les autres, il était d'une qualité inférieure ; il sentait la précipitation, ce qui était bizarre, puisque Mrs Dogar n'avait pas de raison urgente de quitter le bordel. Pourtant, quelque chose l'avait poussée à faire vite. C'était le nouvel élément inquiétant, qui donnait la nausée au détective Patel. La lèvre inférieure de la morte avait été sectionnée net. Elle ne pouvait pas avoir été mordue aussi sauvagement tant qu'elle était encore en vie ; ses hur-lements auraient réveillé tout le bordel. Non, la morsure était venue après le meurtre, et après le dessin ; le saignement minimal indiquait qu'elle avait été mordue après que son cœur s'était arrêté de battre. L'envie de mordre avait fait se hâter Mrs Dogar, pensa le policier. Elle était impatiente de finir le dessin tant la lèvre inférieure de la petite était tentante.

Ce saignement discret avait suffi à faire perdre son calme à Rahul, chose rare. C'était sans doute elle qui avait posé la bouilloire sur la plaque chauffante ; son visage, sa bouche du moins devait être maculé du sang de la petite. Une fois l'eau chaude, elle y avait plongé certains vêtements de la morte pour se laver du sang. Et puis elle était partie, sous l'aspect d'une religieuse, en oubliant la plaque chauffante ; et le bruit de l'eau avait réveillé la patronne. Le déguisement en nonne était une bonne idée, mais le travail avait été bâclé.

Nancy se réveilla vers huit heures. Elle avait la gueule de bois, mais le détective n'hésita pas à lui raconter ce qui venait d'arriver. Il l'entendit vomir dans la salle de bains. Il appela d'abord l'acteur, puis le scénariste. Il parla de la lèvre sectionnée au premier, mais pas au second. Auprès du docteur, il tenait surtout à souligner l'importance d'un bon scénario pour le déjeuner entre Dhar et Mrs Dogar. Il leur dit à tous les deux qu'il avait l'intention d'arrêter Rahul le jour même, il espérait avoir un faisceau de présomptions qui le lui permette, même s'il était beaucoup moins sûr qu'il lui permette de la détenir. C'était pour cela qu'il comptait sur le docteur et sur l'acteur : il leur faudrait s'arranger pour qu'il se passe quelque chose au déjeuner.

Il y avait tout de même un élément, dans le rapport du crédule policier en planque, qui lui donnait quelque espoir. Après que Mrs Dogar était descendue du taxi en empruntant la silhouette et la démarche de son mari, les lumières s'étaient allumées dans une pièce du rez-de-chaussée, qui n'était pas une chambre, et elles étaient restées allumées bien après le point du jour. Le commissaire espérait que Rahul avait dessiné.

Quant au Dr Daruwalla, sa première nuit de sommeil après cinq d'insomnie avait été interrompue d'assez bonne heure. Il n'avait pas d'opérations prévues pour la matinée du 1er janvier, et pas de rendez-vous à son bureau non plus ; il avait prévu de faire la grasse matinée. Mais en entendant le détective Patel, il avait appelé John D. aussitôt. Il y avait beaucoup à faire avant qu'il ne parte déjeuner au Duckworth ; il faudrait répéter bien des détails, certains assez peu commodes, puisqu'il faudrait mettre Mr Sethna dans le coup. Le commissaire avait d'ailleurs déjà prévenu ce dernier.

C'est par John D. que le docteur apprit que la lèvre inférieure d'Asha avait été sectionnée.

– Rahul devait être en train de penser à toi ! s'écria-t-il.

– Enfin, on sait qu'elle aime bien mordre, hein, dit Dhar au docteur. Selon toute probabilité, elle s'est même fait les dents sur toi.

– Comment ça ? demanda le docteur, car John D. ne lui avait pas encore fait part des aveux de Mrs Dogar.

– Tout a commencé par le gros orteil de ton pied droit, à Goa. C'est Rahul qui t'a mordu. Tu avais raison, c'était pas un singe.

Maldonne pour Madhu

Ce lundi-là, bien avant l'heure du repas au Grand Nil bleu à Junagadh, l'enfant au pied d'éléphant serait réveillé par la toux régulière des lions ; leurs rugissements graves montaient et décroissaient avec l'égalité d'une souffle. C'était un matin froid, dans le Gujarat. Pour la première fois de sa vie, Ganesh pouvait voir sa propre haleine ; et celle des lions s'échappait de leurs cages comme des bouffées de vapeur.

Les musulmans distribuaient la viande dans un chariot de bois constellé de mouches, dont la base se démontait et pouvait être installée entre la tente du cuisinier et la cage des fauves ; le bœuf cru s'empilait sur la planche de bois brut, grande comme une porte à double battant. Même dans l'air froid du matin, les mouches volaient autour de la viande que Chandra triait. Parfois, il trouvait du mouton mélangé aux morceaux de bœuf, et il le distrayait du lot : le mouton était trop cher pour des lions et des tigres.

Les grands fauves poussaient des rugissements graves, à présent, et certains voyaient le cuisinier leur souffler les meilleurs morceaux de mouton. Si la sauvagerie avec laquelle ils déchiquetaient le bœuf cru faisait peur à Elephant Boy, le Dr Daruwalla n'en saurait jamais rien ; il ne saurait jamais non plus si la vue des lions glissant sur la graisse mettait l'infirme mal à l'aise. Au cirque, c'était une des rares choses qui l'aient toujours mis mal à l'aise lui-même.

Ce même lundi, quelqu'un demanda Madhu en mariage. La demande, comme il convenait, fut d'abord adressée à Mr et Mrs Das ; le présentateur et sa femme en furent surpris. Non seulement ils n'avaient pas encore commencé l'entraînement de Madhu, mais du fait qu'elle ne savait encore rien faire, elle ne s'était pas trouvée en évidence au milieu de ses camarades ; pourtant cette demande en mariage venait d'un monsieur qui disait s'être trouvé dans le public lors de la dernière séance, la veille. Et voilà qu'aujourd'hui il était venu protester d'un attachement aussi indéfectible qu'instantané.

Le présentateur bengali et sa femme avaient des enfants à eux, qui n'avaient pas voulu devenir des enfants de la balle ; ils en avaient entraîné beaucoup d'autres à l'acrobatie ; ils étaient gentils avec ces enfants adoptifs, et se montraient particulièrement protecteurs vis-à-vis des filles. En somme, bien formées, ces petites n'étaient pas sans valeur – et pas seulement pour le cirque. Elles avaient acquis l'aura de l'artiste ; gagné un peu d'argent, sans occasion de le dépenser ; c'est pourquoi le présentateur et sa femme avaient coutume de le leur mettre de côté en dot.

Ils n'étaient pas avares de sages avis, leur indiquant si la demande était recevable ou non, s'il fallait négocier ; ils avaient coutume de donner ainsi leurs filles adoptives en mariage, toujours à des partis tout à fait acceptables, et souvent en arrondissant leur dot. Dans bien des cas, ils s'étaient tant attachés aux petites que les voir partir leur était un crève-cœur. Elles finissaient presque toutes par quitter le cirque, et celles qui restaient devenaient monitrices.

Madhu était très jeune, totalement inexpérimentée, et elle n'avait pas de dot. Pourtant, voilà que se présentait un monsieur bien mis, un monsieur de la ville, c'était évident – il avait du bien et dirigeait une entreprise liée au spectacle – qui proposait le mariage à Madhu, et dans des termes fort généreux ; car il prenait la pauvre petite sans dot. Des négociations substantielles sur la rémunération que méritaient le présentateur et sa femme auraient évidemment eu leur place dans les accords préalables, car qui sait ? Madhu aurait pu devenir une star du Grand Nil bleu. Mais Mr et Mrs Das considérèrent qu'ils étaient largement payés pour une gamine boudeuse qui n'aurait peut-être jamais fait ses preuves au trapèze. Ce n'était pas comme si on leur avait demandé de se séparer d'une jeune femme qu'ils se seraient mis à aimer ; ils avaient tout juste eu le temps de dire trois mots à Madhu.

Ils auraient pu avoir l'idée de consulter le médecin ou le missionnaire, ou du moins aborder la question avec Deepa ; mais la femme du nain était encore malade. D'accord, c'était elle qui avait vu en Madhu une future désossée, et après ? puisqu'elle ne pouvait toujours pas quitter sa tente. En outre, le présentateur avait de la rancune contre Vinod ; il lui enviait son entreprise de taxis ; depuis qu'il avait quitté le Grand Nil bleu, le nain n'avait pas hésité à exagérer son succès. D'autre part, la femme du présentateur se considérait comme infiniment supérieure à la femme du nain ; la consulter sur ce mariage était donc au-dessous d'elle, même si Deepa avait été bien portante. Elle persuada bientôt son mari que la demande en mariage était une bonne affaire (elle l'était pour eux, en tout cas).

Si Madhu n'était pas tentée, ils garderaient cette bécasse au cirque ; mais si cette fille de rien avait le bon sens de voir où était son intérêt, ils la laisseraient partir avec leur bénédiction. Quant au frère infirme, le monsieur de Bombay semblait ne pas connaître son existence. Mr et Mrs Das se sentaient un peu coupables à l'idée que le garçon au pied d'éléphant allait rester tout seul ; ils avaient jugé prudent de dire au Dr Daruwalla et à Martin Mills qu'on donnerait à Ganesh toutes les chances de réussir. Ils ne voyaient pas non plus de raison d'aborder le problème de Ganesh avec Deepa ; l'infirme, ce n'était pas elle qui l'avait découvert ; elle ne revendiquait que la contorsionniste. Et d'ailleurs, si la femme du nain était contagieuse ?

Un coup de téléphone au médecin ou au missionnaire aurait été une marque de courtoisie appréciable, pour le moins. Seulement il n'y avait pas de téléphone, au cirque ; il aurait fallu se rendre jusqu'à la poste ou au bureau des télégraphes ; et Madhu surprit le présentateur et sa femme en acceptant aussitôt et sans réserves son prétendant. Elle n'avait pas le sentiment que le monsieur était trop vieux pour elle ; son apparence physique ne la rebutait pas – or c'était surtout ce qui avait inquiété Mrs Das. Cette dernière trouvait repoussante la cicatrice qui défigurait le monsieur – on aurait dit une brûlure –, mais Madhu n'en avait même pas parlé, elle ne semblait pas dérangée outre mesure par cette tare hideuse.

Le présentateur, qui anticipait la contrariété de Farrokh, enverrait sagement un télégramme à Martin Mills ; le missionnaire avait fait l'effet au couple d'être plus détendu, c'est-à-dire plus accommodant que son compagnon. En outre, il leur avait paru moins préoccupé par l'avenir de Madhu – ou alors le souci du docteur était seulement plus flagrant. Or c'était le jour du jubilé, à Saint-Ignace, et les bureaux de l'école étaient fermés. Martin Mills ne recevrait le télégramme que mardi et, d'ici là, Mr Garg aurait déjà ramené sa jeune épouse à La Poule mouillée.

Naturellement, le Bengali avait tout intérêt à écrire un télégramme débordant d'enthousiasme.

VOTRE MADHU / JOUR DE CHANCE POUR ELLE / DEMANDE MARIAGE TRÈS ACCEPTABLE / MONSIEUR NON JEUNE MAIS HOMME D'AFFAIRES PROSPÈRE / PETITE D'ACCORD QUOIQUE PAS AMOUREUSE VRAIMENT ET MALGRÉ CICATRICE / FRÈRE INFIRME RESTE ICI / TOUTES OCCASIONS DE TRAVAILLER DUR / AGRÉEZ / DAS

Lorsque le Dr Daruwalla apprendrait la nouvelle, il s'en voudrait terriblement. Il aurait dû s'en douter ! Pourquoi donc Mr Garg aurait-il demandé à Ranjit l'adresse du Grand Nil bleu ? Assurément, il savait comme le Dr Daruwalla que la petite ne savait pas lire ; jamais il n'avait eu l'intention de lui envoyer une lettre. Et lorsque Ranjit lui avait annoncé que Garg avait demandé l'adresse du cirque, le fidèle secrétaire avait oublié de préciser qu'il avait également demandé quand le docteur rentrait de Junagadh. Le dimanche même où l'un quittait le cirque, l'autre s'y rendait.

Farrokh n'avait jamais voulu souscrire à la théorie de Vinod, à savoir que Garg était si toqué de la petite qu'il ne pouvait se résoudre à la laisser partir. Peut-être qu'il ne s'attendait pas à ce que Madhu lui manque à ce point, disait le nain. Deepa insistait sur le fait que Vitriol avait bel et bien épousé Madhu : ce n'était sûrement pas pour la renvoyer au bordel après la cérémonie. D'ailleurs, ajoutait Deepa, c'était peut-être bien son jour de chance, après tout.

Mais cette nouvelle ne parviendrait pas au docteur le jour du jubilé. Elle attendrait. Elle attendrait ainsi qu'une autre, moins bonne. Ranjit serait le premier à en avoir connaissance, et il choisirait d'épargner le choc au docteur ; un message aussi sinistre n'avait pas sa place le Jour de l'An. Mais le bureau de Tata Deux, toujours fébrile, était sur les dents ce lundi matin-là. Il n'y avait pas de jours fériés pour Tata Deux. C'était Mr Subhash, son secrétaire chargé d'ans qui avait confié le problème à Ranjit. Les deux vieux secrétaires s'affrontèrent comme deux chiens hargneux, mais édentés.

– J'ai une information exclusivement réservée au docteur, commença Mr Subhash sans prendre la peine de se présenter.

– Eh bien, il vous faudra attendre demain, répondit Ranjit à cet imbécile.

– Je suis Mr Subhash, j'appelle du bureau du Dr Tata, dit le secrétaire impérieux.

– Il vous faudra tout de même attendre demain, lui dit Ranjit. Le Dr Daruwalla n'est pas là aujourd'hui.

– Cette information est très importante, je sais que le docteur voudra la connaître dès que possible.

– Alors donnez-la-moi.

– Eh bien... elle l'a, annonça Mr Subhash sur un ton théâtral.

– Soyez plus clair, je vous prie.

– Cette jeune fille, Madhu, elle est séropositive, dit Mr Subhash.

Ranjit savait que cela contredisait ce qu'il avait vu dans le dossier de Madhu. Tata Deux avait dit au Dr Daruwalla que Madhu était séronégative. Si elle avait été porteuse du virus, le docteur ne l'aurait jamais laissée partir au cirque.

– L'ELISA est positif, et les résultats sont confirmés par le Western Blot, disait Mr Subhash.

– Mais le Dr Tata a dit lui-même que le test de Madhu était négatif.

– Ce n'était pas la bonne Madhu, dit le vieux Mr Subhash d'un air dégagé. La vôtre est séropositive.

– C'est une erreur de taille ! remarqua Ranjit.

– Il n'y a pas d'erreur, s'écria Mr Subhash avec indignation. Il y a simplement deux Madhu.

Mais rien n'était simple, dans cette affaire. Ranjit transcrivit la conversation téléphonique ; il en fit un rapport dactylographié avec soin, qu'il plaça sur le bureau du Dr Daruwalla ; dans l'état actuel de leurs connaissances, le secrétaire concluait que Madhu et Mr Garg partageaient quelque chose d'un peu plus grave qu'une chlamydiose. Ce que Ranjit ne pouvait pas savoir, c'est que Mr Garg s'était rendu à Junagadh pour récupérer la petite ; sans doute avait-il conçu le projet de la ramener à Bombay seulement après avoir appris qu'elle était séronégative – mais ce n'était même pas sûr. Dans le monde de La Poule mouillée, et des bordels de Kamathipura, un certain fatalisme était la norme.

La nouvelle qu'il y avait eu erreur sur la fillette nommée Madhu attendrait le docteur. Les mauvaises nouvelles arrivent toujours trop vite. Et puis Ranjit croyait que Madhu se trouvait encore au cirque à Junagadh ; et que Mr Garg n'avait jamais quitté Bombay. Lorsque Martin Mills appela le bureau du docteur, le secrétaire ne vit pas de raison de lui annoncer que Madhu était porteuse du virus. Le zélote voulait faire refaire son pansement, le père supérieur lui ayant donné à entendre qu'un pansement propre serait souhaitable pour la fête du jubilé. Ranjit dit à Martin qu'il fallait appeler le docteur à son domicile. Or, comme Farrokh répétait d'arrache-pied avec John D. et le vieux Sethna, c'est Julia qui prit la communication. Elle fut étonnée d'apprendre que le frère jumeau de Dhar s'était fait mordre par un chimpanzé vraisemblablement enragé ; et Martin fut pour sa part étonné et blessé d'apprendre que le docteur n'avait pas cru bon de raconter ce douloureux épisode à sa femme.

Toutefois Julia accepta aimablement l'invitation du missionnaire au thé du jubilé ; elle promit d'amener Farrokh à Saint-Ignace assez à l'avance pour qu'il ait le temps de refaire le pansement avant le début des festivités. Le scolastique la remercia, mais lorsqu'il eut raccroché, il se sentit soudain dépassé par le caractère insolite de sa situation. Il était en Inde depuis moins d'une semaine et, tout à coup, tous les éléments qui lui étaient étrangers reprenaient leurs droits sur lui.

Pour commencer, il avait été déconcerté par l'accueil qu'avait fait le père Julian à sa confession. Le père supérieur s'était montré impatient et contrariant ; il lui avait donné l'absolution à regret, avec brusquerie – et il l'avait aussitôt assortie de recommandations pour qu'il fasse changer son pansement sale et ensanglanté. Il faut dire que le prêtre et le scolastique ne s'étaient pas compris sur un point fondamental. Lorsque Martin Mills s'était accusé de préférer l'infirme à la petite prostituée, le père Julian l'avait interrompu en lui disant de se préoccuper moins de sa propre capacité d'amour, et plus de celle de Dieu, et de la volonté de Dieu ; il lui fallait plus d'humilité quant à son pauvre rôle humain. Il était membre de la Compagnie de Jésus, et il devait se conduire en conséquence ; il n'était pas un travailleur social égocentrique ; une de ces âmes charitables qui passent leur vie à s'évaluer, se décerner blâmes et satisfecit.

– Le destin de ces enfants n'est pas entre vos mains, lui avait dit le père Julian. Aucun des deux ne souffrira, ni plus ni moins, que vous les aimiez ou que vous ne les aimiez pas. Tâchez de penser un peu moins à vous. Vous êtes un instrument de la volonté de Dieu, et non votre propre création.

Martin Mills trouva ce discours abrupt, mais il en fut surtout perplexe. Que le père supérieur vît le sort des enfants comme arrêté d'avance lui semblait singulièrement calviniste pour un jésuite ; il y sentait même, avec une pointe d'inquiétude, l'influence de l'hindouisme ; l'idée que les enfants avaient un destin faisait penser à la théorie du karma. Et puis enfin, qu'y avait-il à redire contre les travailleurs sociaux ? Saint Ignace de Loyola n'en était-il pas un lui-même, au zèle infatigable ? Ou bien le père supérieur voulait-il seulement dire qu'il ne devait pas prendre le sort des enfants de la balle trop à cœur personnellement ? Que le fait qu'il soit intervenu en leur faveur ne signifiait pas qu'il était responsable de la moindre des choses qui pourrait leur arriver ?

C'est dans ce brouillard spirituel que Martin Mills entreprit une promenade dans Mazagaon. Il ne s'était pas éloigné beaucoup de la mission qu'il arriva devant le bidonville que le docteur lui avait montré le premier jour – l'ancien décor du film où sa mauvaise mère s'était évanouie lorsqu'une vache lui avait marché dessus et l'avait léchée. Martin se rappelait avoir vomi depuis la voiture en marche.

En milieu de matinée, lors de ce lundi fertile en événements, le bidonville grouillait de monde, mais le missionnaire jugea qu'il valait mieux avoir sur cette abjection un point de vue restreint, par le biais du microcosme. Plutôt que d'embrasser du regard Sophia Zuber Road à perte de vue, il gardait les yeux baissés, fixés sur ses pieds, qui avançaient lentement. Il ne s'autorisait pas à regarder plus haut que le niveau du sol. La plupart des habitants du bidonville lui apparaissaient donc coupés à la cheville ; les seuls visages qu'il voyait étaient des visages d'enfants – naturellement ceux-ci mendiaient. Il voyait les pattes et le nez de chiens qui écumaient les trottoirs. Il vit une mobylette qui était tombée ou s'était écrasée dans le caniveau ; une guirlande de chrysanthèmes s'enroulait au guidon, comme si on se préparait à l'incinérer. Il tomba sur une vache, qu'il vit entière, parce qu'elle était couchée. Il n'était pas commode de louvoyer autour de la vache. Mais lorsqu'il cessa de marcher, lui qui marchait pourtant lentement, il se trouva bientôt encerclé. Tous les guides touristiques devraient indiquer clairement qu'il ne faut jamais s'immobiliser dans un bidonville.

Le long visage digne de la vache leva vers lui des yeux tristes, bordés de mouches. Sur le flanc fauve de la bête, un morceau de cuir lisse était arraché – pas plus gros que le poing, mais incrusté de mouches. La partie pelée se trouvait autour d'un trou profond, percé par un véhicule transportant un mât de bateau ; mais Martin n'avait pas vu la collision, et la foule grouillante ne lui permit pas de voir avec recul la blessure mortelle de la vache.

Tout à coup, la foule fut fendue ; une procession passait ; Martin vit seulement une horde en délire, qui semait des fleurs. Lorsque les fidèles eurent disparu, la vache allongée était couverte de pétales de roses ; certains étaient collés à la blessure, avec les mouches. L'une des longues pattes de la vache était dépliée, car l'animal était couché sur le flanc ; son sabot touchait presque le bord du trottoir. Là, dans le caniveau, à quelques centimètres de la vache, mais absolument intact, il y avait sans équivoque possible un étron humain. Et derrière cet étron paisible et serein, un stand. On y vendait quelque chose dont Martin Mills ne voyait pas l'intérêt ; une poudre écarlate, sans doute pas une épice, ou quoi que ce soit qui se mange ; il y en avait de renversé dans le caniveau, où les particules éblouissantes recouvraient le sabot de la vache et l'étron humain.

Tel était le microcosme que Martin voyait de l'Inde : l'animal blessé à mort, le rite religieux, l'omniprésence des mouches, l'éclat inouï des couleurs, l'étalage quotidien de la merde humaine – et, bien sûr, le mélange d'odeurs. Il était prévenu : s'il était incapable de voir plus loin que cette abjection, il serait de peu d'utilité à Saint-Ignace, et à quelque mission que ce soit dans ce monde-là. Ébranlé, il se demanda s'il avait assez d'estomac pour se faire prêtre. Il était dans des dispositions si vulnérables qu'il valait bien mieux que la nouvelle concernant Madhu attende un jour de plus.

Ramène-moi à la maison

Au Duckworth, dans le jardin des Dames, le soleil de midi étincelait au-dessus de la tonnelle. Les bougainvillées étaient si denses que ses rayons les traversaient comme des épingles, piquetant la nappe de leur éclat, y jetant des poignées de diamants. Nancy passait ses mains sous les aiguilles du soleil ; elle jouait avec lui, essayant d'en capter les reflets dans son alliance, lorsque le détective Patel lui dit :

– Ne te crois pas obligée de rester, ma chérie, tu peux rentrer, tu sais.

– Je veux rester, lui dit-elle.

– Je te préviens quand même – n'espère pas que cette arrestation soit satisfaisante ; je ne sais pas à quoi ça tient, mais quand on les coince, ce n'est jamais pleinement satisfaisant.

Le Dr Daruwalla, qui ne cessait de regarder sa montre, fit remarquer :

– Elle est en retard.

– Ils sont en retard tous les deux, dit Nancy.

– Oui, mais Dhar c'est prévu, lui rappela le policier.

En effet, Dhar attendait dans la cuisine. Lorsque la seconde Mrs Dogar arriverait, Mr Sethna observerait son irritation croissante ; et lorsqu'il constaterait qu'elle était vraiment excédée, il enverrait Dhar à sa table. Selon le docteur l'énervement faisait agir Rahul inconsidérément, et il avait écrit son scénario en fonction de cette théorie.

Mais lorsqu'elle arriva, ils faillirent ne pas la reconnaître. Elle avait mis ce que les Occidentales appellent familièrement une petite robe noire ; la jupe était courte, légèrement clochée, la taille longue et amincissante. Les petits seins hauts de Mrs Dogar étaient mis en valeur. Si elle avait porté une veste de lin noir, elle aurait presque eu l'air d'une femme d'affaires, pensait le Dr Daruwalla ; mais telle quelle, sa robe aurait mieux convenu pour un cocktail à Toronto. Comme pour choquer les duckworthiens, c'était une robe sans manches, avec de fines bretelles, qui faisait ressortir la vigueur des bras et des épaules, la carrure. Elle était trop musclée pour que ce genre de robe lui aille, décida Farrokh ; mais elle s'était sans doute habillée en fonction de goûts qu'elle prêtait à Dhar.

Cependant le maintien de Mrs Dogar ne laissait pas supposer qu'elle eût conscience d'être d'une force peu commune, et d'une stature imposante. Elle fit une entrée qui n'avait rien d'agressif, avec une timidité de collégienne ; plutôt que de rallier sa table en trois enjambées, elle laissa Mr Sethna l'y conduire à son bras. Le Dr Daruwalla ne l'avait jamais vue comme ça. Aujourd'hui, ce n'était pas une femme qui aurait fait tinter sa fourchette contre son verre pour appeler le serveur ; c'était une femme hyper-féminine, qui préférerait mourir de faim plutôt que d'attirer l'attention sur elle de façon déplaisante. Elle attendrait Dhar à sa table, tout sourires, jusqu'à ce que le club ferme et qu'on la renvoie chez elle. Apparemment le commissaire n'était pas surpris par cette métamorphose ; Mrs Dogar n'était pas plutôt assise qu'il dit au scénariste :

– Inutile de la faire attendre : c'est une autre femme aujourd'hui.

Farrokh appela Mr Sethna pour lui dire de faire « arriver » John D. Le commissaire avait les yeux fixés sur Mrs Dogar et ce qu'elle faisait de son sac. Elle occupait une table pour quatre, comme le scénariste l'avait suggéré ; l'idée venait de Julia. Lorsqu'il n'y a que deux personnes à une table pour quatre, disait-elle, une femme a tendance à poser son sac sur une chaise vide plutôt que par terre ; or Farrokh avait justement besoin qu'il soit sur une chaise.

– Elle l'a posé par terre tout de même, observa le détective Patel.

Cette fois-ci, le Dr Daruwalla n'avait pas pu empêcher sa femme d'assister au déjeuner.

– C'est parce que ce n'est pas une vraie femme, dit-elle.

– Dhar s'en arrangera, dit le commissaire.

Farrokh était obnubilé et atterré par une seule chose : la métamorphose de Mrs Dogar était terrifiante.

– C'est l'effet du meurtre, non ? demanda-t-il au policier. Le meurtre l'a totalement calmée, apaisée, non ?

– On dirait qu'il lui a rendu son cœur de jeune fille, répondit Patel.

– Il faut croire que c'est pas commode pour elle d'avoir un cœur de jeune fille, c'est cher payer pour une chose aussi simple, dit Nancy.

Puis Dhar parut, et gagna la table de Mrs Dogar ; il ne l'embrassa pas. Il s'approcha sans qu'elle le voie, par-derrière, et posa les mains sur ses épaules nues ; peut-être s'appuya-t-il sur elle, car elle sembla se raidir, mais il essayait seulement de donner un coup de pied dans son sac. Lorsqu'il y parvint, elle le ramassa et le posa sur une chaise vide.

– Nous en oublions de parler entre nous, dit le commissaire. On ne va pas les fixer comme ça sans rien dire.

– Tue-la, s'il te plaît, Vijay, dit Nancy.

– Je n'ai pas d'arme sur moi, ma chérie, mentit le détective.

– Qu'est-ce qu'elle risque aux yeux de la loi ? lui demanda Julia.

– La peine capitale existe, en Inde, mais elle est rarement appliquée.

– Les exécutions se font par pendaison, précisa le Dr Daruwalla.

– Oui, mais il n'y a pas de jury populaire, ici, expliqua Patel, c'est un seul juge qui décide du sort de l'inculpé. La perpétuité et les travaux forcés sont beaucoup plus fréquents que la peine de mort. On ne la pendra pas.

– Tu devrais la tuer tout de suite, répéta Nancy.

Ils voyaient Mr Sethna évoluer autour de la table de Mrs Dogar comme un fantôme nerveux. Ils ne voyaient pas la main gauche de Dhar, qui était sous la table : sur la cuisse de Rahul ? entre ses cuisses ? deux théories s'affrontaient.

– Continuons à parler, n'ayons l'air de rien, leur dit Patel avec entrain.

– Va te faire foutre, allez tous vous faire foutre, Rahul, et Dhar et vous aussi, dit Nancy à Farrokh. Pas vous, ajouta-t-elle à l'intention de Julia, vous je vous aime bien.

– Merci, Nancy, répondit Julia.

– Putain merde, merde, merde, dit Nancy.

– Votre pauvre lèvre est dans un état, disait Mrs Dogar à Dhar.

Mr Sethna comprit du moins cela, et les convives du jardin des Dames le comprirent aussi, parce qu'ils virent Rahul toucher la lèvre inférieure du bout de son long index, l'effleurer, avec la légèreté d'une plume. La lèvre inférieure de Dhar était d'un bleu marine soutenu.

– J'espère que vous n'êtes pas d'humeur à mordre, aujourd'hui, lui dit John D.

– Je suis d'excellente humeur, aujourd'hui, lui répondit Mrs Dogar. Je voudrais savoir où vous allez m'emmener et ce que vous allez me faire, minauda-t-elle.

Elle devait se croire jeune et mignonne ! C'en était embarrassant. Ses lèvres étaient serrées, ce qui exagérait les rides profondes aux coins de sa bouche sauvage ; elle faisait un petit sourire timide, comme si elle tamponnait son rouge à lèvres dans un poudrier. Malgré le fond de teint, qui parvenait presque à cacher la marque, elle avait une minuscule écorchure enflammée sur sa paupière fardée de vert ; cela la faisait cligner de l'œil, comme s'il était irrité. Mais ce n'était qu'une démangeaison minime, une égratignure infime ; c'était tout ce que la prostituée nommée Asha avait été capable de lui faire : lancer une main dans son dos pour la lui mettre dans l'œil, une seconde ou deux peut-être avant qu'elle ne lui brise la nuque.

– Vous vous êtes griffé l'œil, on dirait, observa l'inspecteur Dhar ; mais il ne sentit pas ses cuisses se raidir sous la table ; elle les serra doucement sur sa main.

– J'ai dû penser à vous dans mon sommeil, dit-elle rêveusement.

Lorsqu'elle fermait les yeux, ses paupières étaient du même vert argenté et iridescent qu'un lézard ; lorsqu'elle entrouvrait les lèvres, ses longues dents étaient humides et luisantes, ses gencives chaudes couleur de thé fort.

Lorsqu'il la regardait, il sentait des élancements dans sa lèvre, mais il continuait d'appuyer sa paume sur l'intérieur de sa cuisse. Tout en détestant ce passage de son texte, il s'enquit soudain :

– Vous m'avez fait un dessin de ce que vous voulez ?

Là, il sentit les muscles de ses cuisses se contracter sur sa main ; elle gardait les lèvres serrées, et les yeux grands ouverts, fixés sur sa bouche.

– Vous ne vous figuriez pas que j'allais vous faire voir ça ici ?

– Un tout petit coup d'œil ? quémanda-t-il. Sinon je serai trop impatient pour manger.

Si la vulgarité l'avait moins choqué, Mr Sethna se serait trouvé au paradis des indiscrets ; mais il frémissait de réprobation et le sens de ses responsabilités le rendait fébrile. Il se rendit bien compte que le moment était mal choisi pour apporter la carte, seulement il avait besoin de s'approcher du sac à main.

– C'est dégoûtant ce que les gens peuvent manger. Je déteste manger, dit Mrs Dogar.

Dhar sentit ses cuisses se détendre ; on aurait dit qu'elle ne pouvait pas se concentrer aussi longtemps qu'un enfant ; comme si son excitation était tombée, simplement parce qu'il avait été question de nourriture.

– Nous ne sommes pas obligés de déjeuner, nous n'avons même pas commandé, lui rappela Dhar. Nous pouvons partir tout de suite.

Mais tout en parlant, il se préparait à la maintenir sur sa chaise de la main gauche si besoin était. L'idée d'être seul avec elle, dans sa suite de l'Oberoi ou du Taj, lui aurait fait peur, mais il savait que le détective Patel ne laisserait jamais Rahul quitter le Duckworth. Mrs Dogar avait presque la force de se lever malgré la pression de Dhar sur sa cuisse.

– Un dessin, un seul, plaidait-il. Montrez-moi un petit quelque chose.

Rahul expira légèrement par le nez.

– Je suis de trop bonne humeur pour me laisser exaspérer par vous, lui dit-elle, mais vous êtes un garnement !

– Faites-moi voir, répéta Dhar.

Il lui sembla que ses cuisses étaient parcourues d'un frémissement involontaire comme on en voit sur les flancs des chevaux. Lorsqu'elle se tourna vers son sac, il leva les yeux vers Mr Sethna ; mais le vieux parsi semblait paralysé par le trac ; il serrait les menus dans une main, et son plateau d'argent dans l'autre. Le vieil imbécile ! pensa John D. Comment est-ce qu'il se propose de renverser le sac de Mrs Dogar sans main libre ?

Rahul posa son sac à main sur ses genoux ; Dhar en sentit le fond, qui pesa un instant sur son poignet. Il n'y avait pas qu'un dessin et Mrs Dogar parut hésiter avant de sortir les trois ; cependant, elle ne lui en montra aucun, les gardant dans sa main droite comme pour les protéger, tandis que de la gauche, elle remettait le sac sur la chaise vide. C'est alors que Mr Sethna se jeta dans une action incontrôlée. Il fit tomber son plateau, dont l'argent résonna sur les dalles. Là-dessus il le piétina, on aurait cru qu'il se prenait les pieds dedans, et les menus s'envolèrent de sa main pour tomber sur les genoux de Mrs Dogar, qui les bloqua instinctivement tandis que le vieux parsi s'écartait en titubant pour aller se cogner à la chaise stratégique. Le sac à main se retrouva par terre, à l'envers, sans que son contenu en soit renversé... jusqu'à ce que l'empoté tente de le ramasser, répandant cette fois tout ce qu'il y avait dedans. Des trois dessins que Rahul avait abandonnés sans surveillance sur la table, John D. ne vit que celui du dessus. Cela suffit à l'édifier.

La femme du dessin offrait une ressemblance frappante avec Mrs Dogar jeune fille ; et si Rahul n'avait jamais été une jeune fille à proprement parler, le portrait rappelait à John D. ce qu'elle était à Goa, vingt ans auparavant. Un éléphant montait la jeune fille, mais il avait deux trompes. La première, à sa place normale pour une trompe d'éléphant, s'enfonçait dans la bouche de la femme ; elle ressortait même derrière sa tête. La seconde, qui était le pénis démesuré de l'éléphant, avait pénétré dans son vagin, et ressortait par-derrière en lui déchirant les omoplates. A peu près au niveau de la nuque de la femme, John D. voyait les trompes se rejoindre ; et il voyait aussi que l'éléphant clignait de l'œil. Il ne verrait jamais les deux autres dessins ; il refuserait de les voir.

Il passa prestement derrière la chaise de Mrs Dogar et écarta le maître d'hôtel maladroit.

– Permettez... dit-il en se penchant vers le contenu du sac renversé.

Le meurtre de la veille avait si bien éclairé l'humeur de Mrs Dogar qu'elle prenait l'« accident » avec une patience remarquable.

– Ah, les sacs à main, s'exclama-t-elle, quel ennui, décidément !

Coquette, elle laissa sa main effleurer la nuque de l'inspecteur Dhar. Il était agenouillé entre sa chaise et celle qui était vide ; il ramassait le contenu de son sac, qu'il mettait sur la table. D'un air parfaitement anodin, il désigna du doigt le capuchon de stylo en argent, qu'il posa entre un miroir de poche et un pot de crème hydratante.

– Je ne vois pas l'autre moitié, dit-il, elle est peut-être restée dans votre sac.

Puis il tendit le sac en question, qui était bien à moitié plein, et fit semblant de chercher sous la table le corps du stylo, que Nancy astiquait pieusement depuis vingt ans.

Lorsqu'il leva les yeux vers elle, il était toujours à genoux, le visage au niveau de ses petits seins bien formés. Elle tenait le capuchon de stylo à la main.

– Une roupie pour vos pensées, dit l'inspecteur Dhar, comme il le disait dans tous ses films.

Rahul avait les lèvres entrouvertes, elle était en train de le regarder bizarrement, son œil égratigné cligna une fois, puis deux. Ses lèvres se fermèrent doucement, et elle expira encore par le nez, comme si cette respiration contrôlée l'aidait à réfléchir.

– Tiens ! Je croyais l'avoir perdu, dit-elle lentement.

– C'est l'autre moitié que vous avez dû perdre, répondit John D., en restant à genoux parce qu'il imaginait qu'elle aimait dominer la situation.

– Je n'ai jamais eu l'autre moitié, expliqua-t-elle.

Dhar se leva et se posta derrière sa chaise ; il ne voulait pas qu'elle remette la main sur ses dessins. Lorsqu'il retourna à sa place, elle fixait toujours le capuchon.

– Alors si vous aviez perdu cette moitié, ça n'aurait pas été bien grave ! Elle ne peut pas vous servir à grand-chose.

– Détrompez-vous, s'écria-t-elle. C'est une merveilleuse pince à billets.

– Une pince à billets, répéta l'acteur.

642

– Regardez, commença Rahul.

Il n'y avait pas d'argent dans les objets renversés que John D. avait étalés sur la table ; elle dut chercher dans son sac.

– Le problème, avec les pinces à billets, c'est qu'elles sont conçues pour des grosses liasses… comme les hommes en exhibent volontiers, vous savez.

– Oui, je sais, dit l'inspecteur Dhar.

Il la regarda fouiller pour trouver des coupures plus petites. Puis elle sortit un billet de dix roupies et deux de cinq, et lorsque l'acteur vit les deux billets de deux roupies, couverts d'un message dactylographié, il leva les yeux vers Mr Sethna, et le vieux maître d'hôtel se précipita en traînant les pieds vers le jardin des Dames.

– Regardez, reprit Rahul, lorsqu'on n'a que quelques petites coupures, que les femmes doivent avoir toujours sur elles, pour les pourboires, pour donner au mendiant qui passe, c'est la pince à billets idéale. Elle ne peut pas tenir plus de quelques billets, mais bien serrés.

Sa voix se perdit, parce qu'elle voyait que Dhar s'était emparé des trois dessins ; il était en train de les faire glisser sur la nappe lorsqu'elle tendit la main et saisit son auriculaire, qu'elle souleva brusquement, et cassa net. John D. réussit tout de même à faire glisser les dessins sur ses genoux. L'auriculaire de sa main droite pointait, comme une excroissance ; la première phalange avait la jointure rompue. De la main gauche, Dhar parvint à soustraire les dessins. Mrs Dogar n'avait pas renoncé, elle essayait de lui arracher les feuilles de la main droite – lorsque le détective Patel lui coinça la nuque dans le creux de son coude, et lui tordit le bras gauche derrière son dossier.

– Vous êtes en état d'arrestation, lui dit-il.

– Le capuchon de stylo sert de pince à billets, dit l'inspecteur Dhar au vrai policier. Elle s'en sert pour les petites coupures. Lorsqu'elle a fourré le billet dans la bouche de Mr Lal, la pince a dû tomber près du corps, vous connaissez la suite. Il y a des messages dactylographiés au verso de ces billets de deux roupies.

– Lisez-les-moi, demanda Patel.

Mrs Dogar se tenait très droite ; sa main, ayant cessé de lutter pour arracher les dessins à John D., flottait, libre, juste au-dessus de la nappe, comme si elle allait leur donner sa bénédiction, à tous.

– Il fut membre, lut Dhar.

– Celui-là, il était pour vous, lui dit le commissaire.

– Parce que Dhar est toujours membre, lut encore l'acteur.

– Et celui-là, il était pour qui ? demanda le policier à Rahul.

Mais Mrs Dogar était figée sur sa chaise, sa main dirigeant toujours un orchestre imaginaire, son regard rivé à l'inspecteur Dhar. Le dessin du dessus avait été un peu froissé dans la mêlée, mais John D. les lissa tous les trois contre la nappe. Il évita soigneusement de les regarder.

– Quelle artiste ! lança le commissaire à Rahul, mais Mrs Dogar continuait de dévisager l'inspecteur Dhar.

Le Dr Daruwalla regretta d'avoir regardé les dessins ; le deuxième était pire que le premier, et le troisième plus épouvantable encore. Il savait qu'il emporterait ces images dans la tombe. Seule Julia avait eu le bon sens de rester dans le jardin des Dames : il n'y avait pas de raison valable d'approcher. Mais Nancy ne put résister au besoin d'affronter le diable en personne ; elle regretterait plus tard d'avoir entendu les derniers mots entre Dhar et Rahul.

– Je vous désirais vraiment, j'étais sincère, dit Mrs Dogar à l'acteur.

A la surprise du Dr Daruwalla, John D. répondit à Mrs Dogar :

– Moi aussi, j'étais sincère.

Nancy dut trouver pénible que le noyau de son drame personnel lui échappe à ce point ; elle était encore ulcérée que Rahul ne se souvienne pas d'elle.

– Moi aussi j'étais à Goa, annonça-t-elle à l'assassin.

– Ne dis rien, ma chérie, lui dit son mari.

– Dites tout ce que vous avez envie de dire, ma chérie, lui enjoignit Rahul.

– J'avais la fièvre et vous vous êtes glissée dans mon lit.

Mrs Dogar, surprise, sembla réfléchir. Elle fixait Nancy comme elle avait fixé le capuchon de stylo auparavant, la lumière se faisant dans sa mémoire.

– Alors c'est bien vous, mon petit ? Mais qu'est-ce que vous êtes devenue ?

– Vous auriez dû me tuer quand vous pouviez.

– Vous m'aviez l'air déjà morte, lui dit Mrs Dogar.

– Tue-la, Vijay, je t'en prie, dit Nancy à son mari.

– Je t'avais prévenue que tu ne trouverais pas ça très satisfaisant, se borna-t-il à lui répondre.

Lorsque les agents en uniforme et les inspecteurs adjoints parurent, le détective Patel les pria de ranger leurs armes. Rahul n'opposait pas de résistance. Les satisfactions profondes et inconnues que lui avait procurées le meurtre de la veille illuminaient son visage ; en ce matin du Jour de l'An, le peu de violence qu'il y avait eu en elle était passé tout entier dans la brève pulsion qui lui avait fait casser le doigt de John D. Le sourire du tueur en série était serein.

Le commissaire était inquiet à juste titre au sujet de sa femme. Il lui dit qu'il devait partir directement au QG de la Crime, mais qu'elle trouverait bien quelqu'un pour la raccompagner. Le chauffeur nain de Dhar avait déjà fait savoir qu'il était là ; il rôdait dans le hall du club. Si Dhar n'y voyait pas d'inconvénient, proposait le détective, il pourrait la déposer dans son taxi personnel.

– C'est pas une bonne idée, se borna à objecter Nancy.

Julia dit que le Dr Daruwalla et elle-même pouvaient la raccompagner. Dhar proposa que Vinod la reconduise, lui tout seul, pour qu'elle n'ait pas à parler à qui que ce soit.

Elle opta pour cette solution :

– Je me sens en sécurité parmi les nains ; je les aime bien, dit-elle.

Lorsqu'elle fut partie avec Vinod, le détective Patel demanda à l'inspecteur Dhar s'il avait aimé ses fonctions de vrai policier.

– C'est mieux dans les films, répondit l'acteur, tout se passe comme il faut.

Après que le commissaire fut parti avec Rahul, John D. laissa le Dr Daruwalla remettre son petit doigt.

– Regarde par là, regarde Julia, lui recommanda le médecin.

Puis il redressa le doigt démis d'un coup sec.

– On fera des radios demain, dit-il. Peut-être qu'on lui mettra une attelle, mais il faut attendre que l'enflure soit au maximum. Pour l'instant, laisse-le dans de la glace.

John D. mit ce conseil en pratique derechef, et immergea son doigt dans un verre d'eau ; les glaçons avaient presque fondu, si bien que le docteur appela Mr Sethna pour en avoir d'autres. Le vieux parsi semblait déçu qu'on ne l'ait pas félicité de la façon dont il avait joué son rôle ; de sorte que Dhar lui dit :

– Mr Sethna, vous avez été magnifique ! Quand vous êtes tombé sur votre plateau, par exemple. Le bruit qu'il a fait, pour détourner l'attention de Mrs Dogar, votre maladresse intentionnelle, mais gracieuse ; c'était vraiment magnifique.

– Merci, répondit Mr Sethna, j'ai hésité, pour les menus…
– Magnifique, ça aussi, l'idée de les lancer sur ses genoux. Vous avez été parfait ! conclut l'inspecteur Dhar.
– Merci ! répéta le maître d'hôtel, en s'éloignant.

Il était si fier de lui qu'il en oublia d'apporter la glace.

Personne n'avait déjeuné. Le Dr Daruwalla fut le premier à avouer une faim de loup ; Julia, soulagée que Mrs Dogar soit partie, reconnut se sentir un appétit féroce. John D. déjeuna avec eux, mais il paraissait indifférent au contenu de son assiette.

Farrokh rappela à Mr Sethna qu'il lui avait demandé de la glace ; le maître d'hôtel finit par en apporter dans une coupe d'argent où l'on rafraîchissait d'ordinaire les gambas ; la vedette de cinéma y plongea son auriculaire enflé avec une expression vaguement mortifiée. Quoique le doigt fût encore en train d'enfler, surtout à la jointure de la première phalange, il était loin d'être aussi coloré que sa lèvre.

L'acteur but plus de bière qu'il ne s'en autorisait d'ordinaire à midi, et sa conversation roula exclusivement sur la date à laquelle il quitterait l'Inde. Certainement avant la fin du mois. Il se demandait s'il allait faire sa part du travail de promotion pour *L'Inspecteur Dhar et les Tours du Silence.* Dans la mesure où on venait de mettre la main sur le véritable tueur de canaris, qui sait si, pour une fois, la brièveté de son séjour à Bombay ne lui vaudrait pas une presse favorable. Plus il y réfléchissait à haute voix, plus il avait tendance à conclure que rien ne le retenait en Inde ; selon lui, plus tôt il rentrerait en Suisse, mieux ce serait.

Le docteur déclara qu'il pensait que Julia et lui allaient rentrer au Canada plus tôt que prévu ; il ajouta qu'il se voyait mal revenir à Bombay dans un avenir proche, et que plus on en restait éloigné, plus y revenir un jour serait difficile. Julia les laissait dire. Elle savait à quel point les hommes détestent être dépassés par les événements – des bébés dès que les circonstances leur échappent, dès qu'ils ont l'impression de ne pas se trouver où il faut. Et puis, elle avait souvent entendu Farrokh dire qu'il ne reviendrait jamais en Inde. Elle savait qu'il revenait toujours.

Le soleil de la fin d'après-midi pénétrait à l'oblique la tonnelle du jardin des Dames ; la lumière parcourait en longues crevées la nappe, où la plus célèbre vedette de Bombay s'amusait à chasser des miettes isolées d'un revers de fourchette. Dans la coupe à gambas, la glace avait fondu. Il était l'heure que le Dr Daruwalla et madame fassent leur apparition à la fête de Saint-Ignace. Julia dut rappeler à Farrokh qu'elle avait promis d'arriver en avance : le scolastique voulait – c'était normal – porter un bandage propre pour le thé du jubilé, où il serait présenté à la communauté catholique.

– Pourquoi est-ce qu'il lui faut un pansement ? demanda John D. Qu'est-ce qu'il a encore ?

– Ton frère jumeau s'est fait mordre par un chimpanzé, probablement enragé, l'informa le docteur.

On mord beaucoup dans le secteur, ces temps-ci, pensa Dhar ; mais les événements de la journée avaient considérablement entamé ses capacités de sarcasme. Il sentait son doigt palpiter douloureusement, et il savait que sa lèvre avait vilaine allure. L'inspecteur Dhar ne pipa mot.

Lorsque les Daruwalla le laissèrent attablé au jardin des Dames, il fermait les yeux et il semblait dormir. Trop de bière, diagnostiqua le maître d'hôtel à qui rien n'échappait jamais ; puis il se rappela que Dhar était sans doute atteint d'une maladie sexuellement transmissible. Le vieux parsi revint sur son verdict : c'était l'excès de bière *et* la maladie. Et il ordonna aux valets de ne pas le déranger. Sa réprobation à l'égard de l'acteur s'était singulièrement adoucie ; il se sentait bouffi d'orgueil – lui qui avait joué un tout petit rôle auxiliaire dans l'affaire, une pareille célébrité du cinéma hindi lui avait dit qu'il était « magnifique », « parfait » !

Mais John D. ne dormait pas ; il essayait de se composer un personnage, ce qui est l'œuvre de chaque instant pour un acteur. Il était en train de se dire que cela faisait des années qu'il n'avait éprouvé le moindre attrait sexuel pour une femme ; or Nancy l'avait excité ; il lui semblait que c'était sa colère qu'il avait trouvée si tentante. Quant à la seconde Mrs Dogar, elle lui avait inspiré un désir encore plus troublant. Yeux clos, l'acteur essayait de se représenter son propre visage avec une expression ironique – mais pas tout à fait un sourire narquois. Il avait trente-neuf ans, un âge où l'on trouve de mauvais goût que son identité sexuelle soit ébranlée. Il en conclut que ce n'était pas Mrs Dogar qui l'avait troublé, mais plutôt le Rahul d'autrefois, le Rahul de Goa, qui était encore un peu un homme. Cette idée le rassura. Mr Sethna, qui le regardait, vit ce qu'il prit pour un rictus narquois passer sur son visage, puis quelque chose dut lui traverser l'esprit, car le rictus se changea en sourire. Il pense au bon vieux temps, se dit le maître d'hôtel... au bon vieux temps où il n'avait pas encore cette terrible maladie. Mais l'inspecteur Dhar s'amusait d'une idée scandaleuse.

Merde, alors ! Je vais pas commencer à aimer les femmes, quand même ! se disait-il. La panique que ça sèmerait dans ma vie !...

Au même moment, le Dr Daruwalla vivait une autre forme d'ironie du sort. C'était la première fois qu'il revenait à la mission de Saint-Ignace, au milieu d'une assemblée chrétienne, depuis qu'il avait découvert qui lui avait mordu l'orteil. Maintenant qu'il savait que sa conversion au christianisme avait pour origine la morsure d'amour d'un tueur en série transsexuel, son zèle religieux déjà sur le déclin s'en trouvait diminué d'autant. Il était cruellement déçu que le croqueur d'orteil n'ait pas été le fantôme de la fanatique démembreuse de saint et n'apprécia donc que modérément l'accueil du père Julian :

– Ah, le Dr Daruwalla, notre ancien élève estimé ! Alors, il vous est arrivé des miracles, ces temps-ci ?

Ainsi aiguillonné, le médecin ne résista pas au plaisir de bander Martin Mills de façon extravagante. Il rembourra le cou du scolastique de sorte que le pansement semble vouloir cacher un goitre énorme. Ensuite, il lui emmaillota la main de manière que Martin ne puisse plus guère se servir de ses doigts. Quant au lobe grignoté, le docteur l'entoura d'une débauche de gaze et d'albuplast, enveloppant toute l'oreille – le zélote n'entendait plus que de l'autre.

Mais les pansements propres, d'un blanc immaculé, ne faisaient que mettre en valeur la physionomie héroïque du nouveau missionnaire. Et bientôt, dans la cour, au crépuscule, la légende se répandit : le missionnaire américain venait d'arracher deux bambins aux rues de Bombay ; il les avait conduits dans un cirque, où ils seraient toujours plus en sécurité, et là, un animal sauvage l'avait attaqué. A la périphérie de la table du thé, où Farrokh était allé bouder, il entendit raconter que Martin Mills avait été écharpé par un lion ; il fallut que sa manie de l'autodénigrement lui fasse préciser qu'il s'agissait d'un singe.

Le docteur fut d'autant plus démoralisé que la source de cette affabulation n'était autre que la pianiste, Miss Tanuja en personne. Elle avait troqué ses lunettes-papillon contre des verres de contact rosâtres, qui lui faisaient des yeux éblouis de rat de laboratoire. Comme la fois précédente, elle éclatait dans ses vêtements occidentaux, Messaline de collège qui aurait emprunté la robe d'une de ses vieilles tantes. Elle portait toujours son soutien-obus, qui soulevait et dardait ses seins comme les clochers pointus d'une église horizontale. Comme auparavant, le crucifix en sautoir entre ses seins offensifs semblait soumettre le Christ à un nouveau supplice – telle était en tout cas la désillusion de Farrokh à l'égard de la religion qu'il avait embrassée lorsque Rahul l'avait mordu.

Le jour du jubilé n'était décidément pas le genre de fête que le docteur appréciait. Il éprouvait une vague nausée devant ce rassemblement si enjoué de chrétiens dans un pays qui ne l'était pas ; cette atmosphère de complicité religieuse l'oppressait. Julia le surprit à se singulariser, sinon à se désolidariser tout à fait : il venait de lire les listes des lauréats du hall, et il était allé jusqu'au pied des escaliers de la cour, où la statue du Christ à l'enfant malade voisinait sur le mur avec l'extincteur. Julia devinait pourquoi Farrokh s'attardait là : il espérait que quelqu'un vienne lui parler, et lui donne l'occasion de relever l'ironie de cette juxtaposition saugrenue.

– Toi, je vais te ramener à la maison, le prévint-elle.

Puis elle vit combien il avait l'air fatigué, déplacé, combien il paraissait perdu. Le christianisme l'avait piégé, l'Inde n'était plus son pays... lorsqu'elle l'embrassa sur la joue, elle s'aperçut qu'il pleurait.

– Oh oui, s'il te plaît, lui dit-il, ramène-moi à la maison.

26
Au revoir Bombay

Dans ces conditions...

Danny Mills mourut des suites d'une Saint-Sylvestre à New York. Mais le temps que Martin et le Dr Daruwalla reçoivent la nouvelle, on était le mardi 2 janvier. Le retard fut mis sur le compte du décalage horaire, puisqu'il est dix heures et demie de moins à New York qu'à Bombay, mais la vraie raison, c'était que Vera n'avait pas passé la Saint-Sylvestre avec Danny. Danny, qui avait soixante-quinze ans, mourut seul. Vera, qui en avait soixante-cinq, ne découvrit son corps que le soir du premier de l'an.

Lorsqu'elle rentra à leur hôtel, elle était encore mal remise d'une escapade avec une étoile montante de la publicité pour bières légères, frasque choquante à son âge. Danny était mort derrière une pancarte qui annonçait, optimiste, sur leur porte, NE PAS DERANGER, mais l'ironie de la chose lui échappa sûrement. Le médecin appelé conclut que Danny était mort étouffé par son vomi – qui, comme son sang, contenait presque vingt pour cent d'alcool.

Dans ses deux télégrammes, Vera ne citait pas le rapport médical, mais elle parvenait tout de même à faire savoir à Martin, et en termes peu flatteurs, que son père était ivre :

PÈRE MORT SAOUL DANS HÔTEL DE NEW YORK.

Elle communiquait à son fils l'aspect sordide des choses, sordide et peu pratique : il lui faudrait passer presque tout ce mardi à faire des courses puisqu'ils arrivaient de Californie, et que, n'ayant pas prévu de rester longtemps, ils n'étaient pas équipés pour un séjour prolongé sous les rigueurs de New York en janvier.

Le télégramme de Vera à Martin continuait dans une veine amère

EN TANT QUE CATHOLIQUE, QUOIQUE GUÈRE UN MODÈLE DU GENRE, JE
SUIS SÛRE QUE DANNY AURAIT VOULU QUE TU LUI ORGANISES UN SERVICE
FUNÈBRE, OU QUELQUE CHOSE D'ÉQUIVALENT.

« Guère un modèle du genre » faisait partie de ces expressions que
Vera avait apprises par la publicité pour les crèmes hydratantes, dans
la jeunesse lointaine et blessée de son fils. Le dernière pointe était du
pur Vera ; jusque dans la prétendue douleur, elle s'arrangeait pour
égratigner son fils.

COMPRENDRAI BIEN SUR QUE TON VŒU DE PAUVRETÉ T'EMPÊCHE DE
M'ASSISTER EN LA MATIÈRE / MAMAN.

Suivait seulement le nom de l'hôtel à New York. Malgré le vœu
de pauvreté de Martin, elle ne proposait pas de lui offrir le voyage
sur ses deniers.

Son télégramme au Dr Daruwalla était tout à fait dans son style
aussi

NE VOIS PAS EN QUOI LA MORT DE DANNY CHANGERAIT VOTRE DÉCISION
DE LAISSER MARTIN DANS L'IGNORANCE DE L'EXISTENCE DE SON FRÈRE.

Ah bon, parce que subitement c'est « ma » décision, pensa le docteur.

PAS D'AUTRE MAUVAISE NOUVELLE, JE VOUS EN PRIE. LE PAUVRE MARTIN
EST DÉJÀ BIEN ASSEZ ÉPROUVÉ.

Ah bon, maintenant c'est le « pauvre Martin » qui sera éprouvé !
remarqua Farrokh.

PUISQUE MARTIN A EMBRASSÉ LA CARRIÈRE DE LA PAUVRETÉ ET QUE
DANNY M'A LAISSÉE DANS LE BESOIN, PEUT-ÊTRE AUREZ VOUS LA GENTIL-
LESSE PAYER BILLET AVION / BIEN SÛR C'EST DANNY QUI AURAIT VOULU
QU'IL SOIT LÀ / VERA.

La seule bonne nouvelle, que le Dr Daruwalla ignorait pour l'heure, c'est que Danny Mills avait laissé sa femme dans un besoin plus grand encore qu'elle ne le croyait : il avait légué ses maigres biens à l'Église, persuadé que s'il avait laissé quoi que ce soit à Martin, c'est ce qu'il en aurait fait. De toute façon, Vera elle-même ne jugerait pas la somme digne d'un procès.

A Bombay, le lendemain du jubilé fut une journée fertile en nouvelles. Celle de la mort de Danny, et des manipulations de Vera, tomba en même temps que celle du départ de Madhu, qui avait quitté le Grand Nil bleu en compagnie de son mari ; Martin Mills et le Dr Daruwalla ne doutaient guère que le mari en question fût Mr Garg. Farrokh en était même si sûr que son bref télégramme au présentateur bengali était plus une affirmation qu'une question.

VOUS DITES QUE L'HOMME QUI A ÉPOUSÉ MADHU A UNE CICATRICE / VITRIOL, JE SUPPOSE.

Le médecin et le missionnaire étaient scandalisés l'un comme l'autre que Mr Das et sa femme aient pratiquement vendu Madhu à un homme comme Garg. Mais Martin pressa Farrokh de ne pas être trop dur avec eux. Pour encourager le Grand Nil bleu à assister l'infirme dans ses efforts, le Dr Daruwalla conclut son télégramme à Junagadh sur une note diplomate :

JE SUIS SÛR QU'ON PRENDRA BIEN SOIN DU PETIT GANESH.

Il n'en était pas sûr ; il l'espérait.

Après le message qu'avait transmis Mr Subhash à Ranjit – à savoir que Tata Deux s'était trompé de Madhu pour le dépistage du sida –, le Dr Daruwalla avait désormais nettement moins d'espoir pour la petite que pour Ganesh. Ce que Ranjit lui disait de la désinvolture de son homologue – Mr Subhash avait vraiment traité l'erreur par-dessus la jambe – le mettait en rage, mais même si le Dr Tata s'était excusé dans les règles, Madhu n'en aurait pas moins été séropositive. Elle n'avait pas encore le sida ; elle était seulement porteuse du virus.

– Comment pouvez-vous dire « seulement » ! s'indigna Martin Mills, qui semblait plus ravagé par la destinée médicale de Madhu que par la mort de Danny – il faut dire que ce dernier mourait depuis des années.

Ce n'était que le milieu de la matinée ; Martin dut interrompre la communication téléphonique pour aller faire cours. Farrokh convint de le tenir au courant des développements de la situation dans la journée. Les élèves des grandes classes de la mission allaient recevoir une interprétation catholique du *Cœur du sujet*, tandis que le Dr Daruwalla se mettait en devoir de retrouver Madhu. Mais il découvrit bientôt que le numéro de téléphone de Garg n'était plus attribué ; Vitriol se faisait tout petit. Vinod dit au docteur que Deepa lui avait déjà parlé ; selon elle, le propriétaire de La Poule mouillée s'était plaint du docteur.

– Garg trouve que vous voulez trop lui faire morale, expliqua le nain.

Mais le docteur ne voulait pas faire la morale à Madhu, ni à Garg, d'ailleurs ; malgré sa réprobation, il voulait trouver moyen de dire à Madhu ce qu'impliquait la séropositivité. Vinod avait l'air de dire qu'il n'aurait pas de sitôt l'occasion de parler à Madhu de vive voix.

– Ça marche mieux d'autre façon, suggéra-t-il. Tu me dis. Je dis à Deepa. Deepa dit à Garg. Garg dit à petite.

Le Dr Daruwalla avait du mal à penser que ça marchait mieux comme ça, mais il commençait à comprendre les ressorts de ce terre-neuve de Vinod. Tirer les gamines des bordels était tout simplement la façon dont Vinod et sa femme occupaient leurs loisirs ; ils continueraient à le faire ; s'il avait fallu qu'ils réussissent, en plus, leur zèle en aurait souffert.

– Dis à Garg qu'il y a eu erreur, dit Farrokh à Vinod. Dis-lui que Madhu est séropositive.

Le bon côté des choses, c'était que s'il n'était pas contaminé, il n'attraperait sans doute pas le virus par Madhu – la nature de la transmission faisant qu'une femme ne le passe pas si facilement à un homme. Mais ce qui était triste, c'était que s'il l'avait, c'était sans doute de lui que Madhu le tenait.

Le nain dut sentir la tristesse du docteur ; il savait qu'un Bon Samaritain opérationnel ne peut pas se permettre de s'attarder sur tous les petits échecs.

– On leur montre seulement filet, tenta-t-il d'expliquer. On n'est pas leurs ailes.

– Leurs ailes ? Quelles ailes ?

– Elles peuvent pas toutes voler. Elles tombent pas toutes dans filet.

L'idée traversa le docteur de transmettre cette morale à Martin Mills, mais le scolastique était encore occupé à édulcorer Graham Greene au profit des élèves de terminale. Le docteur appela le commissaire.

– Ici Patel, dit une voix froide.

Le cliquetis des machines à écrire résonnait en bruit de fond ; on entendait monter puis décroître, indifférent, le régime d'un moteur de moto. Comme pour ponctuer la communication, les dobermans aboyaient, plaintifs, dans le chenil de la cour. Le Dr Daruwalla imagina que, tout juste inaudible pour lui, un détenu clamait son innocence, ou déclarait avoir dit la vérité. Il se demanda si Rahul était toujours là-bas, et quels vêtements elle portait.

– Je sais que le renseignement que je vous demande ne relève pas vraiment de votre diocèse, s'excusa Farrokh à l'avance.

Puis il dit au commissaire tout ce qu'il savait sur Madhu et Mr Garg.

– Beaucoup de maquereaux épousent leurs gagneuses, apprit le détective au médecin. Garg tient La Poule mouillée, mais c'est un maquereau à ses heures.

– Je voudrais seulement lui expliquer ce qui l'attend, elle.

– Elle est la femme d'un autre. Vous voulez que je dise à la femme d'un autre homme qu'il faut qu'elle vous parle ?

– Vous ne pouvez pas le lui demander ?

– J'ai du mal à croire que je parle au créateur de l'inspecteur Dhar ! C'est quoi déjà, cette réplique, c'est une de mes préférées depuis toujours : « La police ne demande pas. La police arrête, ou bien elle harcèle. » C'est bien ça, non ?

– Oui, c'est bien la réplique.

– Alors, qu'est-ce que vous voulez que je fasse ? Que je la harcèle, et Garg aussi ? demanda le policier.

Et comme le docteur ne lui répondait pas, il poursuivit :

– Le jour où Garg la jettera à la rue, ou le jour où elle fera une fugue, je pourrai la faire venir ici, pour interrogatoire. Et là vous pourrez lui parler. Le seul problème, c'est que s'il la jette à la rue, ou si elle fait une fugue, je serai incapable de la retrouver. D'après ce que vous me dites, elle est trop jolie et trop maligne pour faire le trottoir. Elle ira dans un bordel ; et quand elle y sera, elle sera bouclée ; on lui apportera à manger ; la patronne lui achètera des vêtements.

– Et quand elle sera malade ? demanda le docteur.

– Il y a des médecins qui vont dans les bordels. Quand elle sera trop malade pour faire la putain, la plupart des tenancières la jetteront à la rue. Mais à ce moment-là, elle ne risquera plus rien.

– Comment ça, elle ne risquera plus rien ?

– Quand on est à la rue, et très malade, tout le monde vous abandonne. Et quand personne ne s'approche de vous, on ne risque plus rien, dit le policier.

– Et alors vous seriez en mesure de la trouver ?

– Peut-être, rectifia Patel. Mais à ce moment-là, ça ne vaudra plus la peine de lui dire ce qui l'attend.

– Vous êtes en train de me dire qu'il vaut mieux que je l'oublie, en somme ? demanda le docteur.

– Dans votre spécialité, vous traitez les enfants malades, si j'ai bien compris, dit le commissaire.

– C'est exact, répondit le Dr Daruwalla.

– Eh bien, je ne connais rien à votre domaine, mais je pense tout de même que vous avez plus de chances de succès que dans le quartier réservé.

– Je vois ce que vous voulez dire, enregistra Farrokh. Et quelles sont les chances que Rahul soit pendue ?

Un moment le policier demeura sans rien dire. Seules les machines à écrire répondaient à la question. Elles faisaient le bruit de fond, parfois interrompu par les motocyclettes ou la cacophonie des dobermans.

– Vous entendez les machines à écrire ? finit par demander le commissaire.

– Bien sûr.

– Le rapport sur Rahul sera long et circonstancié, promit Patel. Mais même le nombre sensationnel des meurtres sera impuissant à impressionner le juge. Parce qu'enfin, considérez l'identité des victimes ; elles ne comptaient pas, ces femmes-là.

– Parce que c'étaient des prostituées ?

– Précisément. Il faudra donc faire valoir un autre argument, à savoir que Rahul doit être incarcérée avec des femmes. Anatomiquement, c'est une femme.

– Alors l'opération a été complète, interrompit le docteur.

– Il paraît. Naturellement, je ne l'ai pas examinée moi-même.

– Non, non, bien sûr...

– Ce que je veux dire, c'est que Rahul ne peut pas être incarcérée avec les hommes, Rahul est une femme. Or l'isolement revient trop cher, il est impossible dans les cas de perpétuité. Pourtant, si Rahul est incarcérée chez les femmes, ça pose problème. Elle est forte comme un homme, et elle a un passé de tueuse de femmes... vous voyez où je veux en venir.

– Vous êtes en train de dire qu'on pourrait la condamner à mort pour la seule raison que l'incarcérer avec d'autres femmes poserait des problèmes ?

– Précisément. C'est notre meilleur argument. Mais malgré ça, je ne crois pas qu'on la pendra.

– Pourquoi ?

– Parce qu'on ne pend presque personne. Pour elle, ils essaieront sans doute les travaux forcés et l'emprisonnement à perpétuité ; et puis il arrivera un accident. Peut-être qu'elle tuera une codétenue.

– Ou qu'elle la mordra...

– On ne va pas la pendre pour une morsure. Mais il arrivera un accident, et ils seront bien obligés de la pendre.

– Mais enfin ça prendra du temps...

– Précisément. Et ce ne sera pas très satisfaisant.

C'était un refrain, chez le commissaire, pensa Farrokh. Cela l'amena à lui poser une question toute différente.

– Et vous, vous et votre femme, qu'est-ce que vous allez faire ?

– C'est-à-dire ? demanda le détective Patel ; il avait l'air surpris, pour la première fois.

– C'est-à-dire, vous allez rester ici, à Bombay, en Inde ?

– Pourquoi, vous voulez m'embaucher ? répondit le policier.

Farrokh se mit à rire.

– Euh, non, convint-il, j'étais seulement curieux de savoir si vous comptiez rester.

– Mais l'Inde est mon pays, lui dit le commissaire. C'est vous qui ne vous sentez pas chez vous, ici.

Farrokh eut un moment d'embarras ; de Vinod d'abord, puis de

Patel, il venait de recevoir une leçon. Dans les deux cas, il s'agissait d'apprendre à accepter une situation peu satisfaisante.

– Si jamais vous venez au Canada, bredouilla-t-il, je serais heureux d'être votre hôte, de vous faire voir le pays.

Le commissaire rit à son tour.

– Il y a bien plus de chances que je vous voie quand vous reviendrez à Bombay.

– Je ne reviendrai pas à Bombay, insista Farrokh.

C'était la première fois qu'il s'exprimait de façon aussi catégorique sur le sujet. Si le détective Patel eut le tact de ne pas relever, Farrokh vit bien qu'il ne le croyait pas.

– Dans ces conditions... dit-il.

C'était en effet tout ce qu'il y avait à dire. Non pas « au revoir », mais « dans ces conditions... »

Pas un mot

Martin Mills retourna se confesser au père Cecil qui réussit à ne pas s'endormir, cette fois-là. Le tort du scolastique, c'est qu'il tirait des conclusions hâtives. Il interprétait comme un signe la mort de Danny et la requête de sa mère qu'il vienne l'assister à New York. Il est vrai que les jésuites traquent inlassablement la volonté de Dieu, mais Martin le faisait avec un zèle particulier : non content de la traquer, il avait souvent le sentiment de la deviner. En l'occurrence, il avouait que sa mère avait encore le pouvoir de le culpabiliser ; lui qui n'avait pas la moindre envie de se rendre à New York envisageait très bien d'y aller, et seulement parce qu'elle le lui demandait : cette faiblesse – son incapacité de faire front à sa mère – montrait qu'il n'avait pas la foi nécessaire pour être ordonné prêtre. Pire encore, la petite prostituée avait non seulement abandonné le cirque pour retourner vivre dans le péché, mais elle allait mourir du sida presque à coup sûr ; ce qui advenait à Madhu était un signe plus sombre encore, qu'il interprétait comme un avertissement : il ferait un prêtre inefficace.

– Ceci me montre sans équivoque que je serai incapable de renouveler la grâce reçue de Dieu lors de mon ordination, confessa Martin au vieux père Cecil, qui regretta que le père supérieur ne soit pas là pour l'entendre – car il aurait remis cet imbécile présomptueux à sa place.

Analyser chaque instant de doute de soi comme un signe de Dieu, quelle impertinence, quelle outrecuidance ! Quelle que puisse être la volonté de Dieu, le père Cecil était certain que Martin Mills n'avait pas été choisi entre tous pour en porter une part aussi exorbitante qu'il se le figurait.

Le père Cecil, qui avait toujours pris le parti de Martin, se surprit à lui dire :

– Si vous doutez tellement de vous, Martin, alors en effet, peut-être vaut-il mieux que vous ne vous fassiez pas prêtre.

– Oh, merci, mon père ! s'exclama Martin Mills.

Le père Cecil fut abasourdi d'entendre autant de soulagement dans la voix de l'ex-futur prêtre.

Le choc de cette nouvelle – Martin Mills abandonnait la vie, comme disaient les jésuites, et ne ferait pas partie de leur communauté – stupéfia le père supérieur, mais il la prit avec philosophie.

– L'Inde ne convient pas à tout le monde, conclut-il, préférant donner au choix abrupt de Martin une interprétation profane, le mettre sur le compte de Bombay, en somme.

Car le père Julian était anglais, et pouvait se targuer d'avoir douté d'emblée que les Américains puissent faire de bons missionnaires ; sur des présomptions aussi ténues que celles qu'il avait trouvées dans le dossier du scolastique, il avait émis des réserves. Le père Cecil, qui était indien, dit qu'il regretterait le jeune Martin : un professeur aussi énergique et enthousiaste était une acquisition bien venue à Saint-Ignace.

De son côté, le frère Gabriel, qui avait une certaine affection et une certaine admiration pour Martin Mills, ne pouvait s'empêcher de se rappeler les chaussettes ensanglantées qu'il tordait dans ses mains, sans parler des litanies de la très sainte dinde. Le vieil Espagnol se retira comme il le faisait souvent dans son cabinet d'icônes ; ces innombrables figures de la souffrance que les icônes russes et byzantines lui offraient avaient au moins le mérite d'être traditionnelles – et donc rassurantes. La décollation de saint Jean-Baptiste, la Cène, la Déposition, tous ces moments terribles étaient encore préférables à l'image de Martin Mills que le malheureux frère Gabriel était condamné à revoir en esprit : un Californien fou avec ses bandages sanguinolents de travers, condensé des nombreux missionnaires assassinés au fil de l'Histoire. Peut-être était-ce effectivement la volonté de Dieu que Martin Mills fût rappelé à New York.

– Vous vous préparez à faire quoi ? cria le Dr Daruwalla.

Le temps de parler avec Vinod et avec le détective Patel, voilà que Martin, non content de gratifier les élèves de terminale d'une interprétation catholique du *Cœur du sujet*, avait interprété la volonté de Dieu en prime. Selon lui, Dieu ne voulait pas qu'il se fasse prêtre, il voulait qu'il aille à New York !

– Arrêtez-moi si je me trompe, commença Farrokh. Vous avez décidé que la tragédie de Madhu est votre échec personnel. Je comprends cette réaction, nous sommes deux imbéciles. Et, en plus, vous doutez de la force de votre désir d'être ordonné prêtre parce que vous vous laissez encore manipuler par votre mère, qui est une manipulatrice patentée. Donc vous partez pour New York – histoire de prouver son ascendant sur vous – et vous le faites en pensant à Danny, qui n'en saura jamais rien. Mais peut-être que vous pensez qu'il le saura, vous ?

– C'est une manière simpliste de dire les choses. Je n'ai peut-être pas la volonté suffisante pour être prêtre, mais je n'ai pas tout à fait perdu la foi.

– Votre mère est une garce, lui dit le Dr Daruwalla.

– C'est une manière simpliste de dire les choses, répéta Martin, d'ailleurs vous n'avez rien à m'apprendre sur ma mère.

La tentation était grande pour le docteur. Dis-lui, allez, dis-lui tout de suite.

– Je vous rembourserai, ça va de soi. Je ne vais pas considérer le billet d'avion comme un cadeau, expliqua Martin Mills. Mon vœu de pauvreté est caduc, après tout. J'ai les diplômes qu'il faut pour enseigner. Je ne vais pas gagner une fortune, mais sûrement assez pour vous rembourser – si vous me laissez un peu de temps.

– Je me fiche bien de l'argent ! J'ai les moyens de vous offrir un billet d'avion, de vous en payer vingt, même ! cria Farrokh. Mais vous renoncez à votre objectif – c'est ça que je trouve dingue, chez vous. Vous renoncez, et pour des raisons tellement stupides !

– Peu importent les raisons ! Ce qui compte, c'est mes doutes. Non, mais regardez-moi. J'ai trente-neuf ans. Si j'avais dû devenir prêtre, je le serais déjà. Quelqu'un qui se cherche encore à trente-neuf ans ne peut pas être bien fiable.

Vous me retirez les mots de la bouche ! pensa le Dr Daruwalla, mais il se contenta de dire :

– Ne vous en faites pas pour le billet, je m'en occupe.

Il ne supportait pas de voir cet imbécile si défait ; car c'était un imbécile, certes, mais un imbécile idéaliste. Et son idéalisme idiot avait fini pas s'imposer au Dr Daruwalla. Et puis Martin était sans détour – pas comme son frère ! L'ironie des circonstances, c'est que Farrokh avait l'impression d'en avoir appris plus long sur John D. à partir de Martin Mills et en moins d'une semaine que de la bouche de l'intéressé en trente-neuf ans.

Il se demandait si les côtés distants, voire absents de l'acteur, son opacité d'icône, n'étaient pas la partie de lui créée par son personnage de l'inspecteur Dhar plutôt qu'innée. Mais, d'un autre côté, John D. était acteur avant d'incarner l'inspecteur Dhar. Si le frère jumeau d'un homosexuel a cinquante-deux pour cent de chances de l'être aussi, quelles étaient les autres traits pour lesquels Martin et John D. avaient cinquante-deux pour cent de chances d'être pareils ? Mais il ne fallait pas oublier qu'ils avaient aussi quarante-huit pour cent de chances d'être différents… En tout cas, les chances que Danny soit leur père étaient minces ; et Farrokh éprouvait maintenant trop d'affection à l'égard de Martin pour le tromper plus longtemps.

Dis-lui, dis-lui tout de suite, s'adjurait Farrokh, mais les mots ne sortaient pas. Il ne savait que se répéter ce qu'il aurait voulu lui dire.

Vous n'avez pas à vous occuper des restes de Danny. C'est probablement Neville Eden votre père, et ses restes à lui, il y a des années qu'ils reposent en paix. Vous n'avez pas à assister votre mère, qui est pire qu'une garce. Non, vous ne savez pas qui elle est, ou en tout cas vous ne savez pas tout. Et puis il y a quelqu'un que vous aimeriez peut-être connaître ; vous pourriez même vous être d'un certain secours mutuel. Il pourrait vous apprendre à vous détendre, et peut-être même à profiter de la vie. Vous pourriez lui enseigner un minimum de franchise – et peut-être même à cesser d'être en représentation permanente.

Mais de tout cela, le docteur ne dit rien ; pas un mot.

Le Dr Daruwalla décide

– Alors il laisse tomber ? dit l'inspecteur Dhar en parlant de son frère.

– Il ne sait plus où il en est, en tout cas.

– A trente-neuf ans, on ne devrait plus être en train de se chercher, déclara John D.

Il prononça cette réplique avec une indignation presque parfaite, en se gardant bien de laisser entendre que la question avait pu se poser pour lui.

– Je crois que tu l'aimerais bien, dit Farrokh, sans trop se compromettre.

– Ah, c'est toi qui écris le scénario, répondit Dhar avec une ambiguïté presque parfaite.

Le docteur se demanda : est-ce que ça veut dire qu'il ne tient qu'à moi que leur rencontre se fasse ? Ou au contraire qu'il n'y a qu'un écrivain pour rêver que des frères jumeaux se rencontrent ?

Ils étaient accoudés au balcon des Daruwalla, regardant le couchant. La mer d'Oman était du même violet éteint que la lèvre de John D. qui guérissait lentement. L'attelle de son auriculaire fracturé lui fournissait un instrument parfait pour montrer du doigt, chose qu'il aimait bien faire.

– Tu te rappelles la réaction de Nancy quand elle a découvert cette vue ? demanda l'acteur en désignant l'ouest.

– Cap sur l'Iowa.

– Si vous ne revenez jamais à Bombay, Farrokh, tu pourrais faire cadeau de ton appartement au commissaire Patel et à sa femme.

La phrase avait été dite comme négligemment. Le scénariste ne put que s'émerveiller du personnage secret qu'il avait créé. Le mystère de Dhar était quasi entier.

– Disons, peut-être pas le leur en faire cadeau purement et simplement ; notre bon détective croirait sûrement que tu veux l'acheter. Mais tu pourrais peut-être le lui vendre pour une somme dérisoire, je ne sais pas, cent roupies. A charge pour lui d'entretenir les domestiques jusqu'à leur mort ; je sais bien que tu ne mettrais pas Nalin et Roopa à la rue. Quant à l'association des copropriétaires, je suis persuadé qu'ils ne seraient pas contre les Patel – tout le monde rêve d'avoir un policier dans son immeuble.

Dhar pointa de nouveau son attelle vers l'ouest.

– Je crois que cette vue ferait du bien à Nancy.

– Mais dis-moi, tu m'as l'air d'y avoir réfléchi...

– C'est une idée comme ça. Si tu ne dois jamais revenir. Je dis bien *si*.

– Et toi, au fait, tu comptes revenir ?

– Pas même dans un million d'années, dit l'inspecteur Dhar.

– Cette éternelle réplique ! dit Farrokh avec attendrissement.

– Elle est de toi, lui rappela John D.

– Avec toi, pas de danger que je l'oublie !

Ils restèrent sur le balcon jusqu'à ce que la mer d'Oman prenne une couleur de cerise trop mûre, presque noire. Pour qu'ils puissent dîner, Julia dut débarrasser le contenu des poches de John D. qu'il avait déposé sur la table de verre. C'était une habitude qu'il avait gardée depuis l'enfance. Il entrait dans la maison, ou l'appartement, retirait son manteau et ses chaussures, ou ses sandales, et vidait le contenu de ses poches sur la table la plus proche ; ce n'était pas seulement un geste pour se sentir chez lui ; les filles Daruwalla en étaient l'origine. Lorsque John D. vivait chez les Daruwalla, leur sport préféré était de lutter avec lui. Il se couchait sur le dos, à même le sol ou sur le tapis, parfois sur un canapé, et ses cadettes lui sautaient dessus ; il ne leur faisait jamais mal, il se contentait d'esquiver. Si bien que Farrokh et Julia fermaient les yeux sur le fourbi de ses poches, qui s'étalait sur la table de toutes les maisons ou appartements où ils avaient vécu, même s'il n'y avait plus d'enfants avec qui lutter. Des clefs, un portefeuille, parfois un passeport... et ce soir, sur la table de verre, dans l'appartement de Marine Drive, un billet d'avion.

– Tu pars jeudi ? lui demanda Julia.

– Jeudi ! s'exclama Farrokh, mais c'est après-demain !

– Il me faudra même me trouver à l'aéroport mercredi soir, le vol est tellement tôt.

– C'est demain soir ! s'écria Farrokh.

Il prit le portefeuille et le billet d'avion des mains de Julia et les posa sur la desserte.

– Pas là, dit Julia, qui avait disposé un des plats du dîner dessus.

Alors le docteur emporta le contenu des poches de John D. dans le vestibule – là, pensa-t-il, il les verra, et il ne risquera pas de les oublier en partant.

– Pourquoi veux-tu que je reste davantage ? demanda John D. à Julia. Vous n'allez pas vous éterniser, vous non plus ?

Mais le Dr Daruwalla s'attarda dans l'entrée ; il jeta un coup d'œil sur le billet d'avion. Vol Swiss Air, sans escale jusqu'à Zurich, n° 197, départ jeudi à 1 heure 45 ; première classe place 4b. Dhar prenait toujours un couloir. Comme il était buveur de bière, sur un vol de neuf heures, il se levait souvent pour faire pipi et il ne voulait pas passer son temps à enjamber son voisin.

En un clin d'œil, le temps de rejoindre John D. et Julia et avant même de se mettre à table, le docteur avait pris sa décision ; en somme, Dhar le lui avait dit, c'était lui qui écrivait le scénario, et l'écrivain a le pouvoir de susciter l'événement. Ils étaient frères jumeaux ; ils n'étaient pas obligés de s'aimer, mais ils n'étaient pas non plus obligés de se sentir seuls au monde.

Farrokh s'attabla avec bonheur devant son souper (comme il se plaisait à dire) souriant affectueusement à John D. Je vais t'apprendre à être ambigu avec moi, pensait-il. Mais il dit ceci :

– C'est bien vrai, pourquoi rester davantage ! Partir maintenant ou plus tard, hein...

Julia et John D. le regardèrent comme s'il faisait une crise d'apoplexie.

– Non, non, attends, tu vas me manquer, bien sûr, mais je te verrai bientôt, ici ou là, au Canada, en Suisse... J'ai très envie de faire un séjour un peu plus long en montagne.

– Ah bon ? s'exclama Julia.

Farrokh avait horreur de la montagne. L'inspecteur Dhar se contenta d'écarquiller les yeux.

– Si, c'est très sain, répondit le docteur. Tout cet air... suisse, poursuivit-il, les yeux dans le vague : il pensait à la compagnie Swiss Air et se disait qu'il allait prendre un billet pour Martin Mills, vol Swiss Air 197 ; départ le jeudi matin de bonne heure, siège 4a. Il espérait que l'ex-missionnaire apprécierait le hublot, et son intéressant compagnon de voyage.

Ils passèrent un excellent dîner, plein d'animation. D'ordinaire, lorsque le Dr Daruwalla savait qu'il n'allait pas voir John D. pendant longtemps, il était morose. Mais ce soir, il nageait dans l'euphorie.

– John D. a une idée géniale, pour l'appartement, dit-il à sa femme.

L'idée plut beaucoup à Julia, et ils en parlèrent longuement tous trois. Le détective Patel avait sa fierté, et Nancy aussi. Ils seraient blessés s'ils avaient l'impression qu'on leur offrait l'appartement par charité ; l'astuce consisterait à leur faire croire qu'ils rendaient service aux Daruwalla, en s'occupant des vieux domestiques et en les « entretenant ». Les convives parlèrent avec admiration du détective Patel ; ils auraient pu parler des heures de Nancy, personnage complexe s'il en était.

Pour John D., c'était toujours plus facile lorsque la question roulait sur quelqu'un d'autre ; c'était de lui qu'il évitait surtout de parler. Et puis la conversation s'anima autour des détails que le commissaire avait confiés au sujet de Rahul ; de l'improbabilité qu'on la pende.

Julia et John D. avaient rarement vu Farrokh aussi détendu. Il parlait de son grand désir de voir ses filles et ses petits-enfants plus à loisir ; il ne cessait de répéter qu'il était curieux de la Suisse et de voir John D. dans son véritable élément. Les deux hommes burent beaucoup de bière et veillèrent tard, sur le balcon ; ils étaient encore là lorsque la circulation s'effilocha sur Marine Drive. Julia veilla avec eux.

– Tu sais, Farrokh, je te suis très reconnaissant de tout ce que tu as fait pour moi, dit l'acteur.

– Je me suis bien amusé, répondit le scénariste en luttant contre ses larmes – c'était un grand sentimental.

Il parvenait à se sentir très heureux, assis là dans l'obscurité. L'odeur de la mer d'Oman, les effluves qui montaient de la ville – y compris ceux des égouts bouchés en permanence et de la merde humaine – avaient quelque chose de rassurant. Le docteur insista pour porter un toast à Danny Mills ; Dhar but poliment à sa mémoire.

– C'était pas ton père, ça j'en suis bien sûr, lui dit Farrokh.

– Moi aussi, j'en suis bien sûr, répondit l'acteur.

– Pourquoi es-tu si heureux, *Liebchen* ? demanda Julia.

– Il est heureux parce qu'il quitte l'Inde et qu'il n'y reviendra jamais, répondit l'inspecteur Dhar ; il lança cette réplique avec une autorité quasi parfaite.

Farrokh s'en irrita légèrement, car il soupçonnait que quitter l'Inde pour n'y jamais revenir était une lâcheté de sa part. John D. devait se

dire qu'il était comme Martin, qu'il laissait tomber – à supposer naturellement qu'il le prenait au mot.

– Vous verrez, vous verrez pourquoi je suis content, leur dit-il.

Lorsqu'il s'endormit sur le balcon, John D. le porta dans son lit.

– Regarde-le, dit Julia, il sourit dans son sommeil.

On aurait le temps de pleurer sur le sort de Madhu un autre jour.
On aurait le temps de se faire du souci pour Ganesh, Elephant Boy.
A son prochain anniversaire, le docteur aurait soixante ans. Mais pour
l'instant, il imaginait les jumeaux sur le vol Swiss Air 197. Neuf
heures en plein ciel devraient suffire pour faire connaissance.

Julia essaya de lire au lit, mais Farrokh la distrayait ; il riait tout
fort, dans son sommeil. Il doit être ivre, se dit-elle. Puis elle vit un
sourire passer sur son visage. Quel dommage, pensait-il. Il aurait
voulu être sur le même vol, rien que pour les regarder et les entendre.
En face du 4b, côté couloir, c'était quel numéro ? Le 4j ? C'était un
vol pour Zurich qu'il avait pris bien des fois. L'avion était un 747, et
le siège en face du 4b était bien le 4j, espérait-il.

– 4j, annonça-t-il à l'hôtesse.

Julia posa son livre et le regarda avec étonnement.

– *Liebchen*, chuchota-t-elle, rendors-toi ou réveille-toi.

Mais son mari s'était remis à sourire paisiblement. Il était là où il
avait envie d'être. C'était le jeudi matin, il était 1 heure 45, pour être
précis. Le vol Swiss Air 197 décollait de l'aéroport de Sahar. En face
de lui les jumeaux se regardaient en chiens de faïence, incapables
d'articuler un mot. Il faudrait quelque temps pour que l'un d'entre
eux rompe la glace, mais le docteur était sûr qu'ils ne pourraient pas
rester neuf heures sans rien se dire. Et si c'était l'acteur qui savait le
plus de choses intéressantes, il était prêt à parier que l'ex-missionnaire
serait le premier à déverser un flot de paroles. Il était capable de le
déverser toute la nuit, si John D. ne se mettait pas à parler pour éviter
d'être submergé.

Julia regarda son mari toucher son ventre dans son sommeil : il
vérifiait qu'il avait bouclé sa ceinture de sécurité ; puis il s'enfonça
dans son siège, prêt à savourer chaque minute du vol.

Il suffit de fermer les yeux

Le lendemain, mercredi, le Dr Daruwalla regardait le soleil se coucher de son balcon, cette fois avec le jumeau de Dhar. Martin posait des tas de questions sur son billet d'avion. Le scénariste les éludait avec l'habileté de quelqu'un qui a déjà imaginé le dialogue possible.

– Tiens je passe par Zurich... c'est curieux, je ne suis pas venu par là... s'étonna l'ex-missionnaire.

– J'ai des relations chez Swiss Air. Comme je vole souvent sur leurs lignes, ils me font des réductions.

– Ah... voilà ! Très bien, je vous remercie beaucoup. J'en ai entendu dire le plus grand bien, dit l'ancien scolastique. Un billet de première ! s'exclama-t-il soudain. Je ne vais pas pouvoir vous rembourser une première !

– Mais il n'en est pas question ; je vous l'ai dit, j'ai des relations – j'ai un tarif avantageux sur les premières. Il n'est pas question que vous me remboursiez, le billet ne m'a pratiquement rien coûté.

– Ah... je vois. Je n'ai jamais pris l'avion en première, dit le zélote d'hier.

Farrokh voyait bien qu'il s'interrogeait sur la correspondance, de Zurich à New York. Il arrivait à Zurich à six heures du matin, et son avion pour New York ne repartait qu'à une heure de l'après-midi. Cela faisait donc une escale assez longue... et puis il y avait quelque chose de différent sur le billet pour New York.

– C'est un billet sans date, dit Farrokh d'un air dégagé. Vous n'êtes pas obligé de continuer sur New York le jour de votre arrivée. C'est un vol quotidien sans escale ; votre billet est valable n'importe quel jour pourvu qu'il y ait de la place en première. Je me suis dit que vous aimeriez peut-être passer un jour ou deux à Zurich – le week-end, peut-être. Comme ça, vous serez plus reposé à l'arrivée à New York.

– Vraiment, c'est trop gentil à vous. Mais je ne vois pas bien ce que je ferais à Zurich... disait Martin lorsqu'il trouva le coupon d'hôtel, qui était joint au billet d'avion.

– Trois nuits à l'hôtel zum Storchen ; c'est un hôtel convenable.

Votre chambre donne sur le Limmat. Vous pourrez vous promener dans la vieille ville, ou sur les bords du lac. Vous êtes déjà allé en Europe ?

– Non, jamais, dit Martin Mills.

Il regardait le coupon d'hôtel avec perplexité ; les repas étaient compris.

– Eh bien, dans ces conditions... répondit le Dr Daruwalla.

Puisque le commissaire avait trouvé la formule tellement significative, il avait décidé de la tester lui-même ; elle semblait marcher avec Martin Mills. Pendant tout le dîner, le jésuite repenti ne fut pas d'humeur à discutailler ; il parut un peu éteint. Julia avait peur qu'il ne supporte pas sa cuisine, ou qu'il soit en train de couver quelque chose, le malheureux, mais le docteur, lui, connaissait le goût de l'échec ; il savait ce qui tracassait l'ex-missionnaire.

John D. se trompait ; son frère ne « laissait pas tomber ». Il avait renoncé à une quête, celle de la prêtrise ; mais il l'avait fait alors que le but était en vue, à portée de main. Ce n'était pas qu'il n'eût pas réussi à se faire ordonner prêtre ; il avait eu peur du genre de prêtre qu'il pourrait devenir. Sa démission, qui avait paru si soudaine et si gratuite, venait de loin ; elle avait dû lui sembler l'affaire de sa vie.

A cause de contrôles de sécurité poussés, Martin Mills devait arriver à l'aéroport deux ou trois heures avant le décollage. Farrokh jugeait imprudent de le laisser monter dans un autre taxi que celui de Vinod, or Vinod n'était pas disponible : il conduisait Dhar à l'aéroport. Le docteur retint donc un des prétendus taxis de luxe de la compagnie de Vinod, le Nil bleu. Ils avaient pris le chemin de Sahar lorsque le docteur réalisa pour la première fois à quel point l'ex-missionnaire allait lui manquer.

– Je commence à m'y faire, dit Martin.

Ils étaient en train de dépasser un chien mort sur la chaussée, et Farrokh pensa qu'il parlait des animaux écrasés ; mais Martin expliqua qu'il s'accoutumait à quitter les lieux où il était passé dans une relative opprobre.

– Oh, jamais rien de scandaleux – on ne m'expulse pas de la ville comme un malfaiteur, non, je m'esquive, plutôt. Je pense que je cause une gêne passagère aux gens qui ont mis leur confiance en moi. C'est d'ailleurs l'effet que je me fais à moi-même. Ce n'est pas le sentiment d'une déception accablante, ou d'une perte – plutôt un déshonneur vite passé.

Il va me manquer, cet abruti, pensa le Dr Daruwalla ; mais il dit :
– Faites-moi plaisir – fermez les yeux.
– Il y a une bête écrasée sur la route ? demanda Martin.
– Sans doute, répondit le docteur. Mais ce n'est pas pour ça. Fermez les yeux, c'est tout. Ça y est ?
– Oui, j'ai les yeux fermés, dit l'ancien scolastique, qui demanda nerveusement : Qu'est-ce que vous allez faire ?
– Mais détendez-vous ! On va jouer à un jeu.
– J'ai horreur des jeux, s'écria Martin.
Il rouvrit les yeux et jeta des regards effarés autour de lui.
– Fermez les yeux, gronda le docteur.
Et bien que son vœu d'obéissance fût derrière lui, Martin obéit.
– Je veux que vous imaginiez le parking avec la statue de Jésus. Vous le voyez ?
– Oui, bien sûr.
– Est-ce que le Christ y est toujours, dans ce parking ?
L'ahuri ouvrit les yeux.
– Ça je ne sais pas, ils passent leur temps à l'agrandir. On voit toujours des chantiers partout. Il se peut qu'ils aient démoli cette partie – ils ont pu être obligés de déplacer la statue.
– C'est pas de ça que je vous parle. Fermez les yeux ! cria le docteur. En esprit, je veux dire, vous la voyez encore, cette maudite statue ? Jésus-Christ, dans l'obscurité du parking, vous le voyez encore ?
– Mais, naturellement, oui, convint Martin Mills.
Il plissait les paupières pour garder les yeux fermés ; on aurait dit qu'il avait mal, la bouche fermée, le nez froncé. Ils dépassèrent un camp volant seulement éclairé par des feux d'ordures, mais la puanteur des excréments humains dominait les relents d'immondices en train de brûler.
– C'est tout ? demanda Martin Mills, yeux fermés.
– Pourquoi ? Ça suffit pas ? demanda le docteur. Pour l'amour du ciel, rouvrez les yeux !
Martin les rouvrit :
– C'est tout ? Le jeu est fini ? demanda-t-il.
– Vous avez vu Jésus-Christ, non ? Qu'est-ce qu'il vous faut

de plus ? Il faut que vous compreniez qu'on peut être un bon chrétien, comme les chrétiens disent toujours, sans être un prêtre catholique.

– Ah, c'est là que vous vouliez en venir ! Ah oui, bien sûr, ça j'en suis bien conscient !

– J'ai du mal à croire que vous allez me manquer, mais c'est pourtant vrai, lui dit le Dr Daruwalla.

– Vous aussi, bien sûr, vous allez me manquer, repartit le frère jumeau de Dhar. Surtout nos petites conversations...

A l'aéroport, il y avait la queue habituelle de passagers au contrôle. Lorsqu'ils se furent dit au revoir – ils s'étaient même embrassés –, le Dr Daruwalla continua d'observer Martin de loin ; il alla jusqu'à passer un cordon de police pour le garder à l'œil. Il était difficile de dire si c'étaient ses bandages qui attiraient l'attention, ou sa ressemblance avec Dhar, qui sautait aux yeux des uns pour échapper absolument aux autres. Le médecin venait de lui refaire ses pansements ; la blessure du cou était cette fois couverte au minimum d'un pansement de gaze, et le lobe lacéré avait été laissé à l'air libre – la plaie était vilaine, mais elle cicatrisait. La main avait toujours sa mitaine de gaze. A tous ceux qui le regardaient comme une bête curieuse, la victime du chimpanzé faisait un clin d'œil et un sourire – un vrai sourire, pas le rictus de Dhar ; pourtant Farrokh trouvait que l'ex-missionnaire n'avait jamais autant été son sosie parfait. A la fin de chaque *Inspecteur Dhar*, la caméra qui le cadrait reculait ; en l'occurrence, la caméra, c'était le docteur. Il était profondément ému ; il se demandait si c'était parce que Martin lui rappelait de plus en plus John D. ou si c'était parce qu'il le trouvait touchant par lui-même.

John D. était toujours invisible. Le Dr Daruwalla savait qu'il était immanquablement le premier à embarquer – quelles que soient les circonstances –, mais il s'obstinait à le chercher des yeux. Il aurait éprouvé une déception esthétique si l'inspecteur Dhar et Martin Mills s'étaient rencontrés dans la queue du contrôle ; en scénariste, il voulait que les jumeaux se rencontrent dans l'avion ; et, pour bien faire, déjà à leur place.

Dans la queue, tandis qu'il avançait d'un pas, puis stagnait, Martin paraissait quasi normal. Il y avait quelque chose de pathétique dans ce costume tropical noir ultra léger qu'il portait avec sa chemise hawaïenne ; il lui faudrait sûrement acheter quelque chose de plus chaud à Zurich, perspective qui avait poussé le docteur à lui tendre quelques centaines de francs suisses – à la dernière minute, de sorte qu'il n'avait pas eu le temps de refuser. Mais, chose étrange, tout en faisant la queue, Martin fermait les yeux discrètement. Lorsque la queue cessait d'avancer, il fermait les yeux en souriant ; puis la file faisait un pas de fourmi, et lui avec, la mine fraîche. Farrokh comprit le manège de l'ahuri : il s'assurait que Jésus-Christ était toujours dans le parking.

Rien ne distrayait l'ancien jésuite dans son dernier exercice spirituel ; pas même les hordes d'ouvriers indiens qui rentraient des pays du Golfe. Ces ouvriers étaient ce que la mère de Farrokh appelait des retours de Perse, à ceci près qu'aujourd'hui ils ne rentraient pas d'Iran mais du Koweït, leurs bagages combinés au bord de l'apoplexie. Outre des radiocassettes, avec ou sans platine laser, ils charriaient leurs matelas de mousse ; leurs sacs à dos débordaient de bouteilles de whisky et de bracelets-montres, ainsi que d'un assortiment de lotions après-rasage et de calculettes – certains avaient même fait main basse sur les couverts du bord. Il y en avait qui travaillaient à Oman, au Qatar ou à Dubaï. Du temps de Meher, ceux qu'on appelait les retours de Perse rapportaient des lingots d'or, ou au moins un souverain ou deux. De nos jours, se disait Farrokh, ils ne rentrent pas cousus d'or. Cela ne les empêchait pas de se saouler dans l'avion. Mais, même bousculé par les plus turbulents d'entre eux, Martin Mills gardait le sourire et les yeux fermés ; tant que Jésus était dans le parking, son monde était en ordre.

A Bombay, les jours qui le séparaient de son propre départ, le Dr Daruwalla regretta souvent de ne pas voir des choses aussi rassurantes lorsqu'il fermait les yeux ; pas de Christ pour lui, pas même de parking. Il dit à Julia qu'il était affecté par un rêve qui revenait, et qu'il n'avait pas fait depuis qu'il avait quitté l'Inde pour la première fois, à destination de l'Autriche ; c'était un rêve courant chez les adolescents, lui avait dit le vieux Lowji – on ne sait pas pourquoi, on se retrouve tout nu dans un lieu public. A cette époque lointaine, son père lui en avait proposé une interprétation fidèle à ses fixations : « C'est le rêve de l'émigré », avait-il déclaré. C'était peut-être vrai, pensait Farrokh aujourd'hui. Il avait quitté l'Inde bien des fois, mais c'était la première fois qu'il allait quitter le pays natal avec la certitude de n'y jamais revenir ; il n'en avait jamais été aussi sûr.

Les trois quarts de sa vie d'adulte s'étaient déroulés avec le sentiment inconfortable (surtout en Inde) qu'il n'était pas vraiment indien. Et maintenant, comment allait-il vivre le sentiment inconfortable de n'avoir jamais vraiment été intégré à Toronto ? Il avait la nationalité canadienne, il ne serait jamais canadien, et il le savait ; il ne serait jamais « intégré ». Le vieux Lowji lui avait jadis assené cet axiome, qui le hanterait à jamais : « Un émigré reste émigré toute sa vie. » Ce genre de déclaration aussi négative que péremptoire se réfute, mais ne s'oublie pas ; il y a des idées qui s'enracinent à tel point qu'elles deviennent aussi visibles, aussi tangibles que des faits.

Ainsi, une insulte raciste – sans oublier la baisse dans sa propre estime qui s'ensuivait. Ou encore l'une de ces pointes de mépris anglo-saxon qui le frappaient souvent au Canada, et le marginalisaient. C'était parfois simplement un regard de travers, une expression de désaveu familière qui accompagnait le commerce le plus banal. La manière dont on regardait votre signature sur votre carte de crédit, comme s'il y avait contradiction entre celle-ci et celle-là ; ou bien en vous rendant la monnaie, les regards lourds sur la couleur de votre paume tendue – pas la même que celle du reste de la main. La différence de couleur était supérieure à la norme – à celle qui existait entre leur propre paume et le reste de leur main (« Un émigré reste émigré toute sa vie »).

La première fois qu'il avait vu Suman exécuter la Marche dans les airs, au Grand Royal, il n'avait pas cru qu'elle pouvait tomber ; elle était parfaite à voir, si belle, le pas si sûr. Puis un jour, il l'avait vue dans les coulisses du grand chapiteau avant son entrée en piste. Il avait été surpris qu'elle ne soit pas en train de faire des assouplissements ; elle ne bougeait même pas les pieds ; elle était debout, parfaitement immobile. Peut-être qu'elle se concentre, avait-il pensé ; il ne voulait pas qu'elle s'aperçoive qu'il la regardait ; il ne voulait pas la déconcentrer.

Lorsqu'elle se tourna vers lui, il comprit qu'en effet elle devait avoir été en pleine concentration parce qu'elle ne le reconnut pas, elle qui était toujours très polie ; au contraire, son regard le traversa sans le voir ; le point rouge sur son front avait coulé. Ce n'était qu'une imperfection insignifiante, mais lorsqu'il la vit, il comprit aussitôt que

Suman était mortelle. Désormais, il crut qu'elle pouvait tomber. Et il ne put plus jamais la regarder marcher dans les airs en toute insouciance – elle lui semblait d'une vulnérabilité insoutenable. Si quelqu'un lui avait dit qu'elle s'était tuée en tombant, il l'aurait vue allongée dans la poussière, sa marque rouge faisant une tache sur son front (« Un émigré reste un émigré toute sa vie », c'était le même genre de tache).

Les choses auraient peut-être été plus faciles pour le Dr Daruwalla s'il avait pu quitter Bombay aussi vite que les jumeaux. Mais les stars qui font leurs adieux à l'écran et les missionnaires à la mission peuvent quitter les villes plus vite que les médecins ; un chirurgien a son agenda, des malades à opérer ou en convalescence. Quant aux scénaristes, comme les autres écrivains, ils ont leurs vétilles délicates à régler, eux aussi.

Farrokh savait qu'il ne parlerait jamais à Madhu ; dans le meilleur des cas, il parviendrait à communiquer avec elle, ou à avoir des nouvelles de sa santé par l'entremise de Vinod ou Deepa. Il aurait mieux valu que l'enfant meure au cirque ; la mort qu'il avait imaginée pour son personnage de Pinky – tuée par un lion qui la prenait pour un paon – était bien plus rapide que celle qui l'attendait.

De même, il n'espérait guère que le vrai Ganesh s'illustre au cirque, ou du moins pas comme son personnage. Il n'y aurait pas de marche dans les airs pour Elephant Boy, ce qui serait bien dommage, car cela donnait une fin parfaite. Si le vrai infirme devenait un bon aide-cuisinier, Farrokh s'estimerait très heureux. A cet effet, il écrivit une lettre cordiale à Mr et Mrs Das au Grand Nil bleu ; s'il était vrai que le gamin au pied d'éléphant ne pourrait jamais devenir acrobate, il voulait que le présentateur et sa femme l'encouragent à devenir un bon cuisinier. Le Dr Daruwalla écrivit aussi à Mr et Mrs Bhagwan, le lanceur de couteaux et son épouse-assistante, l'acrobate. Peut-être celle-ci pourrait-elle ouvrir les yeux en douceur à Ganesh, le détourner de sa lubie. Peut-être pourrait-elle lui montrer combien il était dur de marcher dans les airs. Elle pourrait le laisser essayer, en se servant de l'installation pour s'entraîner qu'elle avait en haut de sa tente ; il verrait bien que le numéro n'était pas à sa portée, et il le verrait sans prendre de risque.

Quant à son scénario, Farrokh était revenu au titre *La Roulette limousine*, parce que *Loin du Maharashtra* lui paraissait trop optimiste, sinon rigoureusement invraisemblable. Un si court laps de temps avait suffi à donner des rides au projet. L'horreur qu'inspirait Vitriol, le côté sensationnel de la mort foudroyant l'étoile de la troupe, cette innocente enfant massacrée par le lion... Farrokh percevait avec inquiétude que tous ces éléments risquaient de sentir leur grand guignol, qu'il reconnaissait comme l'essence même des *Inspecteur Dhar*. Peut-être après tout n'était-il pas aussi éloigné de sa première manière qu'il se le figurait.

Il ne souscrivait pas pour autant au jugement lu dans tant de critiques, et qui faisait de lui un scénariste écrivant à coups d'interventions divines, avec toujours un dieu sous la main pour le tirer des mauvais pas de son scénario. Dans la vie aussi, c'était le deus ex machina qui sévissait : il n'y avait qu'à voir comment lui-même avait réuni Dhar et son frère jumeau – il fallait bien que quelqu'un le fasse ! Et comment oublier le petit objet brillant que le corbeau chieur tenait dans son bec avant de le laisser tomber ? Le monde était régi par le deus ex machina !

Tout de même, il ne se sentait pas sûr de lui. Avant de quitter Bombay, il avait envie de parler à Balraj Gupta, le metteur en scène. *La Roulette limousine* n'était peut-être qu'un départ modeste, mais il voulait son avis. De toute façon, même si son film ne pouvait guère convenir au cinéma hindi – un petit cirque ne ferait guère un décor palpitant pour Balraj Gupta –, c'était le seul metteur en scène qu'il connaissait.

Le Dr Daruwalla n'aurait pas dû avoir la mauvaise inspiration de parler d'art, même d'art corrompu, à Balraj Gupta. Le metteur en scène ne mit pas longtemps à flairer l'« art » dans cette histoire et il ne laissa même pas le scénariste finir son synopsis.

– Vous avez bien dit qu'il y a une enfant qui meurt ? l'interrompit-il. Vous la ramenez à la vie ?

– Non, avoua Farrokh.

– Mais y a pas un dieu, ou quelque chose, qui puisse la sauver ?

– Ce n'est pas le style du film, c'est ce que j'essaie de vous expliquer.

– Alors vaut mieux le donner aux Bengalis, conseilla Gupta. Si vous voulez vous essayer au réalisme artistique, vaut mieux faire ça à Calcutta.

Et comme le scénariste ne répondait rien, il ajouta :

– C'est peut-être même un film étranger. *La Roulette limousine*, ça fait français, ça !

Farrokh avait envie de dire que le rôle du missionnaire serait un rôle sur mesure pour John D. Et il aurait pu ajouter que l'inspecteur Dhar, la vraie star du cinéma hindi, pourrait avoir un double rôle et que le thème du quiproquo serait intéressant. John D. jouerait le missionnaire, et il ferait une apparition clin d'œil en Dhar. Mais il savait d'avance ce que Balraj Gupta dirait de cette idée : « Que les critiques le tournent en dérision – c'est une vedette ; mais les vedettes ne doivent pas se tourner en dérision elles-mêmes. » Farrokh l'avait déjà entendu le dire. En outre, si c'étaient les Américains ou les Européens qui tournaient le film, ils ne donneraient jamais le rôle du missionnaire à John D. Ils ne savaient rien des *Inspecteur Dhar* ; ils tiendraient absolument à engager leurs propres vedettes.

Le docteur se taisait. Il se disait que Balraj Gupta devait lui en vouloir d'avoir mis fin à la série des *Inspecteur Dhar* ; il savait déjà qu'il en voulait à John D. d'avoir quitté Bombay sans se donner beaucoup de mal pour la promotion des *Tours du Silence.*

– Je crois que vous m'en voulez... commença prudemment Farrokh.

– Moi, vous en vouloir ? Jamais de la vie ! Je n'en veux jamais aux gens qui sont fatigués de faire de l'argent. Ces gens-là, c'est des vrais modèles d'idéalisme...

– Je savais que vous m'en vouliez...

– Parlez-moi un peu de l'aspect sentimental de votre film d'art et d'essai. C'est par là que ça passe ou que ça casse, autres bêtises à part. Des enfants qui meurent... mais faut aller le proposer aux socialistes d'Inde du Sud. Ça va peut-être leur plaire, à eux !

Le Dr Daruwalla essaya de parler de l'aspect sentimental de son film comme s'il y croyait. Il y avait donc un missionnaire américain, un futur prêtre, qui tombait amoureux d'une belle acrobate de cirque ; Suman était une vraie acrobate, pas une actrice, expliqua le scénariste.

– Une acrobate ? glapit Balraj Gupta. Vous êtes fou ! Vous avez vu leurs cuisses ? Les acrobates ont des cuisses terrifiantes, et avec la caméra qui tasse !

– Je me trompe de metteur en scène ! C'est vrai que je dois être

674

fou. Tout auteur qui veut discuter d'un film sérieux avec vous est fou
à lier.

– Sérieux ! Le mot est lâché ! Je vois que le succès vous a rien
appris. Mais enfin, vous perdez vos maboules ? Vous devenez boule ?
hurla le metteur en scène.

Le scénariste essaya de corriger cette confusion linguistique :

– Non, on dit « Vous perdez la boule », et « Vous êtes maboul »,
je crois.

– C'est ce que j'ai dit, tonna Gupta.

Comme la plupart des metteurs en scène, il avait toujours raison.
Le docteur raccrocha, et mit son scénario dans sa valise ; ce fut même
la première chose qu'il y mit ; ensuite de quoi il le recouvrit de ses
vêtements pour Toronto.

C'est l'Inde !

Vinod conduisit le Dr Daruwalla et madame à l'aéroport. Il pleura
durant tout le trajet, et Farrokh eut peur qu'ils aient un accident. Le
micro-barbouze avait déjà perdu la clientèle de l'inspecteur Dhar, et
voilà qu'outre cette tragédie, il était en passe de perdre son médecin
personnel. On était lundi soir, peu avant minuit. Les colleurs d'affiches
recouvraient déjà – fallait-il y voir un symbole ? – *Les Tours du
Silence*. Les nouvelles publicités n'étaient pas pour un film, mais pour
un tout autre type d'événement – elles annonçaient solennellement la
Journée contre la lèpre. Ce serait le lendemain, mardi 30 janvier. Julia
et Farrokh quitteraient Bombay lors de la journée d'action contre la
lèpre, à deux heures cinquante, sur le vol Air India 185. Ils feraient
Bombay-Delhi, Delhi-Londres, Londres-Toronto (mais sans être
obligés de changer d'avion). Ils se ménageraient une coupure en
s'arrêtant quelques jours à Londres.

Depuis que Dhar et son frère jumeau s'étaient envolés pour la
Suisse, le docteur était déçu d'en avoir reçu si peu de nouvelles. Il
avait d'abord eu peur qu'ils lui en veuillent, ou que leur rencontre ne
se soit pas bien passée. Puis il avait reçu une carte postale du Haut-
Engadine : un skieur de fond, un *Langlaufer*, qui traversait un lac
blanc gelé ; le lac était bordé de montagnes, le ciel pur et bleu. Le
message, écrit de la main de John D., était familier à Farrokh parce

que c'était une des répliques qui revenaient dans la bouche de l'inspecteur Dhar. Dans les films, après que ce petit malin avait couché avec une nouvelle conquête, ils étaient toujours interrompus par quelque chose ; ils n'avaient jamais le temps de parler. Parfois c'était une fusillade ; ou bien un méchant avait mis le feu à leur hôtel, quand ce n'était pas à leur lit. Dans l'action qui s'ensuivait, l'inspecteur Dhar et sa maîtresse n'avaient guère le temps d'échanger des amabilités ; en général, ils défendaient chèrement leur peau. Puis venait l'inévitable accalmie, la pause éphémère avant le baroud final. Le public, qui le détestait déjà, attendait cette remarque qui était sa signature : « Au fait, disait-il à sa maîtresse, merci. » Tel était le message de John D. sur la carte postale du Haut-Engadine.

AU FAIT, MERCI.

Julia dit à Farrokh que c'était un message touchant, parce que les jumeaux avaient signé la carte tous les deux. Elle ajouta que c'était ce que faisaient les jeunes mariés sur les cartes de Noël et d'anniversaire, mais le Dr Daruwalla répliqua qu'il était bien placé pour savoir que c'était aussi ce qui se faisait dans les bureaux des hôpitaux lorsqu'il y avait un cadeau collectif : la réceptionniste signait, les secrétaires, les infirmières, ainsi que les autres chirurgiens. Qu'y avait-il donc d'extraordinaire ou de touchant là dedans ? John D. signait toujours ainsi de sa seule initiale « D. ». Et une main moins familière avait signé « Martin » sur la même carte. Ils étaient donc à la montagne. Il fallait seulement espérer que John D. n'essaie pas d'apprendre à skier à son ahuri de frère !

– Au moins, ils sont ensemble et ça leur fait plaisir, dit Julia.

Mais cela ne suffisait pas à Farrokh ; il mourait d'envie de connaître la moindre réplique échangée.

Lorsque les Daruwalla arrivèrent à l'aéroport, Vinod tendit en larmoyant un cadeau au docteur :

– Peut-être vous me revoyez jamais, dit-il.

Le cadeau était un objet rigide, rectangulaire et lourd, enveloppé dans des journaux. Le nain réussit à préciser entre deux reniflements que Farrokh n'était pas censé l'ouvrir avant d'être dans l'avion.

Par la suite, le docteur pensa que c'était sans doute ce que disaient les terroristes aux passagers sans méfiance à qui ils confiaient une bombe ; c'est alors que le détecteur de métal se mit à sonner ; aussitôt, le docteur se retrouva entouré de types inquiets, arme au poing. Ils lui demandèrent ce qu'il y avait sous les journaux. Que dire ? Le cadeau d'un nain ? Ils l'obligèrent à défaire l'emballage tandis qu'ils se tenaient à une distance respectueuse ; ils semblaient moins prêts à tirer qu'à s'« éclipser », comme dirait le *Times of India* s'il rapportait l'incident. Mais il n'y eut pas d'incident.

Les journaux entouraient une plaque de cuivre, un grand panneau, que le Dr Daruwalla reconnut aussitôt. Vinod avait enlevé le message infamant de l'ascenseur de l'immeuble, sur Marine Drive.

L'ASCENSEUR EST INTERDIT AUX DOMESTIQUES
NON ACCOMPAGNÉS D'ENFANTS

Julia dit à Farrokh que le cadeau de Vinod était « touchant » ; et si les agents de la sécurité furent soulagés, ils questionnèrent cependant le docteur sur l'origine du panneau ; ils voulaient être sûrs qu'il n'avait pas été volé dans un bâtiment classé – qu'il ait pu être volé ailleurs ne leur faisait ni chaud ni froid. Peut-être trouvaient-ils le message aussi déplaisant que Farrokh et Vinod.

– C'est un souvenir, les rassura-t-il.

A sa surprise, ils le laissèrent le garder avec lui ; le panneau n'était pas très commode à emporter à bord, et même en première classe les hôtesses firent la grimace quand on leur demanda de le ranger là où il ne gênerait personne. Elles obligèrent d'abord Farrokh à le déballer de nouveau, et elles ne le débarrassèrent pas des journaux inutiles.

– Rappelle-moi de ne plus jamais voyager sur Air India ! se plaignit le docteur à sa femme ; et il dit la phrase assez fort pour être entendu de l'hôtesse la plus proche.

– Je te le rappelle chaque fois ! répondit Julia sur le même ton.

Tout autre passager de première qui les aurait entendus aurait vu en eux l'exemple même du couple riche qui a l'habitude d'humilier les employés dont la tâche est de les servir. Mais cette impression aurait été erronée ; ils appartenaient simplement à une génération qui ne supportait pas le manque de courtoisie, d'où qu'il vienne ; ils étaient assez vieux et assez bien élevés eux-mêmes pour ne pas tolérer l'intolérance. Mais ce à quoi ils n'avaient pas pensé, c'est que si les hôtesses avaient manifesté beaucoup de mauvaise grâce, ce n'était peut-être pas pour le travail en plus, mais pour la teneur du message ; peut-être trouvaient-elles scandaleux que l'ascenseur soit interdit aux domestiques non accompagnés d'enfants.

C'était un de ces malentendus mineurs que personne ne dissiperait jamais ; une note d'aigreur bien venue au moment où l'on quittait le pays pour n'y plus revenir, se dit Farrokh. Le *Times of India* dans lequel Vinod avait enveloppé le panneau lui causa de même un certain agacement. Ces derniers temps, une intoxication alimentaire dans l'Est de Delhi avait défrayé les chroniques. Deux enfants étaient morts, et huit autres avaient été hospitalisés pour avoir consommé des aliments « périmés » sur une décharge, dans le quartier de Shakurpur. Le Dr Daruwalla avait suivi l'affaire avec la plus grande attention ; il savait que les enfants n'étaient pas morts d'avoir consommé des denrées « périmées » ; le journal stupide voulait dire « pourries », « infectées ». L'avion ne décollerait jamais assez vite à son goût. Comme Dhar, il préférait la place de couloir, parce qu'il se proposait de boire de la bière et qu'il lui faudrait aller faire pipi ; Julia prendrait le hublot. Il serait presque dix heures heure locale lorsqu'ils atterriraient à Londres. Il ferait nuit jusqu'à Delhi. Avant même de partir, le docteur considérait donc qu'il avait déjà vu l'Inde pour la dernière fois.

Martin Mills aurait été tenté de dire que ces au revoir à Bombay étaient la volonté de Dieu, mais le docteur n'aurait pas été d'accord. Ce n'était pas la volonté de Dieu, c'était que l'Inde ne convenait pas à tout le monde, comme l'avait dit le père Julian, sans que le docteur le sache. Non, ce n'était pas la volonté de Dieu, Farrokh en était sûr. C'était l'Inde et rien que l'Inde – et ça suffisait largement.

Lorsque le vol Air India 185 s'éleva sur la piste de décollage de Sahar, le micro-barbouze s'était remis à marauder dans les rues de Bombay ; il pleurait toujours ; il était trop retourné pour dormir. Il était rentré en ville trop tard pour attraper la dernière séance de La Poule mouillée, où il avait espéré apercevoir Madhu ; il faudrait qu'il revienne un autre soir. Écumer le quartier réservé le déprimait, même si c'était une nuit comme les autres, où il aurait pu tomber sur une pauvre égarée et la sauver. A trois heures du matin, l'ancien clown trouvait aux bordels des airs de cirques en faillite. Il imaginait les cages des animaux inanimés, les rangées de tentes, pleines d'acrobates épuisées et blessées. Il passa son chemin.

Il était presque quatre heures du matin lorsqu'il gara l'Ambassador dans la ruelle, le long de l'immeuble des Daruwalla sur Marine Drive. Personne ne le vit se glisser à l'intérieur, mais il rôda dans l'entrée, le souffle bruyant, jusqu'à ce qu'il ait fait aboyer tous les chiens du premier. Puis il rentra dans son taxi avec morgue ; mais, malgré les insultes que lui glapissaient les copropriétaires, déjà perturbés d'apprendre dans la soirée que leur sacro-saint panneau d'ascenseur avait été subtilisé, il n'éprouvait pas toute l'euphorie attendue.

Partout où il roulait, la vie de la ville semblait lui échapper ; et pourtant il se refusait à rentrer. Aux premières lueurs, il arrêta l'Ambassador pour blaguer avec un agent de la circulation, à Mazagaon.

– Où passe circulation ? demanda-t-il à l'agent.

Ce dernier avait sorti son bâton, comme s'il devait contenir une foule ou une émeute. Mais pas un chat en vue ; pas d'autre voiture, ni même une bicyclette ou un piéton. Parmi les dormeurs de trottoir, les rares déjà éveillés restaient encore assis ou à genoux. Le policier reconnut le chauffeur de Dhar : ils le connaissaient tous. Il lui expliqua qu'il y avait eu un incident – une procession religieuse qui avait déferlé de Sophia Zuber Road ; Vinod avait raté ça. L'agent abandonné dit au nain qu'il lui rendrait service en le conduisant sur toute la longueur de la rue, histoire de s'assurer que le calme était revenu. C'est ainsi que, un flic esseulé à son bord, Vinod s'avança prudemment dans l'un des plus honnêtes bidonvilles de Bombay.

Il n'y avait pas grand-chose à voir ; sur les trottoirs, d'autres dormeurs se réveillaient, mais ceux qui couchaient dans les taudis dormaient encore. Au niveau de la rue où Martin Mills était tombé sur la vache blessée à mort, presque un mois auparavant, Vinod et l'agent de la circulation virent le bout de la procession, quelques sadhus qui psalmodiaient, des gens qui jetaient des fleurs, comme toujours. Dans le caniveau, il y avait une énorme tache de sang coagulé, là où la vache avait fini par mourir ; la procession qui avait jeté le désordre un peu plus tôt accompagnait la levée du corps : des fanatiques avaient réussi à maintenir la vache en vie jusque-là !

Ce fanatisme n'était pas la volonté de Dieu, lui non plus, aurait dit le Dr Daruwalla : cet effort voué à l'échec, c'était l'Inde et rien d'autre ; et ça suffisait largement.

27
Épilogue

Le bénévole

Un vendredi de mai, plus de deux ans après son retour à Toronto, Farrokh éprouva le besoin de montrer Little India à son ami Macfarlane. Ils prirent la voiture de Mac. C'était leur pause de midi, mais on roulait si mal sur Gerrard Road qu'ils comprirent vite qu'ils auraient peu de temps pour déjeuner : sitôt arrivés, il leur faudrait rentrer à l'hôpital.

Ils déjeunaient ensemble depuis dix-huit mois, depuis que Macfarlane était séropositif ; son petit ami Duncan Frazier, le généticien homo, était mort du sida plus d'un an auparavant. Depuis, Farrokh n'avait retrouvé personne pour discuter des mérites de sa recherche sur le sang des nains, et Mac n'avait pas retrouvé d'ami.

La nature télégraphique de leur conversation, sur la façon dont Mac vivait sa séropositivité, était un modèle de retenue :

– Comment tu vas, ces temps-ci ? demandait le Dr Daruwalla.

– Ça va, répondait le Dr Macfarlane. J'ai arrêté l'AZT et je suis passé au DDI. Je te l'avais pas dit ?

– Non. Mais pourquoi ? Tes cellules T baissaient ?

– Y a de ça, oui. Elles étaient tombées au-dessous de deux cents. L'AZT me rendait malade comme un chien, moi, alors Schwartz a décidé de me mettre sous DDI. Je me sens mieux, j'ai plus d'énergie, là. Et puis je prends du Bactrim à titre préventif, pour pas faire une pneumonie.

– ... Ah !

– Non, mais ça va pas si mal, en fait. Je suis en pleine forme, concluait Mac. Et si jamais le DDI cessait de faire de l'effet, il me restera le DDC, et bien d'autres, j'espère...

– Je suis content que tu prennes ça du bon côté, se prenait à dire Farrokh.

– En attendant, disait Macfarlane, je joue à un petit jeu. Je visualise mes cellules saines ; je me les représente en train de résister au virus. Je les vois tirer sur lui ; le virus est terrassé sous une grêle de coups de feu – enfin, c'est l'idée, quoi.

– L'idée de Schwartz ?

– Non, non, la mienne !

– Elle aurait pu être de lui.

– Et puis je vais voir mon équipe de soutien. Les études ont l'air de dire qu'il y a une incidence sur la survie à long terme.

– Vraiment ?

– Vraiment. Outre bien sûr ce qu'on appelle prendre en charge sa maladie – ne pas se laisser aller, ne pas accepter nécessairement tout ce que dit le médecin.

– Pauvre Schwartz ! Je suis bien content de ne pas être ton médecin traitant !

– Comme ça on est deux, répliquait Macfarlane.

C'était leur « mise en jambes » ; elle durait deux minutes ; en principe ils arrivaient à faire le tour du sujet, ou en tout cas ils s'y efforçaient. Ils aimaient parler d'autre chose à table ; par exemple du soudain désir du Dr Daruwalla d'emmener Macfarlane à Little India.

C'était en mai que les deux abrutis racistes avaient traîné Farrokh à Little India contre son gré ; et c'était aussi un vendredi, jour où le quartier lui avait semblé mort – à moins que seules les boucheries aient été fermées ; le docteur se demandait si c'était parce que la prière du vendredi était fidèlement suivie par les musulmans du coin ; encore une de ces choses qu'il ignorait. Il savait seulement qu'il voulait que Macfarlane voie Little India, et il avait eu le désir subit que les conditions soient les mêmes – même température, mêmes boutiques, mêmes mannequins sinon même saris.

Sans nul doute, ce désir avait été inspiré par un article lu dans les journaux ; sur le Front de l'héritage, certainement. Il était toujours angoissé lorsqu'il tombait sur quelque chose qui les concernait, ces brutes néonazies, cette racaille blanche persuadée de sa suprématie ; puisqu'il y avait des lois contre l'incitation à la haine au Canada, il se demandait pourquoi des groupes comme le Front de l'héritage étaient autorisés à fomenter autant de haine raciale.

Macfarlane n'eut aucun mal à se garer ; comme la fois précédente, Little India était passablement désert – à cet égard, le quartier ne ressemblait pas du tout à l'Inde. Farrokh s'arrêta devant l'épicerie Ahmad, à l'angle de Gerrard et Coxwell Road ; il désigna le trottoir d'en face, un peu plus bas : les portes des Services de l'immigration ethnique étaient closes. L'immeuble avait l'air fermé pour de bon, et pas parce qu'on était un vendredi.

– C'est là qu'ils m'ont sorti de la voiture, expliqua le Dr Daruwalla. Ils continuèrent d'avancer dans la rue. Les Broderies Pindi n'existaient plus, mais sur le trottoir, immobiles, des cafetans s'alignaient sur leur portant.

– Il y avait plus de vent, le jour où je me suis retrouvé là ; les cafetans dansaient.

A l'angle de Rhodes Street, Nirma Modes marchait toujours ; ils remarquèrent La Ferme Singh, qui offrait des fruits et légumes frais. Ils virent la façade de l'église œcuménique, qui servait aussi de temple à la secte Shri Ram. Le révérend Lawrence Pushee, qui était son pasteur, avait choisi un thème de réflexion intéressant pour l'office du dimanche suivant. Une citation de Gandhi avertissait les fidèles : « Nous aurons de quoi satisfaire les besoins de tous, pas l'avidité de tous. »

Si les temps étaient durs pour les bureaux de l'immigration, ils l'étaient aussi pour les Chinois ; la société Lucky City, qui vendait de la volaille, avait dû fermer. Au coin de Craven Street, les spécialités gastronomiques de l'ancien restaurant Nirala étaient maintenant dispensées par l'établissement Hira Moti, et la célèbre publicité pour la lager Kingfisher promettait que la bière était toujours débordante de vie intérieure. Une affiche Mégastars claironnait l'arrivée de Jeetendra et Bali, et de Patel Rap ; Sapna Mukerjee jouerait aussi.

– Je suis passé par ici et je saignais, dit Farrokh à Mac.

Dans la vitrine de Kala Kendar, ou de chez Sonaly, le même mannequin blond portait un sari ; elle avait toujours l'air déplacé au milieu des autres. Le Dr Daruwalla pensa à Nancy.

Ils dépassèrent Satyam et lurent une vieille affiche pour l'élection de Miss Diwali. Ils parcoururent Gerrard Road en long en large et en travers, sans but. Farrokh répétait les noms des boutiques, le supermarché Kohinoor, le Dubar Madras, la vidéo Apollo (qui promettait des films asiatiques), le cinéma India, qui passait des films tamouls.

A la Chaat Hut, Farrokh expliqua ce que signifiait « toutes sortes de chaats ». Au Bombay Bhel, ils eurent tout juste le temps de manger leur tikki aloo, et de boire leur Thunderbolt.

Avant de rentrer à l'hôpital, les médecins s'arrêtèrent devant la plomberie J. J. Addison, qui faisait l'angle de Woodfield Street. Le Dr Daruwalla cherchait la splendide baignoire de cuivre à robinets en forme de têtes de tigres, gueule ouverte – exactement semblable à celle où il s'était baigné enfant, sur sa chère vieille Ridge Road, dans Malabar Hill. Il y pensait depuis sa dernière visite impromptue dans le quartier. Mais elle avait été vendue. A sa place, il trouva une autre merveille de décoration victorienne. Il s'agissait du même lavabo avec des défenses en guise de robinets qui avait attiré l'attention de Rahul dans les toilettes du Duckworth ; le mélangeur avait une tête d'éléphant, l'eau coulant de sa trompe. Farrokh toucha les deux défenses, l'une pour l'eau froide, l'autre pour l'eau chaude. Macfarlane trouvait l'objet affreux, mais son camarade n'hésita pas à l'acheter ; on y reconnaissait aisément l'imagination britannique, mais il avait été fabriqué en Inde.

– Ça a une valeur sentimentale ? s'enquit Mac.

– Pas tout à fait... éluda Farrokh.

Il se demandait ce qu'il allait faire de son horreur ; Julia détesterait la trouvaille, à n'en pas douter.

– Ces types qui t'ont amené ici et qui t'y ont largué... dit brusquement Macfarlane.

– Eh bien ?

– Tu te figures qu'ils passent leur temps à amener des gens ici, comme ils t'ont amené ?

– J'en suis sûr. Ils passent leur temps à ça.

Mac lui trouva l'air mortellement déprimé, et il le lui dit.

Comment est-ce que je pourrais me sentir intégré, se demandait Farrokh ; et il dit à Mac :

– Comment veux-tu que je me sente canadien ?

En effet, à en croire les journaux, l'opposition à l'immigration ne faisait que croître ; les démographes promettaient un retour de manivelle raciste. Or, selon Farrokh, la résistance à l'immigration était raciste dans son essence ; l'expression « minorités visibles » heurtait sa susceptibilité. Il savait qu'elle ne visait pas les Italiens, les Allemands ou les Portugais, arrivés dans les années cinquante. Jusqu'à la dernière décennie, le pays le plus représenté dans l'immigration était de loin l'Angleterre.

Mais plus à présent. Les nouveaux émigrés arrivaient de Hong Kong, de Chine et d'Inde – la moitié des émigrés de cette décennie étaient des Asiatiques. A Toronto même, près de quarante pour cent de la population, soit plus d'un million d'habitants, était émigrée.

Macfarlane était malheureux de voir Farrokh aussi abattu.

– Écoute-moi, Farrokh, lui dit-il, je sais bien que c'est un drôle de cirque d'être émigré, ici, et je veux bien croire que les brutes qui t'ont balancé dans Little India ont déjà agressé d'autres émigrés, mais je ne pense quand même pas qu'ils passent leur temps, comme tu dis, à véhiculer des gens dans toute la ville.

– Comment ça, un drôle de cirque ? On dit pas « une sacrée galère » ?

– Ça veut dire la même chose...

– Tu sais ce que me disait mon père ?

– Est-ce que ce ne serait pas, par hasard, « Un émigré reste un émigré toute sa vie » ?

– Ah... je te l'ai déjà dit.

– Tu ne peux pas savoir combien de fois ! Mais j'imagine que tu y penses tout le temps.

– Tout le temps, répéta Farrokh.

Il était heureux d'avoir un vrai ami comme Macfarlane. C'était lui qui l'avait convaincu de faire du bénévolat à l'Hospice pour malades du sida, où Duncan Frasier était mort. Farrokh y travaillait depuis plus d'un an. Au début, il avait eu des doutes sur ses motivations personnelles, et les avait confiés à Mac ; sur ses conseils, il avait également abordé la question avec le directeur de l'unité de soins.

Il avait été gêné de raconter à un étranger l'histoire de ses relations avec John D. : celui qu'il tenait pour son fils adoptif atteignait la quarantaine ; il avait toujours été homosexuel, mais Farrokh le découvrait tout juste ; à présent encore, ses préférences désormais connues, le jeune homme, plus si jeune donc, n'abordait toujours pas la question avec lui, sinon de façon superficielle. Le Dr Daruwalla dit au Dr Macfarlane et au directeur des soins qu'il voulait s'impliquer dans l'aide aux malades du sida parce qu'il voulait en savoir davantage sur John D. et ses mystères. Il reconnut qu'il avait très peur pour lui ; il avait peur que son presque fils bien-aimé meure du sida, et, s'il fallait tout dire, il avait peur pour Martin aussi.

La retenue qui caractérisait l'amitié entre les deux médecins, et dont la conversation sur la séropositivité de Mac n'était qu'un exemple, empêchait Farrokh d'avouer à son ami qu'il avait peur de le voir mourir du sida. Mais il était tout à fait clair, et pour les deux médecins, et pour leur confrère du centre, que c'était l'une des raisons qui poussaient Farrokh à se familiariser avec les fonctions du centre.

Il était convaincu que plus naturellement il apprendrait à se tenir en présence des malades du sida, et même des homosexuels en général, plus il se rapprocherait de John D. Ils s'étaient déjà rapprochés depuis que John D. lui avait avoué avoir toujours été homo. L'amitié entre le docteur et Macfarlane n'y était sûrement pas pour rien – mais quel « père » se sent assez près de son « fils » – c'était là la question, avait confié Farrokh à Mac.

– N'essaie pas de trop te rapprocher de lui, avait conseillé Macfarlane. N'oublie pas que tu n'es pas son père, et que tu n'es pas homo.

Le docteur avait trouvé inconfortable aussi de s'intégrer dans le centre, au début ; comme Mac le lui avait dit, il avait dû se faire à l'idée qu'il n'était pas leur médecin, mais un simple bénévole. Il avait posé des tas de questions de médecin, et rendu les infirmières folles, le plus souvent. Recevoir des ordres d'une infirmière, il lui avait fallu s'y habituer. Il lui avait fallu faire un effort pour limiter son diagnostic à l'évolution des escarres ; il ne pouvait toujours pas s'empêcher de prescrire de petits exercices aux malades pour lutter contre la perte musculaire. Il leur fournissait si généreusement des balles de tennis à serrer dans la main qu'une des infirmières l'avait surnommé le Docteur Baballe, nom qui commençait à lui plaire.

Il s'occupait très bien des cathéters, et il savait faire une piqûre de morphine lorsque l'un des médecins du centre ou une infirmière le lui demandait. Il s'habituait aux tubes à prélèvements ; il avait horreur d'assister à des crises. Il espérait qu'il ne verrait jamais John D. mourir d'une diarrhée aiguë, ou d'une septicémie, ou d'une fièvre fatale.

– Je l'espère aussi, lui dit Mac. Mais si tu n'es pas prêt à me voir mourir, tu ne vas m'être d'aucune utilité quand mon heure viendra.

Le Dr Daruwalla voulait être prêt. D'ordinaire, il passait son volontariat à des tâches quotidiennes. Un soir, il fit la lessive, comme Macfarlane s'en était vanté des années auparavant – toute la literie, les serviettes. Il faisait la lecture aux malades qui ne savaient pas lire ; il leur écrivait leurs lettres, aussi.

Un soir qu'il était au standard, une femme appela, hors d'elle ; elle était indignée parce que son fils unique était en train de mourir au centre, et que personne ne l'en avait officiellement informée – pas même son fils, d'ailleurs. Elle était scandalisée, disait-elle. Elle voulait parler à un responsable ; elle ne demandait pas à parler à son fils.

Le docteur supposa que même s'il n'était pas le « responsable », la femme pourrait lui parler ; il connaissait assez bien le centre et son règlement pour lui dire comment s'y rendre, quand, comment respecter l'intimité des uns et des autres, etc. Mais elle ne voulait pas en entendre parler.

– Ce n'est pas vous le responsable, hurlait-elle ; je veux parler à un médecin. Je veux parler au directeur !

Le Dr Daruwalla était prêt à décliner ses nom et qualités, annoncer son âge, dire combien d'enfants et de petits-enfants il avait, si ça l'intéressait. Mais avant qu'il ait pu ouvrir la bouche, elle lui glapit dans l'appareil :

– Qui êtes-vous d'abord ? Qui êtes-vous ?

Le Dr Daruwalla répondit avec une conviction et une fierté qui l'étonnèrent lui-même :

– Je suis un bénévole.

L'idée lui plaisait. Il se demandait si c'était aussi bon d'être intégré que d'être bénévole...

Le tout dernier tiroir

Après que le Dr Daruwalla eut quitté Bombay, il y eut d'autres départs, l'un d'eux suivi d'un retour. Suman, la perle des acrobates, quitta le Grand Royal pour se marier. Elle épousa un magnat du lait. Puis, après moult négociations avec Pratap Wallawalkar, le propriétaire, elle revint au Grand Royal avec son mari. Tout récemment, le docteur avait appris que ce dernier était devenu codirecteur du cirque, et que Suman s'était remise à marcher dans les airs, où elle brillait toujours autant.

Farrokh apprit également que Pratap Singh avait, lui, quitté le Grand Royal ; le présentateur-dompteur était parti avec sa femme, Sumi, et leur troupe de petites acrobates, dont Pinky, s'engager au Nouveau Grand Cirque ; la vraie Pinky n'avait pas été tuée par un lion qui l'aurait prise pour un paon, contrairement à son personnage dans *La Roulette limousine*. Elle était toujours en piste, de ville en ville. Elle devait avoir une douzaine d'années, évalua Farrokh.

Il eut vent d'un exploit inédit : une petite fille nommée Ratna faisait la marche dans les airs au Nouveau Grand Cirque – et elle la faisait en arrière ! Il apprit également que depuis que le cirque était passé par la ville de Changanacher, Pinky était devenue Choti Rani, qui signifie petite reine. Peut-être Pratap Singh avait-il choisi ce nom parce que c'était un bon nom de scène, mais aussi parce qu'il nourrissait une admiration particulière pour Pinky ; il disait toujours qu'elle était la meilleure, de loin. Et donc Pinky était devenue une petite reine.

Quant à Deepa et Shivaji, le nain fils de nain, ils avaient réussi à quitter le Grand Nil bleu. Shivaji était bien le fils de son père quant à la détermination ; et quant au talent, il en avait davantage pour l'acrobatie, et largement autant pour faire le clown. C'était au vu de ses dons que le Grand Royal les avait embauchés lui et sa mère, promotion que leurs seules capacités n'auraient jamais valu à Deepa ni à Vinod. Farrokh s'était laissé dire que Shivaji exécutait une version du Clown qui pète (outre le numéro qui était sa signature, « En dribblant l'éléphant ») avec une subtilité à faire pâlir d'envie tous les clowns de l'Inde.

Le destin avait été moins tendre envers les besogneux qui trimaient au Grand Nil bleu. Elephant Boy ne s'était jamais résolu à n'être qu'un aide-cuisinier ; il était affligé d'aspirations plus hautes. Mrs Bhagwan, la femme du lanceur de couteaux, et la plus mécanique des acrobates, n'avait jamais réussi à lui faire passer ses ambitions d'athlète. L'infirme, qui était tombé maintes fois du portique d'entraînement, dans la tente des Bhagwan, n'avait jamais renoncé à l'idée qu'il pouvait apprendre à marcher dans les airs...

Dans la fin idéale du scénario de Farrokh, il apprenait à marcher sans boiter en marchant dans les airs. Mais la fin de l'histoire serait autre pour le vrai Ganesh. Le vrai Ganesh n'eut de cesse qu'il tente de monter en haut du chapiteau. Les choses se passèrent presque comme le Dr Daruwalla l'avait imaginé, presque comme il l'avait écrit. Il est cependant peu probable que le vrai Ganesh ait été aussi éloquent ; il n'y eut pas de voix off. Il dut regarder en bas une fois et cela dut lui suffire pour savoir qu'il ne fallait pas recommencer. En haut du grand chapiteau, il était à trente mètres du sol. Les pieds dans les boucles, il est improbable qu'il lui soit venu des idées aussi poétiques qu'au personnage de Farrokh (« Il y a un moment où il faut lâcher les mains. On n'est plus dans la main de personne, quand on est là, on marche tous dans les airs »). On imagine mal ce sentiment venir spontanément à un aide-cuisinier. L'enfant au pied d'éléphant commit sans doute l'erreur de compter les boucles, par ailleurs. Mais qu'il l'ait commise ou pas, on l'entend mal s'encourager en silence à parcourir l'échelle (« Ce que je me dis, c'est que je marche sans boiter »).

C'était son heure ! pensa le Dr Daruwalla. A en juger par l'endroit où l'on avait retrouvé le corps de l'infirme, il était tombé à moins de la moitié du parcours. Il y avait dix-huit boucles dans l'échelle ; la Marche dans les airs comporte seize pas. S'il fallait en croire Mrs Bhagwan, experte en la matière, Elephant Boy était tombé au bout de seulement quatre ou cinq pas ; il n'avait jamais réussi à en faire plus sur les agrès d'entraînement de sa tente, disait l'acrobate.

La nouvelle mit du temps à parvenir à Toronto. Mr et Mrs Das transmettaient leurs regrets au Dr Daruwalla ; la lettre eut du retard, l'adresse était fausse. Le présentateur et sa femme ajoutaient que Mrs Bhagwan se considérait comme responsable de l'accident, mais elle avait la certitude que l'infirme n'aurait jamais pu apprendre à marcher dans les airs. Sa détresse dut la déconcentrer. La lettre suivante annonçait qu'elle avait été blessée par son mari le lanceur de couteaux alors qu'elle se trouvait étendue bras en croix sur le mille qui tournait ; c'était une blessure sans gravité, mais elle ne s'était pas laissé le temps de cicatriser. Le soir suivant, elle était tombée du haut du chapiteau. Elle se trouvait au même niveau que Ganesh lorsqu'il était tombé, elle avait chu sans un cri. Son mari dit qu'elle avait du mal à passer le quatrième et le cinquième barreau depuis l'accident du petit.

Mr Bhagwan refusa de lancer un seul couteau de plus, même lorsqu'on lui offrit un éventail de fillettes pour cibles. Le veuf partit en semi-retraite, et n'exécuta plus que le numéro de l'Éléphant qui passe. Cela ressemblait beaucoup à de l'autopunition, selon le présentateur et sa femme. Il se couchait sous l'éléphant, d'abord avec de moins en moins de matelas entre lui et la planche où passait l'éléphant, ainsi qu'entre lui et le sol, puis finalement sans matelas du tout. Il y avait sans doute eu des lésions internes. Il était tombé malade, il avait été renvoyé chez lui. Plus tard, ils avaient appris qu'il était mort.

Par la suite, le Dr Daruwalla apprit qu'ils étaient tous tombés malades. Il ne reçut plus de lettres de Mr et Mrs Das. Le Grand Nil bleu s'était évanoui en fumée. La dernière ville où il était passé s'appelait Poona, et l'on y racontait qu'une inondation l'avait emporté – une petite inondation, pas un cataclysme, mais qui avait suffi à relâcher l'hygiène au cirque. Une maladie inconnue avait tué plusieurs des fauves ; la diarrhée et la gastro-entérite s'étaient abattues sur les acrobates. En un clin d'œil, le Grand Nil bleu avait disparu.

Fallait-il voir dans la mort de Gautam un signe avant-coureur ? Le vieux chimpanzé avait été emporté par la rage moins de deux semaines après qu'il avait mordu Martin Mills ; les efforts de Kunal pour le discipliner à la trique avaient été perdus. Mais de tous ces gens, c'était surtout Mrs Bhagwan que le Dr Daruwalla se rappelait : ses pieds rugueux, sa longue chevelure noire brillante.

La mort d'Elephant Boy, qui ne serait plus jamais infirme, brisa quelque chose en Farrokh, une part de lui à la fois modeste et importante. Le sort du vrai Ganesh eut un effet immédiat et destructeur sur la confiance déjà déclinante qu'il avait en sa faculté créatrice. Le scénario de *La Roulette limousine* avait souffert des comparaisons avec la vie. C'était le vrai Ganesh qui avait eu la remarque la plus juste, et le mot de la fin : « On peut pas réparer ce que font les éléphants. »

Et si Mr Bhagwan avait pris avec l'Éléphant qui passe une retraite progressive qui l'avait mené à la mort, le scénario prit, lui, une retraite radicale. Il occupait le tout dernier tiroir dans le bureau du Dr Daruwalla chez lui, et il n'en garderait même pas un exemplaire à l'hôpital. Si jamais il mourait subitement, il ne voulait pas que quelqu'un d'autre que Julia le découvre. L'unique exemplaire se trouvait dans un classeur étiqueté :

PROPRIÉTÉ DE L'INSPECTEUR DHAR

car il était convaincu que seul John D. saurait quoi en faire, un jour. Naturellement, si l'on tenait à le produire, il faudrait accepter des compromis ; il y en avait toujours dans le cinéma. Quelqu'un dirait que la voix off distanciait l'émotion – c'était l'opinion autorisée en ce moment sur la voix off. Quelqu'un d'autre déplorerait que la petite Pinky soit tuée par un lion (est-ce qu'on ne pourrait pas la mettre dans un fauteuil roulant, mais heureuse, pour le reste du film ?). Et malgré ce qui était arrivé à Ganesh dans la vie, le scénariste adorait la fin qu'il avait écrite ; quelqu'un voudrait la retoucher, et cela, il ne l'admettrait pas. *La Roulette limousine* ne serait jamais aussi parfaite que du temps qu'il se surestimait.

Le tiroir était bien profond pour cent dix-huit pages minces. Comme pour tenir compagnie au scénario délaissé, il le remplit de photographies de chromosomes. Depuis la mort du docteur Duncan Frasier, sa recherche sur le sang des nains était morte de langueur ; son enthousiasme à saigner les nains était aussi défunt que le généticien homo. Si le docteur se laissait un jour tenter par un retour en Inde, il ne pourrait pas mettre ce mobile en avant.

De temps en temps, il lisait la fin parfaite de son scénario, le passage où l'infirme marchait dans les airs ; cet artifice était sa seule façon de maintenir Ganesh en vie. Le scénariste adorait le moment où après son exploit le gamin descendait par le trapèze dentaire, vrillant sous les projecteurs qui faisaient étinceler les sequins de son maillot. Il adorait l'idée que l'infirme ne touche pas le sol, mais soit reçu dans les bras de Pratap, et la façon dont Pratap le présentait sous les bravos ; après quoi il sortait de la piste en courant, puisqu'après qu'un infirme avait marché dans les airs, il ne fallait pas qu'on le voie boiter. Il aurait pu faire un succès ce scénario ! Il aurait dû, même !

Le Dr Daruwalla avait soixante-deux ans ; il jouissait d'une santé satisfaisante. Il avait un petit problème de poids, et n'avait pas fait grand-chose pour mettre un terme aux excès avoués de son régime ; mais il comptait tout de même vivre encore dix ou vingt ans. John D. pourrait tout à fait avoir la soixantaine lui-même lorsque le scénario lui tomberait entre les mains. L'ancien inspecteur Dhar saurait pour qui le rôle du missionnaire avait été écrit ; par ailleurs, il aurait pris ses distances avec l'histoire des personnages. S'il fallait passer par des compromis pour publier *La Roulette limousine*, il serait en mesure de voir le scénario d'un œil objectif. Il saurait sans aucun doute que faire de ses éléments.

Mais pour l'instant – pour le reste de sa vie, Farrokh en était sûr
– le scénario ne devait pas quitter le dernier tiroir.

Les couleurs s'estompent un peu à présent

Presque trois ans après avoir quitté Bombay, le scénariste en retraite
apprit dans les journaux la destruction de la mosquée de Babar ; les
hostilités incessantes qu'il avait tournées en dérision dans *L'Inspecteur Dhar et le Mali pendu* avaient pris un tour plus virulent encore ;
des hindous fanatiques avaient détruit le sanctuaire du XVIᵉ siècle ; les
émeutes avaient fait plus de quatre cents morts, Rao, le Premier ministre ayant donné l'ordre de tirer à vue sur les émeutiers à Bhopal et à
Bombay. Les fondamentalistes hindous avaient été scandalisés par sa
promesse de rebâtir la mosquée ; ils soutenaient toujours qu'elle s'élevait sur le lieu de naissance de Rama, et ils s'étaient déjà mis à lui
construire un temple sur le site même. Les hostilités n'auraient pas
de fin, pensait le docteur. La violence durerait ; c'était toujours la
violence qui durait le plus.

Et si l'on ne devait jamais trouver Madhu, le détective Patel conti-
nuerait à essayer d'avoir de ses nouvelles ; la petite prostituée était
une femme, à présent ; à supposer qu'elle ait survécu avec son virus,
ce qui était improbable.

« Si on s'écrase, on brûle ou on part en miettes ? » avait-elle
demandé au Dr Daruwalla, et puis elle avait conclu : « Je finirai par
me faire avoir par quelque chose. » Il ne pouvait s'empêcher de l'imaginer ; il se la représentait toujours avec Mr Garg ; ils voyageaient
ensemble depuis Junagadh jusqu'à Bombay, pour fuir le Grand Nil
bleu. Malgré l'opprobre, ils avaient dû échanger des caresses, sans
même se cacher – sûrs qu'ils étaient, à tort, de n'avoir rien d'autre
qu'une chlamydiose.

Et presque comme le commissaire l'avait prédit, la seconde Mrs
Dogar fut incapable de résister aux terribles tentations qui se présentaient à elle en la personne d'une ses codétenues. Elle lui arracha le
nez d'un coup de dents. Au cours des travaux forcés très durs auxquels
on la condamna pour cela, elle se révolta ; il ne fut pas nécessaire de
la pendre : ses gardiennes la battirent à mort.

Au cours d'un autre épisode de la vie, Ranjit se remarierait et prendrait sa retraite. Le Dr Daruwalla n'avait jamais rencontré la femme dont l'annonce matrimoniale dans le *Times of India* avait fini par repasser la corde au cou du fidèle secrétaire médical. En revanche il avait lu l'annonce, car Ranjit la lui avait envoyée : « Femme séduisante entre deux âges – divorcée aux torts de son mari sans enfants – cherche homme mûr, veuf de préférence. Le soin et la politesse comptent encore. » Certes, pensait le docteur. Julia dit pour plaisanter que c'était sans doute la ponctuation de la dame qui avait séduit Ranjit.

D'autres couples se firent et se défirent ; mais le couple, comme la violence, a la vie dure. Même la petite Amy Sorabjee se maria. (Dieu vienne en aide à son mari !) Et si Mrs Bannerjee mourut, Mr Bannerjee ne resta pas veuf longtemps, puisqu'il épousa la veuve Lal. Ces couples ne furent pas du goût de l'immuable Mr Sethna, qui les réprouva avec constance.

Malgré sa rigidité, le veux maître d'hôtel régnait toujours sur la grande salle à manger et le jardin des Dames avec une possessivité accrue, disait-on, depuis qu'il s'était découvert des talents d'acteur. Le Dr Sorabjee écrivit au Dr Daruwalla qu'on l'avait surpris en train de s'adresser de longues tirades dans le miroir des toilettes. Et l'on avait remarqué qu'il vouait un attachement servile au commissaire, sinon à la grosse blonde qui ne quittait pas d'une semelle l'estimé détective. Apparemment, le parsi qui s'était illustré à sa manière dans le service du thé se figurait aussi avoir l'étoffe d'un policier. La Crime était sans doute pour lui l'aboutissement sublime de ses indiscrétions.

Nouveauté incroyable, quelque chose semblait trouver grâce à ses yeux. L'entrée au club du commissaire et de son Américaine, entrée si peu orthodoxe, ne semblait pas déranger Mr Sethna, si elle déran geait de nombreux duckworthiens orthodoxes. Il était clair que le policier n'avait pas attendu les vingt-deux ans de rigueur, et s'il était bien à sa façon un exemple pour la communauté, son acceptation immédiate donnait à penser que les règles avaient été enfreintes – quelqu'un avait cherché, et trouvé, une façon de les tourner. Pour beaucoup de duckworthiens, l'entrée du détective relevait du miracle ; du scandale aussi.

C'était un miracle mineur, selon le détective Patel, que personne ne se soit fait mordre par les cobras échappés de Mahalaxmi ; ils avaient été « intégrés » dans la vie de la cité sans qu'on ait signalé la moindre morsure.

Ce ne fut même pas un miracle mineur que les appels de la femme qui essayait de se faire passer pour un homme aient continué, non seulement après l'incarcération de Rahul, mais même après sa mort. Curieusement, le docteur fut rassuré de savoir que ce n'était pas elle.

Chaque fois, comme si elle lisait un texte, sa correspondante ne lui faisait grâce d'aucun détail.

– Votre père a eu la tête arrachée, sectionnée ! Je l'ai vue posée sur le siège du passager avant que les flammes dévorent la voiture.

Farrokh avait appris à interrompre la voix égale :

– Je sais ; je le sais déjà. Et ses mains ne pouvaient plus lâcher le volant, même quand il a eu les doigts en feu. C'est ce que vous allez me dire ? Vous me l'avez déjà dit.

Mais la voix continuait, impitoyable :

– C'est moi qui ai fait le coup. Je l'ai regardé flamber. Il le méritait, croyez-moi. Toute votre famille le mérite.

– Eh, allez vous faire foutre, avait appris à dire Farrokh, même s'il n'aimait guère ce langage en général.

Parfois il regardait la vidéo de *L'Inspecteur Dhar et le Tueur de canaris*, qui était son préféré, ou bien *Les Tours du Silence*, qu'il considérait comme le plus sous-estimé des *Dhar*. Mais à Mac, son meilleur ami, il ne confia jamais qu'il avait écrit une seule ligne. L'inspecteur Dhar faisait partie de son passé. Or si John D. avait presque tourné la page, lui devait faire un effort constant pour y arriver.

Pendant trois ans les jumeaux l'avaient fait enrager ; ni l'un ni l'autre ne voulait lui raconter ce qui s'était passé entre eux au cours du vol vers la Suisse. Alors qu'il attendait des éclaircissements, ils s'ingéniaient à l'embrouiller, sans doute pour le pousser à bout : il était si drôle quand il était exaspéré ! La réponse la plus agaçante, et la moins vraisemblable de l'ex-inspecteur Dhar, c'était : « Je ne me rappelle pas. » Martin Mills prétendait tout se rappeler, au contraire, seulement il ne donnait jamais deux fois la même version des faits. Et lorsque John D. avait la bonté de se souvenir de quelque chose, sa propre version contredisait invariablement celle de l'ex-missionnaire.

– Et si on commençait par le commencement, disait Farrokh. Ce qui m'intéresse, c'est le moment où vous vous êtes reconnus, où vous avez réalisé que vous étiez face à votre alter ego, pour ainsi dire.

– C'est moi qui ai embarqué le premier, lui disaient les jumeaux.

– Je fais toujours la même chose quand je quitte l'Inde, soutenait l'inspecteur Dhar en retraite. Je trouve ma place, je prends la trousse offerte par la compagnie, puis je vais aux toilettes et je me rase la moustache avant même que l'embarquement soit fini.

Cela, du moins, c'était vrai. C'était ce que faisait John D. pour se dédhariser. Le fait était donc établi, l'un des rares faits auxquels Farrokh pouvait se raccrocher : les jumeaux étaient sans moustache lorsqu'ils s'étaient rencontrés.

– J'étais assis à ma place quand ce type est arrivé des toilettes, et j'ai eu l'impression de le reconnaître, disait Martin.

– Tu regardais par le hublot, déclarait John D. et tu t'es pas retourné vers moi avant que je m'asseye à côté de toi et que je t'appelle par ton nom.

– Tu l'as appelé par son nom ? demandait invariablement Farrokh.

– Bien sûr, j'ai su tout de suite qui il était, répondait l'ex-inspecteur Dhar. Je me suis dit : il doit se croire très malin, Farrokh, à écrire des scénarios pour tout le monde, comme ça !

– Il m'a jamais appelé par mon nom, protestait Martin ; je me souviens d'avoir pensé qu'il était Satan, et que Satan avait choisi de me ressembler, de prendre mon apparence – quelle horreur ! Je pensais que tu étais mon côté noir, ma part maléfique.

– Ta part astucieuse, tu veux dire, rectifiait immanquablement John D.

– On aurait dit le diable, disait Martin à Farrokh, il était d'une arrogance à faire peur.

– Je me suis contenté de lui dire que je savais qui il était, soutenait John D.

– Jamais de la vie ! s'exclamait Martin. Tu m'as dit : « Putain, attache ta ceinture, mec, tu vas avoir un de ces chocs ! »

– Ça te ressemblerait assez de dire ça, commentait Farrokh.

– J'ai pas pu en placer une, se plaignait John D. Moi qui savais tout sur lui, c'était lui le moulin à paroles. Il l'a pas fermée une seconde jusqu'à Zurich.

Le Dr Daruwalla dut reconnaître que ça ressemblait assez au comportement de Martin Mills en général.

– Je n'arrêtais pas de me dire : c'est Satan. Je renonce à l'idée de me faire prêtre, et je rencontre le démon ! En première classe ! Il avait cette espèce de sourire narquois en permanence. C'était un sourire satanique ; pour moi, en tout cas.

– Il s'est lancé tout de suite sur le chapitre de Vera, notre sainte mère, racontait John D. On était encore au-dessus de la mer d'Oman, les ténèbres au-dessus et au-dessous, quand il en est arrivé au suicide de son camarade de chambre ! J'avais pas dit un mot !

– C'est pas vrai ! Il arrêtait pas de me couper la parole. Il me disait : « T'es homo, ou bien tu le sais pas encore ? » Sincèrement, je me disais que je n'avais jamais rencontré un type aussi mal élevé.

– Attends voir ! contre-attaquait l'acteur. Tu rencontres ton frère jumeau dans un avion, et tu démarres bille en tête avec la liste de tous les types avec qui ta mère a couché. Et c'est moi qui suis mal élevé ?

– Tu m'as traité de dégonflé avant même qu'on ait atteint notre altitude de croisière, accusait Martin.

– Mais tu as dû commencer par lui dire que tu étais son frère jumeau, demandait Farrokh à John D.

– Il s'en est bien gardé. Il m'a dit : « Tu connais déjà la mauvaise nouvelle : ton père est mort. Alors voilà la bonne : c'était pas ton père. »

– Tu n'as pas dit ça, quand même ? demandait le Dr Daruwalla à John D.

– Je m'en souviens pas, répondait ce dernier.

– Mais le mot « jumeau », dites-moi, lequel l'a prononcé le premier ?

– J'ai demandé à l'hôtesse si elle voyait une ressemblance entre nous – et c'est elle qui a prononcé le mot la première, répondait John D.

– Non, ça s'est pas passé tout à fait comme ça, corrigeait Martin. Il lui a dit : « On a été séparés à la naissance. A votre avis, lequel s'est le plus amusé des deux ? »

– Il a manifesté tous les symptômes du déni, oui ! s'exclamait John D. Il arrêtait pas de me demander si j'avais des preuves qu'on était parents.

– Il était absolument sans vergogne, s'indignait Martin. Il me disait : « Tu peux pas nier que tu as eu au moins un amour homo-sexuel, la voilà ta preuve ! »

– C'était téméraire de ta part, disait le docteur à John D. En fait, il n'y a que cinquante-deux pour cent de chances que...

– J'ai su qu'il était homo dès la première seconde, déclarait l'ancienne vedette de cinéma.

– Mais quand avez-vous réalisé tout ce que vous avez d'autre en commun ? demandait le Dr Daruwalla. Quand est-ce que vous vous êtes aperçus de vos traits communs ? Quand est-ce que les similitudes évidentes sont apparues ?

– Oh, bien avant d'arriver à Zurich, répondit Martin tout de suite.

– Quelles similitudes ? demandait John D.

– Voilà ce que je veux dire quand je dis qu'il est arrogant, soulignait Martin. Il est arrogant, et mal élevé.

– Et quand as-tu décidé de ne plus aller à New York ? demandait le docteur à l'ex-missionnaire.

Il était particulièrement curieux de savoir comment au juste les jumeaux avaient remis Vera à sa place.

– On était déjà en train de rédiger notre télégramme à cette garce avant l'atterrissage, disait John D.

– Mais qu'est-ce qu'il disait, ce télégramme ? demandait Farrokh.

– Je me rappelle pas, disait toujours John D.

– Et comment que tu t'en souviens ! criait Martin Mills. C'est toi qui l'as rédigé ! Il a pas voulu m'en laisser écrire un mot. Il disait que les répliques imparables, c'était son métier. Il a insisté pour l'écrire lui-même.

– Ce que tu avais à lui dire, toi, ça aurait jamais tenu sur un télé-gramme, lui rappelait John D.

– Tu lui as dit une chose d'une cruauté incroyable ! J'en revenais pas que tu puisses être aussi cruel ! Dire qu'il la connaissait même pas !

– Il m'a demandé de l'envoyer, ce télégramme ! Il n'a pas hésité.

– Mais qu'est-ce que vous lui disiez ? Qu'est-ce qu'il y avait dans ce fichu télégramme ?

– C'était d'une cruauté incroyable, répétait Martin Mills.

– Elle l'avait pas volé, et tu le sais, disait l'ex-inspecteur Dhar.

Quel qu'ait pu être le contenu du télégramme, Farrokh savait que Vera n'avait pas survécu longtemps après sa réception. Il n'y avait eu qu'un coup de fil hystérique à Farrokh, qui se trouvait encore à Bombay ; elle appela son bureau, et laissa un message à Ranjit.

– Ici Veronica Rose, l'actrice, dit-elle.

Ranjit savait qui elle était ; il n'avait jamais oublié le rapport qu'il avait tapé sur son problème de genoux, qui était finalement un problème gynécologique de « démangeaisons vaginales », selon la conclusion du vieux Lowji.

– Vous direz à votre fils de pute de patron que je sais qu'il m'a vendue ! intima-t-elle à Ranjit.

– Vous avez de nouveau un problème de... genoux ? avait demandé le vieux secrétaire.

Le Dr Daruwalla ne la rappela jamais. Elle ne rentra pas en Californie avant de mourir ; sa mort était liée aux somnifères qu'elle prenait régulièrement, mais qu'elle avait exceptionnellement mélangés avec de la vodka.

Martin allait rester en Europe. La Suisse lui convenait bien, disait-il. Quant aux virées dans les Alpes, même si l'ancien scolastique n'avait jamais été sportif, il trouvait fabuleux de les faire avec John D. Il ne put jamais apprendre le ski de descente, car il était trop mal coordonné, mais il aimait le ski de fond et la randonnée ; et il adorait être avec son frère. John D. lui-même, s'il y avait mis le temps, reconnaissait qu'ils adoraient être ensemble.

L'ex-missionnaire s'occupait ; il enseignait à City University, dans le cycle d'enseignement général, ainsi qu'à l'École américaine internationale de Zurich ; et il s'activait au Centre jésuite suisse, aussi ; il y avait des centres pour les jeunes et des foyers d'étudiants à Bâle et à Berne, et des centres de formation pour adultes à Fribourg et à Bad Schönbrunn – Martin Mills était certainement capable de faire des conférences « inspirées » par son vécu. Farrokh s'imaginait qu'il avait en réserve d'autres sermons sur le thème « Le Christ est dans le parking » : l'ancien zélote n'avait rien perdu de son énergie pour amender les comportements d'autrui.

Quant à John D., il exerçait son métier ; l'ouvrier de la scène se contentait des rôles du Schauspielhaus Zurich. Ses amis étaient des gens de théâtre, ou qui travaillaient pour l'université, ou une maison d'édition réputée – et, bien sûr, il voyait beaucoup Jamshed, le frère de Farrokh, ainsi que Josefine, sa femme, qui était aussi la sœur de Julia.

C'est à ce cercle de parents et d'amis que John D. allait présenter son frère. Objet de curiosité tout d'abord – qui ne s'intéresserait pas à l'histoire de jumeaux séparés à la naissance ? –, Martin se fit beaucoup d'amis dans cette communauté ; au bout de trois ans, il en eut sans doute plus que l'acteur. D'ailleurs, son premier amant fut un ex-petit ami de John D., ce dont le Dr Daruwalla s'étonnait un peu ; les jumeaux tournaient la chose en plaisanterie, sans doute pour l'exaspérer, pensait-il.

Autre amant, Matthias Frei mourut ; celui qui avait été la terreur de l'avant-garde zurichoise était aussi l'ami de longue date de John D. C'est Julia qui l'apprit à Farrokh ; elle savait depuis un certain temps que John D. et Matthias Frei étaient un couple.

– Il n'est pas mort du sida, Frei, au moins ? lui demanda le docteur.

Elle lui lança un regard digne de John D. Le sourire qui, sur les affiches de cinéma, dans son souvenir lointain, manifestait le dédain narquois de l'inspecteur Dhar.

– Non, Frei n'est pas mort du sida mais d'une crise cardiaque, dit Julia à son mari.

On ne me dit jamais rien, à moi ! pensa celui-ci. C'était comme cette conversation entre les jumeaux sur le vol Swiss Air 197, de Bombay à Zurich, qui occuperait une telle place dans son imagination, surtout parce qu'ils faisaient tant de mystères autour.

– Écoutez-moi bien tous les deux. Je ne suis pas indiscret. Je respecte parfaitement votre intimité. Mais vous savez à quel point les dialogues me passionnent. Ce sentiment d'être si proches l'un de l'autre – parce que vous l'êtes, ça me paraît évident –, il vous est venu dès la première rencontre ? Ça a dû se produire dans l'avion ! Il y a sûrement autre chose entre vous que votre haine de feue votre mère, ou bien est-ce que c'est vraiment le télégramme à Vera qui vous a rapprochés ?

– C'est pas du dialogue, un télégramme, je croyais que tu te passionnais seulement pour le dialogue, répliquait John D.

– Moi je n'aurais jamais eu l'idée de lui envoyer un télégramme pareil, dit Martin Mills.

– J'ai pas pu placer un mot, répétait John D. On n'a pas eu de dialogue. Martin a prononcé une suite de monologues.

– Ah c'est bien un acteur ! dit Martin à Farrokh. Je savais qu'il pouvait jouer des rôles de composition, comme ils disent, mais moi, j'étais convaincu qu'il était Satan, croyez-moi, et pour de bon.

– C'est long, neuf heures de conversation, avec qui que ce soit, se plaisait à répéter John D.

– Le vol durait presque neuf heures et quinze minutes, rectifiait Martin.

– Je n'avais qu'une envie, c'était de quitter cet avion, disait John D. au Dr Daruwalla. Il arrêtait pas de me dire qu'on s'était rencontrés par la volonté de Dieu. J'ai cru devenir fou. Le seul moment où je pouvais lui échapper, c'est quand j'allais aux toilettes.

– Tu y campais, dans les toilettes ! Tu as bu tellement de bière ! Et c'était la volonté de Dieu, bien sûr, tu le comprends tout de même aujourd'hui, non ?

– C'était la volonté de Farrokh, répondait John D.

– Tu es vraiment un démon ! disait Martin à son frère.

– Vous êtes deux démons, oui ! leur lançait le Dr Daruwalla.

Mais il allait découvrir qu'il les adorait tous deux, même s'il avait sa préférence. Il attendait toujours les moments où ils se verraient, leurs lettres ou leurs appels avec impatience. Martin écrivait de longues lettres ; John D. écrivait peu, mais il téléphonait souvent. Parfois, lorsqu'il appelait, il était difficile de savoir ce qu'il voulait. D'autres fois, plus rares, il était difficile de déterminer si c'était lui qui appelait, ou le vieil inspecteur Dhar.

– Salut, c'est moi ! lança-t-il un jour à Farrokh, d'une voix éméchée.

A Zurich, ce devait être le début de l'après-midi. John D. expliqua qu'il venait de faire un « petit excès » ; lorsqu'il disait cela après le déjeuner ou le dîner, il voulait dire qu'il avait bu quelque chose de plus fort que de la bière. Deux verres de vin suffisaient à le saouler.

– J'espère que tu ne joues pas ce soir, dit le Dr Daruwalla, ennuyé de jouer les pères réprobateurs.

– Non, ce soir, c'est ma doublure qui joue, lui répondit l'acteur.

Farrokh ne connaissait pas grand-chose au théâtre ; il ne savait pas qu'il y avait des doublures au Schauspielhaus ; et puis il était sûr que, pour le moment, John D. y avait un petit rôle.

– Je suis impressionné de voir qu'on te donne une doublure pour un rôle aussi modeste, lui dit-il avec circonspection.

– C'est Martin, ma doublure, avoua le frère jumeau. On s'est dit qu'on allait tenter le coup. Rien que pour voir si quelqu'un s'en aperçoit.

Farrokh reprit son ton de père intransigeant :

– Tu devrais faire plus attention à ta carrière, lui reprocha-t-il. C'est le vrai péquenot, parfois, Martin ! Suppose qu'il soit tout à fait incapable de jouer ? Il pourrait te mettre dans une position embarrassante.

– On a répété, dit le vieil inspecteur Dhar.

– Et je suppose que tu te fais passer pour lui, observa Farrokh. Tu fais sûrement des cours sur Graham Greene, son interprétation catholique préférée. Sans compter des conférences sur ton vécu personnel dans ces centres jésuites – un Jésus dans chaque parking, ne poussez pas il y en aura pour tout le monde – c'est ça ?

– Oui, avoua John D. Je me suis bien amusé.

– Vous devriez avoir honte, tous les deux !

– C'est toi qui nous as réunis !

Maintenant, songeait Farrokh, les jumeaux se ressemblaient davantage physiquement. John D. avait perdu un peu de poids ; Martin, lui, en avait pris : incroyable mais vrai, il fréquentait un gymnase. Ils avaient aussi la même coupe de cheveux. Séparés pendant trente-neuf ans, ils prenaient très au sérieux le fait d'être des vrais jumeaux.

Puis il y eut ce silence transatlantique, où l'on entend des bips réguliers, qui semblent compter les minutes qui passent. Et John D. remarqua :

– Donc... c'est probablement le coucher du soleil, là-bas.

Lorsqu'il disait « là-bas », il parlait toujours de Bombay. Avec dix heures et demie de décalage, oui, se dit le Dr Daruwalla, c'est sans doute le coucher du soleil.

– Je te parie qu'elle est sur le balcon, et qu'elle regarde, sans rien faire d'autre. Combien tu paries ?

Le Dr Daruwalla savait que l'ex-inspecteur Dhar pensait à Nancy, et à sa vue sur l'Ouest.

– Oui, ça doit être à peu près cette heure-là, répondit-il sans se compromettre.

– Il est sans doute trop tôt pour que notre bon policier soit rentré chez lui, poursuivit John D. Elle est toute seule. Je te parie qu'elle est sur le balcon, qu'elle regarde la vue, tout simplement.

– Oui, sans doute.

– Tu veux parier ? demanda John D. Pourquoi tu l'appelles pas

701

pour voir si elle y est ? Tu verras bien le temps qu'elle mettra à décrocher.

– Pourquoi tu l'appelles pas toi-même ?

– Je ne l'appelle jamais.

– Elle serait sûrement contente d'avoir de tes nouvelles, mentit Farrokh.

– Non, ça ne lui ferait pas plaisir. Mais je te parie tout ce que tu veux qu'elle est sur le balcon. Allez, vas-y, appelle-la.

– J'ai pas envie de l'appeler, moi, voyons ! Mais je suis d'accord avec toi, elle est sans doute sur le balcon. Donc tu gagnes ton pari, ou bien il n'y a pas de pari, et n'en parlons plus.

Où serait-elle, sinon ? se demandait le docteur ; il était persuadé que John D. était ivre.

– Appelle-la, s'il te plaît, demanda John D. Fais-le pour moi, Farrokh.

Après tout, s'il n'y avait que cela pour lui faire plaisir... Le Dr Daruwalla appela son ancien appartement sur Marine Drive. Le téléphone sonna une éternité ; puis juste au moment où Farrokh allait raccrocher, Nancy décrocha. Il entendit sa voix défaite, qui n'attendait rien. Il bavarda un moment à bâtons rompus avec elle, laissant entendre qu'il n'avait rien de spécial à dire, et appelait sur un caprice. Vijay n'était pas encore rentré du QG de la Crime, lui dit-elle. Ils iraient dîner au Duckworth, mais un peu plus tard que d'habitude. Elle savait qu'il y avait eu un autre attentat à la bombe, mais elle ne connaissait pas les détails.

– Il y a un beau coucher de soleil ? demanda Farrokh.

– Oh oui... répondit Nancy. Les couleurs s'estompent un peu, à présent.

– Eh bien, je ne voudrais pas vous en priver plus longtemps, lui dit-il avec un enjouement un peu forcé.

Puis il rappela John D. et lui confirma que Nancy était bien sur le balcon ; il lui répéta sa remarque sur le coucher de soleil, dont les couleurs s'estompaient un peu, à présent. L'inspecteur en retraite ne cessait de répéter cette réplique ; il voulait s'entraîner tant que le docteur ne lui aurait pas dit qu'il avait trouvé le ton juste, que Nancy avait dit la phrase exactement comme ça. C'est vraiment un très bon acteur, pensait l'ancien scénariste ; il était impressionné par la per-

fection avec laquelle John D. imitait le degré d'atonie dans la voix
de Nancy.
- Les couleurs s'estompent, à présent, répétait John D. C'est bon ?
- C'est tout à fait ça ! Tu y es.
- Les couleurs s'estompent à présent, répéta John D. C'est mieux ?
- Oui, c'est parfait, dit le Dr Daruwalla.
- Les couleurs s'estompent un peu à présent, dit l'acteur.
- Ça suffit ! dit l'ex-scénariste.

Enfin autorisé à prendre l'ascenseur

Le Dr Daruwalla, qui avait été président d'honneur de la Commission d'examen des candidatures, connaissait le règlement du Duckworth : l'attente de vingt-deux ans pour les postulants était une condition *sine qua non*. La mort d'un duckworthien – par exemple celle
de Mr Dogar, terrassé par une attaque en apprenant que sa seconde
femme avait été battue à mort par ses gardiennes – n'avait pas accéléré
le processus. La Commission d'examen des candidatures n'aurait
jamais eu le mauvais goût de considérer que la mort d'un duckworthien faisait de la place à un autre. Même la mort de Mr Dua ne ferait
pas de place à un nouveau membre. Et Mr Dua fut amèrement
regretté ; sa surdité d'une oreille était légendaire, ainsi que sa blessure
inoubliable, ce coup de raquette imbécile que lui avait donné son
partenaire en double – commettant ainsi double faute. Enfin mort, le
pauvre Mr Dua était désormais sourd des deux oreilles ; mais aucune
candidature ne fut agréée pour autant.

Cependant, Farrokh savait qu'il existait une manière et une seule,
mais fort intéressante, de tourner le règlement. Il était stipulé qu'en
cas de démission en bonne et due forme d'un membre, chose qui
n'avait rien à voir avec un décès, un nouveau duckworthien pouvait
être élu spontanément pour le remplacer ; ce type de nomination court-
circuitait le processus habituel et les vingt-deux ans d'attente. Si l'on
avait abusé de cette exception à la règle, la pratique aurait sûrement
été blâmée et supprimée, mais les duckworthiens ne démissionnaient
jamais. Même lorsqu'ils partaient s'établir ailleurs qu'à Bombay, ils
continuaient fidèlement de payer leurs cotisations pour rester membres ; on était duckworthien à vie.

Trois ans après avoir quitté l'Inde « pour de bon » – s'il fallait l'en croire –, le Dr Daruwalla payait toujours ponctuellement sa cotisation, et même à Toronto il lisait le bulletin d'information mensuel que lui envoyait le club. Mais ce fut par John D. qu'arriva l'inattendu, l'inédit, la démarche antiduckworthienne : il démissionna. Le commissaire Patel fut donc « spontanément élu » à la place de l'inspecteur Dhar en retraite. L'ancienne vedette de cinéma fut remplacée par le vrai policier, qui, chacun en convenait, représentait « un exemple pour la communauté ». Et si tout le monde ne voyait pas d'un bon œil la colossale blonde qui ne quittait pas d'une semelle l'estimé détective, on ne le lui fit jamais sentir trop ouvertement – ce qui n'empêchait pas Mr Sethna de se rappeler son nombril fourré et le jour où elle était montée sur une chaise pour attraper un objet dans le corps du ventilateur ; sans parler de la soirée où elle avait dansé avec Dhar et quitté le club en larmes, ou du lendemain, où elle était partie en colère avec le nain.

Le Dr Daruwalla apprendrait que l'intégration au club du détective Patel et de sa femme y faisait l'objet de controverses. Mais dans son esprit, le vieux Duckworth était simplement une oasis de plus, un lieu où Nancy pouvait espérer maîtriser ses nerfs, et son mari se ménager des plages de détente entre les exigences de sa tâche. C'était ainsi qu'il se plaisait à imaginer les Patel : en train de se détendre dans le jardin des Dames, à regarder passer une vie plus lente que celle qu'ils avaient connue. Après tout, ils méritaient bien un peu de répit. Et puis, même s'il avait fallu trois ans, la piscine était enfin achevée ; aux mois les plus chauds, avant la mousson, Nancy pourrait en profiter.

On ne sut jamais que John D. avait joué un rôle de bienfaiteur pour les Patel, ni d'ange gardien pour Nancy. Or non seulement sa démission avait permis l'élection du détective, mais c'était lui qui avait eu l'idée que la vue du balcon des Daruwalla ferait du bien à Nancy. Sans s'interroger sur les mobiles du docteur, les Patel avaient emménagé dans l'appartement de Marine Drive, officiellement pour s'occuper des vieux domestiques.

Dans l'une de ses lettres impeccablement dactylographiées au docteur, le commissaire lui apprit que si le panneau outrageant avait disparu de l'ascenseur car, volé une seconde fois, il n'avait pas été remplacé, les domestiques vénérables continuaient de se traîner dans les escaliers. L'ancien règlement s'était imprimé en eux ; il y avait pris racine, il survivrait à tout panneau. Ils refusaient de prendre l'ascenseur ; ils ne pouvaient s'émanciper de leur tragique conditionnement. La sympathie du policier allait tout entière au voleur. L'Association des copropriétaires l'avait pour sa part chargé de retrouver le coupable, mais il avouait que son enquête piétinait. Toutefois, précisait-il, quant au second larcin, ses soupçons se portaient sur Nancy plutôt que sur Vinod.

Pour le vacarme causé dans l'immeuble par les chiens du premier, il se produisait toujours à des heures indues, au petit matin. Les habitants du premier prétendaient que l'individu qui incitait délibérément les bêtes à aboyer n'était autre qu'un nain taxi à la mine patibulaire, tristement connu de tous pour avoir servi naguère de chauffeur au Dr Daruwalla et à Dhar, l'inspecteur en retraite. Toutefois, le détective Patel était enclin à soupçonner divers mendiants de Chowpatty. Même après qu'un cadenas eut été fixé à la porte d'entrée, il arrivait que les chiens entrent en fureur, et les habitants du premier soutenaient que le nain avait réussi à s'introduire dans le hall en toute illégitimité. Plusieurs d'entre eux disaient même avoir vu s'éloigner une Ambassador écrue. Mais le commissaire ne tenait aucun compte de ces allégations, car les chiens du premier aboyaient en mai 1993, un bon mois après l'attentat à la bombe qui avait fait plus de deux cents morts, dont Vinod.

Les chiens aboyaient toujours, écrivait le détective Patel au Dr Daruwalla. C'était le fantôme de Vinod qui les perturbait, Farrokh n'en doutait pas.

Sur la porte de la salle de bains du rez-de-chaussée, chez les Daruwalla, dans la maison de Russell Hill Road, était affiché le panneau dérobé pour eux par le nain. Ce panneau avait un franc succès auprès de leurs amis de Toronto.

L'ASCENSEUR EST INTERDIT AUX DOMESTIQUES
NON ACCOMPAGNÉS D'ENFANTS

Rétrospectivement, il semblait cruel que l'ex-clown eût survécu à son accident de balançoire au Grand Nil bleu ; il avait dû être le jouet des dieux ; avoir été catapulté sur les gradins par un éléphant pour devenir une sorte de figure locale dans son affaire de taxi, voilà qui était prosaïque, en somme ; être venu à la rescousse de Martin Mills le jour où il avait été en butte à la violence inhabituelle des prostitués n'était plus qu'un fait d'armes burlesque. Le Dr Daruwalla trouvait tout à fait injuste qu'il ait sauté dans l'attentat de l'immeuble d'Air India.

L'après-midi du 12 mai 1993, une voiture piégée avait explosé sur la rampe de sortie de l'immeuble, non loin des bureaux de la banque d'Oman. Il y avait eu des victimes parmi les passants, et parmi les clients de la banque, qui occupait la partie de l'immeuble d'Air India la plus proche de la voiture. La banque d'Oman avait sauté. Selon toute probabilité, Vinod attendait un client qui avait à faire à la banque ; il était au volant de son taxi, malheureusement garé à côté du véhicule piégé. Seul le commissaire fut capable d'expliquer pourquoi on avait retrouvé tant de manches de raquettes de squash et tant de vieilles balles de tennis éparpillées dans la rue.

Il y avait une pendule fixée sur l'enseigne d'Air India, sur un grand panneau ; deux ou trois jours après l'attentat, elle était toujours bloquée à deux heures quarante-huit ; curieusement, le docteur se demandait si Vinod avait fait attention à l'heure qu'il était. Le commissaire donnait à entendre qu'il était mort sur le coup.

Il expliquait encore que les maigres revenus de la compagnie du Nil bleu n'auraient guère pu assurer la subsistance de la femme et du fils du nain. En revanche, les succès de Shivaji au Grand Royal y suffiraient très bien ; en outre, Deepa avait fait l'objet d'un legs substantiel. A sa surprise, Mr Garg l'avait généreusement couchée sur son testament. Vitriol était mort du sida au cours de l'année suivant le départ des Daruwalla. Les actions de La Poule mouillée étaient autrement prospères que la compagnie de taxis, et les parts de Deepa se trouvaient assez importantes pour faire fermer le cabaret.

Les danses exotiques n'étaient pas à proprement parler du strip-tease, spectacle d'ailleurs interdit à Bombay. Ç'en était tout au plus une amorce suggestive. La clientèle était ignoble, comme Muriel l'avait dit un jour, mais la raison pour laquelle on lui avait lancé une orange, c'était précisément qu'elle ne voulait pas retirer ses vêtements. Muriel était une strip-teaseuse qui refusait de se déshabiller, tout comme Mr Garg était un Bon Samaritain sans l'être, songeait le Dr Daruwalla.

Il y avait une photographie de Vinod que John D. avait encadrée et mise sur son bureau dans son appartement de Zurich. Ce n'était pas une photo du temps qu'il était chauffeur, et que le docteur et l'acteur l'avaient surtout fréquenté ; c'était une vieille photo de cirque. Elle avait toujours été la préférée de John D. Le nain y était vêtu de son costume de clown ; le pantalon à gros pois était si court qu'on aurait dit que Vinod était à genoux. Il portait un débardeur, maillot de corps à rayures obliques, comme celles d'une enseigne de barbier ; et il souriait à l'appareil, son sourire souligné par celui, plus large, peint sur sa figure, et dont les commissures remontaient jusqu'au coin de ses yeux brillants.

Juste à côté de lui, de profil, on voyait un hippopotame, gueule grande ouverte. Ce qu'il y avait de choquant, sur cette photo, c'est que le nain, debout à côté de l'hippopotame, aurait pu sans peine entrer tout entier dans sa gueule béante. La mâchoire inférieure était à sa portée, avec ses dents de guingois, aussi longues que les bras du nain. Dans cet instant, le petit clown avait dû sentir la chaleur de l'haleine et la puanteur de légumes pourris, provenant de la laitue qu'il se rappelait avoir donnée à l'animal, lequel en avalait des pieds entiers « comme des raisins », disait-il.

Deepa elle-même n'aurait pas su dire à quelle époque le Grand Nil bleu avait eu un hippopotame ; lorsqu'elle y avait été embauchée, il était déjà mort. Après la mort du nain, John D. dactylographia une épitaphe au bas de la photographie. Il la composa manifestement en souvenir de l'ascenseur interdit, ce vaisseau élitiste que le nain n'avait jamais eu l'autorisation officielle de prendre. « Désormais les enfants l'accompagnent », pouvait-on lire.

Pas mal, cette épitaphe, pensait l'ex-scénariste. Au fil du temps il s'était constitué une collection impressionnante de photos du nain, souvent données par celui-ci d'ailleurs. Lorsqu'il envoya ses condoléances à Deepa, il voulut en joindre une qu'elle et son fils pourraient aimer. Il avait eu du mal à en choisir une ; il en avait tant – et plus encore dans sa mémoire !

Tandis qu'il essayait de trouver la plus appropriée, Deepa lui écrivit. Ce n'était qu'une carte postale d'Ahmedabad, où le Grand Royal passait en tournée, mais pour le docteur, c'était l'attention qui comptait. Deepa avait voulu qu'il sache que Shivaji et elle-même allaient bien. « On tombe toujours dans filet », écrivait-elle.

La phrase aida Farrokh à trouver la photo qu'il cherchait ; on y voyait Vinod dans une salle, à l'hôpital des Enfants infirmes. Il s'y remettait de l'opération que lui avait valu l'Éléphant à bascule. Cette fois, il n'avait pas de sourire clownesque peint sur la figure ; son sourire naturel suffisait. Dans ses doigts atrophiés, sa main de Poland, il serrait la liste de ses talents, qui comprenait la conduite automobile ; il tenait ainsi littéralement son avenir dans sa main. Le Dr Daruwalla n'avait qu'un vague souvenir d'avoir pris cette photo.

En la circonstance, il lui fallait écrire quelque chose de gentil au dos du cliché ; inutile de rappeler à Deepa à quelle occasion elle avait été prise : à ce moment-là la femme du nain était en convalescence au même hôpital, après que Farrokh l'avait opérée de la hanche. Inspiré par l'épitaphe écrite par John D., le docteur poursuivit dans la même veine « Enfin autorisé à prendre l'ascenseur » ; car si Vinod avait raté le filet, il avait enfin échappé au règlement de la copropriété.

Sans les nains

En quels termes se rappellerait-on le Dr Daruwalla, un jour ? Bon médecin, bien sûr, bon époux, bon père, homme de bien en général quoique écrivain sans grandeur. Mais qu'il marche dans Bloor Street ou monte dans un taxi sur Avenue Road, il n'aurait intrigué presque aucun de ceux qui le croisaient – il était si bien intégré. On verrait en lui un émigré bien mis ; un Canadien naturalisé, d'un bon milieu ; un touriste nanti, peut-être. Malgré sa petite taille, on aurait pu lui reprocher son poids ; un homme au soir de sa vie serait bien avisé de maigrir un peu. Mais cela n'enlevait rien à sa distinction.

Parfois, la fatigue se marquait sur son visage, surtout au coin des paupières, ou bien ses pensées vagabondaient, qu'il gardait le plus souvent pour lui-même. Personne n'aurait pu se douter de la vie qu'il avait menée, car c'était surtout une vie intérieure ; et peut-être cette lassitude apparente n'était-elle que la rançon de son imagination débordante, qui n'avait jamais pu s'exprimer comme elle l'aurait voulu.

Au centre d'accueil pour les sidéens, il resterait dans les mémoires sous le nom du Docteur Baballe, mais c'était un surnom essentiellement affectueux. Le seul patient qui faisait rebondir la balle de tennis au lieu de la serrer dans la main n'avait pas agacé bien longtemps les infirmières et le reste du personnel. Lorsqu'un malade mourait, sa balle de tennis était rendue au docteur. Il n'avait que brièvement éprouvé la morsure de la religion ; il n'était plus religieux. Pourtant, ces balles de tennis des malades disparus lui faisaient presque l'effet d'être des objets de culte ; il ne se résolvait jamais à les jeter, et n'envisageait pas de les donner à d'autres malades. Il finit par s'en débarrasser avec un rite singulier, en les enterrant dans le jardin d'aromates de Julia, où les chiens les déterraient parfois. Il ne voyait pas d'inconvénient à ce que les chiens jouent avec ; au contraire, c'était là une fin de vie adéquate pour ces vieilles balles ; une façon de boucler la boucle qui lui plaisait.

Pour sa part, Julia s'accommodait des dégâts causés à son jardin ; aussi bien, ce n'était pas la seule excentricité de son mari. Elle respectait chez lui cette vie intérieure riche et bien cachée, qui transparaissait dans son extérieur déconcertant ; elle savait que Farrokh était un introverti. Il avait toujours eu tendance à rêver ; maintenant qu'il avait cessé d'écrire, cette tendance s'était accusée.

Un jour, il lui avait dit qu'il se demandait s'il n'était pas un avatar. Dans la mythologie hindoue, un avatar est une divinité descendue sur terre s'incarner sous une forme visible. Le Dr Daruwalla croyait-il vraiment être l'incarnation d'un dieu ?

– Et lequel ? lui avait demandé Julia.

– Je ne sais pas, avait-il répondu humblement.

Certes, il n'était pas le seigneur Krishna, le « noir », l'avatar de Vishnou ? Pour l'avatar de qui se prenait-il donc ? Il n'était pas plus l'incarnation d'un dieu qu'il n'était écrivain ; il était, comme la plupart des hommes, essentiellement un rêveur.

Il faut se le représenter un soir de neige, alors que la nuit est tombée de bonne heure sur Toronto. La neige le rendait toujours mélancolique, car il avait neigé toute la nuit lorsque sa mère était morte. Les matins de neige, il allait s'asseoir dans la chambre d'amis où elle s'était éteinte en douceur ; il restait encore de ses vêtements dans la penderie – un souvenir de son parfum, parfum d'un pays étranger et de sa cuisine, s'accrochait encore à ses saris.

Mais il faut se figurer le Dr Daruwalla debout dans la clarté des lampadaires, sous l'averse de neige. Il est à l'angle nord-est de Lonsdale Street et de Russell Hill Road ; ce carrefour du quartier lui était familier, non seulement parce qu'il était à deux pas de sa propre maison, mais aussi parce que, de là, il voyait l'itinéraire qu'il avait emprunté tant d'années pour conduire les enfants à l'école. Dans la direction opposée, il y avait Grace-Church-on-the-Hill, où il avait passé bien des heures à réfléchir dans la sécurité de sa foi aujourd'hui perdue. Il avait aussi vue sur la chapelle et l'école Bishop Strachan, où ses filles s'étaient distinguées ; il n'était pas loin de Upper Canada College, où ses fils auraient pu faire leurs études, s'il avait eu des fils. A mieux y réfléchir, il en avait bien eu deux, si l'on comptait John D. et l'inspecteur Dhar.

Il leva le visage vers la neige qui tombait ; il la sentit lui mouiller les cils. Alors que la Noël était passée depuis longtemps, il voyait avec plaisir que plusieurs maisons du voisinage avaient gardé leur décoration, ce qui leur donnait une couleur et une gaieté inhabituelles. La neige qui tombait du réverbère donnait au docteur un sentiment de solitude si immaculé qu'il faillit en oublier qu'il se trouvait à un coin de rue, un soir d'hiver. Mais il attendait sa femme, née Julia Zilk, qui devait passer le prendre en voiture. Elle arrivait d'une réunion de son groupe femmes ; elle lui avait téléphoné pour lui dire de l'attendre à l'angle. Ils dînaient dans un nouveau restaurant, non loin du Harbourfront, où ils allaient régulièrement écouter des lectures publiques.

Le restaurant, Farrokh allait le trouver quelconque ; et puis, ils dînaient trop tôt pour son goût. Quant aux lectures publiques, il en avait horreur ; si peu d'écrivains savent lire à haute voix. Lorsqu'on lit soi-même, on peut toujours refermer le bouquin sans honte et passer à autre chose, regarder une cassette vidéo, ce qui arrivait de plus en plus souvent à l'ex-scénariste. Avec sa bière quotidienne, souvent du vin au dîner, il avait trop sommeil pour lire. Au Harbourfront, il avait peur de se mettre à ronfler et de plonger Julia dans l'embarras ; elle adorait les lectures publiques, qu'il considérait de plus en plus comme un sport d'endurance. Souvent il y avait trop d'auteurs au programme de la même soirée, comme pour faire la démonstration publique que le Canada protégeait les arts ; en principe, il y avait un entracte, et c'était là la raison principale pour laquelle Farrokh avait horreur du théâtre. En outre, au Harbourfront, pendant l'entracte, ils seraient entourés par les amis de Julia qui lisaient beaucoup – des gens plus amateurs de belles-lettres que lui, et qui le savaient.

Ce soir en particulier, Julia l'avait prévenu, c'était un auteur indien qui lirait son œuvre, ce qui posait toujours un problème au Dr Daruwalla : il sentait autour de lui cette attente palpable qu'il réagisse de manière significative à l'œuvre, comme s'il y avait un je ne sais quoi d'identifiable que l'auteur aurait saisi ou raté. S'agissant d'un auteur indien, même Julia et ses amis fins lecteurs se rangeraient à son opinion ; ce qui voulait dire qu'il était censé d'une part en avoir une, et d'autre part la faire connaître. Or, souvent, il n'en avait pas. C'est pourquoi il courait se cacher pendant l'entracte : une fois, à sa grande honte, il s'était même retranché dans les toilettes.

Tout récemment, un écrivain parsi en renom était venu lire son œuvre au Harbourfront ; le Dr Daruwalla avait bien senti que Julia et ses amis s'attendaient qu'il ait l'assurance d'aller parler à l'auteur, dont il venait de lire le livre, qui méritait son succès et qu'il admirait beaucoup. C'était l'histoire d'un bastion minuscule mais vaillant de la communauté parsi à Bombay, d'un père de famille honnête et humain mis à rude épreuve par la corruption et la trahison ambiantes au temps de la guerre entre l'Inde et le Pakistan. Comment Julia et ses amis pouvaient-ils se figurer qu'il avait quelque chose à dire à l'auteur ? Que savait-il, lui, Farrokh, de la vraie communauté parsi – à Bombay ou à Toronto ? De quelle communauté aurait-il eu l'outrecuidance de parler ?

Lui, il ne savait que les anecdotes du Duckworth – Lady Duckworth l'exhibitionniste, qui montrait ses seins légendaires. On pouvait connaître l'histoire sans être duckworthien soi-même ; et qu'est-ce que le docteur aurait pu raconter d'autre ? Sa propre histoire, c'était tout – et ce n'était guère le genre d'histoire à confier lors d'une première rencontre : un changement de sexe, une série de meurtres ; une conversion par morsure amoureuse ; des enfants perdus que le cirque n'avait pas sauvés ; un père qui sautait sur une bombe... et puis comment parler des jumeaux à un parfait étranger ?

Il semblait au Dr Daruwalla que son histoire était le contraire d'universelle ; elle n'était qu'étrange, et lui-même était singulièrement étranger. Partout où il passait, il se trouvait en butte à une étrangeté permanente, reflet de celle qu'il portait en lui, dans les singularités de son cœur. Et c'est ainsi que sous la neige de Forrest Hill, un natif de Bombay attendait sa femme viennoise qui l'amènerait au centre de Toronto, où ils écouteraient un auteur indien obscur lire son œuvre – un sikh peut-être, ou encore un hindou, à moins que ce ne soit un

711

musulman, ou – qui sait ? – un parsi. Il y aurait sans doute d'autres auteurs au programme.

De l'autre côté de la rue, la neige fraîche s'accrochait aux épaules et aux cheveux d'une mère et de son petit garçon. Comme le Dr Daruwalla, ils semblaient attendre quelqu'un, sous un réverbère qui irradiait la neige de sa lumière et accusait les traits de leurs visages aux aguets. Le petit garçon paraissait beaucoup moins impatient que la dame. Il avait renversé la tête en arrière et tirait la langue pour attraper les flocons ; il se balançait rêveusement au bras de sa mère, qui lui serrait la main comme s'il essayait de lui filer entre les doigts. De temps en temps, elle lui secouait le bras pour qu'il arrête de se balancer, mais cela ne marchait pas longtemps ; et il n'y avait rien à faire pour qu'il rentre la langue ; elle restait dehors, pour happer la neige.

En tant qu'orthopédiste, le Dr Daruwalla désapprouvait la façon dont la mère secouait le bras de son fils, qui était parfaitement détendu, presque mou. Le coude ou l'épaule de l'enfant pourraient en souffrir. Mais la mère n'avait nulle intention de lui faire mal ; elle était simplement impatiente, et elle trouvait fastidieux de l'avoir pendu à son bras, comme ça.

Un instant, le docteur sourit ouvertement à cette Madone à l'Enfant ; la lumière était si vive, sous leur lampadaire, qu'il aurait bien dû penser qu'ils pouvaient le voir lui-même sous le sien, et tout aussi nettement. Mais il avait oublié où il se trouvait ; il avait oublié qu'il n'était pas en Inde, et il n'avait pas pensé à la réaction de méfiance raciale qu'il pourrait provoquer chez la femme ; celle-ci regardait à présent le visage inconnu sous la lumière du réverbère et la blancheur de la neige qui tombait, de l'œil qu'elle aurait considéré l'irruption d'un gros chien sans laisse. Cet étranger, pourquoi lui souriait-il ?

La peur évidente de la femme l'offensa, et lui fit honte ; il cessa aussitôt de lui sourire, et détourna les yeux. Puis il s'aperçut qu'il se trouvait du mauvais côté du carrefour. Julia lui avait bien précisé de l'attendre à l'angle nord-ouest de Lonsdale Street et Russell Hill Road, c'est-à-dire exactement là où la mère et l'enfant se trouvaient. Il comprit qu'en traversant pour s'approcher d'eux, il allait sans doute jeter la panique dans l'esprit de la mère, ou, pour le moins, lui causer une vive inquiétude. Au pire, elle crierait « au secours » ; ses accusations alerteraient les voisins, si elles ne faisaient pas venir la police !

Par conséquent, le Dr Daruwalla traversa Russell Hill Road en marchant sur des œufs, d'un air sournois et furtif, ce qui ne fit sans doute qu'aggraver les doutes de la femme sur l'honnêteté de ses intentions. Et, en effet, à traverser la rue en catimini, il semblait habité de répréhensibles desseins. Il passa devant la mère et l'enfant très vite, filant sans un salut – s'il la saluait, se disait-il, elle risquait de sursauter et de foncer dans la circulation (circulation nulle pour l'heure). Il se posta à une dizaine de mètres de l'endroit où Julia s'attendrait à le voir, et resta planté là, comme un pervers rassemblant le cran nécessaire pour se livrer à une lâche agression : il se rendait compte que le rayon du lampadaire atteignait à peine le trottoir sur lequel il attendait.

La mère, qui était de stature et de corpulence moyennes, mais à présent complètement affolée, se mit à arpenter le trottoir, tirant son petit garçon avec elle. C'était une jeune femme bien habillée, qui pouvait avoir entre vingt et trente ans, mais ni sa mise ni sa jeunesse ne parvenaient à dissimuler qu'elle luttait contre la terreur qui l'envahissait. A son expression, le docteur devinait qu'elle pensait percer à jour ses coupables desseins. Sa surveste de bonne coupe, en lainage noir, à col et revers de velours assortis cachait sans doute un homme nu qui mourait d'envie de s'exhiber à elle et à son enfant. Elle tourna un dos tremblant à la silhouette du maniaque, mais son fils avait remarqué l'inconnu, lui aussi. Il n'avait pas peur ; il était simplement curieux. Alors que sa mère ne savait plus que faire, il ne cessait de la tirer par le bras ; sa petite langue toujours sortie pour recevoir la neige, il ne pouvait quitter des yeux cet exotique étranger.

Le Dr Daruwalla essaya de ne penser qu'à la neige. Sous le coup d'une impulsion, il tira la langue ; c'était une imitation machinale de ce qu'il avait vu faire au petit garçon – cela faisait bien des années qu'il ne lui était pas venu à l'esprit de tirer la langue. Mais maintenant, sous l'averse de neige, la mère comprit que l'étranger était tout à fait dérangé ; il avait la mâchoire pendante, il tirait la langue et ses yeux clignaient au fur et à mesure que les flocons lui tombaient sur les cils.

Si Farrokh se sentait la paupière lourde, une personne neutre l'aurait trouvée bouffie – par l'âge, la fatigue, les années de bière et de vin.

Mais pour cette jeune femme en proie à la panique, c'était sans doute la paupière de l'Orient démoniaque ; découpés par la lumière rasante du réverbère, les yeux du Dr Daruwalla ressemblaient à ceux d'un reptile.

L'enfant, en revanche, n'avait pas peur de l'étranger ; leurs langues tirées à la neige créaient un lien entre eux. Cette parenté fit un effet immédiat au petit ; le geste involontaire et enfantin de Farrokh dut avoir raison de sa répugnance à parler aux inconnus ; il échappa soudain à la main de sa mère et courut en tendant les bras vers l'Indien ébahi.

La mère était trop terrorisée pour parvenir à articuler clairement le nom de son fils. Elle poussa un gargouillis inintelligible, un soupir étranglé. Elle hésita à se lancer à sa poursuite, comme si ses jambes étaient paralysées par le froid, ou changées en pierre. Elle était résignée à son sort ; elle ne savait que trop ce qui allait se passer : la surveste noire s'ouvrirait à son approche, et elle serait confrontée aux génitoires de cet Orient impénétrable.

Pour ne pas l'effrayer davantage, le docteur affecta de ne pas voir que l'enfant courait vers lui. Il devinait que la mère pensait : ils sont rusés, ces pervers ! Surtout ceux qui sont de couleur ! ajouta-t-il mentalement, avec amertume. Il se trouvait dans la situation même que les étrangers, surtout « de couleur », apprennent à redouter. Il ne se passait absolument rien, et pourtant la jeune femme était persuadée qu'elle et son fils s'exposaient à un incident traumatisant, qui laisserait peut-être des séquelles.

Farrokh faillit crier : « Excusez-moi, jolie madame, mais il est dans votre tête, l'incident ! » Il se serait bien sauvé, mais il soupçonnait que l'enfant courait plus vite que lui ; et puis Julia allait passer le prendre et elle le trouverait fuyant une mère et son enfant – c'était grotesque à la fin.

C'est alors que l'enfant le toucha ; il le tira par la manche, d'une main douce mais ferme, et puis, sa menotte emmitouflée dans une mitaine attrapa l'index de son gant et tira. Le Dr Daruwalla fut bien obligé de se tourner vers le visage aux yeux écarquillés que l'enfant levait vers lui ; la blancheur des joues du petit se teintait de rose pâle contre celle, plus immaculée, de la neige.

– Excusez-moi, dit le petit bonhomme. D'où vous êtes ?

Nous y voilà, pensa le Dr Daruwalla. C'est toujours la question.

Toute sa vie d'adulte il avait répondu à cette question par la stricte vérité, qui lui faisait l'effet d'un mensonge, au fond de lui.

– D'Inde, répondait-il d'ordinaire, mais sans conviction ; la phrase sonnait faux.

« De Toronto », disait-il parfois, mais avec plus de malice que de sérieux. Ou alors il faisait de l'esprit : « De Toronto via Bombay. » Et s'il était vraiment en veine de plaisanterie, il déclarait « De Toronto, via Vienne et Bombay » ; il pouvait continuer à broder comme ça sur ce mensonge, lui qui n'était de nulle part.

Il pouvait toujours souligner qu'il avait fait ses études en Europe, s'il voulait. Il pouvait aussi improviser un cocktail épicé sur son enfance à Bombay, et prendre un accent hindi coloré ; il pouvait encore, s'il en avait envie, tuer la conversation en répondant prosaïquement, avec une réserve typique des gens de Toronto (« Vous savez sans doute qu'il y a beaucoup d'Indiens à Toronto »). L'aisance superficielle avec laquelle il évoquait le chapitre des villes où il avait vécu recouvrait un malaise profond.

Mais, tout à coup, l'innocence de cet enfant appelait une autre forme de vérité ; sur son visage, le docteur ne lisait qu'une franche curiosité, qu'un sincère désir de savoir. Et puis le docteur était ému que le petit n'ait pas lâché son index. Il sentit qu'il n'aurait pas le temps de formuler une réponse spirituelle ou ambiguë : la mère terrorisée ne tarderait pas à interrompre cet instant, qui ne reviendrait plus.

– D'où vous êtes ? avait demandé l'enfant.

Le Dr Daruwalla aurait bien voulu le savoir ; jamais il n'avait autant voulu dire la vérité, et, plus encore, fournir une réponse aussi pure et naturelle que la neige qui tombait. Il se baissa au niveau de l'enfant pour que celui-ci ne perde pas un mot de sa réponse ; puis il serra sa menotte confiante en retour, et lui dit d'une voix aussi claire que l'air coupant :

– Je suis du cirque.

Il avait prononcé cette phrase sans réfléchir, avec une spontanéité absolue – mais à voir le ravissement instantané qui passa dans le large sourire de l'enfant, et dans ses yeux brillants d'admiration, il se dit qu'il avait bien répondu. Ce qu'il voyait sur le visage heureux de l'enfant, il ne l'avait encore jamais vu dans son froid pays d'adoption.

Une telle acceptation sans réserve était le plaisir le plus complet que le Dr Daruwalla ou tout autre émigré de couleur connaîtrait jamais.

A ce moment-là une voiture klaxonna et la femme entraîna son fils ; le père de celui-ci, ou le mari de la mère, peu importe, les fit entrer dans la voiture. Si Farrokh n'entendit pas ce que dit la mère, il n'oublierait jamais que l'enfant avait dit à l'homme : « Le cirque est arrivé. » Puis la voiture démarra, abandonnant son coin de carrefour au docteur.

Julia était en retard. Farrokh redoutait qu'ils n'aient pas le temps de dîner avant l'interminable lecture au Harbourfront. Dans ce cas-là, il n'aurait pas à craindre de s'endormir et de ronfler ; mais alors les auditeurs et les malheureux auteurs devraient subir ses gargouillements d'estomac.

La neige tombait toujours. Il ne passait pas de voitures. Là-bas à une fenêtre, les lumières d'un sapin de Noël clignotaient ; le Dr Daruwalla essaya de compter les couleurs. A travers la vitre, les ampoules multicolores lui rappelaient la lumière qui jouait sur les paillettes – cet éclat que l'on coud sur les maillots des acrobates de cirque. Y avait-il rien de plus extraordinaire que ce scintillement ?

Une voiture passait, qui faillit rompre le charme, car le docteur était aux antipodes de Russell Hill Road. « Rentre chez toi ! » lui cria une voix, par la vitre baissée.

Ironie du sort, le docteur ne l'entendit pas ; il aurait été bien placé pour répondre que c'était plus facile à dire qu'à faire. D'autres sons échappés de la glace baissée furent étouffés par la neige, un rire qui se perdait, peut-être une insulte raciste. Mais le docteur n'entendit rien de tout cela. Il avait cessé de regarder le sapin de Noël à la fenêtre ; d'abord, il cligna des paupières sous l'averse de neige, puis il laissa ses yeux se fermer – et la neige lui couvrit les paupières d'une couche de fraîcheur.

Farrokh vit Ganesh au pied d'éléphant dans son justaucorps à paillettes bleu-vert, costume que le petit mendiant n'avait jamais porté dans la vie. Il le vit descendre en vrillant sous les projecteurs, dents serrées sur le trapèze dentaire. La Marche dans les airs venait d'être accomplie une fois de plus, comme elle ne l'avait jamais été et ne le serait jamais dans la vie. L'infirme, le vrai, était mort ; il n'avait réussi ce tour de force que dans l'imagination du scénariste en retraite. Le film ne se ferait sans doute jamais. Pourtant, dans son esprit, Farrokh voyait Elephant Boy marcher sans boiter dans les airs ; la chose avait une existence réelle pour lui ; aussi réelle que l'Inde qu'il croyait avoir quittée sans retour. Or à présent, il prenait conscience qu'il était voué à revoir Bombay, encore et toujours. Il savait qu'on ne se sauve pas du Maharashtra, et que c'était un drôle de cirque.

C'est alors qu'il comprit qu'il y revenait sans cesse, qu'il passerait sa vie à y revenir. C'était l'Inde qui le ramenait. Cette fois, les nains n'y auraient aucune part, il le savait aussi clairement qu'il entendait le public applaudir la Marche dans les airs. Il l'entendait ovationner Elephant Boy qui descendait le long du trapèze dentaire ; faire un triomphe à l'infirme.

Julia, qui avait arrêté la voiture et attendait son distrait de mari, klaxonna. Mais le Dr Daruwalla ne l'entendit pas. Il écoutait les applaudissements – il était encore au cirque.

Table

RÉALISATION : CHARENTE-PHOTOGRAVURE À L'ISLE-D'ESPAGNAC
IMPRESSION : B.C.I. À SAINT-AMAND-MONTROND
DÉPÔT LÉGAL : AVRIL 1995. N° 20637 (4/224)